C0-AWD-503

Wolfgang Buhl Fränkische Klassiker

Fränkische Klassiker

Eine Literaturgeschichte
in Einzeldarstellungen mit 255 Abbildungen
herausgegeben von

WOLFGANG BUHL

VERLAG NÜRNBERGER PRESSE
1971

Der Text dieses Buches wurde mit einem
Satzrechner HELLCOM (Siemens System 303) verarbeitet
und mit der Lichtsetzanlage DIGISET elektronisch gesetzt
Umschlagentwurf Michael Mathias Prechtl
Gesamtherstellung Druckhaus Nürnberg
1971
ISBN 3-920701-28-3

INHALT

Titelblatt des „Lobspruchs der Stadt Nürnberg" von Hans Sachs, um 1610, gedruckt von Georg Leopold Fuhrmann in Nürnberg

Wolfgang Buhl

FRANKEN UND DIE LITERATUR

Dieses Buch ist die erste fränkische Literaturgeschichte. Es entstand aus einer Sendereihe, die das Studio Nürnberg des Bayerischen Rundfunks in den Jahren 1964 bis 1970 veröffentlichte. Diesem Ursprung gemäß ist es eine Summe aus Einzeldarstellungen. Unabhängig davon glaubt sich seine Methode freilich nicht nur als Mittel für eine repräsentative Bestandsaufnahme zu bewähren, sondern auch vom Verfahren Nadlers zu unterscheiden, dessen Geist bei regionaler Literaturbetrachtung bekanntlich immer wieder von selbst tätig zu werden droht.

Statt einer Formel aber steht Landschaft hier als Tableau. Nicht, wen es alles unter einen Hut zu bringen gilt, ist unsere Frage, sondern: Wer hat hier gelebt? Einem Land, das als literarische, für manche sogar als geistige Steppe gilt, dient die Antwort gleichermaßen der Hebung von Wert und Ansehen, wie sie einige der Impulse sichtbar macht, die ihm von alters her innewohnen. Allerdings bekäme es seinem ohnehin schwachen Renommée schlecht, wenn an dieser Stelle poetische Eingemeindung großen Stils versucht würde. Wagner soll, in Gottes Namen, ein Sachse bleiben und Luther auf Grund seines Coburger Exils nicht umgetauft werden. Brentano haben die Wochen vor seinem Tod in Aschaffenburg ebensowenig zum Franken gemacht wie Hegel neun Jahre Nürnberg. Schubart, der Protoschwabe, hingegen scheint aus fränkischer Art gemacht, der Franke Christoph von Schmid aber ein Schwabe. E.T.A. Hoffmann ohne Bamberg wäre wie Kafka ohne Prag. Aus Wien hatte die Greiffenberg zwar ihre Musikalität mitgebracht, die Koloratur aber erwarb sie erst an der Seite des böhmischen Flüchtlings Birken. Und weil wir einmal bei der Vertriebenenfrage sind: Nehmen wir Walther getrost mit hinein; weniger, um ihm Feuchtwanger Geburt und Würzburger Grab auf ewig zu sichern, als vielmehr die Nähe zu zeigen, in die ihn seine Reisen im Geviert zwischen Donau und Po, zwischen Seine und Elbe zu Eigenschaften brachten, die für das fränkische Wesensbild typisch sind: Vom Entzücken am Kleinen, der Versessenheit aufs Detail –

„Ein Halm, der machte heut mich froh.
Er sagte, mir solle Gutes geschehen.

Ich maß an einem Stückchen Stroh,
wie ich bei Kindern oft gesehen.“ –

bis zur autobiographischen Grübelei, etwa der berühmten Stelle zum Bild in der Manessischen Handschrift, einem der frühesten Zeugnisse literarischer Autopsychologie, die Rodins Denker bis aufs Haar vorwegnimmt:

„Ich saz ûf eime steine
und dahte bein mit beine:
dar ûf sazt' ich den ellenbogen;
ich hete in mîne hant gesmogen
daz kinne und ein mîn wange.“

Hier wird erstmals jener fränkische Uhrmachergeist, will sagen: das Denken mit Lupe und Pinzette deutlich, aus dem später nicht nur Globus und Unruhe entstanden, sondern das auch Literatur und bildende Kunst dieses Raumes immer wieder bewegt. Nicht zufällig also dürfte Walther Franken zum Land seines Alters gemacht haben. Es verkürzte, so scheint es, einen Prozeß, dessen Absicht Ernst Ludwig Kirchner, gebürtig in Aschaffenburg, siebenhundert Jahre später formulierte: *„Immer war mein Ziel, Ergriffenheit und Erfahrung mit einfachen Formen und klaren Farben auszudrücken.“*
Auf die Form dieses Buches sind solche Hypothesen allerdings ohne Einfluß. Seine Autoren waren an Zuverlässigeres gebunden, eben an Beleg und Beweis. Daß sich die Ergebnisse, die sie aus dem Stoff gewinnen, nicht selten von bisher Bekanntem unterscheiden, ist gleichermaßen eine Sache der Kennerschaft wie der Generationen. Neben einer Reihe namhafter Gelehrter, die hier die Bilanz oft jahrzehntelanger Untersuchungen vorlegt, kommen in erster Linie jüngere Fachleute, fast ausnahmslos Literarhistoriker der Erlanger Schule, und einige jener Schriftsteller der jüngeren Jahrgänge aus dem Regionalbereich zu Wort, von denen man durchaus wie von ihren renommierteren Kollegen behaupten darf, sie seien ihre eigenen Professoren. Das sichert dem Buch, sollte man meinen (und sollte es jemand tatsächlich wie einen Roman in einem Zug bewältigen wollen), einen schönen Grad von Lesbarkeit. Wo es möglich war, wie bei Bröger, Penzoldt und Weismantel, schien das Zeugnis der Söhne wichtiger als auch die beste Darstellung von dritter Hand, wie bei den vergleichbaren Namen Schnack, Kesten und Hagen die Autobiographie den Vorzug erhielt. Klassik, bis zur Gegenwart ausgedehnt, verliert damit wohl jenen Anflug des Makellosen, den üblicherweise nur ein langes Andenken verleiht, funktioniert jedoch um so besser im hier vorgegebenen Sinn einer Elite, deren zweites und drittes Glied zwar nachweislich lieber mit Worten rasselt, als sie zu setzen, indessen nicht minder zur poetischen Marschordnung gehört als die erste Reihe. „Klassik“ meint also in unserem Falle, zweifellos gelinde mißbraucht, die Summe literarischer Verwertbarkeit und „Klassiker“ jene Summanden, die der deutschen Literatur für Wertungsvorgänge, gleich welcher Art, einzufüttern wären. Daß die Zeit in einigen Fällen längst ihr Urteil gesprochen hat, verhinderte keineswegs deren Aufnahme: nicht allein um das ganze Panorama zu zeigen, sondern auch um Irrtümern vorzubeugen. Erst die Lyrik unserer Jahre, beispielsweise, vergnügt sich erneut an den Pegnesen, die jahrhundertelang nichts als Hausgeister ihres eigenen Irrhains waren, in der DDR wurden Rebmanns Satiren wiederentdeckt, und vielleicht ergeht es, via Frankreich, einigen Titeln Panizzas ebenso. Zudem wäre Gipfelkunde ohne

Johann Andreas Graff (1637–1701): Poeten-Wäldlein gegen Nürnberg. Das Bild zeigt den Blick von der ersten Anlage am Hallertor

Verbindung zu Tal und Mittellage nur von ästhetischem Reiz und in Versuchung, ständig zum Monte Jean Paul zurückzukehren, der Dialektikern ohnehin als einziger fränkischer Kletterberg gilt. Womit endlich etwas über die Warte gesagt wäre, die dieses Vorwort beziehen möchte: zwischen unten und oben zu vermitteln, nach gemeinsamen Zügen zu suchen, was nicht ganz ohne Vereinfachung und arglose Spekulation abgehen wird, kurzum: Konturen zu zeigen, Befunde an einem Körper festzustellen, dessen Organe im Inneren einzeln verzeichnet sind. Niemand, auch nicht der Kenner, wird in ihm eine literarische Hydra vermuten, weil das Stichwort Franken auf Abruf bestenfalls einen Kopf zeigt, eben Jean Paul, den nun wirklich das Stigma des wahren Klassikers schmückt: also ebensosehr gerühmt wie wenig gelesen zu werden.

Und in der Tat ist er der trigonometrische Punkt dieser Landschaft, von dem Rückblick und Vorschau und, damit verbunden, Messung und Vergleich am besten möglich sind: Ansicht zunächst, Musterung des Bestandes und Erschrecken über dessen Harmlosigkeit. Franken und die Literatur, das ist auf den ersten Blick wie Bayern und das Meer. Mit dem Schwund der politischen Bedeutung des Landes ist die Hinfälligkeit seiner Literatur, aber auch retrospektiv der Ruf oder besser gesagt: der Ruch verknüpft, in dem seine Bewohner seither stehen. Ihre historische Kampfzeit war es, die ihnen die Attribute derb und tüchtig, schlicht, hölzern und hartköpfig eintrug, Eigenschaften aus kriegerischer Vergangenheit, die um so stärker herüberleuchten, je mehr sie verfeinerter Gegenwart entbehrlich waren. Hugo von Trimbergs berühmte Zeilen aus dem *„Renner“*, entstanden zwischen 1298 und 1300, –

> *„Ouch sol man noch besunder danken*
> *Eins sprichwortes allen frumen Franken:*
> *Man sprichet gerne, swen man lobet hiute,*
> *Er sî der alten frenkischen liute,*
> *Die wâren einveltic, getriu, gewaere;*
> *Wellt got, daz ich alsam waere“* –

sind rückwärts gewandt und leisten damit dem Bedeutungswandel des Altfränkischen vom Supermaskulinen zum Zopfigen Vorschub. Vergleichbar den Sachsen und ihrem Idiom aber, von dem heute auch niemand zu glauben vermag, daß es eine Zeitlang die Hof- und Diplomatensprache bestimmte, verstanden es die Franken bis heute kaum, die Kultivierung ihrer Sitten nach außen hin so glaubhaft zu machen, daß frühmittelalterliche Prädikate restlos abgetragen würden. Paradoxerweise geriet sogar ihr volkstümlichster Neuerer, Hans Sachs, durch die Nachwelt in den Stand eines poetischen Holzmüllers und ist, von Herzen unfreiwillig, letztlich die zweite Kraft, die den Stereotypen der Holprigkeit bis herauf zur Gegenwart neue Nahrung gab.

> *„Forsch und wacker*
> *bestell er den Acker*
> *und such sich ein redliches Frankenbett!*
> *Dann hat er das Glück komplett“* –

ruft Gumppenberg dem Isar-Franken Michael Georg Conrad zu, und Günter Grass beschließt in seinem Gedicht *„Politische Landschaft“* vorerst die Verlautbarungen über einen Prozeß, der mit Wagners *„Meistersingern“* nationalistische, mit den Nürnberger Gesetzen zusätzlich kriminelle und schließlich mit der NPD keineswegs harmlosere Metastasen trieb:

> *„O, ihr linken und rechten Nebenflüsse:*
> *die Barzel fließt in die Wehner.*
> *Abwässer speisen das Sein.*
> *Grauwacke, Rehwinkel, laubgesägt Tannen,*
> *Karst, Abs und Kulmbacher Bier,*
> *altfränkische Wolken über dem Heideggerland.“*

Die strenge Mittellage Frankens mag diese Entwicklung begünstigt haben. Wie die fränkische Stadt und die Geometrie ihrer Gründungen, das Land ringförmig in die Mitte nehmend, beweist, trafen an zentraler Stelle Eigensinn und Schutzbedürfnis in so ungewöhnlichem Maße zusammen, daß die große Abwehrgeste unverkennbar bleibt, mit der diese Region ihrer Umwelt begegnet. Unverfälschtheit und Selbstbewußtsein waren die positiven, Unbeweglichkeit und Mißtrauen die negativen Folgen. Von lokaler zu regionaler Ichbezogenheit bedurfte es nur eines kleinen und von dort zum nationalen Starrsinn eines nicht viel größeren Schrittes. In der Literatur wurde er selten und wenn, dann verhüllt vollzogen. Dennoch bleibt selbst seine Andeutung fatal genug: Von Einhard, dem Lobsänger Karls, bis Birken, dem ersten Fließbandhymniker, von Wetzel bis Conrad, und wenn selbst integre Namen der Gegenwart nicht frei davon scheinen, so muß auch Zweifel daran erlaubt sein, ob jenes *„Ich hân lande vil gesehen"* wirklich so schön gemeint war, wie es 800 Jahre Abstand erscheinen lassen. Doch ist das weniger ein literarischer als ein politischer Affekt. Eine fränkische Nationalliteratur gibt es nicht. Lokalpatriotischer oder gar patriotischer Jubel aus Büchern klang andernorts lauter als hier. Die Gefahr örtlicher Großspurigkeit und Ruhmsucht scheint vielmehr literarisch immer wieder das Gegenteil auszulösen. Es ist, als ob die fränkische Anlage zum lokalen Gernegroß von intellektueller Seite, vor allem von ihren Schreibern, mit der besonders liebevollen Pflege von Verkleinerung und Untertreibung beantwortet würde. Freilich wäre die Deutung des fränkischen Diminutivs — literarisch übrigens in der Verzerrung am besten sichtbar: in Hanns von Gumppenbergs berühmter Rückert-Parodie — als bloße Reaktion völlig verfehlt. Die Neigung zum Niedlichen ist Franken ebenso angeboren wie der Hang zur Eigenbrötelei. Neben Vorliebe aus Eigenschaft wird aber, zumal in der Literatur, solche Veranlagung oft so kultiviert ins Spiel gebracht, daß niemand mehr an Zufall zu glauben vermag. *„Man nennt mich ‚verspielt' und es liegt ein Vorwurf darin, den ich wohl verstehe"*, bekennt Ernst Penzoldt in seinen *„Nächtlichen Notizen"*. *„Was konnte ich anderes tun, als diese fragwürdige Eigenschaft wahrzuhaben und zu versuchen, ernst damit zu machen — oder mich selbst aufzugeben?"* In einem Liliputland wird die Erde zur Liliputwelt und Spiel zum Prinzip, um nicht vielleicht sogar als Winzigkeit zu versagen. Heine versuchte das in der *„Romantischen Schule"* an der fränkischen Schlüsselfigur zu beweisen: *„Jean Pauls Periodenbau besteht aus lauter kleinen Stäbchen, die manchmal so eng sind, daß, wenn eine Idee dort mit der anderen zusammentrifft, sie sich beide die Köpfe zerstoßen; oben an der Decke sind lauter Haken, woran Jean Paul allerlei Gedanken hängt, und an den Wänden sind lauter geheime Schubladen, worin er Gefühle verbirgt. Kein deutscher Schriftsteller ist so reich wie er an Gedanken und Gefühlen, die zu ungeheuren Bäumen auswachsen würden, wenn sie ordentlich Wurzel fassen und mit allen ihren Zweigen, Blüten und Blättern sich ausbreiten ließen; diese rupft er aus, wenn sie kaum noch kleine Pflänzchen, oft sogar noch bloße Keime sind, und ganze Geisteswälder werden uns solchermaßen auf einer Schüssel als Gemüse vorgesetzt. Dieses ist nun eine wundersame, ungenießbare Kost."*

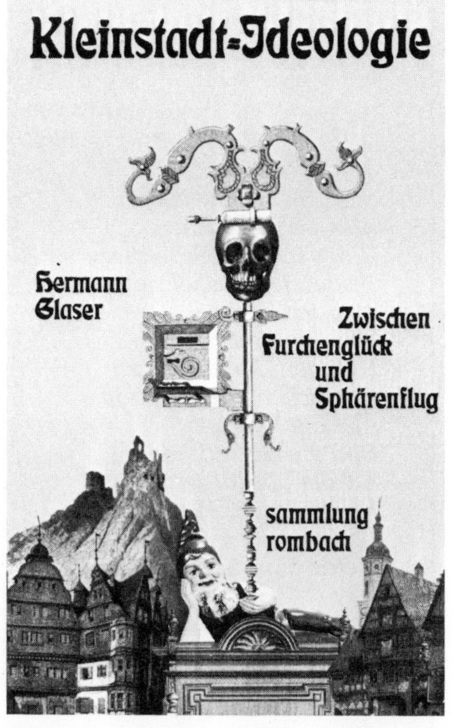

Titel zu Hermann Glasers „Kleinstadt-Ideologie": Collage von Karlheinz Bauer

Im Stübchen beim Liebchen
von
Hanns von Gumppenberg
nach Rückert

Sieh, im Gemächelchen
Alle die Sächelchen
Rings in den Fächelchen
Bis an das Dächelchen —
Ach, ach, ach, ächelchen!
Was für ein Ställchen
Hat mein Mamsellchen,
Gesellchen, Margellchen!
Alle die Zellchen
Und die Gestellchen,
All' die unzähl'gen
Kryställchen, Pastellchen,
Deckchen und Fellchen!
Welch' ein Pêle-Mêle'chen!

Was hat das Mädelchen
Alles für Fädelchen,
Nädelchen, Rädelchen,
Schädelpomädelchen!
All' die Packetchen
Und Kettchen und Blättchen
Und Amulettchen
Von meinem Nettchen!
In Lädchen, auf Brettchen
Corsettchen, Chemisettchen,
Und Bettchen, Spinettchen
Auf dem Parkettchen!
Und was für Kästchen,
Quästchen und Restchen
Von Tänzchen und Festchen
Schmücken das Nestchen!

Ach, und die Nischchen,
Tischchen und Wischchen,
Dazwischchen Goldfischchen!
Alle die Schnipfelchen,
Zipfelchen, Tüpfelchen,
Alle die Wickelchen,
Zwickelchen, Strickelchen!
Und Perpendikelchen
Ticken ihr Tickelchen
Dreien Karnickelchen,
Herzigen Dickelchen,
Und einem Zickelchen.

Aber das Krönchen
Ist doch dein Persönchen:
Aphrodité'chen
Vom Köpfchen zum Zehchen!
Ach, und die Löckelchen
Vorn an den Bäckelchen,
Hinten am Näckelchen —
Neckische Geckelchen,
Niedliche Schneckelchen,
Winzige Döckelchen,
Hühnchen und Göckelchen,
Flimmernd wie Flöckelchen,
Klingend wie Glöckelchen,
Goldige Dingelchen,
Schleckige Züngelchen,
Schlängelnde Schlingelchen,
Ringelchen, Kringelchen!

Was Heine nicht schmeckt, erscheint ethnologisch heute als besonders typisch, als Signet eines Stammes, dessen Literatur, im ganzen gesehen, so zart und eben verspielt ist, wie jener noch immer als grob und ungeschlacht gilt. Die Idylle, auch bildlich bestärkt durch die Neuentdeckung Nürnbergs in der Romantik und Rothenburgs Wiedergeburt im Biedermeier, wurde zu ihrem Hauszeichen. Sie bestimmt ihr Verhältnis zur Welt, verantwortet ihren Spaß am Kleinen, ihre Lust an der Miniatur. Die Liebe zum Zierlichen entdeckte Albert Hauck, wie Barthel festhält, bereits an Einhard, dem ersten Schreiber, der Franken zugeschrieben wird. Der *„Haus- und Winkelsinn“*, den Jean Paul bei sich selbst findet, formt die Literaten des Landes. In Verwandlung und Paraphrase bleibt er nahezu keinem versagt oder, wer's anders sieht, erspart. Von den Pegnesen erstmals umgesetzt in Wörterlesmacherei großen Stils, vergleichbar der Glasperlenherstellung, dem Paterlasmachen, im Fichtelgebirge, spielt er in vielen Variationen:

Wolframs krausen Passagen und dem intimen Sinn der Würzburger bis hin zur Nebenfigur, beachtet den Namen, des Strickers –

– Huttens Pamphleten, denn natürlich ist die Streitform als persönliche Affäre, das Hochkitzeln des Vorfalls, weniger seiner Gründe, das sich bei Stirner und Panizza fortsetzen wird, spezifisch fränkisch. Franken sind immer gute Einzelrebellen, aber an keiner Revolution beteiligt –

– dem Anakreontischen in ihrer Lyrik, ihrer Laut- und Wortakribie, etwa Nunnenbecks oft zitiertem Silbenhackstück zu Ehren Marias
„O
wer wolt nicht von Herzen
fro –
lo –
cken, jubilieren,
der reinen Maid hofieren“ –

– ihrer Unbegabung zur großen Komposition, etwa dem Drama –

– dafür der Neigung zu Causerie, Brief und Tagebuch. Nicht von ungefähr wies, bereits 1831, August Lewald dem geistigen Teil seines *„Nürnberger Korrespondenten von und für Deutschland“* im Sinne des Wortes Feuilleton, also Blättchen, und eben fränkischer Natur einen kleineren Spielraum zu und wurde somit zum Erfinder des berüchtigten Strichs, unter dem dieses Ressort lange vorlieb nehmen mußte. Nicht zufällig auch heißt der rührigste Briefschreiber der deutschen Gegenwartsliteratur Hermann Kesten: auf weit mehr als 10000 schätzt er selbst seinen Briefwechsel allein in den Jahren zwischen 1933 und 1949 –

– ihren Verlagen, häufig Zwergunternehmen mit Puppenprogrammen; welches fränkischer, beispielsweise, als das Münchener Haus Ernst Heimerans –

– ihren Motiven endlich, zwischen Grübels *„Käfer“* und Schnacks *„Schmetterlingen“* oft Winzigkeiten, auch Rösel von Rosenhofs *„Insectenbelustigungen“*, E.T.A. Hoffmanns *„Meister Floh"* oder Gisela Elsners *„Riesenzwerge"* gehörten hierher, in denen sie die Welt spiegeln, Nichtiges, dem sie Wert und Glanz geben, wie etwa die Parodie Ernst Penzoldt nachsagt:

„Wenn's auch nicht zu sehen war,
sein Frankenauge sah es.
Irgendweg im Eckversteck
hat ein Staubkorn er entdeckt,
ein unsagbar nahes.

Hebt es auf und trägt's nach Haus,
der Tresor bewahrt es.
Macht dann ein Gedichtchen draus,
ein unendlich zartes."

Wieder einmal ist es Jean Paul, der die Spur findet, wenn er *„Von diesem närrischen Bunde zwischen Fernsuchen und Nahesuchen"* spricht, *„dem Fernglas ähnlich, das durch bloßes Umkehren entweder die Nähe verdoppelt oder die Ferne"*. In der Idylle liegt die Neugier aufs Panorama. Wie die Amerikaner von heute auf den kurzen Klimawechsel erpicht sind zwischen ihrer monströsen Stadtlandschaft und dem bayerischen Spielzeug-View, entwickelt der fränkische Häusler umgekehrte Gelüste. Seine Dichter gehören, fast ohne Ausnahme, zu den großen Reisenden. Bitten wir gar nicht erst ihre höfischen Fußgänger zum Rapport, bei denen Wanderschaft zum Beruf gehörte — obwohl es nicht ohne Reiz wäre, die Kilometer eines solchen Dichterlebens zu addieren, denn der PEN des Mittelalters tagte ja keineswegs permanent auf der Wartburg —, lassen wir auch die Kreuzfahrer außer acht und ihre Modereisen — obwohl letztlich einer von ihnen, Otto von Botenlauben, im Ausland so geprägt wurde wie nach ihm allenfalls Max Dauthendey —, halten wir uns vielmehr an einige Beispiele, die näher liegen. Conrad Celtis, die Unruhe des Humanismus, lernte schon im Jünglingsalter, quasi als Nachwuchsdozent, eine Reihe deutscher Universitäten kennen, ehe er Rom, Krakau, wo später Veit Stoß auftauchen wird, und Ofen in Ungarn besuchte, sich von Regensburg aus

Heimerans Verlagshaus in der Münchner Dietlindenstraße im Gründungsjahr 1922

Material für seine *„Germania"* erreiste und schließlich in Wien seßhaft wurde. Die Wanderzeit des Hans Sachs, in der er sein Talent entdeckte, dauerte fünf Jahre und führte ihn im mächtigen Halbkreis um Nürnberg herum:

„Erstlich gen Regnspurg und Braunaw,
gen Saltzburg, Hall und Passaw,
gen Wels, Münichen und Landshut,
gen Oeting und Burgkhausen gut,
gen Würtzburg und Franckfurt, hernach
gen Coblentz, Cölen und gen Ach."

Auf vier Jahre brachte es Georg Philipp Harsdörffer auf seiner Kavalierstour durch Frankreich, England, die Niederlande und Italien, wo Siena seine weitere Laufbahn bestimmte. Stärker noch war für Platen Italien die Bedingung seines künstlerischen Schaffens, die ihn, einen der wenigen Nichtheimkehrer, für immer band. Damit wurde zwar auch für Franken die klassische Südroute eröffnet, aber keineswegs die fränkische Generalrichtung verwischt: der Osten und der südliche Osten, in dem wir den Ritter von Lang treffen und später Derleth, der sieben Jahre lang in der Nähe von Wien lebte, immerhin ein paar Kilometer näher am Orient, den er, wie Rückert, liebte. Nach Frankreich wandte sich als erster Karl Julius Weber, Frankens einziger Reisefeuilletonist, und obwohl drauf und dran, überhaupt nicht mehr zurückzukommen, liefert gerade er im Beispiel seiner Reiselust zugleich deren Begründung: Welt heimzutragen, Futter für Phantasie, Lehrstoff zu besorgen, der den Zurückgebliebenen zu vermitteln wäre. Das ist gewiß keine alleinfränkische Eigenschaft, aber nirgends ist Rückkehr so logisch. Ferne wird eingebracht, um daheim mikroskopiert zu werden. Großes, im Kleinen gespiegelt, braucht den heimischen Verzerrer. *„Im seligen Gefühl der Freiheit"*, bekennt der sonst völlig unsentimentale Weber nach einer persönlichen Krise in der Fremde, *„in dörflicher Stille, unter Freunden, Büchern und unschuldigen Kindern erwachte ich wieder zum Leben und eine Bauernkirchweih war mir mehr als Rittertafeln und diners diplomatiques."* Und Max Dauthendey, Rundumdiewelt-Fahrer ohne Geld, das Musterbeispiel des fränkischen Dichterreisenden, schrieb aus Mexiko: *„Glaubst Du denn, daß ich ohne Singvögel, ohne Rotkehlchen, ohne Finken und Stare, ohne Lerchen dichten kann?"* Also über Würzburg, wo er nach seiner ersten Weltreise die besten Jahre verbrachte: *„Immer wieder bin ich vom Auslande zu dieser Stadt zurückgekehrt."*
Nicht allein bei ihm bedeutet solche Rückkehr Einzug in sich selbst. Die fränkische Idylle verkürzt den Weg von der Außenwelt zur Innenwelt. In ihr sitzt Psyche wie in der Kelter, und wenn Grillparzer an Jean Paul rühmt, er sei herrlich in einem, nämlich dem Spiegeln innerer Zustände, so verweist er auf ein Talent, das selbst bei manchem Kleinschreiber dieses Landes größer ist als bei vielen der mächtigen Großautoren unserer Literatur. Die Enge introvertiert. Spätestens seit Freud sind die Stränge bekannt, die von dort zu Phantasmagorie und Utopie führen, wie sie von Hoffmann bis Penzoldt, von Conrads *„Purpurner Finsterniß"* bis Kellermanns *„Tunnel"* sichtbar werden, zu schweigen fast von jenem unumgänglichen Zug zur Selbstdarstellung, der damit verbunden ist. Mehr Autobiographie hat kein deutsches Land hervorgebracht. Dürer gilt als Entdecker des modernen Selbstporträts. Mehr über sich selbst dachte keiner nach als Jean Paul, mehr an sich selbst keiner als Stirner.

„Kann Bröger fremde Welt so gestalten wie hier die eigene“, urteilte Soergel über den *„Held im Schatten“*, *„dann wird er Dauerndes schaffen.“* Aber Jean Paul war eine Ausnahme.
Humor und Tod sind seine Stationen auf dem Weg nach innen. Sind sie typisch für Franken? Ja und nein. Subtilität solcher Art ist denn doch eher personell als ethnisch oder geographisch zu orten, wenngleich auch hier Herkunft und Landschaft einspielen. Jean Pauls Definition *„Der Humor, als das umgekehrte Erhabene, vernichtet nicht das einzelne, sondern das Endliche durch den Kontrast mit der Idee“* ist im Bezug der Dimensionen natürlich verblüffend fränkisch. Humor, so gesehen, macht aus Mikrologie *Zer*kleinerung. Seine vernichtende Kraft aber ist eher theoretisch als praktisch zu verstehen, als Denkvorgang, weniger als Leistung. Auf der Innenbahn spielt sich ab, was bei Hans Sachs nach außen poltert, wie der Nürnberger ja überhaupt als Gegenteil des Wunsiedelers denkbar ist, als das andere Extrem, analog der Paarung Hiesel-Penzoldt, falls ein solcher Vergleich Vorstellbares nicht verließe. In Jean Pauls Maxime *„ein verdrießlicher Gott wäre ein Widerspruch“* liegt ähnlich Naives wie in Penzoldts Auffassung vom heiteren Gott in der *„Mohrenapotheke“*, *„der einem Schneemann glich, eine Rübe als Nase, Kohlen als Augen hatte und, den Besen im Arm, sein kindisches Wesen trieb“*. Bei beiden wirkt Vergängliches mit, Nähe zum Tod, denn Jean Pauls Satz läuft fort *„Und das Seligsein ist um eine Ewigkeit älter als das Verdammtsein“*. Seit dem *„Kampfgesprech zwischen dem Todt unnd dem Natürlichen leben, Weliches undter jn beyden das pesser sey“* des Hans Sachs sind keine 300 Jahre vergangen. Zwar hat Sterben seither einiges von seinem protestantischen Schrecken verloren und Jean Paul als erster nach Shakespeare den Übergang zur *„Moreske“*, dem Humor mit Todesfolge, vollzogen, aber bis zum legeren Umgang Penzoldts, gründlich von einigen Jahren Sanitätsdienst vorbereitet, ist noch ein weiter Weg. Gleichwohl wäre festzuhalten, daß Jean Paul den Tod nicht nur noch antipodisch, sondern gleichsam als Vergrößerung, zumindest als Aufhebung irdischer Verkleinerung, begreift. *„Der Tod, diese erhabene Abendröthe unseres Thomastages“*, heißt es im *„Siebenkäs“*, *„dieses herübergesprochene*

Ein Kampffgesprech zwischen dem Todt vnnd dem Natür lichen leben/ Welches vnter jn beyden das pesser sey/ fast Kurtzweylich zu lesen.

1538.

Titelblatt zu Sachsens „Kampfgesprech zwischen dem Todt vnnd dem Natürlichen leben“

Amen unserer Hoffnung, würde sich wie ein schöner bekränzter Riese vor unser tiefes Lager stellen und uns allmächtig in den Äther heben, und darin wiegen, würden nicht in seine gigantischen Arme nur zerbrochene, betäubte Menschen geworfen; nur die Krankheit nimmt dem Sterben seinen Glanz und die mit Blut und Tränen und Schollen beschwerten und befleckten Schwingen des aufsteigenden Geistes hangen zerbrochen auf den Boden nieder; aber dann ist der Tod ein Flug und kein Sturz, wenn der Held sich nur in eine einzige tödliche Wunde zu stürzen braucht; wenn der Mensch wie eine Frühlingswelt voll neuer Blüten und alter Früchte dasteht, und die zweite Welt plötzlich wie ein Komet nahe an ihm vorübergeht und die kleine Welt unverwelkt mitnimmt und mit ihr über die Sonne fliegt.“ Zwar gibt es eine Verbindung zwischen Uzens *„Versuch über die Kunst, stets fröhlich zu sein“,* Karl Julius Webers selbstverfaßter Grabinschrift *Jocosus vixi“ — „In Heiterkeit hab ich gelebt“* — und Squirrels Ausruf *„Bitte, Kutt, nicht ernsthaft werden!“,* ja bis zur Figur dieses Irrwischs überhaupt, aber die Zwischenglieder fehlen. Franken besitzt den größten deutschen Humoristen und mit Penzoldt einen der liebenswürdigsten Vertreter dieses Fachs in der Gegenwart, aber es ist, als hätte Jean Paul seiner Literatur das Lachen entzogen. Humor ist hierzulande an einzelne gebunden und im übrigen, wie Trivialliteratur und Mundart beweisen, aus anderem Holze geschnitzt.

Was aber das Verhältnis zum Tode betrifft, so entwickelte Franken keine Sonderleistung wie etwa Schlesien, wodurch selbstverständlich persönliches Verhalten oder Schicksal unberührt bleiben. Ernst Heimeran starb an einem Graspilz. Biographie und Topographie stimmen hier vollkommen überein. Es gibt keinen fränkischeren Tod als diesen.

Heimeran, der Mann kleiner Bücher und kauziger Titel, war ein großer Freund. Damit gab er eins der letzten Beispiele jener Tugend, die fränkische Eigenart gern als Äquivalent zu Abwehr und Egozentrik entwickelt. Defensive und Umarmung sind Schwestern. Im Land der Mitte haben Freundschaft und Friede nicht nur häuslichen, sondern auch außenpolitischen Wert. Als 1650 der Kongreß von Osnabrück und Münster endlich in Nürnberg zur Unterschrift kam, ließ Birken in seinem *„Kriegs Ab- und Friedens Einzug“* das *„Castell des Unfriedens“* durch ein ungeheures Feuerwerk in Grund und Boden kartätschen. Mag solche Drastik zum einen den Freudenrausch am Ende des Krieges, den Vorsatz zu ewiger Besse-

Versuch
über
die Kunst
stets fröhlich zu seyn,
von
J. P. Uz.
Crede mihi, res severa est verum Gaudium.
SENECA.

Leipzig,
bey Johann Gottfried Dyck,
1760.

Titelblatt zu Uzens „Versuch über die Kunst stets fröhlich zu seyn“, in der Ausgabe von 1760

„Abriß deß Kaysserlichen Fewerwercks Schlosses: vnd Barraquen worinen daß Fried vnd freudenmahl gehalten wordé, vor Nurnberg auff St. Joh: Schueßplatz. Anno 1650."
Anonymer Kupferstich

rung spiegeln, so setzt sie zum anderen auch spezifisch fränkischer Friedfertigkeit ein Denkmal. Dieser mitteldeutsche Zug, hundertfach belegbar bis heute – man denke an den „Freundschaft"-Gruß der DDR-Pioniere –, erhält im Fränkischen eine robustere Note, die seine Literatur wiederum gern zur Exklusivität des Zirkels verfeinert. Der „Hirten- und Blumenorden an der Pegnitz" ist ein Beispiel, die Tafelrunde auf der Bettenburg ein zweites und kein schlechteres Exempel als Conrads *„Gesellschaft"*, deren Name bereits ihr Programm bezeichnet. Das verdienstvollste Reagens, das Mittellage bewirken kann, heißt Vermittlung. In der fränkischen Literatur – Helmut Prang wies darauf hin – zeigt es sich in ihren zahlreichen Übersetzern von Eyb bis Daumer gleichermaßen wie in ihrem Hang zur Didaktik, der Nadler bereits auffiel: Vom *„Renner"* des Hugo von Trimberg bis zur pädagogischen Streitbarkeit Leo Weismantels. Das schönste Signal dessen aber, was Vermitteln ist, in seiner Selbstlosigkeit beschämend und ergreifend zugleich, Vermitteln dann weniger zwischen Literaten und Literatur als auf Leben und Tod, gab Hermann Kesten; selbst ein Verfolgter, rettete er während der Jahre, in denen es in Deutschland keine Freiheit gab, Ungezählten das Leben. Stefan Zweig im Februar 1941 aus Connecticut: *„Da Sie der Schutzvater und geradezu Schutzheiliger aller über die Welt Versprengten sind . . ."* Hic Streicher, hic Kesten. Ein Verbrecher und ein Dichter aus Nürnberg. Der Verbrecher wurde

Brigitta Heyduck: Hans Max von Aufseß; Öl 1970

gehenkt, dem Dichter kaum gedankt. Auch wenn man gewiß sein darf, daß es (bestenfalls) immer so sein wird: Man bewahre diesen Vorgang. Nicht, weil er ungemein fränkisch wäre, auch nicht Kestens, sondern des Ortes wegen, zu dessen Ablöse von der Schuld seither und künftig ein Dichter zählt.

900 Jahre Literatur in Franken. Das Resultat ist so unscheinbar nicht. Wie Mittellage nicht Mittelmäßigkeit bedeuten muß, gewährt sie freilich auch kein Vorrecht auf Genie. Franken ist kein musisches Land. Dafür ist es zu fleißig. Seine Literatur, im ganzen gesehen, hat etwas vom beruhigend Klappernden

seines Handwerks. Seine Meister arbeiten noch mit der Hand. Wie aber der Rückblick nicht nur tröstliches Talent, sondern auch hohe und höchste Begabung erkennt, so gibt auch die Vorschau keinen Anlaß zur Besorgnis. Konnte jedoch bereits die Auswahl der geschichtlichen Namen nicht vollständig sein — vorsätzlich wurde z.B. auf Einhard verzichtet, dessen Spuren eher westlich als ostwärts des Rheins zu finden sind, dafür aber Wilhelm Vershofen aufgenommen, dessen Weg vom Rhein durch Franken ins Allgäu führt —, und fällt sie um so schwerer, je geringer der Abstand zu uns selbst wird — Eugen Ortner fehlt und Wilhelm Kunze, der nur ein kurzes Leben hatte —, so brauchte es zur Prognose wohl das Glück des samstäglichen Lottospiels, um schon jetzt sechs Richtige zu tippen. Immerhin seien einem späteren Bearbeiter fünf genannt, drei davon als Berichter in diesem Buch vertreten, denen der Einzug in den fränkischen Parnaß ziemlich sicher scheint. Für Georg Schneider, den lyrischen Lehrer aus Coburg, der die Bayerische Verfassung mitbegründete, und Hans Max von Aufseß, schon jetzt — und das von Münchner Seite, nämlich der *„Süddeutschen Zeitung"* — *„der Tacitus der Landschaft zwischen Odenwald und Böhmen"* genannt, ist das Ziel fast erreicht. Bei den anderen allerdings dürfte ein fränkischer Aktenvermerk, wenigstens zu Lebzeiten, auf Protest stoßen. Denn weder Walter Höllerer noch Hans Magnus Enzensberger werden freiwillig bereit sein, sich solchen Bezügen zu unterwerfen, hat doch Enzensberger seine einzige lokale Spur, *„Fränkischer Kirschgarten im Januar"*, längst unkenntlich gemacht, und würde er die Behauptung, *„Allerleirauh"* sei das altfränkischste Buch seiner Generation, gegebenenfalls mit den Früchten kubanischer Palmen bedrohen. Meiden wir also solche Spekulation, auch wenn es verführerisch wäre, das Geschwisterpaar Rückert-Platen mit dem Neuprodukt der Erlanger Schule Höllerer-Enzensberger zu kopulieren, und wagen wir es erst recht nicht, Hermann Glaser, dem Enzensberger ja den Nürnberger Kulturpreis verdankt, mit in die Partie einzubeziehen, den einzigen literarischen Politologen nach Stirner und Panizza, der seine Titel — *„Spießer-Ideologie"* und *„Kleinstadt-Ideologie"* — aus bewußt antifränkischer Stellung, aber zutiefst fränkischer Neigung bezieht. Setzen wir nicht Sympathie und Freundschaft aufs Spiel. Die Zeit wird befinden.
Die Zeit, der wir dieses Buch empfehlen. Möge sie schonend mit ihm verfahren. Es ist, noch einmal sei es gesagt, nicht im entferntesten so vulgär wie sein Vorwort. Seine Absicht: Reichtum zu zeigen, wo Armut vermutet wird. Sein Lohn: Daß einige Benutzer, darunter ein paar Franken, begreifen, daß das Land zwischen Main und Donau nicht nur aus Versandhandel und Bratwurststuben besteht. Aber auch da ist, wenn wir Penzoldts Wort über seinen Squirrel *„Er liest nicht, er lebt"* lokal verstehen, Skepsis am Platze. Denn auch als Leser macht sich der Franke gern kleiner, als er ist.

(42)

jetzige Jahrzahl hervorkame / und auf einem Zettel dem Macarius einhändigte / dieses lauts:

GOtt / aVf DessenGVt wIr warten /
segne Vnsren HIMeLgarten!

Hierauf nahmen sie den Ausgang durch das untere Thor / und zugleich Abschied von dem liebwehrten Macarius / nachdem sie / vor seine übernommene Bemühung / ihme freundwilligst gedanket. Er begleitete sie noch den langen Weg zwischen beyden Gärten / bis an die so-genannte Seespitze: von dar sie ihren Weg Nordwarts gegen der Pegnitz nahmen / des vorhabens / in der Oedensitz-hütte ihres Weidgenossens / des wehrten Rosidans / zu übernachten / die dann also wurde ihrer Spazir-Reise angenehmes

E N D E.

Schlußseite des „Norischen Parnaß" von Sigmund von Birken; Nürnberg 1677

Emil Ernst Ploss

EZZO

† 1100

Das Ezzolied ist unter den in dieser Reihe behandelten Denkmälern das älteste Werk, es führt uns ins 11. Jahrhundert und räumlich gesehen nach Bamberg. Wir müssen zuerst bedenken, wie es auf uns gekommen ist.
Das Chorherrenstift zu Vorau in der Steiermark besitzt eine Handschrift aus der zweiten Hälfte des 12. Jahrhunderts, die neben einem lateinischen Geschichtswerk die deutsche Kaiserchronik und eine Reihe geistlicher Gedichte enthält. Eines von ihnen setzt — in der Handschrift ohne Titel — mit folgender Strophe ein:

> *1* *„Der guote biscoph Guntere vone Babenberch*
> *der hiez machen ein uil guot werch:*
> *er hiez di sine phaphen*
> *ein guot liet machen.*
> *eines liedes si begunden,*
> *want si di buoch chunden.*
> *Ezzo begunde scriben,*
> *Wille vant die wise."*

Bischof Gunther, der von 1057 bis 1065 das 1007 gegründete Bistum Bamberg innehatte, war also der Auftraggeber. Zwei Geistliche, Ezzo und Wille, schufen Text und Melodie. Alle drei waren adelig und besaßen in der Geistlichkeit Bambergs einen solchen Rang, daß sie in Geschichtswerken und Urkunden wiederholt genannt wurden. Allerdings bezieht sich nur eine dieser Nennungen auf das erhaltene Gedicht; sie ist noch zu behandeln. Dieses muß also zunächst für sich sprechen; wir ziehen dazu die zweite Überlieferung heran: In einer Handschrift, die sich heute in der Universitätsbibliothek Straßburg befindet und die einige Jahrzehnte früher als die Vorauer Handschrift geschrieben wurde, sind sieben Strophen jenes Gedichtes, das in der Literaturgeschichte gewöhnlich als Ezzolied angesprochen wird, in einer nicht ganz gleichen, auf jeden Fall aber älteren Fassung aufgezeichnet. Diese Handschrift gehörte im Spätmittelalter dem schwäbischen Benediktinerkloster Ochsen-

hausen. Ob sie dort auch geschrieben wurde, ist ungewiß, jedenfalls war eines der südwestdeutschen Klöster ihre Schreibheimat. Diese Straßburger Überlieferung ist unvollständig, ihren 76 Versen, in 7 Strophen aufgegliedert, entsprechen in der Vorauer Fassung 132 Verse in 12 Strophen. Der Vorauer Text ist also eine im Umfang und auch im Inhalt ausgeweitete und veränderte Fassung. Insgesamt sind es 420 Verse in 34 Strophen mit jeweils 12 Verszeilen. Diese Strophen sind in der Handschrift auch durch Initialen kenntlich gemacht. Da sie allein vollständig ist, müssen wir von ihr ausgehen.
Wer sich für einen mittelalterlichen Text interessiert, darf solchen trockenen Überlegungen nicht aus dem Wege gehen. Denn: Welche Schlüsse lassen sich aus einer derart auseinandergehenden Überlieferung auf einen älteren Verfasser und einen jüngeren Bearbeiter ziehen? Und vor allem: Wie war die ursprüngliche Intention des Dichters? Wir können im Rahmen eines Rundfunkvortrags auf diese Probleme nur beiläufig eingehen. Es sei betont, daß der Philologe sich gerade darum bemühen muß, bevor er einen vertretbaren Text vorlegen kann. Im Jahre 1849 hat der Wiener Bibliothekar und Historiker Joseph Diemer das Ezzolied aus der Vorauer Handschrift bekanntgemacht, 30 Jahre später entdeckte sein Donaueschinger Kollege Karl Barack in einer für die Straßburger Universitätsbibliothek neuerworbenen Handschrift die 7 älteren Strophen. Seitdem gehört das Denkmal, genauer die Erstellung seines Textes, zu jenen heiß umworbenen Fragen, an denen namhafte Altgermanisten ihre Urteilskraft zu erproben suchen.
Folgen wir dem Vorauer Text, so ergibt sich für den Inhalt des Ezzoliedes ein mehrsträngiger, jedoch klar gegliederter Darstellungsablauf: Der Dichter beruft sich darauf, die Wahrheit zu sagen und verbindet dies mit den vier Evangelien. Dabei werden in die deutschen Verse einige wenige lateinische Zeilen eingeschoben; sie wirken wie Leitmotive:

21 „Die rede di ich nu sol tuon,
daz sint die vier ewangelia.
in principio erat verbum,
daz was der ware gotes sun.“

Nach der lateinischen Bibel, der für das Mittelalter allein gültigen Fassung, ist das der Beginn des Johannesevangeliums. Fünf Bibelverse weiter spricht der Evangelist vom Licht in der Finsternis, bezeugt durch Johannes den Täufer und bezogen auf Jesus Christus. Im Ezzolied wird derselbe Vergleich gebraucht.

9 „O lux in tenebris,
duo herre du der mit samet uns bist,
duo uns daz ware lieht gibest.“

Daß hinter den Worten des Evangeliums und des Ezzoliedes das erste Buch Mosis steht, ist unverkennbar. Nach der Genesis I,1 hat Gott Himmel und Erde erschaffen und dann den Befehl gegeben „Es werde Licht“. Nun ist es für die mittelalterliche Theologie kennzeichnend, daß sie das Alte Testament sorgfältig nach Vorverweisen für das Heilgeschehen des Neuen Testaments durchforschte. Das Licht in der Finsternis sprach bereits von Christus, der ja in der Trinität nicht an die Zeitlichkeit der irdischen Schöpfung gebunden war. Chri-

tes sun;. Qui uiuis & regnas p omnia
scla sclor.
Der gůte biscoph guntere
uone babenberch. der hiez
machen ein uil gůt werhc.
er hiez die sine phaphen ein
gůt lieht machen. eines liedes si begun
den want si di bůch chunden. ezzo
begunde scriben. wille uant die wise.
dů er die wise dů gewan dů ilten si sibe
alle munechen uon ewen zů den ewen
got gnade ir aller sele; Ich wil iw
eben allen. eine uil ware rede uor tůn.
uon dem minem sinne. uon dem rehten
anegenge / uon den genaden also ma
nech ualt. di uns uh den bůchen sint ge
zalt. uzer genesi unt uz libro regum
der werlt al ze genaden; Die rede
di ih nu sol tůn. daz sint di uier ew
angelia / inprincipio erat uerbū. daz
was der ware gotes sun. uon dem einem
worte er bequam zetroste aller dirre
werlte. O lux intenebris. dů herre
du der mit samet uns bist. dů uns dah
ware lieht gibest. ne heiner untriwe
du ne phligist. du gebe uns einen her
ren den scholte wir uil wol eren. dah
was der gůte suntach. ne cheines wer
hes er ne phlahc. du sprche ube wir
paradyses gewiten. Got mit siner
gewalt. der wrchet zeichen uil manec
ualt. der worhte den mennischen ei
nen uh ben uon ahteilen. uon dem
leime gaber ime dah fleisch / der tow

Beginn des Ezzoliedes in der Vorauer Fassung

stus war für den mittelalterlichen Menschen die Präfiguration des ersten Menschen Adam, dieser wiederum für Christus, als er Mensch wurde.
Das ist der theologische Rahmen, an den sich das Ezzolied hält, aber es bricht oft genug zu einer detailreichen und geradezu welthaltigen Sprache durch. Aus acht Teilen sei der Mensch erschaffen, aus Lehm, Tau, Stein, Wurzeln, Gras, Meerwasser und dem Stoff der Wolken. Mit der Wendung *des nist zwîvil nehein,* es gebe daran keinen Zweifel, greift wieder der Wahrheitsanspruch in den poetischen Ablauf ein, der aus drei Elementen, nämlich der biblischen Handlung, der dogmatischen Unterweisung und dem hymnischen Gottespreis erwächst. Dazu ein kurzes Zitat:

41 *„Von dem leime gab er ime daz fleisch,*
der tow becechenit den sweiz,
von dem steine gab er ime daz pein,
des nist zwîvil nehein,
von den wurcen gab er ime die adren,
von dem grase gab er ime daz har,
von dem mere gab er ime daz pluot,
von den wolchen daz muot."

Das alles stand nicht in der Bibel; der gläubigen Phantasie des mittelalterlichen Christen genügte es eben nicht, von der Trennung des Chaos, der Erschaffung Adams und Evas durch so knappe Worte unterrichtet zu werden. Ezzo folgte damit einer beliebten Aufzählung; sie taucht erstmals in jenem Text auf, der gemeinhin als das moraltheologische Handbuch der geistlichen Ausbildung im frühen Mittelalter angesehen wurde, im Kommentar Papst Gregors des Großen zum alttestamentarischen Buch Hiob. Die so formulierte erweiterte Schöpfungslehre wurde noch vor Ezzos Zeit über das christliche Europa verbreitet. Das in der Sprache überall spürbare didaktische Anliegen Ezzos wird damit auch durch die Sache nachgewiesen.
In der achten Strophe wird von der Erschaffung des Weibes gesprochen, was auch den Anlaß bietet, das Paradies kurz zu schildern. Seine vier Ströme Geon, Phison, Euphrat und Tigris führen — einer mittelalterlichen Tradition entsprechend — Milch, Honig, Wein und Öl. Für Ezzo bietet sich also wieder eine Gelegenheit, seine außerbiblische Gelehrsamkeit zu zeigen. Doch stets mündet dieses Wissen wieder in das biblische Geschehen zurück: Gott hat das Paradies für die beiden Menschen geschaffen.

95 *„daz scuof er den zwein ze genaden,*
di in paradyse waren."

Um so tiefer ist ihr Sturz in die Sünde, es ist auch ein Sturz in die Finsternis. Ezzo hat den Bericht der Evangelien über die Taten und Worte des Herrn nicht nur erzählerisch ausgeschmückt, er hat sie auch mit den Grundzügen jener Naturphilosophie verknüpft, die in der paulinischen und johanneischen Missionszeit das Schöpfungsbild des frühen Christentums beeinflußt haben. Für den Raum hatte man die Theorie, daß ihn Licht und Ton durchdringen müßten, die Finsternis und das völlige Schweigen seien dagegen die Symptome der Unwirklichkeit. Ja mehr noch: Die Arsenale des Schreckens vom griechischen Hades bis zu den mittelalterlichen Höllenvisionen spiegeln mehr oder weniger

diese mythologische Finsternis und Leere, die auch den Tod bezeichneten. Philosophisch formuliert hieß dieses Grundprinzip, daß Raum erst Raum ist, wenn durch ihn Licht geworfen, gegossen oder in anderer Weise weitergegeben wird. Auch der Ton, selbstverständlich der sinnvolle Ton als Sprache oder Musik, macht das finstere Chaos zur geordneten Welt. In der geschichtlichen Erforschung der älteren Theologie wurden diese Gedanken als *logos-lux*-Theologie zusammengefaßt, wobei griechisch *logos* „Ton, Wort, Lehre" meint, während lateinisch *lux* als „Licht, Erleuchtung" schon aussagen will, daß die von Gott gestiftete Lehre vom Menschen ergriffen und weitergereicht wurde.
Im Ezzolied bieten die Strophen 10 und 11 einen eindrucksvollen Beleg für diese *logus-lux*-Theologie. Adam stürzte mit dem Sündenfall in die Finsternis der Nacht und damit des Teufels zurück:

109 „Duo sih Adam geviel,
duo was naht unte vinster...“

Der Teufel kann also seinen Schatten über sie ausbreiten:

59 „Wante siu beschatewote
diu nebelvinster naht
diu von dem tiefel bechom.“

Christi Geburt wird in derselben Strophe als Aufgang der Sonne gewertet: *„Sunno von den himelen“* nennt dabei den Himmel im Plural. Sieben Himmelsschalen wölbten sich nach mittelalterlicher Ansicht über die Erde. Dort war auch der Platz der Engel und Erzengel, die allein Gottes lichtstrahlende Herrlichkeit schauen konnten. Ezzo beginnt die Strophe 11 mit dem naturwissenschaftlich nur teilweise zutreffenden, aber für das Mittelalter durchaus gängigen Bild, daß alle Sterne ihr Licht von der Sonne empfangen. Mit diesen Sternen werden die Väter des Alten Testaments verglichen. Sie geben von Abel über Noah, Abraham und David das von Gott gespendete Licht weiter, bis zuletzt Johannes der Täufer dem Morgenstern gleich erscheint. In der 12. Strophe kommt zu *lux* „Erleuchtung" die „Stimme" hinzu. Wie der Prophet Elias ruft die Stimme des Vorboten Christi durch diese Welt, die wie eine Wüste ist, daß Gott der Weg zu ebnen sei:

141 „duo rief des boten stimme
in diese werltwuostunge
in spiritu Elie:
erebenot uns den gotes wech!“

Der Übergang zur 13. Strophe zeigt die Fähigkeit Ezzos, den umfangreichen Stoff seines Gedichtes, der doch die gesamte Heilsgeschichte umfaßt, dichterisch zu bewältigen. Er müßte ja endlich seine Zeit, das geschichtlich faßbare Zeitalter der Christen, einführen. Er tut es mit der Lehre von den sechs Weltzeitaltern. Auch sie ist Allgemeingut innerhalb der mittelalterlichen Gelehrsamkeit. Wir kennen heute die Geschichte der vorderasiatischen Reiche und Kulturen aus vielen Quellen, schriftlichen wie archäologischen. Das Mittelalter wußte viel weniger darüber, über Assur und Babylon im Grunde nur das, was das Alte Testament über die Kriege des judäischen Königreiches und die baby-

lonische Gefangenschaft der Juden mitteilte. Besser war die Kenntnis der griechischen und römischen Geschichte. Einer der wichtigsten heilsgeschichtlichen und staatsrechtlichen Grundgedanken des Mittelalters war die *translatio imperii,* die Lehre also von der Weitergabe der Herrschaft. Ein Reich folgt dem anderen, bis schließlich im Römischen Reich die christliche Kirche ihren Triumph erringt.
Im frühmittelhochdeutschen Annolied, dem großen epischen Preislied auf den Kölner Erzbischof, wurde noch im 11. Jahrhundert die Lehre von den sechs Weltzeitaltern zu einer Teilstruktur ausgebaut. Ezzo hat damit rechnen können, daß er von seinem Publikum verstanden wurde. Es war geistlich gebildet wie er selbst und wußte, daß die in der Eingangszeile der 13. Strophe genannten fünf Welten der christlichen vorausgingen, daß die sechste die eigene war und auf den Tag des Jüngsten Gerichtes hinleitete. Ezzo hat seinem Gedicht einen optimistischen Grundton gegeben. Für ihn ist diese letzte Zeit eben das Heil:

145 „Duo die vinf werlte
gevuoren alle zuo der helle
unte der sehsten ein vil michel teil,
duo irscein uns allen daz heil."

Mit einem Rückgriff auf die Bilder vom göttlichen Licht wird der Anschluß an die vorausgehenden Strophen hergestellt:

148 „duo irscein uns der sunne
uber allez manchunne.
in fine seculorum
duo irscein uns der gotes sun
in menniscliche mo bilde:
den tach braht er uns von den himelen."

Über der ganzen Menschheit geht also die Sonne auf. Aber es ist schon das Ende aller Zeiten, an dem Gottes Sohn in menschlicher Gestalt erscheint und uns den Tag von den Himmeln herunterholt.

Bisher waren es 13 Strophen, eine davon sprach als Einleitung vom Auftraggeber, Bischof Gunther von Bamberg, dann von Ezzo, dem Dichter, und von Wille, dem Schöpfer der Melodie. Zwölf Strophen galten, wenn wir uns an die Vorauer Fassung halten, der Vorbereitung. Sie leiteten auf Christus hin. Es erscheint uns als verständliches Baugesetz, daß auch zwölf Strophen Christi Leben und Erlösungstaten gewidmet sind. Nicht nur der Kenner mittelalterlichen Dichtung wird darin Zahlensymbolik finden. Die Zwölfzahl kann sich auf die Apostel beziehen, sie findet sich im Jahr mit seinen Monaten, aber auch im Zwölfergefolge der Fürsten und in vielen anderen Bereichen. Nach den zwölf Christusstrophen folgt nochmals eine in sich stark gegliederte Neunergruppe. Sie setzt wieder mit einem Vergleich ein. Christus wird als das Osterlamm schon von den Propheten des Alten Bundes vorausgesagt, er war das willkommene Opfer wie Abel als Sohn Adams mit seinem Lammopfer, das ihm den Tod von Kains Hand brachte.
Es fällt auf, daß das Ezzolied dem Alten Testament mehr Raum gewährt. Das ist jedoch ein allgemeines Charakteristikum für die Theologie zwischen der

Karolingerzeit und dem Hochmittelalter, das erst mit der Begründung der Bettelorden eine leidenschaftlichere Christusnachfolge erlebte. Im Alten Testament fand man in den Büchern Mosis und der Könige Religion, Recht und Kriegertum des altjüdischen Volkes in starken, archaischen Worten geschildert. Die Gesellschaft bis zum 12./13. Jahrhundert mußte darin viele Parallelen zur eigenen feudalen Existenz finden.

Die Grundhaltung des Ezzoliedes ist optimistisch, und so ist das Christusbild sehr aktiv: In den Strophen 17 bis 25 werden vor allem seine Wundertaten berichtet. Selbst in den Sterbestrophen spüren wir die Kraft der Erlösungstat in der Kraft der Sprache. Ezzo wählt denn auch eine starke Sprache: Ehre, Gewalt, *magenchraft,* was eine Steigerung noch des Begriffs Kraft bedeutet. Wie bewußt diese Sprache ist, zeigt ein lateinischer Verseinschub in der 25. Strophe: Christus ist für Ezzo der *fortis armatus,* „der Starke, Gewaffnete"; das meint letztlich den Krieger. Diese Sicht war nicht vereinzelt, schon der altsächsische Heliand im 9. Jahrhundert hatte Christus als Kriegerkönig, Gefolgsherren und Seefahrer dargestellt.

In der frühmittelhochdeutschen Bibeldichtung gibt es zwei weitere Denkmäler, im südostdeutschen Raum entstanden und gewöhnlich nur Genesis und Exodus genannt. In ihnen werden die ersten zwei Bücher Mosis in die Volkssprache umgesetzt und episch ausgestaltet. Die darin gestiftete religiöse und staatliche Ordnung wirkte auf das 11. Jahrhundert stärker als die religiöse Ekstase. Auch Ezzo fühlte sich dieser geordneten Welt des Alten Testaments verbunden; Christi Wundertaten verneinen diese Ordnung nicht, sie steigern sie zur Herrlichkeit. Ezzos Leistung verdient unsere Bewunderung, es muß schwierig genug gewesen sein, diese Bausteine der Gelehrsamkeit und Gläubigkeit ineinanderzufügen. In der Literaturgeschichte wurde das Ezzolied oft als Gelehrtenpoesie bezeichnet, als poetische Spiegelung dessen, was an einem so bedeutenden Domstift in der theologischen Ausbildung vorgetragen wurde. Diese hohe Schule Bambergs hatte für ihre Zeit durchaus jenen Rang, den man später mit dem Begriff der Universität verbinden würde. Die in Bamberg lehrende Geistlichkeit hatte Beziehungen nach Lothringen, Frankreich, dem Südwesten und dem Südosten des Reiches. Es ist gewiß kein Zufall, daß die sieben Strophen der alemannischen Fassung in der Straßburger Handschrift und die vollständige Vorauer Fassung in dieselben Räume weisen. War es nur — um es pointiert zu formulieren — die didaktische Dichtung eines Professors? Nach der Vorauer Eingangsstrophe war es ein sangbares Lied. Für Ezzo lag das Hauptgewicht sicherlich auf dem Ausdruck „wahre Rede", bis in das 15. Jahrhundert war das mittelhochdeutsche Wort *rede* Ausdruck für die lehrhafte Dichtung. Ezzo hat sich auf der Grenze zwischen Gelehrsamkeit und Poesie bewegt, aber sein Weg führte doch ins Dichterische.

Daß das Ezzolied eine künstlerische Leistung ist, kann nicht allein der Inhalt erweisen. Das ergibt sich auch nicht aus der Fülle der gelehrten Anspielungen, sondern allein aus dem sprachlich-stilistischen Gestaltungswillen. Schon mehrfach wurde er herausgehoben, ein Vergleich soll noch etwas weiter ausholen: In den meisten älteren Dichtwerken ist die Sprache stark formelhaft, das Publikum hat ohne Zweifel dieses Formelgut als die ihm gemäße Sprache erwartet. Für größere sprachliche Vorprägungen werden in der Literaturwissenschaft die Begriffe Schema und Topos gebraucht, einer der beliebtesten Topoi war die Reise. So wurde das ganze Dasein des Menschen als Reise in

eine jenseitige Welt verstanden. Auch die Taten eines Helden wurden gewöhnlich als Stationen einer Reise aufgefaßt. Es soll nicht verschwiegen werden, daß die Reise schon in den vorchristlichen Religionen und Literaturen wichtiges Bauelement war. Der griechische Held Jason reiste ins ferne Kolcherland, um das Goldene Vlies zu holen, mit dem er den Zorn der Götter besänftigen wollte. Auch im völkerkundlichen Material ist das so: Der sibirische Schamane reist über Stamm und Krone eines Baumes hinauf in den Himmel, um die Kräfte seines Zaubers zu mehren.
In den althochdeutschen Denkmälern wurden Reiseschema und -topos reichlich gebraucht. Im Hildebrandslied trifft Hildebrand seinen Sohn Hadubrand auf der Heimreise. In der gleichfalls stabreimenden Dichtung *Muspilli* wird die Reise der Seele geschildert, wie sie zum Kampfplatz kommt, auf dem die Heere des Himmels und der Hölle um sie kämpfen. Das sind Denkmäler um und kurz nach 800; in der zweiten Hälfte des 11. Jahrhunderts wurde in einem Schwarzwaldkloster, sonst nicht näher bezeichnet, von einem Notker ein Gedicht verfaßt, das in der Literaturgeschichte gewöhnlich mit *Memento mori* (Gedenke, daß du sterben mußt) überschrieben wird. Dreizehnmal gebraucht dieser Notker den Reisetopos, immer mit dem Verb *varn* (fahren, reisen) oder dem davon abgeleiteten Substantiv *vart* (Fahrt, Reise). So heißt es im *Memento mori* einmal vom sündigen Menschen: *„ter dâ gedenchet an die langun vart"*. Eigentliches Thema des ganzen Gedichtes ist denn auch, welcher Mensch diese Fahrt fürchten muß und welcher ihr getrost entgegensehen kann. Im Ezzolied erscheint der Reisetopos gleichfalls; in einem christlichen, genauer geistlichen Gedicht kann das verständlicherweise nur die Reise in die andere, nachirdische Welt sein. Er sagt dieselbe Heilstatsache wie im *Memento mori* aus, tut es jedoch in einem optimistischen Sinn und durchwirkt den Topos mit einer Fülle dichterischer Bilder. In der 29. Strophe des Ezzoliedes heißt es zuerst, daß Christi Opfertod den Tod selbst sterben ließ, daß sich die Hölle um ihren Raub gebracht sah, als das Opferlamm für uns geopfert wurde. Das habe die Rückkehr ins Paradies eröffnet.

347 „Von dem tode starp der tot.
diu helle wart beroubet,
duo daz mære osterlamp
fur unsih gopheret wart.
daz gab uns friliche widervart
in unser alt erbelant,
beidu wege unte lant,
dar hab wir geistlichen ganc,
daz tageliche himelprot."

In der nächsten, der 30. Strophe, wird das Bild ins Kriegerische gewandelt. Die Christen wollen den Weg, also die Reise, mit Kampf beschreiten, und Christus ist für sie der Herzog.

366 „Den wec scul wir mit wige varen,
der unser herzoge ist so guot:"

Zu großartiger Entfaltung kommt der Reisetopos schließlich in der 33. Strophe, nach der es nur eine letzte in Form eines Gebetes gibt. Christi Kreuz, lateinisch angesprochen, ist der Mastbaum, die Welt ist das Meer, der Herr ist Segel und Fährmann zugleich. Die guten Werke sollen das Tauwerk der Segel sein und Gottes heiliger Geist der Wind, der uns den rechten Weg und so heimwärts führt. Die *„widervart in unser alt erbelant"* wird so thematisch abgeschlossen.

395 „O crux saluatoris,
du unser segelgerte bist.
disiu werlt elliu ist daz meri,
min trehtin segel unte vere,
diu rehten werch unser segelseil,
di rihtent uns di vart heim.
der segel der ist der ware geloube,
der hilfet uns der wole zuo.
der heilige atem ist der wint,
der vuoret unsih an den rehten sint."

Wie die Sprache zeigt, ist das Ezzolied in mittelalterlichem Sinn durchaus weltnah. Die Frage, ob denn der Verfasser nicht selbst eine große Reise unternommen habe, erscheint also berechtigt. Wir werden zur Person des Verfassers zurückgeführt. Bevor noch die Vorauer Handschrift mit dem ganzen, freilich etwas jüngeren Text gefunden war, kannte man aus der mittelalterlichen Geschichtsschreibung bereits eine Nachricht über den Dichter Ezzo. Um 1130 berichtete nämlich der Biograph des Passauer Bischofs Altmann über eine große Pilgerfahrt ins Heilige Land. Im Jahre 1064 war viel Volk unter geistlicher und fürstlicher Leitung nach Jerusalem aufgebrochen. Die Leitung lag in den Händen des Bamberger Bischofs Gunther, den wir in der Vorauer Eingangsstrophe als Auftraggeber des Ezzoliedes kennengelernt haben. Auch ein Scholastikus Ezzo war dabei. Er sei ein Mann von hoher Weisheit und großer Beredsamkeit gewesen und habe auf diesem Zug ein Lied über die Wundertaten Christi in seiner Muttersprache gedichtet. Daß es sich um den Verfasser unseres Gedichtes handelt, ist nicht zu bezweifeln. War das Ezzolied demnach ein Kreuzlied? Die folgenden Darlegungen werden dies im Sinne der Zeit beantworten.
In dieser Nachricht über Ezzo und seine *cantilena de miraculis* Christi verdient noch ein Wort unser besonderes Interesse. Der Biograph des Bischofs betont nämlich, Ezzo habe es *nobiliter,* also auf edle Weise zusammengefügt. Das macht uns auf die erste Strophe der Straßburger Fassung aufmerksam. Ezzo wendet sich dort an die Herren, denen er eine wahre Rede vortragen wolle:

1 „Nu wil ih iu herron
heina war reda vor tuon . . ."

Herren — das konnte nur die Edelfreien meinen, den Adel im engeren Sinn. Das bezog nicht einmal den Dienstadel der Ministerialen ein! Die Kanoniker des Bamberger Domstiftes gehörten, wie auch anderswo üblich, durchwegs dem Hochadel an. An sie konnte sich Ezzo wenden, ohne Zweifel setzte das Lied die zentralen theologischen Kenntnisse voraus, denn neben der unbestreitbaren künstlerischen Leistung dürfen wir die gelehrte, fast doxologische Absicht nicht übersehen. Die Vorauer Fassung hat an dieser Stelle ein größeres Publikum, und zwar alle Christen angesprochen:

13 *„Ich wil iu eben allen eine vil ware rede vor tuon ...“*

Ein Blick auf die zweite Hälfte des 11. Jahrhunderts wird notwendig, um die rechten Zusammenhänge herzustellen. 1064 begann die Reise ins Heilige Land, Bischof Gunther kehrte 1065 nur als Toter nach Bamberg zurück. Als 1077 der Kampf zwischen Kaisertum und Papsttum losbrach, wurde Bamberg davon nicht verschont. Die Kluft, die der Investiturstreit aufriß, ging mitten durch das Bamberger Domkapitel. Die Kirchenreform, von den Klöstern Cluny und Gorze ausgehend, hatte sich auch in Bamberg und im nahegelegenen Benediktinerkloster Michelsberg durchgesetzt. Unter den scharfen Auseinandersetzungen zwischen der konservativ-kaiserlichen Richtung und der progressiven Reform, wie sie besonders die Zeit des Bischofs Rupert von Bamberg († 1102) kennzeichnet, haben Gelehrsamkeit und Kunst im Domstift und in den Klöstern gelitten. Der Domscholastikus Meinhard hatte einstmals in seinen lebendigen Briefen die Zeit des Bischofs Gunther aufleben lassen, dessen Interesse für Literatur, und da wieder für die Heldensage. Die Vorauer Eingangsstrophe zeigt denselben Gunther als Auftraggeber geistlicher Dichtung. Wenn wir zurückschauen, so stellt sich die Frage, ob diese Anrede: *„Ich will iu eben allen“*, nicht bewußt geändert wurde. Sie könnte etwas von den gewandelten Verhältnissen spiegeln, da ja der Kirchenkampf bis in die untersten Volksschichten getragen wurde.

Bamberger Domkalendarium. Hinter dem Namen des hl. Marinus Confessor, dessen Jahrestag im Bamberger Heiligenkalender auf den 15. November fällt, ist Ezzo presbyter frater noster verzeichnet. Ezzo gehörte zum Domstift und ist einer anderen Quelle zufolge im Jahre 1100 gestorben

Für die Biographie ist zuletzt noch eines anzumerken: Ezzos Sterbetag. Das Totengedenkbuch des Klosters Michelsberg vermerkt zum 15. November des Jahres 1100, daß dies der Todestag des Presbyters Ezzo sei. Der Michelsberger Abt Willo war bereits am 11. Juli 1085 gestorben. In ihm dürfen wir jenen Mann sehen, der nach Angabe der Vorauer Eingangsstrophe die Melodie für das Ezzolied komponiert hat. Die Biographie Ezzos muß manche Vermutung einbeziehen, aber sie bietet doch ein interessantes Schicksal: Wenn wir auch Ezzos Herkunft nicht kennen, so wissen wir doch, daß er mindestens seit dem Beginn der 1060er Jahre dem hohen Domklerus Bambergs angehörte und dort noch vier Jahrzehnte wirkte. Er war ein gelehrter Theologe und ein Dichter mit feinem Verständnis für den Klang der Sprache. Wenn er an der Kreuzfahrt der Jahre 1064/65 teilgenommen hat, mag dies einer der bewegendsten Eindrücke seines Lebens gewesen sein. Uns ist sein Lied erhalten, von dem der Münchner Literarhistoriker Hugo Kuhn schrieb:

„Es faßt die christliche Heilsgeschichte mit Johanneischer Theologie in starke, archaische Formen, die nichts Geringeres bedeuten als den Anfang der eigentlich deutschen Literatur."

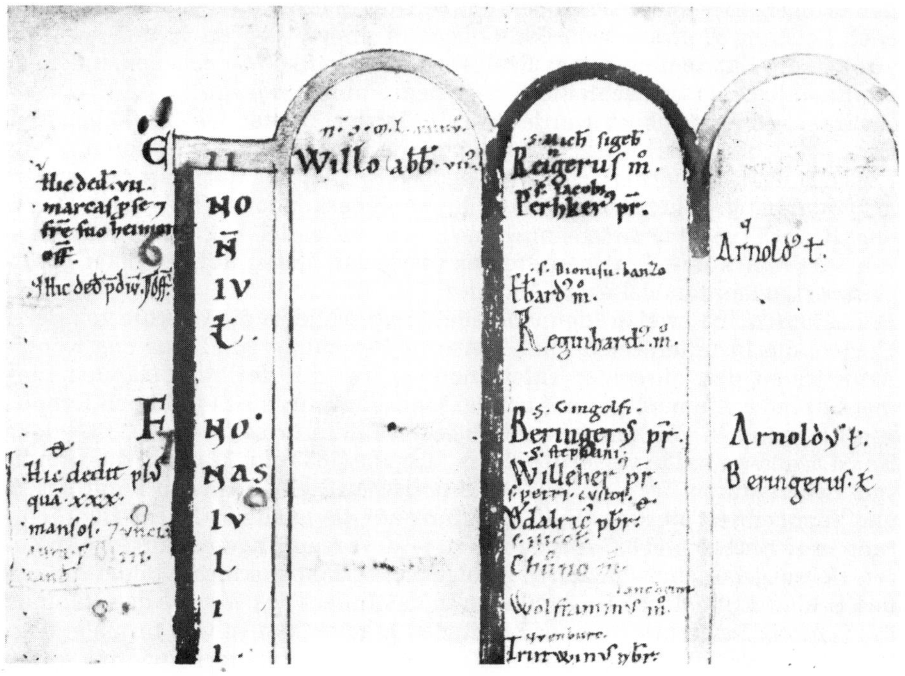

Totenbuch des Benediktinerklosters Michelsberg. Das Kloster lag einstmals vor den Toren Bambergs. Im Bogen der ersten Arkade ist Abt Willo zum 11. Juli 1085 als verstorben verzeichnet

Hugo Steger

WOLFRAM VON ESCHENBACH

1170/75 bis um 1220

Fränkische Klassiker: Der Titel enthält zwei Aspekte. Blickt man auf das Substantiv, so tritt die überregionale Leistung und das Überzeitliche in den Vordergrund. Soll das Adjektiv etwas aussagen, muß die Verklammerung des Werks mit Franken sichtbar gemacht werden.
Der folgende Beitrag will deshalb in zwei Teilen die beiden Aspekte zum Tragen bringen. Er wendet sich im ersten Teil der überregionalen und überzeitlichen Leistung Wolframs von Eschenbach in seinen Werken zu und sucht im zweiten die Entstehung seines Frühwerkes in Franken zu erhellen, indem er die Erzähltechnik beleuchtet und nach dem Publikum fragt.
Wolfram von Eschenbach wurde wohl im letzten Drittel des 12. Jh. geboren, denn sein erstes Werk, der *„Parzival"*, wurde kurz nach 1200 begonnen.
Außer einigen Liedern, vor allem *„Tageliedern"*, ist uns nur dieser *„Parzival"* als ein umfangreicher, vollständiger Roman überkommen. Ein zweites Werk, der *„Willehalm"*, ist wahrscheinlich nicht ganz vollendet. Und außerdem besitzen wir zwei kurze Fragmente eines (nach der ersten auftretenden Figur) *„Titurel"* genannten weiteren Romanes.
Der *„Parzival"* ist zweisträngig aufgebaut und schildert die Geschichte zweier Helden, die in unterschiedlicher Weise in Beziehung zur Figur des Königs Artus treten, der mit seiner Tafelrunde von zwölf Rittern den stabilen, normensetzenden Sammel- und Ausstrahlungspunkt in einer größeren Gruppe von literarischen Werken der europäischen Literatur seit dem 12. Jh. bildet. Karl Lachmann hat in seiner Wolfram-Ausgabe (1833) das Werk, in dem Parzivals Lebensstufen mit den Taten des höfischen Helden Gawan konfrontiert und kommentiert werden, unter Berufung auf die handschriftliche Überlieferung in 16 Bücher und 827 Abschnitte zu je 30 Versen eingeteilt, und die späteren Herausgeber sind ihm darin gefolgt. Eine Orientgeschichte bildet Anfang und Schluß sowie durch Beziehungen in das Innere des Werkes den Rahmen des Ganzen. Insgesamt sind grundsätzlich Inhalte, Motive und formale Möglichkeiten hochmittelalterlicher Dichtung benutzt und weiterentwickelt, so daß das Werk zum Höhepunkt des mittelalterlichen Artus-Romans werden kann. Parzivals Weg aus seiner Kindheit zur Artus-Ritterschaft bis zur Gewinnung des Gralskönigtums ist gekennzeichnet durch eine Kette von unwillentlichen

und willentlichen „Sünden". Die dadurch ausgelösten Probleme und Erschütterungen führen zwar zu immer neuen Rückschlägen, aber Parzivals Aufstieg ist doch unaufhaltsam, weil er durch Anlage und Geschlecht für seinen Weg prädisponiert ist. Dies unterscheidet den *„Parzival"* deutlich vom europäischen „Bildungsroman" des 18./19. Jh. Dabei ist nicht zu verkennen, daß die Erschütterungen Parzivals sich als fruchtbar erweisen, so daß ihnen auch eine gewisse Bildungsfunktion in seinem Lebensweg zukommt. Dies um so mehr, da im zentralen neunten Buch in dem Gespräch des Einsiedlers Trevrizent mit Parzival in theologischer Argumentation, die mit zeitgenössischer scholastischer Literatur verglichen werden kann, seine „Sünden" analysiert werden.

Mit der Hineinnahme dieser theologischen Diskussion des Sündenbegriffs wird das weithin im Innerweltlichen verharrende Normgefüge des Artus-Romans aufgebrochen. Die Dominanz der Parzival-Welt zeigt einen neuen Anschluß an eine Gesamtsicht der Welt, die die höfische Gesellschaft, welche durch Gawan repräsentiert wird, unter übergreifende Bezüge stellt. So wird Wolfram der Vollender des aus der Emanzipation und (Teil-)Säkularisation der volkssprachlichen Literatur hervorgegangenen *„Artus"*-Romans und gleichzeitig sein Überwinder.

Die durch die Sündendiskussion äußerlich sichtbare, ins Überweltliche gerichtete Bestimmung Parzivals gegenüber der ganz im Kampf- und Minneschema der traditionellen Artus-Welt verharrenden Gawan-Gestalt, die in ihrer Märchenhaftigkeit doch „nur" eine „ideale" Innerweltlichkeit widerspiegelt, ist zwar grundsätzlich auch bei dem französischen Dichter Chrétien von Troyes (etwa 1140—1190) angelegt, von dem Wolfram zum großen Teil seinen Stoff übernimmt. Aber es kommt bei Wolfram dennoch im einzelnen wie im ganzen zu einer entscheidenden Vertiefung und zu einer formalen Bereicherung, gleichzeitig auch zu einer gewissen Verdunkelung.

Ist der Einfluß Chrétiens auch absolut sicher und von Wolfram selbst bezeugt (827,1), so spricht jedoch manches dafür, daß er auch eine Fortsetzung des *„Conte du Graal"* gekannt hat. Einiges weist jedoch auf darüber hinaus reichende Quellen. Aber es bleibt unsicher, ob dabei wirklich unabhängige Parzival- und Gralüberlieferungen zugrunde liegen oder ob es sich nicht vielmehr — was wahrscheinlich ist — um Einzelmotive sowie um Sach- und Namenadaptationen aus verschiedenartigen deutschen, französischen, lateinischen, orientalischen und keltischen Quellen handelt. Denn gegenüber Chrétien ist der *„Parzival"* an vielen Stellen erweitert, umgestellt, anders strukturiert und in der Argumentation verändert.

Wolfram beruft sich selbst ausdrücklich auf Quellen außerhalb Chrétiens. So will er die Kenntnis vom Gral einem heidnischen Naturwissenschaftler Flegetanis verdanken (453, 23—455, 1), und insbesondere gibt er vor, seine Gesamtkomposition von einem französischen Gewährsmann Kyot zu haben (416, 20—30; 453, 5—22; 455, 2—22; 827, 1—11).

Aber vieles spricht dafür, daß Wolfram hier sein Publikum wie seine potentiellen Kritiker, die gewohnt sind, daß alles in einem mittelalterlichen Roman sich von der Autorität einer älteren Quelle herleiten läßt, narrt; denn im besten Falle sind die Angaben über die Gewährsleute künstlich ungenau und so widersprüchlich gemacht, daß sie nicht oder kaum wiederzuerkennen sind.

Bei der starken Eigenständigkeit und dem Formwillen Wolframs darf das Argument nicht überbewertet werden, es zeige sich in seinem Werk nicht die rhetorische Schulung und Antiken-Kenntnis, welche ein gebildeter Autor im

12./13. Jh. gewöhnlich hat. Es ist andererseits freilich deutlich, daß Wolfram sich direkt überwiegend nur auf deutschsprachige Werke bezieht. Es wird dann zur entscheidenden Frage, ob Wolfram sein immenses Wissen, das er im *„Parzival"* ausbreitet und das aus vielerlei Quellen geflossen sein muß, ausschließlich durch mündliche Tradition als Autodidakt in deutscher Sprache kennenlernte. Gegen diesen Gedanken muß man wohl sehr skeptisch sein, denn er hat erhebliche Konsequenzen, da nach allem, was wir sehen können, normalerweise schon das Erlernen der Schrift auf dem Wege über den Latein-Unterricht gegangen ist. Man muß deshalb in erster Linie Stilwillen hinter Wolframs Verhalten vermuten, wenn er im *„Parzival"* Sprachenkenntnis und Bildung verleugnet (115, 27–30).
Der *„Willehalm"* entstand nach dem *„Parzival"*, da dieser im Willehalm-Prolog (4, 20) erwähnt wird. Man rechnet mit einem Beginn an der Arbeit zwischen 1212–17 und einem Abschluß nach 1217.
In diesem Werk wird eine französische Chanson de Geste um Wilhelm von Orange aufgenommen, der im 12. Jh. heiliggesprochen wurde. Wie die Chanson de Roland und das deutsche Rolandslied zusammengesehen werden müssen mit der Verehrung des heiligen Helden Karl des Großen, der ebenfalls nach der Mitte des 12. Jh. heiliggesprochen wurde, so darf man auch die im 12. Jh. zuerst in Frankreich neu bearbeitete Chanson *„Bataille d'Aliscans"* in ähnlichem Zusammenhang sehen. Hermann von Thüringen, der seine Jugend in Frankreich verbracht hatte, ist Auftraggeber Wolframs und liefert ihm die Vorlage. Mit der Einführung von höfischem Zeremoniell und dessen Requisiten, von Minnekult und Heidenthematik, kommt es zur Aufschwellung der Chanson de Geste und zur Anpassung eines historischen Stoffes an den Kunststil des höfischen Romans. So verbinden sich historische Dichtung, heroische Epik, christliche Legende und höfischer Roman.
Wieder kommt es zu tiefgreifenden Umstrukturierungen gegenüber der Quelle. Die relativ lockere zyklische Form wird zugunsten einer konsequenten Ausrichtung des Ganzen auf ein zentrales Ereignis, den Kampf mit den Heiden auf Alischanz, umgeformt und als Kampf um Wilhelms Gattin Gyburg dargestellt. Dies wird klar an den Gyburg-Szenen, großteils Wolframs eigenen Schöpfungen. Schon dadurch, daß eine Frau „handelnde" Hauptgestalt einer Dichtung wird – ganz unvergleichbar etwa mit den Frauengestalten von Hartmanns *„Erec"* und *„Iwein"* und auch denen des *„Parzival"* –, wird die durch Wolfram völlig veränderte Situation sichtbar. Hinzukommt, daß Gyburg etwa in der Toleranz-Rede mit der Feststellung, daß auch die Heiden Gottes Geschöpf seien, die Auseinandersetzung zwischen Heiden und Christen, ein Hauptthema der Kreuzzugszeit, auf völlig neue, zukunftsweisende Grundlagen stellt. Das *„rîche"* tritt bei Wolfram an die Stelle eines nationalen Königtums, das die französische Quelle hat, und diese Betonung des Reichs-Gedankens führt auch dazu, daß der Kampf zwischen Heiden und Christen Züge eines endzeitlichen Kampfes annimmt.
Im *„Titurel"*-Fragment, das wohl neben oder nach dem *„Willehalm"* entstand, wird die Geschichte zweier Randfiguren des *„Parzival"* erzählt. Die Liebesgeschichte von Sigune und Schionatulander endet im *„Parzival"* damit, daß Schionatulander von Orilus erschlagen wird. Sigune widmet daraufhin ihr Leben der Buße und der Klage. Der *„Titurel"* schildert nun die zwanghafte

Beginn des „Parzival"-Drucks (1477) von J. Mentelin (Stadtbibl. Nürnberg)

1477.

Wolfframs von Eschenbach
Helden-gedicht von Gamuret.

St zweiffel hertzen nachgebur
Das müß der selen werden sur
Geschmehet vnd gezieret
Ist wo sy parieret
In eines verzagten mannes müt
Also agelaster varbe thüt
Der mag darnach wesen gail
Wañ an im sein baide tail
Des himels vnd der hellen
Der vnstendige gesellen
Het die schwartze varbe gar
Vnd ist nach der vinsteruar
So hebent sich an die blancken
Der mit steten gedancken
Diß fliegende beispel
Ist tummen leüten gar schnel
Die mügen es nit erdencken
Wann es kan vor im wencken
Recht als ein erschelter hase
Zü anderthalb dem glase
Gleichet vnd des blinden trom
Die gebent alle antlütz rom
Doch mag mit stete nit gesein
Diser trübelechte schein

Er machet kurtze fröde alwar
Wer ropffet mich do nie kein har
Gewüchß innen in meiner hand
Der het so nahe griff erkand
Sprich ich gegen den fürsten hoch
Das gleichet meiner witze doch
Wil ich trüwe vinden
Aldo kan sy verschwinden
Als feür in dem brunnen
Vnd der tauwe von der sunnen
Doch erkant ich nie so weisen man
Er möchte gerne kinde han
Welcher türe die frauwen gerent
Vnd was sy güter lere werent
Dar an sy nimer des verzagent
Beide sy fliehen vnd iagent
Sy entweichent vnd kerent
Sy lasterent vnd erent
Wer mit disen schantzen allen kan
An dem hat witz wol getan
Der sich nit versinnet vnd verstat
Vnd sich anders nit vergat
Valsch gesellicher müt
Ist zü der hellen güt
Vnd ist hoher würdikait ein hagel
Vntreüw hat so kurtzen zagel
Das sy den dritten biß nit galt
Für sy mit bremen in den walt
d Ise manigschlachte vnderbint
Doch nit gar von mannen sint
Vor die weib stoß ich dise zil
Wellich hie mein raten mercke wil
Die sol wissen war sy kere
Ir preiß vnd ir ere
Vnd wem sy noch do sy berait
Mynne vnd würdikait
So das sy nit gereüwe
Ir keüsch vnd ir treüwe
Vor got ich güten weiben bitte
Die im rechter masse volgent mitte

Liber summae raritatis vid: Jo: Vogtii
Catal. libr. rar: Edit. 3. pag. 266.
Const. 7 l 30 x.

Liebe der Kinder Sigune und Schionatulander. Die höfische Gesellschaft akzeptiert diese Kinderliebe, aber das Minneglück wendet sich zum Verhängnis. Als Gegenspieler des Minnezwanges, der ein wichtiges Thema der mittelalterlichen Literatur darstellt, wird auch hier die höfische Etikette sichtbar, welche die leidenschaftliche Vereinigung der Liebenden verhindert. Sigune verlangt als Minneherrin Dienstleistungen und entzieht zunächst Schionatulander den Minnelohn. Der Tod Schionatulanders ereignet sich bei der Suche nach der verschleppten Leine eines Hundes bei einem solchen Minnedienst für Sigune, der scheinbar in keinem Verhältnis zu seinen Folgen steht. Man hat darin eine Übersteigerung des Minnewesens gesehen, welche es als Ganzes ad absurdum führt. Aber Friedrich Ohly hat gezeigt, daß außerhalb jedes Realismus die allegorische Interpretation des Suchemotivs gerade eine der tiefsten Möglichkeiten mittelalterlicher Literatur aufdeckt, nämlich das vordergründige, triviale Ereignis transparent zu machen für eine umfassende Welt- und Gesellschaftsdeutung.
Neben dem *„Parzival“*, dem *„Willehalm“* und dem *„Titurel“*-Fragment sind uns neun z. T. überaus bildstarke Lieder unter Wolframs Namen überliefert, von denen eins sicher nicht von Wolfram stammt, während bei einem anderen die Frage der Echtheit umstritten ist.
Der größte Teil der Lieder, nämlich fünf, sind *„Tagelieder“*, Klagen der Liebenden über den Abschied am Morgen. Sie sind z. T. dialogisch aufgebaut, z. T. spricht nur eine Person. Eine Sonderstellung nimmt Lied IV ein. Während sonst in den *„Tageliedern“* die Ehethematik nicht erscheint, spricht hier der Dichter zum Wächter, dessen Gesang sonst die Liebenden weckt, gebietet ihm zu schweigen und preist die eheliche Liebe, die den Abschied und die Trennung am Morgen nicht kennt. Ob hier eine persönliche Äußerung Wolframs faßbar wird oder eine parodistische Wirkung beabsichtigt ist, muß freilich offen bleiben.
Neben den *„Tageliedern“* stehen die *„Werbungslieder“*, von denen eins (III) in bezug auf ein Lied Walthers von der Vogelweide zu sehen ist (Lachmann 111, 22 = Maurer 38), das sich seinerseits wieder gegen ein Lied Reinmars des Alten richtet (MF 159, 1). Außerdem steht Wolframs Lied III auch in enger Beziehung zu zwei Abschnitten im *„Parzival“*, zur Selbstverteidigung (114, 5—116, 4) und zum Ende des 6. Buches. Die Chronologie der Lieder kann trotz mehrerer Versuche, sie in einen Zyklus einzuordnen, noch nicht als endgültig geklärt betrachtet werden.
Mit kaum einem Dichter des Mittelalters hat sich die Forschung öfter und ausführlicher beschäftigt als mit Wolfram. Seine Quellen, seine Ethik, seine Religiosität, seine Auseinandersetzung mit literarischen Konkurrenten, ja Gegnern, vom Range eines Gottfried von Straßburg und Hartmann von Aue, seine Wirkung auf Zeitgenossen und Nachfolger, welche dazu führte, daß unter seinem Namen die Werke einer Reihe von Nachahmern gingen und daß seine Romane Fortsetzer fanden, sind vielfach erörtert worden. Seine Bedeutung für das Mittelalter und die frühe Neuzeit geht schon daraus hervor, daß die handschriftliche Überlieferung seiner Werke die aller anderen mittelalterlichen Dichter übersteigt. Sein „dunkler“ Sprachstil und nicht zuletzt sein Dichtertum, Heimat- und Bildungsfragen und seine Persönlichkeit sind immer wieder behandelt worden. Die Darstellung vieler Einzelprobleme, etwa von Parzivals *„tumpheit“*, von Raum-, Landschafts- und Zeitgestaltung, von Erzählformen, von Sternkunde im *„Parzival“*, von Reichs- und Endzeitproblematik im *„Wille-*

halm" enthüllen Wolfram immer wieder als eine singuläre Gestalt von überragendem formalem Reichtum und außerordentlicher Höhe der Problemstellung. An ihm wird der Höhepunkt jener ersten europäischen Klassik sichtbar, welche nach der Säkularisierung der europäischen Literatur im 11. und 12. Jh. die literarischen und ethischen Gruppennormen einer „hermetischen" christlichen Adelsgesellschaft wenigstens im religiösen Bereich aufbricht und durch die Entfaltung der Sündenproblematik und der Gralswelt, durch die Herausstellung einer Frau als gleichberechtigter Hauptfigur eines Romans, durch die Toleranzidee neue Ziele setzt, denen die nachfolgende Zeit freilich nicht mehr genügen kann.
Auf der anderen Seite wird man betonen, daß Wolfram fest auf den Schultern seiner Vorgänger steht. So ist z. B. das von Chrétien von Troyes ausgebildete und von Hartmann von Aue zuerst nach Deutschland übernommene Strukturschema des Artus-Romans in Wolframs *„Parzival"* grundsätzlich eingehalten, und auch der Doppelroman, wie er im *„Parzival"* in seinen kontrapunktischen Hauptfiguren Parzival und Gawan vorliegt, ist bei Chrétien vorgebildet. Und Wolfram entwickelt auch die Erzähltechnik, die seine Vorgänger schrittweise entfaltet hatten, nur weiter, schafft sie nicht neu. Erst mit Goethe wird es wieder einen solchen Höhepunkt deutscher Dichtung in Europa geben.

Haben wir Wolfram bisher knapp andeutend in seiner Bedeutung für die Literatur des europäischen Mittelalters geschildert, so soll nun der Aspekt stark eingeschränkt werden. Dieser Abschnitt will versuchen, Wolfram konkret bei der Niederschrift der ersten neun Bücher seines *„Parzival"* zu beobachten. Dabei kann der Blick frei werden, einerseits auf die Eigenart seiner Erzähltechnik, andererseits auf sein fränkisches und bairisches Publikum und seine heimatlichen Mäzene. Und es ergeben sich vielleicht willkommene Lösungen für einige noch unbefriedigend erhellte Probleme.
Das literarische Leben des Mittelalters ist in seinem realen Verlauf noch recht unbekannt. Wenn sich die Gelegenheit ergibt, eine mittelalterliche Literaturlandschaft zu erhellen, noch dazu in ihrer Beziehung zu einem großen Dichter, so wird man sie gern ergreifen.

„ein prîs den wir Beier tragn,
muoz ich von Wâleisen sagn:
die sint tœrscher denne beiersch her,
unt doch bî manlîcher wer.
swer in den zwein landen wirt,
gefuoge ein wunder an im birt."
(Text hier und im folgenden nach der Ausgabe von Karl Lachmann.)

Ein Lob, das man gewöhnlich uns Baiern spendet,
muß ich auch den Bewohnern des Valois zuerkennen;
die sind noch größere Toren als die Baiern
und gleichzeitig ebenfalls sehr wackere Streiter.
Wer in allen beiden Ländern aufwächst,
der wird ein Wunderkind an Weltgewandtheit. (121, 7–12)

Unsere Stelle findet sich in der Erzählung von der Jugend Parzivals (Buch 3): neben dem Umgang mit Pfeil und Bogen hat der junge Parzival eben gelernt, auch den kurzen Wurfspeer zu handhaben. Der Jagd ergeben, die im Mittelalter als Schule für die körperliche und geistige Ausbildung des jungen Adligen angesehen wurde, erlegt er mancherlei Wild. Eines Tages hört der Junge im Wald das Hallen von Hufschlägen. Er ist so kräftig und weiß das auch, daß er sich ein wenig großmäulig getraut, es sogar mit dem Teufel aufzunehmen. Da nähern sich drei Ritter in so glänzenden Rüstungen, daß ihn sehr rasch der Mut verläßt und er sie für göttliche Erscheinungen hält und vor ihnen auf die Knie fällt. Diese Geschichte über die Unerfahrenheit Parzivals wird dann durch den eingangs zitierten gutmütig-ironischen Vergleich zwischen den Bewohnern des Valois, woher Parzival stammt, und den Baiern fortgesetzt. Wolfram benutzt die Gelegenheit zu einer augenzwinkernden Anrede an sein Publikum über die Einschätzung der Baiern, die also schon im Mittelalter umging. Dieses scheinbar subjektive Heraustreten des Erzählers aus seiner Handlung ist für Wolfram charakteristisch. An verschiedenen Stellen seines Werkes flicht er solche Bezüge zwischen der Welt seiner Dichtungen und den zeitgenössischen Verhältnissen ein, und dadurch erfahren wir einiges über ihn und seine Lebensumstände. Hier hören wir nur so nebenbei auch, daß Wolfram sich als Baiern betrachtet. *„Ein prîs den wir Beier tragn"*, sagt er. Dies hat manches Rätsel aufgegeben; fragen wir deshalb zunächst nach seiner Heimat.

Im Jahre 1608 kam der Nürnberger Patrizier Hans Wilhelm Kreß am Beginn einer Reise nach Frankreich auch durch Wolframs-Eschenbach in Mittelfranken, das damals Obereschenbach hieß, und berichtete darüber in seinem *„Itinerarium Germaniae, Galliae, Belgii, Angliae et Bohemiae"*: *„Freitags den 5. Augusti sind wir durch Ober-Eschenbach ein Stätlein so dem Teutschen orden zustendig gefahren, hernach durch Pechhoffen (...) In der Teutschherrischen Kirchen zu Eschenbach sind nur nachfolgende Monumenta. Hie ligt der streng Ritter her Wolffram von Eschenbach ein Meister Singer."*

Die Grabinschrift kann nicht original gewesen sein, da es am Anfang des 13. Jh., als Wolfram starb, noch keine Meistersinger gab. Auch der Ausdruck *„streng Ritter"* weist in das 14. Jahrhundert als Zeitpunkt der Errichtung des Monuments. Aber der Kern der Nachricht ist richtig und wird durch eine Fülle von anderen Zeugnissen bestätigt: Wolfram von Eschenbach stammt aus dem mittelfränkischen Städtchen Obereschenbach bei Ansbach, das heute zur Unterscheidung von anderen Ortschaften gleichen Namens nach seinem größten Sohn Wolframs-Eschenbach heißt.

Einer der Orientierungspunkte für die geschichtlichen Zusammenhänge sind einige Bemerkungen Albrechts von Scharfenberg, der mit seinem *„Titurel"* ca. 1270–80 direkt an Wolframs Werk anknüpft. Z. B. heißt es:

> *„Sol des diu werlt engelten*
> *und kunst sin verdorben,*
> *daz der von plivelden*
> *her Wolfram nu lang lit erstorben?"*
>
> *„Soll die Welt dafür bestraft werden,*
> *die Kunst zugrunde gehen,*
> *daß Herr Wolfram von Pleinfeld nun schon lange tot ist?"*
> (Heidelberger Bruchstück. Münchner Sitzungsberichte 1903, S. 293)

Wolfram, der sich selbst immer *„von Eschenbach"* nennt (im *„Parzival"* 114, 12; 185, 7; 827, 13; im *„Willehalm"* 4, 19), wird hier also als Wolfram von Pleinfeld

Miniatur aus der Münchner „Parzival"-Handschrift G (Ausschnitt) mit den Hauptpersonen des Romans

bezeichnet. Und Püterich von Reichertshausen beschreibt im 15. Jahrhundert das Grabmal Wolframs und nennt ihn Wolfram von Eschenbach und Pleienfelden.

Wir haben nun zwar keine absolut beweiskräftigen zeitgenössischen Urkunden für das Geschlecht unseres Wolfram, aber von gewisser Bedeutung ist es doch, wenn sich herausstellt, daß Wolfe(line) – ein Name, der im 13. Jahrhundert recht selten scheint – gerade in Pleinfeld (ab ca. 1214) und Eschenbach (ca. 1241–61) auftreten. Denn die Namen sind im Mittelalter sehr fest an die Familien gebunden, wenn man auch nicht verkennen darf, daß in den späteren Zeugnissen schon die Berühmtheit unseres Wolfram dazu geführt haben könnte, daß der Name häufiger gebraucht wird.

Daß im Urbar der Marschälle von Pappenheim als Eigenmann ein Wolfram von Pleinfeld (ca. 1214) und seine Nachkommen auftreten und daß die Pappenheimer auch Besitz in Eschenbach hatten, wird man nicht unterschätzen dürfen. Es verunklart aber eher das Bild, denn Wolfram selbst lenkt uns in eine andere Richtung, wenn er im vierten Buch des *„Parzival"* den Grafen von Wertheim (und Rieneck) *„min hêrre"* (184, 4) nennt. Nun könnte dies zwar eine bloße Anredeform sein, aber das wird doch unwahrscheinlicher, wenn wir sehen, daß Güter in Eschenbach und Pleinfeld, und zwar die beiden Orte im selben urkundlichen Zusammenhang, vor 1215 vom Bischof von Eichstätt als Lehen des Hochstifts den Grafen von Wertheim und Rieneck gegeben wurden. Der Bischof von Eichstätt war also Oberlehnsherr dieser Güter in Eschenbach und Pleinfeld am Beginn des 13. Jahrhunderts.

Die mittelalterlichen Rechtsverhältnisse lassen es ohne weiteres zu, daß auch die Pappenheimer im selben Ort Besitz haben konnten, und Eichstätt konnte unter Umständen auch noch selbst Besitz dort haben. Aber wenn wir die beweiskräftigsten Argumente zusammensehen, muß damit gerechnet werden, daß Wolfram Eigenmann oder Ministeriale der Grafen von Wertheim und

Rieneck war und als Oberlehnsherrn den Bischof von Eichstätt hatte. Nach dem Zeugnis des *„Parzival“* (15, 12; 184, 27 ff.) muß er jedenfalls ein ziemlich unbegüterter Ritter gewesen sein.

Wir werden auch erstaunt aufhorchen, wenn wir vernehmen, daß Wolfram schon 100 Jahre nach seinem Tode in seinem Heimatort als Meistersinger gegolten hat. Wolfram, der Dichter des *„Parzival“*, des *„Willehalm“*, des *„Titurel“*, ein Meistersinger? Hat denn sein Heimatort so wenig Erinnerung an ihn über ein Jahrhundert hinweg aufbewahrt, daß er ihn im 14. Jahrhundert schon nicht mehr als den gedankentiefsten, sprachgewaltigsten Epiker der mittelhochdeutschen Klassik kannte und ihn *nur* einen Meistersinger nannte?

Die mittelalterlichen Menschen hatten andere Vorstellungen von geschichtlicher Überlieferung und Wertung. Wir befinden uns im 14. Jahrhundert, am Beginn der Blüte des Meistersanges — wer kennt nicht die hervorragende Rolle des benachbarten Nürnbergs dabei —, und Wolfram zählt zu den zwölf alten Meistern, die als Stifter des Meistersanges verehrt wurden und deren Töne von den Meistersingern ausschließlich benutzt werden durften, in denen für sie alle Kunst und auch alles Ethos beschlossen war. Einen der zwölf alten Meister als Sohn der Stadt bei sich ruhen zu wissen, war also aus der Sicht des späten Mittelalters eine Ehre und bedeutungsvoll. Die Erinnerung an Wolfram war in seiner Heimat lebendig und eingeformt in die Vorstellungen der Zeit. Fraglich bleibt, wieso er sich einen Baiern nennen konnte, denn das Gebiet um Eschenbach zählt vor dem 19. Jahrhundert nie zu Bayern. Auch seine Sprache ist, soweit man beim Stande der Forschung sehen kann, nicht bairisch. Schwache Anzeichen in dem sonst weithin überregionalen Text weisen in Wortschatz und Lautung auf das Ostfränkische. Wenn es nun aufgrund der angeführten Quellen den Anschein hat, als führte sein Geschlecht tatsächlich nach Pleinfeld, das an der Grenze des bayerischen Bereichs liegt, so kann es sein, daß danach früher wie heute die „Stammeszugehörigkeit“ bestimmt wurde. Vielleicht lag auch die Übersiedlung nach Eschenbach noch nicht allzulange zurück.

Die weiteren Erörterungen dieses Abschnittes werden uns zeigen, daß wir keinen Anlaß haben, in Frage zu stellen, daß Wolfram aus Wolframs-Eschenbach stammt.

Das Gespräch mit dem Publikum, das Wolfram in seinem *„Parzival“* liebt, kann uns noch weitere Fingerzeige geben.

Im dritten Buch findet sich die schon behandelte Stelle über die Baiern (121, 7—12), zu denen auch der Autor gehört und bei deren *„wir Beier“* freilich ebenso das Publikum mit eingeschlossen sein kann, wie auch ein Gegensatz zu den Zuhörern betont sein könnte.

Das vierte Buch nennt in unmittelbarem Zusammenhang mit der Erwähnung seines Herrn, des Grafen von Wertheim (184, 4), den Ort Hohentrüdingen und Vorgänge um eine Krapfenpfanne. Der Dichter malt die Hungersnot der Stadt Pelrapeire recht drastisch und gleichzeitig witzig aus:

„der zadel fuogte in hungers nôt.
sine heten kæse, vleisch noch prôt,
si liezen zenstüren sîn,
und smalzten ouch deheinen wîn
mit ir munde, sô si trunken.
die wambe in nider sunken.

(. . .)
sich vergôz dâ selten mit dem mete
der zuber oder diu kanne:
ein Trühendingær phanne
mit kraphen selten dâ erschrei.“

„Der Mangel an Lebensmitteln brachte sie in Hungersnot. Sie hatten nicht Käse, nicht Fleisch noch Brot. Drum hatten sie es leicht, sich gut bei Tisch zu benehmen: es gab da nichts in den Zähnen zu stochern und keinen fettigen Mund, mit dem sie den Wein beim Trinken hätten schmalzen können. Schlaff hingen ihre Bäuche. (. . .) Selten lief ihnen ein Zuber oder eine Kanne von Met über. Die treffliche Trühendinger Krapfenpfanne hörte man da selten kreischen.“ (184, 7—12; 22—25. Übersetzung hier und im folgenden nach W. Stapel) Anschließend spricht Wolfram von seinem Haus, in dem es arm zugehe (184, 27—185, 8).

„wolt ich nu daz wîzen in,
sô het ich harte kranken sin.
wan dâ ich dicke bin erbeizet
und dâ man mich hêrre heizet,
dâ heime in mîn selbes hûs,
dâ wirt gefreut vil selten mûs.
wan diu müese ir spîse steln:
die dörfte niemen vor mir heln:
ine vinde ir offenlîche niht.
alze dicke daz geschiht
mir Wolfram von Eschenbach,
daz ich dulte alsolch gemach.“

„Aber wenn ich meinerseits darüber großtun wollte, so würde ich sehr töricht sein; denn da, wo ich so oft vom Pferde steige und wo man mich den Herrn nennt, daheim in meinem eigenen Hause, da haben die Mäuse kaum je eine Freude und sie müssen heimlich ihr Futter stehlen, während ich, vor dem man doch nichts zu verstecken braucht, am hellichten Tage nicht einmal etwas finde. Ach, allzu oft muß ich armer Wolfram von Eschenbach eine so behagliche Häuslichkeit erleben!“ (184, 27 — 185, 8)

Im fünften Buch findet sich ein Hinweis darauf, daß in Abenberg lange keine Turniere mehr stattgefunden hätten (227, 7—16). Und kurz darauf ist von den Feuern auf Wildenberg die Rede (230, 12—13).

„In die burc der küene reit,
ûf einen hof wît unde breit.
durch schimpf er niht zetretet was
(dâ stuont al kurz grüene gras:
dâ was bûhurdiern vermiten),
mit baniern selten überriten,
alsô der anger z'Abenberc.
selten frœlîchiu werc
was dâ gefrümt ze langer stunt:
in was wol herzen jâmer kunt.“

„Kühn ritt er in die Burg hinein und kam auf einen Hof, der war weit und breit. Der Hof war nicht wie sonst in den Burgen durch die Kampfspiele zertreten, sondern es wuchs da kurzes grünes Gras; denn offenbar erprobten sich dort niemals ritterliche Kampfscharen, und selten stampften sie, zu Bannern geordnet, darüber, wie auf dem Anger zu Abenberg. Seit langen Zeiten war dort kaum noch freudiges Ritterwerk geübt worden; es mußten hier wohl Männer hausen, denen das Herz voll Jammer war.“ (227, 7–16)

„sô grôziu fiwer sît noch ê
sach nieman hie ze Wildenberc.“

„Weder einst noch jetzt sah man je so große Feuer hier auf Wildenberg.“ (230, 12–13)

Im achten Buch schließlich wird einer Markgräfin auf der Festung Heitstein gedacht (403, 26 – 404, 2). Kurz danach ist von der Weiberfastnacht in Dollnstein die Rede (409, 5–11).

„was si schœn, daz stuont ir wol:
unt hete si dar zuo rehten muot,
daz was gein werdekeit ir guot;
sô daz ir site und ir sin
was gelîch der marcgrâvin,
diu dicke vonme Heitstein
über al die marke schein.“

„War sie schön, das stand ihr wohl an. Und daß sie dazu das rechte Gemüt hatte, das hob ihren Adel, so daß sie nach Geist und Art der edlen Markgräfin glich, die vom Heitstein herab über alle Marken erglänzte.“ (403, 26 – 404, 2)

„diu küneginne rîche
streit dâ ritterlîche,
bî Gâwân si werlîche schein,
daz diu koufwîp ze Tolenstein
an der vasnaht nie baz gestriten:
wan si tuontz von gampelsiten
unde müent ân nôt ir lîp.“

„Die stolze Königin kämpfte ritterlich. Sie erschien neben Gawan so wehrhaft, daß die Krämerfrauen von Dollnstein in der Fastnacht nie besser gestritten haben, nur daß die es aus Narretei tun und sich ohne Not abmühn.“ (409,5–11)

Es gibt innerhalb der genannten Bücher keinerlei weitere solche Anspielungen. Danach finden sich im *„Parzival“* dann überhaupt keine lokalen fränkisch-bairischen Erwähnungen mehr.

Bumke (*Wolfram von Eschenbach,* S. 2) meint, Wolframs Anspielungen bezögen sich auf eine Reihe von meist unbedeutenden Lokalitäten. Demgegenüber muß man betonen, daß mit der Erwähnung von Hohentrüdingen, Abenberg, Dollnstein und dem Heitstein die Burgen einiger besonders wichtiger Geschlechter des 12./13. Jahrhunderts im südlichen Mittelfranken und in der Oberpfalz sichtbar werden und daß drei dieser Geschlechter mit Wolfram in Beziehungen gestanden haben müssen.

Wolfram von Eschenbach in der Darstellung der Manessischen Liederhandschrift (etwa 1310–1330). Der Dichter ist als zum Turnier gerüsteter Ritter wiedergegeben, dem der Knappe das Pferd hält

Die späteren Gau- und Reichsgrafen von Truhendingen herrschen im 12. und 13. Jahrhundert von ihrer Stammburg Hohentrüdingen aus über einen riesigen Besitz. Abenberg ist der Stammsitz der Grafen des Rangaus. Um 1200 stirbt der Mannesstamm aus, und die Burg gelangt durch Heirat an die Hohenzollern, die Burggrafen von Nürnberg. Unsere Wolfram-Stelle, die davon spricht, daß lange keine Turniere mehr auf dem Burganger von Abenberg abgehalten wurden, könnte ein Zeugnis dieses Übergangs sein, sei es, daß in der Trauerzeit keine Turniere stattfanden, sei es, daß die Burg eine Weile nicht benutzt wurde oder daß sie nur von Frauen bewohnt wurde.
Bei dem Hinweis auf eine Markgräfin, die vom Heitstein oft *„über al die marke schein“*, kann es sich nur um die Gemahlin des letzten Markgrafen von Giengen-Vohburg, Berthold II., handeln. Dieses Geschlecht ist im 12. Jahrhundert von zentraler Bedeutung in der Oberpfalz und Träger der Ausbausiedlung bis in den Frankenwald.
Dollnstein schließlich ist in dieser Zeit der Hauptsitz der Grafen von Hirschberg, die sich zeitweise nach Dollnstein nannten. Die Hirschberger, seit dem 11. Jahrhundert im Besitz der Grafschaft Hirschberg, waren mit den wichtigsten Hochadelsfamilien Süddeutschlands versippt, wodurch allein schon ihr Rang sichtbar wird. Ihre Familie hatte verwandtschaftliche Verbindungen mit den Wittelsbachern ebenso wie mit den Württembergern und ebenso mit den Grafen von Sulzbach, Oettingen und Tirol.
Zu Wolframs Zeit gehörten Ort und Schloß Dollnstein dem Grafen Gebhard von Dollnstein. Sein Bruder Hartwig von Dollnstein war Bischof von Eichstätt. Gebhard war Vogt des Domes und des Bistums Eichstätt und damit also weltlicher Schutzherr des Eichstättischen Besitzes, zu dem indirekt auch Pleinfeld und Eschenbach gehörten.
Alle Erwähnungen sind verbunden mit realistischen örtlichen Details, ob es sich um die Trüdinger Krapfenpfanne handelt oder um das Fastnachtsbrauchtum der Krämersfrauen von Dollnstein oder um den verwaisten Abenberger Anger.
Der Literarhistoriker fragt sich, was die poetische Funktion solcher Einschübe ist, bei einem Autor von der Qualität eines Wolfram.
Es ergibt sich in allen Fällen, daß der Erzähler sich im (zum Teil ironischen) Abstand zu seiner Handlung darstellt. Wolfram benutzt dabei eine hochentwickelte Erzähltechnik, die die Anregungen seiner Vorgänger sehr selbständig weiterentwickelt, denn ein solch kleiner Einschub, der keinerlei Funktion in bezug auf die Handlung hat, ist jedenfalls nur sinnvoll und wirkt nur dann, wenn er unmittelbar an dem Orte, den er nennt, oder in seiner Umgebung vorgetragen wird und wenn ein unmittelbarer Bezug zu einem Publikum herstellt werden kann, das die Anspielung voll versteht. Er schafft so Verbindung zwischen Vortragendem und Hörer. Er bringt die Lacher auf die Seite des Autors und macht das fiktive Geschehen relativ, indem er es in Bezug zu aktuellen Ereignissen bringt.
Dieser Einsatz der historischen Situation als Erzählmittel macht uns die lokalen Einschübe in ihrer poetischen Funktion sichtbar und läßt gleichzeitig einen Blick auf das zeitgenössische literarische Leben zu. Artus-Welt und Gral-Welt erhalten durch unsere Nennungen als außerliterarische Mitspieler die wirkliche Welt, die, in die Struktur des Werkes aufgenommen, eine dritte literarische Ebene begründet und damit die außerordentliche Kunst des Erzählers Wolfram bezeugt.

Weil hier also keine biographischen und historischen Notizen um ihrer selbst willen geliefert werden, ist uns auch der Zugang zu anderen Bereichen von Wolframs Leben, etwa zu seiner Jugend und seiner Ausbildung, verwehrt.

Da sich alle realistischen Anspielungen der Bücher 3–5 und 8 auf Orte in der fränkisch-bairischen Kontaktzone zwischen Rezat und Altmühl beziehen lassen, sind wir zu dem Schluß gezwungen, daß die betreffenden Teile des *„Parzival"* dort an verschiedenen Orten vor einem orts- und ereigniskundigen Publikum vorgetragen wurden, und, da reiche Adelshöfe als die Spielorte sichtbar werden, fassen wir in ihren Besitzern und der adligen Gesellschaft dieses Raumes in für das Mittelalter erstaunlich sicherer und unmittelbarer Weise das Publikum und wohl auch die Mäzene des Wolfram der Bücher 3–5 und 8.

Da die Lokalanspielungen auf Hohentrüdingen in unmittelbarem Anschluß an die Erwähnung des Grafen (Poppo) von Wertheim stehen, darf wohl auch am ehesten damit gerechnet werden, daß Poppo zu den Gästen in Hohentrüdingen zählte. Anders würde man nicht so gut verstehen, daß ein Publikum im ca. 130 km Luftlinie entfernten Wertheim oder anderswo eine lokale Geschichte aus Hohentrüdingen kannte. Dies gilt selbst, wenn man davon ausgehen muß, daß die Adelsgruppen des hohen Mittelalters in ihrer Geselligkeit relativ enge Beziehungen über weitere Räume unterhielten. Freilich muß Poppo unter Umständen auch gar nicht anwesend gewesen sein. Es kann sich auch um eine Anspielung auf Wolframs Lehnsherrn handeln, den jeder in diesem Kreis gekannt haben wird. Dazu muß man auch beachten, daß Wolfram gerade an dieser Stelle betont von seiner Armut spricht und sich dabei deutlich und vielleicht sogar ein bißchen anzüglich im Gegensatz zu (dem anspruchsvollen?) Poppo darstellt.

Demgegenüber ist festzuhalten, daß bei der Nennung Abenbergs, Dollnsteins und Hohentrüdingens lokale Ereignisse an den Ort gebunden scheinen. Deswegen haben wir keinen Anhalt, daß Wolfram in Wertheim weilte und daß der Graf von Wertheim ein besonderer Mäzen war.

Akzeptiert man die bisherigen Überlegungen, so kommt man um die Feststellung nicht herum, daß es schwer sein wird, die im fünften Buch beschriebenen Feuer auf Wildenberg anderswo zu suchen als in einem Ort, der in der Nähe von Abenberg liegt. Denn wie sollte es verständlich sein, daß Parz. 227, 13 vielleicht in Anspielung auf das Aussterben des Mannesstammes der Abenberger die Rede ist von dem Anger auf Abenberg, auf dem lange keine Kampfspiele stattgefunden haben, während 90 Verse weiter (230, 13) innerhalb ein und derselben Geschichte von den Feuern *„hier"* in Wildenberg die Rede ist. Soll man sich denken, Wolfram sei inzwischen ca. 200 km weit gereist? Es ist offenbar, daß man deshalb doch ernsthaft an die Erhebung, vielleicht sogar den Burgstall, bei Wehlenberg im Landkreis Gunzenhausen denken muß, das in alter Zeit Wildenberg heißt. Es handelt sich um eine 535 m hohe, weithin sichtbare Erhebung, die ca. 13 km von Abenberg entfernt liegt und zusätzlich ganz in der Nähe von Wolframs-Eschenbach.

Betrachtet man die Wildenberg-Stelle, so scheint hier die Betonung besonders großer Feuer auf Wildenberg hervorzustechen, so großer Feuer, wie sie eigentlich gar nicht zu einem realistisch gedachten Kaminfeuer passen könnten. Infolgedessen wäre sehr zu überlegen, ob es Bergfeuer im Freien sein könnten. Unentscheidbar scheint mir dabei, wo diese ganze Passage spielt, ob in Wildenberg, dessen frühe Geschichte noch ungenügend erhellt ist, oder in Aben-

berg oder an einem dritten Ort. Das *„hier"* muß jedenfalls nicht unbedingt bedeuten, daß Wildenberg selbst der Spielort ist.
Schon früher ist mit guten Gründen darauf hingewiesen worden, daß die Bücher 1 und 2 des *„Parzival"* zu einem unbekannten Zeitpunkt nach der Abfassung der Bücher 3–6 dem Werk hinzugefügt wurden. Doch ist es fast sicher, daß die Bücher 1–6 zunächst allein im Umlauf waren, da z. B. Wirnt von Grafenberg aus dem ca. 60 km von Wolframs-Eschenbach entfernten Gräfenberg im Landkreis Forchheim in seinem vor 1209 verfaßten Roman *„Wigalois"* nur diese benutzt.
Für ein Abbrechen der Arbeit am *„Parzival"* hat man — sicher zu Recht — die politischen Ereignisse des Jahres 1203 verantwortlich gemacht.
Dieses Problem läßt sich aber meines Erachtens noch näher klären. Dabei werfen wir zunächst einen Blick auf das achte Buch, das nach dem Aussetzen der fränkisch-bairischen lokalen Bezüge im sechsten und siebten Buch wieder solche Anspielungen enthält, nämlich die auf die Markgräfin von Heitstein, die wohl als tot zu denken ist *(schein!)*, und auf die Weiberfastnacht von Dollnstein. Auch hier haben wir das gleiche Verhältnis wie im vierten Buch. Die lokale Anspielung ist ortsgebunden, die personelle gilt dort wohl einem Abwesenden, ja hier sogar einer Toten. Es fällt auf, daß mit dem achten Buch die lokalen Anspielungen auf fränkische und bairische Orte in der Umgebung von Wolframs-Eschenbach aufhören. Das neunte Buch führt zwar die Erzähltechnik dieser Anspielungen fort. Aber nun beziehen sie sich auf Orte in der Steiermark und Friaul einschließlich Aquileia (496, 15; 20; 21; 498, 20; 21; 25; 30; 499, 8). Danach unterbleiben sie immer mehr. Wenn unsere Grundüberlegung richtig ist, daß diese Anspielungen mit den Entstehungs- und Vortragsorten von Wolframs Frühwerk zusammenhängen müssen, dann würde sich der Schluß anbieten, daß mit dem neunten Buch die Zeit in der Heimat endgültig vorbei ist, jedenfalls solange die Arbeit am *„Parzival"* dauert. Wenn wir annehmen dürften, daß Wolfram zur Zeit der Abfassung des neunten Buches sich in der Steiermark und Friaul aufhält, würde sich wohl auch die Anschouwe-Thematik, die zuletzt Herbert Kolb behandelt hat, am ehesten unter diesem Gesichtspunkt noch einmal zur Prüfung anbieten.
Wenn aber im großen und ganzen die Zeit des Schreibens am *„Parzival"* in der Heimat vom dritten bis achten Buch gedauert haben soll, müßte auch gefragt werden, ob nicht das Aussetzen der Anspielungen auf heimatliche Orte und Ereignisse in den Büchern sechs und sieben von Wolframs damaligem Leben her erklärt werden könnte.
Soweit ich sehe, ist die Forschung überwiegend der Meinung, die Anspielung auf Hermann von Thüringen (297, 16—27), den großen Mäzen der höfischen Dichter, lasse Wolfram ein erstes Mal in dessen Umgebung sichtbar werden. Man kann versuchen, dieses Problem neu zu beleuchten. Wolframs Äußerung über Hermann von Thüringen ist alles andere als freundlich, ebenso wie Walthers Gedicht es offensichtlich war, auf das Wolfram (297, 24 f.) anspielt, und ein weiteres Walther-Gedicht (Lachmann 20, 4 — Maurer 8, 5), das auffallend eng mit Wolframs Text korrespondiert: Alle Stellen setzen jedoch voraus, daß Hermann als Mäzen bekannt und „mild" ist.

„von Dürgen fürste Herman,
etslîch dîn ingesinde ich maz,
daz ûzgesinde hieze baz.

dir wære och eines Keien nôt,
sît wâriu milte dir gebôt
sô manecvalten anehanc,
etswâ smæhlîch gedranc
unt etswâ werdez dringen.
des muoz hêr Walther singen
‚guoten tac, bœs unde guot.'
swâ man solhen sanc nu tuot,
des sint die valschen gêret."

„Hermann, Fürst von Thüringen, auch von Deinem Ingesinde sollten etliche lieber Ausgesinde genannt werden, sie wären besser a u s statt i n dem Hause! Auch Dir täte ein Keye not, da Deine echte Milde Dir so mancherlei Anhang zuzog, daß teils schändliche, teils edle Leute sich herandrängten. Herr Walther von der Vogelweide hatte daher guten Grund zu singen: ‚Guten Tag, Ihr Bösen und Ihr Guten!' Wo man ein solches Lied singt, werden die Falschen zu Ehren gebracht." (Wolfram, Parzival, 297, 16—27)

„Der in den oren siech von ungesühte si,
daz ist min rat, der laz den hof ze Dürengen fri,
wan kumet er dar, deswar er wirt ertœret.
Ich han gedrungen unz ich niht me dringen mac:
ein schar vert uz, diu ander in, naht unde tac;
groz wunder ist daz iemen da gehœret.
Der lantgrave ist so gemuot,
daz er mit stolzen helden sine habe vertuot,
der iegeslicher wol ein kenpfe wære.
Mir ist sin hohiu fuore kunt:
und gulte ein fuoder guotes wines tusent pfunt,
da stüende ouch niemer ritters becher lære."

„Wer stark ohrenleidend ist, der lasse, rate ich, den Hof von Thüringen ungeschoren; denn kommt er dahin, so wird er wahrhaftig taub. Ich habe das Gedränge der Empfänge mitgemacht, bis ich nicht länger kann. Eine Rotte tobt hinaus, die andere herein, Tag und Nacht. Ein wahres Wunder, daß da noch einer etwas vernimmt. Der Landgraf ist nun einmal so gestimmt, daß er sein Hab und Gut mit hochgemuten Recken durchbringt, von denen ein jeglicher gut und gern einen Klopffechter abgäbe. Ich kenne seine großartige Lebensweise: und kostete ein Fuder guten Weines tausend Pfund, so stände auch dann eines Ritters Kump niemals leer." (Walther, Lachmann 20, 4 — Maurer 8, 5. — Text nach der Ausgabe von Friedrich Maurer: Die Lieder Walthers von der Vogelweide, Bd. 1, Tübingen [2]1960, Altdeutsche Textbibliothek 43. — Übersetzung nach Hans Böhm: Die Gedichte Walthers von der Vogelweide, Urtext mit Prosaübersetzung, Berlin [3]1964)
Philipp von Schwaben hatte im Frühjahr 1203 im Zuge der Auseinandersetzungen mit Otto IV. Thüringen, das mit Otto verbündet war, angegriffen. Die Verbündeten des Landgrafen Hermann von Thüringen bedrängten jedoch Philipp so sehr, daß ihm nur die Feste Erfurt als Rückhalt blieb, wo er belagert wurde. Philipp entkam jedoch und die Belagerung wurde aufgehoben. Schließlich setzte sich Philipp dann aber doch durch (September 1204), und Hermann von Thüringen wird unterworfen.

Wolframs Kritik an Hermann ebenso wie die Beziehung auf Erfurt, in dem das Heer Philipps von Schwaben belagert wurde, und das Aussetzen der heimischen Anspielungen wären nun zweifellos am besten verständlich, wenn gezeigt werden könnte, daß Wolfram politisch auf seiten Philipps war und in dessen Heere am Krieg teilnahm. Dabei wird man sich vor Augen halten, daß Walthers Lied, das mit der Wolfram-Stelle so auffällig korrespondiert, im ersten Philipps-Ton geschrieben ist und schon dadurch die Spuren von Walthers Parteinahme gegen Hermann von Thüringen in dieser Zeit trägt.
Auch für Wolfram läßt sich hier doch einiges beibringen: das achte Buch des Parzival bringt eine besonders realistische Beziehung auf Dollnstein, den Sitz des Grafen Gebhard von Dollnstein (-Hirschberg). Wir hatten uns schon klargemacht, daß Gebhard als Vogt von Eichstätt wie sein Bruder, der Bischof von Eichstätt, in engster Beziehung zu Wolfram gestanden haben müssen und nicht nur irgendwelche Gönner waren. Gebhards Bruder, Bischof Hartwig von Dollnstein-Hirschberg, wird von Philipp von Schwaben nicht nur als *consanguineus* „Blutsverwandter" bezeichnet, sondern der Bischof wird eben im Jahre des Feldzuges von 1203 als Nachfolger des Bischofs Konrad von Würzburg einige Zeit Kanzler Philipps von Schwaben (Heidingsfelder, Regesten, Nr. 527, S. 169). Dies zeigt nun die Dollnsteiner einerseits in so enger Beziehung zu Philipp von Schwaben, Wolfram andererseits genau in dieser Zeit in so enger Beziehung zu den Dollnsteinern, daß man es zusammen mit der unfreundlichen Haltung Wolframs gegen Hermann von Thüringen doch für am wahrscheinlichsten halten wird, daß Wolfram auf seiten Philipps steht. Es ist von der Rechtslage her klar möglich, von der persönlichen Situation des eben zur Kanzlerschaft aufgestiegenen Bischofs von Eichstätt, des Vetters Philipps, her sogar wahrscheinlich, daß ein eichstättisches Aufgebot an dem Kriege teilnahm und daß Wolfram dabei war. In dieser Zeit wären dann die Bücher sechs und sieben entstanden. Von der Erzähltechnik Wolframs her, in dieser Frühzeit seines Werkes, weisen sie folgerichtig Anspielungen auf die Auseinandersetzung mit Hermann und die verwüsteten Weingärten von Erfurt (379, 18 f.) auf. Im achten Buch finden wir ihn sodann nach dem Siege der Partei Philipps auf der Burg eines seiner Parteigänger und Verwandten in Dollnstein.
Es wäre in einer Zeit, da die Parteien öfters gewechselt werden — und Hermann von Thüringen tut es ja selbst oft —, kein Einwand, daß Wolfram, wie ja auch Walther, später Gäste Hermanns von Thüringen sind und daß Wolfram in seinem Auftrag den *„Willehalm"* schreibt.
Wenn wir die Probleme richtig sehen, so kann die Entstehung des Frühwerkes Wolframs von Eschenbach in seiner fränkisch-bairischen Umgebung nun etwas besser beurteilt werden. Aus der Zusammenschau seiner Erzähltechnik mit der zeitgenössischen Geschichte und Landesgeschichte kann manches Detail, das die Forschung lange beschäftigte, neu beleuchtet werden und uns den Blick freigeben auf das literarische Leben im südlichen Franken am Anfang des 13. Jahrhunderts. Heimischer fränkisch-bairischer Adel und heimisches Publikum scheinen mehr, als man bisher sah, die ersten Bücher eines epochalen Werkes europäischer Klassik in ihrer Entstehung mitgetragen zu haben. In exemplarischer Weise begegnen sich im Werke Wolframs das Überzeitliche, Überregionale, Überpersönliche und das zeitlich, örtlich und personell Begrenzte.

Siegfried Beyschlag

WALTHER VON DER VOGELWEIDE

1170—1230

I.

Im Lusamgärtlein des Kreuzganges im Neumünster zu Würzburg trägt ein moderner, rechteckig behauener Steinblock die Inschrift: *„Hêr Walther von der Vogelweide, swer des vergæz', der tæt mir leide."* Der Spruch gibt den Nachruf eines jüngeren Zeitgenossen Walthers von der Vogelweide wieder, nämlich des Bambergers Hugo von Trimberg. Spruch und Stein sollen das an dieser Stelle zu vermutende Grab des mittelalterlichen Dichter-Sängers symbolisieren.
Die Annahme, daß hier das Grab Walthers sei, geht auf eine Notiz Michaels de Leone, Protonotars des Würzburger Bischofs um 1350, ein gutes Jahrhundert nach Walthers wahrscheinlichem Ableben, zurück. Die Notiz lautet in neuhochdeutscher Übertragung: *„Der Ritter Walther, genannt von der Vogelweide, begraben im Kreuzgang des Würzburger Neumünsters."* Es ist die Feststellung eines glaubwürdigen, zudem an der Dichtung, vor allem Walthers, interessierten Mannes, der von Amts wegen Bescheid wissen mußte, und dessen Augenzeugenbericht anzuzweifeln, übertriebene Akribie wäre. Um so mehr, als Michael sich vom Weiteren, einer angeblichen Grabschrift auf dem Stein Walthers, deutlich distanziert; er schreibt: *„Es waren die folgenden Verse eingemeißelt";* d. h. hierfür ist er selbst nicht mehr Augenzeuge. Die Verse heißen: *„Der du, Walther, zu deinen Lebzeiten eine Weide der Vögel gewesen, eine Blume der Beredsamkeit, ein Mund der Pallas, du bist dahingegangen. Weil deine Rechtlichkeit den Strahlenglanz zu besitzen fordert, möge, wer dies liest, sprechen: ‚Erbarme sich Gott seiner'."* Diese Grabschrift samt der Legende vom Vermächtnis Walthers, auf seinem Grab die Vögel zu füttern, gehört nicht der Wirklichkeit an.
Festhalten dürfen wir: Walther von der Vogelweide, der umfassendste unter den großen Lyrikern des deutschen Mittelalters, ist in Würzburg begraben. Dieses Faktum setzt Zugehörigkeit des Lebenden zu Würzburg und seinem Neustift voraus, vermutlich einen Einkauf für die Grablege, eigentlich damit eine dortige Seßhaftigkeit zumindest in der letzten Lebenszeit des Dichters. Walther spricht von einem Lehen, mit dem ihn der König — gemeint ist

der Hohenstaufe Kaiser Friedrich II. — endlich ausgestattet habe. Gemäß Walthers Worten muß es als ein Ansitz verstanden werden. Dieses Lehen wäre dann also in der Würzburger Gegend zu suchen. Nahe liegt die Vermutung, daß es mit einer *curia dicta ze der Vogelweide* auf dem Sand zu Würzburg zu identifizieren sei, d. h. einem Gut, das 1323 dort urkundlich bezeugt ist.
Der Unsicherheiten über Walthers äußeres Leben sind noch viel mehr. Denn selbst für mittelalterliche Verhältnisse ist der Mangel an öffentlicher Dokumentation von Walthers Existenz außerordentlich. Keine Urkunde, kein Bericht nennt seinen Namen. Einzig in den Reiserechnungen des Passauer Bischofs Wolfger von Ellenbrechtskirchen taucht Walthers Name anläßlich einer Schenkung zum 11. November 1203 in Zeißelmauer bei Wien auf: *Walthero cantori de Vogelweide quinque solidos longos pro pellicio.* D. h. der Sänger Walther von der Vogelweide erhielt — zum Martinstag — 5 lange Solidi für einen Pelzrock. Kantor meint einen wohl geistlich, d. h. akademisch ausgebildeten Sänger-Komponisten; die Geldgabe zur Neuanschaffung rückt Walther in die Schicht der höheren Bediensteten, denen unter Umständen auch der Titel „Herr" zusteht, den zeitgenössische Dichterkollegen Walther auch zuerkennen. Allerdings wissen wir aus Versen Walthers, daß er mehrmals hart um die Anerkennung als „Herr" hat ringen müssen. Er stand offenbar an der untersten Grenze damaliger Adelsbürtigkeit.
Sonst sichern nur Aussagen gleichzeitiger und späterer Dichter Walthers Existenz — und das lyrische Werk, das die Handschriften vom Anfang des 14. Jahrhunderts ab ihm zuschreiben.
In diesen Gedichten weist Walther vielfach auf gleichzeitige Ereignisse hin, die den Zeitraum von 1197 bis gegen 1230 umspannen. Diese Epoche, die Zeit des Bürgerkrieges zwischen Staufen und Welfen unter Philipp von Schwaben (1198—1208) und Otto IV. (1198—1214), die ersten Jahre Kaiser Friedrichs II. (1212—1250) bis zu dessen Kreuzzug 1228—29 hat demnach Walther aktiv anteilnehmend auf jeden Fall durchlebt.
Vielleicht darf man aber doch noch von einem weiteren Zeugnis sprechen: in Gestalt des Wappens, das die jüngste und größte der drei lyrischen Sammelhandschriften des alemannischen Raumes Walther gibt: die Große Heidelberger oder Manessische Handschrift, die im 2. Jahrzehnt des 14. Jahrhunderts in Zürich hergestellt worden sein wird. Zwar ist diese Handschrift oft sehr willkürlich in der Zuweisung von Wappen an ihre Dichter; Walthers Wappen jedoch, der Sperber unter einem Fangrahmen mit geknoteten Schnurenden auf hagebuttenfarbenem Grund, zeige — gemäß zu erwartenden Darlegungen des verdienstvollen Heimatforschers Rudolf Bayerlein — gewisse Parallelen zu einschildigen Ministerialenwappen der schwäbisch-fränkischen Grafen von Oettingen, was nicht nur Zufall oder Willkür zu sein braucht. Als solches „redendes" Wappen könne es immerhin auf Bedienstete, Ministerialen einer Vogelweide, hinweisen, d. h. eines Platzes zur Ausübung der Vogelbeize.
Dies lenkt den Blick auf ein Gut, *„das da heißt die Vogelweid"*, das bei Feuchtwangen, in ehemals Oettingischem Bereich, nachweisbar ist; es ist zwar — ähnlich der Würzburger — urkundlich erst für 1326 bezeugt, lasse sich aber — wiederum nach Bayerlein — über die Zeit Oettingischen Besitzes bis in die früheste vermutbare Lebenszeit Walthers zurückverfolgen. Damals — in der 2. Hälfte des 12. Jahrhunderts — gehörte das Feuchtwanger Land zum staufischen Reichsgutkomplex des Herzogtums Rothenburg und damit auch jene

Miniatur aus der Großen Heidelberger Liederhandschrift. Sie zeigt den Dichter in der Haltung des Richters und Visionärs. Das Wappen kennzeichnet Den von der Vogelweide; es könnte einen Hinweis auf staufisch-fränkische Reichsministerialität Walthers beinhalten

Vogelweide und ihre Ministerialen. Zugleich existierten Beziehungen der Feuchtwanger Herren zu Würzburg.
Steht also hinter dem manessischen Wappen etwa doch ein Wissen der Züricher um 1300 von einer Herkunft Walthers von dieser Vogelweide? Wäre etwa Walthers Belehnung durch den König von einer solchen Zugehörigkeit zur Reichsministerialität des Rothenburger Raumes getragen? Der Landeshistoriker Karl Bosl glaubt dies aus lehensrechtlichen Gründen bejahen zu können.
Gibt es Äußerungen von Walther selbst zu seiner Herkunft? Er sagt: *„Ze Ôsterrîche lernt' ich singen unde sagen."*, d. h. *„In Österreich bin ich in der Kunst des Dichtens und Komponierens ausgebildet worden"*. Das klingt allerdings zunächst nicht nach einer fränkischen Herkunft.
Nach allem, was wir zu wissen glauben, muß diese Ausbildung unter Herzog Leopold V. spätestens in der 1. Hälfte der 90iger Jahre des 12. Jahrhunderts im Wien der Babenberger geschehen sein. Als jungen Ministerialensohn hat man sich Walther dabei vorgestellt.
Von der musikalischen Komponente in Walthers Liedkunst, d. h. den Melodien und der Vortragsweise der Lieder — die ein Kenner wie der Tristan-Dichter Gottfried von Straßburg fast noch höher schätzte als Walthers Wortkunst — sind freilich nur ganz spärliche und z. T. unsichere Reste auf uns gekommen.
Die nächstliegende Folgerung aus der Aussage Walthers war und ist, daß Walther dann eben auch in diesem Österreich geboren sei. Trotzdem ist von der Forschung immer wieder auch außerösterreichische Herkunft Walthers postuliert worden, darunter gerade auch eine fränkische. Walthers Worte über seine Ausbildung in Wien schließen ja eine frühe Zuwanderung nach Österreich nicht aus. Wer sie aber geltend machen will, hat immerhin die ganze Beweislast zu tragen, und das ist angesichts des Mangels sicherer Bezeugung eine fast unlösbare Aufgabe, die nur bis zu Mutmaßungen führen kann. Auch der Nachweis von Vogelweiden verhilft noch keineswegs zu einer Sicherheit. Denn Vogelweiden hat es an jedem größeren Herrensitz gegeben, auch in Österreich. Rund 17 solcher Vogelweiden sind bis jetzt bekannt geworden, von der Bozener Gegend bis Dux in Böhmen, die Schweiz, Frankfurt und nun Feuchtwangen. Viele davon haben Walther für sich reklamiert. Keine kann von vornherein Walther für sich beanspruchen, da er ebensogut irgendeiner anderen, noch nicht nachgewiesenen zugehören kann. Zu ernsthafter Erwägung stehen m. E. zur Zeit jedoch nur noch die beiden Alternativen: wenn nicht Österreich, dann Feuchtwangen.

II.

Die glücklichen frühen Jahre in Wien dauerten für Walther nicht allzulange. Mit dem neuen Herzog Leopold VI. kam es für Walther 1198 zum Bruch, vielleicht über Leopolds Pläne zur Verlegung der Pfalz von Wien nach Klosterneuburg. Der Herzog verweigerte dem offenbar unbequemen Mann die Aufnahme in die neu zu konstituierende *familia ducis,* die engere Hofbeamtenschaft. Wien blieb Walther seitdem als ein Traumziel bis auf kurze Gastbesuche verschlossen.
Ein ganz anderes Leben innerer und äußerer Unbehaustheit beginnt nun. Doch es formt Walther zu der einmaligen Persönlichkeit, als die er uns in seinem Dichterschaffen entgegentritt. Auf ständigen Herrendienst zur Existenzsicherung angewiesen, schlägt er sein künstlerisches Potential hierfür in die Schanze und schafft die mittelhochdeutsche Versstrophe zu einem scharfge-

schliffenen Instrument auch politischer Meinungsbildung, das er in aktuellen Fragen der Landes- und Reichspolitik einsetzt. Das ist für jene Zeit erstmalig und unerhört gewesen.
Bereits im gleichen Sommer des Scheidens von Wien 1198 tritt Walther in seinem ersten politischen Spruchgedicht für die Wahl des Staufers Philipp von Schwaben zum deutschen König ein – gegen den Welfen Otto IV. Es ist der zweistrophige, später um eine 3. Strophe erweiterte „Reichston", worin Walther sich in der sinnenden Haltung des Richters und Visionärs darstellt – so wie wir ihn aus den Miniaturen der Liederhandschriften kennen:

„Ich saß auf einem Steine,
Bein über Bein geschlagen,
den Ellenbogen aufgestützt,
und hatte in die Hand geschmiegt
das Kinn und eine Wange.
Ich war in schweren Sinnen . . ."

Das Bild vom rechten König, der Friede und Rechtsordnung wiederherstellen und die aufsässigen Lehenskönige in die Schranken zu weisen versteht; das Bild von der Wirrung im Reich und in der Kirche, vom Gegensatz zu den Welfen und der päpstlichen Partei, das Walther in diesem und zeitlich folgenden Gedichten entwirft, deckt sich bemerkenswert mit politischen Auffassungen der staufischen Staatskanzlei.
Deren Leiter waren hauptsächlich Mitglieder jener Reichsministerialität, für die Walther nach der Feuchtwanger These selbst beansprucht wird. Die Ministerialen sind eine soziale Schicht von höheren und niederen Hofbediensteten, die aus ursprünglicher persönlicher Unfreiheit zur Gleichberechtigung mit dem Geburtsadel der Freien Herren und Fürsten drängen und im Zeitalter Walthers die führenden Köpfe in Politik und Kultur wie auch in der landessprachlichen Dichtung stellen. Walther von der Vogelweide muß im Augenblick seines ersten politischen Einsatzes Zutritt zu diesem staufischen Führungszentrum besessen haben. Das gibt hinsichtlich einer möglichen Geburtszugehörigkeit zur Feuchtwanger Reichsministerialität zu denken.
Ein derartiges Dienstverhältnis zum staufischen Königshof Philipps deutet auch ein in das gleiche Jahr 1198 zu datierender Spruch Walthers an, worin er nach der Entlassung aus Wien aufatmend feststellt: *„Nun sitze ich wieder an wärmendem Feuer. Mich hat das Reich und der König an sich gezogen, wohlauf denn, wer Lust hat, zum Klang der Fidel zu tanzen!"*
Allerdings spiegelt sich in Walthers Gedichten sehr bald eine zunehmende kritische Zurückhaltung, ja Entfremdung zu König Philipp wieder. Für die Ermordung des Königs 1208 findet Walther kein einziges Wort. Sehr bald scheint Walther die nicht sehr glückliche Politik des Königs nicht mehr mit den Augen des staufischen Hofes, sondern aus der distanzierenden Perspektive landesfürstlicher Interessen, wie des Landgrafen Hermann von Thüringen, des Markgrafen Dietrich von Meißen, gesehen zu haben. Dienstverhältnisse zu diesen Fürsten sind in diesen Jahren für Walther wahrscheinlich.
In direktem Auftrag Dietrichs und für diesen, in Sachen Reichspolitik höchst unzuverlässigen Herren um Schönwetter bittend, heißt Walther sodann im Jahre 1212 den mit der Kaiserkrone, aber bereits auch mit dem päpstlichen Bann nach Deutschland zurückkehrenden Otto IV. willkommen, den Welfen,

der nun, nach Philipps Tod allgemein anerkannt, der römischen Kurie gegenüber entschiedene staufische Politik betreibt — als einzige Möglichkeit. In eindrucksstarker, allen verständlicher Formulierung rückt Walther dem ankommenden Kaiser die von ihm erwarteten Aufgaben vor Augen: den Frieden in Deutschland herzustellen, der Christenheit Genugtuung zu verschaffen und den Kreuzzug gegen die Heiden um das Heilige Land zu unternehmen. Adler und Löwe führe Otto ja in seinem Heerschild, d. h. er verfüge über die Gesamtheit der staufischen und welfischen Macht: Was wäre noch imstande, ihrer gesammelten militärischen Kraft und ihren Hilfsmitteln, die allen Freunden Nutzen verhießen, Widerstand entgegenzusetzen?
Solche wort- und bildstarke propagandistische Wegbereitung scheint die staufischen Berater Ottos veranlaßt zu haben, Walther ein Dienstangebot zu machen. Wahrscheinlich mit Inaussichtstellung eines Lehens. Walther liquidiert darauf den Dienst bei Dietrich, nicht ohne diesem bittere Vorwürfe wegen mangelnder Rückendeckung und ungenügender Entlohnung seiner Dienste zu machen. Walther fühlt sich von Dietrich hintergangen.
Jetzt, in den harten Kampfjahren von 1212 bis 1214, wo Otto sich, aus Unfähigkeit und infolge schwindender Machtmittel, immer verzweifelter auf drei Fronten zu wehren hatte: gegen den Papst, gegen Frankreich und die unzuverlässigen deutschen Fürsten und — als gefährlichsten Feind — gegen den vom Papst 1211 ins Spiel gebrachten echtbürtigen Staufer, den jungen Friedrich II., den Enkel Barbarossas — in diesen Jahren erleben wir Walther als bedenkenlosen, kein Mittel propagandistischer Wirkung ungenutzt lassenden Bannerträger Ottos im Kampf zumal gegen die Kurie. Und wieder hören wir Gedankengänge und Beweisführung staufischer Reichspolitik aus Walthers erbarmungslosen Versen. — Der Regierungssprecher Ottos IV., Herr Vogelweid, stellt richtig, würde man modern sagen. — Walther geht bis zur Gleichsetzung der kurialen Partei mit den Pharisäern, bis zur Identifizierung des Papstes mit dem Antichristen, bis zum Vorwurf der Doppelzüngigkeit und des Truges: erst Segen und Gehorsamsforderung dem Kaiser gegenüber bei der Krönung, nun Verfluchung des gleichen Mannes bei der Bannung. Wir hören die ganze scharfgeschliffene Ironie Walthers, wenn er formuliert: *„Herr Papst, mein Seelenheil ist mir sicher, denn ich beabsichtige, Euch Gehorsam zu leisten . . .“* nämlich: den Kaiser trotz erfolgter Bannung weiterhin als Herren anzuerkennen. Der angedrohte Fluch falle Ehre mindernd lediglich auf die Kirche zurück . . .

Für die in große Breite gehende Wirkung solchen politischen Einsatzes Walthers gibt es das beredte Zeugnis eines politischen Gegners. Das ist der italienische Geistliche Thomasin von Zirclaria. In seinem mittelhochdeutsch geschriebenen Lehrgedicht „Der welsche Gast“ von etwa 1215 beklagt er mit bitteren Worten: der an sich ehrenwerte Herr Walther von der Vogelweide habe Unzählige vom rechten Weg abgebracht, d. h. zum Ungehorsam gegen den Papst verführt.
Kein Wunder, daß der kommende Mann, der Staufe Friedrich II., seine Fühler, mit der er die Lage in Deutschland sondierte, auch auf den erfolgreichen Propagandisten staufischer Politik ausgestreckt hat. Aus Walthers Versen kann man ein Angebot Friedrichs heraushören, in die vertraglichen Verpflichtungen einzutreten, die Otto Walther gegenüber unerfüllt gelassen hat. Parallel geht eine bittere Anschuldigung Walthers gegen Otto, vertragsbrüchig geworden zu

sein. Walther sagt: *„Ich besitze Herrn Ottos bindende Zusicherung, mich wirtschaftlich sicher zu stellen. Wie kam er dazu, unter solch falschen Vorspiegelungen meine Dienstleistungen in Anspruch zu nehmen? Was veranlaßt nun den König Friedrich, mir hierfür Entlohnung zu gewähren? Ich habe nicht den geringsten Anspruch an ihn zu stellen.“*
Die Folge: Walther geht zum Staufer über — nicht er allein, sondern als einer unter den vielen staufischen Gefolgsleuten, die das unaufhaltsam sinkende Schiff des Welfen Otto verlassen. Freilich, Walther muß auch jetzt noch — in schwerer, materieller Bedrängnis — hart um die Erfüllung gemachter Zusagen ringen, bis er endlich — vermutlich zwischen 1215 und 1220 — ausrufen kann: *„Ich hân mîn lêhen, al die welt, ich han mîn lêhen!“* Falls dieses Lehen, wie zu vermuten, in der Würzburger Gegend liegt, war Walther auch hierbei Figur im Schachspiel, diesmal der Hausmachtpolitik des Staufers: nämlich mittels Vergabung staufischer Vasallen in das Würzburger Bistum dort staufische Positionen zu halten oder zu schaffen.
Jedenfalls, von diesem Augenblick der Belehnung an war Walther auf alle Fälle reichsunmittelbarer staufischer Ministeriale im fränkischen Raum.
Das schillernde Wechselspiel zwischen Herren und Lehensmann, in welchem Walther während dieser zwei Jahrzehnte zwischen Wien und der Belehnung herumgeworfen erscheint — und das noch bunter war, als hier umrissen werden konnte —, verrät nun wahrhaft nichts von jener blauäugigen Nibelungentreue, von der ältere Generationen so gern bei dem Namen Walther von der Vogelweide geträumt haben. Es zeigt vielmehr den harten, unerbittlichen Existenzkampf, dem der einzelne im Mühlwerk der Machtkämpfe ausgeliefert war. Es zeigt zugleich das Wesen mittelalterlichen Lehensstaates, dessen Bestand und Funktion mit der Erfüllung eingegangener Verpflichtungen zwischen Lehensherren und Lehensempfänger stand und fiel. Blieb der eine Partner im Verzug, war der andere frei zu neuem Dienstverhältnis, so wie Walther sich gegen Dietrich von Meißen, Otto IV. verhalten hat. Gleichwohl ist in all dem Positionswechsel des Sichbehauptenmüssens doch eine untergründige Leitlinie bei Walther nicht zu verkennen: wo es nur ging, ergriff Walther die Möglichkeit, von sekundären Bindungen weg zur Spitze, zum Königsdienst zu gelangen, um dort das ganze Können seiner Kunst für ein und dasselbe Ziel einzusetzen: die Politik des staufischen Königtums.
War Walther also nicht vielleicht doch staufischer Ministeriale von Geburt?

III.

Nun ist Walther von der Vogelweide jedoch nicht nur Schachfigur im politischen Spiel gewesen. Uns ist er darüber hinaus vor allem Dichter, der Dichter tiefer Lebensweisheit, der Dichter zumal von Frauenpreis und Liebe, Dichter hoher Minne. Diese Seite seines Schaffens begann in Wien, in jener ersten glücklichen Lebenszeit.
Aber auch hier, im Blickfang von Minnedienst und Minnesang, müssen wir uns freimachen von aller falschen Patina, die erst aus unserer Zeit stammt. Auch im Minnesang ging es um Lebensfragen jener Menschen und jener adeligen Gesellschaft um 1200.
In der Gesellschaft, am Hof, begegnen sich Mann und Frau, Ritter und Dame, bei Festlichkeit, Tanz, Spiel und Gespräch. Was geschieht, wenn der Funke des Eros überspringt, das Ich das Du ruft — ohne Rücksicht auf Lehensrang und Ehebindung; wenn das Spiel freier Liebe beginnen will? In der Öffentlichkeit

eines gesellschaftlichen Lebens, in der man sich gegenseitig scharfäugig auf Haltung und Benehmen beobachtet, wo man argwöhnt, mutmaßt, flüstert, verhindert und dazwischentritt.
Die Dichter spielen in ihrer Minnelyrik alle Möglichkeiten innerhalb dieses Lebensrahmens durch. Sie identifizieren sich zunächst mit dem Mann, dem Ritter. Sie zeigen sich aufs tiefste ergriffen und erregt von einer bestimmten Dame. Sie sind entzückt bei ihrem Anblick, sie suchen das Gespräch, schweigen oft verwirrt im günstigen Augenblick, haschen nach jedem Gunsterweis, träumen vom letzten Ziel, der liebenden Vereinigung. Sie müssen erleben, daß die Dame, auf der die Augen der Gesellschaft ruhen, über gelegentliche höfische Freundlichkeit hinaus Abweisung zeigt. Wohl — so bohrt der Dichter weiter, indem er sich in die Rolle der Frau zu versenken versucht —, wohl kann auch die Frau durchaus vom Mann ergriffen sein; sie kann in der Tiefe ihres Ichs vom gleichen Verlangen nach dem Freund durchwühlt werden — aber in der Helle des Hofes wird sie nur bis zum freundlichen Gespräch gehen. Ja, sie wird, in der Abwehr der Verhaltenheit, sich härter, unerbittlicher zeigen, als sie es ist und sein will. Der Mann aber sieht nur die Abweisung. Aber er spürt auch, wie unbekannte Seelenkräfte in ihm wach werden; er spürt eine Steigerung seines Persönlichkeitswertes im aussichtslosen Ringen um die Frau. Er spürt die Achtung des Hofes vor seiner zuchtvollen, beherrschten Haltung — und so wird ihm das Dienen auf Wahn ein Wert an sich, die Dame zur unvergleichlichen Herrin und zum Leitstern seines Lebens, zur unüberbietbar Einzigartigen.
Dieses esoterische Bild von Minne und Minnedienst hat vor allem die Wiener Hofkunst, hat Reinmar, der Lehrer Walthers, entfaltet. Walther führt diese Kunst bis zur Vollendung weiter — auch nach dem Urteil der Zeitgenossen und Nachkommen. Aber Walther geht zugleich in Opposition gegen solche programmatische Unerreichbarkeit und Einzigartigkeit der „Herrin". Er fragt: Wer ist denn diese Einzigartige und Unerbittbare, neben der man keiner anderen Dame auf der Welt mehr rühmend Erwähnung tun darf? Reinmar fühlte seine ganze Existenz an sie gekettet: *„stirbet sie, sô bin ich tôt".* Keineswegs, sagt Walther und dreht den Spieß um: *„stirbe ab ich, sô ist sie tôt".* Diese Dame hat ja überhaupt nur im Dichterwort Existenz, schweigt der Dichter über sie, spricht kein Mensch mehr von ihr. Und verweigert sie sich ewig dem unentwegt Liebenden, wird sie dabei so wenig jünger wie der alternde Dichter. Wünscht sie sich dann etwa einen Jungen: *„dann junger Mann",* so höhnt Walther weiter, *„helf' Euch Gott und rächt mich und gerbt ihr altes Fell mit frischen Ruten durch!"* So rechnet Walther wörtlich mit der Wiener Hofkunst Reinmars unter der Ägidie Leopolds VI. ab.
Vermutlich geschah dies bei einem der zeitweiligen Besuche in Wien, wahrscheinlich 1203 zur Vermählungsfeier Leopolds VI., als Walther im Gefolge jenes Bischofs Wolfger v. Ellenbrechtskirchen war. Die Entrüstung zumal der älteren Herrschaften über eine derartige Entgleisung wird nicht gering gewesen sein.
Walther hatte als Liebesdichter inzwischen bereits schon auf andere Weise schockiert.
Auf seinem Wanderleben von Dienst zu Dienst mit anderen Lebens- und Dichtungsformen als den Wienern vertraut geworden, hat Walther es gewagt, vom Herrenhof weg zu gehen an die „Straße", zu gleichständischen oder bäuerlichen Kreisen, wo die jungen Leute sich im Sommer unter der Linde zu Reigentanz und Ballspiel treffen. Der Dichter mischt sich unter sie; er reicht einem anmu-

der vch mere bringet d. bin ich. alles daz ir habt v'nomen dest gar
ein wint nv vraget mich. ich wil ab' miete wirt min lon iht gvt
ich sage vil lihte daz vch sanfte tvt. seht waz man mir eren biete.
Ich wil tvschen vrowen sagen. solichv mere. d. si deste baz. al' welte
suln behagen. ane groze miete tvn ich d. waz wolde ich ze lone si
sint mir ze her. so bin ich gevüge vn bitte si nihtes mer. wan daz
si mich grüzen schone. Ich han lande vil gesehen vn nam d' beste
gerne war. vbel müze mir geschehen. künde ich ie min h'ze brin
ge dar. d. ime wol gevallen fremeder site. w. hulfe mich
obe ich vil rehte strite tvschiv zvht gat vor in allen. Von der elbe
vnz an den rin her wid' vns an der vnger lant. da mvgen wol die
besten sin. d. ich in d' welte han erkant. kan ich rehte schowen. gvt
gelaz vn lyp so swuer ich wol d. hie dv wip bezzer sint danne ander
frowen. Tusche man sint wol gezogen rehte als engel sint div wip
getan. swer si schiltet derst gar betrogen ich enkan sin anders niht
verstan. tugent vn reine minne swer die svchen wil. d' sol komen in
vnser lant. da ist wunne vil lange müze ich leben dar inne.
In noie dni ich wil beginnen sprechen amen. d. ist gvt vur vngelvcke
vn vur tievels samen. d. ich gesinge müze in dirre wis. also swer hof
schen sanc vn frevde stoere d. der werde vn fro. ich han wol vn hoveli
chen her gesvngen mit d' hovescheit bin ich nv verdrvngen d. die vn
hoveschen nv ze hove genemer sint danne ich. daz mich eren solte d.
vn eret mich. herzoge vz osterriche fvrste nv sprich div enwendes
mich ez alleine. so verkere ich mine zvnge. Nv wil ich mich des schar
pfen sanges och genieten. da ich ie mit forhten bat. da wil ich nv ge
bieten ich sihe wol d. man herren gvt vn wibez grvz gewalteclich
vn vngezogenlich erwerben mvz. singe ich minen hofschen sanc so
clagent siz stollen. des war ich gewunne vch lihte knollen. sit si die
schalkeit wellin. ich gemache in vollin cragen. ze osterrich lernt
ich singen vn sagen. da wil ich mich alrest beclagen. vn ich an lv
polt hofschen trost so ist mir min mvt entswollen. Ich han gemer
ken vo der seine vnz an die müre. vo dem phade vnz an den treben
erkenne ich al ir vüre. div meiste menege enrvchet wie si gewin
net gvt. sol ich ez also gewinnen so ganc slafen hovescher mvt. gvt
waz ie gemeine ie doch so gie dv ere vor dem gvte. nv ist d. gvt so
here. daz ez gewalteclichen vor ir zv d en frowen gat zv den fvrs
ten zv den kvnegen an ir rat so we dir gvt wie romeschriche stat.
dv enbist niht gvt. dv habst dich an die schande ein teil zesere.

Seite 16 aus der Kleinen Heidelberger Handschrift, aus Straßburg stammend, vielleicht noch vom Ende des 13. Jahrhunderts. Die Seite zeigt Lieder Walthers, beginnend mit dem Preislied auf die deutschen Damen und Ritter, endend mit Klage über den Verfall: guot gât vor êre — du habst dich an die schande ein teil zesere

tigen Mädchen, das er höfisch mit „Herrin" anspricht, einen Blumenkranz als Zeichen seiner Verehrung. Das Mädchen, errötend, dankt durch zierliche Verneigung — und einen solchen Vorgang wagt der Dichter einem höfischen Publikum in der Hochform höfischer Liedkunst, der sogenannten Kanzone, vorzusetzen! Ja, er wagt es weiter, träumend volle Liebeserfüllung mit diesem Mädchen darzustellen und erwachend sie unter den Tanzenden zu suchen. Er geht soweit, ein Mädchen im Rückblick das innige Glück heimlicher Liebeserfüllung aussprechen zu lassen: *„under der linden an der heide, dâ unser zweier bette was"*, während nur das Liedchen der verschwiegenen Nachtigall mit seinem *„tanderadei"* dazu erklang.
Wir spüren wiederum die Indignation des vornehmen Publikums aus weiteren solchen „Mädchenliedern" Walthers; es fragt: Wo bleiben da die hohen Werte des unermüdlichen Dienens, wo Schönheit und Adel verehrenswerter hoher Damen, wenn Walther das gläserne Ringlein eines solchen Mädchens, das nur unrühmliche Sinnenlust zu geben vermag, dem Gold einer Königin vorzuziehen wagt? Sie täuschten sich, die hohen Herrschaften mit ihrem Tadel: Eines vermag solch *herzeliebez frouwelîn* zu geben, was keine der hochständischen Damen zu schenken bereit ist: die Herzensliebe gemeinsamer Verbundenheit, die echte Liebe, wie sie Walther versteht: Minne, Liebe, so dichtet er, ist nichts wert, wenn sie einseitig bleibt. Sie muß gemeinsam sein, so gemeinsam, daß sie durch zwei Herzen hindurchgeht und durch keines weiter.
Freilich, die Gemeinsamkeit gegenseitigen Beglücktseins verlangt andererseits in Walthers Augen auch eine Gleichheit des beiderseitigen Verhaltens. Im hohen Dienst ist es Pflicht des Ritters in jedem Fall, auch bei schroffster Ablehnung von seiten der Dame, unentwegtes Festhalten an der einmal Erwählten unter Beweis zu stellen. Die Gegenseitigkeit der Herzensliebe zwischen Ich und Du fordert nun auch vom Du: der Frau, das gleiche, unentwegte Festhalten am einmal Erwählten: sie fordert unaufhebbare Verbundenheit und Dauer gerade auch vom *herzelieben frouwelîn.* Dann allerdings sind in solcher Ganzheit der Begegnung von Ich und Du alle hohen Werte als Erfüllung einbeschlossen, die je Frauenverehrung hat geben können.
Mit diesem Bild der Herzensliebe ist Walther in den zeitlosen Bereich der Unbedingtheit menschlichen Lebens durchgestoßen.
Aber dieser Kenner aller menschlichen Dinge weiß zugleich auch um ihre Unerfülltheit, und er fragt: Was ist, wenn diese Ganzheit gemeinsamer Herzensverbundenheit doch nicht erreicht wird und der Ich-Du-Bezug nur ein rasch verklingender Traum bleibt? Walther ist hier ebenso ethisch rigoros wie der Wiener Dame und den politischen Gegnern oder unzuverlässigen Herren gegenüber; er kontert gegen das *herzeliebe frouwelîn: „Fehlt dir diese unabdingbare Zuverlässigkeit, dann wirst du besser überhaupt niemals die Meine — Welches Leid freilich für mich, wenn das geschehen sollte!"*

Im Durchdiskutieren aller Lebensmöglichkeiten weicht Walther keiner denkbaren aus, auch jener nicht, daß die Herzensneigung des Ich doch nur auf eine Sinnenbereitschaft, aber keine echte Liebe des Du stößt. Dann wird die ziellos gewordene Liebeserfülltheit des Ich — hier des ritterlichen Mannes — zu einer verzehrenden Maßlosigkeit bis an den Rand des Todes. An jeder lockenden Frauengestalt entzündet sie sich neu, auch dann, wenn die Frau nun nicht in der Anmut des jungen Mädchens entgegentritt, sondern wieder eine den Ritter bezaubernde Dame der hohen Gesellschaft ist.

Die Literaturhistoriker nennen dieses erneute Durchspielen der hohen Minne durch Walther dessen dritte Stufe in seiner Liedkunst nach der Wiener Auseinandersetzung und den Mädchenliedern.
Doch Walther, der genaue Kenner höfischen Lebens, weiß, daß in diesem Bereich einer hellwachen Geselligkeit und ihres beobachteten erotischen Gespanntseins Herzensliebe erst recht zur Maßlosigkeit wird und, als unerfüllbar, dem Ich nur neues Leid, doch keinen inneren Ausgleich bringt.
Gibt es dann überhaupt einen inneren Ausgleich im Umkreis derjenigen Begegnung von Mann und Frau, die jene Zeit nun einmal mit Minne umschrieben hat?
Walther nimmt seine Zuhörer, die von ihm als dem beorderten Deuter ihrer Lebensfragen Antwort verlangen, bei der Hand — und damit auch uns — und läßt sie Zuhörer eines Gespräches zwischen Ritter und Dame werden, worin alle die bedrängenden Fragen in nuce richtunggebend angeschlagen werden:
Der Ritter zeigt sich tief beeindruckt von einer Dame, die ihm alle Lebensvorbildlichkeit zu erfüllen scheint, und wenn sie nur bereit sei, seinen Dienst anzunehmen und ihm von ihrer Lebenserfahrung mitzuteilen, wird er an ihrer Hand die *mâze,* das heißt jenen inneren Ausgleich und jene Beherrschtheit finden, die dem Menschen Persönlichkeitswert verleiht. Nicht das begehrenswerte Weib spricht der Mann hier an, sondern die Leiterin zur Lebenskunst, die im Sichbewahren vor den zerstörenden Extremen besteht.
Vielleicht fühlen wir hier, daß hinter allem Gärenden, das auch aus Walthers politischer wie gesellschaftlicher Dichtung spricht, doch eine klassische Epoche steht.
Freundlich-elegant versichert die Dame, daß sie noch weniger Lebenserfahrung als der Ritter besitze und schlägt ihm vor: jedes solle sein Leitbild vom Partner aussprechen. Und da kommt nun plötzlich die geheime erotische Spannung zwischen den beiden Menschen zum Wort: Eine solch entzückende weibliche Gestalt mit einem Mund, der so elegant zu parlieren versteht, *„machet, daz man küssen muoz“.*— Wie reagiert die Dame hierauf? Sie überhört scheinbar: Wenn ein Mann so urteilsfähig und aufrichtig den Frauen gegenüber und so ausgeglichen beherrscht ist, wie die Frauen sich das wünschen, der erreicht, was er begehrt: welche Frau schlüge ihm auch nur einen Faden ab? Ein trefflicher Mann ist gute Seide wert.
Ja, das ist die ganze, feine Kunst des Minnespiels, das man verstehen und beherrschen muß — heute wie damals — in seiner facettiert schillernden verborgenen Mehrdeutigkeit. Denn was meint Faden und gute Seide? Zunächst ganz wörtlich: Seidenfäden pflegte man dem verehrenden Ritter als Pfand einer gewissen Gewogenheit zu überreichen. Wenn es hier heißt: *guot man,* so kann die Dame auch den Lehensmann, den Vasall meinen, den Ritter, der sich der Herrin zu Dienst ergeben hat, und ein solcher hat als Lohn Anspruch auf ein neues Gewand aus wertvoller Seide — wie Walther für den Winter Geld zu einem Pelzrock erhalten hat. Also eine elegante Abfuhr: nichts mit irgendwelcher Intimität — Ihr bleibt Vasall, nichts weiter.
Jedoch: in einem anderen Gedicht spielt Walther mit dem Bild: die Herrin trage ein wundervolles Gewand an sich. Das sei ihr bezaubernder Leib, und solches getragenes Gewand sei er — gegen sein sonstiges Verhalten — bereit, als Geschenk anzunehmen. Jetzt, in unserem Gesprächslied, sagt die Dame: ein Mann, der uns Frauen gefällt, der kann erhalten, wonach er begehrt: das Gewand! Wir hören: Versagen und doch Locken, verhülltes, mögliches, doch nie

einforderbares Ja: das ist die wahre Kunst des Minnespiels, das die Kultiviertheit eines heiter gelassenen und doch prickelnden, erotischen Gespanntseins voraussetzt und verwirklicht.
Walther – ein großer Meister edler Liebeskunst, auch das ist er, der Vielgestaltige.

IV.

„Mehr als 40 Jahre habe ich von Minne gesungen, so wie man es nur von einem Manne fordern kann." Mit diesen Worten seines Altersliedes zieht Walther das Resümee seines dichterischen Wirkens und fordert hieraus vermehrte Achtung für seine Person. Doch gleichzeitig distanziert er sich: Dieser sein Minnesang stehe ihr, der höfischen Gesellschaft, weiterhin zur Verfügung – er selbst aber gehe nun einen anderen Weg: den Weg des Pilgrims zu der ewigen Heimat, den Wertungen sozialen Standes aus nimmermüdem Streben entrückt.
Vor solchem Blick des *homo religiosus,* der Walther nun sein wird, wandelt sich das Bild der Welt, der er bisher gedient: sie wird Frau Welt, von der Vergänglichkeit gezeichnet: vorne schön und hinten zerfressen von eklem Gewürm, bis sie ihm zuletzt nur noch als Dirne erscheint, die ihn im Haus zur Hölle von nun ab vergeblich lockt: *„Gott gebe Euch ‚Dame' gute Nacht, Ich will zur Herberge ziehen".*
Jedoch – und auch an diesem letzten Lebens- und Schaffensabschnitt Walthers muß man das eben Gesagte wiederum durch ein Jedoch einschränken und zum Teil widerrufen: Während der Minne- und Weisheitsdichter Walther sich dem Zugriff der welterfüllten Gesellschaft entzieht, wird im selben Zeitraum der Reichsministeriale Herr Walther auf dem Lehensgut zur Vogelweide bei Würzburg erneut zum Dienst für seinen Herren, den Kaiser, gefordert. In Angelegenheit der Innen- wie der Außenpolitik.
In der ersten Hälfte der 20iger Jahre des 13. Jahrhunderts sehen wir Walther in enger Zusammenarbeit mit dem Reichsverweser Erzbischof Engelbert von Köln bis zu dessen Ermordung im Jahre 1225. Irgendwie scheint Walther auch in die schwierigen Probleme um den damaligen „Kronprinzen" Heinrich impliziert zu sein – der schließlich 1235 von seinem Vater Friedrich II. entmachtet wird. Und Walther propagiert außerdem offenbar sehr radikale Lösungen zur Stärkung der zentralen Reichsgewalt in staufischem Sinn.
Greifbarer als all dies ist Walthers Einsatz in der Außenpolitik, d. h. für die Durchführung der Kreuzzugspläne Friedrichs II. Sie sind seit dessen Kreuznahme 1215 aktuell, aber in der Auseinandersetzung mit der Kurie immer wieder verschoben worden. Nun, 1227/28, sollen sie, trotz römischem Bannstrahl, verwirklicht werden.
In der Diskussion dieser Frage zeichnet Walther einmal in einer Vision die Erfüllung menschlichen Daseins, die erst dann erreicht wird, wenn man leibhaftig auf dem Boden des Heiligen Landes stehen darf. Das ist Walthers Palästinalied, das einzige Lied, zu dem uns eine ganz authentische Melodie überliefert ist.

Hochaktuell – wie in unseren Tagen – stellt die Schlußstrophe die augenblickliche Lage im Heiligen Land dar: *„Christen, Juden und Heiden behaupten, daß dies ihr Erbe sei: die ganze Welt streitet um seinen Besitz.* Die Lösung, die Walther sieht, ist mittelalterlich religiös: Nur der dreieinige Gott könne die

„Münstersches Bruchstück", ein Pergament-Doppelblatt aus dem 14. Jahrhundert im Staatsarchiv zu Münster (Man. VII/51), mit der einzigen authentischen Überlieferung von Melodien Walthers. Hier: Bl. 1. Links oben Beginn des Bruchstückes eines sog. „Pseudo-Walthers": sin henne genomen. so is des alden / clage. daz sine tage. zcargen sint / mit also maniger swere . . . Rechts unten (rot): Meister walter von der vogelweide, mit dem Beginn des „Palästinaliedes": Nu alrest leb ich mir wer / de sint myn sundich ouge ersicht / Daz liebe lant unt ouch die erde / Dem man allder eren gicht Nu ist /

Rechtsfrage klären, indem er dem, der im Recht ist, den Sieg verleihe. Für den, der offene Ohren hat, steht die Werbung unüberhörbar dahinter: also, auf nach Palästina zum Kreuzzug!
Hochaktuell, auf die gleiche Kreuzzugsfrage und damit verbundene Ereignisse in Österreich vom Herbst 1227 bezogen, ist Walthers letztes datierbares Gedicht, seine sogenannte Elegie.
Aber was macht Walther aus dieser Aktualität! Er versetzt sich in das Erleben eines Mannes, der nach einem ganzen Menschenalter wieder in die Heimat kommt: *„Ach, wohin ist meine Lebenszeit entschwunden ...“* Wie fremd und verändert ist diese Welt der Heimat und der einstigen Gespielen — alles dahin, wie ein Schlag ins Meer. Wie verändert ist die Welt der Gesellschaft, seitdem jene harten Schreiben aus Rom gekommen sind — das ist die lokale Aktualität des Gedichtes. — Aller Frohsinn der jungen Leute, der Damen und Ritter ist gebrochen — doch was soll überhaupt noch die Freude dieser Welt? An dieser Frage verwandelt sich die Welt für Walther in die dritte Vorstellung: in das Bild wieder der verderblichen Verführerin. Das gibt Walther das Stichwort für die eigentliche Aktualität, das politische Anliegen seines Kaisers, den Kreuzzug: Hier, in der ritterlichen Tat der Kreuzfahrt, mit Helm, Schild und geweihtem Schwert, liegt die Rettung aus der Todesverfallenheit! Jetzt hätte selbst ein kleiner Ministeriale noch Möglichkeit, sich eine unvergängliche Krone zu erringen, und alles „O weh“ der großen Klage wäre dann für immer aufgehoben!
Einsatz aller dichterischen Mittel, eines geschlossenen Weltbildes aus genialem Können zur Erfüllung eines politischen Auftrages: das steht am Beginn und am Ende des Weges, der Walther von der Vogelweide in der Funktion eines staufischen Reichsministerialen zeigt.
Daß er seinen Herren auch als Ritter mit der Waffe gedient haben wird, deutet eine Verszeile an. Ob er je einmal im Heiligen Land gewesen ist, bleibt trotz dem Palästinalied zumindest fraglich. Daß aber der Vielgewanderte — *„von der Seine bis zur Mur, vom Po bis zur Trave“* — wohl zu Hause unter dem eigenen Dach zu Würzburg die Augen für immer geschlossen haben wird, dürfte aufgrund seiner Grablegung im Neumünster wahrscheinlich sein.
Dann ist der Reisesegen, worin Walther von der Vogelweide sich Behütung auf allen Wegen erfleht, an ihm selbst in Erfüllung gegangen:

„Mit saelden müeze ich hiute ûfstên,
got herre, in dîner huote gên
und rîten swar ich in dem lande kêre.
Krist herre, lâz mir werden schîn
die grôzen kraft der güete dîn,
und pflic min wol dur dîner muoter êre.
Als ir der heilig engel pflaege,
unt dîn, der in der krippen laege,
junger mensch und alter got,
Demüetic vor dem esel und vor dem rinde,
und doch mit saeldenrîcher huote
pflac dîn Gabriel der guote
wol mit triuwen sunder spot.
als pflig ouch mîn, daz an mir iht erwinde
dîn vil götelîch gebot.“

In Gnaden laß mich heut aufstehn,
Gott Herr, und schütz mich überall,
wohin ich in dem Lande geh und reite!
Christ Herr, mach an mir offenbar
deiner Güte große Kraft
und sei um mich zu deiner Mutter Ehre,
wie um sie war der heil'ge Engel
und auch um dich in deiner Krippe,
junger Mensch und alter Gott,
demütig vor dem Esel und vor dem Rinde;
und doch mit gnadenreicher Wache
war um dich Gabriel, der gute,
hingebungsvoll mit ganzem Ernst.
So sei auch um mich, daß an mir erfülle
sich dein hochgöttliches Gebot!

Bernd Naumann

WIRNT VON GRAVENBERC

um 1170–1230

„Wirnt v. Grafenberg. hier im alten Schloss um 1170 geb. nahm teil am Turnier zu Nürnberg im Febr. 1193 / verliess Gräfenberg 1196. dichtete den Artusroman Wigalois der Ritter mit dem Rad 1202–1207 / beteiligte sich 1218 am vorletzten Kreuzzug / starb anno 1230 bei Würzburg.“

So kann der Besucher des oberfränkischen Marktfleckens Gräfenberg im Landkreis Forchheim zwischen zwei Fenstern der heutigen Raiffeisenbank lesen. An der Stirnseite des Marktplatzes, dem Rathaus gegenüber, erweckt das gar nicht schloßähnliche Gebäude die Aufmerksamkeit durch ein großes Fresko, das zwei turnierende Ritter in der kampfentscheidenden Phase darstellt.

Die altertümelnde Inschrift vermerkt Geburt und Tod, Teilnahme am Kreuzzug und literarisches Lebenswerk: ein klares, abgerundetes Bild, wenn auch etwas summarisch; aber das muß bei Inschriften so sein. Warum aber dann die genaue Angabe von Monat und Jahr, in dem der Ritter Wirnt von Gravenberc an einem Nürnberger Turnier teilgenommen haben soll? Man sollte meinen, daß dies zur Blütezeit des Turnierwesens für einen Adeligen, dessen Leben nach dem Zeugnis Konrads von Würzburg zudem noch aus Jagd, Schachspiel und Lautenschlagen bestand, in einer sich auf das Notwendigste beschränkenden Inschrift kaum von erwähnenswerter Bedeutung sein kann. Und dann die dunkle Bemerkung *„verliess Gräfenberg 1196“*. Gleich anschließend erfährt der Leser von Wirnts Dichtung. Besteht hier ein Zusammenhang? Oder hängen das Turnier und die Abreise zusammen? Und welchen Stellenwert hat die Teilnahme am Kreuzzug in diesem merkwürdigen Kurzlebenslauf? Mit ihrer Mischung aus exakt datierten, aber scheinbar unerheblichen Details und den nur in Rundzahlen angegebenen wichtigen Daten von Geburt und Tod gibt

diese Inschrift dem nachdenklichen Leser eher Rätsel auf, als daß sie seine Wißbegier stillt.
In der Tat ist Wirnts Lebensgeschichte noch um einiges dunkler, als es die neugotischen Lettern in Gräfenberg auch so schon ahnen lassen, denn rund hundert Jahre historischer und literarhistorischer Forschung um Wirnt haben mit Sicherheit nur erbracht, daß er zu Beginn des 13. Jahrhunderts Ritter zu Gräfenberg war und den Artusroman *„Wigalois“* gedichtet hat. Was darüber hinaus geht, beruht sämtlich auf Vermutungen und indirekten Schlüssen, die mit dem bisher bekannten Material nicht eindeutig zu verifizieren, aber natürlich auch nicht zu falsifizieren sind.
Wohl gibt es ein Dokument, das die Existenz eines Ritters Wirnt in Gräfenberg belegt: Eine Urkunde des südlich von Gräfenberg gelegenen Klosters Weißenohe aus dem Jahre 1172 wird von zwei Männern beglaubigt, von *„Sigehardus et Wirnto de Crevenb'c“*. Aber dieser Wirnt ist mit Sicherheit nicht der Verfasser des *„Wigalois“*, allenfalls sein Vater oder sonst ein älterer Verwandter. Eine spätere Urkunde der Grafen von Meran, datiert auf 1217, würde zeitlich gut passen. Sie erwies sich aber bald nach ihrer Entdeckung als unbrauchbar zur Identifikation des Dichters: neben mehreren fränkischen Rittern, unter ihnen Otto von Trupach, bezeugt hier ein gewisser Ailbrecht Wirt, daß Bischof Ecbert von Bamberg dem Kloster St. Michaelsberg einige Güter zur Bewirtschaftung überträgt. Man dachte bei der Form Wirt an einen Schreibfehler, mußte aber bald feststellen, daß es sich hier tatsächlich um einen Mann dieses Namens handelt, der auch sonst häufig in meranischen Urkunden begegnet.
Wohl ist auch unser Dichter Wirnt bezeugt, aber nur wieder in anderen Dichtungen und zum Teil erheblich später. Jedenfalls verdankt er all seinen Nachruhm ausschließlich dieser einen Dichtung, einem Abenteuerroman, der zeitlich und literarhistorisch zwischen den großen Klassikern Hartmann von Aue und Wolfram von Eschenbach und deren vielen Epigonen im 13. Jahrhundert steht.

Die über 11 000 Reimverse umfassende mittelhochdeutsche Dichtung berichtet, Wolframs *„Parzival“* vergleichbar, nach einer ausführlichen Vorgeschichte von Kindheit und Jugend des edlen Wigalois — Wirnt selbst nennt ihn *Gwî von Gâlois* — von seiner Bewährung als Artusritter, seiner Hochzeit und von seiner Krönung zum König eines Märchenlandes, insgesamt also von einem glücklichen und erfüllten Leben. Wie Parzival zieht der junge Wigalois in die Welt hinaus, um Ruhm und Ehre zu erwerben und seinen Vater zu suchen. Auch er wird am Artushofe zum mustergültigen Ritter ausgebildet, von Gawein, einem erlauchten Mitglied der Tafelrunde des sagenumwobenen Königs, den er später als seinen eigenen Vater erkennen wird. Die sehnsüchtig erwartete Gelegenheit, sich seiner Ausbildung würdig zu erweisen, kommt bald: 14 Tage nach dem großen Pfingstfest reitet auf schneeweißem Pferd eine wunderschöne Jungfrau in den Burghof. Unter einer scharlachroten Kappe fallen schwere, mit Goldfäden durchwirkte Zöpfe herab, und hinter ihr steht ein Zwerg, der so herrlich singt, daß die ganze Hofgesellschaft in Entzücken versinkt. Das Mädchen reitet vor König Artus, berichtet, daß seine Herrin in großer Not sei, und bittet um Hilfe, deren Gewährung es hier sicher sein kann. Wigalois bietet sich sofort an und wird von Artus nach einigen Bedenken wegen seiner Jugend und Unerfahrenheit damit betraut. Gawein legt nun dem scheidenden jungen Ritter seine eigenen Waffen an. Rüstung, Helm und Schild

zeigen ein großes goldenes Rad. Der mittelalterliche Hörer konnte hier bereits die enge Verwandtschaft der beiden ahnen, denn in der Vorgeschichte wurde von einem goldenen Glücksrad auf Gaweins Burg berichtet, zu der ihm jetzt der Weg durch Zauberkraft versperrt ist.
Mit dem Auszug des jungen Ritters Wigalois beginnt, wie in jedem höfischen Roman dieser Zeit, eine lange Kette wundersamer Abenteuer, die dem Helden am Ende Ruhm, Reichtum und Hand und Herz einer dankbaren, weil aus schwerer Bedrängnis erretteten Edeldame einzubringen pflegen. Für eine grobe Inhaltsangabe all dessen, was von nun an geschieht, braucht Kapteyn, der letzte Herausgeber des Romans, 13 Seiten. Das klingt dann zum Beispiel so: *„Am abend kommen Nereja (die Jungfrau mit der scharlachroten Kappe) und Wigalois an eine burg; der burgherr gewährt fremden nur unterkunft, wenn er im kampfe besiegt wird, andernfalls wird dem gegner seine rüstung genommen. Nereja warnt, Wigalois will den kampf durchaus wagen; beim ersten treffen durchsticht er im ungestüm den burgherrn, ohne es zu wollen. Nereja tadelt den mord; sie fliehen. Wigalois und der zwerg bereiten Nereja ein nachtlager. Im walde bei einem see erklingt ein lauter wehruf. Wigalois reitet hin und entdeckt am ufer eine jungfrau, die von zwei riesen bedrängt wird. Sie haben sie von Artus' schloss ergriffen und entführt. Wigalois durchsticht den einen, der andere bewaffnet sich mit einem ast; nach hartem kampf wird er besiegt; unter der bedingung, daß er die geraubte jungfrau unversehrt an Artus' hof zurückbegleite und dort als gefangener bleibe, schenkt Wigalois ihm das leben ... Nereja ist unterdessen fortgeritten, Wigalois holt sie ein und bittet wiederum, sie begleiten zu dürfen, was sie ihm endlich gewährt. Wigalois fängt ein schönes hündchen, das er Nereja schenkt. Der eigentümer erscheint und fordert das tier zurück ...“*

Ein Abenteuer löst das andere ab. Dieser episodische Charakter der deutschen mittelalterlichen Epik ist bis zu einem gewissen Grad notwendige Folgeerscheinung der literatursoziologischen Verhältnisse der Zeit: einem leseunkundigen Adelspublikum wurde die Dichtung abschnittweise oder überhaupt nur in Auszügen mündlich vorgetragen, wann immer sich Gelegenheit dazu bot. Diese Anlage rückt bei den späteren Nachahmern der Klassiker stark in den Vordergrund und läßt ihre Werke zu umfangreichen Kompendien typischer, sich in ähnlicher Form mit anderem Personal oft wiederholender Abenteuerszenen anschwellen. Bei Wirnt halten sich die vielen Einzelszenen noch halbwegs in den kompositorischen Grenzen des Romans, d. h. sie haben eine Funktion in der Gesamthandlung, wenn auch zum Teil nur eine sehr schwache. Noch in einem zweiten Punkt steht Wirnt zwischen seinen zeitlichen Vorläufern und Nachfahren: Alle höfischen Dichtungen dieser Zeit stellen eine ideale, überhöhte Adelswelt dar. Den tatsächlichen Verhältnissen der Zeit soll ein geschlossenes Idealbild mahnend als erstrebenswertes Ziel gegenübergestellt werden. In der Blütezeit ritterlich-höfischer Kultur, also im späten 12. und zu Beginn des 13. Jahrhunderts, haben die zu bestehenden Abenteuer durch die Stilisierung ins Religiös-Ethische exemplarischen Charakter. Mit dem zunehmenden Verfall der Adelskultur im 13. und 14. Jahrhundert geraten die idealen Spiegelungen dieser ritterlichen Kultur immer märchenhafter und phantastischer. Die Kämpfe mit christlichen und heidnischen Rittern, mit Riesen und Zwergen, Drachen und Unholden, irdischen und jenseitigen Geistern verlieren alle Verweisungskraft auf abstrakt-geistige Zusammenhänge und wuchern,

Vrowe Larie aus dem Lande Kortin übergibt Wigalois eine Felltasche mit einem wunderbaren Brot vor dem Auszug zum Kampf mit dem Drachen. Aus der illustrierten Pergament-Handschrift von 1372

auf ihre vordergründige Stofflichkeit reduziert, ins Unermeßliche. Wirnt ist auf diesem Weg schon ein gutes Stück fortgeschritten, was etwa aus einem seiner ersten Erlebnisse, dem Zweikampf mit dem roten Ritter Hojir von Mannesvelt, deutlich wird:
Im Gegensatz zu Hunderten zeitloser internationaler Gestalten aus dem Artuskreis, von denen viele in den Epen der Zeit immer wieder begegnen, so auch im *„Wigalois“*, z. B. die Ritter Gawein, Erec, Iwein, Lanzelet, Parzival und Segremors und die Damen Enite, Jeschute und Lunete, taucht mit dem Grafen von Mansfeld eine historisch nachweisbare Figur auf. Der draufgängerische sächsische Adelige war zu Beginn des 12. Jahrhunderts als Feldherr Heinrichs V. gestorben und bereits zu Wirnts Zeiten zu einer sagenumwobenen Berserkergestalt geworden.
Zum Kampf zwischen Wigalois und Hojir ist es durch einen in einem höfischen Roman dieser Zeit durchaus alltäglichen Vorfall gekommen: Die Nichte des Königs von Persien hat vom isländischen König einen Schönheitspreis in Gestalt eines Pferdes, eines Papageis und eines Zwerges erhalten. Diese lebenden Trophäen werden ihr brutal von einem Ritter in roter Rüstung geraubt, der sie seiner eigenen Geliebten schenkt. Nur der Papagei wagt zu protestieren. Weinend irrt nun die Beraubte ziellos in den Wäldern umher, bis sie Gott sei Dank auf Wigalois trifft, der einer übel behandelten Königstochter nie seine Hilfe verweigert. Er fordert den roten Ritter zum Zweikampf und wird dabei von dem gestohlenen Papagei in wohlgesetzten mittelhochdeutschen Versen unterstützt. Die Königin von Persien wappnet den unerschrocknen Helden eigenhändig und begleitet ihn vor dem Kampf zur Messe. Auf rotem Pferd, in roter Rüstung, mit einem großen Totenkopf auf dem Schild, sprengt ihm der rothaarige Hojir entgegen. Nach langem Speer- und Schwertkampf siegt, wer siegen muß. Wie alle seine Vorgänger und Nachfolger, die mit dem Leben davonkommen, wird der Graf an den Artushof geschickt, um dort Ruhm und Ehre des tapferen Wigalois zu mehren und sich nach der Rückkehr des Helden als dessen Gefolgsmann bereit zu halten. So märchenhaft diese Szene scheint, ist sie doch immerhin noch funktional und inhaltsmäßig in das Gesamtwerk eingebettet: Am Ende begegnet Hojir wieder als Vasall des nunmehrigen Königs Wigalois, außerdem hat der Held hier Gelegenheit, eine der ritterlichen Kardinaltugenden zu exemplifizieren, nämlich die *„milte“*. Das heißt, er tötet seinen Gegner nicht, sondern schenkt ihm großmütig das Leben und gibt ihm sein Schwert zurück.

Wenn viele Episoden weniger sinnvoll und ohne weiteres weglaßbar erscheinen, so sollte man das Wirnt dennoch nicht anlasten. Im Prolog sagt er selber, was er mit seinem Roman beabsichtigt; schon im Grundansatz unterscheidet er sich von der heilspädagogischen Zielsetzung Hartmanns oder Wolframs:

„ . . .
ob ich mit mînem munde
möhte swaere stunde
den liuten senfte machen,
und von solhen sachen
daz guot ze hoeren waere.
nu wil ich iu ein maere
sagen, als ez mir ist geseit.

. . .
wan eines wil ich dingen:
daz ir durch iuwer hövischeit
dem tihtaer des genâde seit
der ditze hat getihtet,
mit rîmen wol berihtet,
wan ditz ist sîn êrstez werc.
er heizet Wirnt von Grâvenberc.
der werlte ze minnen
enblient erz sînen sinnen:
ir gruoz wil er gewinnen.“

Er will also unterhalten und nur dafür von seinem Publikum Dankbarkeit.

Stärker als bei seinen Zeitgenossen sind seine abenteuerlichen Schilderungen mit Reflexionen und Betrachtungen über seine eigene Zeit durchsetzt, die im Gegensatz zu den in märchenhafter Zeitlosigkeit spielenden Ereignissen ein realistisches Verhältnis zur eigenen Gegenwart verraten. Neben allgemeinen moralisierenden Betrachtungen klagt er über den Niedergang des Rittertums und die Verwilderung der Sitten. Nachdem Wigalois wieder einmal einen Ritter getötet hat, bindet er dessen Pferd an einen Strauch, um es später mitzunehmen. Wirnt stellt nun fest, daß man das heutzutage nicht mehr riskieren könne, denn *„daz waer bî disen zîten verlorn“.* Wenig später erzählt er von einer allein durch den Wald reitenden Jungfrau und bemerkt, daß sie das heute auch nicht mehr wagen könnte, weil sie sonst belästigt würde oder zumindest ins Gerede der Leute käme. Gegenüber den vorbildlichen Turniersitten der Herren vom Sant, der zollernschen Burggrafen von Nürnberg, tadelt er heftig die Bräuche der gewinnsüchtigen österreichischen Ritter, die bei Turnieren bloß darauf aus wären, durch alle möglichen Tricks das Pferd des Gegners auf die eigene Seite zu ziehen, um so in den wertvollen Besitz von Rüstung und Roß zu gelangen.

Möglicherweise gibt diese Stelle auch einen Hinweis auf Wirnts Lehensherrn. Gräfenberg war von alters her zollernsches Pflegeamt, und die Nürnberger Burggrafen besaßen in Gräfenberg auch das Pfarrkirchenpatronat. Das seit dem 12. Jahrhundert nachweisbare Geschlecht Wirnts muß auf jeden Fall in irgendeiner Beziehung zu den Zollern gestanden haben. Die durchaus rühmliche Rolle, die die Herren vom Sant bei Wirnt spielen, könnte demnach ein zollernsches Dienstverhältnis Wirnts indizieren. Freilich wurden auch andere Lehensbeziehungen erwogen, so zu den Grafen von Henneberg und vor allem zu den Herzögen von Andechs-Meran. Der vielzitierte Jammer um *„eines vil edeln vürsten tôt von Mêran“* ist nämlich das einzige historische Ereignis, auf das Wirnt konkret Bezug nimmt. Allerdings gibt es hier vertrackterweise gleich drei Möglichkeiten:

1. es handelt sich um den Tod des Markgrafen von Istrien, Herzogs von Dalmatien, Kroatien und Meran, Berthold IV., der am 12. 8. 1204 starb, oder
2. um den Tod seines Sohnes, Heinrich IV., Markgraf von Istrien, der am 18. 7. 1228 in Windischgrätz verschied, oder
3. um das Ableben seines anderen Sohnes, Otto VII., Herzog von Meran und Pfalzgraf von Burgund am 7. 5. 1234.

Am wahrscheinlichsten ist die Datierung nach 1204, also nach dem Tode Bertholds, denn eine literarhistorische Einordnung des Wigalois nach 1228 oder gar nach 1234 würde die ganze relative Chronologie der mittelhochdeutschen Literatur durcheinanderbringen.
Zurück zu des Dichters Klagen über die zunehmende Verrohung seiner Zeit: Als die Nachricht vom Tode der Königin von Libyen mit dem klangvollen Namen Liamere zu Wigalois dringt — sie war aus Kummer über den Tod ihres Gatten im Turnier gestorben —, schaltet sich Wirnt ein: damals habe man noch aufrichtig um den Verlust eines lieben Menschen getrauert, jetzt sei an die Stelle echter Trauer kühle Berechnung getreten, und wer noch *„mit einvaltigem sinne"* Gefühle zeige, der ernte allenfalls Hohn und Spott. Und wie es mit der Liebe unter Menschen sei, so stehe es auch um schlichte und echte Frömmigkeit, die man heutzutage ebenfalls vergeblich suchen könne; *„diu zît hat sich verwandelt gar"*, ruft er verbittert aus, und darin sei auch keine Besserung zu erwarten, im Gegenteil, es werde immer schlimmer. Hier hat man nun mit Recht erwogen, ob des Dichters Zeitklagen vielleicht weniger objektive Zeitverhältnisse wiedergeben, als vielmehr Ausdruck einer persönlichen Verbitterung sein könnten. Allzu glücklich können seine Lebensumstände nicht gewesen sein, und daß ein sensibler Mensch in beengten Verhältnissen seine als grausam, kalt und ungerecht empfundene Gegenwart an einer idealen Vergangenheit mißt, ist wenigstens denkbar. Freilich würde das die Historizität seiner Angaben in Frage stellen, und der Dichter Wirnt wäre dann möglicherweise als alternder, von der Welt enttäuschter Sonderling zu denken.
Als solcher tritt er uns am Schluß seines Werkes entgegen: Wigalois kehrt von seinem letzten ruhmreichen Abenteuer auf seine Burg zu seiner Frau Larie zurück. Sie leben glücklich und in Freuden, sind dabei schlicht und fromm und nehmen sich, wie es reichen Edelleuten geziemt, mit besonderem Eifer der Armen und Bedürftigen an. Larie gebiert einen Sohn, der später wie Wigalois viele Abenteuer in fremden Ländern zu bestehen haben wird. Aber davon möchte der Dichter nicht berichten, dazu fühle er sich nicht mehr imstande. Wenn dieses sein erstes Werk den Beifall des Publikums fände, dann freilich würde er der Dichtkunst treu bleiben. Aber das sei kaum zu erwarten, denn heutzutage sei die Welt des Adels — für die er ausschließlich schreibt — von Habgier und Bosheit beherrscht. So wie Gott dem glücklichen Paar Wigalois und Larie ein seliges Ende schenkte, bitte auch er ihn um Erlösung aus diesem irdischen Jammerdasein. Mit diesem Wunsch endet der Roman.
Konrad von Würzburg läßt in einer kurzen, ganz Wirnt gewidmeten Novelle dem Dichter auf dem Höhepunkt seines Lebens eine wunderschöne Frau begegnen, die sich ihm als seine Herrin vorstellt: denn ihr habe er bisher ausschließlich gedient. Jetzt solle ihm der Lohn für seine Dienste zuteil werden. Damit dreht sie ihm den Rücken zu, und es erscheint das bekannte Bild der von Schlangen und Kröten zerfressenen, stinkenden Frau Welt. Nach dieser Begegnung gibt es für Wirnt nur noch eines — er nimmt das Kreuz. Ob der historische Wirnt auf Kreuzfahrt gegangen ist, und wenn ja, ob er am vorletzten Kreuzzug 1218/19 oder unter Friedrich II. am letzten 1228/29 teilgenommen hat, wissen wir nicht. Ebenso liegen Ort und Jahr seines Todes im dunkeln.
Über ausbleibenden Nachruhm hätte er sich jedenfalls nicht beklagen können, denn die Geschichte seiner literarhistorischen Wirkung ist ebenso verschlungen und abenteuerlich wie ein Artusroman. 13 vollständige, zum Teil mit prächtigen Bildern versehene Handschriften und 23 Fragmente, heute über die

Bibliotheken Europas verstreut, sind uns vom *„Wigalois“* erhalten. Bereits der Zeitgenosse Heinrich von der Türlin spricht rühmend von Wirnt, und Rudolf von Ems erwähnt ihn in zwei Romanen. Entlehnungen aus dem *„Wigalois“* lassen sich in vielen Dichtungen des Spätmittelalters nachweisen. Der Münchner Maler und Schriftsteller Ulrich Fuetrer nimmt den *„Wigalois“* im 15. Jahrhundert in sein *„Buch der Abenteuer“* auf. Im selben Jahrhundert, 1472, erscheint eine Prosaauflösung, die dann wieder und wieder als Volksbuch gedruckt wurde. Diese Bearbeitung wird ins Dänische und von da ins Isländische übertragen. Im 16. Jahrhundert transponiert Josel Witzenhausen den Prosatext wieder in Reimverse, diesmal aber in jiddische. Aus Wigalois wird jetzt der *„berihmte Ritter Wieduwilt“.* 1786 schreibt man die jiddische Version erneut in Prosa um und ediert sie — im Zeitalter der Aufklärung — unter dem Titel: *„Vom Könige Artus und von dem bildschönen Ritter Wieduwilt Ein Ammenmärchen“.* In dieser Form wandert die Geschichte als *„gar schöne liepliche und kurzweilige History“* bis ins 19. Jahrhundert, wo man die ursprüngliche Fassung aus dem 13. Jahrhundert wiederentdeckte. Etwa zur gleichen Zeit, als die lebendig tradierte Dichtung endgültig das Interesse für das Publikum verliert, wird sie in ihrer 700 Jahre alten Originalfassung von der Mediävistik in einer kritischen Ausgabe zugänglich gemacht, jetzt aber einem engen Kreis philologisch und literarhistorisch gebildeter und interessierter Fachkenner; denn mittelhochdeutsch ist die Dichtung nur wenigen zugänglich, und eine brauchbare Übertragung gibt es nicht. Aber auch wenn es sie gäbe, würde sie heute nur noch den Fachmann interessieren; für das breite Publikum ist der Wigalois in seiner Originalgestalt auf keine Weise mehr zugänglich. Als einzige Möglichkeit bliebe die Umgestaltung zum comic strip, was der Struktur des Werkes als prinzipiell unendlich fortlaufender Abenteuerkette durchaus entspräche, und wofür es in den Bildfolgen um den Artusritter Prinz Eisenherz sogar ein Beispiel gibt. Freilich erscheint dies dem Mediävisten als Sakrileg; den publikumsrelativen Intentionen des Dichters würde es jedoch entsprechen.

Joachim Kröll

OTTO VON BOTENLAUBEN

1175/77 – 1244

> *„Viele Leute enthalten sich*
> *Der Freuden groß: das dünket sie zu schwer.*
> *Die Liebe nicht entlasset mich*
> *Der Minne: mehr denn ich gewohnt wär.*
> *Das macht die Tugend, die sie hat,*
> *Um hohen Preis das Herz mir steht,*
> *Wenn sie nur Gnade an mir begeht."*

Diese Verse schrieb der fränkische Minnesänger Otto von Botenlauben vermutlich 1197 zu Patti in Sizilien, als er sich anschickte, am Kreuzzug des deutschen Königs Heinrich VI. teilzunehmen. Er sollte, mit wenigen Unterbrechungen, bis zum Jahre 1220 im Heiligen Lande bleiben, dort eine vorteilhafte Ehe eingehen und dadurch große Besitzungen erwerben – also ein Leben führen, das einem Roman gleicht.
Wer war Otto von Botenlauben? Der Chronist Spangenberg schreibt: *„Ich habe, Anno 1545 zu Berlin in M(agister) Johannis Agricolae, sonst Eissleben genandt, Bibliotheca ein geschrieben Buch von Reimen gesehen, darinnen viel von diesem Herrn Otto von Bodenleube und seinen ritterlichen Taten geschrieben war, da auch unter andern in Beschreibung eines Kampfs, den Herr Otto mit einem andern Ritter gehalten, ungefähr diese Worte stunden:*

> *Herr Ott von Bodenleub sich wehrt,*
> *Wo sein der Ungeheur begehrt:*
> *Von Henneberg der Gute*
> *Für Schlägen sich behute."*

Er gehörte dem einflußreichen, stets kaisertreuen Geschlecht der Henneberger an und war zwischen 1175 und 1177 als Sohn des Grafen Poppo VI. von Henneberg geboren, der auf dem dritten Kreuzzug, den Barbarossa unternommen hatte, 1190 in Syrien gestorben war. Poppo VI. hatte das Burggrafenamt zu Würzburg innegehabt; und dieses Amt im Zusammenhang mit großem Eigen-

besitz und bedeutenden Reichslehen machte die Henneberger zum politisch führenden Geschlecht Nordfrankens. Ottos Mutter, Sophie, war die Tochter Bertholds VI., Grafen zu Andechs und Plassenburg, Herzogs von Istrien. Die Meranier waren seit der Zeit König Konrads III. bewährte Anhänger der staufischen Partei. Berthold hatte acht Kinder gehabt, von denen, um die geistige Entwicklung Ottos von Botenlauben miterklären zu können, einige genannt seien:
Eckbert, später Bischof von Bamberg und Erbauer des Domes; Berthold, Patriarch von Aquileja; ferner Gertrud, Gattin des Ungarnkönigs Andreas II. und Mutter der heiligen Elisabeth; Hedwig, erzogen im fränkischen Benediktinerinnenkloster zu Kitzingen, sehr jung mit Herzog Heinrich dem Bärtigen von Schlesien verheiratet, vom Papst Clemens IV. unter die Heiligen der Kirche aufgenommen; Mechthild, Äbtissin des eben erwähnten Klosters zu Kitzingen, der ältesten und bedeutendsten Frauenabtei Frankens, die um die Mitte des XII. Jahrhunderts Beziehungen zu Hildegard von Bingen, also zu den Anfängen der Mystik aufzuweisen hatte; und schließlich Agnes, vom Römischen Stuhl nicht anerkannte Gemahlin König Philipp Augusts II. von Frankreich, nachdem dieser seine erste Gattin, Ingeborg von Dänemark, verstoßen hatte.

Wo und in welcher Umgebung Otto von Botenlauben zunächst aufwuchs, ist unbekannt. 1197 tritt er in einer Urkunde Heinrichs VI. als Zeuge auf und nennt sich „comes de Henneberg". In Sizilien wird er, angeregt durch die gesellschaftliche Aristokratie, im Umgang mit bekannten Persönlichkeiten, seine dichterische Begabung entdeckt und weiterentwickelt haben:

„Du bist mir willkommen, meines Leibes Trost,
Meines Herzens Freude, viel lieber Mann und Herre mein.
Gott lob ich immer, der mich erlost
aus Sorgen, ich danke es den Tugenden und der Treue dein.
Da ich doch war in Zweifel kommen seit,
du habest mich vergessen so lange Zeit.
Was hilft mir meine Schönheit, mein hoher Nam'?
Du habest mich vergessen ganz ohne Scham.
Nun ist mein Herze reicher Freuden froh,
seit ich mit Armen umfangen den liebsten Leib.
Lieber Mann, sage, ist dir lieb also?
Du sagtest mir, ich sei dir lieb vor anderen Weib.
Ich gab dir treu und für deine edle Tugend
meiner Freuden Krone, Blume und blühende Jugend:
weh der vieler Abende harten Klage:
die mich bezwang bis hin zum Tage."

Die Überfahrt nach Syrien begann am 1. September 1197 in Messina. Nach drei Wochen Fahrt betrat Otto in Akkon den Boden des Heiligen Landes. Wir wissen nicht im einzelnen, wo überall er sich in den nächsten Jahren aufhielt. Hier, im lateinischen Königtum, hat er 1205 oder 1206 geheiratet, und zwar Beatrix, Tochter Joscelins III. von Courtenay, aus einer französischen Adelsfamilie. Damit fand er Zugang zu den großen und einflußreichen Familien, die das Königreich Jerusalem gegründet hatten und dort bis zur Eroberung Jerusalems 1187 durch Sultan Saladin Herren der Gebiete zwischen Mittelmeer und Jordan geblieben waren.

Sicherlich hat Otto spätestens im Heiligen Land die Wirkung der französischen Kunst erfahren, wie aus vielen seiner Minnelieder hervorgeht, die zwischen 1197 und 1207 entstanden sind. Es handelt sich zum großen Teil um Poesien eines jungen Menschen, und Rhythmus, Bildsprache, eine starke Lebendigkeit, bedingt durch Wechselgespräch und Frauenstrophen, weisen auf einen liebenswürdigen und gewandten Dichter:

„Wäre Christi Lohn nicht also süße,
so verließ ich nicht die liebe Fraue mein,
die ich in meinem Herzen vielmals grüße:
sie kann gar wohl das Himmelreich mir sein.
Wo sie auch wohnt, die Edle, an dem Rhein,
Herr, Gott, du sollst mir Hilfe sein,
daß ich mir und ihr noch erwerbe die Gnade dein."

Darauf läßt der Dichter die Frau antworten:

„Seit er sagt, ich sei sein Himmelreiche,
so hab ich ihn zum Gott mir erkor'n,
daß er keinen Schritt von mir entweiche,
Herr und Gott, laß dir's nicht sein zum Zorn.
Er ist in den Augen mir kein Dorn,
der mir zur Freude ist gebor'n.
Kommt er mir nicht wieder,
meine helle Freude wäre dann verlor'n."

1208 schenkten Otto und Beatrix einer Urkunde zufolge dem Hospitale zu Akkon Güter, zum Heil ihrer Seelen, der Seelen ihrer Väter und Mütter und ihrer Ahnen. Die Unterschrift lautet: *„Comes de Henneberch et venerabilis comitessa Beatrix, filia comitis Joscelini."*

1219 weilte Otto vorübergehend in Deutschland, um dann 1220 seinem Aufenthalt im Heiligen Lande plötzlich ein Ende zu bereiten. Möglicherweise ist der Wunsch des Minnesängers, in die alte Heimat zurückzukehren, bedingt durch die Hoffnung, in eine andere, reinere und gesündere Welt überzusiedeln, wie sie seine fränkischen Burgen und Ländereien zu bieten schienen. Alle Besitzungen im Orient wurden verkauft. Die ihm, seiner Gemahlin Beatrix und seinem Sohne Otto gehörenden Güter und Ländereien erwarb der Deutsche Orden in Jerusalem. In der Bestätigungsurkunde wird Hermann von Salza als Empfänger genannt. Zu den Objekten gehörten ein „castellum regis" mit 18 Dörfern als Pertinentien, ferner weitere 27 Dörfer, eine Reihe von Einzelhöfen, dazu Häuser in Tyrus und Akkon, unter andern dort das Haus, das dem „großen Joscelin (I.)" gehört hatte.

„Castellum regis" bedeutet nicht eine Stadt, sondern eine der großen beherrschenden Burgen des lateinischen Königreiches, die Franzosen und Normannen zur Sicherung ihrer Herrschaft im 12. Jahrhundert im Vorderen Orient errichtet hatten und die in der Geschichte des Heiligen Landes eine hervorra-

Der Dichter übergibt einem Boten eine Pergamentrolle als Sinnbild für den Liebesgruß an seine Dame. Das Wappen des Ritters zeigt den halben Doppeladler über den Schachfeldern des Würzburgischen Burggrafentums

gende Rolle spielten. Es muß sich demnach um eine imponierende und wichtige Anlage gehandelt haben. Der erzielte Preis war für die damalige Zeit hoch: 7000 Pfund Silber und 2000 Byzantiner.

Man darf sagen, daß Otto von Botenlauben dank dieser vorteilhaften Verkäufe ein mit Bargeld wohlversehener Mann geworden war und aufgrund seines Reichtums eine beachtenswerte Stellung in seiner Heimat einnehmen konnte. Nach seiner Rückkehr wählte er für sich und seine Familie die Burg Botenlauben bei Kissingen als Wohnsitz.

Damals wußte das Ehepaar weltliches Gut wohl zu schätzen. Ottos zweiter Sohn Heinrich wurde dem geistlichen Stande übergeben; er verbrachte sein Leben als Kanonikus im Stifte Haug zu Würzburg. Der andere Sohn aber, Otto, wurde verheiratet mit Adelheid, der Erbtochter der mächtigen Dynasten von Hiltenburg, die ihr Stammschloß in der Hohen Rhön hatten. Adelheid war die Tochter des letzten Hiltenburgers, Alberts III. — und Alleinerbin. So kamen durch diese Heirat, die 1225 erfolgte, die Besitzungen zweier reicher, alter und vermögender Familien in eine Hand. Die Ehe zwischen Otto II. und Adelheid stellte gleichsam den Höhepunkt aller Pläne der Botenlaubenschen Familienpolitik dar.

Aber kurz danach trat eine entscheidende Wendung ein. *„Beide Familien, die der Grafen von Botenlauben und von Hiltenburg, beseelte ein wunderbarer, im deutschen Gemüt wurzelnder und in jener Zeit recht lebendig hervortretender Zug nach frommer Schwärmerei und Himmelssehnsucht, die sie bestimmte, ihre Güter und ihr noch übriges Leben dem Dienste des Himmels und der Kirche zu weihen"*, schreibt Ludwig Bechstein. Es zeigte sich der Geist der Weltverachtung und Selbstabtötung, der die Frauenklöster besonders mit schwärmerischen Bewohnerinnen bevölkerte, der Geist, als dessen bedeutendste Vertreterin die Landgräfin Elisabeth von Thüringen, Verwandte der Botenlaubens, die Bewunderung der Welt erweckte.

Hier ist der Boden der deutschen Mystik, für die Frauen so oft eine besondere Veranlagung und einen tatkräftigen Eifer zeigten. Hedwig von Schlesien, die Tante Ottos von Botenlauben, verwandte den größten Teil ihres Brautschatzes von 30 000 Mark Silber dazu, das Kloster Trebnitz zu begaben und Armen und Kranken zu helfen. Elisabeth, bald nach dem Tode ihres Gatten in Thüringen Verfolgungen ausgesetzt, suchte eine Zeitlang im Frauenkloster Kitzingen bei ihrer Tante Mechthild Unterkunft. 1229 hatte sie im Minoritenkloster zu Eisenach feierlich dem eigenen Willen und allen Freuden der Welt entsagt. Sie lebte nur noch zwei Jahre in Marburg, aber diese genügten, um ihr den Ruf und die Verehrung einer Heiligen schon bei Lebzeiten zu verschaffen und ihren Namen überall bekannt zu machen.

Wenn man an dem Beispiel der Elisabeth die Frömmigkeit als eine Macht erkennt, die den ganzen Menschen ergreift und ihn innerlich wandelt, dann wird man auch verstehen, daß Otto von Botenlauben und seine Gemahlin Beatrix, seine Schwiegertochter und sein Sohn vom gleichen Geiste ergriffen wurden und von dieser neuen Wirklichkeit her ihr Leben von Grund auf veränderten.

Gerade in dieser Zeit laufen zwei an sich völlig verschiedene geistige Richtungen nebeneinander her: auf der einen Seite eine Laienbewegung aus dem Geiste der Mystik geboren, die vorwiegend Frauen ergriff und dem Bild des

späten Mittelalters so wesentliche und tiefgreifende Züge verleiht, dazu ein Streben nach praktischer, karitativer Tätigkeit aus der Nachfolge Christi — und auf der anderen Seite ein realpolitischer, rechtlich fundierter Zug nach Herrschaft, Landesmacht und Rangerhöhung bei weltlichen wie bei geistlichen Fürsten.
1228 war für den Würzburger Bischof Hermann ein bedeutsames Jahr. Sein Bestreben war es, das bischöfliche Territorium nach Norden auszubauen, da seit der Gründung des Bistums Bamberg der Weg nach Osten versperrt war. Bis jetzt hatte die Vereinigung der Familien Botenlauben-Hiltenburg den Ausbau der gewünschten würzburgischen Machtstellung verhindert. Nun verwandelte 1228 Otto II., der sich nach dem um diese Zeit erfolgten Tode seines Schwiegervaters von Hiltenburg nannte und Alleinherr bedeutenden Grundbesitzes war, mit Zustimmung seines Vaters Otto von Botenlauben und seiner Gemahlin Adelheid die gesamte Erbschaft Hiltenburg und Lichtenberg, den Rhönwald und eine große Anzahl von Dörfern in ein Lehen des Hochstiftes Würzburg.
Dieser Entschluß, schockierend wirkend, Ausdruck einer ernsten und kompromißlosen Frömmigkeit, zeigt, wie in der Familie Botenlauben die Jüngeren den Älteren auf dem Wege des Heils und der Himmelssehnsucht vorangingen.
Ottos II. Tat hat bei den übrigen Hennebergern größte Bestürzung und Zwistigkeiten zwischen ihnen und der Botenlaubenschen Familie hervorgerufen. An den Wirren, die sich zwischen den Hennebergern und dem Bischof von Würzburg ergaben, hatten Otto von Botenlauben und sein Sohn Otto von Hiltenburg keinen Anteil. War schon die Lehensübertragung denkwürdig genug, so übertrafen ihre folgenden Entscheidungen noch bei weitem die ersten Abmachungen. Schon 1230 beschlossen Otto II. und Adelheid, sich aller Besitzungen zu entledigen, indem sie diese und ihre Reichslehen mit Zustimmung des deutschen Königs an das Stift Würzburg verkauften. Im folgenden Jahr schritten beide Gatten zu einer freiwilligen Auflösung ihrer Ehe; kurz danach trat Otto II. als Bruder dem Deutschen Orden bei. Seine Gemahlin, die als „domina relicta" erwähnt wird, trat in das Kloster St. Markus zu Würzburg ein. Beider Sohn und Erbe war schon früh zum geistlichen Stand bestimmt worden. Damit war im Jahre 1231 die Herrschaft Hiltenburg erloschen und in den Besitz Würzburgs übergegangen.
In dem Jahr, da die heilige Elisabeth zu Marburg starb, da Otto II. und seine Gemahlin Adelheid ihre Ehe auflösten, entschlossen sich Otto von Botenlauben und seine Gemahlin Beatrix, ein Kloster zu stiften. Um den Bau auszuführen, tauschten sie ihr Dorf Eggenhausen gegen das würzburgische Burcharderode ein. Eine Sage knüpft sich an die Gründung, die schon früher für die Errichtung des Klosters Neuburg bei Wien in Anspruch genommen wurde: nach ihr soll der Schleier der Beatrix vom Winde fortgetragen sein, und sie soll gelobt haben, an der Stelle, da sich der Schleier wiederfinden würde, ein Kloster zu erbauen. In einer schmalen Talrinne unfern des Dorfes Burcharderode fanden nach drei Tagen einige Frauen den Schmuck in einem wilden Rosenstrauch. Gräfin Beatrix erfuhr davon, begab sich mit ihrem Gatten zu der bezeichneten Stelle und traf alle Vorbereitungen, um ihr Gelübde zu erfüllen.
Otto von Botenlauben besaß durch seine vorteilhaften Verkäufe in Syrien genügend Barmittel, um ein Kloster zu gründen und die Stiftung in jeder Hinsicht reich zu versehen. Das neue Kloster erhielt den Namen „Der lieben Frauen Rod, Novalis sanctae Mariae". Im März 1234 begabten Otto und Beatrix

ihre Gründung mit allen Zehnten ihrer Güter und Besitzungen. Da die beiden Ehepartner, wie sie sich ausdrückten, auf Erden keine Erben mehr hatten, denen sie ihr Gut vermachen konnten, wollten sie sich durch die fromme Stiftung Christum im Himmel zum Gewinn machen. Zur gleichen Zeit, Anfang März 1234, schlossen Otto von Botenlauben und Hermann von Würzburg einen Vertrag, nach dem Otto und Beatrix ihre Stammburg mit allen Gerechtsamen und dazugehörigen Gütern gegen die Forderung von 1200 Mark Silber dem Bistum Würzburg übergaben, um mit einem Teil des erzielten Erlöses das Kloster Frauenrode zu beschenken. Dem Ehepaar wurde vorbehalten die Hauptwohnung in der Botenlaube, welche es bisher bewohnt hatte, der Turm mit der Kapelle und zwei Häuser, in der Unterburg gelegen, mit den Pferdeställen, und die zwölf Joch Weingärten, unter dem Palast der Burg gelegen.
Von nun an war beider Ehepartner Lebensinhalt die Förderung des Klosters geworden. Otto gab ihm ein Spital bei, das mit besonderen Legaten versehen wurde und zur Aufnahme armer Pilger und Hilfsbedürftiger in erster Linie dienen sollte.
Die Gründung war von Anfang an verschiedenen Mißhelligkeiten ausgesetzt. Die Anlage wurde infolge der Raubsucht der umwohnenden Ritterschaft mehrmals ausgeplündert, so daß das Kloster Papst Gregor IX. um Schutz flehte. Dieser befahl dem Erzbischof von Mainz und seinem Stiftsvogte, solche Übeltäter unter Androhung des Bannes zu zwingen, alles Geraubte zurückzuerstatten und das Eigentum des Klosters zu achten.
1242 verzichteten Otto und Beatrix auch auf das Wohnrecht in ihrer Burg Botenlauben und schenkten ihre Ministerialen mit Frauen und Kindern dem Stifte Würzburg zum Heile ihrer Seelen. Im gleichen Jahr und dann vor allem 1244 wurde das von ihnen gegründete Kloster abermals mit bedeutenden Schenkungen bedacht, die der Würzburger Bischof Hermann genehmigte und beurkundete: *„Im Namen der heiligen und unteilbaren Dreieinigkeit! Hermann von Gottes Gnaden Bischof zu Würzburg allen Gläubigen zu dauerndem Gedächtnis. Siehe, es kommt der ewige Herr und Gott, der des Himmels Festen gegründet, und ruft mit des Erzengels und der Gerichtsposaunen Stimme des Jüngsten Tages zu jener allgemeinen Versammlung, auf daß er allen den Lohn zuwäge, den sie verdienen. Glückselig daher und vielfach gesegnet die, welche eingedenk sind, Gutes zu säen in die Gegenwart, um in der Zukunft zu ernten! Dessen eingedenk und davon bewegt, hat der edle Graf Otto, genannt von Botenlauben, mit dem Wunsche, sich die guten Vorgänger zu Freunden zu machen, die ihn nach Ablegung dieser Sterblichkeit aufnehmen in die ewigen Hütten, um mit den Auserwählten zur Rechten versammelt zu werden, zu Ehren des allmächtigen Gottes und seiner Gebärerin, der ewigen Jungfrau Maria, sein Eigentum ... dem Kloster Frauenrode mit Einverständnis seiner glückseligen Gattin Beatrix zum Eigentum geschenkt und übergeben."*
Es handelt sich unter anderem um Besitzungen zu Wolfmannshausen, Iphofen, Fuchsstadt, Steinach, Hesselbach, Winden, Aschach, Sulztal, Stangenrode, Wollbach und den Burgstall dicht über dem Kloster, eine reiche Ausstattung, die eine Fülle von Geld und Tieren, ebenso wie eine Anzahl von Weinbergen einbrachte.
Mit diesen Abmachungen entäußerten sich Otto und Beatrix ihrer ganzen restlichen Besitzungen und Einnahmen; kein Wunder, daß Bischof Hermann am Ende der entscheidenden Urkunde mit Segnungen für das Stifterpaar nicht kargte.

Mitte des 13. Jahrhunderts: Grabmal Ottos von Botenlauben und seiner Frau Beatrix in der ehemaligen Zisterzienserinnenkirche von Frauenroth in der Rhön

In die letzte Lebenszeit Ottos von Botenlauben fällt nochmals eine kriegerische Handlung, wenn auch nur zum Schutze der Klostergründung. Er ließ die Burg Burcharderode wegen der von seinen Eigentümern dem Kloster und Klostergut immer wieder zugeführten Schäden zerstören und erreichte beim Würzburger Bischof, daß der Wiederaufbau für alle Zeiten verboten wurde. 1244 ist Otto gestorben. Er wurde in der hennebergischen Kapelle zu Frauenroth beigesetzt. Die Grabinschrift hat folgenden Wortlaut:

„Nobilis Otto Comes de Bodenlaubenque dives
Princeps, famosus, sapiens, fortis, generosus.
Strenuus et justus, praeclarus et ingenuosus
Hic jacet occultus, nunc coeli lumine fultus.“

Beatrix überlebte ihren Gatten einige Jahre. Ihr Sohn Otto ist in der Ordenskomturei Würzburg mehrmals als frater Otto de Botenlauben bezeugt. Er tritt als Visitator des Klosters Klein-Wächterswinkel auf. Beatrix wurde an der Seite ihres Gatten bestattet. Die Grabinschrift sagt über sie aus:

„Inclyta fundatrix obiit comitissa Beatrix,
Germine regalis oris translata marinis.
Claruit in vita virtutibus haec redimita
Juncta sit in coelis Christo matrona fidelis.“

Die Grabplastik zeigt Beatrix, auf dem Mantel das Kreuz der Hospitaliter tragend. Das in starken Locken schön gewellte Haar ist von einer Stirnbinde gehalten, über das Haupt ist der Schleier leicht gebreitet.

So endete um die Mitte des 13. Jahrhunderts ein fränkisches Adelsgeschlecht, das zu höchsten weltlichen Ehren und entscheidenden politischen Aufgaben berufen zu sein schien und dessen Name über viele andere hätte gesetzt werden dürfen. Der junge Botenlauben, der als Minnesänger und Kreuzfahrer in die Welt gezogen war und in seinem Kreuzzugsgedicht die Geliebte mit dem Himmel verglichen hatte, der in frischen und leicht dahingeworfenen Strophen der Standesdichtung gehuldigt hatte, war im Orient der bunten und gewalttätigen, verlockenden, aber auch ständig bedrohten Welt des lateinischen Königtums begegnet, hier mit einer der angesehensten Familien verwandtschaftlich verbunden worden und schien durch seine Gattenwahl berufen, auch im Heiligen Land eine einflußreiche, geachtete Stellung im politischen und gesellschaftlichen Leben einzunehmen. Als Grundherr hatte er zu seinem fränkischen Erbe im Königreich Jerusalem Lehen und Eigentum gewonnen und war also in beiden Weltteilen begütert gewesen.

Nach seiner Rückkehr nach Deutschland scheint er zunächst bedacht, die übliche Erwerbspolitik des Adels durch die kluge und wohlüberlegte Heirat seines Sohnes fortzusetzen. Ganz plötzlich bricht diese Entwicklungslinie ab, und er und seine Familie wählen freiwillig Armut und Dienst am Nächsten, göttlichem Auftrag folgend. Es ist ein merkwürdiger Gegensatz: auf der einen Seite der in die Welt strebende junge hennebergische Graf, reich an irdischen Gütern, und auf der anderen Seite jener gereifte Mann, der nichts mehr sein eigen nannte und weltliche Freuden und weltlichen Besitz von sich gegeben

hatte, der ganz den Mitmenschen lebte und für sich nicht einmal einen kleinen Platz in seiner Burg beanspruchte. Man hat den Wunsch, eine abschließende Antwort zu suchen.
Das Vorbild der heiligen Elisabeth, ebenso jenes der heiligen Hedwig von Schlesien muß überzeugende Kraft gehabt haben. Allein, diese Einwirkungen reichen nicht aus. Will man den Geist der Zeit bemühen, so muß man daran erinnern, daß religiöses Schrifttum großen Einfluß ausübte. Die Schriften der Hildegard von Bingen, ihre Briefe waren vielen bekannt, und auch die religiöse Dichtung des 11. und 12. Jahrhunderts ist in Handschriften bis ins 14. Jahrhundert hinein überliefert, so daß die Wirkung vieler dieser Dichtungen mit dem Aufkommen des Minnesangs und weltlicher, ritterlicher Dichtung nicht erschöpft war. Man möchte von Otto von Botenlauben annehmen, daß er viel gelesen hat und in der zweiten Lebenshälfte Werke religiösen Gehaltes vorzog. Vielleicht aber liegen die Wurzeln seiner Daseinsänderung noch tiefer. Als er im Heiligen Lande weilte, heiratete er nicht nur in eine angesehene, sondern auch durch üble Machenschaften, durch weitbekannte menschliche Verfehlungen ausgezeichnete Familie; aber auch die Familie der Meranier war in einen Mordfall verwickelt; Otto von Wittelsbach, der 1208 in Bamberg König Philipp ermordete, war mit den Meraniern verwandt, und Bischof Eckbert von Bamberg mußte zeitweilig fliehen, da er der Mithilfe bei der Ermordung verdächtig war. Vielleicht ist bei Otto und Beatrix durch solche Erfahrungen in ihren Familien der Gedanke geboren, daß irdisches Streben nach Macht, Gut und Ansehen nicht unter allen Umständen gutzuheißen sei.
Gedichte aus seiner reifen Lebenszeit sind nicht überliefert. Sie waren Anliegen des tatenfrohen jungen Ritters. Mit der Literatur seiner Standesgenossen war er vertraut. Damals fand er zu solchen reizvoll-pointierten Strophen, wie sie hier angeführt sein sollen, um noch einmal das Wort des Dichters zu vernehmen. Es handelt sich um die beliebte Form des „Tageliedes", in dem der Wächter, der Hüter und Zerstörer nächtlichen Liebesglückes, eine Rolle spielt. Botenlauben sagt:

„Wächter, ich bin gekommen,
auf deine Gunst, hierher zu dir.
Nun gib mir Rat, wie steht es um die geliebte Fraue mein?"

Darauf spricht die Frau:

„Wer spricht zu mir?
Bist du's, geliebter Mann, so kannst du lange bei mir sein."

Und nun wendet sich der Dichter an die Geliebte wie auch an den Wächter:

„Ja, ich bin der, den du freudig empfangen sollst,
ich war dir von je in Treue hold.
Nun sag es meiner Geliebten, daß ich bin hier,
sie ist so gut und läßt mich ein zu ihr."

Sein Landsmann, der am Stift St. Gangolf zu Bamberg gebildete Schulrektor Hugo von Trimberg, hat Otto von Botenlauben zusammen mit anderen Minnesängern in seinem im Jahr 1300 vollendeten Lehrgedicht *„Der Renner“* einen Nachruf gewidmet:

> *„Geiz, Trägheit und Unkeusch,*
> *Mutwille und unziemlich Täusch*
> *Haben manche Herren also besessen,*
> *Daß sie der Weise gar vergessen,*
> *In der hievor edle Herren sungen,*
> *Von Botenlauben, von Morungen …“*

Wahrscheinliche Nachahmung der Unterschrift des Hennebergers im Copialbuch

Franz Viktor Spechtler

WINSBECKE UND WINSBECKIN

um 1210–1220

Unter dem Titel *„Der Winsbecke"* verstehen wir ein ritterliches Lehrgedicht – wie es Hugo Kuhn nennt –, in dem der Vater seinem Sohn Lebensweisheiten mitgibt. Als Entstehungszeit wird allgemein das Jahrzehnt von 1210 bis 1220 angenommen, die Zeit also, in der die Werke Hartmanns von Aue und der *„Tristan"* Gottfrieds von Straßburg schon vorlagen und Wolfram seinen *„Parzival"* dichtete.

Der Titel *„Winsbecke"* findet sich schon in der *„Großen Heidelberger"* oder *„Manessischen Liederhandschrift"* aus der ersten Hälfte des 14. Jahrhunderts und dürfte einen Ritter von Windsbach nach dem mittelfränkischen Städtchen an der Rezat bezeichnen. Daß es in der Nähe von Eschenbach und Grafenberg liegt, wird gern betont, jedoch steht unser Text weder mit Wolfram von Eschenbach noch mit Wirnt von Grafenberg in direkter Beziehung. Wohl aber ist der Parzival vorauszusetzen, denn in Strophe 18 wird Gachmuret, der Vater Parzivals, als Vorbild ritterlicher Tapferkeit angeführt.

Die urkundliche Zuweisung an einen Angehörigen des Geschlechts der Herren von Windsbach ist trotz der Bemühungen etwa von Edward Schröder bis heute nicht gelungen.

Trotz der Lehrhaftigkeit – oder vielleicht eben wegen dieser – muß sich dieser Text einer gewissen Beliebtheit erfreut haben, was die Überlieferungslage beweist. Konnte Moriz Haupt in der ersten Ausgabe im Jahre 1845 nur sechs Handschriften nennen, so hat Ingo Reiffenstein in der 1962 vorgelegten Edition elf Textzeugen verwendet, von denen fünf allerdings nur Teile überliefern. Den besten Text bietet die Berliner Nibelungenhandschrift Folio 474, die dem ersten Viertel des 14. Jahrhunderts entstammt.

Diese neue Ausgabe enthält aber nicht nur das sogenannte alte Gedicht mit seinen 56 zehnzeiligen Strophen, sondern bietet auch die mehrfach überlieferte Fortsetzung als Strophen 57 bis 80, in denen nun nicht wie im alten Gedicht der Vater den Sohn belehrt, sondern umgekehrt der Sohn den Vater im Anschluß an das alte Gedicht erinnert, am Lebensende Buße zu tun.

Das Gedicht hat aber noch zwei andere Nachfolgen gefunden: einmal ein weibliches Gegenstück, nämlich die sogenannte *„Winsbeckin"*, das mit seinen

45 Strophen ein Zwiegespräch zwischen Mutter und Tochter darstellt, und dann – vermutlich aus dem 14. Jahrhundert – die *Winsbecken-Parodie,* in der die Vater-Sohn-Lehre auf grobianische Art ins Negative verkehrt wird.

Wenden wir uns zunächst dem sogenannten alten Gedicht zu.

Es beginnt mit einer kurzen epischen Einleitung:

> *„Ein wîser man hetę einen sun,*
> *der was im lieb, als maneger ist.*
> *den woltę er lêren rehte tuon*
> *und sprach also:"*

Dies ist die einzige derartige Erzählerstelle des Gedichts, das sonst nur aus Reden des Vaters besteht, wobei zu bemerken ist, daß jede Strophe mit einem *„Sun",* also „Sohn", als Anruf beginnt. Nur auf die gerade zitierten Zeilen folgt ein *„mîn sun",* „mein Sohn"; es heißt da:

> *„mîn sun, dû bist*
> *mir liep ânę allen valschen list.*
> *bin ich dir liep sam dû mir,*
> *so volge mir ze dirre vrist,*
> *die wîlę ich lebe. ez ist dir guot:*
> *ob dich ein vremder ziehen sol,*
> *dû weist niht, wie er ist gemuot."*

Dies ist also die Ausgangsposition: Ein *„wîser",* das heißt durch den Lauf des Lebens wissend, klug, weise, erfahren gewordener Vater, bittet den Sohn, die Ratschläge anzuhören, denn man könne nie wissen, wie ein fremder Erzieher gesinnt sein könnte. – Sonst erfahren wir weder den Stand des Vaters genau, noch das Alter eines der beiden, wobei vor allem das des Sohnes von Interesse wäre. Die Personen werden auch nicht charakterisiert, jedoch können wir aus verschiedenen Stellen schließen, daß der Sohn noch nicht waffenfähig ist. Zum Beispiel heißt es:

> *„Sun, lât dich got geleben die zît,*
> *daz er* (gemeint ist der Schild) *mit rehte wirt dîn dach."*

Der Sohn möge also die Zeit erleben, da der Schild sein Schutz sein soll. Beim Vater klingt einmal das Bedauern über das Alter durch, wenn er Strophe 48 erzählt, daß er *„hûses pflag",* also sich um sein Haus gesorgt habe und ferner, daß er bei den Nachbarn in Ansehen gewesen sei.

Das sind Stellen, die besonders gegen Ende des Gedichts zeigen, wie die Lehre auch ins Hausbackene geht, wobei aber – entgegen verschiedener Annahmen – nicht auszumachen ist, ob es sich hier wirklich um die Lehre eines seßhaft und alt gewordenen Ritters handelt, der wider Temperament und Willen genötigt ist, ein zurückgezogenes Leben zu führen. Dies ist für die Interpretation der Dichtung selbst letztlich auch unerheblich.

Das besonders deshalb, weil wir mit der Vater-Sohn-Lehre und der damit verbundenen Ritterlehre einen Typus berühren, der in der deutschen Literatur des Mittelalters mehrfach vertreten ist.

Der Winsbecke, in prächtige Gewänder gehüllt, erteilt dem vor ihm stehenden und einfach gekleideten, barhäuptigen Sohn die Lehre. Besonders zu beachten sind die Gesten der Hände: der Vater zählt gleichsam die Ratschläge auf. Der Sohn empfängt sie in demütiger Haltung. Das Wappen über dem Vater wird ebenfalls zu den „redenden Wappen" gezählt. Die drei goldenen Scheiben auf blauem Grund werden allgemein so erklärt, daß der Manesse-Maler den Namen Winsbecke als „Beck", das heißt „Bäcker", verstanden und deshalb drei Brote gemalt hat. Andere Namen auf -becke und -bach führen in der Regel einen Fluß im Wappen

Als selbständiges Werk sei der sogenannte *mittelhochdeutsche Cato* erwähnt, didaktische Strophen aus dem 13. bis 15. Jahrhundert, die in großer Zahl mit Vorreden überliefert sind. Es heißt dort am Anfang:

„Ich ensage doch mere,
Wie ein wiser Romere
Sinen liben sun lerte,
Davon er im gemerte
Beide witze und tugend.
Hibi ir alle merken mugent,
Wi man sich sol zihen
und laster stete vlihen
und tun tugentliche:
So wirt man selden riche."

Also durch diese Lehre, die sich auf antike Tradition stützen kann, was für den mittelalterlichen Hörer und Leser bedeutend war, werden Verstand und Tüchtigkeit in jeder Beziehung gemehrt; Laster solle man stets fliehen, in jeder Weise vortrefflich handeln: so wird man reich an *„saelde"*, das heißt Glück und Wohlergehen.
Dies war ein Beleg für eine selbständige Lehre. Breit ausgebaut sind diese Gedanken zum Beispiel in der didaktischen Dichtung *„Der Wälsche Gast"* des Thomasin von Zerkläre, einer Fürstenlehre von 1215/16, für die Tugend und sittliches Verhalten als Folge von Überlegung und Einsicht grundsätzlich lehr- und lernbar sind. Im Gegensatz zur geistlichen Lehre der vorhöfischen Zeit spielt hier für den Laien der staufischen Zeit die Weltabkehr nicht mehr die entscheidende Rolle. Jetzt verlangt man nach der Lehre über das Verhalten in eben dieser Welt, wobei die menschlichen Beziehungen die Aufmerksamkeit genauso anziehen wie die öffentlichen und politischen Ordnungen. Diese Welt durchdringt mit der ihm eigenen Schärfe Freidank in seiner epigrammatischen Dichtung *„Bescheidenheit"*, was so viel heißt wie „Unterscheidungsvermögen und daraus erfließende Einsicht". Der Ostfranke dürfte sie zwischen 1215 und 1230 gedichtet haben.
Von den übrigen großen Dichtern um 1200 hat keiner ein großes didaktisches Werk geschrieben, obwohl wir hier Hartmann von Aue mit dem sogenannten *„Büchlein"* und Gottfried von Straßburg mit zwei ihm zugeschriebenen Sprüchen nennen müssen. Dennoch war diesen großen Sprachkünstlern der Typus gut bekannt; wir finden ihn eingebaut in ihre Epen als Ritterlehre, als Unterweisung für den jungen Helden der Dichtung, etwa bei Hartmann von Aue, besonders aber bei Wolfram von Eschenbach. Ein Lyriker wie Walther von der Vogelweide nimmt ebenfalls zu der bei Thomasin noch in festgefügter Ordnung präsentierten Problematik — jedoch zum Teil in scharfer Form — Stellung, und zwar mit politischem Engagement in seinen Sprüchen.
Grundlegend ging es um eine Problematik, die die gesamte Epoche im Innersten bewegte und die eben der *„Winsbecke"* in den ersten 21 Strophen nicht umsonst zuerst behandelt, nämlich die Stufenordnung: summum bonum — honestum — utile, das heißt: Gott — die Tugenden einschließlich Rittertum, öffentliches Ansehen, Herrschaft, Macht, Minne — zuletzt der Besitz. Walther drückt dies in seinem Spruch *„Ich saz ûf eime steine"* so aus, daß er nicht wisse, wie man *„êre"* (öffentliches Ansehen) und *„varnde guot"* (also die Habe, den

Besitz) mit *„gotes hulde“* vereinigen könne. Die drei könnten nicht *„zesamene in ein herze komen“.*
Das ist also die Frage, die auch die Lehre bewegen mußte, war doch eigentlich jede mittelalterliche Dichtung letztlich auch Lehrdichtung. Das zeigt zum Beispiel das Ende von Wolframs *„Parzival“* deutlich:

„swes leben sich sô verendet
daz got niht wirt gepfendet
der sêle durch des lîbes schulde,
und der doch der werlde hulde
behalten kan mit werdekeit,
daz ist ein nützіu arbeit.“

Also: Wessen Leben so zu Ende geht, daß Gott die Seele aufgrund von Verfehlungen des Leibes nicht verlorengeht, und wer sich dazu doch das Ansehen der Welt erhalten kann, der hat seine Mühe erfolgreich verwendet, wenn man es frei übertragen darf; dessen Erdenmühe hat sich für die Ewigkeit gelohnt.
In der Antike — in Ciceros *„Offizien“* etwa — war dies schon angeklungen. In der deutschen Dichtung des Mittelalters wurde der Fächer breit; er reichte von der Lehre durch Fabel und Bîspel über Ständelehre (vgl. Frauenlob), Jugendlehre (vgl. den genannten Thomasin von Zerkläre), Lehren über Hof und Fürsten, Tugenden und Laster, Speis und Trank, Gelehrsamkeit sowie Rätsel bis zur eigentlichen Ritterlehre. Hier sind neben dem Winsbecken unter anderem Wolfram mit seinem dritten Buch des *„Parzival“,* dann Regenbogen, der sogenannte Kanzler, Heinrich Frauenlob, Reinmar von Zweter, Rumslant von Sachsen zu nennen.
Doch zurück zum Winsbecken, der schon in der zweiten Strophe das Thema Gottesminne aufgreift:

„Sun, minne reiniclîchen got,
so ęnkan dir nimmer missegân,
er hilfet dir ûz aller nôt.“

Bei richtiger Gottesliebe könne ihm also nichts Übles geschehen. Und nun wird dieses Übel gleich beschrieben:

„nû sich der werlte goukel an,
wie si ir volger triegen kan
und waz ir lôn ze jungest sî.“

Schau nur das Gaukelspiel der Welt an; wie sie die trügt, die ihr folgen und was die am Ende für einen Lohn haben. Das summum bonum, Gott, steht — entsprechend der mittelalterlichen Weltordnung — im Gedicht an der Spitze. Und damit verbunden ist die Macht über Leben und Tod, die anschließend in einer, man könnte sagen, „Memento-mori-Strophe“ behandelt wird.
Der Dichter bedient sich eines geläufigen Bildes, das der Kerze, die sich beim Leuchten — in ihrem Leben also — selbst verzehrt. Der Sohn wird dadurch vom Vater erinnert, daß auch das Leben des Menschen eines Tages zu Ende geht. Es sei also höchst wichtig, alles so zu richten, daß *„dort dîn sêle wol gevar“,* es der Seele also dort gut gehe. In Gottes Huld und Gnade zu stehen ist also, auf das Ende hin gesehen, das Wichtigste des Erdenlebens.

Das Verhältnis Mensch – Gott wird, dem mittelalterlichen Ständedenken gemäß, als Lehensverhältnis gesehen, so daß der Sohn aufgefordert wird, *„guote boten“*, das bedeutet hier: entsprechende Taten, zu Gott vorauszuschicken, denn der kluge Mann weiß, daß die Welt ein Gaukelspiel ist.
Und zum Schluß dieses Abschnitts gibt es für diesen Bereich noch eine praktische Nutzanwendung sehr wohl für dieses Erdenleben: Der Sohn soll die Kleriker achten. Es wird aber hinzugefügt, daß er mehr ihren Worten als ihren Taten folgen und vor allem keinen Haß gegen sie haben solle, was oft Sitte der Laien sei. Das sei Sünde. Nur durch ein Wohlverhalten gegen den geistlichen Stand würde das Ende gut, würde dem Menschen Gottes Leib die Rettung. Die Kritik – bei Freidank und Walther scharf pointiert – klingt hier auch an.
An dieses Thema schließt sich der zweite Strophenkomplex über die Minne an, war doch die Frau der Mittelpunkt des Hofes und damit auch der Dichtung.

Strophe 35 aus dem „Winsbecken“; Seite 213 der Weingartner Liederhandschrift

Denn eines müssen wir uns bei der Betrachtung der mittelalterlichen Dichtung immer vor Augen halten: sie war für einen soziologisch fest umgrenzten Kreis bestimmt, nämlich für die *„edelen“*, wie es oft heißt, für die Adelsschicht, innerhalb der die höfische *„zucht“*, das Erzogen- und Gebildetsein im Sinne dieser Gesellschaft, gefordert wird. *„Hoveliche site“*, derer sich der Sohn befleißigen soll, wird eigens in Strophe 38 gefordert. Die gesamte Lehre aber fällt dann freilich etwas hausbackener aus, was sich eben an den Strophen über die Frau zeigen läßt.
Die erste Ermahnung gilt sofort dem rechten Leben in der Ehe, das zum Beispiel im Minnesang im Rahmen der Verehrung einer (verheirateten) hochgestellten Herrin nicht Gegenstand der Dichtung ist, aber bei Wolfram von Eschenbach eine unerhörte Bedeutung erlangt.
Der Sohn wird ermahnt, die Eheleute mögen ein Herz sein, die Liebe solle nur für sie zwei allein geschaffen sein, die beiden sollen auch auf die bösen Zungen (am Hof) nicht achten, die nur Zwiespalt säen nach der Art des Judas.
Wurde hier schon auf den Hof und die höfischen Neider hingewiesen, die zum Beispiel auch im hohen Minnesang eine Rolle spielen, so wird nun ab Strophe 10 von den allgemeinen Verhaltensweisen den Frauen gegenüber gesprochen, wobei vermerkt werden muß, daß der Dichter den Terminus *„frouwe“* der hochhöfischen Dichtung nicht verwendet, sondern nur *„wîp“* gebraucht, das in der Regel für die Angehörigen des weiblichen Geschlechts allgemein und für das Eheweib, die Gattin, verwendet wird.

Er solle also unglücklichen Frauen Trost sprechen, *„guotiu wîp“*, das heißt: vortreffliche Frauen, hochhalten. Der wäre ein Tor selbst dann, wenn er Salomons Verstand hätte, der nicht erkennt, daß sie die Wurzel der *„wunne“*, der Freude, sind. Sie sind das, was die Engel oben bei Gott verkörpern. So weit geht unser Dichter. Der Sohn wisse das noch nicht, er hat dieses Glücksgefühl, die *„saelde“*, noch nicht erlebt, doch solle er ihnen hold, zugetan sein und ihnen immer mit *„tugende“* begegnen. Ein *„reines wîp“* soll er in sein *„herze“* legen, denn eines Mannes Herz sei krank, das sich nicht stets durch die Liebe eines Weibes im besten Sinn des Wortes reinigt. Die *„saelde“* ist bei ihnen, er solle ihnen dienen, daß er desto besser in Ansehen lebe. Und hier klingt die Haltung des Rittertums an, wie es um 1200 dichterisch gestaltet wurde.
Strophe 16 leitet mit der Bemerkung, daß so einem Mann der Schild wohl anstehe und ihm ein blanker Arm winke, zur Lehre vom Ritterhandwerk selbst über, das in den Epen ausführlich zur Darstellung kommt.
Der Dichter weist auch gleich auf einen tüchtigen Ritter hin, der Vorbild sein kann: auf Gachmuret, den Vater Parzivals:

„weistû, wie Gahmuret geschach,
der von des schiltes werdekeit
der moerin in ir herze brach?
si gap im lîp, lant unde guot . . .“

Gachmuret hatte nämlich durch seine Tapferkeit die schwarzfarbige Belakane von Feinden befreit und war der Gatte der Heidin geworden. Sie hat ihm sich selbst, das Land und alle Habe gegeben.
Noch eine Stelle im *„Parzival“* ist in unserem Zusammenhang wichtig und wird dem Dichter des *„Winsbecken“* bekannt gewesen sein: die Ritterlehre, die Gurnemanz dem unerfahrenen jungen Parzival im dritten Buch des Epos erteilt. Da erfährt der junge Held von Freigebigkeit, Demut, *„maze“*, dazu vom Gebrauch der Waffen, von Minne und dem Verhalten den Frauen gegenüber. Das Handwerk wird ihm in der Praxis vorgeführt und eingelernt.
Auch im *„Winsbecken“* zählt der Vater sofort die Haupttugenden des Ritters auf:

„Sun, wiltû ganzlîch schiltes reht
erkennen, sô wis wol gezogen,
getriuwe, milte, küenȩ und sleht . . .“

Also wenn er die Aufgaben des Ritters vollständig kennenlernen will, so müsse er (ritterlich, höfisch) wohlerzogen, ferner dem, dem er Treue, Gefolgschaft geschworen hat, stets verbunden, dann auch freigebig und tapfer sein. Hier schlägt das Höfische stark durch: Er soll mutig sein und an den Anblick der herrlichen Frauen denken, deren *„gruoz“*, also öffentliche, gesellschaftliche Anerkennung, schon immer mit *„dienst“* durch die Ritter vergolten wurde. Praktisch wird er dann gelehrt, wie er den Speer genau auf die Mitte des Schildes zu führen habe.
Die höfischen Tugenden werden – so wie etwa im Tristan Gottfrieds von Straßburg – mit dem Bild des Kleides dargestellt, das zu Hof getragen wird:

„Sun, wiltû kleiden dîne jugent,
daz si ze hovȩ in êren gê,
snît an dich zuht und reine tugent . . .“

Das macht ihn den „werden", also denen zu Hof, die die von ihm erstrebte Stufe an Ansehen schon erreicht haben, wert.
Ja, der Dichter steigert sich sogar dazu, daß ihm noch mehr *„saelde"*, Glückseligkeit, durch den *„segen reiner wîbe"* werde. Der Hof ist der Ort dieser ritterlichen Selbstdarstellung, wobei die *„hoch geburt"* in Strophe 28 extra hervorgehoben wird.
Daß dann die üblichen Verhaltensmaßregeln wie das Reden und das Schweigen zur rechten Zeit aufgezählt werden, gehört zum Kanon; ebenso wird vor Spott, Hochfahrt, Geiz, Spiel und Unrecht gewarnt.
Eine höfische Tugend aber wird noch einmal extra hervorgehoben: die *„maze"*, die man etwa mit höfischer Zurückhaltung, Mäßigung, richtiges Maß zwischen den Extremen, umschreiben könnte. Es heißt:

„Sun, merke, daz diu mâze gît
vil êren unde werdekeit . . ."

Sie soll überall statthaben: als Besonnenheit bei Unternehmungen, bei der Bezähmung des Zorns, schließlich bei einem wichtigen Teil des höfischen Lebens, beim Umgang mit dem *„guot"*, der Habe, wobei gerade hier an die schon zitierte Ritterlehre des Gurnemanz von neuem zu erinnern ist:

„ir sult bescheidenlîche
sîn arm unde rîche
wan swâ der herre gar vertuot,
daz ist niht herrenlîcher muot,
sament er aber schaz ze sêre,
das sint ouch unêre.
gebet rehter mâzę ir orden."

Arm und reich zugleich möge der *„herre"* mit Verstand sein, also Maß muß er halten zwischen dem Aufhäufen der Schätze und dem Vertun seiner Habe. Das hat auch Thomasin einbezogen, Walther dagegen schien es im Verein mit *„êre"*, also öffentlichem Ansehen, und *„gotes hulde"* unvereinbar.
Doch nicht nur davon hat der Winsbecke Kenntnis, sondern er spricht auch vom *„verligen"*, dem Zuhausebleiben als Nachlässigkeit des Ritters, wobei wir uns an Hartmanns Erek erinnern, der so sein Ritterhandwerk vernachlässigt hat. Zugleich aber tritt der Vater gegenüber dem Sohn auch als Lobredner der Seßhaftigkeit auf, und er spricht sogar davon, wie ihn seine Hausnachbarn geschätzt hätten. Drei Dinge müsse man besonders haben: *„guot"*, also Habe, *„milte"*, also Freigebigkeit, und *„zuht"*, rechte Erziehung im weitesten Sinn. Ist der Sohn dazu fröhlich, so tut seine Gabe den Armen besonders wohl. Ja, er betont noch einmal:

„Sun, hûsêre ist ein werdekeit,
diu bî den hoehsten tugenden vert."

Hausehre ist so wertvoll wie die höchsten Tugenden! — Damit kommt die Lehre des Vaters an ein Ende, an dem er alles in echt didaktischer Weise noch einmal zusammenfaßt: Er nennt die Liebe zu Gott, zu Wahrhaftigkeit und zu rechter höfischer Zucht.

Die erhöht sitzende, vornehm gekleidete Winsbeckin vor ihrer Tochter, die die Lehre in Empfang nimmt. Es ist besonders auf die Geste der Mutter hinzuweisen, die drei Finger erhebt, was auf die Zusammenfassung der Lehre in drei Ratschläge am Ende des Gedichts (Str. 43—45) hinweist. Statt des Wappens finden wir hier Stützbögen wie auch öfter in der Handschrift

Aus dem Dargelegten geht hervor, daß der Winsbecke zwei Gegenpole in der Lehre für diese Welt außer dem rechten Verhältnis zu Gott als entscheidend ansieht: Ritterehre und Hausehre, höfisches Leben mit Rittertaten, Frauendienst und Seßhaftigkeit im eigenen Haus und in der Ehe. Musikalische oder gelehrte Bildung werden nicht erwähnt, auch nicht die Politik, wie etwa Reich oder Kaiser. Der Vater legt sein pädagogisches Testament hier in zehnzeiligen Strophen nieder, die Themenkreise bilden und untereinander teilweise lose verbunden sind, vielleicht enger als man bisher geglaubt hat. So gesehen sind dies mehr gereimte Spruchstrophen, die sich besonders für das Sentenzhafte eignen und die dazu auch tatsächlich zahlreiche Bilder und Sprichwörter enthalten. Auch die Form betont das Didaktische der Dichtung ausdrücklich.
Diesem Konzept und dieser Ausformung stehen die 24 Fortsetzungsstrophen weit nach. Hier beginnt nun der Sohn mit sechs Strophen, in denen Gedanken aus dem alten Gedicht wiederholt und — wie etwa der vom Gaukelspiel der Welt — bestätigt werden. Doch der Sohn beginnt dann dem Vater dessen *„schulde“* vorzuhalten und empfiehlt ihm, ein Spital zu stiften und selbst dort einzuziehen. Er selbst wolle auch mitgehen. Der Vater antwortet mit den restlichen Strophen, die eigentlich eine Sündenklage darstellen: Sie beginnt mit einem Gebet an den dreifaltigen Gott, setzt dann mit einem Gotteslob fort, wobei Gestalten aus der Heiligen Schrift nach gut mittelalterlicher Art — wie Maria Magdalena und Job — als Beispiele herangezogen werden. Selbst der größte Sünder könne vor Gott Vergebung finden.
Die Ritterlehre des alten Gedichts an den Sohn wird hier in eine Diskussion über Sünden und Buße des Vaters eingeengt; von den übrigen Themen ist nicht mehr die Rede. Ja schon die Situation mit den Mahnungen des Sohnes ist ins Gegenteil verkehrt. Daß diese Fortsetzung aber doch als *ein* Stück angelegt gewesen sein muß, zeigt die letzte Strophe, in der der Vater nun berichtet, daß er sein ganzes Geld für ein Spital hergegeben habe und mit seinem Sohn dort einziehen wolle.
Wie schon eingangs erwähnt, hat der Winsbecke außer der eben besprochenen Fortsetzung eine weitere Nachfolge hervorgerufen, die sogenannte *„Winsbeckin“*. Das Gedicht zeigt vor allem in der Form der regelmäßigen strophenweisen Wechselrede zwischen Mutter und Tochter eine größere Selbständigkeit als die Fortsetzung. War im alten Gedicht Gachmuret ein Vorbild, so ist es hier Lunête, die Zofe von Iweins Gattin Laudîne aus dem *„Iwein“* Hartmanns von Aue, die am Ende des ersten Teils der Winsbeckin — wo über innere und äußere Haltung der Tochter gehandelt wird — genannt wird. Es ist notwendig, sagt die Mutter, zu Hof die Augen zu zähmen, mit wilden Blicken zu sparen und doch den *„gruoz“* zu geben — aber mit *„scham“* und *„maze“*. Der Rest ist eine Minnelehre der Mutter an die unerfahrene Tochter, die zunächst ablehnend reagiert und dann erst über den Wert der „edlen Minne“, die ohne Neid sein soll und *„in zühten wolgemuot“* macht, unterrichtet wird. Hier werden Salomon aus dem Alten Testament und Ovid aus der klassischen Literatur als Autoritäten genannt, die die Minne hochgehalten hätten.
Das letzte Stück aus dem Winsbeckenkreis ist die sogenannte *Winsbeckenparodie,* die leider nur bruchstückhaft überliefert ist. Sie ist die parodistisch-negative Formulierung der Ritterlehre und steht als diese Form im Mittelalter nicht allein; denken wir nur an die grobianischen Tischzuchten als Gegenstücke zu den höfischen Tischzuchten oder an das *„Buoch von dem ubelen wîbe“*, in dem die Ehe zum Gegenstand der Parodie wird. Der *„Ring“* des Wit-

tenweiler gehört auch in diese Gattung, wobei betont werden muß, daß auch diese Stücke erzieherische Funktion gehabt haben. Allerdings durch die Verkehrung ins Negative. So will die *Winsbeckenparodie* den jungen Ritter Luderleben und Schwelgerei lehren, Lug und Trug, wobei bemerkt wird, daß er zur rechten Zeit fliehen soll, wenn er Streit angestiftet hat. Und der Alte ist selbst darüber erstaunt, daß ihn der Teufel so lange hat überleben lassen.

Wir kommen zum Schluß. Es konnte gezeigt werden, daß der *„Winsbecke“* neben Thomasins *„Wälschem Gast“* und dem etwas späteren Freidank in der lehrhaften Dichtung kurz nach 1200 eine durchaus eigenständige Position einnimmt. Das Gedicht wurzelt fest im Ordogedanken des Mittelalters, ist aber doch realistischer, gesellschaftsbezogener als etwa die Lyrik des hohen Minnesangs. Höfisches Leben und Hausehre werden gleichwertig nebeneinander gestellt.

Die Fortsetzung, ferner die *„Winsbeckin“* und die Parodie zeigen, daß sich die Dichtung einer gewissen Beliebtheit erfreut hat, ja daß sie – in ihrer didaktischen Verkehrung ins Negative – ihre Wirkung bis ins späte Mittelalter getan hat. Der fränkische Dichter aus der Nähe Wolframs von Eschenbach hat keinen schlechten Wurf getan.

Strophe 5 der „Winsbeckin“; Seite 221 der Weingartner Liederhandschrift

Rudolf Stöckl

TANNHÄUSER

um 1200 bis um 1266

„Danhauser was ain ritter guot
wann er wolt wunder schawen,
er wolt in fraw Venus berg
zu andren schönen frawen."

Mit dieser Strophe wird in einem Gedicht, das um 1524 von Valentin Holl in Augsburg niedergeschrieben wurde und das heute im Germanischen Museum zu Nürnberg aufbewahrt wird, der Ritter Tannhäuser vorgestellt. Das Gedicht erzählt dann weiter, wie Tannhäuser den Venusberg wieder verlassen möchte, aber von der Göttin Venus, die im Laufe eines erregten Zwiegesprächs sogar einmal *„teufelinne"* genannt wird, keinen Urlaub erhält. Erst als er die heilige Maria anruft, gibt die Liebesgöttin nach:

„Frau Venus! das enwill ich nit,
ich mag nit lenger pleiben.
Maria muoter, raine maid,
nu hilf mir von den weiben!"

Jetzt läßt ihn die Göttin ziehen, aber mit dem ausdrücklichen Auftrag, ihr Lob zu singen, wenn er draußen im Land herumfährt – übrigens in diesem Gedicht die einzige Anspielung darauf, daß der historische Tannhäuser ein Dichter und damit auch ein Sänger war. Tannhäuser zieht nun nach Rom und beichtet, aber der Papst spricht ihn nicht los:

„Der bapst het ain steblin in seiner hand
und das was also durre:
‚als wenig das steblin gronen mag
kumstu zu gottes hulde'."

Drei Tage sind vergangen, seit Tannhäuser *„in jammern und in laide"* die Stadt Rom verlassen hat, da beginnt der Stab des Papstes zu grünen. Boten werden ausgesandt, die dem erlösten Sünder das Wunder verkünden sollen, aber zu spät:

„Do was er widrumb in den berg
und hat sein lieb erkoren,
des muoß der vierde bapst Urban
auch ewig sein verloren."

Diese harte Wendung am Schluß des Gedichts weist auf den Zeitpunkt der Niederschrift hin: Martin Luther hatte wenige Jahre vorher seine Thesen angeschlagen und seine Lehre in Worms verteidigt. Aber auch in anderen Tannhäuser-Gedichten, die im 15. und zu Beginn des 16. Jahrhunderts im gesamten deutschen Sprachraum von den Niederlanden bis nach Kärnten auftauchen, ist der Grundzug der Handlung der gleiche: Tannhäuser genießt die sündige Liebe der Venus, wird ihrer überdrüssig, verläßt den Venusberg und zieht nach Rom, wo er aber keine Vergebung finden kann.
Nun ist die weite Verbreitung eines Sagenstoffes an sich kein Einzelfall: von Griechenland bis nach Island, von Sizilien bis nach Norwegen treten in Mythos und Sage immer wieder ähnliche und gleiche Motive auf. Seltsam und wohl einmalig ist jedoch, daß hier eine sagenhafte Handlung auf eine historische Persönlichkeit, eben den Ritter und Dichter Tannhäuser, projiziert wird und daß dieser Tannhäuser immer wieder mit dem Sagenstoff in Verbindung gebracht wird. Es müssen, so möchte man vermuten, im Leben oder im Werk des Dichters Anknüpfungspunkte vorhanden sein, einzelne Ereignisse, Zitate oder auch eine bestimmte Gesamthaltung, die diese seltsame Verschmelzung des historischen Dichters mit der Sagengestalt des sündig Liebenden begünstigt haben.
Der Lebensweg des Ritters Tannhäuser, der hier vielleicht Aufschlüsse geben könnte, ist bis auf wenige Abschnitte bekannt. Der Ortsname „Tannhausen" ist im oberdeutschen Raum weit verbreitet, besonders im baierischen und österreichischen Gebiet, doch gilt die These, daß Tannhäuser aus dem Salzburgischen stammen könnte, heute als widerlegt. Wenn auch die Orte Thonhausen bei Amberg und Tannhausen bei Dinkelsbühl als Geburtsorte des Dichters nicht völlig ausscheiden, so nimmt man doch heute allgemein an, daß die Burg seiner Väter in Thannhausen bei Freystadt in der nordwestlichsten Ecke der Oberpfalz stand.
Dieses dem Fränkischen Jura vorgelagerte Gebiet zwischen Nürnberg, Neumarkt und Weißenburg hieß früher der „Sand" — in der Ortsbezeichnung „Roth am Sand" hat sich dieser Name bis in den Anfang unseres Jahrhunderts erhalten. Und nun schreibt der Dichter Tannhäuser in seinem Kreuzzugslied, nachdem er die zwölf Winde, die er im Mittelmeer kennengelernt hatte, mit Namen genannt hatte: *„Waer ich uf dem Sande, der namen wisse ich niht"* — *„Wäre ich auf dem Sand geblieben"* — Sand als Eigenname verstanden — *„so wüßte ich diese Namen nicht."* Und in einem anderen Gedicht nennt er wehmütig die Stadt Nürnberg: *„So mir min dinc niht ebne get, swar ich ker in dem lande, so denke ich sa gen Nüerenberc, wie sanfte mir da waere."* Übertragen etwa so: *„Wenn es mir in der Fremde nicht gut geht, dann denke ich an Nürnberg, wie wohl es mir da wäre!"* Diese beiden Stellen erhärten die These, daß Tannhäuser aus dem fränkisch-oberpfälzischen Grenzgebiet südöstlich von Nürnberg stammt. So meinte es wohl auch jener Meistersinger, der in der Nachdichtung des eben zitierten Gedichts *„Nüerenberc"* einfach mit *„daheim"* wiedergab, und Hans Sachs nennt den Dichter einen *„Herren aus Frankenland"*.

Eine Burg gibt es heute in der kleinen Ortschaft Thannhausen bei Freystadt nicht mehr, und auch die ältesten Einwohner erinnern sich nicht daran, selbst auch nur bescheidene Reste einer Ruine gesehen zu haben. Trotzdem wissen sie den Platz sehr genau zu bezeichnen, wo einst eine Burg gestanden haben soll. In der Pfarrkirche, die Bischof Gundekar von Eichstätt 1072 geweiht hat, sieht man an der Orgelempore zwei bildliche Darstellungen der Ortschaft: Tannhausen einst und heute, und im Bild aus der frühen Zeit ist die Burg gut zu erkennen.

In dieser Burg also wird der Dichter Tannhäuser nicht allzulange nach dem Jahr 1200 geboren worden sein. Von seiner Jugend wissen wir nichts; man kann aber annehmen, daß der junge Ritter 1225 am Hoftag in Nürnberg teilgenommen hat, wo Leopold von Österreich seine Tochter Margarethe mit Heinrich VII. verheiratete.

Das ist freilich nur eine Vermutung – die erste gesicherte Tatsache im Leben des jungen Tannhäuser ist seine Teilnahme am Kreuzzug Kaiser Friedrichs II. Zwei seiner Gedichte weisen darauf hin: das eigentliche Kreuzzugslied, das der Dichter wahrscheinlich während seiner Fahrt auf dem Mittelmeer 1227 und 1228 niedergeschrieben hat, und ein wohl erst 1247 entstandener Tanzleich, in dem sich neben einer langatmigen Aufzählung von Ländern und Reichen dieser Erde auch eigene Reiseerlebnisse finden. Diesem zweiten Gedicht kann man entnehmen, daß er im Anschluß an den eigentlichen Kreuzzug bis nach Zypern, Armenien, Antiochien und in die Türkei gekommen ist.

„In Armenie ich was.
wie kume ich da genas!
für Antioch kam ich ze Türki sunder danc:
da was der Tatern vil,
von dem ich swigen wil."

Wovon der Dichter hier schweigen will, das kann aus dem vorliegenden Text nicht befriedigend erklärt werden. Daß er in jener Gegend Tataren angetroffen hat, ist nicht anzunehmen; aber vielleicht hat er mit anderen kriegerischen Stämmen unangenehme Bekanntschaft gemacht. Überhaupt denkt er an diese Zeit nicht gerne zurück: das zeigt die kleine Bemerkung, daß er in Antiochien und in der Türkei *„sunder danc"* gewesen ist. Man hat das im allgemeinen so gedeutet, daß er am Zyprischen Krieg und an den weiteren Feldzügen nur mit Widerstreben teilgenommen hat, aber man könnte die Bemerkung vielleicht auch viel wörtlicher nehmen: daß man ihm die Teilnahme an diesen Kriegszügen nicht gedankt hat, daß der „Dank des Vaterlandes" damals schon eine fragwürdige Sache war.

Im Frühjahr 1233 ist Tannhäuser wahrscheinlich wieder nach Italien zurückgekehrt. Nun hält er sich wohl längere Zeit im Gefolge des jungen Königs Heinrich VII. auf, mit dem er 1235 auch wieder in Nürnberg gewesen sein könnte. Noch 30 Jahre später rühmt der Dichter diesen *„milden"* König und bedauert, daß er so früh sterben mußte, weil er sich gegen seinen Vater aufgelehnt hatte:

„Einen künec, dem zaeme wol
nach im des riches krone!
owe daz er niht leben sol,
dem si stuont also schone!

„Der Tanhuser" in der Manessischen Handschrift. Der Dichter ist hier seltsamerweise als Deutschordensritter, nicht als Kreuzritter, dargestellt

Daz was der milte künec Heinrich,
bi dem was fride staete.
daz nieman nu tuot dem gelich,
der zuo dem riche traete.“

Aber Tannhäuser findet bald einen anderen, noch großzügigeren Gönner. Es ist der Herzog Friedrich II. von Österreich, an dessen Hof in Wien er sich etwa von 1237 an aufhält. Das Jahrzehnt bis zum Tode des Herzogs, der 1246 bei Wiener Neustadt im Kampf gegen die Ungarn fällt, ist die beste Zeit im Leben des Dichters. Wehmütig erinnert er sich später an seine einstigen Besitzungen: *„Ze Wiene het ich einen hof, der lac so rehte schone. Liupolzdorf was dar zuo min, daz lit bi Luchse nahen. Ze Hinperc het ich schoeniu guot . . .“*
Doch alle diese Güter sind jetzt — nach dem Tod des Herzogs — verloren oder verpfändet: *„Wer loeset mir diu pfant? owe, wie wenic ich der vinde!“*. . . heißt es in dem 1247 entstandenen Gedicht, in dem Tannhäuser seine traurige Lage schildert:

„Min hus daz stet gar ane dach, swie ich darzuo gebare,
min stube stet gar ane tür, daz ist mir worden swaere.
Min kelr ist in gevallen, min küche ist mir verbrunnen,
min stadel stet gar ane want, des höus ist mir zerunnen.“

Das ist recht anschaulich dargestellt: das Haus hat kein Dach, die Stube keine Türe, der Keller ist eingefallen, die Küche verbrannt, die Scheune hat keine Wand — hinter diesen Bildern des Zerfalls steht, an anderer Stelle ausgesprochen, der Wunsch nach einer festen Bleibe an einem kunstsinnigen Hof: *„Ich solde wol ze hove sin, da horte man min singen.“*
Aber dieser Wunsch geht für Tannhäuser nur noch zeitweise in Erfüllung. Er findet vorübergehend Aufnahme vor allem an ostdeutschen Höfen, führt aber dazwischen das Leben eines fahrenden Sängers, dem Not und Sorge nicht fremd sind. In bewegenden Versen beklagt der alternde Dichter seine Lage:

„Ich muoz klagen,
daz bi kurzen tagen
diu werelt wil an fröuden gar verzagen.
Diu ist so kranc,
swaz ich ir ie gesanc
ze dienste, des seit si mir kleinen danc.
Ein ander not
klage ich sunder spot
daz rehtiu milte ist an den herren tot.“

Damit ist wieder ein wichtiges Stichwort gefallen. Daß die Welt dem Dichter keine Freude mehr bietet, daß sie seine Gesänge nicht mehr hören will, ist schon schlimm genug. Aber daß die *„milte“*, die Mildtätigkeit, bei den Fürsten ausgestorben ist, das rührt an die Existenz des fahrenden Sängers — wobei freilich nicht zu verkennen ist, daß in diesen Versen auch ein gutes Stück Selbstbemitleidung mitschwingt. Denn ein „armer Mann“ war Tannhäuser auch in seiner schlechtesten Zeit nicht. Er besaß immerhin auch damals noch ein Pferd und ein Saumtier und war von mehreren Knechten begleitet. Es ist

wohl schon so, wie der bekannte Tannhäuser-Forscher Johann Siebert meint: daß nämlich der Dichter ein verwöhnter und anspruchsvoller Herr war, der an die *„rehtiu milte"* der Fürsten ziemlich hohe Ansprüche stellte ...
Etwa bis zum Jahre 1266 läßt sich das Leben Tannhäusers verfolgen; nicht allzulange danach wird er gestorben sein. Daß Zeit und Ort seines Todes nicht bekannt sind, hat nichts zu bedeuten: dieses Schicksal teilt er mit den meisten Dichtern seiner Zeit. Es wäre also müßig, hier einen Anhaltspunkt finden zu wollen für die seltsame Identifikation des historischen Tannhäuser mit dem Helden der Tannhäuser-Sage, der in den Venusberg eindrang, nach seiner Rückkehr vom Papst nicht losgesprochen wurde und schließlich durch ein Gottesurteil — den grünenden Stab — Vergebung seiner Sünden fand. Da aber auch das Leben Tannhäusers, soweit es sich rekonstruieren ließ, keine Begründung dafür liefert, warum die Volkssage gerade diesen Dichter mit der Königin und Teufelin Venus in Verbindung brachte, könnte einzig noch seine Dichtung Auskunft geben.
Die im 14. Jahrhundert entstandene *„Manessische Liederhandschrift"* überliefert von Tannhäuser sechs „Leiche", sechs Lieder und drei Spruchgedichte; dazu kommt noch ein Rätsellied, bestehend aus fünf kurzen Reimrätseln. Die kunstvollste der von Tannhäuser gepflegten Formen ist die des Leichs: die Strophen sind ungleich geformt, Gedankengänge werden plötzlich abgebrochen und später wieder aufgenommen, Binnenreime wechseln mit Endreimen. Man könnte von einer tanzsuitenartigen Gestaltung sprechen, wie ja der Leich wohl auch zum Tanz gesungen worden ist. Schlußverse wie diese kehren öfter in ähnlicher Form wieder:

„Heia, Tanhusaere,
la dir niht wesen swaere!
Swa man nu singe,
froeliche springe.
Heia nu hei!"

Hauptthemen der Leiche sind das Lob der Liebe, der Frauen und der Fürsten, zuweilen auch lehrhafte Aufzählungen. Dagegen haben die Lieder, formal übersichtlich und gedanklich geradlinig gestaltet, ausschließlich die Liebe zum Inhalt. Ähnlich im Aufbau sind die Spruchgedichte, die jedoch im Gegensatz zu den Liedern nicht von der Liebe handeln.
Schlechter sieht es mit der Überlieferung der Melodien Tannhäusers aus. Die Melodien zu dem Minnelied *„Staeter dienest der ist guot"* und zu dem Spruchgedicht *„Hie vor do stuont min dinc also"*, in dem der alternde Dichter seine mißliche Lage schildert, sind in der erst 200 Jahre nach Tannhäusers Tod entstandenen, nicht immer zuverlässigen *„Kolmarer Liederhandschrift"* enthalten. Als wertvollste und sicherste Überlieferung gilt heute die Melodie zu dem lateinischen *„Syon egredere"*, die in einer Münchner Handschrift aufgefunden wurde: sie gehörte ursprünglich zu Tannhäusers Leich *„Ich lobe ein wip"*.
Hier taucht auch zum ersten Mal bei Tannhäuser der Name der Venus auf, mit dem ihn die Sage später so eng in Verbindung gebracht hat:

„Venus ein apfel wart gegeben,
da von so huop sich michel not:
dar umbe gap Paris sin leben,
da lac ouch Menalaus tot."

Es ist wohl ausgeschlossen, daß diese geradezu dürre Strophe den Anlaß dazu gegeben haben könnte, den Dichter in die Venusberg-Sage hineinzustellen, denn die Göttin wird ja hier nur aufgezählt neben anderen berühmten und schönen Frauen und auch das nur, um die Schönheit der einen Geliebten in noch hellerem Lichte erstrahlen zu lassen. Von einem Loblied auf die Göttin der Liebe kann hier ebensowenig die Rede sein wie bei einer anderen Stelle in dem schon einmal erwähnten Liebeslied *„Staeter dienest der ist guot"*. Dort stehen die folgenden Verse:

„Ein boum stet in Indian,
groz, den wil si von mir han.
minen willen tuot si gar,
seht, ob ich irz alles her gewinne.
Ich muoz bringen ir den gral,
des da pflac her Parzival,
und den apfel, den Paris
gap durch minne
Venus der gütinne."

Auch hier geht es nicht um die Göttin Venus, sondern um die eine, im Gedicht besungene Geliebte, für die gleichsam die Sterne vom Himmel heruntergeholt werden: der große Baum aus Indien, der Gral des Parzival und der Apfel, den Paris der Venus gab. Aber trotzdem ließen sich vielleicht in den Liebesgedichten des Tannhäuser Ansatzpunkte finden für die erstaunliche Tatsache, daß die Volkssage gerade diesen Dichter in den Venusberg verbannte. Wenn es in der schon zitierten Stelle heißt *„Minen willen tuot si gar"*, so ist das zwar deutlich, aber noch vergleichsweise harmlos. Es gibt aber bei Tannhäuser auch manche Verse, die an bildhafter Anschaulichkeit und sinnlicher Freizügigkeit weit über das hinausgehen, was die höfische Gesellschaft des späten Mittelalters von ihren Sängern zu hören gewohnt war. So heißt es in dem bereits zitierten Leich *„Ich lobe ein wip"*:

„Uf ir hüfel überal
da sol ein borte ligen smal,
vil wol gesenket hin ze tal,
da man ir reiet an dem sal;
da ist ir lip gedrollen,
ze wunsche wol die vollen."

Diese Verse enthalten einige Zweideutigkeiten, die nicht leicht wiederzugeben sind. Aber auch wenn man davon ausgeht, daß *„sal"* nicht hintergründig gemeint ist, ist der Vers *„wenn man in ihrem Saal den Reigen tanzt"* recht deutlich. Noch deftiger freilich wird die Stelle, wenn man unter dem Wort *„sal"* — was sprachlich durchaus möglich wäre — den weiblichen Körper verstehen will oder soll, dessen „dralle" Rundungen dann noch ausdrücklich gepriesen werden. Einzelfragen der Interpretation können jedoch offen bleiben angesichts des unverkennbar sinnlichen Gehalts dieser Verse von der Hüfte, auf der ein schmaler Gürtel liegen soll, der sich hin *„zum Tal"* senkt — wobei allein der Begriff des „Gürtelsenkens" bei den Zuhörern bereits wieder neue sinnliche Assoziationen wecken mußte. Aber Tannhäuser geht in einem anderen Leich noch weiter:

„Wan wir zwei dort in einem kle,
si leiste, daz si solde,
und tet, daz ich da wolde.“

Und wer es jetzt noch nicht verstanden haben sollte, dem wird die Szene *„dort in dem Klee“* noch weiter in immer neuen Farben ausgemalt:

„Do begunden wir do beide ein gemelliches machen;
daz geschah von liebe und ouch von wunderlichen sachen.
Von amure seit ich ir,
daz vergalt si dulze mir.
so jach, si lite ez gerne,
daz ich ir taete, als man den frouwen tuot dort in Palerne.“

Mit der Stadt Palermo auf Sizilien hat das direkt nichts zu tun. Diese Verse wollen nur etwa so viel sagen wie: Ich machte mit ihr, was die Frauen überall gerne tun. Dieses eindeutige Lob der „niederen Minne“ wird in auffallender Weise durchsetzt von einigen französischen Wörtern: von *„amure“* und *„dulze“* war schon die Rede, später kommt noch das *„aventiure“*, das Abenteuer, dazu, und das alles geschah auf einer *„planiure“*, auf einer Ebene.
Man könnte fast denken, der Dichter wollte seine doch etwas gewagten Verse auf diese Weise „hoffähig“ machen. Denn neu und gewagt waren diese Verse sicher, wenn man bedenkt, wie verhalten noch Walther von der Vogelweide eine Generation früher solche Szenen geschildert hatte, etwa in seinem bekanntesten Gedicht *„Unter der linden“*. Hier, bei Tannhäuser, wird das Lob der „niederen Minne“ mit unverhohlener, oft derber Freude am Sinnlichen herausgesungen. Ein neues, fast schon renaissancehaftes Lebensgefühl kündigt sich hier an, das sicher in manchen höfischen Kreisen viel Anklang fand, das aber auch auf Widerspruch und Ablehnung stoßen mußte.
Denn gerade in jener Zeit begann die Kirche sich unter dem Einfluß der neuen Bettelorden gegen die „Verweltlichung“ der Gesellschaft zur Wehr zu setzen. Und je mehr Tannhäusers Gedichte auch von breiteren Volksschichten aufgenommen wurden — und sie wurden aufgenommen, wie noch zu zeigen sein wird —, desto mehr mußte er in diesen Abwehrkampf hineingeraten. Was aber lag für seine Gegner näher, als diesen Dichter dadurch zu „verteufeln“, daß man ihm ein Liebesbündnis mit der heidnischen Göttin Venus andichtete?
Und Tannhäuser hatte Gegner — nicht nur seiner Liebeslyrik wegen. Er hatte sich in der Zeit der härtesten Kämpfe zwischen Kaiser und Papst immer zur staufischen Partei bekannt, er hatte in einem Spruchgedicht die deutschen Fürsten getadelt, die sich vor der Wahl für römisches Geld kaufen ließen, und er hatte sich selbst nachdrücklich und uneigennützig auf die Seite des Stauferkönigs Konrad IV. gestellt: *Dem künege, dem sprich ich wol: in weiz, wenn er mir lone“* — obwohl er nicht wußte, ob der König ihm das noch lohnen würde.
Die Höfe der stauferfeindlichen Fürsten hat Tannhäuser zeit seines Lebens gemieden, und nur ein einziger geistlicher Fürst jener Zeit wird in seinen Gedichten gelobt: Es ist der 1237 gestorbene Bischof Egbert von Bamberg, der ein treuer Anhänger Kaiser Friedrichs war.
Noch mehr mußte aber die an alten idealistischen Vorstellungen festhaltenden kirchlichen und höfischen Kreise die geistige Haltung befremden, die aus Tannhäusers *„Kreuzfahrerlied“* spricht. Walther von der Vogelweide hatte in

seinem *„Palästina-Lied“* den Kreuzzug von 1227 noch ganz als verpflichtende Aufgabe für den christlichen Ritter betrachtet: erst wenn seine sündigen Augen das *„hehre Land“* gesehen haben, hat sein Leben einen Sinn, einen Wert gehabt.

„Nu alrest lebe ich mir werde,
sit min sündic ouge siht
daz here lant und ouch die erde,
dem man vil der eren giht.“

Der Dichter des Palästina-Liedes war zu Beginn des Kreuzzuges schon mehr als 60 Jahre alt; er hat das *„hehre Land“* selbst nie gesehen. Die Jüngeren, die dabei waren, wissen es besser. Freidank spricht nüchtern von einem *„lant, da got noch man nie triuwe vant“* — wo weder Gott noch Mensch Treue fand. Und Neidhart von Reuentals Pilgerlied enthält den erschütternden Stoßseufzer: *„den lieben tac laze uns got geleben, daz wir heim ze lande strichen“.* Tannhäuser, der an diesem Kreuzzug am längsten und am intensivsten teilgenommen hat, ist in seiner Darstellung noch viel naturalistischer und nüchterner als seine Vorgänger:

„Mich sluogen sturmwinde
vil nahe zeinem steine
in einer naht geswinde
min fröude diu was kleine.
Diu ruoder mir zerbrachen, nu merket, wie mir waere!
die segel sich zerzarten si flugen uf den se.“

Der Sturm verschlägt das Schiff nahe an einen Felsen, die Ruder zerbrechen, die Segel zerreißen — das mag noch zum landläufigen Bild einer stürmischen Seefahrt gehören. Aber ganz persönlich wird Tannhäusers Gedicht, wenn es um die kleinen Mißhelligkeiten dieser Reise geht:

„Min wazzer daz ist trüebe, min piscot der ist herte,
min fleisch ist mir versalzen, mir schimelget min win . . .
zisern unde bonen
gent mir niht hohen muot.
wil mir der hohste lonen,
so wirt daz trinken süeze und ouch diu spise guot.“

Der Lohn des Höchsten angesichts des trüben Trinkwassers, des verdorbenen Schiffszwiebacks, des versalzenen Fleisches, des verschimmelten Weins, der ewigen Erbsen und Bohnen — das wirkt fast schon wie eine Blasphemie. Aber es kommt noch schlimmer. Tannhäuser ist ausgezogen, um das Heilige Land zu befreien; was er mit nach Hause bringt, sind neben diesen trüben Erinnerungen die Namen von zwölf Winden, die im Mittelmeer wehen:

„Der Schroc von Oriende
und der von Tremundane,

Seite aus der Manessischen Handschrift mit dem Beginn des Kreuzfahrerliedes von Tannhäuser (letzter Absatz links). Rechts unten die Aufzählung der zwölf Winde

liute tate die mir des helfen wellēt wo die sīt
also genennēt · vntat vn̄ her schaffe niht
die koment mir vil drate · vn̄ einer heisset
selten rich d' mich vil wol erkēnet · d' zadel
vn̄ d' zwiuel sint min stetes ingesinde · her
schade vn̄ och her vmbe reit · ich dike bi mir
vinde · vn̄ wirt min hus also vol braht vō
dirre massenie · so wissent dc mir vō dē lu
ten her in den bösen sinne.

Rome bi d' tyber lit d' arn gat vür pise ·
als d' rone vür pirschetet hin dü ro
zer gat vür rezzē · grim vn̄ lit dē pfate bi
dur saso gat diu nise · paris bi d' seine lit
dü mvsel gat für mezzē · vür basel flüsset
abe der rin · d' neker vür heilig brunnē · so
ist dü elbe lange dur sachsen lant ger vne ·
lüttche ist och der mase bi · vür pülan gat
dü nise · so flüsset dur der vnger lant der
wag vn̄ och dü tyse · brage bi d' wltach lit
als wiene an d' tünowe · swo des gelöbēn
welle niht d' var vnz ers beschowe ·

Ein wiser man d' hies sin liebes kint al
so gebarē · er sprach so dv zehove sist
so tv nach min lere · dv solt den snödē fro
mede sin der fromē solt dv varē · vn̄ wis
in zühteklich bi des hast dv lob vn̄ ere ·
swa dv sehst übel tün da vō solt dv dich
ziehen · vngefüges wort solt dv zallē zitē
fliehē · vn̄ trinke och in d' masse so das ie
man müsse valle · dv solt dē frowē sprechē
wol so lobēt si dich alle · dv solt dich rüme
niht ze vil dc zimt wol vō wibē · vn̄ tüst
dv dc so maht dv deste bas bi in belibē ·

Wol im d' nv beissen sol · ze pülle vf dē ge
wilde · d' bitzet dc ist da mit wol · der
siht so vil vō wilde · sumeliche grant ze
brvnnē · die andern ritent schowē · d' frö
de ist mir zerrunnē · dc bannet mā vō dē
frowē · des darf mā mich niht zihē ich
beisse och niht mit winde · in beize och
niht mit valkē in mag niht fühse ge
iagē · mā siht och mich niht volgē nach
hirzē vn̄ nach hinde · man darf ouch nie
mā ziehen vō rosen schappel tragē · man
darf och min niht wartē · da stet d' grüne
kle · noch söchē in dien gartē · bi wolgeta

nē kinde · ich swebe vf dem se.

Ich bin ein erbeit selig man der niene kā
belibē · wan hiute hie morne anderswā · sol
ich dc iemr triben · des mvs ich dike sorge · swie
frölich ich da singe · dē abent vn̄ dē morgē ·
war mich dc weter bringe · dc ich mich so
gewarne vf wasser vn̄ vf lande · dc ich dē
lib gefüre vnz vf die selbē stunt · ob ich
dē liute leide in snödē gewande · so wirt
mir dü reise mit freise wol kunt · dar an
solde ich gedenkē · die wile ich mich d'
mag · in mag im niht entwēkē · ich müs
dē wirte gebren vil gar vf einē tag.

Wa lerte ie man so grosse not · als ich vō
bösem troste · ich was ze krite vil nach
tot · wan dc mich got erloste · mich slugē
sturnwinde vil nach zeinem steine · in
einer naht geswinde · min fröide dü was
kleine · dü ruder mir zerbrachē · nv mer
kent wie mir were · die segel sich zer
zartē · si slugē vf den se · die marn alle
iahen · dc si so grosse swe · nie halbe naht
gewunnē mir tet ir schrien we · dc werte si
ch liche vnz an dē sehstē tag · in mahte
in niht entwichē · ich müs es alles liden
als d' niht anders mag.

Die winde die so sere went · gegē mir
vō barbarie · dc si so rehte vnsöfte blet ·
die andern vō türggie · die welle vn̄ och die
vnde geint mir gros vngemüte · dc si für
mine sünde · d' reine got min hüte · min
wasser dc ist trübe · min pischop d' ist hte ·
min fleisch ist mir versalzen · mir schi
melget min win · d' smak d' vō d' sutte
gat · d' ist niht güt geine · da vür neme
ich d' rosen ak · vn̄ mehte es wol gesin · zi
sern vn̄ bonē geint mir niht hohe mūt ·
wil mir d' hohste lone · so wirt dc trin
kē süsse vn̄ och dü spise güt.

Ahi wie selig ist ein man · d' für sich
mag gerīten · wie kume mir der
gelöben kan · dc ich müs winde biten ·
der schok vō oriende · vn̄ d' vō tremonta
ne · vn̄ d' vō occidende · arsule vō dē pla
ne · d' meiste ab den albē · der kriegs vs
romanie · d' levan dan vn̄ oster · die mir

und der von Occidente,
Assiure von dem plane,
der Meister ab den Alben, der Kriec uz Romanie,
der Levandan und Oster, die mir genennet sint;
ein wint von Barbarie waet, der ander von Türkie,
der Norten und der Metzot, seht, daz ist der zwelfte wint."

„Das ist der zwölfte Wind" — Tannhäuser hat keinen vergessen, aber er hat auch nicht vergessen, warum er eigentlich ausgezogen ist:

„Durch got ich fuor von lande
und niht durch diese frage, swie we halt mir geschiht."

„Für Gott verließ ich meine Heimat, und nicht, um die zwölf Winde kennenzulernen, aber es ist mir eben so ergangen."
Wolfgang Mohr, der in einem Aufsatz dieses Lied Tannhäusers den Kreuzfahrerliedern seiner Vorgänger gegenübergestellt hat, spricht von einer *„lässig-grimmigen Pointe"*, von einer illusionslosen, gegen-idealistischen Wirklichkeitssicht, von einem Seefahrer, der zwar *„noch einmal davongekommen"* ist, aber von dieser Reise keinen *„hohen Mut"* mitgebracht hat, sondern nur ein Wissen, mit dem nichts anzufangen ist.
Mit einem solchen Wissen kann man natürlich auch nicht überzeugen, kann auf niemanden einwirken, kann niemanden mitreißen. Walther von der Vogelweide wendet sich in seinem Palästina-Lied an die ausfahrenden Ritter: *„dar an gedenkent, ritter, ez ist iuwer dinc"* — knapp zusammengefaßt: *„Ritter, denkt an euer Heil!"* Auch Tannhäuser denkt während seiner gefahrvollen Seereise an das Jenseits, aber er tut das nur für sich, wie ja das ganze Kreuzfahrerlied aus einer Situation der Isolierung heraus gedichtet ist:

„dar an sold ich gedenken,
die wile ich mich vermac.
in mac im niht entwenken,
ich muoz dem wirte gelten
vil gar uf einen tac."

Das ist also Tannhäusers ganz persönliche Sache: der Gedanke an den Jüngsten Tag, an dem er Gott, der hier als *„Wirt"* erscheint, wird Rechenschaft ablegen müssen. Dabei ergibt sich als typisches Resümee dieser Kreuzfahrt: *„in mac im niht entwenken"* — ihm, dem Höchsten, kann man nicht entgehen, so wenig wie den Stürmen dieser Seereise:

„in mahte im niht entwichen,
ich muoz ez allez liden, als der niht anders mac."

Seinem Schicksal kann niemand entrinnen: diese Erkenntnis wird zweimal ausgesprochen, in jenseitiger und in diesseitiger Abwandlung. Aber selbst auf das Jenseits angewandt, bringt diese Erkenntnis Tannhäuser nichts ein, so wenig wie die Namen der zwölf Winde.
Diese bis zum offenen Zynismus führende Resignation, dieser Zweifel an den „ewigen Werten" mögen manche Zeitgenossen Tannhäusers ebenso anstößig

Das lied von dem Danheüser.

¶Nun will ichs heben an
Von dem Danheüser zu singen
Vnnd was er hat wunders gethan
Mit seyner fraüwen Venusinnen

Der Pilger Tannhäuser als Titelbild eines Flugblattes; vermutlich aus der ersten Hälfte des 16. Jahrhunderts

empfunden haben wie seine freisinnige Verherrlichung der sinnlichen Liebe und sein freimütiges Bekenntnis zur staufischen Partei. Hier könnten die Ansätze liegen zu dem im Un- oder Unterbewußten sich vollziehenden Aufbau eines „Gegen-Tannhäusers“, eines Negativ-Symbols, das um so mehr Profil und Gestalt gewann, als ja auch Tannhäusers Gesänge zumindest in Nachdichtungen weiterlebten. Etwa zu Beginn des 16. Jahrhunderts ist diese Entwicklung abgeschlossen: in der Tannhäuser-Sage, die in vielen verschiedenen Fassungen über das gesamte deutsche Sprachgebiet verbreitet ist, erscheint der Dichter als Sünder und als Büßer, während die Meistersinger noch in seinen echten oder vermeintlichen „Tönen“ dichten und seine Verse nach- und umgestalten. Zwar rechnet man ihn nicht zu den zwölf legendären Begründern des Meistergesangs, aber er gilt als höchst nachahmenswertes Vorbild. So hat allein der Nürnberger Hans Sachs nicht weniger als 30 weltliche und unterhaltende Gedichte im sogenannten *„Hofton“* Tannhäusers verfaßt, der etwa der Melodie zu dem bereits erwähnten Spruchgedicht *„Hie vor do stuont min dinc also“* entspricht. Die Themen waren denkbar verschieden:
„Ein fabel von wanckelmütigen leutten“ – *„Der Neidhart mit seinen listen“* – *„Die hundert suppenkessel“* – oder auch *„Zu aschenburg ein Hecker sas“* und *„Wer nerrische ding fragen thut“*.
Neben diesem *„Hofton“* ist auch noch die Tannhäuser-Melodie zu dem Lied *„Staeter dienest der ist guot“* in der Kolmarer Handschrift überliefert. Auch in diesem Ton, meist „Hauptton“ genannt, hat Hans Sachs gedichtet. Seine vier Gedichte in diesem Ton haben sämtlich geistlichen Inhalt – man möchte fast von einem „Parodie-Verfahren“ sprechen, wie es zwei Jahrhunderte später Johann Sebastian Bach angewendet hat, denn gerade die Melodie dieser geistlichen Lieder gehörte ursprünglich zu einem Liebeslied.
Weil Tannhäuser in der Sage nicht nur als Sünder, sondern auch als Büßer erscheint, ist es naheliegend, daß man ihm im Laufe der Zeit auch Bußlieder in den Mund gelegt hat. Bereits die Kolmarer Handschrift enthält drei solcher

Bußlieder im *„Hauptton"*, deren Text nicht von Tannhäuser stammt. Lange Zeit umstritten war die Echtheit eines Bußliedes aus der Jenaer Liederhandschrift; heute glaubt man, daß dieses Lied *„Ez ist hiute eyn wunnyclicher tac"* ebenfalls nicht von Tannhäuser selbst gedichtet wurde. Aber es verdient Interesse, weil es das älteste der ihm zugeschriebenen Bußlieder ist und wohl bis in das 13. Jahrhundert zurückgeht.
Während dieses Bußlied also nicht von Tannhäuser stammen dürfte, ist die Urheberschaft eines Gedichts über die *„Hofzucht"* bis heute umstritten. Wenn Tannhäuser es gedichtet hätte, wäre es sein umfänglichstes Werk: es umfaßt 265 Verse, sein längster Leich hat 152 Verse, seine Lieder und Spruchgedichte sind noch wesentlich kürzer. Die „Hofzucht" ist eine Aneinanderreihung von Vorschriften darüber, wie man sich bei Hofe und insbesondere bei Tisch zu benehmen hat:

„Ez dünket mich groß missetat,
an sweme ich die unzuht sihe,
der daz ezzen in dem munde hat
und die wile trinket als ein vihe."

Und etwas später:

„E daz ir trinkt, so wischt den munt,
daz ir besmalzet niht den tranc;
diu hovezuht wol zimt alle stunt
und ist ein hovelich gedanc."

Daß man mit vollem Mund nicht trinkt und daß man sich vor dem Trinken den Mund abwischt — es ist nicht völlig von der Hand zu weisen, daß Tannhäuser diese derb realistischen Verse geschrieben haben könnte. Denn auch in einem Spruchgedicht, das nachweislich von ihm stammt, spricht er über das Benehmen bei Hofe, wenn er dabei auch nicht so anschaulich ins Detail geht. Das überlieferte Manuskript der *„Hofzucht"* trägt den Vermerk *„Daz ist des tanhausers getiht und ist guot hofzuht"*, und gegen Schluß heißt es noch einmal:

„Der Tanhusaere gemachet hat
die rede mit sümlicher rat.
ez leret wol für missetat.
der niht ist visch biz an den grat."

Aber gerade diese Verse sollten stutzig machen, denn wie man Fisch nicht essen soll, wurde vorher schon mit gleichen Worten einmal ausgeführt. Und auch der Schluß ist gar nicht tannhäuserisch: *„Dise guot ler hat ein end; got an uns alle unzuht wend! amen."*
Die Frage nach dem Urheber kann also nicht mit Sicherheit beantwortet werden. Am ehesten ist es wohl so, daß hier Originalverse von Tannhäuser umgearbeitet und ergänzt wurden. Solche Um- und Nachdichtungen entstehen bis zum 16. Jahrhundert vor allem in den Meistersingerschulen in großer Zahl. Ein besonders instruktives Beispiel liefert ein Gedicht aus einer von Hans Sachs zusammengestellten Sammlung von Meistergesängen. Aus dem mehrfach erwähnten Spruchgedicht *„Hie vor do stunt min dinc also"* werden Verse aus verschiedenen Strophen umgedichtet und neu zusammengefügt. Aufschlußreich ist hier vor allem die bereits erwähnte Stelle, wo Tannhäuser voll Sehnsucht *„gen Nüerenberc"* denkt: der Nachdichter denkt da ganz einfach an *„daheim":*

„Wan mir mein sach nit eben gat,
wo ich pin in dem lande,
do denck ich gar offt wider heim,
wie wol mir auch da were.

Da heim het ich wol ee genug,
do wer ich wol erkande;
pey fremden han ich kleines gut,
gelaubet mir der mere.“

In solchen oft mißverständlichen, oft auch mißverstandenen, zerstückelten und neu zusammengeflickten Versen lebt Tannhäusers Werk bis ins 18. Jahrhundert fort. Es ist nur noch eine pseudo-historische Tradition, die von den Meistersingern bewahrt wird, aber sie hält doch wenigstens eine blasse Erinnerung an den historischen Tannhäuser wach, während die Sagengestalt des sündigen Sängers im Bewußtsein des Volkes lebendig bleibt.
Als zu Beginn des 19. Jahrhunderts die letzten Meistersingerschulen schließen, hat sich bereits die junge Romantik des Tannhäusers im Venusberg bemächtigt. Ludwig Tieck und Clemens Brentano beschäftigen sich mit dem Stoff; am eigenwilligsten gestaltet ihn Heinrich Heine in seinen *„Elementargeistern“.* Er überträgt zwei alte Fassungen der Sage in die Sprache seiner Zeit und gibt ihr einen romantisch-ironischen Schluß: bevor der unerlöste Tannhäuser von Rom in den Venusberg zurückkehrt, reist er als kritischer Beobachter durch die deutschen Lande:

„Und als ich auf dem Sankt Gotthard stand,
Da hört' ich Deutschland schnarchen,
Es schlief da unten in sanfter Hut
Von sechsunddreißig Monarchen.“

Aber ganz kann und will sich auch der Spötter Heinrich Heine nicht der Gewalt der alten Sage entziehen. Im gleichen Werk bekennt er: *„Nächst dem Hohen Liede des großen Königs (ich spreche von König Salomo) kenne ich keinen flammenderen Gesang der Zärtlichkeit, als das Zwiegespräch zwischen Frau Venus und dem Tannhäuser. Dieses Lied ist wie eine Schlacht der Liebe und es fließt darin das roteste Herzblut.“*
Heines Bearbeitung der Tannhäuser-Sage wurde zwar nie populär in Deutschland, aber die Zeit war offensichtlich reif für eine neue Gestaltung des Stoffes. Richard Wagner kannte wohl bereits Heines *„Elementargeister“,* sicher kannte er die Tannhäuser-Sage aus Ludwig Tiecks *„Phantasus“,* als er 1841 in Paris auf ein Volksbuch aufmerksam gemacht wurde, das die Sage vom Sängerkrieg auf der Wartburg enthielt. Aus der Verbindung der Venusberg-Sage mit der Erzählung vom Sängerkrieg entstand das Textbuch für die Oper *„Tannhäuser“.* Im Mittelpunkt steht freilich auch hier die Sagengestalt, nicht der historische Dichter, aber diese Gestalt bewegt sich in einem geistesgeschichtlich authentischen Rahmen. Am Hof des Landgrafen Hermann von Thüringen, den Tannhäuser selbst noch als einen Fürsten rühmte, der die *„rehtiu milte“* übte, gerät Wagners Opernheld in das Spannungsfeld zwischen „hoher“ und „niederer“ Minne, verkörpert durch Elisabeth und Venus; in Rom wird er verstoßen, aber der grünende Zweig verheißt ihm schließlich die Erlösung, die der Papst ihm versagt hatte.
Nicht in seinen eigenen Gesängen, nicht in den Nachdichtungen der alten Meistersinger, nicht in der Volkssage und nicht in den Erzählungen der Romantiker, sondern in der Oper Richard Wagners lebt diese faszinierende Gestalt des 13. Jahrhunderts in der Gegenwart fort: Tannhäuser der Dichter, der Sänger, der Sünder und der Büßer.

Erich Straßner

KONRAD VON WÜRZBURG

geb. zwischen 1220/30 – gest. 1287

„Von Wirzeburc ich Cuonrât
gibe iu allen disen rât,
daz ir die werlt lâzet varn,
welt ir die sêle bewarn."

„Von Würzburg ich Konrad
gebe euch allen den Rat,
daß ihr die Welt fahren laßt,
um die Seele zu bewahren."

„Von Wirzeburc ich Cuonrât", das ist die von Selbstbewußtsein zeugende Formel, mit der sich der größte Sprach- und Formkünstler des deutschen Mittelalters zu seinen Werken bekennt. Und er kann das, denn er steht zu Lebzeiten und noch über Jahrhunderte hin in hohem Ansehen. Keiner seiner Zeitgenossen kommt ihm gleich an Vielseitigkeit der Gesamtleistung, an virtuosem Können und an Ausstrahlung auf die Dichtung der eigenen wie der folgenden Generationen. Als einen der besten lebenden „Meister" rühmen ihn die Spruchdichter Herman Damen und Rûmzlant, seinen Tod beklagen Frauenlob und Boppe. Die Meistersinger zählen Konrad unter die „zwölf alten Singer". Nur Hugo von Trimberg, sein fränkischer Landsmann, ist etwas kritischer: Konrad habe seine Worte fremdartig und schwerverständlich gedrechselt, daß einfache Leute ihn nicht verstehen. Nur die Pfaffen und Gelehrten lobten ihn dafür.
„Von Wirzeburc ich Cuonrât", dieses fast allen seinen Werken vorangestellte oder angehängte Autorensigel ist auch der wesentlichste Hinweis, in Konrad einen gebürtigen Franken zu sehen; denn keine Urkunde, kein schriftlicher Eintrag in ein Amtsbuch oder in eine Chronik bezeugen seine Würzburger Herkunft; kein Hinweis vermeldet uns die Geschichte seiner Jugend.
Nur die hinter dem alemannischen Schleier seiner Schriftsprache hervortretende fränkische Aussprache der e-Laute sowie fränkisches Eigengut in sei-

Konrad von Würzburg, wiedergegeben nach der Manessischen Liederhandschrift. Der Maler zeigt Konrad als Diktierenden. Er kennzeichnet ihn damit als epischen Dichter, denn Epen mußten geschrieben werden, damit ein Lektor sie vorlesen konnte. Der aufgeschlagene Band des Schreibers zeigt das Gekrakel einer flüchtigen Feder

nem Wortschatz stützen das Eigenzeugnis des Dichters in seinem Herkunftsnamen. So dürfen wir, entgegen immer wieder auftretenden Zweifeln, Konrad als ein Kind der mainfränkischen Bischofsstadt betrachten, geboren zwischen 1220 und 1230, in der Zeit also, als Walther von der Vogelweide dort starb und begraben wurde.
Historisch wird uns Konrad allerdings erst in Basel greifbar, wo er sicher seine beiden letzten Lebensjahrzehnte verbringt, mit seiner Frau Bertha und seinen beiden Töchtern Agnes und Gerina ein Haus bewohnt, am 31. August 1287 stirbt und in der Marien-Magdalenen-Kapelle des Münsters beigesetzt wird. Für die Zeit zwischen seiner Geburt in Würzburg und dem Seßhaftwerden in Basel erhalten wir einen Hinweis in den Kolmarer Annalen, wo *„Conrad de Wirciburg“* als ein *„vagus“* bezeichnet wird, als Wanderdichter also, als einer der fahrenden Dichter und Sänger, die auf Burgen und an Fürstenhöfen Förderung und Anerkennung suchten.
In diese Vermutung, in Konrad einen dieser Fahrenden zu sehen, läßt sich eines seiner literarischen Zeugnisse einbauen: Im *„Schwanritter“*, einer kleinen historischen Erzählung, wird die aus dem *„Parzival“* Wolframs von Eschenbach besser bekannte Lohengringeschichte dargeboten: Vor dem Gericht Kaiser Karls klagen die Herzogin von Brabant und ihre Tochter wider den Herzog von Sachsen, ihren Schwager bzw. Oheim, der sie aus ihrem Recht vertrieb. Der Herzog will den Streit durch ein Gottesgericht, einen Zweikampf, entschieden wissen. Da erscheint, vom Meere kommend, ein Schwan, der an einer silbernen Kette ein Schifflein zieht, in dem ein Ritter schläft. Aufgewacht bietet sich dieser der Herzogin als Kämpfer an und besiegt den Herzog von Sachsen. Die nun wahrscheinlich folgende Vermählung des geheimnisvollen Ritters mit der Fürstin von Brabant und die verbotene Frage nach Namen und Herkunft fehlen in der uns einzig überlieferten Handschrift der Dichtung. Sie setzt erst wieder ein mit dem Abschied Lohengrins. Konrad schließt mit dem Hinweis auf die gute Erziehung, die die Herzogin ihren Kindern angedeihen läßt und verweist darauf, daß aus ihrem Stamm die Grafen von Geldern, Cleve und Rieneck hervorgegangen seien:

„Von Gelre beide und ouch von Cleven
die grâven sint von in bekomen,
und wurden Rienecker genomen
ûz ir geslehte verre erkant.
ir künne wart in manec lant
geteilet harte wîte
daz noch aldâ ze strîte
den swanen füeret unde treit.“

Während die Abkunft der Grafen von Geldern und Kleve aus dem Geschlecht Lohengrins schlicht festgestellt wird, führt Konrad für die Rienecker aus, daß ihr Geschlecht „weit im Land verteilt sei“, und daß es das Schwanenwappen führe. Dies dürfte nun ein sicheres Indiz für Konrads Würzburger Abkunft sein, denn die Herren von Rieneck saßen als Stadtadlige in Würzburg, und ihr Geschlecht führte den Schwan als Wappen im Helmzier. Von ihnen führt dann eine Verbindung an den Niederrhein, denn die Würzburger Rienecker waren die Nachkommen aus der Ehe der letzten Rieneckerin mit einem niederrheinischen Grafen von Loon.

Es ist nun möglich, daß der begabte junge, schulgebildete und wahrscheinlich dichterisch bereits hervorgetretene Konrad in Würzburg die Aufmerksamkeit eines Mitgliedes der Grafenfamilie der Rienecker erregte und durch deren Vermittlung eine Reise an den Niederrhein machen konnte, vermutlich in den Jahren 1256/57. Den *„Schwanritter"* wird Konrad dann als Werbearbeit vor oder auf dieser Reise gedichtet haben, um sich mit den angefügten Widmungen gut an den Höfen der Grafen von Loon, Geldern und Cleve einzuführen und diese zu seinen Gönnern zu machen.
Ob Konrad die angestrebte Unterstützung dort fand, ist uns unbekannt; eigentliches Mäzenatentum erlebte er erst am Oberrhein in Basel und Straßburg.
Die vorwiegend geistliche Dichtung des 11. und 12. Jahrhunderts war in der Stauferzeit von der ritterlichen Dichtung abgelöst worden. Von Rittern für adlige Zuhörer verfaßt, bewegte sie sich ausschließlich in den Bereichen des Rittertums und bietet ein Bild ausgesprochen ständischer Exklusivität.
Das 13. Jahrhundert, in dem Konrad von Würzburg lebt und schafft, ist gekennzeichnet durch den Aufstieg der Städte zu Reichtum und Macht. Sie ziehen die Menschen aller Schichten an; auch der Adel siedelt in die Stadt über und tritt mit den führenden kaufmännischen Geschlechtern des Patriziats in eine enge Verbindung. Die so gebildete Oberschicht, zu der sich eine reiche, weltoffene Geistlichkeit gesellt, tritt das Erbe der Höfe und Burgen der Stauferzeit an. Sie entfaltet nun ein literarisches Interesse, beginnt eine emsige Sammeltätigkeit, wird Auftraggeber und Gönner für eine bestimmte Schicht gebildeter, in der klassischen deutschen, französischen und lateinischen Dichtung belesener Dichter.
Konrad von Würzburg erfüllt diese Voraussetzungen, und so findet er nach Jahren der Wanderschaft in der aufstrebenden Bischofsstadt Basel eine Heimstatt, literarische Anerkennung und Besteller für seine Werke.

„Ze lône und z'einer hôhen gebe,
mir selben üebe ich mîne kunst",

schreibt Konrad in seinem *„Trojanerkrieg"*, den er für Dietrich an dem Orte, dem Angehörigen einer stadtadligen Basler Familie und Schatzmeister am Basler Münster, dichtet. Peter der Schaler, einer der führenden Köpfe der Basler Stadtpolitik, bestellt bei ihm den Aventiureroman von *„Partonopier und Meliur"*. Die *„Pantaleonlegende"* wird auf Bestellung des Johannes von Arguel gedichtet, eines Basler Patriziers und politischen Gegenspielers des Schaler. Auch die *„Alexiuslegende"* nennt zwei wohlbekannte Basler Großbürger als Auftraggeber: Johannes von Bermeswil und Heinrich Isenlin. Die *„Silvesterlegende"* schreibt Konrad für den Domherrn und späteren Bischof Leuthold von Roeteln. Einen Straßburger Gönner, den Domprobst Berthold von Thiersberg, nennt die Versnovelle *„Heinrich von Kempten"*, und der große Marienpreis der *„Goldenen Schmiede"* geht wahrscheinlich auf die Anregung des Straßburger Bischofs Konrad von Lichtenberg zurück; unter dessen Episkopat der Bau des Straßburger Münsters neuen Ansporn erhielt.
In diesem erlauchten Kreis bewegt sich also der bürgerliche Berufsdichter Konrad von Würzburg. Er stellt damit einen neuen Typ des mittelalterlichen Dichters dar, rückt in die Nähe der bildenden Künstler, die als Maler, Bildhauer, Goldschmiede usw. immer schon auf Bestellung arbeiteten, Kunsthand-

werker im besten Sinne des Worts sind. Konrad selbst sieht sich als ein solcher Handwerker, wenn er im *„Trojanerkrieg“* seine Kunst mit anderen Handwerken vergleicht. Er besitzt aber zugleich das Selbstbewußtsein eines echten Künstlers, der seine Begabung als göttliche Inspiration empfindet:

„Und sol ein schütze schiezen
er muoz hân bogen unde bolz.
kein snîder lebt sô rehte stolz,
der sîne kunst bewaere,
gebristet im der schaere,
dâ mite er schrôte ein edel tuoch.
ein kurdiwaener waehen schuoch
nâch lobelichen sachen
mac niemer wol gemachen,
hât er niht alen unde borst.
nieman des wilden waldes worst
ân akes mac gehouwen.“

Und soll ein Schütze schießen,
dann muß er Bogen und Bolzen haben.
Kein Schneider kann so recht stolz leben,
wenn er seine Kunst beweisen will
und ihm der Schere mangelt,
mit der er ein edles Tuch schneiden kann.
Kein Schuster kann einen zierlichen Schuh
auf löbliche Art herstellen,
wenn er weder Ahle noch Borsten besitzt.
Niemand vermag den wilden Wald
ohne Axt behauen.

Konrads „handwerkliche Schaffensweise“ zeigt sich in seinem Bestreben, seine Werke so vollkommen wie nur irgend möglich auszuformen, vollkommen allerdings nicht im Sinne einer weltanschaulichen Qualität, sondern in dem der Quantität, womit er sich einpaßt in ein im Spätmittelalter noch gültiges rhetorisches Gesetz der Antike. Wie die meisten seiner Zeitgenossen ist auch der Dichter ein Sammler, und diese Sammeltendenz zeigt sich darin, daß er alle vorhandenen dichterischen Kunstmittel und auch die Gattungen in seinem eigenen Werk vereinigt; daß er alle Stoffelemente zusammenträgt und sie zu einem einzigen corpus verbindet.
So übertrifft Konrad von Würzburg mit der Zahl seiner Werke und mit der Mannigfaltigkeit seiner Stoffe jeden anderen mittelhochdeutschen Dichter. Er ist ebenso Lyriker wie Epiker, der auf beiden Gebieten die verschiedensten Formen pflegte: in der Lyrik Minnelied, Spruch und religiösen wie weltlichen Leich, in der Epik den großen Roman in verschiedenen Spielarten, die novellistische Kleinerzählung, die Legende und die allegorische Erzählung.
Es ist einsichtig, daß den meisterlichen Formkünstler Konrad der in der Form anspruchsvolle und virtuoser Handhabung offene Minnesang besonders reizte. Zweiundzwanzig Minnelieder und zwei Tagelieder sind uns von ihm überliefert. Natur und Minne bilden den einzigen Inhalt, wobei gegenüber den Dichtern der Stauferzeit keine neuen Gedanken und Anschauungen ent-

wickelt werden. Aber er schafft eine neue Form, indem er in den Mittelpunkt seiner Lieder nicht mehr eine bestimmte Frau stellt, sondern den Preis aller Frauen ganz allgemein; indem er zwei Freuden des Mannes herausstellt: die Natur, und, als deren Überhöhung, die Frauen.
In seinem Minneleich schildert Konrad die Rechtlosigkeit der Zeiten und die Verrohung des Rittertums. Venus ist entschlafen, Mars herrscht. Nun ruft der Dichter Amor zum Widerstand und Venus zum Erwachen auf, damit unter ihrer Herrschaft die Sitten sich sänftigen und milder Frieden einziehe. In diesem großen Gedicht übt Konrad also Zeitkritik, die bei ihm sonst selten ist. Spürbar wird aber die Friedenssehnsucht des Stadtbürgers, die innere Abneigung gegen den Krieg als ritterliche Lebensform.
Die Sprüche unterscheiden sich von den Liedern durch eine größere innere Anteilnahme des Dichters, denn sie kommen seiner Veranlagung zum Allgemeinen und zum Didaktischen mehr entgegen. Ihr eigentlicher Inhalt sind moralische Betrachtungen, Lebenserfahrung und Verfallsklage, wie sie das schon in der klassischen Epoche mittelhochdeutscher Dichtung waren. Engagiert ist er besonders, wo es um den Wert der Kunst geht. Aus dem Selbstbewußtsein des Könners verlangt er immer wieder von seinem Publikum ein Unterscheidungsvermögen zwischen guter und minderwertiger Kunst.
Diesem Thema gilt auch eine umfänglichere allegorische Dichtung, durch die Konrad berühmt wird. In der *„Klage der Kunst“* schildert er eine Gerichtsszene, auf der die personifizierte Kunst im zerrissenen Gewand vor zwölf anderen personifizierten Tugenden die Klage gegen die *„milde“*, gegen die Freizügigkeit, erhebt, da diese unwürdigem, kunstlosem Volk Gaben erteilt habe. Konrad, hier Kunze genannte, wird beauftragt, der Welt den Richterspruch zu verkünden, der der Kunst ihr Recht zuteil werden läßt.
Uns Heutige sprechen solche Allegorien nicht mehr allzusehr an. Interessanter sind die Maeren Konrads, echte Kunstwerke, die als Unterhaltung auch belehren wollen:
„Das Herzmaere“ greift einen internationalen Wanderstoff auf, der sich in Deutschland in der Brennenberger-Ballade mit dem Minnesänger Reinmar von Brennenberg verbunden hatte. Ein Ritter, der in Minne der Frau eines anderen verbunden ist, macht sich auf die Fahrt ins Heilige Land, um den Argwohn des Gatten zu zerstreuen. In der Ferne stirbt er an Liebessehnsucht, hat jedoch seinen Knappen beauftragt, sein Herz der Geliebten zurückzubringen. Dieser wird heimkehrend vom Gatten abgefangen, des Kästchens mit dem Herzen beraubt. Vom Koch zu einer kostbaren Speise zubereitet, serviert dieser der Gattin das Herz des toten Liebhabers. Dann enthüllt er ihr, was sie gegessen hat, und mit dem Gelöbnis, keine irdische Nahrung mehr über ihre Lippen zu bringen, bricht sie tot zusammen.
Diese Dichtung von der Liebesvereinigung im Tod ist Gottfried von Straßburg verpflichtet, auf den sich Konrad in der Einleitung beruft. Der Tod der Dame ist ein echter Minnetod, denn tief erschütterte Emphase der Liebe führt ihn herbei.
Neben dieses Exempel von der Seligkeit und dem Leid der Hohen Minne stellt Konrad das von der Eitelkeit der Welt in *„Der Welt Lohn“*. Wirnt von Grafenberg, der fränkische Dichter des *„Wigalois“*, wird als Vorbild höfischer Lebenshaltung gezeichnet. Während er in einem Buch über Minneaventiure liest, tritt Frau Welt, eine herrliche Dame, ins Gemach und verspricht ihrem treuen Diener ihren Lohn. Als der Dichter sich über eine so schöne Herrin glücklich

Wie migt ir alle han v'nomen
ich bin sein an ain ende chomē
Swer an dienste funden wirt
daz in diu vreude gar ubirt
Wie got mit gantzer stætichait
den aū erwelten hat berait
Von wirtzpurch ich Chunrat
gip iu allen disen rat
Wie ir die werlt lazet varn
weller ir die sel bewarn.
Driv dinc sint got vnmære
vñ sint der werlte swære
Wes arm hochvart diu da birt
daz er der von ze spotte wirt
Wie ander ist des reichen liegen
der al die welt wil betriegen
Wie drite ist der alte huorære
warumbe diu driu vnmære
Got vñ auch der welte sint
si dunchet ir sunde sei ain wint
Wider der andrin grozen sunden
nu wil ich iu rehte chunden.
Wie ir sunde sint die grosten
vñ sint die aller bosten
Armuot vnde hochvart
die sint von vngeleicher art
Der arme hat vnwerdichait
daz solt im hochvart machen lait
Durst hunger vrost vñ hitze
solt im gebn die witze
Daz er die hochvart vbære
vñ gar demuotic wære
Seit daz er also vil gepresten hat
vñ die hochvart nimer lat
Swenne der arm also tuot
het er gewalt vñ guot
Er het mer hochvart aine
danne al diu werlt gemaine
Swem got guotes geit die christ
der wol warhaft
Den reichen twinget niemen
moht in getwingen iemen
Der twinge im auh sein guot abe
swer hat von guote groze habe

Vñ sich niht liegens mazen chan
wære der selbe ain arm man
Wie im liegen not tæte
sein liegen wær so stæte
Wie er alle tiufel vertruge
vñ himel vñ erde betruge
Swen got daz alter lat geleben
der sol die tumphait auf geben
Vñ sol furhten seinen tot
vñ sol seiner sele not
An allen dingen wider stan.
daz duhte die liute wol getan.
Vñ duhte auh got michel zeit
swem got mannes alter geit
Der sol dem tozischem site
ze reht niht volgen mitte
Lat er daz reht danne vnder wegen
vñ wil der torhait phlegen.
Wie da horet zu dem huore
vil manic verfluchtiu fuore
Swelch alter hat die vntugent
der hat den muot vñ het er iugent
Er wert michel vnmærer
danne der tiufel ie ender ainer
Warumbe sprichet Salomen
daz die drei geleichen lon.
Von got vñ von der werlte han.
ir muot der ist also getan.
Wie si der sunden wolten me
denne man mit werken bege
Wer daz si mohten also vil
gefunden als ir hertze wil.
Si begiengen grozer missetat
dan alliu disiu werlt begat
Si hant vnzallichen gelust
des wirt vnzallich ir vlust.

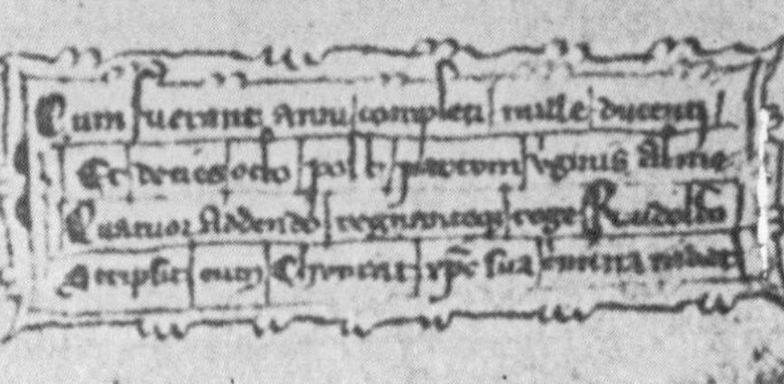
Cum fuerant anni completi mille ducenti
Et decies octo post partum virginis alme
Quatuor addendo regnante rege Rudolfo
Scripsit eum Chunrat ipse sua manu [illegible]

preist, kehrt sie ihm ihren von Verwesung zerfressenen, von Ungeziefer wimmelnden Rücken zu, und Wirnt erkennt die grausame Gefahr der Weltverlockung. Er wandelt sein Leben und nimmt das Kreuz.
Dieses Thema der Weltabkehr lag in der Stimmung der Zeit; Konrad gibt hier kein persönliches religiöses Umkehrerlebnis. Das Bild der *„Frau Welt"*, der schönen Dame mit dem schaurig häßlichen Rücken, entstammt der höfischen Epoche. Konrad scheint hier die artistische Aufgabe gereizt zu haben, den Kontrast zwischen leuchtender Schönheit und grauenhafter Verwesung durchzuführen.
Eine historische Anekdote mit schwankhaften Zügen ist *„Otte mit dem Barte"* oder *„Heinrich von Kempten"*, die Konrad einer lateinischen Quelle nacherzählt. Der Ritter Heinrich von Kempten hat sich den Zorn Kaiser Ottos zugezogen, der ihm mit dem unwiderruflichen Schwur bei seinem Barte den Tod androht. Heinrich sichert sein Leben durch den kühnen Griff an des Kaisers Bart, wirft diesen nieder und droht, ihm die Kehle durchzuschneiden. Der Kaiser muß versprechen, ihn ungestraft ziehen zu lassen. Zehn Jahre später sitzt Heinrich bei einem Italienzug in einem Badezuber, sieht, wie der Kaiser in einem Hinterhalt überfallen wird, wirft sich nackt mit seinem Schwert unter die Feinde und befreit den Herrscher. Versöhnung und reicher Lohn sind das fröhliche Ende.
Wenn hier auch die ritterliche Welt die historische Kulisse gibt, so bleibt die innere Handlung doch im rein menschlichen Bereich, ist ein Beispiel für die Bewährung unverzagten Mannesmutes in bedrohter Situation.
Zu den Maeren gehört auch der schon genannte *„Schwanritter"*; weiter das *„Turnier von Nantheiz"*, das aber mehr dem verselbständigten Stück eines höfischen Romans gleicht. Konrad führt hier Könige und Herren aus vielen Ländern im ritterlichen Zweikampf zusammen und schildert vor allem in äußerster Genauigkeit ihre Wappen. Damit gewinnt er die heraldische Dichtung, die bis zu seiner Zeit nicht in das Schrifttum eingegangen war, für die deutsche Poesie.
Zu den Maeren kommen drei Legenden, bestellte Arbeiten für Basler Patrizier und hohe Geistliche: eine über Papst Silvester; eine über den heiligen Alexius, der in der Brautnacht seine Verlobte im Stich läßt, sich nur der Gottesminne hingibt und als Bettler lebt; die letzte über den heiligen Pantaleon, der sich im alten Rom taufen ließ und nach grausamen Qualen durch den Kaiser Maximilian den Märtyrertod erlitt.
Dem Dichter sind die Legenden kein inneres Anliegen. Da er drei Heilige ganz verschiedener Art zu verherrlichen hat, läßt er allen im gleichen Maße seine Kunst angedeihen. Den Legenden steht dann die Dichtung *„Die Goldene Schmiede"* am nächsten, ein überschwenglicher Preisgesang auf die Jungfrau Maria, voll von süßen Worten, gekünstelten Reimen, unerschöpflicher Fülle von Bildern. Der Marienhymnus ist ein Musterbeispiel der „geblümten Rede", der am höchsten geschätzten Form des Wortkunstwerks seiner Zeit. Er ist das Werk Konrads, das die größte Wirkung auf Zeitgenossen und Nachwelt ausübte.
Konrad erweist sich hier als *der* Meister des dichterischen Bildes. Aber er hat nicht immer den Sinne für *„maze"*. Der geblümte Stil will mit dem Bild nämlich

Die letzte Seite von „Der Welt Lohn" aus der Münchner Handschrift Cgm. 16, 1284

nicht mehr erhellend, sondern erstaunlich wirken. Nicht die Kühnheit des einzelnen Bildes wird zu einer Gefahr für Konrad, sondern die Überfülle seiner Bilder und ihre Isolierung zum Selbstzweck. Die Ablösung der Bilder vom Gehalt und die Überfüllung mit Bildern kommt am besten zum Ausdruck in der Anrede des Dichters an Maria in seinem *„Erlösungsleich"*, der ebenfalls ein Preisgesang auf die Gottesmutter ist:

„Hilf uns von dem wâge unreine
clebender sünden zuo dem stade,
daz uns iht ir agetsteine
ziehen von gelückes rade.
dînen sun den crûcifixen
heiz uns leiten ûz dem bade
der vertânen wazzernixen,
daz uns ir gedoen iht schade.

Hilf uns aus der unreinen Flut
der klebenden Sünden zum Gestade,
auf daß uns ihre Magnetsteine
nicht vom Glücksrade herabziehen.
Deinen Sohn, den Kruzifixus,
heiße uns aus dem Bade
der verruchten Wassernixen herausführen,
damit uns ihr Gesang nicht schade."

Neben dieser Fähigkeit, mit Worten und Bildern zu spielen und zu jonglieren, besitzt Konrad ein großes Erzählertalent. Sein Ehrgeiz richtet sich auf den großen Roman, wie wir ihn aus der mittelhochdeutschen Klassik kennen. Von seinen drei Romanen stellt jeder einen Sonderfall innerhalb der höfischen Themenstellung dar. Im *„Engelhard"*, dem stilistisch einfachsten und kürzesten, besingt Konrad die Freundschaft zweier junger Ritter:
Zwei Knappen, Engelhard, Sohn eines armen burgundischen Edelmanns, und Dietrich, Herzogssohn aus Brabant, einander zwillingsgleich in der äußeren Erscheinung, gewinnen durch ihre Schönheit, Tugend und gesellschaftliche Vollkommenheit Ehre und Ansehen am dänischen Königshof, wo sich alsbald zarte Fäden der Minne zur Königstochter Engeltrud anspinnen. Dietrich wird bald als Herzog in sein väterliches Reich zurückgerufen, wo er sich vermählt. Engelhard bleibt in Dänemark, gewinnt Engeltruds Liebe, wird in einer Minnestunde durch seinen Neider, den englischen Prinzen Ritschier, überrascht und dem König verraten. Um die Ehre der Geliebten zu retten, leugnet Engelhard, und ein Zweikampf mit Ritschier soll als Gottesurteil entscheiden. Innerhalb der gesetzten Frist gelingt es Engelhard, Dietrich aus Brabant herbeizurufen, der unerkannt seine Stelle als Schuldloser übernimmt und siegt. Engelhard gewinnt Engeltruds Hand und wird König von Dänemark. Inzwischen wird Dietrich in der Heimat vom Aussatz befallen und von den Seinen verstoßen. Nur durch das Blut unschuldiger Kinder kann er gerettet werden. In seiner Not wendet er sich an den Freund, und dieser bringt gegen den Willen Dietrichs das ungeheure Opfer, schlägt seinen beiden Knaben das Haupt ab, und im Bade des unschuldigen Blutes wird der Aussätzige wirklich wieder gesund. Die Kinder aber findet man fröhlich spielend in ihren Bettchen. Nur eine

Spur, die sich wie ein roter Seidenfaden um ihren Hals zieht, bleibt als sichtbares Zeichen von Gottes Wundertat.
Konrad hat auch hier eine lateinische Quelle verwendet. Seine dichterische Leistung ist die Ausgestaltung des ersten Teils zu einem Minneroman zwischen Engelhard und Engeltrud. Die erste Freundschaftsprobe, der Tausch beim Gottesurteil, erscheint sonst als Schwankmotiv, und ist in Konrads Dichtung durchaus moralisch anfechtbar. Auch in der zweiten Probe, der Aussatzheilung, erreicht Konrad nicht die Durchseelung des Motivs wie sie bei Hartmann von Aue in seinem „Armen Heinrich" geleistet wurde. Engelhard muß keine seelische Erschütterung oder Wandlung durchleiden. Bei Konrad geschieht alles im Sinne einer legendären Mechanik.
Konrads zweites großes episches Werk ist der Aventiureroman *„Partonopier und Meliur".* Er ist nach einem französischen Roman gedichtet, wobei er die 11 000 Verse des Originals auf 21 784 erweiterte: Der junge Partonopier, Grafensohn von Blois, gelangt, auf der Jagd verirrt, auf einem wunderbaren Schiff in ein herrliches Land und auf eine verlassene Burg, wo er von unsichtbaren Händen bedient wird. Nachts legt er sich in ein schönes Bett, und bald erscheint die zauberkundige Prinzessin Meliur, deren Liebe er genießen darf, solange er sie nicht anzusehen begehrt. Nach einem Jahr kehrt er in die Heimat zurück, und obgleich man ihm einredet, sein Erlebnis sei ein Teufelszauber gewesen, zieht es ihn nochmals zum Zauberschloß. Aus Neugierde und Mißtrauen beleuchtet er die neben ihm schlummernde Geliebte mit einer Kerze und hat damit sein Glück verscherzt. Nach langen Abenteuern erst erkämpft er sich später Meliur durch den Sieg in einem Turnier wieder zurück.
War im Aventiureroman der klassischen mittelhochdeutschen Epoche das Märchenhafte in seiner Atmosphäre belassen, so wird es bei Konrad, dem gelehrten bürgerlichen Dichter, rationalisiert. Es verliert dadurch seinen Zauber, trifft aber wohl die Geistesart, die für seine Zeit und seine Besteller bezeichnend ist.
Konrads umfangreichstes Werk ist der *„Trojanerkrieg",* in dem die Schilderung so breit angelegt ist, daß der Dichter bis zur vierten Schlacht um Troja, bis kurz vor Hektors Tod, über 40 000 Verse braucht. Dann nimmt ihm der Tod die Feder aus der Hand, und ein späterer, weniger begabter Fortsetzer muß das Epos zum Abschluß bringen. Wieder ist ein französischer Trojaroman die Quelle, aber Konrad fügt alles hinzu, was auch nur entfernt mit dem Trojanischen Krieg zu tun hat. Nach den *„Metamorphosen"* des Ovid erzählt er Teile der Argonautenfahrt, die Erlebnisse Jasons und Medeas in Griechenland, die Opferung der Iphigenie und den Tod des Herakles. Nach Ovids *„Heroiden"* werden der Raub der Helena und die Liebe zwischen Paris und Helena gestaltet. Für die Partien über Achills Jugend, seinen Aufenthalt in Skyros und seine Fahrt zum Kampf nach Troja hat die *„Achilleis"* des Statius als Vorbild gedient. Für andere Abschnitte lassen sich die Vorlagen nicht eindeutig aufzeigen. Konrad muß aber für die Arbeit am *„Trojanerkrieg"* eine ganze Bibliothek zusammengestellt haben.
Der Roman beginnt mit der Geburt des Paris und den Prophezeiungen, die seine Mutter Hekuba im Traum erhält, daß Troja untergehen werde. Priamus befiehlt, Paris zu töten, um dem Schicksal zu entgehen, aber die mit dem Kindesmord beauftragten Knechte setzen ihn nur aus. So wächst das Kind, genährt von einer Hindin, auf und wird ein Hirtenknabe. Es folgt der Streit der drei Göttinnen um den Apfel während der Hochzeit zwischen Peleus und The-

tis, an der auch Priamus mit seinem Gefolge teilnimmt. Der in der Nähe weilende Paris wird als Schiedsrichter herbeigeholt, fällt sein verhängnisvolles Urteil, stiftet Zwietracht zwischen den Göttinnen und erhält von Venus die Zusage, die schönste Frau zu bekommen. Damit ist die Grundlage für die kommenden Auseinandersetzungen gelegt, denn Paris wird von Priamus, der seinen Sohn erkennt, mit nach Troja genommen.

Die Parallelhandlung schildert Geburt und Jugendgeschichte des Achill, dann die Schicksale Jasons und Medeas. Es reiht sich an der Zug nach Troja, dessen Zerstörung und Wiederaufbau. Nach dem Raub der Helena folgt der zweite Kriegszug der Griechen, die zweite und dritte Schlacht vor den Mauern Trojas. Interessant ist, daß Konrad diesen Kampf zu einem allgemeinen Weltkrieg ausbaut, an dem auf der Seite Trojas alle asiatischen, auf der Seite der Griechen die europäischen und afrikanischen Völker teilnehmen. Dabei preist er besonders die deutsche Ritterschaft:

„ouch was ûf in zehant gevarn
der tiuschen lande ritterschaft,
diu wol mit ellentrîcher craft
nach werde hât gerungen.
man sol der tiuschen zungen
ungerne alhie vergezzen,
wan si den prîs besezzen
und den gewin ervohten hât,
daz ir lop vil hôhe stât
und ob den liuten allen vert
die sich an strîte hân erwert.“

Auch war dorthin sogleich
die Ritterschaft der deutschen Lande aufgebrochen,
die mit gewaltiger Kraft
um Ansehen kämpfte.
Man soll die deutsche Ritterschaft
hier nicht etwa vergessen,
da sie den Preis errungen
und den Ruhm gewonnen hat,
daß ihr Lob ganz oben
und über all den Menschen steht,
die sich im Streit behaupteten.

Auch in diesem seinem letzten Werk zeigt Konrad die virtuose Beherrschung aller formalen, aus der mittelhochdeutschen Epik bekannten Stilmittel. Er bringt die stereotypen Formeln, Interjektionen, Appelle an die Leichtgläubigkeit der Zuhörer, persönliche Appelle des Autors, Anspielungen auf die kommenden Ereignisse. Er bringt eine Überfülle von Bildern, Vergleichen und Metaphern. Bestimmte Situationen kehren immer wieder: höfische Empfänge, Liebeslust und Liebesleid, Beratungen, Botenszenen, Einzelkämpfe und Massenschlachten. Trotzdem entsteht nur selten der Eindruck der Wiederholung; denn Konrad kann dort, wo er sich inhaltlich wiederholt und einer festen Tradition folgt, gestalterisch neue Wege gehen.

Konrads von Würzburg „Trojanerkrieg" liegt in einer Papierhandschrift der Werkstatt Diebold Laubers in Hagenau von 1430–1440 mit 98 kräftig bunt getuschten Federzeichnungen vor. Unsere Abbildung zeigt die trojanische Abwehr eines griechischen Angriffs

Neu ist auch die Komposition des *„Trojanerkriegs"*, die zu einem für seine Zeit völlig neuartigen ideellen Gehalt führt. Durch eingelegte Reflexionen, durch kleine, geschickt in den Erzählfluß hineinkomponierte Bemerkungen, zeigt Konrad auf, daß der einzelne nur scheinbar nach seinem freien Willen handelt, daß in Wirklichkeit jede Tat, ja jeder Gedanke eines Menschen durch etwas außerhalb der Person Liegendes bestimmt wird, etwa durch den Ruhm, der einen Menschen ständig weiter auf dem begonnenen Weg vorwärtstreibt, oder durch die Stellung als Fürst und Ritter, die zu ganz bestimmten Worten und Taten zwingt. Diese dem Werk zugrunde liegende Anschauung des Dichters wird nur sehr selten direkt angesprochen, sie wird deutlich in der Komposition.
Konrad von Würzburg ist für das Mittelalter ein völlig neuer Dichter-Typ. Seine Bildung war außerordentlich groß, beherrschte er doch die Lehren der zeitgenössischen Theologie und des damaligen Rechtswesens. Er kannte die lateinische Sprache und eignete sich im Verlauf seiner literarischen Tätigkeit das Französische an. Er ist Lyriker, Epiker und didaktischer Dichter. Er versuchte alles und konnte alles; er erfüllte alle Wünsche seiner Auftraggeber. Er

beherrschte die Stoffe der antiken wie der deutschen Sage und den gesamten ritterlich-höfischen Themenkreis. Die Sprache schien ihm mühelos zu gehorchen, Verse und Reime flossen ihm leicht zu.
Wenn wir uns die ritterlichen Dichter wie Hartmann von Aue oder Wolfram von Eschenbach als Mitglieder der höfischen Gesellschaft vorstellen, von Hof zu Hof ziehend, ihre großen Dichtungen in der Halle vortragend, so steht ihnen Konrad von Würzburg gegenüber, der Dichter, den wir besser in seinem Arbeitszimmer an einem Schreibpult sehen, der einmal dieses, einmal jenes Buch aus seiner reichhaltigen Bibliothek herbeiholt, an seinem literarischen Werk arbeitend nach einer klaren, eigenen Konzeption. Es ist das Bild des bürgerlichen Gelehrten und Dichters, fast schon des Humanisten, der aus der Fülle seines Wissens heraus schafft, der aber rückwärts gewandt ist, gründend in den Problemen und Vorstellungen der ritterlich-höfischen Kultur und Dichtung.
So mischen sich in Konrad epigonale und zukunftsweisende Züge. Er klagt über die Gegenwart, über den Verfall auf vielen Gebieten, sieht in der Vergangenheit das Herrschen goldener Zustände. Er empfindet den Niedergang der Poesie im Deutschland des 13. Jahrhunderts, polemisiert gegen nicht näher bezeichnete Literatur, sieht sich selbst als einen von Gott begnadeten Dichter. Er zeigt einen Dichterstolz, wie ihn ein Wolfram von Eschenbach und ein Walther von der Vogelweide besaßen. Genau wie sie beansprucht er, als Dichter eine priesterliche Funktion auszuüben, als Künder und Lehrer Anspruch auf Gehör des Publikums zu finden. Und dieser sein Anspruch ist berechtigt, denn für ganze Dichtergenerationen wird er Lehrmeister, und seine Sprache wird jahrhundertelang Vorbild sein.

Udo Pillokat

JOHANN UND RUPRECHT VON WÜRZBURG

Nach der sogenannten Blütezeit deutscher Literatur während der Herrschaft der Staufer sind vor allem zwei Dichter bemerkenswert. Im anbrechenden „Herbst des Mittelalters" schreiben der Schweizer Ministeriale Rudolf von Ems sowie der Bürger Konrad von Würzburg, ein Meister aller Dichtarten, von kleinen Verserzählungen über Lyrik, Legenden, Märchen, Sagen, Wappen- und Heroldsdichtungen bis zu höfischen Epen. Von zwei jüngeren Landsleuten des 1287 gestorbenen Konrad von Würzburg soll hier die Rede sein. Der eine, Ruprecht von Würzburg, schrieb um 1300 die kleine Verserzählung *„Von zwein Koufmannen"*. Der andere, Johann von Würzburg, dichtete in der Nachfolge Wolframs, Rudolfs von Ems und Konrads das späthöfische Epos *„Wilhelm von Österreich"*, das im Mai 1314 fertig wurde.

Über das Leben Johanns und Ruprechts wissen wir allein das, was aus ihren Werken zu schließen ist. Da aber jeder nur eine Dichtung hinterlassen hat, die mit Angaben zur Person spärlich umgeht, ist unser biographisches Wissen gering. Beide Autoren stammen als Würzburger aus dem ostfränkischen Sprachbereich und sind nicht Adlige oder Geistliche, sondern wie Gottfried von Straßburg, Konrad von Würzburg und Hugo von Trimberg Bürger mit umfangreichen Kenntnissen der Literatur und Wissenschaften ihrer Zeit.

Die zwei Dichtungen sind in Sammelhandschriften der *„Herzoglichen öffentlichen Bibliothek zu Gotha"* überliefert. Die knapp 1000 Verse umfassende Erzählung Ruprechts liegt nur in einer Fassung vor. Michael de Leone, der 1355 gestorbene Literaturfreund und bischöfliche Pronotar in Würzburg, welcher sich um die Lehrdichtung *„Der Renner"* des Bamberger Schulmeisters Hugo von Trimberg besonders verdient gemacht hat, ist vermutlich an der Einrichtung der zwischen 1350 und 1400 entstandenen Miszellanhandschrift beteiligt gewesen und hat vielleicht auch für die Aufnahme der Versnovelle des Würzburgers plädiert, obwohl er Ruprecht nicht mehr gekannt haben wird. Die Papierhandschrift enthält neben den *„Koufmannen"* verschiedene Würzburger Stadturkunden, aber auch Konrads *„Der Welt Lohn"* und einige Verserzählungen des Stricker, eines fränkischen Fahrenden, der mit seinem *„Karl"* auch in der Haupthandschrift des fast 20 000 Verse langen *„Wilhelm von Österreich"* vertreten ist. Bald nach der Vollendung des *„Wilhelm"*, in der ersten Hälfte des 14. Jahrhunderts, entstand diese Gothaer Handschrift. Daneben sind neun weitere Handschriften und mehrere Fragmente des *„Wilhelm“* bekannt, so daß eine weite Verbreitung im Spätmittelalter anzunehmen ist. 1481 erschien in Augsburg eine gedruckte Prosafassung unter dem Titel *„Historie von Herzog Leupold und seinem Sohn“*, und auch Hans Sachs ging an dem Werk nicht vorüber, ohne es 1557 dramatisch zu bearbeiten.

Herzog Leopold von Österreich zieht nach Ephesus ans Grab des Apostels Johannes, um dort von Gott einen Erben zu erbitten. Der ebenfalls kinderlose Heidenkönig Agrant von Zyzzia, den er während der Fahrt trifft, schließt sich ihm an. Leopold wird Vater von Wilhelm, Agrant Vater von Aglye. Dem jungen Wilhelm erscheint das Bild Aglyes im Traum. Er sucht und findet die Geliebte in Zyzzia. Bald wird ihre Liebe gefährdet, weil Aglye Walwan, den König von Frigia, heiraten soll. Wilhelm kämpft, nachdem er gefährliche Abenteuer bestanden hat, zusammen mit Walwans Feind Melchinor und erschlägt Walwan. Nun soll Aglye aus machtpolitischen Gründen Melchinors Sohn heiraten. Wilhelm erschlägt beim Hochzeitsturnier auch den zweiten Nebenbuhler, wird gefangen und zum Tode verurteilt. Da rettet ihn Parklise, die Tochter eines Zauberers. Wilhelm befreit ihre Herrin, die Königin Crispin, aus der Macht des Teufelssohns Merlin. Crispin wirbt bei Agrant erfolgreich für ihren Neffen um Aglye. Tatsächlich finden aber in der Hochzeitsnacht Aglye und Wilhelm zusammen. Der überlistete Agrant sammelt, um sich zu rächen, ein mächtiges Heidenheer. Crispin und Wilhelm werden von einem Kreuzritterheer unterstützt. Nach dem Sieg der Christen können Tausende der Heiden bekehrt werden. Aglye bringt Friedrich zur Welt. Bei einer Einhornjagd wird Wilhelm von Heiden ermordet, und Aglye stirbt über seiner Leiche.

Dieses Geschehen ist nun keineswegs – wie man nach der gerafften Darstellung annehmen könnte – zielstrebig erzählt oder auch in einer rein realistischen Welt angesiedelt. Schon die Zaubererstochter Parklise und der Teufelssohn Merlin verweisen auf den wichtigen Bereich des Wunderbaren, Abenteuerlichen und Allegorischen. Immer wieder schweift der Dichter vom engeren Thema der Liebe von Aglye und Wilhelm ab: Briefe, Gebete, Anrufe, Dialoge, Prolepsen oder moralisch-theologische Betrachtungen unterbrechen die Handlung. Zuweilen spornt Johann sich selbst an, eifrig weiterzuschreiben.

Die motivischen und formalen Elemente seines Werkes hat Johann selten selbst erfunden. Er ist insofern Epigone, als er einen Großteil des Geschehens aus der literarischen Tradition kompiliert hat, wobei ein von ihm erwähnter Eßlinger Bürger namens Diepreht geholfen haben mag. Trotzdem ist des Dichters Leistung anerkennenswert, denn er hat in der Stoffauswahl und der Motivverwendung Eigenes geleistet, seine Fabulierfreude und Einbildungskraft stehen manchen seiner Vorbilder nicht nach. Als Devotionsgesten müssen die immer wieder auftauchenden Verweise auf eine angebliche Quelle ebenso wie die Schlußbemerkung verstanden werden: *„Ich, Hans der Schreiber, habe dieses stattliche Gedicht in lateinischer Sprache gefunden. König Agrant von Zyzzia hat es aufzeichnen lassen.“*

Bescheiden spricht Johann von seinen Absichten und Fähigkeiten. Die kaum wiederholbare Leistung der älteren Dichter ist ihm durchaus bewußt. *„Ich strebe danach, daß meine Zunge liebliche Wörter zu so wohlgestalteten Reimen flicht, daß die Dichter mich loben. Nun haben die Kenner schon vor mir den Kern aus der Schale gelöst. Deshalb muß ich wie ein Ährenleser mein Gedicht aus den Halmen zusammensuchen.“* Der Dichter würde es gern seinen

Wol du mensch
lich figur.
Swa du bist der
natur.
daz daz edel
hertze din.
vnd dinv oren
nement in.
Swaz man gutes von dir sagt
vnd daz arge verdagt
Wan swenne din ore sich vfert
vnd sich din hertze gufert
Gein tugentlichen maeren
daz kan mir tugent bewaern
Vnd git ein solch zaichen mir
daz din edel hertze dir
Nach tugentlichen dingen
kan stellen vnd ringen
Mir ist auch kunt an vnd bint
Swa tugentlose lute sint
Bi den tugenderichen
da muz div tugent entwichen
Vnd muz vntugende lan den strit
daz bewaer ich wol der mir sin git
Swa tat ein wile claine
mit dem golde raine
Vnd mit der natur getat
die daz chokesilber hat
Des art ist als ich niht enhel
so man vf daz silber wil
Vergulden als iv wol ist kunt
daz rot golt man da zestunt
Vnder daz chokesilber lat
da von sin vmevarn gestat
Daz ez von natur pfliget
daz chokesilber doch gesiget
Vnd zwhet im des goldes glis
daz wirt nach im silber wis
Sin art im gar entwichet
zehant mans denne strichet

An daz silber da ez schol
werden rot daz waiz ich wol
Daz man im anders niht entut
vnd leit ez denne in ein glut
Als ez vor tivre wart besint
daz chokesilber da verbrint
Vnd riuchet als div rede sagt
daz ez sin nature iagt
Des kan ich niht wizzen wa
daz edel golt belibet da
In siner mugent als vor
nu sliezzent vf der oren tor
Vnd hörnt dise betuten
ich gliche ez zu den luten
Ez ist zwaier hande lute
als ich mit rede bedute
Den ainen den sint tugende bi
die andern die sint tugende vri
Vnd nement kainer tugende war
die tugentrichen bietent dar
Ir ore da man von tugenden list
mit tugenthafter rede in ist
Sanft gar vnd sint ir holt
die geliche ich vf daz golt
Da mit man daz silber frumt
daz ez zu der wurde kumt
Daz man ez guldin namt
vnd ez zu ritterlichem amt
Rutzet von des goldes dach
die tugentlosen eren swach
Ze tugende laz zu vntugenden snel
vf daz chokesilber hel
Mag ich wol gelichen die
div valsche zunge debet swie
Si nu versage tugende wort
doch dringet ir gespitztes ort
Mit stet durch vnstaeten gruz
daz chokesilber vnstaeten fluz
Hat als ich bescheide iv daz
sprech ich daz ez waere naz

Beginn des „Wilhelm von Österreich" in der Gothaer Handschrift: „Wol du menschlich figur / Swa du bist der natur"

Vorgängern gleichtun, doch: *„Meine Zunge will zurückbleiben; sie ist lahm und langsam."* Der Vergleich mit dem Ährenleser ist ein Beispiel für einen bildhaften, barocken Stil Johanns, der Wolfram besonders auszeichnet. Seine Liebesgeschichte will der Dichter *„in einer originellen Sprache, die sich makellos zu Versen zusammenschließt, veranschaulichen, kunstgerecht beschreiben, schmücken und verherrlichen".*

Soweit die Äußerungen zum Stil. Über die geistigen Ideale, um deretwillen Johann alle Mühen des Schreibens auf sich genommen hat, lesen wir im Prolog: *„‚tugende', ‚âventiure' und ‚minne' sind drei unersetzbare Güter. Wer ihnen nachstrebt, wahrlich, dem ist irdisches und himmlisches Glück gewiß."* Es geht also um die Bewährung in der Welt *und* um Gottes Gnade, eine Zielsetzung, die sich mit ihrer ganzen Problematik im *„Parzival"* findet. Über die Bedeutung, welche Johann dem Diesseits und dem Streben nach dem Jenseits zumißt, kann erst gesprochen werden, wenn wir die Bereiche Minne, Aventiure und Gott näher angesehen haben. Die Trias von Minne, Aventiure und Gott ist dem Dichter bei der Niederschrift seines *„Wilhelm"* gegenwärtig. Immer wieder ruft er die personifizierte Minne oder Frau Aventiure an; Gebete an Gott, Christus, den Heiligen Geist und Maria steigern sich bis zum Hymnus. Auch Johannes, der Namenspatron des Dichters, wird um Unterstützung gebeten.

Wilhelm, der österreichische Herzogssohn, und Aglye, die orientalische Königstochter, sind durch ihre gemeinsam von den Vätern erflehte und gleichzeitige Geburt unter dem Planeten Venus wie durch ein magisches Band verbunden. Ihre Liebe wird psychologisch ebensowenig erklärt wie diejenige von Tristan und Isolde, die ein Zaubertrank zusammengeschlossen hat. Die Göttin Venus entflammt die Sehnsucht des jungen Wilhelm. *„Ohne Zweifel, sie war es, die ihm nachts Aglyes Bild vor die Augen stellte, so daß er aufgerüttelt wurde. Die Minne hatte sie mit ihrer Macht zusammengebunden, ihm ihre Netze gestellt, ihre Lieblichkeit vorgeführt."*

Hier liegt das in allen Literaturen verbreitete Motiv der Traum- und Fernminne vor, das Kleist in seinem historischen Ritterschauspiel *„Käthchen von Heilbronn"* übernommen hat. Aus der Fernminne wird bald, nachdem Wilhelm Aglye gefunden hat, eine Kinderliebe. Die erste Begegnung schildert der Dichter so: *„Inzwischen hatte die untadelige und schöne Aglye ihre Kleider aus besten Stoffen und voller Gold angelegt und ging geradewegs dorthin, wo der Knabe bei ihrem Vater saß. Sie sagte: ‚Mein lieber und vollkommen schöner Freund, sei mir und Apollo herzlich willkommen.' ‚Danke, meine Schwester', erwiderte er und verneigte sich tief vor ihr. Ihr freundlicher Anblick prägte sich tief in sein Herz. Ebenso war seine Schönheit stets in ihrem reinen Herzen. Er liebte sie mehr als sein edles Leben."*

Vorbild dieser Kinderliebe ist neben *„Flôre und Blancheflûr"* des Alemannen Konrad Fleck, wo umgekehrt Flôre der Heide und Blancheflûr die Christin ist, Wolframs *„Titurel"* mit Sigune und Schionatulander. Dieses Fragment lernte Johann vermutlich indirekt durch Albrechts *„Jüngeren Titurel"* kennen. Im *„Titurel"* fragt Sigune: *„‚Kannst du mir sagen, was Minne ist? Ist sie männlich oder weiblich? Kommt die Minne zu mir, wie darf ich sie aufnehmen? Soll ich sie bei meinen Puppen aufbewahren?'"* Aglye fragt Wilhelm: *„‚Sag mir doch, lieber Freund, was ist Minne? Ist sie den Menschen nah oder unbekannt? Wie sieht sie aus? Fliegt oder geht sie? Ist sie ein Mann oder eine Frau? Wo wohnt sie? Ist sie eßbar?'"*

Nach diesem kindlichen Fragespiel beginnt sich — die Minne hat es so eingerichtet — die Natur mit ihren Ansprüchen zu melden. Wie in Walthers Mädchenliedern oder den Tageliedern Wolframs spielt auch die körperliche Liebe eine Rolle. *„‚Liebe Freundin, hast du nicht wie ich darüber nachgedacht, woher die Liebe kommt, die ich bei meinen Eltern bemerkt habe? Sie lieben sich, und die Minne hat sie zusammengeführt. Ich glaube, daß sie sich darum jede Nacht liebevoll zueinander nackt ins Bett legen. Was sie da tun, macht ihnen ihr Leben lieb. Sag, warum nennt man sie Frau und dich Mädchen, obwohl sie deine Gestalt hat und genauso aussieht wie du? Wirklich, das muß mit dem zusammenhängen, was man im Bett tut.'"* König Agrant hat nicht nur diese Betrachtungen über die Liebe, sondern auch die folgende Verabredung belauscht: *„‚Allerliebste und untadelige Aglye, wollen wir uns in der Nacht nackt zusammenlegen?' Aglye antwortete: ‚Wie ich dir versprochen habe, versage ich dir nichts.'"*
Nun bewahrheitet sich sehr schnell ein Ausspruch Wilhelms über die Minne, der als ein Leitmotiv das Werk durchzieht, ja, der erst durch seine mehrfach retardierende Wirkung die epische Breite der Liebesgeschichte ermöglicht. *„‚Mein Herz sagt mir, sie erniedrigt und erhöht. Daraus erkenne ich deutlich: von der Minne kommt Glück und Schmerz!'"*
Die besorgten Eltern Aglyes halten die Kinder fortan getrennt. Allein das Ballspielen ist ihnen noch erlaubt. Das ermöglicht immerhin einen regen Briefwechsel, denn die Liebenden nähen ihre gefühlsüberladenen Schriftstücke in die Bälle ein. Wilhelm wünscht sich — wie sicher auch Johann — die Schreibfertigkeit eines Gottfried von Straßburg, um seine Sehnsucht recht in Worte kleiden zu können. Durch die Werbung Walwans wird der Schmerz gesteigert, bis er mit der Trennung einen vorläufigen Höhepunkt erreicht. Während eines kurzen Wiedersehens vor und nach der Schlacht Melchinors gegen Walwan werden wieder Briefe gewechselt, diesmal in einem Rosenstrauß und dem Gefieder eines Falken. Schlichte lyrische Töne erklingen: *„‚ich dîn, dû mîn bist!' — ‚ich bin dû und dû bist ich'."* Zuvor hatte der Dichter die Minne gefragt, warum Aglye so großen Schmerz ertragen müsse: *„‚Warum tut ihr das, Frau Minne? Ich bin euch feind, weil ihr die Reine derart mit Sehnsucht nach Wilhelm, ihrem Geliebten, erfüllt.'"* Die Minne verweist lakonisch auf die Tatsachen. *„‚Ohne Scheu sage ich dir deutlich: Wer Liebe haben will, der muß auch Schmerz ertragen.'"*
Da Wilhelm nach seinem Sieg über Walwan nicht etwa selbst, sondern Melchinors Sohn Wildomis mit Aglye verlobt wird, Wilhelm die Braut sogar zu Wildomis führen muß, wünscht sich das Paar den Tod. Nachdem Wilhelm Wildomis am Tage der Hochzeit erschlagen hat, ihm selbst die Hinrichtung bevorsteht, rettet ihn zwar Parklise, aber damit ist eine neue Trennung der Liebenden verbunden. Erst die Königin Crispin vermag durch eine List, das Paar endgültig zusammenzuführen, wobei sie selbst uneigennützig und schweren Herzens auf den Helden verzichtet. Die Reaktion Wilhelms auf die Nachricht von seinem bevorstehenden Glück schildert der Dichter so: *„Ein Fieberschauer durchfuhr all seine Glieder, er fröstelte, dann überkam ihn Hitze: vor Freude hätte er fast den Verstand verloren."*
Bald können Wilhelm und Aglye einander in den Armen liegen. Während der ersten Liebesnacht unterbricht Johann seine Erzählung und läßt Wilhelm eher beiläufig sagen: *„‚Nichts trennt uns noch als dein Unglaube. Entziehe dich dem Teufel und laß dich in Christi Namen taufen, der uns um einen*

hohen Preis am Kreuz erlöst hat.'" Aglye antwortet einfach, die Problematik der Konversion aus Liebe nicht sehend: *„,Mein Mann und Geliebter, woran immer du glaubst, daran glaube auch ich.'"*
Nach kurzer Zeit hat der Dichter abermals Ursache, auf die von Gott verhängte Zusammengehörigkeit von Glück und Schmerz, die auch Gottfrieds Werk durchzieht, zu verweisen. Wilhelm fährt mit seinem Vater Leopold nach Österreich, Aglye bleibt in Zyzzia. Nach der Geburt des Sohnes Friedrich kehrt Wilhelm zurück zu Aglye. Ihr erneutes glückliches Beisammensein wird dann abrupt durch die Ermordung des Helden auf der Jagd beendet, die an den Tod Siegfrieds denken läßt. Wie Isolde ihrem Tristan, folgt Aglye Wilhelm in den Tod. Sie stirbt über seiner Leiche. In einem Sarg werden die beiden gemeinsam beerdigt.
Soweit die vom steten Glückswechsel und von der Vergänglichkeit geprägte Liebesgeschichte, die für den Helden nur einen Teil seiner Lebensgeschichte ausmacht. Wenden wir daher den Blick von der Minne zur Aventiure, der ritterlichen Bewährung in der Welt, hinter der allerdings immer der Lohn der Minne zu sehen ist: Wilhelm vergißt niemals die Geliebte; sie gerade kann ihm die Kraft geben, auch die größten Gefahren siegreich zu bestehen. Im wesentlichen umfaßt der Bereich der Aventiure die Welt des Mythos und des Kampfes. Zu den wunderbaren Vorfällen, die den Handlungsgang entscheidend mitbestimmen, gehört die Reise Wilhelms auf einem Walfisch, auf dem ein duftender Baum wächst, dann die Begegnung mit dem Mann der Abenteuer, der Wilhelm nicht nur großen Ruhm verheißt, sondern ihm auch seinen abenteueraufspürenden Jagdhund Fürst überläßt. Ferner gibt es ein Feuergebirge mit dem von Wilhelm besiegten Ritter Joraffin, der ihm eine prächtige Ausrüstung schenkt. Fluß, Wasserrad, Erzbilder und ein vierköpfiger Vogel entpuppen sich dort als Allegorien vom Ursprung und Lauf der Welt. Heidnische Nekromantie erfand sowohl einen Sessel, der unter einer Linde steht und dann, wenn ein vollkommener Mensch auf ihm sitzt, unter ein künstliches Himmelsgewölbe emporschwebt, als auch einen Greifen, auf dem Menschen fliegen können.
Wilhelm muß sich seiner Haut nicht allein gegen Menschen wehren, etwa bei der Befreiung einer Botin des Königs Darius, die eben gehängt werden sollte, sondern er hat auch einen zwölfbeinigen Stierdrachen und den Teufelssohn Merlin zu besiegen. Wie Wolfram hat es Johann von Würzburg gefallen, große Schlachten und Turniere in aller Breite zu schildern. Vor der Schlacht gegen Walwan spricht Johann sein Publikum an. *„,Wer nun hören will, wie in der Bedrängnis des Kampfes die Menschen fallen, leihe mir sein Ohr.'"* Einen Eindruck des brutalen Kampfes vermittelt die Szene, in der Wilhelm Walwan erschlägt. *„Er stützte sich in die Steigbügel und preßte sein Schwert in die Hände. Der Schlag ließ Helm, Rüstung, Panzerplatten und Ringe zerspringen. Er traf die linke Seite: Milz und Lunge fielen aus dem Körper, Blut quoll aus Herz und Eingeweiden, die Zunge wurde schlaff und der Kopf fiel zu Boden. Wilhelm schlug Mund und Nase ab und zerschmetterte die Rippen."* Nicht weniger hart sind die Kämpfe zwischen dem Kreuzritterheer und den Heiden unter Agrants Führung. Nach dem Sieg der Christen verkündet Johann: *„Auf keinem Kampfplatz gab es jemals so viele Tote: bis zu den Knien watete man in Blut."*
Mit den historischen Tatsachen geht Johann sehr frei um. Ihm geht es um die Aufzählung vieler ruhmbeladener Namen im Kreuzritterheer. Daß dabei Teil-

nehmer des dritten Kreuzzuges, wie der seit 1191 tote Sohn Barbarossas, Herzog Friedrich von Schwaben, zusammen mit Kreuzrittern, die in den Jahren 1217—19 die ägyptische Burg Damiette belagerten, kämpfen, macht dem Dichter nichts aus. Im Kampf der Christen gegen König Agrant zeichnen sich Franken, Schwaben und Österreicher besonders aus. Von den Bayern, über die Johann sich wiederholt lustig macht, heißt es: *„Der Gebieter der Bayern war auch dabei. Das mißgönne ich ihm, weil seine Leute es wie noch heute trieben: sie frevelten und plünderten."* Verständlich werden die Angriffe gegen die Bayern, wenn man sich vergegenwärtigt, daß Johann, der gebürtige Franke, Gönner in den schwäbischen Grafen von Hohenberg gefunden hatte, zu denen übrigens auch Michael de Leone enge Beziehungen hatte. Graf Albrecht von Hohenberg und Heigerloch (†1298) war mit dem Habsburger Rudolf I. verschwägert. 1314 aber, als Johann sein Werk beendete, war das Jahr, in dem der Wittelsbacher Ludwig der Bayer und der Habsburger Friedrich der Schöne, dem Johann sein Epos widmet, um den Thron stritten.
Auf die Frage nach der Bedeutung des Christentums im *„Wilhelm von Österreich"* kann schon vom Auftreten der Kreuzritter her geantwortet werden, daß die religiöse Problematik nicht so ernst genommen wird wie das Liebesgeschehen und die Aventiure, denn die Schlacht zwischen Christen und Heiden wird um Aglye geführt wie der Trojanische Krieg um Helena. Abgesehen von dieser Schlacht, bringt Johann den Heiden eine gewisse Sympathie entgegen: Wilhelm kämpft mit dem Heiden Melchinor gegen seinen Nebenbuhler Walwan, ohne einen Bekehrungsversuch zu unternehmen. Insgesamt hat sich Johann sehr weit entfernt vom militanten Heidenhaß, der im 150 Jahre früher entstandenen *„Rolandslied"* des Pfaffen Konrad vorherrscht. Auf das im Prolog aufgestellte religiöse Leitbild der *„tugent"* kommt Johann in der Mitte seines Werkes, in einem Gebet an Maria, zurück. Sein weltliches Dichten diene vornehmlich der Jugend als lehrhaftes Beispiel. Wenig später endet ein gottergebener und moralisierender Einschub, der wegen seiner Stellung kurz vor Wilhelms wunderbarer Rettung durch Parklise retardierend wirkt, mit der Mahnung: *„hab tugent liep, daz ist mîn rât!"* Am Schluß, nach dem Tod des Paares, wird die Vergänglichkeit irdischen Daseins vorgestellt und aufs Jenseits verwiesen. Trotzdem wird das Werk Johanns von einer sehr starken Weltfreude durchzogen, die den traditionellen Dualismus von Diesseits und Jenseits mildert. In der Trias von Minne, Aventiure und Gott dominiert die Minne. Ihr ordnen sich Aventiure und zum Teil sogar das Jenseitsstreben unter. Historisch betrachtet, nimmt Johann damit eine Stellung zwischen Gottfried mit seiner allmächtigen Göttin Minne und Wolfram mit seinem Ausgleich zwischen Gott und Welt ein. Wolfram hat dabei ohne Zweifel stärker gewirkt, wird doch das Heldenpaar mit Sigune und Schionatulander verglichen, eine Verwandtschaftsbeziehung zu den Gralskönigen hergestellt und Wolfram selbst als großer Dichter gefeiert. An einer anderen Stelle des Epos vergleicht Johann seinen Helden mit Parzival.
Die Unterschiede zwischen den Helden bleiben deutlich genug. Im Hauptwerk Wolframs liegt ein exemplarischer Entwicklungsgang vor, in dem Parzival nicht zuletzt der leidenschaftliche Gottsucher ist. Wilhelm dagegen ist vor allem auf der Suche nach seiner Aglye und der Erfüllung ihrer Liebe, eine innere Entwicklung zeichnet sich nicht ab. Nur in seiner unbedingten Treue, die auf die Ehe zielt, ist Wilhelm seinem ungleich größeren Vorbild Parzival mit seiner Liebe zu Condwiramurs ebenbürtig.

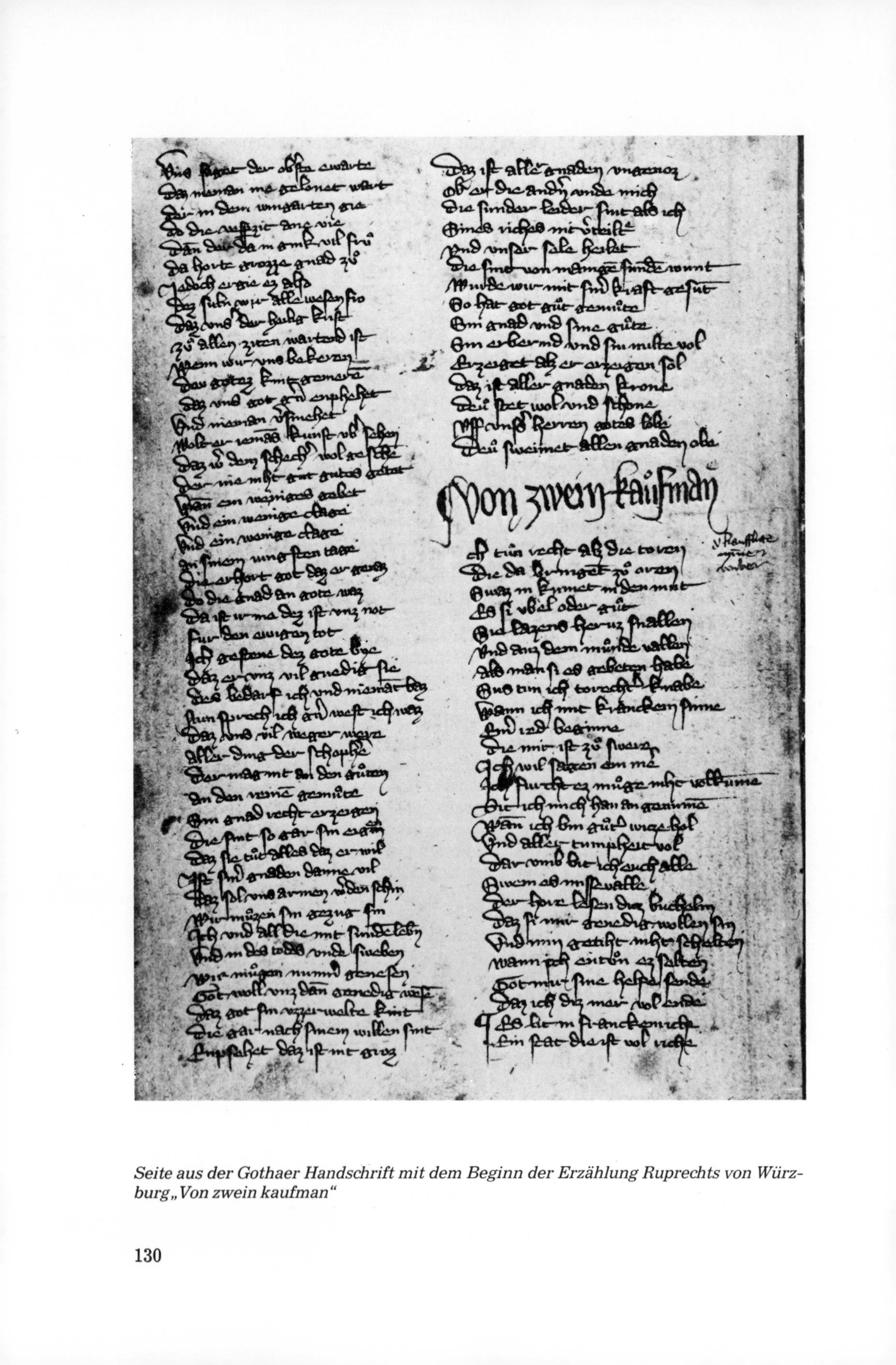

Seite aus der Gothaer Handschrift mit dem Beginn der Erzählung Ruprechts von Würzburg „Von zwein kaufman“

Zum Hauptthema wird die eheliche Treue in Ruprechts von Würzburg *„Von zwein Koufmannen"*. Helden sind hier nicht Fürstenkinder, sondern Bertram und Irmengard, zwei Patrizierkinder, die von ihren Vätern verheiratet wurden, weil durch die Verwandtschaft Ansehen und Macht beider Familien zu vergrößern war. Gilot, Irmengards Vater, hatte entschieden eine durch die Macht des Geldes mögliche Verbindung seiner Tochter mit einem Fürsten, die gewöhnlich als Mesalliance galt, abgelehnt und damit ein Beispiel des um 1300 aufkommenden Selbst- und Standesbewußtseins des Handel treibenden gehobenen Bürgertums gegeben, dessen Macht nicht allein im Reichtum, sondern auch in der Ausübung städtischer Regierungsgewalt lag.

Bertram und Irmengard führen in der Handelsstadt Verdun eine glückliche Ehe. Bertram ist ein geschickter und vorsichtiger Kaufmann und beachtet die von Ruprecht vorgetragene kaufmännische Regel: *„Wer seinem Besitz nichts hinzufügt, sondern immer davon ausgibt, muß außerordentlich viel besitzen, damit nicht alles schnell verbraucht ist."* Nach zehnjähriger Ehe reist Bertram mit wertvollen Stoffen zur Messe nach Provins in der Champagne. Dort, im besten Gasthof, erzählen die versammelten Kaufleute von ihren Frauen. Die eine ist wie ein Satansdrachen, die zweite hat zwei uneheliche Kinder und die dritte säuft. Bertram dagegen lobt Irmengard über alles. Seine Sprache nimmt Formeln des Minnesanges auf. Der Gastwirt, Herr Hogier, sieht sich daraufhin veranlaßt, Bertram eine Wette anzubieten: gelingt es ihm binnen eines halben Jahres, Irmengard zu verführen, muß Bertram ihm sein gesamtes Vermögen überlassen; andernfalls bekommt Bertram Hogiers Hab und Gut. Bertram willigt ein und reist nach Venedig.

Um dieses Motiv der Keuschheitswette, das international verbreitet ist etwa in Boccaccios *„Dekamerone"* oder Shakespeares *„Cymbeline"*, wo Leonatus Posthumus um die Keuschheit seiner Frau Imogen mit Jachimo wettet, geht es in Ruprechts Verserzählung. Um das Ergebnis vorwegzunehmen: Irmengard besteht die Probe trotz größter Anfechtungen. So bietet ihr Hogier, hoffend, daß jede Liebe käuflich sei, wenn nur der Preis angemessen ist, erst 100, zuletzt 1000 Mark. Doch Irmengard widersteht. *„Ich besitze genug, und meine Ehre verkaufe ich nicht." — „Gott verhüte, daß ich untreu werde. Mich könnte auf Erden nichts so übel treffen, als wenn man mich lasterhaft und bei einer Todsünde fände."* Eine um Rat befragte Verwandte empfiehlt: *„Auch die mächtige Kaiserin könnte das tun, ohne sich etwas zu vergeben. Ist er fort, so laß dein Kleid nur wieder herunter. Du bist dann dieselbe wie zuvor."* Dieser Empfehlung schließen sich alle Verwandten einschließlich des Vaters und des Schwiegervaters an. Dem allseitigen Druck entkommt Irmengard durch eine List, die ihr nach einem Gebet an Gott und Maria in den Kopf kommt. Hogier kann eine freudenreiche Liebesnacht, ein als angenehmen Kampf geschildertes Liebesspiel genießen, dessen einen Part Ruprecht selbst nicht ungern übernommen hätte. Als Zeichen seines Sieges schneidet Hogier seiner Bettgenossin am Morgen einen Finger ab. Dieses Beweisstück zeigt er dann auch dem zurückkehrenden Bertram. Nun aber kommt Irmengards großer Auftritt. Während sie allen Verwandten die Anstiftung zum Ehebruch vorwirft, kann sie zwei unversehrte Hände vorweisen; denn nicht sie, sondern ihre Zofe Amelin lag bei Hogier.

Auch bei dieser List handelt es sich um ein uraltes und weitverbreitetes Motiv. Die heimlich unterschobene Frau ist schon aus dem Alten Testament bekannt,

wo Laban in der Hochzeitsnacht Jacob statt der jüngeren Rahel die ältere Schwester Lea zulegt.
Im Epilog der Verserzählung, die einerseits die unanfechtbare Beständigkeit Irmengards vorstellt, anderseits interessante Einblicke in die Sitten reicher Kaufleute vermittelt, gibt Ruprecht seine moralische Absicht bekannt. *„Diese Geschichte ist vorgetragen worden, damit sowohl Frauen als auch Jungfrauen sich daran ein Vorbild nehmen und sie ihre ungefesselte Leidenschaft durch sittsames Betragen bändigen. Man muß ihnen alles Gute von Gott erbitten, und ihr Ruf wird makellos bleiben."*

Blicken wir abschließend auf die literargeschichtliche Stellung der beiden Würzburger, dann zeichnet Johann sich dadurch aus, daß er nach Wolfram, Hartmann, Gottfried und Konrad noch einmal ein höfisches Epos geschrieben hat, in dem er – manchmal etwas langatmig gewaltige Stoffmassen häufend – vielfältige Anregungen zu einer das ganze Leben umfassenden abenteuerlichen Liebesgeschichte durchaus selbständig verarbeitet, wobei Bewunderung der höfisch-ritterlichen Welt deutlich, kritische Auseinandersetzung des spätmittelalterlichen Bürgers mit der vergangenen Zeit nicht zu erkennen ist. Ruprecht dagegen weist mit seinem Werk insofern in die Zukunft, als er in einer Zeit zunehmender Bedeutung der Geldwirtschaft und des Kaufmannsstandes, dem zuvor Rudolf von Ems im *„Guten Gerhard"* literarisches Ansehen verliehen hat, das Exempel auf die Treue einer Frau an einer Kaufmannstochter statuiert, und dies in zielstrebig-lebhafter, nicht humorloser Erzählweise.

Das Siegel der Stadt Würzburg, verwendet in den Jahren von 1237 bis 1560, mit einer Darstellung des Domes

Bruno Müller

HUGO VON TRIMBERG

1235—1315

Bambergs Dichter und Erzieher Hugo von Trimberg wurde um 1235 in dem Dorf Wern, dem heutigen Oberwerrn bei Schweinfurt, geboren. Seine Herkunft liegt im dunkeln. Aus des Dichters Bemerkung, er sei in seiner Jugend kärglich ernährt worden, darf man wohl annehmen, daß er der Sohn einfacher Eltern war. Adeliger Herkunft war er nicht. In seinen lateinisch geschriebenen Werken nennt er sich Hugo de Werna aus der Diözese Würzburg.
Wie Hugo selbst sagt, wurde er in den sieben freien Künsten ausgebildet. Eine Universität hat er nicht besucht. Aber was hat dieser Autodidakt als Erzieher und Schriftsteller durch eigene Fortbildung aus sich gemacht! In seinem in deutscher Sprache gedichteten Hauptwerk *„Renner“* bezeichnet er sich als *„Hug von Trimberg“*. Vielleicht hat ein Mitglied der adeligen Familie von Trimberg, die unweit von Wern ihre Stammburg hatte, auf die reichen Geistesgaben des jungen Hugo aufmerksam gemacht, ihn in Würzburg unterrichten lassen. Hugo von Trimberg hätte dann seinem Mäzen mit seinem Schriftstellernamen ein Denkmal der Dankbarkeit setzen wollen.
Um das Jahr 1260 wurde zum ersten Mal einem Laien, dem Magister Hugo, im Alter von 25 Jahren, die Leitung der von Geistlichen unterhaltenen lateinischen Stiftschule St. Maria und St. Gangolf in der Theuerstadt vor Bambergs östlichen Toren übertragen. Schon vor seiner Ankunft in Bamberg muß er eine verdienstvolle Lehrtätigkeit ausgeübt haben, an einem uns nicht bekannten Orte, welche ihn dazu geeignet erscheinen ließ, als Rektor nach Bamberg berufen zu werden. Ein Schulmeisterlein, wie er oft noch in Literaturgeschichten betitelt wird, in unserem heutigen Sprachgebrauch war er sicher nicht. Man müßte ihn dann schon eher mit einem Rektor eines Gymnasiums oder einem erfahrenen Altphilologen vergleichen.
In seinem Geburtsort Wern betätigte sich Hugo von Trimberg bereits als lateinischer Dichter und Abschreiber von Handschriften älterer lateinischer Autoren. Nachweislich schrieb er in Wern das lateinische Gedicht eines unbekannten Verfassers *„Marienleben (Vita beate virginis Marie rythmica)“* ab, versah das Buch mit der rot geschriebenen symbolischen Überschrift *„Aurora“* (zu deutsch Morgenröte) und trug auch die Kapitelüberschriften mit roter Tinte ein. Aber schon dieser in Wern geschaffenen Abschrift fügte er zum Schluß 61 von ihm selbst verfaßte lateinische Erstlingsverse zur Verherrlichung der Mutter Gottes bei.

In Bamberg wohnte unser Schulrektor im eigenen Hause in der Theuerstadt. Er hatte eine große Familie zu versorgen. Ständig lebte er in wirtschaftlicher Bedrängnis. Dreißig Jahre lang trug er, nach seinen eigenen Worten, ein und denselben Gelehrtenmantel. Neben seiner Tätigkeit als Unterrichter der lateinischen Sprache fand er trotzdem Zeit zur eigenen Weiterbildung. Eine Bibliothek von 200 handgeschriebenen Büchern, wohl meist lateinischen Inhalts, nannte er sein eigen. Für die damalige Zeit ein großer Bücherschatz. Er diente ihm zum Grundstock seines *„enzyklopaedischen Wissens“* und verhalf ihm insbesondere zur Kenntnis antiker und mittelalterlicher Dichter. Außerdem sollten diese Manuskripte eine Art Altersversorgung für ihn darstellen. Aber darin sollte er sich getäuscht haben. Im hohen Alter wollte ihm niemand seine Bücher abkaufen, worüber er sich bitter beklagte.
Wo mögen diese 200 Bücher hingekommen sein? Haben sie die Schweden im Dreißigjährigen Krieg als Kriegsbeute nach Stockholm entführt? Wir wissen es noch nicht. In Bamberg blühte Meister Hugos schriftstellerische Tätigkeit erst richtig auf. Zunächst gab er acht deutsch geschriebene Büchlein heraus, drei davon weltlichen und fünf davon geistlichen Inhalts. Sie sind alle meist verlorengegangen. Wir wissen nur vom *„Sammer“* (zu hochdeutsch Sammler), den er 1266 für seine Berufsfreunde geschrieben hatte. Manches seiner nicht mehr nachweisbaren deutschen Bücher mag später in seinem Hauptgedichtwerk *„Der Renner“* aufgenommen worden sein. In der Folgezeit verfaßte der dichtende Rektor von St. Gangolf vier lateinisch geschriebene Werke. Als erste Bamberger Veröffentlichung gilt seine *„Laurea Sanctorum“* (zu deutsch: Lorbeerkranz der Heiligen) — ein sinnbildlicher, vom Dichter selbst geprägter Buchtitel, eine Zusammenstellung von 200 Kalenderheiligen, die für den Unterricht in den unteren und höheren Klassen in lateinischen Versen geschrieben war. Von diesem Heiligengedicht haben sich bisher 18 Handschriften nachweisen lassen, die Mehrzahl von ihnen in Bibliotheken von Prag, Wien und Rom, aber auch in Aschaffenburg, Breslau, Darmstadt, St. Gallen, Zürich und anderen Orten. Dies für den Schulunterricht gedachte Buch muß den beabsichtigten Zweck recht gut erfüllt haben, denn noch 15 Jahre nach dem vermutlichen Tode des Verfassers empfiehlt der Dichter und Geistliche Hugo von Spechtshart aus Reutlingen ausdrücklich die *„Laurea Sanctorum“* wegen des in ihr enthaltenen lateinischen Wortschatzes als Schullektüre.
Das nächste Buch, das Rektor Hugo, diesmal in lateinischer Prosa, in Bamberg erscheinen ließ, war in erster Linie für Geistliche gedacht, eine Predigtgeschichten-Sammlung, welche die Predigt anschaulich gestalten sollte. Wiederum wählte der Autor für seinen Buchtitel ein gleichnishaftes Wort: *„Solsequium“*, zu deutsch Wegwarte, eine graue, unscheinbare, an den Straßenrändern wachsende Pflanze, die ihre blauen Blütensterne der aufgehenden Sonne zureckt, um damit schon eingangs sinnbildlich „auf den Gehorsam zu Gott, der wahren Sonne“, hinzuweisen. Das Buch *„Wegwarte“* enthält neben einem Versprolog 166 Beispiele, Erzählungen und Kurzgeschichten zur Belebung der Predigt. Zum Schluß fügt der Dichter noch 381 lateinische Verse an, in denen er bereits damals schonungslos schlechte Seelenhirten und die Verderbtheit der Sitten seiner Zeit angreift. Der Text des *„Solsequiums“* ist nur teilweise in deutsche Sprache übersetzt. Einige der dort erwähnten Erzählungen kehren später in deutschen Versen im *„Renner“*-Gedicht wieder.
Der herausgebefreudige Bamberger Schulrektor von St. Gangolf veröffentlichte im Jahre 1280 schon wieder ein in lateinischen Versen abgefaßtes Buch, das

Hugo von Trimberg spricht zu fränkischen Bauern (Vers 1309 ff.). Aus der Leidener Prachthandschrift von 1402

„Registrum multorum auctorum“ (zu deutsch: Register zu vielen Dichtern). Auch hier stammt der Buchtitel wohl unbestritten vom Verfasser. Das Werk stellt ein Lexikon der Dichter vom Jahre 1 bis 1280 mit den Anfangsversen ihrer Werke dar. Es enthält über 80 Dichter, darunter 19 antik-heidnische und 61 mittelalterlich-christliche Dichter und Kirchenlehrer. Wie lange diese *„einzig selbständige und beste Schulliteraturgeschichte des Mittelalters“* im Gebrauch

war, läßt sich daraus entnehmen, daß noch über 100 Jahre nach dem Tode des Autors der gelehrte Magister Dietrich Engelhus aus Einbeck im Jahre 1426 in seiner lateinisch geschriebenen Weltchronik 45 lateinische Verse aus der Literaturgeschichte des *„Poeta Bambergensis, genannt Hugo"* zitierte und so dem einst in Bamberg blühenden Dichter ein Denkmal setzte. Magister Engelhus war übrigens auch einige Zeit als Lehrer an einer Stiftschule in Bamberg tätig gewesen. Hier hatte er wohl Zugang zu den in Bamberg noch vorhandenen Schriften Hugos von Trimberg erhalten. Das *„Renner"*-Gedicht erwähnte Engelhus erstaunlicherweise dagegen nicht. Von der Schulliteraturgeschichte haben sich nur vier handgeschriebene Exemplare erhalten. Wann das weitere Büchlein Meister Hugos in lateinischer Reimprosa die Gelehrtenstube in St. Gangolf verließ, eine Briefsammlung für Kanzlisten, Lehrer und Geistliche, der *„Codicellus multarum litterarum"*, wissen wir nicht. Es ist verlorengegangen. Die lateinischen Verse Hugos von Trimberg über *„die Jugend und das Alter"* sind uns bekannt, da sie in Deutsch und in Latein vielen Renner-Handschriften vorangestellt sind.
Hatte sich der Junglehrer Hugo schon in seiner Jugend mit deutsch geschriebenen Gedichten befaßt, so nahm er in den Fünfzigerjahren, als sich die Geräusche einer beginnenden Otosklerose vorübergehend unangenehm bemerkbar machten, seine alte, lang unterdrückte Liebe zur deutschen Dichtung wieder auf. Nun will er aber nicht mehr nur für Schüler, Lehrer, Geistliche oder Kanzlisten schreiben, sondern er wendet sich in allgemeinverständlicher, einfacher Sprache an die breite Masse aller Stände, um vor Sittenverderbnis zu warnen und seine Ebenchristen zur Selbst- und Gotterkenntnis zu führen. Die deutsche Sprache galt im Mittelalter in weiten Kreisen des Klerus noch immer als *„vulgäres oder ordinäres Idiom"*. Sie stand noch immer ohne Ansehen bei Geistlichen und Gebildeten. Aber Hugo von Trimberg lobt den als glücklichen Mann,

„Wer dichten, schreiben, lesen kann
Deutsch und Latein, der ist ein Mann
Dem ich wohl Gutes und Ehren geben kann."

Mit welcher Freude er im Alter zu seiner schon in seinen Erstlingswerken geliebten deutschen Dichtung zurückkehrte, verraten seine Verse, die er nach 1300 seinen Rennerversen einfügte:

„Nun wünscht mir Gottes Lieben alle
Dem dies Büchlein wohl gefalle
Und wisset, daß ich wohl dreißig Jahr
Meinen Sinn auf Latein hätte sogar gelegt,
Daß mir der deutschen Reime
Schnüre, Hobel, Pinsel und Leime
So gar waren worden unbekannt
Als ob ich führe in fremde Land
Und wollt eine Sprache lernen da,
Die ich doch zu vor hätte anderswo
Gehört und sie nicht sonderlich
Für konnte bringen und ordentlich."

In den Jahren von 1298 bis 1300 arbeitete Hugo von Trimberg am *„Renner"*. Die erste Fassung dieses umfangreichen Gedichtwerkes in mittelhochdeutscher

Sprache kam 1300 in Bamberg heraus. Nachweislich aber machte der Dichter noch von 1300 bis mindestens 1313 weitere Einschübe in sein Gedicht. Es ist anzunehmen, daß Meister Hugo den Buchtitel *„Renner"*, ebenso wie bei seinen bisherigen Werken, selbst gewählt hat. Mit dem Wort *„Renner"* wollte er vermutlich, wie bei schon manch früherem Werk, dem Buchtitel eine gleichnishafte Bedeutung geben, aber sicher wohl nicht in dem Sinne, wie man es jetzt in Literaturgeschichten liest, daß sein oft vom Hauptthema abschweifendes Gedicht mit einem Reiter zu vergleichen sei, dessen Zügel der Autor verloren habe. Denn dann hätte der Autor mit seinem Buchtitel von vorneherein auf die Schwächen seines Gedichtes hingewiesen. Meister Hugo vergleicht zwar an einer Stelle des Gedichtes sein Dichten mit einem schlechten Reiter, dessen Pferd öfters durchgehe:

„Mancher Reiter ist oft gerannt
Auf Rossen die nach seiner Hand
Zuweilen nicht wollten laufen.
Dasselbe erkenne ich auch an mir
Weil ich den Lauf etwas auseinander reiße
Bei meinem Gedichte und mit ihm renne
Wohin es mich trägt mit Gewalt."

Das ist wohl in erster Linie Selbstironie des Dichters. Sie reicht aber nicht aus, um damit den Gesamtinhalt des *„Renner"* zu versinnbildlichen. Die eigentliche Bedeutung des gleichnishaften Buchtitels *„Renner"* dürfte in späteren Jahrhunderten nicht mehr in ihrem ursprünglichen Sinne verstanden worden sein. Darauf weisen schon die Miniaturen auf der Titelseite der zwölf bisher bekannt gewordenen bebilderten *„Renner"*-Handschriften hin. In der ältesten illustrierten Pracht-Pergament-*„Renner"*-Handschrift, geschrieben im Jahre 1402 von dem Notar Michael Althaymer aus Augsburg, hat ein noch der älteren Generation angehörender Buchmaler aus der Wenzelwerkstätte in Prag einen waffenlosen König im Purpurgewand mit phrygischer Mütze, goldener Krone, Gürtel und Sporen auf reich geschirrtem Araberhengst abgebildet, der über Graben und Stein galoppierend von einem von oben herabkommenden Sternenstrahl geleitet wird. Diese, jetzt in der Universitätsbibliothek in Leiden verwahrte Handschrift war einst im Besitz Kaiser Maximilians I., gelangte im Dreißigjährigen Krieg als Kriegsbeute in die Bibliothek der Königin Christine von Schweden und dann in den Besitz des niederländischen Polyhistors Johann Gerhard Vossius und dessen Sohn Isaak Vossius in Leiden. Der Buchmaler dieser farbenprächtigen, mit Blattgold und Blattsilber, farbigen Rankenornamenten und 84 Miniaturen versehenen Pergament-Handschrift hat — zwei Generationen nach dem Tode Hugos von Trimberg — vermutlich noch ein Wissen gehabt von dem sinnbildlich zu verstehenden Buchtitel *„Renner"*, da er einen der Hl. Drei Könige auf seinem Eilritt nach Bethlehem, vom Sternenstrahl geführt, abbildete. In den zeitlich darauf bis 1472 folgenden illuminierten *„Renner"*-Handschriften ist das Titelbild entweder durch einen Eilboten oder durch den Dichter selbst hoch zu Roß wiedergegeben als bereits modernere Fassung der Buchtitelillustration. Hugo von Trimberg wollte mit seinem *„Renner"*-Buch die Menschen zur Gotterkenntnis führen. Das Sinnbild eines im Eilritt nach Bethlehem reitenden Weisen aus dem Morgenland würde zu dieser Absicht passen. Meister Hugo hat sicher um die Bedeutung des waffenlosen königlichen Renners aus Stein im Dom zu Bamberg gewußt, der damals noch genauso bemalt war wie die Rennerfigur in der Leidener Handschrift. Nimmt man diesen Gedanken als Hypothese an, dann würden die sehr häufig am Anfang oder Schluß eines Kapitels im Rennertext wiederkehrenden Verse: *„nun wollen wir aber weiter rennen und unsern Herrn besser erkennen"*, nicht mehr lediglich als zu häufig angewandte Redefloskeln, sondern als bewußt ständig wiederkehrendes Hauptmotiv des *„Renner"*-Gedichts anzusehen sein. Östlich von St. Gangolf im Hauptsmoorwald ritten schon zu Lebzeiten des Dichters Renner-Kuriere auf dem Rennsteig. Rektor Hugo kannte diese Eilboten sicher aus eigenem Augenschein. Aber es darf wohl nicht angenommen werden, daß diese Eilkuriere ihm als Sinnbild für den Gesamtinhalt seines Gedichtwerkes genügt hätten. Es finden sich im Renner weiterhin zu Beginn fast jeden Kapitels allegorische Bilder beschrieben. Denken wir nur an das erste Bild vom Birnbaum mit den herabfallenden Birnen, die in einen darunterstehenden Brunnen, eine Dornenhecke, eine große Lache oder auf das grüne Gras fallen. Dieses Bild ist gleichsam die Inhaltsangabe des gesamten *„Renner"*-Gedichtes, das mit Eva anfängt und mit dem Jüngsten Gericht endigt. Der Birnbaum soll die Stamm-Mutter Eva, die herabfallenden Birnen sollen die sündigen Menschen versinnbildlichen, die in den Brunnen der Gierigkeit, in die Dornenhecke der Hoffahrt und in die Lache der übrigen Laster fallen. Die auf dem Gras liegenden Birnen sollen dagegen die reuigen Menschen andeuten, die durch Selbsterkenntnis ihre Laster überwinden.

Es kam aber noch eine weitere Tatsache hinzu, welche die vom Dichter beabsichtigte Sinngebung des Buchtitels verschleierte. Der fürstbischöflich würzburgische Protonotar Michael de Leone (gestorben 1355), ein großer Freund des *„Renner"*-Gedichtes, nahm nach dem Tode des Dichters den *„Renner"*-Text in sein Hausbuch auf, veranlaßte zahlreiche Abschriften, versah das Gedicht als bewährter Kanzlist mit einem Register, neuer Kapiteleinteilung, neuen langatmigen Überschriften und veränderte auch an manchen Stellen den Text des Gedichtes, das er mit dem Werbespruch versah: *„Renner ist dies Buch genannt / wann es soll rennen durch die Land."*

Im Jahre 1884 sprach Germanist Wölfel gar noch den Verdacht aus, Michael de Leone könnte überhaupt erst den Versen des Bamberger Dichters die endgültige Überschrift *„Der Renner"* gegeben haben. Diese bisher unbewiesene Behauptung wurde allmählich als Tatsache hingenommen. Andere Schreiber variierten den Werbespruch Michael de Leones, so in einer 1437 geschriebenen fränkischen *„Renner"*-Handschrift der Herzog-August-Bibliothek in Wolfenbüttel: *„Dies Buch ist der Renner genannt / Und durchfährt alle Land / Mit seinem Gedicht hin und her / und das ist einem lieb, dem andern ist es unmere"* (soviel wie verhaßt).

Das *„Renner"*-Gedicht ist eine Satire auf die sieben Laster der einzelnen Stände im ausgehenden Mittelalter. Es ist aber auch ein *Beispielbuch* für die Laster und Tugenden berühmter Männer und Frauen aus der Antike und dem Alten Testament, denn Hugo von Trimberg fügte jeweils bei der Schilderung einzelner Laster und Tugenden Übersetzungen aus antiken und christlichen Schriftstellern, aus der Spruchdichtung von *„Freygedank"*, vor allem aber aus der Bibel, aus den Schriften des hl. Augustinus und des hl. Bernhard zur Belehrung an. Wegen der vielen im *„Renner"* enthaltenen Sprichwörter des Volksmundes wird der *„Renner"* als *Sprichwörterbuch,* wegen der darin enthaltenen Aesopi-

Frau Gierigkeit, das Hauptlaster aller Laster (zu Vers 4367 ff.). Aus der in Stockholm aufbewahrten Papierhandschrift von 1400

schen Fabeln als *Fabelbuch* geschätzt. Man kann aber den *„Renner“* auch als *Buch der Gleichnisse* betrachten, besonders deutlich, wenn der Dichter bei der Beschreibung der Natur der Tiere aus dem mittelalterlichen Tierbuch *„Physiologus“* die gleichnishafte Bedeutung der Tiereigenschaften zur Besserung der Menschen verwendet. Hinzu kommen Legenden und Erzählungen aus Altertum und Mittelalter. Wir erfahren von allen Bereichen des Lebens, der Natur und der Geschichte. Diese Fülle des Stoffes veranlaßte den Germanisten Götting im Jahre 1933 zu der Feststellung: *„Der Renner kann wie kein anderes Werk Aufschluß geben über die Eigenart des Erkennens und Richtung des Wollens seiner Zeit, dessen Kenntnis für das Nachverstehen von Kunstwerken seiner Epoche nicht mehr zu umgehende Voraussetzung ist.“*

Hugo von Trimberg rannte zu seiner Zeit mit dem Renner allen voran, er ist als eine Art von Avantgardist seiner Epoche anzusehen. Was ihm das Hauptwerk seines Lebens bedeutete, sagt er selbst:

„Da sollen deutsche Leute danken
Meiner Seele mit ihrem Gebete
Daß ich viel fremder Lehre ihnen han
In deutscher Zunge kund getan
Die manig Jahr vor und dennoch heuer
In deutscher Sprache waren teuer.“

Als das größte Laster seiner Zeit, *„das aller Laster Panier treit“*, sieht der Bamberger Dichter nicht mehr das für die Feudalzeit typische Laster Hoffahrt an, sondern die Habsucht und den Geiz, die geisttötende Gier nach Besitz und Wollust. Jedem weiteren Laster widmet er ein eigenes Kapitel. Der Unkeuschheit, Trägheit oder Lässigkeit, dem Zorn und Neid und der Unmäßigkeit im Essen und Trinken stellt er jedesmal ein anschaulich beschriebenes Symbolbild voran. Bei der sarkastischen Beschreibung der Laster der einzelnen Stände macht der Dichter furchtlos weder vor dem Adel, noch vor der Geistlichkeit, ja nicht einmal vor dem Papst halt:

„Gott gab Sankt Peter seinen Segen
Und hieß ihn seiner Schafe pflegen.
Er hieß ihn nicht Schafe scheren
Nun scherent alle Pfaffen gern.“

Doch sind seine Angriffe gegen schlechte Seelenhirten mit ihren übertriebenen Pfründenhäufungen nicht als *„Invektiven“* gegen alle Geistlichen, sondern als überzeugter Reformeifer anzusehen, mit dem er den von ihm erkannten Mißständen der damaligen Zeit zu Leibe rückt. Er will eine Reform innerhalb der Kirche und des weltlichen Regiments erreichen, die, wie die spätere Geschichte lehrte, in den folgenden Jahrhunderten immer notwendiger werden sollte.

Zum Adel gewandt, hören wir unsern Dichter sagen:

„Niemand ist edel als der,
Den der Mut edel machet
Und nicht das Gut!“

Der Dichter zieht demnach den Geistesadel dem Geburtsadel vor! Unser kritischer Dichter zieht aber auch vom Leder gegen übermütige Herren, schlechte Wirte, gegen ungerechte Richter und habgierige Ärzte!

„Hofleut, Ärzte und Juristen
Haben Abgötter das sein ihr Kisten."

Hugo von Trimberg blieb sein ganzes Leben lang den Dogmen der Kirche treu. Er haßte Unrecht und Ungeist, wo er sich zeigte. Er fühlte sich verpflichtet, aufgrund seiner Erfahrungen vor der Sittenverderbnis zu warnen, damit das Volk nicht verderbe. Des Dichters mitfühlendes Interesse galt vor allem den untersten Ständen, *„dem armen Gesinde von Kummers Kloben"*, den Bauern *„im fronen Paradies"*, wie er sagt. Wütend verurteilt er mit scharfen Worten die ungerechte Verwendung von Almosen und die, welche sie verzehren, ohne daß es ihnen zukomme. Der Dichter hatte Verständnis für die Nöte der sozial schlechter Gestellten. Man kann bei ihm antifeudale und demokratische Tendenzen feststellen.
Von Bamberg aus reitet er hinaus in die Dörfer der Umgebung und unterhält sich mit den Bauern, die ihn fragen, warum die einen Menschen frei, die anderen unfrei geboren werden, sie seien doch von einer Mutter alle! Die Fehden der Adeligen bezeichnet er schlicht und deutlich als Brennen und Rauben. Erschütternd schildert er das Schicksal der Beraubten und Ermordeten:

„Ist der gegen Gott nicht erblindet
In dem seine Minne gar verschwindet,
Daß er seinen Ebenkristen schindet
Von seiner Habe und ihn dann bindet
An einen Baum und ihm in den Mund
Einen Klotz ihm zwinget? Und wärs ein Hund
Es möchte einen wilden Heiden erbarmen
So man die unschuldigen Armen
Findet so jemmerlich gefangen,
In denen Eidechsen, Kröten und Schlangen
Haben ihr Nest und denen das Blut
Zu den Nägeln ausgeht: welch ein Mensch das tut,
Auf den sollte man das Kreuz viel mehr
Predigen, denn dort über das Meer
An Tartaren, Valwen und Heiden,
Deren Glauben von uns ist gescheiden."

Sein besonderer Spott gilt den Halbedelleuten, den Emporkömmlingen, die ihre Untergebenen noch mehr scheren als die adeligen Herren selbst. Er verwendet dazu die Fabel vom Streit des Fuchses und Maultieres vor dem König der Tiere oder die Fabel vom Raben, der sich eine Pfauenfeder in seinen Schwanz gesteckt hat, um auch als Pfau, das heißt, im Sinne des Dichters, als Adeliger zu gelten. In der Wallfahrt des Wolfes, Fuchses und Esels nach Rom zielt er auf die Tatsache hin, daß man die größeren Schurken oft straffrei ausgehen läßt, während man die kleineren Sünder hängt, wie den Esel, der als sein einziges Verbrechen zugibt, daß er vor lauter Hunger im Winter seinem Knecht ein paar Strohhalme aus den Holzschuhen gezogen habe, was ihm bitter zu stehen bekommt.

Mit der Fabel vom Esel, der sich eine Löwenhaut übergestreift habe, um alle Tiere zu schrecken, zielt er auf die Wichtigtuer ab, die mehr scheinen, als sie sind.
Aber nicht nur aus dem Tierreich nimmt er seine Allegorien, sondern auch aus dem Pflanzenreich. Im Gespräch zwischen der Hagebutte und der Schlehe, die erstere versinnbildlicht den Reichen, die letztere den Armen, weist er auf die Hoffährtigkeit der Reichen:

„Die Reichen wollen, daß man sie flehe
Zu der Hieffen sprach die Schlehe.
Fraue in eurem roten Röckelein
Laßt uns Arme bei euch sein!
Gedenket von wem ihr seid geboren
Unsere Mutter war auch ein Dorn!
Vorher ward ihr grün, nun seid ihr rot.
Doch hat uns alle derselbe Gott.
Gemachet, der euch hie wachsen ließ.“

Die Habgierigen vergleicht er mit der Spinne oder dem Maulwurf:

„Die Maulwürfe in der Erden sind
Gar listig und gegen das Licht blind.
Geizige Leute tun ebenso:
Dem ewigen Lichte sind sie gram
Und sind doch listig auf der Erden
Wie sie reicher und reicher werden.“

Heftig zieht er auch los gegen die Volksverdummer Bruder *„Schlund“* und Geselle *„Trunk“:*

„Toren ist die Welt nun aber voll
Die schlingen viel und sind doch hohl.
Zu großes Feuer schlägt auf das Dach
Zu voller Magen bringet Ungemach.
Wer seinen Feind wölle überwinden,
Der wehre der Kehle unmäßig Schlingen.
Mäßig Trinken ist wohl erlaubt
Unmäßig Trinken Hirne betaubt.
Als ein fauler Mist Würmer gebiert
Nach dem Regen, also wird
Eins Menschen Herze Gelüste voll,
Wenn er hat gegessen und getrunken wohl.“

Gegen das Laster der Unkeuschheit lesen wir die Verse:

„Unkeusche verschwendet Mannes Blut
Unkeusche schwächet Leib und Gut.
Unkeusche hat manigen bösen Gedank
Unkeusche macht manig Herz krank.
Minne minnet Müßigkeit

Und fliehet Ernst und Arbeit.
Wer sich mit ihr reizet,
Seines Herzens Ofen heizet:
Von sogetaner Hitze
Wird maniger wahnwitze.“

Den aufkommenden Kaufleuten ruft er in Ahnung der kommenden Geldwirtschaft zu:

„Man sieht wenig Kaufleut auf Erden
Mit Treuen und Wahrheit reich werden.“

Hoch klingt dagegen sein Lied von den reinen Frauen:

„Von Freuden Frauen sind genannt
Wer ihr Tugend erkennen kann
So sind sie teurer denne die Mann.“

Die Verse gehen dann über in ein begeistertes Lied an die Mutter Gottes. Besonders aber wettert er gegen diejenigen Christen, denen wie den Heiden Silber und Gold ihre Abgötter sind:

„Sie haben Augen und sehen nicht
Wie den Armen von ihnen geschicht.
Sie haben Ohren, da geht nicht ein
Armer Leute Kummers Pein.
Sie haben Hände und geben nicht
Sie haben Mund und wann geschicht
Den Armen Unrecht, da schweigen sie dazu.“

Voll Spott weist er auf die menschlichen Torheiten hin, bei Spiel und Tanz, beim Kegel- und Kugelschieben, Würfelspiel und Schachspiel, beim Ringen, Springen, Stein- und Schlegelwerfen und vor allem bei den nur den Adeligen vorbehaltenen Turnieren, wo sich die *„Tatermennelein“* mit langen Speeren durch Kragen und Magen stechen.
Als Beispiel für die Lyrik seiner Dichtung seien die Verse erwähnt:

„Altersfreude und Abendschein
Mögen wohl gleich einander sein.
Sie trösten wohl und fahren hin
Wie im Regen eine müde Bien.“

Zum Schluß bekennt er stolz, daß er von Franken sei geboren.

„Frankenland hat Ehren viel.
Auch soll man besunder danken
Eines Sprichwortes allen frommen Franken.
Man spricht gern, wenn man lobte heute
Er sei der alt fränkischen Leute.
Die waren einfachen Sinnes, getreu, wahrhaft;
Wolle Gott, daß ich also wäre.“

Aber auch seine Wahlheimatstadt Bamberg vergißt er nicht in seinem Loblied:

„Babenberg sei selig, ob es sein Ort
Wohl ausbehält und sein gut Wort,
Das es mit Ehren hat behalten
Manig Jahr vor seinen Alten
Wann es viel junger Herren hat
Von dem sein Chor mit Ehren stat."

Am Schluß des Gedichtes nennt sich der Dichter selbst und das Erscheinungsjahr seines Renner:

„Der dies Buch gedichtet hat,
Der pflag der Schul zu Theuerstadt
Wohl vierzig Jahr vor Babenberg
Und hieß Hug von Trimberg.
Es ward volldichtet, das ist wahr
Da tausend dreihundert Jahr
nach Christus Geburt vollgangen waren."

Bambergs großer Dichter und Erzieher wurde mit seinen Schriften schon zu Lebzeiten bekannt. König Adolf von Nassau lud ihn an seine Tafel ein. Die einzige uns bekannte größere öffentliche Ehrung des Dichters. Aber Meister Hugo ließ sich durch diese Ehrung an der Königstafel von seiner gewohnten kritischen Beobachtung nicht abbringen:

„Ich gedenke wohl, daß ich einmal saß
Bei König Adolf nicht fern und aß.
Da goß man Wein hin als Bach
Dies tat mir weh, da ich das sach.
Der Tische Gerichte mich verdroß,
Da vor meinen Füßen floß
Der Wein als über ein Feld ein Brunnen,
Eia, gedacht ich liebe Sunnen
Wie dicke die Reben dein warmer Schein
Hat gefreut, aus denen der Wein
Gewachsen ist, der vor mir fließet
Dessen leider niemand genießet,
Den manig arm Mensch vor der Tür
Viel gern auffinge, dürfte er herfür.
Brotes und Speise ward viel verstreuet
Mit dem manig Armer wäre gefreuet.
Von sogetaner Unmäßigkeit
Kommt Steuer, Bete und Gitichkeit."

Bambergs Dichter hatte zu Lebzeiten die Hoffnung geäußert, daß sein *„Renner"* einmal zu den Bayern, Franken, Schwaben und Thüringern fahre, aber er sollte nach seinem Tode noch viel weiter rennen, als es sich sein Autor je träumen ließ, zu den Rheinländern, Niedersachsen, Österreichern und zu den Deutschen in Böhmen. Ja, wenn man die jetzigen Aufbewahrungsorte der bisher bekannt gewordenen 65 Renner-Handschriften und Handschriftenfragmente an großen Bibliotheken des In- und Auslandes zugrunde legt, dann sind seine Handschriften im Osten bis Prag und Leningrad, im Norden bis Stockholm und Kopenhagen, im Westen bis London, Paris und New York, im Süden bis Wien und Rom vorgedrungen. Der Dichter hat den größten Bucherfolg des Mittelalters mit seinem *„Renner“* nicht mehr erlebt. Begierig las man die mit karminfarbenem Leder eingebundenen Manuskripte in Schlössern, Klöstern und Bürgerhäusern. Besonders die bebilderten *„Renner“*-Bücher waren zum Vorlesen und Anschauen bei den des Lesens oft noch Unkundigen sehr beliebt. Viele dieser Bücher wurden zerlesen oder gingen zugrunde.

Hugo von Trimberg, im Gelehrtenhabit, rechts neben König Adolf von Nassau, sieht entsetzt die Verschwendungssucht, die an der königlichen Tafel herrscht

Mancher Besteller einer bebilderten *„Renner"*-Handschrift ließ sein und seiner Ehefrau Wappen als Besitzvermerk auf einer Miniatur anbringen. Ein anderer Besitzer schrieb auf das Titelblatt ein, wieviel er für das *„Renner"*-Buch bezahlte: *„Item der Renner 2 Gulden / das sag ich bey meinen hulden."*
In Würzburg entstand Hugo von Trimberg nach seinem Tode im 14. Jahrhundert in der Person des Michael de Leone ein großer Freund und Verbreiter seines Buches. Er sorgte für zahlreiche Abschriften. Ein ganzer Zweig des *„Renner"*-Handschriftenbaums, die Handschriftenklasse II, hängt von diesen von Michael de Leone veranlaßten Abschriften ab. Der andere Hauptast, die Handschriftenklasse I, die von *„Renner"*-Büchern aus des Dichters Hand abhängt, besitzt den Vorteil der größeren Texttreue. Die nahezu 800 Miniaturen der zwölf bebilderten *„Renner"*-Manuskripte harren seit je der kunsthistorischen Bearbeitung. Wie immer, wenn ein großer Geist ein bedeutendes Werk hinterließ, haben später Hunderte von Köpfen zu tun, um die wissenschaftliche Untersuchung des Textes, die Herstellungsorte der einzelnen Handschriften, deren Einbände und Besitzer und die Nachwirkung des Gedichtes auf die weiteren Jahrhunderte festzustellen.
Eine der wichtigsten Handschriften der Klasse I, eine Papierhandschrift, geschrieben im Jahr 1414 von dem Geistlichen Andreas in Waging (Oberbayern) im Gräflich-Ortenburgischen Schloß Tambach bei Coburg, hat noch nie ein Literaturhistoriker zu Gesicht bekommen. Eine Bearbeitung derselben nach gütig erlaubter Anfertigung eines Mikronegativfilms ist erforderlich. Drei weitere neu aufgetauchte, bebilderte *„Renner"*-Handschriften sind noch von Germanisten zu untersuchen.
Das *„Renner"*-Gedicht enthält 24611 mittelhochdeutsche Verse. Das Gedicht war durch nachträgliche Einschübe des Dichters immer mehr angeschwollen. Man war deshalb schom im 15. Jahrhundert dazu übergegangen, besonders in den bebilderten *„Renner"*-Ausgaben mit den bunten aquarellierten Federzeichnungen, den *„Renner"*-Text auf 10000 bis 12000 Verse und in einer Tiroler Handschriften-Gruppe auf rund 6000 Verse zu kürzen.
Eine auffällige Vermehrung von *„Renner"*-Büchern erfolgte jeweils in der Zeit der Hussitenkriege, der Reformation und in der Zeit der Aufklärung. Man hatte in diesen Zeiten ein besonderes Interesse gerade für diese *„gereimte Moralpredigt"*. Im 16. Jahrhundert besitzen evangelische Patriziergeschlechter in Nürnberg *„Renner"*-Handschriften. Der Dichter galt den Protestanten als Vorreformator oder als gemäßigter Luther.
Zum Druck kam der *„Renner"* zum ersten Mal im Jahr 1549 in Frankfurt am Main. Der Text wurde darin jedoch von einem unbekannten, überzeugten Protestanten und humanistisch Gebildeten weitgehend im protestantischen Sinne umgeändert. Der Frankfurter Herausgeber Cyriakus vom Bock ließ das Gedicht drucken, um es dem Volke wegen der zunehmenden Sittenverderbnis zugänglicher zu machen.
Im Dreißigjährigen Krieg wurden in Unterfranken Pergamentblätter von *„Renner"*-Manuskripten zum Einbinden von Rechnungsbüchern verwandt. Das Pergament war wertvoller geworden, als der auf ihm angebrachte Text. Aber erwähnt wird Hugo von Trimberg weiterhin. Im 18. Jahrhundert beschäftigen sich Gellert und Gottsched intensiver mit dem Sittengedicht des Bamberger Rektors. Der Braunschweigische Literaturhistoriker Eschenburg gibt die im *„Renner"* enthaltenen Fabeln im Druck heraus. Am eifrigsten aber hat sich Gotthold Ephraim Lessing um die Wiederherstellung des Originaltextes

bemüht in der Absicht, den unveränderten *„Renner"*-Text im Druck herauszugeben. Als Bibliothekar in Wolfenbüttel wollte er aus drei von Herzog August in Nürnberg gekauften *„Renner"*-Handschriften den geplanten Druck vorbereiten. Davon zeugt das im Lessinghaus in Wolfenbüttel ausgestellte Originalmanuskript mit der zierlichen Handschrift Lessings: *„Der Renner Haugs von Trimberg aus drey Handschriften der herzogl. Bibliothek zu Wolfenbüttel wiederhergestellt (Vers 1—6430)"*. Lessing wechselte wegen der Wiederherstellung des *„Renners"* 1772 einen Brief mit Herder. Zur Vollendung seiner Arbeit kam er nicht mehr. Er hat aber in einer in der Wolfenbütteler Bibliothek befindlichen *„Renner"*-Handschrift ihm wichtig erscheinende Verse mit fortlaufenden Zahlen angemerkt, aus denen wir sein verständnisvolles Interesse an diesem Gedicht entnehmen können. Auch Ludwig Uhland beschäftigte sich interessiert mit dem *„Renner"*.

Das Verdienst, den ersten unveränderten *„Renner"*-Text im Druck herausgegeben zu haben, gebührt dem Historischen Verein in Bamberg, der in den Jahren 1833—1836 das Gedicht als erste Vereinsveröffentlichung in Bamberg erscheinen ließ. Diesem Bamberger Druck lag eine Handschrift vom Jahre 1347 der Handschriftenklasse II aus dem Kloster Heilsbronn (jetzt in der Universitäts-Bibliothek in Erlangen) zugrunde.

Unglücklicherweise erwarb Bibliothekar Jaeck, der damalige *„Sekretair"* des Bamberger Geschichtsvereins, nicht die ihm von den Erben des Hamburger Professors Ebeling zum Kauf angebotene einzigartige Bamberger *„Renner"*-Papierhandschrift, geschrieben von dem Bamberger Johann Teinhart im Jahr 1309 — also noch zu Lebzeiten Hugos von Trimberg.

Diese älteste *„Renner"*-Handschrift ist nun verschollen. Die Staatsbibliothek in Bamberg besitzt eine Handschrift des 15. Jahrhunderts mit dem *„Kleynen Renner"*. — Lange Zeit galt der Bamberger Druck als Grundlage der *„Renner"*-Forschung. Nun befaßten sich die Literaturhistoriker mit diesem Stoff, insbesondere Wölfel und Janicke. Gekrönt aber wurden diese Vorarbeiten durch den Greifswalder Germanisten Gustav Ehrisman, der zwischen 1909 und 1912 in Tübingen eine vierbändige kritische Ausgabe herausgab. Leider ist dieser Tübinger Druck seit Jahrzehnten völlig vergriffen. Eine Neuauflage bzw. die Schaffung einer gekürzten Ausgabe mit Miniaturen aus illustrierten *„Renner"*-Handschriften des 15. Jahrhunderts oder mit neuen Illustrationen, geschaffen aus unserem Zeitgeist heraus, wäre ein sicher gerade für unsere Zeit recht nützliches Buch. Ein Nachdruck der Ehrisman-Ausgabe ist in Vorbereitung.

Im Alter litt Hugo von Trimberg bittere Not, das Schicksal eines zu Lebzeiten nicht verstandenen Dichters. Im hohen Alter von 80 Jahren dürfte der Dichter in Bamberg gestorben sein. Kein Grabmal kündet von ihm. Wir wissen nichts von seinen Nachkommen, außer von einem Sohn, der in ein uns unbekanntes Kloster eintrat. Nur eine vom Historischen Verein in Bamberg am Pfarrgebäude von St. Gangolf angebrachte rote Sandsteintafel weist den Vorübergehenden auf den „Poeta Bambergensis" hin, der mit seinem *„Renner"*-Gedicht ein so weltweites und über 600 Jahre anhaltendes Interesse gefunden hat. In vielen Dingen waren die Gedanken dieses fränkischen Dichters seiner Zeit um Jahrhunderte voraus.

Seite 148 zeigt den Schluß des „Renner" in der in Augsburg befindlichen Papierhandschrift von 1422 mit der Abbildung von „meister hug" in der D-Initiale

Der boest und das noch böser ist
Alt korb und alt leut
Der nimant gert auf erden heut
Also nimet er armer leut andaht
Fur reicher leut grosse maht
Balaam
Do der weissag Balaam
Unrechtem weg gen got nam
Da strafet in sein esslen
Nu let mich gotes esel sein
Ob ich euch straffe und selb niht
Gar weise bin das vil geschiht
Allein ein stoltz nachtigal
In seldem hab suszem schal
Doch ist ein esel nutzer vil
Danne sy wer es eben merkn wil
Man vindet wachs und honigsaum
In disem buch wer der hin kenn
Bringet in seins hertzem schrein
Was im da fuge das nem er ein
Honigsaum bedeut der heiligen ler
Heiden spruche hant auch er
Und seind manger ander wert
Als wachs da man mit honiges gert
Wer sich im wol verrihten kan
Auz disen zweien der weis hin dan
Was er vindet das im mit fuget
Damit la euch der rede genuge
Auch sult ir mir durch zuht vergebn
Ob etleich ryme sten nit gar ebem
Der tichtern kunne der bescheid si baz
Mit meine dinst an allen haz
Wan schreiber unmeisterhandenheit
Hat getan im maing leit
Wenn si mir niht volgen woltem
Und anders schreiben danne si solten
Auf erden ist nihtz so vollenkumen
Das es dem wandel sey benumen
Das ich mit gentzlich han gerurt
Das hat sand Bernhart vollenfuret
In seine funf buchen der merckunge
Das mein der alt und auch der junge

Der wol laten versten kan
Was er thun sol oder lan
Wer gantzer tugenden lere will suchen
Der frag nach sand Gregorien buchen
Die er geschriben hat uber Job
Da vindet er mangen tugend lob
Dise zwey und sand Ambrosius
Sand Augustein und Jeronimus
Und sand Johannis der gulden munt
Des ler auch weiten ist worden kunt
Und manig ander hohe lerer
Wan Kriechen walhe und Lamparter
Der teutsch sprach was unbekant
Wo ditz buch vert durch das lant
In Swaben in Beyern in Duringe in Francken
Des sullen Teutsch leut danckem
Meiner sele mit irem gebete
Mit almusen mit ander guttet
Das ich vil fremde lere in han
In teutsche zungen kunt getan
Dy manig jare vor und dennoch heut
In teutscher sprach wern unbedeut
Und welch fraw man mich uberlesen
Und straffen de bit ich das sy gebem
Einen pfennig das ein messe von in
Gefrummet werde das mir gewin
Und allen gelaubigen selen bringe
Di gevangen ligen in peinez gedinge
Das feuwer in seller weine si sterbem
Danne si das ewig lon erwerbem
Der ditz buch
gedichtet hat
der pflag der
schule zu
Teurstat
wol viertzik jar
vor Bamberg
und hiess hug
von Trimberg
Es ward tihtet
das ist war

Anneliese Volpert

CHRISTINA EBNER

1277–1356

„Ach, Herre mein!
Hätt ich aller Engel Stimm,
Damit wollt ich dich loben;
hätt ich all das Blut der Märtyrer,
das wollt ich dir geben;
und hätt ich aller Herzen Lieb,
so wollt ich dich damit lieben!"

Worte der mystischen Liebe, der todesbereiten Hingabe, aus der Überfülle eines verzückten Herzens. Die Antwort auf den „Einspruch" Gottes ist dieses Gebet einer frommen Frau, ihr Dialog mit dem himmlischen Bräutigam, im Seelenüberschwang entrückter Gottesschau.
Ein paar Zeilen sind es aus einer umfangreichen, mittelalterlichen Handschrift, vor mehr als sechshundert Jahren von einer Nonne geschrieben, in einem Kloster, das lange nicht mehr besteht.
„Die selig Cristin Ebnerin wart geporn im eintausend zwei hundert und sieben und siebenzigsten jar und wart neun und siebenzig jar alt und starb im eintausend drei hundert und sechs und fünfzigsten jar an sand Johans tag zu weihennachten. In den closter engeltal do ligt sie wegraben. Wann wol wisselichen ist daz got grosse gnad und wunderwerk durch si gewürkt hat alz man daz wol geschriben vint."
Man könnte die Niederschriften der Christina Ebnerin mit genügender Begründung nur einer psychologisch-ästhetischen oder einer religionswissenschaftlichen Betrachtung unterziehen, man könnte es dabei bewendet sein lassen, sie würdigend einzureihen in die große Zahl der Nonnenbiographien aus der altdeutschen Mystik, wären sie nicht gleichzeitig ein wichtiges kulturgeschichtliches Dokument fränkischen Schrifttums. Für Nürnberg gehören die Aufzeichnungen der Engelthaler Nonne zu den frühesten Nachweisen heimischer Literatur.
Bevor man das Leben der Christina Ebner zu betrachten sucht, wie es sich in ihren Tagebüchern widerspiegelt, ist es zum besseren Verständnis unumgänglich, sich die religiöse Situation der damaligen Zeit zu vergegenwärtigen.

Das 13. und 14. Jahrhundert sahen die Hochblüte der mittelalterlichen Mystik, einer geistig-religiösen Strömung, die als Parallele zur Tradition der Scholastik zu außergewöhnlicher Bedeutung anwuchs. Beide Richtungen waren Wege der Gotteserfahrung, die, so gegensätzlich sie waren, einander nicht ausschlossen.

Die Scholastiker waren bemüht, die Lehre des Glaubens mit der „ratio", also verstandesmäßig, zu durchdringen, basierend auf der aristotelischen Philosophie. Die Mystiker hingegen suchten die Erfahrung Gottes im „Seelengrund". Nicht das Wissen allein ist ihnen wichtig, sondern die geistige Wesenheit des Erfahrenen und der Vorgang der Erfahrung. In der „unio mystica", im mystischen Einssein, wird Gott als lauteres Sein, als „actus purus", in seinem Grunde unmittelbar erfahren. Das neutestamentliche Paradoxon, das „Haben im Nichthaben", äußert sich in der wohl geläufigsten Formel mittelalterlicher Mystik: Gottes in dem Maße habhaft zu werden, als man bereit ist, „seiner selbst und aller Dinge ledig und frei zu sein".

„Glühen ist mehr als Wissen", sagt Bernhard von Clairvaux, den man den Vater der mittelalterlichen Mystik nennt, und Thomas von Aquin, der „klassische" Scholastiker, der doctor angelicus, hatte tiefe mystische Züge, die in seinen Hymnen dichterisch aufklingen. Der zarteste und lyrischste aller Mystiker, Franz von Assisi, schuf mit seinem *„Sonnengesang"* eine Manifestation der seraphischen Gottesliebe von zeitloser Poesie.

Mit der Ausbreitung des Predigerordens der Dominikaner begann in Deutschland eine Tradition, die überragende Persönlichkeiten und an ihnen orientierte „Schüler" kannte. Den Höhepunkt der philosophisch-theologischen Richtung bedeutete das Dreigestirn der hochgelehrten Dominikaner: Meister Eckhart von Hochheim, wahrscheinlich ein Schüler des Albertus Magnus und Lehrer an der Universität zu Paris, Johannes Tauler von Straßburg und Heinrich Seuse aus Konstanz. Von Tauler erfuhr Christina Ebner in ihren späteren Jahren, und es ist anzunehmen, daß seine Lehren von Einfluß auf sie waren.

„Hier, in der unio mystica entfällt der Geist seiner eigenen Erkenntnis und seinem eigenen Werk und Gott muß da alle Dinge in ihm wirken. Er muß in ihm erkennen, in ihm lieben, denn der Geist ist seiner selbst in seiner starken Liebe entsunken, in den Geliebten hinein, in den er sich verloren hat, wie der Wassertropfen in das tiefe Meer." Diese Worte Taulers sind kennzeichnend für die grenzenlose Selbstaufgabe und Versunkenheit, wie sie sich besonders in der Frauenmystik aller Jahrhunderte als die „scintilla animae", als das „Seelenfünklein", zeigt, das zum lodernden Feuer einer „Todeserotik" sich verdichten kann. Die große Theresa von Avila ist ihre glühendste Vertreterin. Ihre ekstatische Gottesschau hat ihresgleichen nicht mehr gefunden. Hildegard von Bingen dagegen, die deutsche Benediktiner-Äbtissin des 12. Jahrhunderts, ist die Gelehrte, die Politikerin, die mit Papst und Kaiser korrespondiert, sie ist die weithin gerühmte Ärztin, und ihre Mystik handelt von der Größe und dem Elend des Reiches Gottes in dieser Welt.

Die geistlichen Tagebücher, wie sie in den Klöstern des Mittelalters entstanden, haben in der Kulturgeschichte ihren festen Platz. Oft sind sie neben wenig bedeutenden Herzensergüssen und Seelenschwelgereien geradezu geniale Zeugnisse religiösen Innenlebens von künstlerischer Gestaltungsfähigkeit, dann wieder zeigen sie in oft nüchterner Realistik, wie Benediktinerinnen, Dominikanerinnen und Klarissen ihren Tag lebten.

Man könnte — und das wäre religions-psychologisch von großem Reiz — Vergleiche anstellen zwischen Mystikerinnen des katholischen Mittelalters und gleichartigen Erscheinungen des Morgenlandes. Auch Islam und Buddhismus haben Nonnenklöster. Die arabische Mystikerin Rabia lebte im 8. Jahrhundert ein Leben von glutvoller Gottesliebe, und in der Biographiensammlung des Scheich Taki uddin Abu Bekr finden sich die *„Lebensläufe der auf dem Gotteswege wandelnden und gläubigen Frauen"*. Auch in den *„Therigatha"*, den Liedern der Buddha-Nonnen, zeigt der „wundersame Seelenüberfluß", daß Mystik durchaus nichts spezifisch Christliches ist. Vielmehr geht in allen Hochreligionen der Mensch und besonders die empfindsame und phantasiereiche Frau den Weg der Gottsuche und der Gotteserfahrung in ähnlicher Weise, so wie die Symbolik des Kults und der Liturgie in ihrer Bedeutung ihnen gemeinsam ist.
Dieser allgemeinen Betrachtung muß hinzugefügt werden, wie maßgebend die mittelalterliche Mystik die Kunst jener Epoche beeinflußte und bestimmte. Die künstlerischen Visionen von Himmel und Hölle, die Goldgrundbilder, die Paradiesesgärten und Traumlandschaften, sie alle sind Ausdruck dieser fruchtbaren Wechselbeziehung. Der Genter Altar des Jan van Eyck und die surrealen Bildkompositionen des Hieronymus Bosch wären undenkbar ohne den Einfluß mystisch-metaphysischen Denkens.
Geht man zurück zu dem gottgefälligen Leben und Wirken der Christina Ebnerin, nimmt man ihre Aufzeichnungen zur Hand, so wird man gewahr, wie sich die Vielfalt und Differenziertheit mystischer Erfahrung in ihnen niederschlägt. Von überpersönlicher Abstraktion zur subjektivsten Empfindung, von kleinen Alltäglichkeiten zu endzeitlichen Visionen reicht die Erlebnistiefe einer Frau, die ohne gelehrte Unterweisung in früher Jugend ins Kloster eintrat. Freilich leiden alle mittelhochdeutschen Texte unter der Übertragung ins Neuhochdeutsche, die ihre Grenzen hat. Vieles geht verloren von der eigenen und ausschließlich mystischen Ausdrucksform, abgesehen von der originellen, stark mundartlich geprägten Schreibweise der Engelthaler Klosterfrau, deren fränkisches Idiom selbst in der Übersetzung noch manchmal erkennbar ist.
Der hochgeachteten Patrizierfamilie der Ebner zu Nürnberg, deren Nachkommen, die Freiherren von Ebner-Eschenbach, noch heute in Mittelfranken leben, entstammt die Mystikerin mit dem glühenden Herzen. *„Dunkeläugig, herb und streng"* wird sie geschildert, eine *„Feuerlilie"* wird sie genannt. Dies mutet an wie ein Gegensatz zu der schwebend zarten Phantasie und der entzückten Glut ihrer inneren Gesichte. Von starker persönlicher Eigenwilligkeit ist ihr Wesen, von fast männlicher Willenskraft. Trotzdem kann sie sich verströmen, gänzlich aufgeben und hingeben in ihrer maßlosen Gottesliebe. Gerade die Synthese ihrer gegensätzlichen Charaktereigenschaften gibt ihren Visionen häufig eine Atmosphäre feinnerviger, fast nervöser Spannung. Sicher war sie im gleichen Maße geistig unabhängig von der klösterlichen Enge, wie sie gehorsam und demütig war, und es ist nicht der geringste Teil ihrer Größe, in der Unfreiheit in einer Weise frei zu sein, die Ausdruck höchster Disziplin und Einsicht ist.
In einem langen Ordensleben verfaßt sie *„Das Büchlein von der Gnaden Überlast"*, in dem sie die Geschichte des Klosters Engelthal und das Visionsleben ihrer Mitschwestern beschreibt. Daneben hinterläßt sie zwei *„Visionsbücher"*, die ihr geistliches und weltliches Tagebuch darstellen. Auf Geheiß und mit der Hilfe ihres Beichtvaters, des Dominikaners Konrad von Füssen, zeichnet sie ihre

Vita auf, sich teils der ersten, teils der dritten Person bedienend. Obwohl sie erst in ihrem vierzigsten Jahr damit beginnt, gehen diese Berichte zurück auf den Tag, da sie als Tochter des Seifried Ebner und seiner Frau Elsbet Kudorfferin geboren wird: *„Das Kind ward geboren an dem Charfreitag, als man die Passion gelesen und geschah der Mutter also weh, daß man meint sie müßte sterben vor großen Schmerzen, und sie sprach: mir ward nie so wehe zu keinem Kind, und war doch das zehnte Kind, so von ihr geboren war, und geschah solches zu Nürnberg in der Stadt, als man zählte nach Christi Geburt eintausend zweihundert und im sieben und siebenzigsten Jahr, und wurde das Kind getauft in der Kirchen bei St. Sebald an dem Osterabend und man hiess sie Christina.“*
Der Tag ihrer Geburt, der Leidenstag des Herrn, sollte für ihr Leben zum Symbol werden. Sie leidet, solange sie denken kann. Schmerzen und Entsagung sind von frühester Jugend an der Inhalt ihres Lebens. Die Wahrheit liebt sie und die Armut und ihre Übung im Verzicht ist ungewöhnlich für ein Kind aus wohlhabendem Hause. *„Es geschah auch, dass das Kind von der Armut so grosse Lieb gewann, wenn es etwa viel kindische Ding gesammlet hätt, daß es alsdann alles verteilt und ihm selber nichts behielt, das tät es etwan mit weinenden Augen und wenn man sprach, warum sie solches hingeb? da sprach es: so bin ich seliger, wenn ich arm bin.“*
Es ist anzunehmen, daß ihre Eltern diese schmerzhaften Tugenden billigten. Sie geben ihr den Deutschordenspriester Heinrich von Rothenburg zur religiösen Unterweisung. Er begünstigt und fördert Christinas Hang zum weltabgewandten Leben, ja er reicht der noch nicht Zehnjährigen die Kommunion, in der damaligen strengen Zeit eine seltene und mutige Tat. *„Da sprach der Priester: Und wehret es mir der König und die ganze Stadt, ich sollt ihr unsern Herrn nit geben, so wollt ich es nit lassen, und redete in dem Sinn: er wolle Gott gehorsam sein und nit den Leuten.“*
In ihrem zwölften Lebensjahr tritt sie in das Kloster der Dominikanerinnen zu Engelthal bei Hersbruck ein und beginnt sich sofort mit aller Macht ihres gottbegeisterten Herzens einer strengen Askese hinzugeben, die ihr eher Unbeliebtheit als Anerkennung einträgt. Es fällt ihr schwer, im Kloster heimisch zu werden. Sie stößt auf Abneigung, muß Schelten und Schläge erleiden, doch mit ihrem starken eigenen Willen läßt sie nicht ab von ihren strengen Observanzen. *„... und da ich in das Closter kam und zwölf Jahre alt war, da nahm ich mich dess an, dass ich viel wachet: wie gross die Kälte war, so lag ich auf der Erde und hatt nichts an denn ein Hemdlein, wie weh mir der Frost tat und geschah mir auch also weh, dass ich musst heimlich tun und von Furcht der Leut, dann viel Ungemach litt ich von Drohen und Strafen ... und litt auch Schläg und das litt ich geduldig, ohn alle Widerrede und dankte Gott dafür mit Mund und Herzen.“*
Der Unwille der Oberen betrübt die empfindsame Christina tief, doch sie gehorcht nur ihrer inneren Stimme, wenn es um das Maß ihrer Selbstaufgabe geht. Die Entbehrungen, die Kasteiungen machen sie krank, aber sie will die Welt überwinden, sie will nichts sein als ein Werkzeug in Gottes Hand. *„Darnach, als ich in das vierzehnte Jahr kam, da ward ich siech und lag auf meinem Lager und tät meine ganze Beicht und gewann solche Reu über meine Sünd, daß ich ein Messer nahm und schnitt ein Creuz auf mein Herz und schnitt die Haut herab und viel Fleisch und weinet also emsiglich, daß kein Tag wär vergangen, da ich blieb ohngeweint.“*

In dieser Zeit ekstatischen Leidenswillens hat sie die erste Vision. Sieben ihrer Mitschwestern sieht sie, festlich geschmückt, die im folgenden Jahr zur Fastenzeit, wahrscheinlich an einer epidemischen Krankheit, sterben. Dann aber werden ihre Gesichte intensiver, theologischer und im eigentlichen Sinne chri-

Ausschnitt aus der Großen Waldkarte von Jörg Nöttelein 1563

stozentrisch. Obwohl sie keinem Menschen mitteilt, was sie in ihrer inneren Schau erlebt, verbreitet sich bald die Kunde von ihrer besonderen Begnadung. Als sie zwanzig Jahre alt wird, steht sie im Ruf der Heiligkeit, und immer wieder kommen Besucher an die Pforte, die sie sehen wollen. Sie tut ihr zugeteiltes Tagwerk, wie alle Schwestern. Des Nachts wacht sie, betet oder liegt in Verzückung. Sie ist nun eine junge Frau, ihre Phantasie wird weiblicher, und ihr Bericht von einer Vision im Alter von vierundzwanzig Jahren hat die ganze Zärtlichkeit einer tiefen Liebesempfindung. *„Sie blicket auf und sahe, daß ihre Lippen ein lauter Tau und mit Wasser besprengt wären; da neiget sich unser Herr zu ihr und mit seiner Hand zog er sie zu ihm und umfing sie mit seinem rechten Arm und drucket sie an sich, dass sie an ihm klebet, als der ein Wachs drucket in ein Sigill... sie konnt es mit Worten nit vollbringen, wie wunderlich die Geschicht war, die sie an Gott und an ihr selbst sah und die Süssigkeit, die sie hätt von dem Einzug, da sie ihn empfangen und so lange Zeit nach ihm verlanget und gewachet.“*
Die Fähigkeit, ihre Gesichte dichterisch zu beschreiben, behält sie bis ins hohe Alter. Ihre oftmals prophetisch anmutenden Vergleiche haben die Strahlungskraft apokalyptischer Sprachgewalt. So schreibt sie in ihrem siebenundsechzigsten Lebensjahr: *„An einem Freitag, da empfing sie unsers Herrn Fronleichnam und ward verzucket, da sah sie, dass die Himmelsstrassen wäre von Durchleuchtigkeiten, von lauter Gold und voller Lilien und Rosen bestreuet...*

Da sah sie einen Tanz im Himmel, da war Gott selber an und unser Frau und alle miteinander, die von seinen Gnaden leben ... und als oft unser Herr den Fuss aufhebt, so fiel von ihm eine grosse Flamme, recht als ein wildes Feuer auf die Lilien und Rosen und ein jeglicher Mensch je näher er Gott ging, jemehr empfand er des Feuers ... und sie bekamen ihr Angesicht von seinem Angesicht und der heilige Geist floss aus Gott ..."
Eine Szene von vibrierender Spannung und Helligkeit. Immer sind in ihren Bildern neben dem religiösen Gehalt die beiden Grundzüge ihres Wesens spürbar: die brennende Leidenschaft, von den göttlichen Geheimnissen durchdrungen zu werden, und die ganze Poesie und *„Süssigkeit der Gottesminne"*. Bei diesem nach innen gerichteten Leben vergißt sie jedoch nicht das äußere Geschehen. Auch darin gleicht sie den Großen in der Geschichte der Heiligen und Mystiker. Zwar nimmt sie von sich aus keine Verbindung „nach draußen" auf, doch kommentiert sie wichtige Ereignisse, die ihre Vaterstadt, die Kirche und Staat betreffen, in der ihr eigenen Art. In einem Kloster, das in nächster Nähe einer so bedeutenden, reichsunmittelbaren Stadt wie Nürnberg liegt, müssen die damals unruhigen Zeiten bemerkt werden, zumal die Nonnen, zumeist Töchter aus fränkischen Adels- und Patriziergeschlechtern, ihre Familien am politischen Geschehen beteiligt wußten.
Der Kronstreit zwischen Habsburgern und Wittelsbachern, nach dem Tode Heinrich VII., bewegt die europäische Welt. König und Gegenkönig, Ludwig der Bayer und Friedrich der Schöne von Österreich, kämpfen um die Macht. Bei der Schlacht von Mühldorf besiegt der Bayer, mit Hilfe des Burggrafen Friedrich von Nürnberg, den Österreicher und setzt ihn auf der Trausnitz in der Oberpfalz gefangen. Da schleudert der hitzige, machtbewußte Papst Johannes XXII., der Protektor der Gegenpartei, den Bann gegen ihn.
Obwohl Christina das Gesetz Ludwigs gegen das Interdikt nicht billigt, scheint sie doch keineswegs die Partei des Papstes zu vertreten. Einmal unter der Predigt hört sie die Stimme des Herrn: *„Man will mir nicht richten, so will ich selber richten, geistliche Leut halten noch minder Gericht denn weltliche Leut über die Sünd. Die Welt hat meine Schläg wohl verdient."*
Das große Erdbeben, das im Juni 1348 ganze Teile Italiens verwüstet, und die Pest, die vom Süden bis hinauf zu den deutschen Grenzen sich verbreitet, sieht sie schon ein Jahr vorher in einer Vision. *„Da man zählt von Gottes Gnaden 1347 Jahr, da ward ihr kund getan die grossen Schläge, die unser Herr auf die Christenheit legt, daß großer Erbidem käme und die Leut zu Steinen würden, und ganze Städte versunken, und da der Papst wohnt stürben viel Leut gähends."*
Im gleichen Jahr stirbt Kaiser Ludwig eines plötzlichen Todes. Mit seinem Nachfolger, Karl IV., dem Luxemburger, gelangt eine Herrschergestalt von außerordentlicher Genialität und Menschlichkeit auf den Thron. Nürnberg erfährt durch ihn besondere Förderung und nimmt einen Vorzugsplatz unter seinen Reichsstädten ein. Vorher aber, in den Wirren des Thronwechsels, kommt es in Nürnberg, bei dem großen Handwerkeraufstand des Jahres 1348, zu einem explosiven Ausbruch sozialer Unzufriedenheit. Interessant ist es, wie Christina dieses Ereignis ausdeutet, wie sie ihm einen religiösen Akzent zu geben weiß. *„Der Herr tat ihr kund von Nürnberg der Stadt bei des Königs*

Figur der Christina Ebner aus dem Epitaph der Nürnberger Sebalduskirche

Karl Zeiten, da sie in dem Leiden war, daß es mit mancherlei Sünde verdient wär, und sonderlich mit dreien Dingen: die erst Sünd, dass die Frauen so gross Gezierde an ihren Leib legten, dass es zu viel war; die ander Sünd, dass sie so unmild und so karg gegen arme Leut waren; die dritt Sünd, dass sie Wittwen und armen Leuten auf Gericht schmählich getan haben und nit gerichtet nach Gottes Lob."
Dies waren sie also, die Sünden des Reichtums und der Verschwendungssucht, Sünden der Hartherzigkeit und der Ungerechtigkeit, von denen man glaubte, daß sie die Strafe des Himmels auf die Erde herabriefen in der Form von Erdbeben, Pest und Krieg. In einem übersteigerten Büßerwillen formieren sich die Scharen der Geißler und durchziehen die Lande. Viele unterliegen der Suggestion dieser Art von religiöser Hysterie, und so glaubt auch Christina an die Wirkungskraft einer so ungewöhnlichen Erscheinung. *„Das war in dem Jahr, als König Karl gewählt worden war an dem Rhein, da kamen die Geisler in unser Land, dass sie recht dazu liefen, edel und unedel, jung und alt, recht dazu, als die durstigen Hirsche zu dem Brunnen tun... Da versann sie sich wohl, dass sie zu der Meng des Volks gehen sollt, da ging sie unter die Kirchtür, die in den Creuzgang geht, da waren viele Geisler und ander Leut. Das geschah also, dass sie gedrungen ward von ihnen bis auf Vesper, dass sie ihre süssen Worte hörten von unserem Herrn."*
Ruf und Ansehen der frommen Frau hat nun seinen Höhepunkt erreicht. Man schreibt das Jahr 1350, als der König mit großem Gefolge nach Engelthal kommt, einzig, um mit Christina zu sprechen und ihren Segen zu empfangen. *„An dem selben Tag, da kam der römisch König Karl zu ihr und ein Bischof und drei Herzogen und viel Grafen, die knieten für sie und baten sie, dass sie ihnen zu trinken gäbe, und den Segen mit grosser Begierde."*
Man mag ihre Bedeutung an diesem Besuch erkennen und gleichzeitig die Spiritualität des Königs an diesem Akt der Demut ermessen. Kein Wort des Stolzes findet sich in Christinas Eintragungen, schnell geht sie über die historischen Ereignisse hinweg, um dann in einem langen geistlichen Dialog von allem Irdischen zu abstrahieren.
Zu einem nachhaltigen Erlebnis aber wird für sie der Aufenthalt des Dominikaners Heinrich von Nördlingen. Er war im Kloster Maria Medingen der vertraute Freund der Margaretha Ebnerin aus Donauwörth, einer Mystikerin und Schriftstellerin, die lange Zeit irrtümlich für Christinas Schwester gehalten wurde. Als Margaretha Ende 1351 stirbt, kommt Heinrich nach Engelthal, und die nun vierundsiebzigjährige Christina erfährt durch ihn die Zeichen einer tiefen Seelenverwandtschaft. Durch ihn wird sie auch auf den großen Zeitgenossen Tauler hingewiesen. *„Am nächsten Tag nach sant Andres Tag ward ihr kund getan von Gott von einem Prediger, der hiess der Tauler, dass der Gott der liebst Mensch wär, deren er auf Erdreich einen hätt... er sprach von dem Tauler: ich wohn in ihm als ein süsses Saitenspiel."*
Obwohl Heinrich von Nördlingen nur drei Wochen im Kloster zu Gast war, hält nach seinem Weggang die innere Verbindung mit ihm an. Für Christina, die ungeachtet ihres hohen Alters von ungebrochener geistiger Regsamkeit ist, wird seine noch so kurze Anwesenheit bis an ihr Lebensende Inspiration und Tröstung.
Er mag der einzige adäquate Freund gewesen sein, in einer oft verständnislosen, oft sogar feindlichen Umgebung, sicher aber war er der einzige, der die überragende Begabung und die spirituelle Kraft Christinas voll erkannte und

würdigte. Nach Jahren noch erscheint sein Bild in ihren visionären Gesprächen. *„... und der Herr sprach von dem vorgenannten Priester: ich will ihm geben eine Sicherheit meiner Freundschaft und eine Hitz von meinem gottlichen Herzen ... ich seh ihn an mit meinen barmherzigen Augen und er soll sein in einem Aufgang und in einem Zunehmen ... Am Samstag sang man die Messe Rorate, da sprach unsere Frau zu ihr von dem Priester: Du sollst ihm meinen Minnegruss von mir sagen, du sollst ihm sagen, ich will fürbass sein Gespons und sein geminnte Freundin seyn all seines Lebens bis an sein Tod."*
Christinas Aufzeichnungen enden drei Jahre vor ihrem Tod. Das Bild dieses unerschöpflichen Herzens wäre aber nicht vollständig, wollte man nicht wenigstens einige Beispiele aus jenem Büchlein zitieren, das ihr Platz und Namen in der Geschichte der fränkischen Literatur eintrug. *„Das Büchlein von der Gnaden Überlast"* nennt sie ihre Beschreibung des Lebens im Kloster Engelthal, und wirklich tut sich darin eine Überlast und Überfülle zumeist visionärer Ereignisse auf. Wenn Christina, wie sie selbst sagt, *„zu diesen Dingen im geistlichen Gehorsam gezwungen"* ist, also auf Befehl der Ordensoberen schreibt, so tut sie dies auf ihre frauliche, phantasievolle Weise, die Sachlichkeit und chronologische Folge korrekter Geschichtsschreibung außer acht läßt. Selbst die Einleitung, in der sie die Historie des Klosters erzählt, ist in einer Weise umschrieben, die ins Legendäre reicht, besitzt jedoch genügend tatsächliche Hinweise, um von geschichtlichem Wert zu sein. *„... In der Zeit, da der König von Ungarn seine heilige Tochter Elisabeth dem Landgrafen Ludwig von Hessen vermählte, da sandte er sie mit grossen Ehren nach Nürnberg, wo die Hochzeit sein sollte. Da gab er ihr eine Harfnerin mit auf den Weg, die hiess Adelheit: wenn das Kind weinte, dass sie es dann beruhigte mit dem Saitenspiel, sie war sieben Jahre alt wie diese Frau sagte. Als die Hochzeit vorbei war und das heilige Kind von dannen geführt wurde, da wollt ihm die Harfnerin nicht mehr nachfolgen, denn sie wollt fürbass all ihr Leben dem minniglichen Gott ergeben. Sie ward eine grosse Reuerin und Gottesminnerin und lebte zu Nürnberg in einem Haus."*
Frau Adelheit, die Harfnerin, wird die Gründerin der späteren Ordensniederlassung. Sie sammelt eine kleine Gemeinschaft von Beghinen um sich, lebt in Armut und Gebet mit ihnen, ohne vorerst einem Orden anzugehören. Später — 1239 —, als der Papst über Kaiser Friedrich den Bann spricht, verlassen sie die Stadt, begeben sich in die Obhut des Herrn von Königstein, der ihnen zuerst einen Meierhof und 1241 in der Nähe von Hersbruck ihre endgültige Wohnstatt schenkt. *„Er hiess ausrufen und ausschrein, dass das neue Kloster Engeltal hiessen sollte und nicht nach dem Dorfe Schweinach ... In der selben Zeit, da fügte es sich also, dass die Prediger von Regensburg in diese Gegend kamen. Da verhiessen ihnen die Klosterfrauen, sie wollten im Gehorsam ihres Ordens sein."*
In dichterischer Freiheit erzählt Christina diese Begebenheiten. Die Ordensprivilegierung verlegt sie nach Rom, obwohl sie am 12. Oktober 1248 in Lyon stattfindet. Im Gegensatz zu ihren eigenen Tagebüchern verwendet sie in dieser Chronik keine Daten. Gerne erführe man auch mehr von der Charakteristik der einzelnen Ämter, wie sie die Sangmeisterin, die Hofmeisterin oder die Siechenmeisterin inne hatten, aber es ist nun einmal die Aufgabe dieses Buches, von dem geistlichen Leben der Klostergemeinschaft zu berichten.
Eine ganze Reihe fast vergessener altdeutscher Namen wird nun lebendig: Adelheit, Berchta, Demut, Gute, Heilrat, Mechtild, Petrissa, Reichgart. Sie

kommen aus Nürnberg, Eichstätt, Ingolstadt und Regensburg, aus Hersbruck, Grindlach, Neidstein und Happurg.

Diese kleine Schar frommer Frauen steht in einer Bindung, in der die Ordnungen menschlicher Gefühle auf eine seltsame Art vertauscht sind, da Schmerz zur Freude wird und Freude zum Schmerz. Neben wundersamen Traumgeschichten sind es die kleinen alltäglichen Geschehnisse, mit dem leisen Unterton eines unbewußten und naiven Humors, die liebenswert erscheinen. So wird von einer temperamentvollen Schwester Adelheit von Trochau erzählt, die oft vor Freude so außer sich war, daß sie die Bäume lachend ans Herz drückte. *„Einmal geschah es, daß sie beim Chorgebet die Verse in beiden Chorhälften mitlas. Da sprach die Priorin zu ihr: Du bist eine Gans! Sing in deiner Chorhälfte und lass die andere sein. Da flatterte sie mit den Armen und wähnte, sie wäre wirklich eine Gans, bis die Priorin sprach: Du bist keine Gans! Dann erst liess sie ab von dem seltsamen Gebaren. Einmal da sollte man Mohn messen. Da setzte sie sich in die Tonne. Da hiess der Laienbruder sie herausgehen. Da sprach sie: Ich will nicht herausgehen, denn ich sehe hier meinen Herrn Jesus Christus bei mir. Willst du, so gehe herein zu mir; er ist so schön."*

Die Liebesverbindung zwischen Gott und seinem Geschöpf erleben sie jedoch zumeist in der eigentümlichen Schwerelosigkeit der Verzückung, in der das Licht zur religiös-poetischen Formel wird. *„Im Lichte liegen"*, das ist eine typisch mystische Erfahrung, und Christina ist eine Meisterin in der Darstellung dieses Berauschtseins von himmlischem Glanz. *„Eine Schwester hatten wir, die hiess Kunigund von Eichstätt, die ging einmal nach der Mette, als es tagte aus dem Chor. Sie blickte auf den Platz, da wo jetzt unsere Küche steht. Dort stand eine grosse schöne Linde. Die hatte alle ihre Blätter verwandelt in Morgensterne, die waren zu unterst am grössten und allerschönsten. Wo es in den Gipfel ging, da wurden sie wie der Mond, wenn er abnimmt. Als nun die natürliche Sonne aufging, da warf sie ihren Schein auf die Sterne; da ward ein so schöner Glast, das war über alle menschlichen Sinne. Da sah sie auf den innersten Ästen zwei Vögel, die waren so gross wie die welschen Tauben und hatten auch ihre Gestalt und waren so lauter wie Spiegelglas und wie klarer Beryllstein in dem man sich ersieht . . ."*

Die intensive Bildhaftigkeit ist ein Kennzeichen mystischer Sprache. Oft ergibt sich eine gedankliche Verbindung mit gotischer Buchmalerei oder mittelalterlichen Altarblättern. Immer sind es die gleichen Elemente, die ihre Eigenart und Unverwechselbarkeit prägen: die Meisterschaft in der Verbindung von Szene und Landschaft, von Aktion und Dekoration. So läßt Christina ihre – sicher leibliche – Schwester Demut Ebnerin von Nürnberg eine Paradiesesszene schildern, die ebenso malerisch wie theologisch ist und in einer grandiosen Lichtsymbolik endet. *„Von der Schönheit unseres Herrn aber will ich dir ein Gleichnis sagen: wäre eine Kirche aus lauterem geschlagenem Golde gebaut und schienen hundert Sonnen in dieses Gold, jede Sonne siebenmal so schön und klar, als sie jetzt am Himmel steht, das wäre ein grosser Glanz; aber es wäre nicht einmal der mindesten Schönheit gleich, die in Gott ist."*

Gerade diese Verschmelzung von übersinnlicher und irdischer Existenz gibt den Schilderungen Leben. Sie rückt diese Menschen des 14. Jahrhunderts in Lebensnähe und bahnt den Weg zum Verständnis. Ihre Daseinsweise, als ein „unnützes" Gefäß der Gottheit zu leben, könnte sie für uns in eine Entfernung rücken, die zur Entfremdung würde, hätte sie nicht die zeitlosen Züge des gott-

suchenden Menschen in seiner Kreatürlichkeit und in der niemals endenden Unruhe und Torheit des Liebenden.
Das Leben der Christina Ebnerin vollendet sich in dieser Konsequenz. Wie sie ihren Weg, diese lange Spur des wartenden Offenseins zu Ende ging, ist unbekannt. Wie sie in ihren letzten Jahren die Last des Alters und der Gnaden trug, wird nicht berichtet. Die letzten Zeilen ihres Tagebuchs könnten die Vision der Stunde sein, in der ihr gottgeweihtes Leben sich erfüllte.
„An dem Tag da gedacht sie: viel lieber Herre, du bist mein Gefangener. Da sprach er: ich bin von Minne dein Gefangener, ich erhöhe dich von meinem eigenen Willen. Ich lege dir zu von meiner Gunst, ich geb dir von meinem Adel. Ich bin ein ausfliessend Brunn, ich hab dir wohl zu geben ... und alsbald kam er zu ihrer Seel."

Radierung von J. A. Boener, um 1700

Georg Hetzelein

KONRAD VON MEGENBERG

1309–1374

Konrad von Megenberg war der Erstgeborne einer ritterlichen Familie, die als Dienstmannen, wahrscheinlich der Burggrafen von Nürnberg, in Mäbenberg, einem Dörfchen bei Roth, im Land auf dem Sand, saßen. Bei seiner Geburt 1309 war seine Mutter erst 16 Jahre alt. Bereits mit sieben Jahren kam der Sprößling auf die Schule in Erfurt. Neben wirtschaftlichen Gründen mögen es auch religiöse gewesen sein, den Ältesten Priester werden zu lassen. Das arme, aber strebsame Junkerlein mußte sich sein Brot durch Nachhilfe bei schwächeren, aber vermögenderen Mitschülern und später als Aushilfslehrer verdienen. Doch blieb sich Konrad zeitlebens seiner adeligen Herkunft stolz bewußt. Sein Siegel, ein sprechendes Wappen, das sich freilich auf eine sehr freizügige Latinisierung seines Namens: Cunradus de Monte Puellarum, also Konrad von Maidenberg, stützt, zeigt drei Mädchenköpfe über drei Hügeln, aus denen je ein Eichenblatt sproßt. Einmal reimt er: *„Ob ich den Flug leicht beug nicht / so ist doch Adel mein Verpflicht. / Das Best, wer Adelssinn hat, / daß er sitzt auf hohem Grat. / Kein Adel sitzt in der Aschen."* Doch weiß er auch um die bedrängte Lage des Kleinadels. Er heißt ihn zweiköpfig, weil er das eine Haupt dem Pflug, das andere den Waffen zuwenden muß und als „Einrösser" zu Hofe zieht. Solche Ritter haben keinen Knappen, der ihr Pferd versorgt, und bis sie es selbst gefüttert haben, sind alle Schüsseln geleert und der Wein ist ausgetrunken.
Wiederholt wurden ihm Höhergestellte bei Besetzung einer Domherrnstelle vorgezogen, obwohl er alle Mitbewerber durch Klugheit und Gelehrsamkeit übertraf und ihm der Papst eine Pfründe zugedacht hatte. Es mag ein Ressentiment gegen angesehenere Geschlechter mit die Ursache gewesen sein, daß er die Absetzung des verschwenderischen Regensburger Bischofs Friedrich von Hohenzollern unterstützte und auch zu denen gehörte, die die Bezahlung seiner hinterlassenen Schulden durch das Domkapitel strikt ablehnten. Im *„Buch der Natur"* findet er harte Worte für schlechte Regenten: *„Fürsten haben einen langen Zagel, denn ihnen folgen viele Diener nach. Ist das Haupt, das ist der Sinn oder die Vernunft, auch klein, so sind doch ihre Kinnbacken, das ist ihre Gefräßigkeit, groß. Ihre habgierigen Amtsleute, Richter, Schergen und*

andere Abreißer werden nimmer voll und reißen uns das Essen aus dem Munde, fressen und verderben sogar ihre eigenen Verwandten und Freunde.“
In jugendlicher Begeisterung stellte sich der fränkische Rittersproß auf die Seite des deutschen Kaisers: Ludwig des Bayern. Durch dessen Sieg über den Gegenkönig, Friedrich den Schönen von Österreich, schien ihm die Berufung zum gottgewollten Kaiser bestätigt. 1338 wagte es das Magisterlein Konrad dem einsichtigeren Papst Benedikt XII. seine Schrift *„Planctus Ecclesiae in Germaniam“*, das *„Klagelied der Kirche über Deutschland“*, vorzulegen. Darin spricht er allein dem von der Mehrzahl der Kurfürsten gewählten deutschen König das Anrecht auf die Kaiserkrone zu. Nur die Deutschen haben die Kraft, die Kirche wirksam zu schützen. Von den unzuverlässigen Franzosen sei das kaum zu erhoffen, obwohl sie die in der „Babylonischen Gefangenschaft zu Avignon“ gehaltenen Päpste zwingen wollten, ihrem König Philipp IV. von Valois die Krone des Heiligen Römischen Reiches aufs Haupt zu setzen. Die Ohnmacht des Papstes Benedikt XII. konnte nichts besser bezeugen als die Tränen, die der Heilige Vater vor den Gesandten Ludwig des Bayern weinte, weil französischer Einspruch wieder alle Schlichtungsversuche zunichte machte. Nennt Konrad den Papst auch *„Vizechristus, Staunen des Weltalls, Eröffner und Schließer des Himmels“*, so ist der Ton dieses Traktates doch bitter anklagend, spöttisch und bissig.
Ungefähr mit Beginn seines dritten Lebensjahrzehnts trat er das Amt eines Lektors am zisterziensischen Kollegium Sankt Bernhard in Paris an und fand so die Möglichkeit, an der dortigen Universität den Magistertitel zu erwerben. Ein von ihm zu heftig geführter Gelehrtenstreit hatte zur Folge, daß ihm für einige Zeit das Lehren verboten wurde und er in Schulden geriet. 1338 reiste er in seine Heimat, wo er sich durch Verkauf elterlicher Güter Geld verschaffen wollte. Davor bewahrte ihn aber im letzten Augenblick die tatkräftige Hilfe eines Freundes. Wieder zurückgekehrt nach Paris, bemühte er sich mehrmals um einen anderen einträglicheren Wirkungskreis.
Er fand ihn schließlich 1342 als Rektor der Wiener Stephanschule. Vielleicht hoffte er am österreichischen Hof Prinzenerzieher zu werden, weil er eine Art *„Fürstenspiegel“* verfaßte. Schon sechs Jahre später erwählte er Regensburg zum dauernden Wohnsitz. Hier wurde der kleinadelige Abkömmling durch die Fürsprache des ihm wohlgesinnten Domdekans Konrad von Haimberg, des nachmaligen Bischofs von Regensburg, Pfarrer an der Domkirche Sankt Ulrich und ins feudale Domkapitel aufgenommen. Seine Beziehungen zu einflußreichen Klerikern in Avignon, die er bei mehreren Besuchen erneuerte, machten ihn geeignet, auch diplomatische Aufträge für die Stadt Regensburg zu übernehmen. Er bewohnte dort das Ehrnfelser Haus in der Schwarzen Bärengasse, das durch eine Gedenktafel gekennzeichnet ist. Nach seinem Tode, am 14. April 1374, wurde er wunschgemäß im Niedermünster beigesetzt. Ob er der Stifter des Glasgemäldes für ein Nordfenster im Chor des Regensburger Domes war, das einen Kanoniker Conradus kniend neben den eichstättischen Diözesanheiligen Willibald, Wunibald und Walburga zeigt, wird neuerdings bezweifelt.
Sind die politischen, lateinisch abgefaßten Schriften des Megenbergers heute mehr dem Historiker wichtig — sie scheinen auch zu seiner Zeit keine große Verbreitung gefunden zu haben —, uns interessieren sie wegen der dort eingeflochtenen persönlichen Lebensdaten. Auch seinen religiösen und kirchenrechtlichen Abhandlungen war weder augenblickliche noch dauernde Wirkung beschieden. Konrad, durch seinen Bildungsgang der scholastischen Denkart

und Lehre verbunden, war und blieb ein hitziger Gegner der Minderbrüder, die damals großen Zulauf fanden, weil sie, als Kaiser Ludwig in Bann geworfen und über Deutschland das Interdikt verhängt war, predigten und Sakramente spendeten und dadurch den Weltpriestern die Einkünfte schmälerten. Der Magister bewunderte zwar die fromme Inbrunst eines Franz von Assisi, eines Bernhard von Clairvaux, einer Margaretha Ebner, jedoch ihre mystische Exaltiertheit blieb ihm fremd. Seine Vorbilder fand er in Augustinus, in Albertus Magnus, in Duns Scotus. Die zündende Beredsamkeit und massive Kritik des Predigers Berthold von Regensburg am oberflächlichen Christentum sprach ihn an und war ihm ein Beispiel. Völlig unversöhnlich stellte er sich gegen Wilhelm von Occam, den er schonungslos als *„Ketzerfürst, Drachen und Helfer des Satans“* beschimpfte. Ihm rechnete er die Verhetzung seines verehrten Herrschers, Ludwig des Bayern, schwer an. Selbst als Occam durch einen Franziskanermönch bitten ließ, Konrad möchte von weiteren privaten Schmähungen absehen, blieb er hartnäckig und verdammte ihn und seine Anhänger in mehreren Schriften.
Besonders das Betteln durch Mönche und Brüderschaften erschien dem Kanoniker bedenklich, denn er sah darin eine Ursache des wirtschaftlichen und moralischen Niedergangs. Mit Aristoteles war er der Überzeugung, daß niemand ohne Besitz vollkommen glücklich sein könne und Armut habgierig mache. Als *„geschopfte Sterne“* — Kometen — unheilverkündend am Himmel auftauchten, Erdbeben die Grundfesten der Gebirge erschütterten, verheerende Heuschreckenschwärme Hungersnot heraufbeschworen und der Schwarze Tod — die Pest — umging und Tausende hinwegraffte, verfolgte er mit Schrecken die Verwirrung, die von Schwärmern und Sektierern noch gesteigert wurde. Die Massenhysterie der Geißler war ihm ein Greuel und die grausamen Judenverfolgungen — *„man töt ihr ohn Zahl viel an dem Rhein, in Franken und überall in deutschen Landen“* — ließen ihn fast verzweifeln. Niemand hörte auf seinen Einwand, daß es doch eigentlich von den Juden sehr töricht wäre, alle Brunnen zu vergiften, weil sie ja selber haufenweis hinsterben mußten, und scheute sich nicht, wiederholt zu bekennen, wieviel Wissen er jüdischen Denkern, Forschern und Ärzten verdankte.
Da die Minderbrüder schonungslos die spitzfindigen, profitischen Machenschaften der Dominikaner aufdeckten und der alten scholastischen Gelehrsamkeit vorwarfen, die scharfsinnigen Anschauungen des edlen Griechen Aristoteles in eine finstere Schulweisheit entstellt, durch begriffliche Haarspaltereien der Erforschung der Wirklichkeit Abbruch getan und durch blendende Trugschlüsse und rhetorische Streitkunst der Wahrheitsfindung den Weg verbaut zu haben, fühlte sich Konrad aufgerufen, solchen Vorwürfen scharf entgegenzutreten. Seine Reformvorschläge für die Klöster lehnte die Kurie ab. In dem Traktat *„Lacrima Ecclesiae“* — *„Tränen der Kirche“* — forderte er, die neueren Orden aufzuheben und mit den Benediktinern, Zisterziensern, Augustiner-Chorherren und Prämonstratensern zu vereinen. Die Begarden und Lollarden sowie zügellose Gemeinschaften von Fanatikern sollten durch städtische Polizei notfalls sogar mit Gewalt zu körperlicher Arbeit gezwungen und dadurch Verlotterung, dem Nichtstun, Prügeleien und Schreiereien Einhalt geboten werden.
Durch schonungslose Kritik versuchte er, seine Amtsbrüder zu echter Frömmigkeit und moralischer Lebensführung anzuhalten. Er muß sie im *„Buch der Natur“* beschuldigen, daß sie lieber Karten spielen, weltlichen Minneliedern

eines Marner, Frauenlob und Meister Boppe ihr Ohr leihen, als in kirchliche Gesänge einstimmen. Wüste Saufereien und Ausschweifungen machen sie unfähig, ihren geistlichen Pflichten nachzukommen. *„Sie passen besser in des Teufels Küche als ins Gottshaus, und einfältige Pfaffen bemühen sich kaum, die wunderlichen Werke Gottes kennenzulernen, wo sie doch viel guter Predigt davon machen könnten. Prälaten und ander Pfaffen sind unfruchtbar in geistlichen Werken gleich Kapaunen, und anstatt geistliche Kinder zu machen, machten sie leibliche und bieten ihren Untertanen nicht das geistlich Brot, das ist Gottes Wort, und hindern sogar die, die es gern bieten und geben wollen. Solche Prälaten, Bischöfe, Pröbste, Dechanten und böse Richter, die Geld nehmen von den Schuldigen und lassen die ledig, die schuldig sind, verunreinen den geistlichen Stand. Es ist deshalb kein Wunder, wenn sich Heuchler, Lügner, scheinheilige Kirchgänger, Faulenzer und Betrüger für Christen ausgeben können, Witwen und Waisen bedrücken, und Bauernweiber oft nicht die Windeln haben, ihre Säuglinge dareinzuwickeln."*
Schlimm auch sind *„die Gelehrten, die schwarz in weiß verkehren und solche, die ander Leut tadeln wegen ihrer Unkeuschheit und doch selber Unfug treiben mit Küssen, unzüchtigen Reden und Geschichten und sich lasterhaft und böslich benehmen"*.
Berechtigtem Tadel, den er auch über andere Stände aussprach, entzog er sich selber nicht, obwohl er kein muffiger Verdränger oder prüder Eiferer war. Er liebte arglose Sinnenfreude, frische Lebenslust, harmlose Spiele und war nicht unempfänglich für weibliche Schönheit. *„Ich hätt eins Tages ein Frauen in der Kirche angesehen, viel und viel. Do sprach eins in dem Schlaf zu mir"*, daß es für einen Geistlichen eigentlich nur eine Frau, frei von allen menschlichen Fehlern und von höchster Schönheit, geben dürfe: die Jungfrau Maria. Ihr zu Ehren dichtete er wortblühende Hymnen und verfaßte das Büchlein *„Über die Fülle der Gnaden und der Erbarmung"*.
Nachhaltige Wirkung war seinen beiden deutsch geschriebenen naturkundlichen Werken beschieden: der *„Deutschen Sphära"*, einem lange an Gymnasien benutzten Lehrbuch der Himmelskunde und Physik, und besonders dem *„Buch der Natur"*, das er um 1350 verfaßte. Schon, daß sich allein vom letzteren etwa 50 Abschriften erhalten haben und 1475 — also hundert Jahre nach dem Tode Konrads von Megenberg — bei Bämler in Augsburg ein illustrierter Druck herauskam, Auszüge davon in Volksbüchern und Broschüren übernommen wurden, die noch im vorigen Jahrhundert auf Jahrmärkten zu kaufen waren, zeigt, wie beliebt es beim Volk war.
In diesem Buch hat der Kanoniker das naturkundliche Wissen seiner Zeit gesammelt und in einem allgemeinverständlichen, kraftvollen Deutsch vorgelegt. War dies auch kein grundsätzlich neues Unterfangen, denn Versuche dazu lassen sich z. B. in dem von Heinrich dem Löwen angeregten *„Lucidarius"*, in Übersetzungen des angeblich aristotelischen *„Physiologus"* und der *„Mainauer Naturlehre"* finden, im *„Buch der Natur"* wurde der Stoff erstmals in ein System gebracht.
Es beginnt mit dem Menschen, dessen Körperbau und äußeren Charaktermerkmalen, berichtet von Gestirnen und Himmelserscheinungen, beschreibt Tiere, Pflanzen, Edelsteine und Metalle; erzählt aber auch von *„Monstruosi"*, Wundermenschen, von Meerwundern und wunderbaren Brunnen, meist in der löblichen Absicht, dem Volke zu helfen und zu zeigen, wie es der großen Naturapotheke die Arzneimittel auf billige Weise entnehmen könne.

Seiner Arbeit lag eine lateinische Schrift zugrunde, die er übersetzte, nach Bedarf erweiterte oder kürzte, umstellte und sehr häufig mit moralisierenden Zusätzen anreicherte. In einem vorangestellten Gedicht erklärt er:

„Also trag ich ein Buch
von Latein in deutsche Wort,
das hat Albertus meisterlich gesammelt von den Alten.
Gelust dich des, dann such:
Es sagt von mancher Dingen Hort,
die uns gar würdiglich sind in der Natur behalten.“

Aber er täuschte sich, der *„Liber de natura rerum“* war nicht ein Werk Albert des Großen, sondern seines Schülers, des Dominikaners Thomas von Cantimpree, der wiederum auf die antiken Naturforscher, wie Aristoteles, Plinius und Galen, auf Erkenntnisse jüdischer und arabischer Lehrer, auf Kirchenväter und andere christliche Autoren zurückgriff.
Wie nicht anders zu erwarten, bietet uns das *„Buch der Natur“* ein kurioses Gemisch von Sachwissen, Überlieferung, mittelalterlicher Weltschau, Pseudowissenschaft, Astrologie und Magie der Edelsteine, Zauber- und Aberglauben und Erzählungen von Mirakeln. Gerade solche nahm Konrad gerne mit auf, hatte er doch am eigenen Leibe ein Wunder erfahren. Einem Traumgesicht folgend, wurde der 40jährige nach inbrünstigem Gebet am Grabe des heiligen Erhard im Niedermünster zu Regensburg von einer schweren Gliederlähmung geheilt, was ihn bewog, aus Dankbarkeit eine *„Vita Erhardi“* zu schreiben.
Es wäre, da jeder im geistigen Gefängnis seiner Zeit lebt, ungerecht, Meister Konrad zu verargen, wenn er an die Existenz von Sagengestalten und Fabelwesen der Antike, wie an den einäugigen Polyphem, die Scilla, die Nereiden, Sirenen und Amazonen; an Greif und Phönix, Einhorn und Drachen glaubt. Auch an dick aufgetragenem Jägerlatein fehlt es nicht. Recht hübsch berichtet er von dem Verfahren, junge Tiger und Affen zu fangen: *„Die Tigertier sind gar grimmig und wenn die Jäger sie beraubt haben ihr Kindel, werfen sie gläsern Schild hinter sich. So danne die Tier darüber kommen, und die Spiegel ansehen, so wähnen sie, ihre Kinder sitzen da, und stehen über die Spiegel und küssen die und umfahen sie. Zuletzt treten sie auf die Spiegel und scharren, so finden sie nichts. In der Zeit entfliehen ihn die Jäger. – Die Affen begehren über Maß, daß sie geziert sind. Darumb nehmen die Jäger Handschuh und Schuh und legen die an in den Wäldern, daß es die Affen sehen und ziehen sie dann wieder ab und lassen sie liegen. So kommen die Affen und tun wie sie. Also fängt man sie.“*
Konrad war felsenfest von Zauberei und Beschwörungen überzeugt, verliert jedoch kein Wort über die Hexen, welche die Kirche mit Feuer und Schwert verfolgte. Bedenklich und widerlich sind seine Mittel, die er gegen Schlangenbisse, Tollwut, Ruhr, Cholera, Paralyse, Epilepsie und Krebs empfiehlt. Absonderliches Aussehen oder Verhalten mancher Geschöpfe, Ähnlichkeit von Pflanzenteilen mit menschlichen Organen oder das bloße Zusammentreffen von Namen verleiten zu Fehlschlüssen, wie z. B. Tollwut durch die Hunds-Rosenwurzel zu heilen. Aber nur keinen Hochmut! Kurpfuscher und Wunderdoktoren bedienen sich heute noch ähnlicher gefährlicher Praktiken.
Als Geistlicher und Morallehrer fühlt er sich verantwortlich, vor Aphrodisiaka und den Folgen sexueller Ausschweifungen zu warnen. *„Maß ist ein Meisterin*

Illustration zum Kapitel „Von den Vögeln in einer gemein“

aller Werk. Das ist wider die, die Tag und Nacht unschämig sind. Solch Ungezügeltheit benimmbt schön Stimm, Klarheit der Augen, des Leibes Kraft und Macht und benimmbt Ehr und verderbt die Seel.“

Von merkwürdigen Eigenschaften mancher Dinge werden ganz unmögliche Wirkungen erwartet. Legt man einer schlafenden Frau einen Magneteisenstein unter das Haupt, so wird sie, *„ist sie stet und fromm, ihrn Ehmann in dem Schlafe mit den Armen umfahen. Ist aber sie unstet und falsch, so fällt sie von dem Bett in dem Schlaf, als ob sie davon gestoßen sei“.* Auch andere Verfahren, die Treue eines Weibes oder die Unberührtheit eines Mädchens zu ermitteln, sind lächerlich und die Absicht, guten Rat und Hilfe zu geben, zweifelhaft und bedenklich.

Für manche Seltsamkeit, die ihn höchlich erstaunen läßt, haben wir einleuchtende Erklärungen, z. B. führen wir die vorwiegend weiße Färbung der Tiere in der Polarzone nicht wie er auf die herrschende Kälte und den kalten Samen des Vatertieres zurück. Die Ursache der *„kürbis- oder flaschengroßen Kröpfe, die den Leuten in Kärnten und Burgund bis auf den Nabeln herabhängen“,* sucht er im aufblähenden Dunst ihres Trinkwassers.

Weil ihm noch die Termini technici fehlen, geraten ihm manche Beschreibungen sehr umständlich. *„Die Lilie“* — er preist sie neben anderen Pflanzen als Kosmetikum an — *„hat ein schön weiß Blumen mit sechs Blättern und zu mittelst steht ein gelbes Nägel darinnen und darumb stehnt kleine Dingel mit gelben Hauptlein“,* oder *„Das Eisen ist kalter Natur und ist hart, fest und schneidend, also daß es alle andere Ding zähmt mit seiner Festigkeit und wird doch verzehrt von ihm selber und wird auch leichtiglicher beleidigt wie kein ander Geschmeid und beleidigt auch ander Ding, das ihm zugesellet ist mit Rost und andern Dingen.“*

Seinerzeit war das Verfahren, die Natur durch Experimente zu befragen, noch ungewohnt. Die Entstehung des Regens veranschaulicht er aber trefflich durch die Kondensation des Wasserdampfes an den Deckeln über kochenden Häfen. Im Echo hört er *„eine hinlaufende Stimme, die, sobald sie sich an Häusern oder Wäldern gestoßen hat, widerläuft“.* Mehrmals ereifert er sich über die *„Meinung alter Weiber, die sich großer Weisheit rühmen und glauben, das Erdbeben käme von Bewegungen des riesenhaften Fisches Celebrant“,* während es der gelehrte Magister auf sich *„stoßende Dünste in den Höhlen des Erdinnern“* zurückführt. Bei der Schilderung des Mondes kommt er der Wahrheit recht nahe. *„Der Mond hat in ihm schwarz Flecken und sprechent die Laien, es sitz ein Mann mit einer Dornbürd in dem Monde. Das ist aber nicht wahr: es ist darumb, daß der Mond an den Stucken dicker ist an seinem Antlitz als an andern Enden, und darumb nimmt er daselben der Sunnen Schein nicht. Davon scheinent uns dieselben Stuck finster.“*

Behauptungen des Aristoteles wie diese: Fleischfresser löffeln das Wasser mit der Zunge, Pflanzenfresser aber schlürfen es; oder: Tieren, die Hörner haben, fehlen die oberen Zähne, findet er durch eigene Beobachtungen bestätigt. Was er selber gesehen hat, verteidigt er stets standhaft auch gegen Behauptungen höchster Autoritäten. Fremdländische Wesen kennt er freilich nur vom Hörensagen und liebt es, mangelnde Kenntnisse durch moralische Auslassungen zu ersetzen, die in einem Erbauungsbuch besser angebracht wären.

Man muß deshalb bei der Beurteilung seines Werkes stets Goethes Rat befolgen: *„Mit reinem frischen Ohr hinzulauschen und jedem Vorurteil entsagen, um das Wahre und Gültige vom Irrtümlichen zu scheiden.“*

Im vergangenen Jahrhundert hat der bayerische Dialektforscher Johann Andreas Schmeller auf das *„Buch der Natur"* als eine höchst bedeutsame kulturgeschichtliche und sprachliche Fundgrube hingewiesen. Philologen erschlossen aus mundartlichen Eigenheiten für bestimmt die Herkunft des Megenbergers aus Südfranken, denn er verwendet Ausdrücke, die heute noch in einem Gebiet, wo sich fränkische, bairische und schwäbische Mundart überschneiden, gebraucht werden, nämlich in dem Zwickel zwischen Roth, Windsbach und Spalt. Wir finden im *„Buch der Natur"* z. B. das Fränkische: Wacholder – *„so heißt er in meinem mütterlichen Deutsch"* – ; Schnake für Stechmücke, Geiß für Ziege, Pfiffer für Pilz, neben den bairischen Ausdrücken: Kranewit für Wacholder, Scher für Maulwurf, idrucken für wiederkäuen und schwäbische Dialektformen wie: Froscht für Frost oder röschten für rösten und Holder für Holunder.
Wiederholt entzücken den „geneigten Leser" geradezu dichterische Gestaltungen und klangliche Schönheiten, besonders wenn er sich der Mühe unterzieht, den Urtext zu lesen: *„Die augenprawe sint den augen notdürftig, darumb, wenn das tier slaf, daz kein auzwendigz dinch in das aug falle. Die augenpraw sein reht als die zeun umb ainen garten, die des garten hüetend. Aber als ich waen, die überprawe hat die natur gemaht zuo ainer zierd der augen an dem menschen, und allerzierleichst sint die praunen überprawe an den frawen, wenn si clain gekraizelt sint, reht als si ain maler gepinselt hab. An den mannen schüllent si groezer sein und räuher. Welhes menschen überprawe vil hars habent und rauch sint, der hat vil gedänk und tief trahten und vil traurichait und ist sein sprach unrain und grob. Wer lang überprawe hat, der ist hochvertig und unschämig. Wes überprawe sich zu tal naigent gegen der nasen und sich oben aufrihtent gegen dem slaf, der ist unschämig und ains stumpfen sinnes."*
Mit knappen Sätzen faßt er den Lebenslauf eines Menschen zusammen: *„So nun diu fruht zeitig ist, so naigt sich danne diu fruht in der muoter leib ze tal gegen der porten in die werlt, mit offem mund und daz kindlein besleuzt den offenen munt mit seim hendlein. Das ist sein erstez menschleichez werck. Ez get auch daz kindel in die werlt des ersten mit dem haupt, aber ez get wider auz der werlt des ersten mit den füezen, wan man kert im die füez für, so man ez ze grab tregt. So der mensch ain kindel ist, so get er auf den henden, dar nach get er aufreht auf den fuezen unz an das letzt alter, so pückt er sich dan wider zuo der erden. Da mit bezeugt er im selber, daz er von der erden komen sei und wider zuo erden werden muoz."*
Auf allen Seiten, die wir im *„Buch der Natur"* aufschlagen, ist der Inhalt interessant, überraschend und oft ergötzlich. Wir können das Urteil, das Goethe in den „Materialien zur Geschichte der Farbenlehre" über den nur wenig älteren Roger Bacon fällt, ohne Einschränkung auf unseren naturforschenden Kanoniker übertragen: *„Obgleich er nur ein Mönch war, konnte sein Geist sich über die trüben Vorurteile der Zeit erheben und der Zukunft voraneilen. Er schätzt die Autorität, aber zuvörderst weiß er das Zeugnis der Sinne gehörig anzuerkennen. Der Aberglaube ist weder so scheltenswert als er gehalten wird, noch so selten, selbst in den sogenannten aufgeklärten Jahrhunderten und bei aufgeklärten Menschen."*
So bewertet, steht Konrad von Megenberg als eigenwillige, wenn auch nicht überwältigend genialische Persönlichkeit zwischen der Hochblüte des Rittertums unter den Staufern und dem Humanismus der Reformationszeit. Schon sein Geburtsort Mäbenberg dünkt schicksalhaft; liegt er doch im Mittelpunkt

¶ Von dem Abeston

¶ Abeston ist ein stein den fint man in dem land Archadia / vn̄ ist eysenfar. Wen̄ mā den stein eins mals enzünt so mag man in nitmer erleschen er gibt hernach allweg flām̄en / von dem spricht Ysiderus auß dem stein macht man ein liecht in ein lucern das allzeyt brint also das es kein vngewit noch kein regen erleschen mag.

¶ Von dem Amanten

¶ Amantes ist ein edeler stein den fint man in dem land gegen der suñen auffgang / der gleychet einer weyssen kreyden. Wer ein seidin tüch damit durchstreycht dem schat das feür nit / vn̄ wirt so weyß vn̄ so schön als ob man es mit wasser gereiniget hab. Der stein widersteet allen vergifftigen dingen / vn̄ der zaubrer wercken

¶ Von dem Allectorj

¶ Allectorius ist ein stein an der grösse als ein bon / vnd geleychet einer Cristallen an der farb / on das er mer dunckeler ist. Der stein wechßt in eins hanen magen wen̄ man in cappaunet nach dreyen iaren vn̄ laßt in darnach sechs iar leben Wer den stein in dem mund tregt dem leschet er den durst Er macht den menschen sighafft vn̄ bringt im frid / vn̄ widerbringt die Ere / vn̄ macht wolgesprech / vn̄ macht dē meschen genem gegen allen leütē vn̄ wolfindēt ī allē dingen / vn̄ allermeyst macht er die frawen lyeb iren mannen / vnd da-

seiner späteren Wirkungsstätten Erfurt, Paris, Wien und Regensburg. Leidenschaftlich nimmt er Anteil am Kampf zwischen Kaiser und Kirche, zwischen Weltklerus und Bettelorden, zwischen scholastischer Beharrung und Beginn der Naturforschung, verhilft fortan der deutschen Sprache zu einem achtbaren Platz in der Wissenschaft, wird zum Vermittler antiker und mittelalterlicher Tradition für das Zeitalter der technischen Errungenschaften, die heute unser Stolz sind. Er ist sich seiner schwierigen Aufgabe eines Wegbereiters wohl bewußt, denn seinem *„Buch der Natur“* schickt er die nachdenklichen Verse voraus:

„Im Herzen liegt Gedank
beschlossen gar mit guter Tür.
Das Schloß wird aufgeschlossen erst mit rechter Rede Schlüssel.
Kein Schwätzer macht der Rede Fang!
Obwohl ich selbst der Wahrheit Füßel spür,
schließt sie nicht willig auf, rühr ich umsonst den Schlüssel.“

Die Umseite zeigt ein Faksimile aus dem „Buch der Natur“, und zwar eine Seite aus dem Kapitel „Von den Steinen inn einer gemeine“

Helmut Weinacht

ALBRECHT VON EYB

1420–1475

Albrecht von Eyb, geboren auf Schloß Sommersdorf bei Ansbach, Eichstätter und Bamberger Kanonikus, Würzburger Archidiakon, politischer Agent des Markgrafen Albrecht Achilles, Rechtsgutachter der Stadt Nürnberg – es gibt im Rahmen dieser fränkischen Literaturgeschichte wenige Biographien, deren Stichpunkte auf den ersten Blick eine derartig enge Verwobenheit mit dem Raume Franken aufzeigen. Aber Eybs Verdienst um diese Region ist nicht unmittelbar zum Preise seiner Heimat oder ihrer Menschen zu verstehen, sondern besteht vielmehr indirekt darin, daß er mit seinem schriftstellerischen Opus Franken den Ruhm einbringt, bei der Verbreitung des Humanismus nördlich der Alpen mit seinem Anteil unter denen der anderen deutschen Landschaften nicht hintanzustehen. Damit haben wir die zweite Komponente seines Lebens – Italien – berührt. Um das vielfältige Wechselspiel dieser beiden Daseinsgründe – fränkische Realität und humanistisches Ideal – zu entwirren, ist zunächst eine biographische Orientierung nötig.

Der pedantisch geführten, aber als frühem Beispiel des Typus der politischen Memoire auch literarhistorisch interessanten Familienchronik seines älteren Bruders Ludwig entnehmen wir, daß Albrecht *„an Sandt Bartolmes Abendt als man tzallt MCCCC und XX jar“*, d. i. der 28. 8. 1420, geboren wurde. Sein Vater Ludwig aus dem alten fränkischen Adelsgeschlecht derer von Eyb, zu deren Erbrechten das Amt der Kämmerer von Brandenburg-Ansbach und das der Schenken von Eichstätt zählten, bleibt trotz vielfacher biographischer Nachrichten eine blasse Figur. Er war es, der in patriarchalischem Entschluß kurzerhand den ersten und dritten Sohn, letzterer war Albrecht, für die geistliche, den zweiten und vierten für die weltliche Laufbahn bestimmte. Weit mehr verdankt Albrecht seiner Mutter Margaretha aus dem württembergischen Geschlecht der Wolmershausen, die der Sohn als *„femina clarissima, a qua tamquam magistra optima litterarum prima hausi elementa“*, als „vorzügliche Frau, von der als der besten Lehrerin ich die ersten Grundzüge der Bildung erfuhr“, preist; und im Titel eines seiner Hauptwerke, der *„Margarita poetica“*, setzte er ihr ein bleibendes Denkmal.

Lange konnte er sich der häuslichen Geborgenheit jedoch nicht erfreuen. Im Jahre 1436 vermeldet sein Bruder Ludwig lakonisch: *„Item meyn pruder*

Holzschnitt aus dem Augsburger Erstdruck des „Spiegels der Sitten“ von 1511. Das Bild, den Motiven des schreibenden Evangelisten nachempfunden, wurde zum Sinnbild des in der Stille schaffenden humanistischen Gelehrten

Albrecht vnd Wilhelm verlegt ich nach meyns vatters tod zu Rotenburg vnd Erfurt VI jar zu schuell." Der Studienaufenthalt in Erfurt konnte sich auf eine alte Familientradition stützen. Aber die Zeiten hatten sich geändert, und die trockene Dialektik und herkömmliche Scholastik, die dort gelehrt wurden, scheinen dem jungen Albrecht wenig behagt zu haben. Wohl auf Betreiben seines Vetters Johannes von Eyb, eines fortschrittlichen Juristen und Eichstätter Domherrn, der von seinen Studien in Italien eine Reihe humanistischer Handschriften mitgebracht hatte, wurde Albrecht an die Universität von Pavia geschickt, an der das Studium der antiken Dichtung in ebenso hoher Blüte stand wie das des römischen Rechtes. Dort lernte er neben dem vielseitigen Humanisten und Historiographen Lorenzo Valla den entscheidenden Mentor seiner Studien kennen: Balthasar Rasinus, einen Gelehrten, dessen geistiger Weg manchen Berührungspunkt zur Entwicklung Albrechts aufweist. Auch er war über die Rechtswissenschaft zum Humanismus gekommen und pflegte alles, auch Theologie und Jurisprudenz, aus der Moralphilosophie herzuleiten. Besonders mag Albrecht angezogen haben, daß Rasinus im Gegensatz zu seinen Kollegen in der Paveser Professorenschaft kein Atheist war. Daß letztlich beide in ständiger Geldnot ihren bibliophilen Liebhabereien nachgehen mußten, bedeutet nichts Spezifisches, sondern ist eher Ausdruck eines ganz allgemein unter Humanisten grassierenden Gebrechens. Bei Rasinus hörte Albrecht Plautus und Terenz kommentiert, und in den Exzerpten dieser Jahre, die er mit Überschriften wie *„flores"*, *„moralia"* oder *„speculum poesiae"* versieht, sind nicht nur die Titel späterer Werke zu erkennen, sondern auch seine grundsätzlichen Bestrebungen, den antiken Klassikern das sittlich Beste abzugewinnen.
1447 wechselt Albrecht zur Universität Bologna über, wo er, unterbrochen von einem einjährigen Studienaufenthalt in Padua, bis 1451 bleibt. Auch hier fällt die Duplizität von Rechtsstudium und humanistischem Interesse auf, in welchem er durch einen Freundeskreis unterstützt wurde, dem neben anderen Franken auch Johannes Pirkheimer, der Vater des berühmteren Willibald, angehörte.
Inzwischen war Albrecht auf Betreiben seiner Verwandten Domherr zu Eichstätt geworden und in das Bamberger Domkapitel gewählt worden, was zur Folge hatte, daß er einer einjährigen Residenzpflicht genügen mußte, die er 1451 antrat. Er bezog einen Domherrenhof, der noch heute am Eybschen Wappen — den drei roten Pilgrimsmuscheln auf weißem Grund — über dem Portal am Haus Karolinenplatz 1 identifizierbar ist.
Ihm, der die freie Luft an italienischen Universitäten geatmet und den frischen Wind, der durch die Wissenschaften wehte, verspürt hatte, muß das Bamberg dieser Jahre wie ein Stück Mittelalter vorgekommen sein. Seine Briefe sind beredter Ausdruck der Einsamkeit, die er im Kreise traditionsverhafteter Domscholaren empfand. Aber so ganz alleine war er nicht: er hatte in Italien fleißig gesammelt — mehr als es ernsthaften juristischen Studien bekömmlich gewesen wäre — und einen Schatz an Exzerpten und Abschriften mitgebracht, dem er sich nun trostsuchend zuwenden konnte.
Vier umfänglich kleinere lateinische Schriften sind das hauptsächliche Produkt dieses einen besinnlichen Jahres in Bamberg. Gemeinsam ist ihnen die enge Bezugnahme auf die Lokalität und ihre Menschen, eine Art von Volksverbundenheit, welche die deutschen Humanisten der ersten Generation gegenüber denen des 16. Jahrhunderts mit ihrer Tendenz zur Gelehrtenrepu-

blik auszeichnet. Auch sind diese Werke Ausdruck des Festhaltens am Äußeren während der ersten humanistischen Epoche in Deutschland. Es hatte sprachliche Gründe, wenn zunächst der Geist der Antike nur in einer Art Mode Eingang fand, in der äußere Formen wie genormte Latinität und rhetorisches Gewand bewußt angestrebt wurden: in Italien war damals der Rückgriff auf das klassische Latein Ciceros schon zur Selbstverständlichkeit geworden, in Deutschland dagegen mußte sich das „richtige" Latein zunächst erst einmal gegenüber dem Mittellatein durchsetzen, das sich ja im spekulativen Denken des Mittelalters bewährt hatte.

Im *„Tractatus de speciositate barbarae puellulae"* besingt Albrecht ein Bamberger Mädchen im Stile des Hohen Liedes. Lyrische Tiefe und Leidenschaftlichkeit von Eingang – hier folgt Albrecht einem Naturtopos – und Ende der Schrift legen nahe, daß ein persönliches Erleben zugrunde gelegen haben könnte, obwohl der Dichter ausdrücklich betont: *„non de me dico"* und er habe nur *„exercicii maxime et solacii causa"* – „um sich zu üben und der Einsamkeit wegen" – geschrieben. Auch die Schilderung der Reize des Mädchens folgt einem Topos – dem der Schönheitsbeschreibung vom Kopf bis zum Fuß – und lehnt sich an das Vorbild aus einem der Modebücher der Zeit, der Geschichte von *„Euryalus und Lukrezia"* des Enea Silvio Piccolomini, an.

Ebenfalls auf Bamberg, aber in ganz anderem Ton, bezieht sich die *„Appellatio mulierum Bambergensium"*. Es ist eine im Stile der *„Oratio Heliogabali"* des Leonardo Bruni gehaltene, pikant satirische Erzählung von der Klage der Bamberger Frauen, die sich von ihren Ehemännern und den Behörden verfolgt sehen, weil sie das eheliche Zusammenleben aufgekündigt und sich der freien Liebe hingegeben haben. Der Diktus ist zuweilen geradezu barock überladen und, ganz dem genus der appellatio entsprechend, mit juristischen Floskeln gespickt.

Vielleicht wurde dieses Werk von seinen Mitbürgern als Invektive empfunden; jedenfalls bietet Albrecht in der Schrift *„Ad laudem et commendacionem Bambergae civitatis"*, zu der ihm der Lobspruch auf Padua seines verehrten Lehrers Rasinus als unmittelbares Vorbild diente, eine Wiedergutmachung an. Er preist darin rühmend die Stadt und ihre Einwohner, besonders die Geistlichkeit und den Bischof, deren Wohlergehen er auf die allgemeine Gottergebenheit, die *benevolentia* und *humanitas* der Bürger, speziell auf die Ehrbarkeit der Frauen zurückführt. Der Traktat zeichnet sich durch ein gewandtes Spiel aller rhetorischen Mittel aus und leitet eine Folge von humanistischen deutschen Städtepreisen ein.

Dieser Zug charakterisiert auch ein weiteres Werk jener Schaffensperiode, bei dem wir es aus Gründen der gattungsgeschichtlichen Gebundenheit am wenigsten erwarten würden: eine Gründonnerstagspredigt. Eingangs stützt sich Albrecht noch auf die offizielle thomistische Kirchenlehre vom Primat des Glaubens gegenüber dem Verstande, aber bald darauf läßt er sich von der Rhetorik hinreißen, das Gleichnis von Brot und Wein in die mythologischen Bilder von Ceres und Bacchus zu kleiden und das Sakrament der Eucharistie in seiner „heiteren Größe" zu feiern. Welch enorm antike Werthaltigkeit ist doch mit der Formulierung *„hilarem tantae institutionis magnitudinem"* verbunden!

Auch dieses schriftstellerisch so ergiebige, persönlich für Albrecht aber doch wohl recht unerquickliche Jahr in Bamberg ging vorüber. Anfang 1453 finden wir ihn wieder im Kreise der „universitas ultramontorum" in Bologna, und

sechs Jahre später schließt er seine Studien endlich erfolgreich mit dem Doctor iuris utriusque in Pavia ab. Nach insgesamt sechzehn italienischen Jahren kehrt er, reich an Exzerpten, Kommentaren und Abschriften, nach Eichstätt und Bamberg zurück. Viele Jahre vergehen mit der Jagd nach Pfründen, wobei er in der Auseinandersetzung um das Archidiakonat Iphofen sogar einmal gefangengenommen und eingesperrt wird. Für Würzburg und Nürnberg ist er als Rechtsrat tätig, im Dienste des Markgrafen Albrecht Achilles von Ansbach-Bayreuth tritt er als politischer Agent und Diplomat auf. Erst die Wohlhabenheit, die aus seiner politischen und juristischen Diensteifrigkeit resultiert, ermöglicht es ihm, sich ausführlich den literarischen Liebhabereien zuzuwenden.
So kam es, daß das Manuskript zur *„Margarita poetica"*, das wohl zu einem guten Teil schon in Bologna und Padua entstanden war, erst 1472 in Druck gegeben wurde. Aus seiner Überlieferungsgeschichte können wir ersehen, welch eine Lücke damit auf dem deutschen Büchermarkt geschlossen wurde: bis 1503 kamen insgesamt 14 Auflagen heraus; daß später keine einzige weitere folgte, hängt mit dem Aufschwung des Buchdrucks zusammen, der die Texte, denen Albrecht seine Beispiele und Leseproben entnommen hatte, allgemein zugänglich machte. Das Programm ist bereits dem Titel zu entnehmen, der neben dem Anklang an den Namen der Mutter Margaretha ein Wortspiel um das lat. *margarita* = Perle enthält: wie der Glanz der Perle durch eine Fassung in Gold erhöht wird und das Kleinod dadurch das Interesse des Betrachters steigert, so wirkt auch die Lebensweisheit im Kleide der Poesie anziehender, wenn sie in einem entsprechenden Stil dargeboten wird. Mit anderen Worten: es handelt sich um eine Sammlung von poetischen und prosaischen Exzerpten aus klassischen und mittellateinischen Schriftstellern, die den dreifachen Zweck verfolgt, das Publikum mit schwerzugänglichen, modernen Texten bekannt zu machen, ihm Exempla vorzüglichen Ausdrucks der ars rhetorica zu bieten und dadurch letztlich die antike Stil- und Lebenskunst als nachahmenswert darzustellen. Eyb bietet hier Exzerpte aus römischen Autoren, vor allem Cicero, Apuleius, Plautus und Lactantius, und zeitgenössischen Humanisten; hinzu kommt eine Auswahl von Reden zu den verschiedensten Anlässen. Die *„Margarita poetica"* verdient als erstes umfassendes Hilfsbuch humanistischer Bildung in Deutschland, das die mittelalterlichen Florilegien ablöste, besondere Beachtung. In ihrem Nutzen für das Publikum liegt ihr Wert; auf Originalität kann sie keineswegs Anspruch erheben. Eyb hatte diese Art der Sammlung von Autoritäten schon anläßlich seines ersten Aufenthaltes in Pavia bei dem Humanisten Gasparino da Barzizza praktiziert gesehen, und der *„Polycratus"* des Johannes von Salesbury etwa, den er zitiert, ist im wesentlichen eine Exzerptsammlung aus Cicero, Platon und Aristoteles.
Literaturgeschichtlich höher einzuschätzen ist sein nächstes Werk, das sogenannte *„Ehebüchlein"* aus dem Jahre 1472. Es steht am Beginn der mitteleuropäischen Ehebuchliteratur, einer Gattung, die in Italien mit Poggios *„An seni sit uxor ducenda"* von 1435 und dem Traktat *„De re uxoria"* des Franciscus Barbarus anläßlich der Hochzeitsfeier des Lorenzo Medici schon in hoher Blüte stand. Dort waren Ende des 15. Jahrhunderts Themen wie: ob und wann man heiraten, wen man wählen, wie man die Ehe führen solle, auf Grund der

Seite 158 aus der „Margarita"

Illustrissimo. Excellentissimo. Illustri. Excelso. Magnifico. Mag-
no. potenti. felici. Magnanimo. Strenuo. Optimo. forti.
¶ Constantissimo. Gravissimo. Integerrimo. Prestantissimo. Am-
plissimo. Spectatissimo. Spectabili. Clarissimo. Generoso.
Insigni. Celeberrimo. Eximio. Egregio. Sapienti. proba-
tissimo. Circumspecto. honorando. Grandevo. primario.
Nobili. ¶ Doctissimo. Erudito. preclaro. beatissimo. Ingenioso.
Ingenuo. Obsequioso. Liberalissimo. Emendato. Moderato.
Urbano. Mansueto. Benigno. formoso. prudenti. Decoro.
Discreto. provido. Solerti. Singulari. precipuo. peritissimo.
Elegantissimo. facundo. Ornatissimo. Virtuoso. Officioso.
Splendido. ¶ Gratioso. Amico. Superiori. perfecto. Iocundis-
simo. Suavissimo. humanissimo. Optatissimo. festivo. facetissimo.
Studioso. honestissimo. Dilecto. Desideratissimo. Amatissimo.
Carissimo. Necessario. Coniunctissimo. Cordiali. Intimo. familia-
rissimo. Domestico. patrono. honorabili. Munifico. fideli.
prompto. Benivolo. Sagaci. Constanti. Diligentissimo. Vigilan-
tissimo. pari. Sincero. Dulcissimo. pacifico. Affabili. et multa
his similia. Sed nunc huic finem Rubrice statuo: et ad ulteriorem
ordine Rubricam que de Conclusionibus erit epistolarum accedam.

Circa artificiosas epistolarum conclusiones. Marcii
Tulii Ciceronis clausule Incipiunt.

A Me omnia summa in te studia officiaque expecta: non
fallam opinionem tuam. libro primo. Epistola quinta. ¶ Tu me
de tuis rebus omnibus: et de lentuli tui nostrique studiis: exercitationibusque tuis velim quam familiarissime
certiorem et quam sepissime facias: existimesque neminem
cuiquam neque cariorem: neque iocundiorem umquam fuisse quam te mihi:
idque me non modo ut tu sentias: sed ut omnes gentes: etiam ut
posteritas omnis intelligat esse facturum. Epistola x^a. ¶ Tu velim
ad me de omni reipublice statu quam diligentissime perscribas. Ea enim
certissima putabo que ex te cognoro. libro 2°. Epistola xi^a. ¶ Ego res
Romanas vehementer expecto et desidero: inprimisque quid
agas scire cupio: nam iamdiu propter hiemis magnitudinem nihil
novi ad nos afferebatur. Epistola 14. ¶ Hec ad te scripsi liberius
fretus conscientia officii mei: benivolentieque: quam a me certo iudicio
susceptam quoad tu voles conservabo. libro 3°. Epistola 6. ¶ Hec igitur
sic erunt ut me quemadmodum ostendis: neque totum et meos et amicos
commendatos habeas. Epistola 8. ¶ Exploratum habeo quicquid nos

Renaissance der antiken Moralphilosophie, welche die Beachtung der natürlichen Gegebenheiten des Lebens empfahl, aktuell geworden. Daher beginnt Eyb das Vorwort des Ehebüchleins: *„Die natuorlichen meister haben in irer schule vnd uobung fuorgenommen vnd gedisputieret ein huopsche, gemeine frag: Ob einem manne sey zunemen ein eelich weyb oder nit."*

Die Auseinandersetzung blickt auf eine lange Tradition zurück. Seit den hellenistischen Philosophen wurde die Doppelnatur der Ehe — der Fortpflanzung zu dienen und die Unzucht zu vermeiden — unterschieden, letztlich aber der Zölibat empfohlen. Dieselbe Auffassung finden wir bei den Kirchenvätern, besonders streng bei Methodius, Gregor von Nyssa und Chrysostomos. Eine ethische Aufwertung der Ehe durch die Symbolik des Verhältnisses Christi zur Kirche ergibt sich aber schon bei dem von Eyb besonders beachteten Lactantius. In der Scholastik — etwa bei Hugo von St. Victor und Petrus Lombardus — ist die Ehe zwar als Sakrament geheiligt, aber von ihrer ethischen Aufgabe und der Liebe ist auch hier noch kaum die Rede. Im Spätmittelalter wurde die theoretische Diskussion von der sozialen Realität überrollt: als die gesellschaftlichen Schranken gefallen waren, gelangte die meist einseitig angeprangerte Sittenlosigkeit im außerehelichen Bereich in ursächlichen Zusammenhang mit dem Mangel an seelsorgerischer Hilfe.

Hier setzt der zweite, praktische Impetus Eybs ein. Im Rahmen seiner Rechtsgutachtertätigkeit in Eichstätt, Würzburg und Nürnberg hatte sich Eyb zu einem Spezialisten in Ehefragen entwickelt. Die sittlichen Zustände in Franken waren nicht besser als anderswo auch, so daß es an Aufträgen, die ihm Einsicht in vielfache Verstrickungen gewährten, nicht fehlte. Eyb erkannte, daß die bisherigen Ehetraktate in lateinischer Sprache, die sich mit dem sakramentalen Charakter der Ehe, den Scheidungsgründen und Ehehindernissen in kirchenrechtlicher Spitzfindigkeit befaßten, dem einfachen Volke keine Hilfe boten. Er zog daraus die Konsequenz und schrieb sein *„Ehebüchlein"* in deutscher Sprache, allgemeinverständlich in Stil und Inhalt. Wir entnehmen diese Absicht der Widmung an die *„stat Nuormberg vnd eym erbern, weysen, fuorsichtigen rate vnd der gantzen gemeine daselbst auß besunder lieb, gutten willen vnd zuneigung vnd auß freuontlicher nachparschaft ... zu lob vnd ere vnd sterckung irer pollicey vnd regimentz ..."*

Seine Vorstudien hatte er noch in lateinischen Traktaten festgehalten, deren Titel uns bereits in einzelne Thematiken des Ehebüchleins einführen. In der *„Clarissimum feminarum laudacio"* singt er ein Loblied auf die Frauentugenden und führt dafür Beispiele aus antiker Mythologie, Sage und Historie an, um mit Ermahnungen zu eifrigem Nachstreben an die Zuhörerinnen zu schließen. Die *„Invectiva in lenam"* stellt gattungsgeschichtlich das Gegenstück zur laudatio dar und wendet sich gegen die Untugenden der Frau, als deren schlimmste Personifikation Eyb die Kupplerin schildert. Die dritte dieser vorbereitenden Schriften, *„An viro sapienti uxor sit ducenda"*, führt bereits im Titel auf die Überschrift des ersten Teiles des Ehebüchleins: *„Ob einem manne sey zunemen ein eelich weyb oder nit"*, hin. In diesem Abschnitt behandelt er Themen wie ethisch begründete Liebe, Unkeuschheit, weibliche Schönheit und ihre Vergänglichkeit, Fruchtbarkeit der Ehefrau, Kindererziehung, Kummer mit einem bösen Weib und Streit um das Heiratsgut. Ebenso willkürlich zusammengewürfelt erscheinen die Stoffe des zweiten Kapitels, das als wichtigsten Titel die Antwort auf den ersten Abschnitt enthält: *„das ein weyb* *zunemen sey".* Und schließlich werden in einem dritten Kapitel Fragen des alltäglichen ehelichen Zusammenlebens wie Haushaltsführung, Krankheit, Streit u. ä. mehr behandelt.

Für eine Gesamtbeurteilung des *„Ehebüchleins"* empfiehlt es sich, zwischen Form und Inhalt zu unterscheiden. Im Formalen hat Eyb in seinem ersten deutschen Buch gegenüber dem papierenen Stil seiner Zeitgenossen aus dieser frühen deutschen Humanistengeneration — es sei auf Niklas von Wyle und Heinrich Steinhöwel verwiesen — noch gar nichts voraus. Die Kapitelanfänge wirken außerordentlich stereotyp: *„Hat ein man ein wolredende vnd cleffige frawen genumen, der ist wol bekuomert vnd beschwert, Wann ir zurynnen nymmer der wort, Als Petrarcha spricht..."* oder *„Ob sich widerwertigkeit zuzeitten in der ee begibet, dieselbe ist gedultigklich zuleyden: wann wo vil freuod vnd lust ist sam in der ee, do muß auch zuzeiten sein trawren vnd widerwertigkeit. Als plautus schreibt:..."*

Aus diesen kurzen Passagen ist das künstlerische Prinzip Eybs ersichtlich: Er stellt — formal weitgehend vom lateinischen Satzbau abhängig — einen Lehrsatz auf, zu dessen Begründung er eine Autorität aus den Reihen der Humanisten, Kirchenväter oder antiken Klassiker zitiert und in einigen Fällen das Ganze mittels einer Novelle veranschaulicht. So dient ihm etwa Boccaccios *„Guiscardo und Ghismonda"* als Beleg für die Ansicht *„das man frawen vnd junckfrawen zu rechter Zeit menner geben soll ee das sie durch blödigkeit des fleyschs vnd leichtvertigkeit des gemüetes zu valle vnd schanden kumen mügen."*

Weit unkonventioneller ist die gehaltliche Aussage des Werkes. Sie gipfelt in folgender Kalkulation: Wenn die Ehe ein gottgewolltes Sakrament ist, dann kann sie nicht nur ehrbar und nützlich sein, sondern muß auch der Freude ein Refugium bieten, das nicht durch den herkömmlich sündhaften Charakter der Liebe geschmälert werden darf. Mit anderen Worten: Neben dem *honestum* und *utile* wird hier zum erstenmal das *dulcis* vertreten. In diesem Zusammenhang findet Eyb im Kapitel vom *„lob der ee"*, in welchem er sich als am wenigsten von Vorbildern abhängig erweist, mit warmen, herzlichen Worten einen ganz persönlichen Ton: *„So ist auch die Ee ein froelichs, lustpers vnd suess ding: was mag froelicher vnd suesser gesein, dann der name des vaters, der muter vnd der kinder, so die hangen an den helsen der eltern vnd manchen suessen kuss von in empfahen?"* Gerade in solchen Passagen entfernt er sich weit von allem Doktrinären und Traditionellen; so rehabilitiert er ganz allgemein die Frau, wenn auch an einzelnen Stellen — etwa wenn er meint, der böse Mund einer Ehefrau hätte für den Mann schon auch Vorteile: Er könne sich in der Tugend der Geduld üben und im übrigen sein Glück außerhalb des Hauses suchen — noch der mittelalterlich-patriarchalische Standpunkt durchdringt. Stets aber bleibt er der Lebensrealität verhaftet und bemüht sich — z. B. wenn er als das Wichtigste am Mahle die gute Unterhaltung herausstellt und empfiehlt *„schwere, tieffe red vnd schedliche, verdeckte, spitzige wortt"* zu vermeiden — um gute Ratschläge.

Daß Eybs letztes großes Werk bereits 1474 als fertiges Manuskript vorlag, aber erst 1511 auf Betreiben des Eichstätter Bischofs Gabriel von Eyb gedruckt wurde, gibt zu bedenken. Die Skepsis gegenüber den daraus zu folgernden Problematiken wie Zeitgemäßheit und Publikumsinteresse wird durch das im ausführlichen Titel angegebene Inhaltskonglomerat genährt: *„Spiegel der sitten, im latein genannt Speculum morum: Von guoten vnd boesen sitten, Von* *suenden vnd tugenden dargegen, Von staenden vnd aemptern mancherley personen; Dabey auch nachuoelgklich Comedien Plauti in Menechino et Bachide vnd Philigenia Vgolini, kurtzweilig vnd schimpflich zuo lesen, Darauß man nemen mag leere vnd vnderschid guoter sitten vnd poeser dargegen, Die guoten zuo begreiffen vnd die boesen zuo vermeiden, Nach vermuottung des Edeln, hochgeleerten vnd wirdigen herrn Albrechts von Eybe, in baiden rechten doctor, der diß buoch auß vil goetlicher leere vnd haidnischer natürlicher maister buechern arbaitsamlich getzogen vnd vom latein in teutsch gewendt hat.*"

Obwohl hier die antiken Klassiker zitiert sind, handelt es sich um ein Lehrbuch durchaus spätscholastischer Ethik, vor allem Johannes von Salesbury und den Kirchenvätern Augustinus, Hieronymus und Isidor verpflichtet. In einzelnen Abschnitten werden Tugenden und, weit ausführlicher, Laster behandelt, dem sich allgemeine Betrachtungen über die Kunst zu sterben, über den Tod und das Jüngste Gericht anschließen. Diese Sittenpredigt setzt sich fort in einer relativ abgerundeten Ständeschau, die von den Fürsten bis zu den Räubern reicht. Das Gemeinwesen ist in das Gleichnis vom wohlfunktionierenden menschlichen Körper gekleidet: „*ain fürst oder der oberst, der da herrschet, hat die statt des haubts; die andern gewaltigen vnd richter sein in gestalt der augen vnd oren; die besamnung der weisen vnd radtgeber sein das hertz; die ritter vnd diener, die da beschützen, sein die hand; die arbaiter, hantwercker vnd pauren sein in gleichnuss der fuessen.*" Wenn auch dieser Abschnitt mit der Bemerkung „*wann nach dem vrsprung der erschaffung sind alle menschen gleich edel*" schließt, so ist doch Eybs Rückkehr zur hochmittelalterlichen Hierarchie offenbar, etwa wenn er das Verhältnis von Kaiser und Papst schildert: Letzterer wird uneingeschränkt gelobt, ersterer nur, wenn er, dem Satz des Ambrosius „*imperator enim intra ecclesiam, non supra ecclesiam est*" folgend, sich mit der Kirche verständigt, wie das z. B. bei dem von Eyb besonders gepriesenen Theodosius oder bei Friedrich III. der Fall ist.

Wenn auch am Bisherigen allein vom Inhalt her einiges als nur herkömmlich zu kritisieren war, so soll doch nicht verkannt werden, welch hoher sprachlicher Wert dem „*Spiegel der Sitten*" für die Eindeutschung ethischer Begriffe zuzumessen ist.

Als Exempel fügt Eyb seinen Lehren drei „Dialogerzählungen" an, um den Leser zu ermahnen, „*die guotten zu vmbfahen vnd zu behalten vnd die poesen sitten zuo verachten vnd zu vermeiden*". Allein sie wurden im Gegensatz zum ganzen Werk bis 1550 mehrmals gedruckt. Während des Baseler Konzils (1431—1499), bis zu dem allgemein nur acht Plautuskomödien bekannt waren, wurden zufällig drei weitere entdeckt, darunter eben die „*Bacchides*" und die „*Menaechmi*". Wie groß das Publikumsinteresse daran war, ist aus der Zahl von insgesamt acht deutschen und drei lateinischen Plautuserneuerungen im deutschen Sprachraum zwischen dem 15. und 17. Jahrhundert zu ersehen. Bei Balthasar Rasinus hatte Eyb Plautus interpretiert gehört, und wie sehr diese Kommentare zur grundsätzlichen Besinnung über das Wesen der Komödie beigetragen haben, erhellt aus einem Vergleich einer Notiz auf seiner Terenzabschrift mit den Definitionsversuchen in der Vorrede zum „*Sittenspiegel*". Der Merksatz „*Comedia enim est quoddam genus carminis de volgari oracione, de humili apposicione et de vili materia*" wird expliziert: „*Comedien ... ain lobe vnd gedicht von aigenschaft gemeiner vnd nyderer personen vnd dingen.*" Und auch noch in den Angaben zum Aufbau folgt Eyb dem, was bereits bei Donat und den italienischen Humanisten vorgeprägt ist: *„Die natur vnd aygenschafft solher vnd ander Comedien ist, das sy sich im eingang vnd mittel mit trauren, mit krieg vnd mit widerwertickait vnd im ende mit frid, sone vnd froelichait begeben."* Aber bereits die Verteidigung des Unterfangens, überhaupt Komödien zu schreiben, offenbart Eybs persönliche Auffassung von seiner Tätigkeit. Er plädiert für eine Trennung von Stoff und Behandlungsweise: der Stoff könnte, wenn ethisch Negatives dargestellt wird, leicht schädlich sein. Wenn aber auch in der Bibel von der Buhlschaft Davids mit Bethsabee und Samsons mit Dalila die Rede sei, so dürfe man sich doch nicht an der Geschichte als solcher entzücken, sondern müsse ihren Sinn im Gesamtzusammenhang der dargestellten Heilslehre erkennen. Dasselbe gelte übertragen für die Komödie des Plautus und Terenz, wo die Zuhörer *„die hübschait vnd suessigkait der Woerter vnd die swärlichait der synnen vnd red"* bewundern sollten *„vnd nit die froelichait vnd wollust der Comedien"*. Daraus folgt für Eyb das Programm seiner Übersetzertätigkeit: *„Comedien vnd gedicht hab ich auß latein in teutsch gebracht nach meinem Vermügen, nit als gar von worten zu worten, wann das gar vnverstentlich waere, sunder nach dem synn vnd mainung der materien als sy am verstendilichsten vnd besten lauten mügen."* Er will belehren, ermahnen und in freier Übersetzung mit dem Mittel der deutschen Sprache nach den Regeln der Rhetorik und Poetik gefallen. Wenn er dabei betont, er wolle nicht Wort für Wort übersetzen, folgt er — wieder einmal typisch in seiner doppelten Orientierung — einerseits der zu seiner Zeit durch Petrarcas Vorrede zur *„Griseldis"* sehr aktuellen Forderung des Horaz *„nec verbum verbo curabis reddere fidus interpres"*, andererseits dem Grundsatz *„non verbo e verbo, sed sensum exprimere de sensu"* aus dem Briefe des hl. Hieronymus ad Pammachium. Diese Formulierung ist zu einem festen Bestandteil der Vorreden zu Übersetzungen durch deutsche Frühhumanisten geworden: Sie findet sich bei Johann von Neumarkt, Heinrich von Mügeln, Niklas von Wyle, Heinrich Steinhöwel und anderen.

Eybs Hauptverdienst liegt in der sprachgewandten und zeitgerechten Eindeutschung der lateinischen Vorlage. Das beginnt bei der Übersetzung einzelner Wörter, wie consul = *burgermeister*, senator = *Ratsherr*, miles = *soldner*, villa = *lusthuß* und führt über geläufige Anreden wie adolescens = *guoter gesell* und senex = *lieber alter frommer man* zur Aktualisierung von ansonsten dem deutschen Leser unverständlichen Termini: die Geldmenge von quattuor minae setzt er in das geläufige *„dreisig guldin"* um, der triobolus wird mit *„drey haller"* veranschaulicht. Hinzu kommt die grundsätzliche Neuerung, daß die lateinischen Eigennamen in gebräuchliche deutsche verwandelt werden. Das Personalinventar der *„Menaechmi"* sieht dann so aus: Die Zwillinge heißen *Lutz der Recht* und *Lutz der Frömbd*, ihr Vater ist *Kuntz*, die Frau und der Schwiegervater des Epidamniers Menächmus heißen *Geut* und *Kleis*, der Diener des anderen Menächmus hört auf *Fritz* und der Tunichtgut *Heintz* sowie die Hetäre *Barb* vervollständigen das Register.

Besonders an der Übertragung lateinischer Sentenzen in volkstümlichen Redegebrauch läßt sich Eybs sprachliche Begabung ermessen. Das abstrakte *„Ut quamquam res est, ita animum habeat"* präzisiert er: *„Als die sach ist, also sol er sein, als der wind geet, also kere er den mantel"*, und den rhetorisch bedingten parallelen Ausdruck *„Qui mihist usui et plurimum prodest"* faßt er in dem treffenden Bild *„der mir nützer ist dann ain melckende kuow"*. In Vergleichen und kräftigen Bildern liegt seine Stärke. So läßt er z. B. einen Helden

in den Bacchides versichern: *„ich sag dir fürwar: vnd thust vns mer etwas, wir machen dich mitt der selben helmparten demuetiger, dann ain meüsslin ist vor der katzen."*
Freilich liegt in diesem Bemühen um größere Verständlichkeit auch die Gefahr, über das Ziel hinauszuschießen. So sind in den Komödien Stellen zu finden, die sich als würdige Belege der Entwicklung von der spätmittelalterlichen Fastnachtszote zum barocken Grobianismus anführen lassen. Eyb vermeidet zwar oft bewußt eindeutig abwertende Ausdrücke. So findet er für meretrix gleich eine ganze Reihe von Umschreibungen wie *„huobsche, guotte, lustige, wolredende frau"* und nur einmal taucht der eindeutigere Begriff *„puole"* auf. Aber in der *„Philogenia"* etwa wirft ein Mann seiner Angebeteten die Hartnäckigkeit in der Ablehnung seines Liebeswerbens mit den Worten vor: *„wie magst du so hefftig sein? ist doch ain wildes schwein nit dein muoter geweßt."*
Das alles soll nicht bedeuten, Eyb hätte sich vollständig von seiner lateinischen Vorlage lösen können. Zuweilen finden sich bei Eyb Partizipialkonstruktionen wie *„ir weisen geschriben vätter des senats"* für *„patres conscripti"* oder eine Akkusativkonstruktion wie in *„wurden sy erkant zwen zwiling gebrüeder".* Eine häufige Erscheinung, die allerdings nicht nur auf lateinische Stilistik zurückgeht, sondern sich ebenso auf die spätmittelalterliche geblümte Rede und den Kanzleistil stützen kann, ist der drei- und mehrfache Ausdruck. Im Monolog des Entz in den *„Bacchides"* führt er zu überquellender Synonymenhäufung: *„Ach got, ach gott, wie gar ein unsaelig mensch bin ich! wye bin ich so grob, vnuerstanden, so toerstig, so traetzig, so zornig, so vngetzempt, so vnbedacht, vnsynnig, on alle synn, witz vnd maessikait gewesen . . .!"* Aber wenn man dem allen die Fremdwortsucht, die Ansammlung lateinischer Konstruktionen wie komparativer Dativ, Nominativ mit Infinitiv, doppelter Akkusativ und im Passiv doppelter Nominativ z. B. bei Eybs Zeitgenossen Niklas von Wyle und Ulrich von Hutten entgegenhält, erkennt man, wie selbständig und seiner Zeit weit voraus Eyb dasteht.
Bei der Betrachtung einzelner Passagen mag man zwar den Eindruck haben, Eyb hätte zum Zweck größerer Abwechslung aus wenigen Worten viele gemacht; demgegenüber fällt, aufs Ganze gesehen, auf, daß Eyb zusammengefaßt hat. Sein durchgehendes künstlerisches Prinzip der Kürzung ist durch die Absicht bedingt, mittels der Dialogerzählung ethische Lehrsätze zu veranschaulichen. Folglich läßt er ihm nebensächlich erscheinende inhaltliche Entwicklungen oder Personen beiseite, versieht aber das Verbliebene mit Einleitungen, Erklärungen und moralischen Nutzanwendungen. Die Quelle vieler dieser Szenenargumente und dem eigentlichen Dialog vorangestellten Inhaltsangaben kennen wir aus Eybs eigener Plautusabschrift: die dortigen Glossen und Interlinearversionen entstammen den Erläuterungen durch Balthasar Rasinus. Am oberen und unteren Rand der ersten Seite der *„Bacchides"*-Abschrift finden sich die Notizen: *„Argumentum et introductio huius comedie: Athenis erant due pellices cognomines Bacchides nominate."* Der deutsche Text wird demnach mit der Überschrift *„Das argument vnd die matery des gantzen püchlins in kuortz . . ."* eingeleitet, worauf die Inhaltsangabe beginnt: *„Athenis, in der Statt, gelegen im kriechen land, waren zwo gar hübsch frauen vnd pulerin, yekliche genannt bachis . . ."*
Das Summarium ist so gehalten, daß die Leser vor allem auf das Pikante des Inhalts aufmerksam gemacht werden. Dann muß aber auch gleich eine morali-

sche Warnung nachfolgen, wie wir es dem ausführlichen Zitat der Vorrede zu der *„Philogenia“* entnehmen können: *„Dise lustig Comedien, genannt Philegenia, von ainer iunckfrauen also genannt, die will ich tauffen vnd nennen Metz — nach dem ich auch die andern vngewonlichen namen taufen wirde —, mag also nach jrer matery vnd argument eingefürt werden. Ain iüngling was genannt Petz, der het lieb ain iunckfrauen, genannt Metz. die selben bracht er mit pitten, flehen vnd guoten worten auß dem hauß von vatter vnd muotter, fueret sy haim vnd gebrauchet ir in wolluste nach seinem willen. als soelchs künndig ward, das er sy nichtt lennger bey ym mocht behalten, fueret er Metzen zuo seinem guoten gesellen, genannt Letz, der hett sy auch nach seinem willen. Nach vil geschichten bedachten Petz vnd Letz das übel, das sy an der iunckfrauwen hetten begangen, vnd gaben sy zuo der Ee ainem reichen pauwren, genannt Goetz, für ain iunckfrauwen; vnd ist dise Comedien fast lustig vnd froelich zuo lesen vnd zuo hoeren. Doch sol nyemandts darauß geergert werden, sunder erlernen, das boeß zuo meiden vnd das guot zuo vmbfahen, als das mein gedanck vnd fürnemen ist, da mitt ich nit verrer vorred wil gebrauchen.“*
Neben Anweisungen zum Szenenwechsel von der Art *„Hye komen wir auf ein andre matery vnd auch andere person ...“* nehmen Regieanweisungen einen breiten Raum ein. Monolog und Dialog sind z. B. folgendermaßen auseinandergehalten: *„Pentz der knecht (sihet her geen seinen herren Utzen vnd redt also mit ym selbs:) Fürwar, ich will... (Nu spricht pentz laut zuo ym:) Gegruesset sey mein herr, der vtz!“* Wenig später wird auf den dramatischen Effekt verzichtet, damit ja jeder Leser weiß, warum und in welcher Situation gesprochen wird: *„Pentz (Hie, was er redt, das ist erdacht vnd nit war, das er den herren teusch vmb das gelt; vnd antwurt jm allso:) ach herr ...“* Eybs Streben nach unmittelbarer Verständlichkeit kam die Tatsache entgegen, daß im Deutschland des 15. Jahrhunderts die antike Dramenform nicht geläufig war, so daß die Auflösung der dramatischen Form in Richtung auf eine fortlaufende Prosaerzählung keineswegs als Mangel empfunden wurde.
Mit dem *„Ehebüchlein“* und den Komödienübertragungen war der Höhepunkt im schriftstellerischen Schaffen Albrecht von Eybs erreicht. Schon der didaktische Teil des *„Spiegels der Sitten“* gibt eine Abwendung vom Geist der neuen Zeit zu erkennen, und der plötzliche Abgesang von Eybs Leben ist nicht einfach nur durch Altersfrömmigkeit gekennzeichnet, sondern von einem Hauch von Resignation überschattet. Er läßt, indem er seine eigenen Werke zitiert, einen Saal in seinem Bamberger Domherrenhof mit Sinnbildern und -sprüchen ausschmücken. Dabei wird alles, was früher an lebendiger Darstellung und fortschrittlicher Stilgesinnung lobenswert auffiel, in zwar einprägsame, aber holperige Reime gezwungen und in trocken dozierendem Ton aufgetragen.
Es war ihm nicht lange vergönnt, dieses Refugium inmitten seiner eigenen geistigen Vergangenheit zu genießen. Zum 24. Juli 1475 vermeldet die Familienchronik seines Bruders lakonisch: *„Item meyn bruoder seliger Herr Albrecht Ist von diser wellt abgeschiden an sant Jacobsabent des heyligen zwelffbotten anno domini im LXXVten Jar.“*
Wollen wir Eybs kulturhistorische und literarische Bedeutung ermessen, dann dürfen wir nicht nur auf wiederholte Auflagen seiner Werke und unmittelbare Nachahmungen bei Hans Sachs, Jakob Ayrer, Martin Glaser und Niklas von Wyle verweisen. Auch daß einige seiner Novellenübertragungen zu Volksbüchern geworden sind und er mit ihnen zugleich einen frühen Beitrag zur

Geschichte des deutschen Prosaromans geleistet hat, mag nur für den Literaturwissenschaftler von Belang sein. Entscheidender sind die Gründe für diese Erfolge: Eyb stand, indem er sich um die Gebrechen seiner Zeit sorgte, über seiner Zeit. Es ist müßig, darüber zu streiten, ob er mehr ein mittelalterlicher oder mehr ein Mensch der Neuzeit gewesen sei. Er entnahm allen Epochen das, wovon er glaubte, daß es zur sittlichen Belehrung und Besserung nützlich sei. Im Grunde blieb er sein ganzes Leben hindurch ein Moralist, der das zeitlos Gute und Schöne vertrat. Daß er sich in diesem Bemühen mit größter stilistischer Gewandtheit begabt erwies, verdient unsere Bewunderung, daß er trotz Geburtsadels, hohen kirchlichen Würden und umfassender Bildung stets dem einfachen Volke nahegeblieben ist, läßt ihn uns als eine der sympathischsten Gestalten der Zeitenwende, in der er gewirkt hat, erscheinen.

ALBRECHT von EYBE
Nobil. Francus

Godehard Schramm

HANS ROSENPLÜT UND HANS FOLZ

geb. um 1400 und 1450–1515

„wann ein fasnacht on freuden,
und ein meßer on ein scheiden,
und ein mönch on ein kutten,
und ein junge frau on tutten
und ein stecher on ein pfert:
die dink sint alle nit eins kots wert . . .“

Der solche Gegensätze in parallelen Sätzen zu sprichwörtlichen Sentenzen aneinanderreihte, war ein „Vorzünder“ von Hans Sachs, ein Rotschmied, Poet und Büchsenmeister zugleich, der – anfangs des 15. Jahrhunderts geboren – im Nürnberg des Jahres 1444 einen Jahressold von 20 Gulden verdiente. Das vermelden Nürnberger Ratsverlässe des Jahres 1449, als Hans Rosenplüt, genannt *„der Snepren“*, *„Püchsmeister“* am *„großen Werck“* unter dem Frauentor war und es galt, Nürnberg gegen Albrecht Achilles zu verteidigen.
Schon 1427 war der *„erste Dichter deutschen Bürgertums“* – wie ihn Karl Euling nannte – im Nürnberger Aufgebot gegen die Hussiten, dessen jämmerliches Scheitern der Soldat und Poet in seiner Schrift *„Von der Hussenflucht“* mit dem Eigennutz und der Uneinigkeit des Adels begründete. Nicht nur wegen der militärischen *„lästerlichen Schand“* war die blaublütige Kumpanei eine *„scharfe Gerte“* für Nürnberg. In seinem *„Spruch von Nürnberg“* bekennt Rosenplüt, der Schnepperer: *„oh Nürnberg, du vil edler fleck / . . . ich han all dewszsche land durchsucht / noch find ich indest in keiner stat, das nürnberg hofstat hat . . .“* Nürnberg mit *„Egipten“* und *„Pariss“* vergleichend, kommt er zu dem Schluß, daß alle Künste eben nur hier vereint seien. Ob Rosenplüt selbst Nürnberger war oder nicht, spielt kaum eine Rolle, denn der gegen den Adel polemisierende Poet lobt selbstbewußt *„Kaufmanscheft und Gewerb“*, zählt Nürnberg neben Jerusalem, Rom, Trier und Cöln zu den fünf heiligen Städten und preist unter Nürnbergs sieben Kleinodien die träge Pegnitz, weil sie 67 Mühlräder treibt, die kein *„böser Fürst“* abstellen könne – sei er noch so „sauer“ auf die Stadt. Wenngleich Rosenplüt aus dem sicheren Nest der Stadt gegen die *„Geier“* – die Fürsten – gut wettern konnte, so dokumen-

tieren seine in Verse gefaßten Sprüche doch schon das Bewußtsein von Klassengegensätzen.
In Beichtspiegeln und Sündenregistern – *„Zorn, Geitigkeit, Neid, Hass, Unkeuschheit, Frass und Hoffart"* waren die schlimmsten Sünden – führt er sein bieder-christliches Volksbildungswerk vor, aus dessen Lektionen jeder seine bindenden Verhaltensmuster ableiten konnte: *„... ein hirt, der treulich seins viechs hütt / ... ein frummer dienstknecht getrew und warhaft / der allweg gehorsam ist seiner herrschaft / und ein frumme junckfrau, [die] sich also stelt / das sie got und der werlt wol gefelt; / und ein frumme eefraw ... / und frumme kint / die gehorsam sein ..."*
Bleibt Rosenplüt auch im System der Ständeordnung und beim belehrenden Zeigefinger als literarischem Nothelfer, so büchst der poetische Büchsenmeister mit anderen Versen aus dem trockenen Moralisieren aus; die Epitheta (wie „fromm") seiner Vorbilder implizierten schon damals die Unverbindlichkeit von Schlagworten. Es scheint, als ob es dem Autor weniger um Differenzierung ging, sondern um Ableistung einer Pflichtübung im Fach christlicher Moral.
Rosenplüt, der „dem Wein hold war" und populärwissenschaftliche Poeme ebenso zu seinem Metier zählte, stand dem Meistersang fern und gehörte keiner Singschule an; vielmehr darf er als *der* Artist der Priamelkunst gelten.
Das *„praeambulum"* – zunächst ein Vierzeiler – verknüpft anaforisch eine Reihung paralleler Sätze; seine Klimax eskaliert die Vergleiche zu einer Abschlußpointe. Ursprünglich ein Improvisationsgedicht, wird das Priamel über das Zwischenstadium von ungebundener zu gebundener Rede, dem Sprichwort, zu einem starren Schema, in dem Reime ihr übriges tun, Texte in spaßiger Rhetorik gipfeln zu lassen:

„... welch man wer als faul und als treg,
der an einer heissen sunnen leg,
pis im die fliegen ab pissen sein orn
und an seiner heut würde gleich eim morn
und als lang schlieff auf einer misten
piß im die meuß in hintern würden nisten,
... und im ein kuh ein aug ausschiß ...
den mag man wol zu einm faulen hursun gleichen ..."

Reduplikationen stabilisieren den Zusammenhalt der Sätze, deren Aussage jeweils nur über eine Verszeile hinwegreicht, und Wiederholungen reizen den Text bis zu einer negativen Pointe. Grell und unreflektiert fügt Rosenplüt Gegensätze parataktisch zusammen:

„... und ein reich pürger und arm edelleut,
und hunt und katzen auf einer misten,
und pöß juden und frum kristen,
und arm kaufleit und großer zol:
die vermügen sich gar selten miteinander wol ..."

Die Wirklichkeit wird auf Gegensätze reduziert, Sätze verlieren ihren Informationswert und werden zu „poetischen" Spielreihen. Über das zu Spielgegenständen neutralisierte Satzinventar verfügt der Autor im freien Improvisieren.

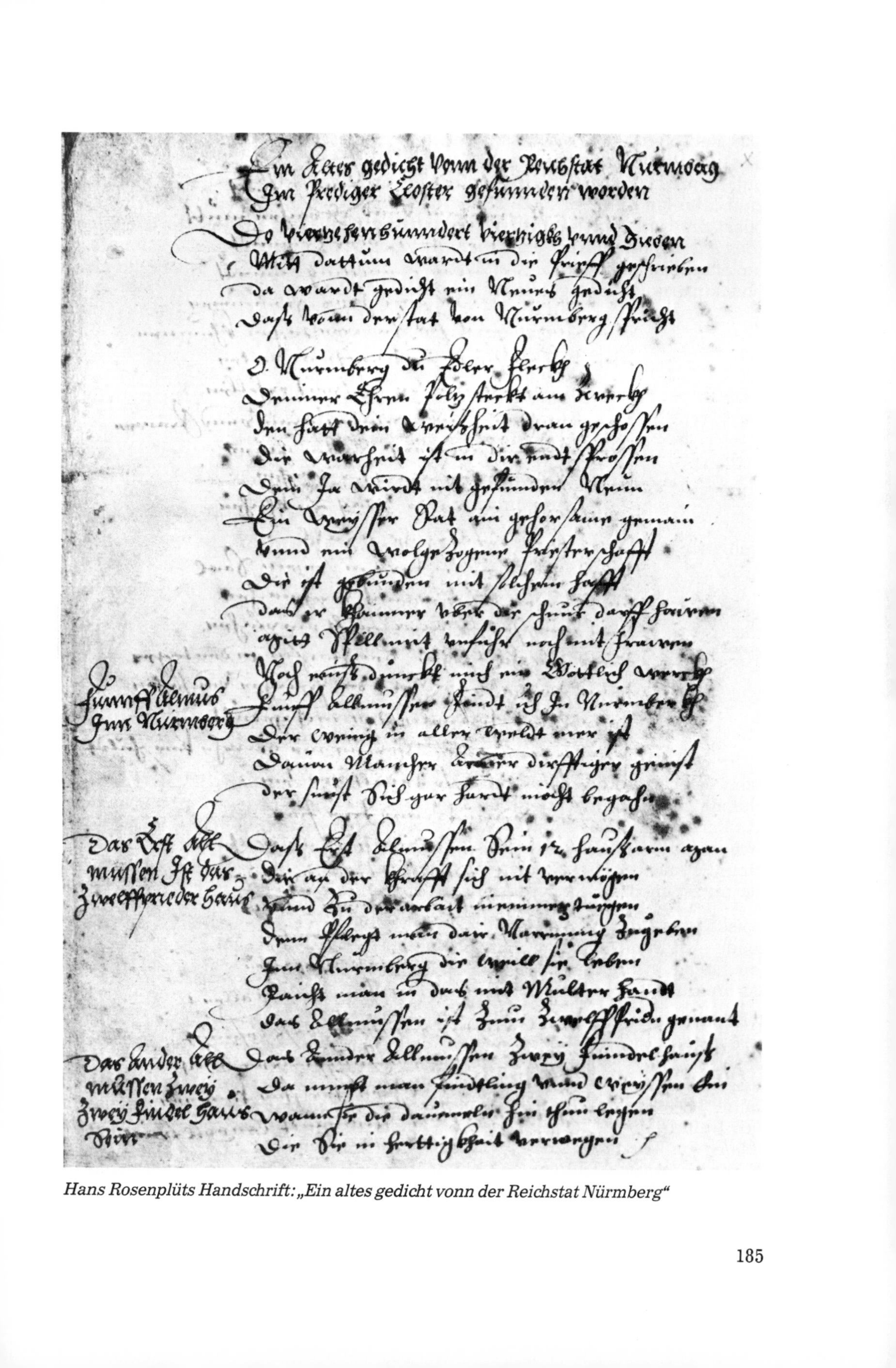

Hans Rosenplüts Handschrift: „Ein altes gedicht vonn der Reichstat Nürmberg"

Das Variieren beherrscht Rosenplüt: In seinem *„Spruch von Nürnberg“* wird der 1473 gestorbene Organist von St. Sebald, Erfinder der deutschen Lautentabulatur und Verfasser des ersten deutschen Orgelbuches, Conrat Paumann, zum Mittelpunkt einer Meditation voller Variationen. Wie sehr das Priamel oder *„praeambulum“* primär das Auratische der Musik intendierte und wie *„das allerlieplichst süest preambel / aus musica on alles stammeln“* stammte, um zu einem *„meisterlichen stücklein“* Wortmusik zu werden, zeigen die als Musikinstrumente eingesetzten Vokabeln:

„. . . die lerch so meisterlichen traf
die concordanzen in der ottaf.
aus b fa be mi clang her teglich
die droschel mit irm süeßen sleglich . . .
die amsel der noten zal cannaunet
die tenoriret und purdaunet
mit ut, mit terz und medium,
darüber spielt ad placitum
die nachtigal so süeßen takt . . .“

Und über Paumann selbst notiert Rosenplüt:

„. . . dem hat got sollich gnad getan
der tregt in seiner sinnen list
die musica mit irn süessen dönn . . .
mit contratenor, mit faberdon,
mit primitonus tenoriret er . . .
ein traurig herz wirt freies mutes,
wenn er aus octaf discantiret,
und quint und ut zusammen resonirt . . .“

Die wörtlich zitierten Vögel sind die wenigen Vertreter der Natur, die Rosenplüt allein in ihrer musikalischen Qualität verwendet. Nur selten gebraucht er das Farbmaterial der Natur. Die nicht häufigen Metaphern seiner Sprüche — *„schifft hin auf der gotheit weyer“ / „ gnadenteich“* und *„zorns kyseln“* — übernimmt er aus dem Bereich der begrifflich faßbaren Natur und bildet so Bilder der alttestamentarischen Sprache weiter.

Episoden wie der *„Maler von Würzburg“*, zu denen damals bekannte Histörchen — wie die 76. Erzählung aus Boccaccios *„Decamerone“* — den Stoff lieferten, fanden in Handschriften und Drucken des 16. und 17. Jahrhunderts weite Verbreitung.

1783 kritisierte ein Herausgeber von Rosenplütschriften die Bezeichnung *„erbaulicher Dichter“* und bescheinigte Gottsched, der Rosenplüt den *„Thespis unserer Bühne“* genannt hatte, gehörigen Mut, als dieser Rosenplüttexte herausgegeben hatte — was man „bei unserem heutigen züchtigen Publikum“ kaum wagen dürfte. Das Publikum des ausgehenden 18. Jahrhunderts mag sich freilich an der Rosenplütschen Eindeutigkeit gestoßen haben. Auch im *„Maler von Würzburg“* kam es zwischen einer Strohwitwe und einem Propst als Werber zu unzweideutigen Beziehungen: der Propst, *„der was jr holt / und poulet heimlich um sie, des sie in lies zwischen ire knye“*.

Der politisierend-glossierende Rosenplüt war im Nürnberg strenger Sittenreglementierung keine exemplarische Ausnahme. 100 Jahre vorher — 1348 — hatten Nürnberger Zünfte revoltiert, der Rat der Patrizier mußte vorübergehend seinen Regierungssitz verlassen, bis 1349 mit „Hilfe" Karls IV. die patrizische Obrigkeit wieder installiert wurde. Der gleiche Kaiser soll zwei Jahre später die ratstreuen — weil auf ihren Absatzmarkt bedachten — Fleischhacker mit dem Privileg, einen Tanz abhalten zu dürfen, belohnt haben. Nach und nach erhielten, wie andernorts, weitere Handwerksgesellen das Recht, *„in der vasnacht . . . zu geen und zuchtige reimen zu gebrauchen"*. Spielrotten aus *„erbaren gesellen"* konnten im abgeschlossenen Kreis der Zunftstuben und Wirtshäuser ihre gereimten Spiele aufführen. Erst 1517 war diesen Laiendarstellern die öffentliche Aufführung auf dem Marktplatz erlaubt.
1486 gestattete ein Ratserlaß Nürnbergs dem anderen dichtenden Hans — dem geschworenen Meister der Wundarztkunst und Barbierer Folz aus Worms, der seit 1477 in Nürnberg ansässig war —, *„ein zimlich vaßnachtspil mit reymen ze haben"*. Der Handwerker Folz war nicht nur Spielleiter einer Spielrotte, sondern Textlieferant dazu. Aus seiner eigenen Presse sind 41 Drucke aus der Zeit zwischen 1479 und 1488 bekannt; eine Zahl, die auf einen sicheren und nicht geringen Abnehmerkreis schließen läßt.
Mit *„san / wan / tan / gan / schran / kant / klant / swant / nant / zacz / facz / spacz / fracz . . ."* und noch einigen Reimwörtern gleichen Klanges wird der 1515 verstorbene Folz heute in einer Meistersanganthologie präsentiert. Jedoch allein des Reimes willen ist er noch lange nicht in die Kategorie der Meistersänger einzureihen, denn Folz hat als Autor von Fasnachtspielen und als *der* Vertreter der Reimpaarsprüche mehr Bedeutung denn als „Meistersänger". Reimpaarsprüche sind die Konstruktionselemente seiner Fasnachtspiele.
Ein Volksbuch, bei Marcus Ayrer in Nürnberg erschienen, bildet die stoffliche Grundlage des Folzschen Fasnachtspieles vom *„König Salomo und Markolfo"*. Geschichten dieses Motivs waren im Mittelalter in verschiedenen Sprachen bekannt und viele Überlieferungen bestätigen deren Beliebtheit. Jedes Fasnachtspiel hatte die Tendenz, bekannte Stoffe vorzuführen. Die Spannung liegt in einem Dialogwettstreit zwischen dem König Salomo und dem Bauern. Auf den Elementen der Rede — und nicht der Handlung — aufgebaut, wird das Spiel entwickelt.
Die Parallelen von Geschichten, die mit einem einzigen Gegensatzpaar auskommen, reichen bis in die altrussische Literatur. In den Spielen geht es nicht um die Gestaltung einer selbständigen Spielwirklichkeit. Die Figuren werden ohne Vorgeschichte auf die Bühne geführt; ihre Darstellung bleibt eine Momentaufnahme — die Spielfläche ein neutraler Raum. Von der realistisch-illusionären Raumstruktur des neuzeitlichen Dramas entfernt, entführt diese Zeitlosigkeit mit einem Surrogat an allgemeingültigen Quintessenzen aus dem Dilemma des Alltags. Die so relativierten Personen fungieren als moralische Fingerzeige oder personifizierte Wortwitze.
Die Komik der Verkleidung lebt aus dem Kontrast zwischen dem Träger der Vermummung — dem Handwerker — und dem Ziel der Vermummung — der Bauernfigur. Die Handwerker, als Träger der Spiele, befreiten sich aus ihrer alltäglichen Ständerolle durch den Umstieg ins „Miljöh" der Bauern. Die dabei freigespielte Sexualität tritt im Bauerngewand auf. Wenn die gespielten „Bauern" auch häufig Zielscheiben des Spottes sind, so muß daraus nicht unbedingt ein städtischer Bauernhaß gefolgert werden, denn immerhin stellten

damals die Bauern rund 30 Prozent der Stadtbevölkerung Nürnbergs. — Wie eng noch der Kontakt zwischen verkleideten Spielern und dem Publikum war, zeigen Schimpfszenen, deren Wirkung auch darin bestand, daß der „Konsument" solcher Tiraden die Beschimpfung selbst fortsetzen konnte. In einem der Spiele prasseln auf einen Ehemann folgende rhetorische Schläge nieder:

„... du fuller, fresser, saufer und slaucher,
du raßler, hurer, eprecher und durchecht,
du gauch, esel, narr und erenberauber,
du felscher, unverschemter afterkoser,
du scheuhentag und du galgenschwengel ..."

Solche Monologe sind nicht monolithisch in den „Spieldialog" eingefügt; sie entsprechen dem undialogischen Sprechen der Figuren — auch wenn sie sich gegenseitig durch Stichreime zur Antwort herausfordern. Zwar verknüpfen Stichreime die Sprecher miteinander, indem der Sprecher der ersten Zeile eines Reimpaares die Antwort des anderen mit einem lautlich entsprechenden Stichwort herausfordert, aber das vorgegebene Stichwort legt den Antwortenden schon fest. Der Sprecher wird so zum Nachsprecher; das Gespräch bleibt Redewettstreit. Die Taktik dieses nach vorgegebenen Schablonen Sprechens ermöglicht zugleich Komik, wenn Folz Figuren „auf die Nase fallen" läßt: das metaphorisch Vorgebrachte wird durch Wörtlichnehmen desillusioniert. In einem Kuhstall wirbt ein junger Mann um eine Magd: *„west ir wie mein geplüt / durch euch so stet in flamen glüt / ich west ir kült mir ab die prunst ..."* Die Magd geht auf diesen Antrag nicht ein und bietet ihm statt Erhörung nur *„spülwasser"* zur Kühlung an.

In Folzens Spielen eröffnen und kommentieren *„auszschreier"* das Geschehen, bezeichnen sprechende Namen die geschichtslosen Figuren, stellen feststehende Fluchformeln — wie *„samer pox leichnam"* — Verbindung mit den Zuhörern her, vergeht die Spielzeit im prozessualen Ablauf der Wettstreitreden, hebt unverblümte Direktheit den ehemals „geblümten Stil" auf. Im *„Spiel von einer Hochzeit"* rät ein Brautbetrachter: *„schau sie mir an der hintern stiern / ich sag dir, sie ist ein versuochte diern ..."* Und die Braut kontert:

„... so laß ich fein mein meulin wandren
von ainem oren piß zuo dem andren ...
mein dütlein oben klein und schmal
und ie größer hinab gen tal,
geformt gleich zwen glockenschwengeln,
solt ich dich umb dein maul mit dengeln ..."

Folz addiert, ähnlich Rosenplüt, Wirklichkeiten, die er zu Reimpaaren zusammenfaßt. Selten verwendet er abstrakte Substantive und geht mit den sie bezeichnenden Epitheta (*„zart/piter/schon/herb/clar/lauter"*) sparsam um. So gewinnt er eine Kontinuität seiner Begriffswelt, denn Adjektive allgemeiner Bedeutung grenzen die Substantivbegriffe nicht einmalig ab. In der so erreichten „sublimen Neutralität" löst Folz, mit den Fragen der Scholastik konfrontiert, deren Widersprüche nicht auf; mit dialektischen Additionen und Phönix- oder Pelikanallegorien veranschaulicht er sie.

Hans Folz, Zeichnung von H. Schwarz um 1420; Berlin Kupferstichkabinett

Folz ist nicht nur Verfasser religiöser Traktate oder belehrender Schriften, in denen er seine Kenntnisse ausbreitet (wie im *„Hausrat-, Bäder-, Konfekt- oder Brantweinbüchlein“*); auch stellt er nicht bloße historische Reminiszenzen an, um die große Tradition des „römischen Reiches“ als Reichsideologie auszulegen, auch wenn ihm das „heilige römische Reich“ *die* Macht war, durch die *„der christlich deych / beschüczt . . . solt werden“.*
Folz zählt zu den Autoren, die erkannten, daß religiöse Texte erst dann Volkslektüre werden konnten, wenn parallel zu den kanonischen Texten apogryphe Varianten geliefert wurden. Ein Blick in die altrussische Literatur zeigt, daß gerade Apogryphen mit hyperbolischer Eindringlichkeit stärker ins Bewußtsein der Leser eindrangen. Der *„Gang der Gottesmutter durch die Höllenqualen“ (Choždenie bogorodicy po mukam)* zeigt das besonders deutlich. Folzens *„Pfarrer im Ätna“* erlebt das Leiden der „Venuskinder“, sieht die Verwandlung schöner Frauen zu Nattern und Unken und die Bestrafung der Ungläubigen.

Polemisch wird Folz als theoretischer Spruchdichter, wenn er gegen die Juden zu Felde zieht. In dem zur damaligen Bildungsliteratur gehörenden Streitgespräch *„Der Christ und der Jude"* breitet Folz die gesamte Kollektion christlicher Argumente aus; unter Berufung auf das Alte Testament interpretiert er die Rechtmäßigkeit des christlichen Standpunktes und „erklärt" das damals aktuelle Problem der Scholastik: die Trinität. Aber es geht Folz nicht nur darum, den Vertreter der *„heydnisch zunfft"* dogmatisch in die Enge zu treiben; da sich der Jude zwar einsichtig, aber doch nicht als reuiger Sünder zeigt, bricht über ihn das Gewitter christlicher Beschimpfung herein:

„. . . die kinder gottes sint nun wir
und die vergifften würm seyt ir:
wan het ir uns in ewrm gewallt
als ir in unserm seyt gezallt,
kein crist erlebet jares frist . . ."

Folz, der das Pamphlet *„Phåretra cóntra iudéos. die köcher wider die iuden"* aus dem Lateinischen für den Patrizier Haller übersetzt hatte, argumentiert typisch christlich, denn die Juden müssen wegen ihrer Tat an Christus *„püsen"*. In seinem Spruch vom *„Jüdischen Wucher"* zeigt Folz hyperbolisch die jüdische Geschäftstüchtigkeit und Handelsfreiheit als eine Form *„zu lestern alle kristenheit"*, und *„so schafft ein jüd in einer stat / vil grössern schaden und unrat / wan irn ein wolff in eim schofstal"*. Deshalb lobt Folz den *„pischoff philip von bamperg"*, der *„ein götlich werck"* getan hat, als er die Juden *„vertrieben"* hat. Den *„pluthunden"*, die *„der armen cristen plut"* saugen, wünscht der Dichter nur eins:

„. . . las wir die iuden am pisem nagen,
pis sie all arßlöcher lern aus
mitsampt der spitaler scheißhaus.
etwan finden sie des drecks mer.
also spricht hans folcz barwirer."

Neben dogmatisch-rational „begründeter" Agitation gegen die Juden weiß sie Folz auch im Spruch vom *„Falschen Messias"* zu verspotten: ein Student, der einem Judenmädchen nächtliche Besuche abgestattet hat, verkündet dessen Eltern, daß das Mädchen den Messias gebären werde. Der Leser erlebt, wie sich die Juden nun in Vorbereitungen und Freude überschlagen, um schließlich als die Geprellten verspottet zu werden: *„der juden schant wart offenbar"*.
Mögen die jüdischen Geschäftspraktiken auch Anlaß zu innerstädtischen Reibereien gegeben haben — Folz hat daraus eine emotionale Hetzliteratur fabriziert, die ihn als einen „Vorzünder" Streichers deklassiert; galt doch schon damals die Identifikation: *„Hund gleich Jud"*.
Folzens Taktik, einen Begriff durch Variation zu beschreiben und durch Typisierung zu überzeugen, zeigt sich nicht nur in der Agitationspoesie; auch in der Zeichnung von „Typen", denen er Reimpaarsprüche widmete, tritt die Schwarzweiß-Malerei zutage. Der „Buhle" ist ein *„Eselskopf und Loterspub"*, der „Spieler" um des *„spils willen verrucht"*, der „Trinker" *„seügt"* am *„trinkgschir wy ein kalb"* und *„fluchet, dopt und schreit . . ."* In dieser prallen Typisierung sieht er freilich auch, daß so ein *„dibisch loter"* seine Familie an den Rand des Ruins führt. Folz wettert gegen *„grober weiber trunckenheit"* und hält es

für das *„pöst“*, so einem weib ein *„panckhart“* zu machen. (Die Zahl der *„panckshalben“*, der unehelichen Kinder, muß damals nicht gering gewesen sein!) Mancher dieser Texte bestätigt wohl soziale Gegensätze; die Gründe derselben werden aber nie angegeben, sondern akzeptiert – wenn auch in spaßig-pointierter Form. Wird ein Reicher überlistet, dann lediglich durch den Trick der Verkleidung: der *„Schinkendieb als Teufel“* hat nur momentan, religiöses Erschrecken ausnutzend, Macht über den sozial höher Gestellten. *„Unvernunft geprauchen“* und *„fantasey“* – diese Maxime hat sich Folz einmal selbst gegeben. Phantasie freilich noch nicht im Verständnis Jean Pauls. In

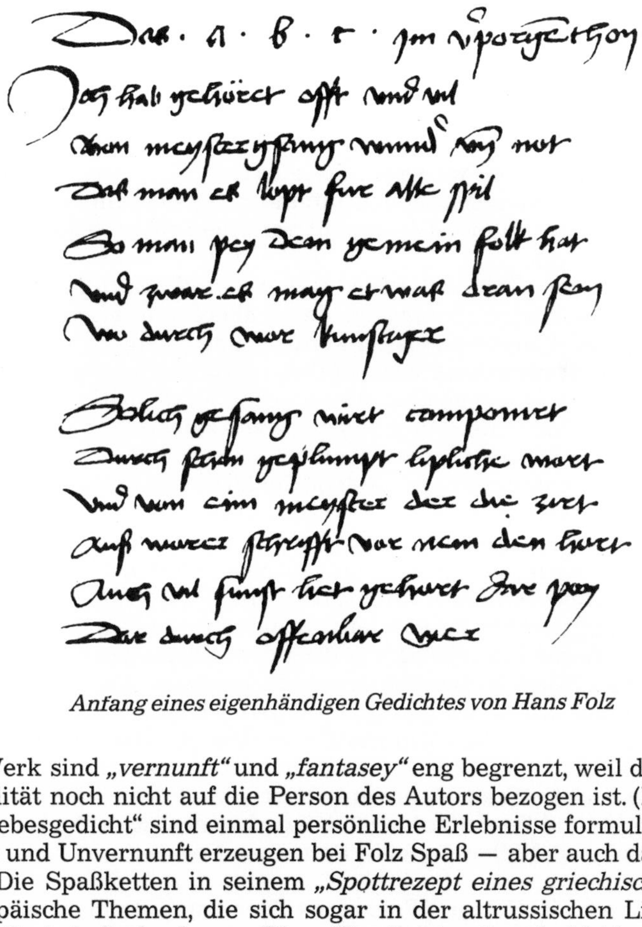

Anfang eines eigenhändigen Gedichtes von Hans Folz

Folzens Werk sind *„vernunft“* und *„fantasey“* eng begrenzt, weil die poetische Individualität noch nicht auf die Person des Autors bezogen ist. (Lediglich in einem „Liebesgedicht“ sind einmal persönliche Erlebnisse formuliert.) Phantasie und Unvernunft erzeugen bei Folz Spaß – aber auch da ist er kein Original. Die Spaßketten in seinem *„Spottrezept eines griechischen Arztes“* sind europäische Themen, die sich sogar in der altrussischen Literatur der Moskauer Periode finden lassen. Diese Komik ist national nicht begrenzt. Man nehme:

„... das gluckern von einer schoffglocken ...
und von einm kirchenknopff des glancz ...
und so vil schnels lauffs von eim hasen ...
... einn zentner nonnenfürcz ...
und vier lot junger meyt gedancken

und so vil allter esel rancken . . .
so wart dis erczney gedicht
im fladenhaus dort zu schlampampen . . ."

Hier zeigt sich Folz als echter „poetischer Spieler" im Verständnis Huizingas. Was Folz in seinem Rezept nur flüchtig andeutet, entfaltet er ganz im größten Teil seiner Reimpaarproduktion. Deshalb stellte 1884 Goedecke in seiner *„Literaturgeschichte"* lakonisch fest: *„. . . mit einer Erfindungskraft von staunenswerter Ausgiebigkeit wurden die geschlechtlichen Verhältnisse zum Gegenstande des schamlosesten, im Schmutze seligen Witzes gemacht . . . Jeder Witz eine Unfläterei . . ."* Folz ist ein *„blumendüftelnder Meistersänger und schmutziger Schwankdichter . . . Eine Analyse seiner Dichtung ist deshalb ausgeschlossen."*
Ein totales Verkennen jener Volksliteratur und des Lesebedürfnisses, das sonst nur unter vorgehaltener Hand, also im „underground", befriedigt werden konnte, führte den „literarischen Saubermann" Goedecke zu so eilfertigem Abkanzeln. Auch mag der weitverbreitete Irrtum, alles, was mit Sexualität zu tun habe, gehöre nicht zur „schönen Literatur", zu solchem Fehlurteil geführt haben. Folz bestellt offenherzig dieses literarische Feld nach der Devise: *„naturalia non sunt turpia."*
Das Personal seiner „Trivialliteratur" stellen *„grobe paurn",* Strohwitwen mit sexuellem Nachholbedarf, Ehefrauen, deren ältere und *„einfeltige"* Gatten die *„nachtpfrünt"* nicht mehr ableisten können, und Pastoren auf Abwegen. In voyeuristischer Revuetechnik werden diese Figuren nur von außen gesehen. Solche Stereotypie – fernab aller literarischen Exklusivität – geht nicht auf die „inneren Konflikte" der Personen ein, was keineswegs die evozierte sexuelle Erregung des Lesers mindert, denn der sonst in „Gesellschaft" und sittenpolizeiliche Reglementierung gebundene Textkonsument sieht sich bei solcher Lektüre selbst bestätigt.
Folz verdreht die ehemalige Minnerede: Nun sind es nicht mehr Adlige, die um Frauengunst werben, sondern ungeschlachte Bauern. Er verwendet das Schema der mittelalterlichen Minnegerichtshöfe weiter, um in Gerichtsform *die* Verhandlungspunkte zu erörtern, in denen es besonders derb zugeht. Parodie auf höfische Phraseologien öffnet dem Erotischen Tür und Tor; Possen setzten den „Kosmos des Erotischen" in Szene.
Zu Beginn seiner erotischen Geschichten nennt Folz meist einen geografisch auffindbaren Ort, um die „Wahrheit" der Mär zu dokumentieren. In der *„Wiedervergeltung"* verwickelt er zwei Ehepaare miteinander; der Mann des einen Paares und die Frau des anderen haben ein „Verhältnis", das nach allerlei Spannungen und Beschimpfungen komisch-moralisch aufgelöst wird. Auch diese Figurenkonstellation findet in Folz einen Bearbeiter europäischen Literaturgutes.
Ein Bäcker, der sein Holz im Wald eines Edelmanns stiehlt, wird von der als Mann getarnten und lüsternen Edelfrau bestraft: er muß sie in *„das flach antlit kussen".* Der so Gedemütigte merkt wohl, daß *„der locher weren mehr dan einß"* und besucht später, als Narr verkleidet, die Edelfrau, um sich entsprechend zu revanchieren.
Komödiantische Verwirrung vor allem im Reimpaarspruch von den *„Drei Studenten",* die der Wirtin einer Kleinstadt am Rhein mit geblümten Liebesanträgen den Hof machen. Die Umworbene hält jeden durch verzwickte Aufträge

hin. Die um ihr Schäferstündchen Gebrachten kehren, verkleidet, bald darauf wieder. Der eine dreht der Wirtin um den Preis einer Liebesnacht eine Zauberwurzel an, davon jedoch *„die wirtin wart geswellen".* Der zweite erscheint darauf als Arzt und findet bei der Wirtin alsbald den Grund der Schwellung: *„mein Frau, das ist der grunt: / ein manspild ist euch worden kunt, / dem ir euch habt vergnügt ein nacht."* — Der Preis der Heilung ist eindeutig. Schließlich kommt der dritte Studiosus als Wahrsager, von dem die Wirtin (in Unkenntnis der Sachlage) die „volle Wahrheit", die der Student von seinen Kumpanen ja kennt, verlangt. Durch solche Retardierungen kann der Autor im da capo mit anderen Worten die nächtlichen Eskapaden wiederholen und das Vergnügen der Leser steigern. Der „Wahrsager" nützt seine Kenntnis geschickt aus: *„o frau, ein kauffman pey dir lag, / dem du warst feyl, du falsches weib. / zu lon geswellt er dir den leib."* Wie sehr solches Verhalten in der Öffentlichkeit ein Stein des Anstoßes war, zeigt Folz als Kopist seiner Zeit: *„o gast",* so jammert die ver- und überführte Wirtin, *„geschweigt der wort! / würd es von mein nachbaurn gehort,: / zu schanden man mirs ewig schaczt. / würd es dan meinem mann geschwaczt, / sterben müst ich on alle gnad. / was hülf eüch dan mein schand und schad?"* Diese gesellschaftliche Verlegenheit der Wirtin weiß der Student geschickt auszunützen und er erpreßt die Frau: *„leg mich heint auch zu dir / . . . / schnel im die wirtin das zusacht / allso lag er pey ir die nacht. / was sie do driben, las ich stan."*

Der moralische Zeigefinger als Schlußepistel hebt trotz Warnung vor so „schändlichem Treiben" das Freiherausgesagte nicht auf. Die „Moral von der Geschicht" steht als Paradox zur ganz und gar nicht verdrängten Lust — trotz der christlichen Umwelt. Mag auch diese Demonstration erotischen Lebens bar jeglicher Individualität sein — die pralle Diesseitigkeit solcher Texte fügt mit umgangssprachlichen Verklausulierungen Elemente der Triebsphäre in die Welt des Zunftalltags ein. Die Metaphorik des Sexuellen dient der Öffnung des Textes zum Lesepublikum hin und erreicht so eine Gemeinsamkeit zwischen Text und Leser. Deshalb kann man in dieser Literatur von einem durchaus demokratischen Akzent sprechen. Für das dennoch „Unfeine", als das ja schließlich bei aller Freude das Geschlechtliche in der trüben christlichen Umwelt verstanden wurde, boten sich wie von selbst die derben Umgangsworte der bäuerlichen Welt an. Die entbundene Sexualität der Stadtbürger erscheint — entschuldigt — in bäuerlichem Gewande. Auch diese Verwendung ist typisch für ein literarisches Verfahren der damaligen Zeit: um Aggressionen abzureagieren, werden Zielscheiben ausgesucht (oder erdacht), und diese Ersatzfunktion einer sonst integren Welt ermöglicht eine Rollenbefreiung, die anderweitig nicht möglich ist.

Wie grell das volkstümliche Universum erotischer Phantasie bei Folz war, mag schließlich noch seine *„Mißverständliche Beichte"* zeigen. Der Autor gibt sich als heimlicher Lauscher am Beichtstuhl aus und liefert eine gepfefferte Sex-Reportage. Das „Beichtkind" zählt seine „Verfehlungen" auf:

„. . . ich nam eim hund sein er
und hab verunreint sweines fleisch . . .
desgleichen auch geschwecht ein geiß . . .
und unkeüscht mit eim esel . . .
desgleichen zu schaffen mit eim schoff.

... noch ein gros sünd ich in mir stroff:
mein mutter schwengert ich ein nacht
und hab tragend mein meit gemacht ...“

Der verwunderte Beichtvater nimmt die Sünden wörtlich und meint, daß weder ein Heiliger noch der Teufel selbst diesen Sünder absolvieren könne. Nach einigem Hin und Her erläutert dann der „Sünder“ seine Freveltaten und hebt das Groteske – das nun noch einmal abgespult wird – auf. Dieses Entschärfen des Sexuell-Monströsen in diesem Reimpaarspruch nimmt dem Erstgesagten freilich die Brisanz nicht. Das Mißverständliche klärt sich auf:

„... mit meiner muter welt verstan
die ich fürwar geschwengert han:
ich mein, do sie mich drug in ir,
was sie geschwengert gnug mit mir ...“

Auch die anderen „Vergehen“ werden auf diese Art als völlig natürliches Verhalten zurückgenommen.
Folz, der zusammen mit Rosenplüt – in textlicher, und nicht in personeller Zusammenarbeit –, Nürnberg literarisch um erotische Dreistigkeit bereichert hat, fand in Gottfried Herder einen ungewollten literarischen Anwalt gegen den Ankläger Goedecke. Herders Verständnis solcher Poeterey gegenüber gilt auch für die Texte von Hans Folz: *„... Nirgends reizt diese Idiotistische Schreibart mehr, ja nirgends ist sie unentbehrlicher, als bei Schriftstellern der Laune ... und in dem Vortrage für den g e m e i n e n Mann, der a u c h in Schriften leben soll ... Nimmt man diesen das Idiotistische ihrer Sprache, als einer lebendigen, als einer angeborenen, als einer Nationalsprache: so nimmt man ihnen Geist und Kraft ...“*

Titel eines Meistersanges von Hans Folz: „Der böse Rauch“, in der Flammenweise gedichtet

Heinz Zirnbauer

CONRAD CELTIS

1459–1508

Anno Eintausendvierhundertundneunundfünfzig, am 1. Februar, wurde zu Wipfeld am Main, einem der Weinbauerndörfer zwischen Schweinfurt und Würzburg, dem Winzer Johann Pickel ein Sohn geboren; er nannte ihn Konrad. Den Buben formte die sonnige fränkische Weinlandschaft; es formte den Heranwachsenden aber auch der ältere Bruder geistlichen Standes bei den Benediktinern zu Münsterschwarzach; er unterwies ihn im Lateinischen, machte ihn mit römischen Klassikern bekannt und vermittelte ihm somit die ersten Grundlagen damaliger gelehrter Bildung. So zeigte denn der junge Konrad sich dem Wunsch des Vaters, gleich ihm Winzermesser und Kelter zu gebrauchen, durchaus verschlossen und entfloh eines Tages, als 18jähriger, dem väterlichen Gebot. Auf einem Floß, mit fränkischen Schiffern, fährt er Main und Rhein hinunter gen Köln, wo er sich am 9. Oktober 1477 an der Universität immatrikulieren läßt. Er betreibt zunächst Studien in den sogenannten „freien Künsten" und in scholastischer Philosophie; von diesen wendet er sich aber alsbald ab, da sie ihn dem geistlichen Stand des benediktinischen Bruders allzu sehr zu nähern drohen, und widmet sich seinen Lieblingsstudien Poetik und Rhetorik. Er hat ja auch bereits etliche eigene dichterische Versuche vorzuweisen und hat, nach der „Zeitmode", den biederen Namen „Pickel" latinisiert zu jenem „Celtis", unter dem er fürder in die Geschichte eingehen wird, als *„des deutschen Reiches Erzhumanist"* — der Weinbauernbub aus Wipfeld am Main, geboren am 1. Februar 1459.
1459 — es ist nicht uninteressant festzustellen, wer gerade in diesem Jahr neben diesem Konrad Pickel-Celtis das Licht der Welt erblickte — daß da wenige Wochen später dem deutschen Kaiser Friedrich III. der Sohn Maximilian geboren wird, der als Förderer und Beschützer der humanistischen Dicht-, Bild- und Tonkunst seines Zeitalters Geschichte machen soll, daß der Hofkomponist dieses *„letzten Ritters"*, Paul Hofhaimer, zu Radstatt zur Welt kommt, der, als erster, Oden des Horaz in revolutionierend neuer Musik komponieren wird, daß Martin Behaim das Licht dieser Welt erblickt, deren Bild er als berühmter Geograph zu verändern berufen ist, und daß schließlich, das Zeitbild zu runden, auch der Handelsherr und Wirtschaftsrevolutionär im deutschen Raume, Jakob Fugger, den sie später *„den Reichen"* nannten, in eben diesem Jahre 1459

geboren wird. Stellen wir daneben noch die ein Jahr später geborenen Maler und Bildhauer Matthias Grünewald und Adam Kraft, so ist das in summa eine wohl bindende Ortung des Phänomens Konrad Celtis.
Verfolgen wir den Werdegang dieses Phänomens weiter: 1484 finden wir Celtis in Heidelberg. Dort lehren die zu ihrer Zeit berühmtesten deutschen Humanisten Johann von Dalberg und Rudolf Agricola; sie vertiefen in dem jungen Baccalaureus artium die neue Weltsicht. Ein Jahr später ist Celtis bereits Magister — ein Jahr später ist aber auch sein verehrter Lehrer Agricola schon nicht mehr unter den Lebenden. Und Celtis wandert weiter, zieht von Universität zu Universität durch die deutschen Lande — nun nicht mehr als Lernender, sondern als Lehrender, das neue Geistesgut zu verbreiten: als fahrender Humanist hält er zu Erfurt, zu Rostock und Leipzig vor wachsendem Hörerkreise Vorträge über platonische Philosophie und ciceronianische Rhetorik, über antiken Versbau und Horazische Verskunst. In Leipzig wird 1486 auch seine erste Schrift gedruckt, die *„Ars versificandi et carminum"*, eine in Versen geschriebene Abhandlung; Celtis behandelt in ihr die ars metrica, die antike Lehre von den Versfüßen und, sub titulo *„ars poetica"*, vor allem die Prosodie. Celtis widmet seinen Erstling — klugerweise wie auch nach dem Brauch der Zeit — dem sächsischen Kurfürsten Friedrich dem Weisen; der wußte und verstand recht wohl, wo den Verfasser des Büchleins der Schuh drückte, und er setzte sich beim Kaiser, Friedrich III., dafür ein, dem jungen, noch nicht 28jährigen Dichtergelehrten den silbernen Dichterlorbeer und den Doktorhut zu verleihen.
Gelegenheit hierzu bot der nächste Reichstag zu Nürnberg, und so empfing Konrad Celtis diese Insignien *„von den hennden kayserlicher Majestet"*; für den festlichen Tag hatte Celtis eine Ode gedichtet, eine Lobpreisung des Kaisers natürlich, der ihn darnach unter feierlichen Zeremonien — Wangenkuß mit eingeschlossen — krönte. Es war der 18. April 1487, und Celtis war der erste deutsche Dichter, dem solche Ehrung widerfuhr. Und es war sein erster Aufenthalt in der alten hochberühmten Reichsstadt, die damals noch so ganz *„in des Reiches Mitten"* lag; er sollte noch des öfteren hierher zurückkehren. Zunächst aber zog es den Coronatum, den Laureatum und neugebackenen Doktor dorthin, wohin den Humanisten die Sehnsucht treiben mußte: in das Ursprungsland der neuen geistigen Bewegung, in das Heimatland der lateinisch-klassischen Dichtung — nach Italien. Achtzehn war er gewesen, als er aus Wipfeld der väterlichen Fuchtel entrann, dem neuen Ideal nachzujagen, das der benediktinische Bruder, und wohl auch der Bruder seiner Mutter, Gregor von Heimburg — auch ein geistiger Revoluzzer seiner Zeit —, in ihn gepflanzt hatten. Zehn Jahre später zog nun der „poeta laureatus" und Doctor gen Süden. Die Einnahmen aus seiner Vortragstätigkeit zu Erfurt, Rostock und Leipzig waren doch so reichlich gewesen, daß er solchem Drange zu weiterem Reisen nachgeben, nachgehen konnte.
Es sollte aus dieser *„italiänischen Reise"* aber doch eine kleine Enttäuschung werden, wiewohl der unmittelbare Kontakt mit manchem aktiven Vertreter der neuen Weltsicht für ihn natürlich von größter Bedeutung sein mußte. Doch hat den Deutschen eine nicht übersehbare, überhörbare Arroganz derer abgestoßen, die ihm gegenüber wohl allzusehr auf die Primogenitur der Idee des Humanismus pochten. Dazu waren, wie Celtis das ja zu Leipzig schon hatte erfahren müssen, die Repräsentanten der universitären Wissenschaften auch hier noch weitgehend in der dem Neuen absolut Konträren, der mittelalterli-

INSIGNIA POETARVM
HANC LAVRVM DEDIMVS CHVNRADO INSIGNIA VATVM
CAESAR: VT HEROVM FORCIA FACTA CANAT
QVAQVE PIOS VATES MERITA CVM LAVDE CORONET
QVANDOQVIDEM NOSTRAS IAM GERIT ILLE VICES.
SIGILLVM COLLEGII POETARVM VIENNAE

Insignien der gekrönten Dichter; Holzschnitt von Hans Burgkmair 1505. Zepter, Ring, Barett, Siegel und Lorbeerkranz wurden am 18. April 1487 von Kaiser Friedrich III. an Conrad Celtis verliehen

chen Scholastik, befangen. Wichtig wurde aber für den jungen deutschen Humanisten die Bekanntschaft mit jener außeruniversitären römischen gelehrten Gesellschaft, die Freunde der platonischen Philosophie und der klassischen Wissenschaften in engerem Verein einander näher brachte. Solche Sodalitäten zur Förderung der humanistischen Studien auch in Deutschland zu begründen, mag Celtis sich schon damals in Rom vorgenommen haben. Von Bedeutung wurde auch die Bekanntschaft mit dem humanistisch protagonistischen venezianischen Buchdrucker Aldus Manutius, aus dessen rasch berühmt gewordenen Antiqua-Drucken der deutsche Dichtergelehrte manche Gestaltungsanregung mitgenommen hat.
Rom aber:

> *„Quid superést, o Roma, tuae nísi fama ruínae*
> *De tot consulibus, Cáesaribusque simúl?"*
>
> „Was ist denn verblieben, o Rom, nichts als die
> Sprache Deiner Ruinen, all Deiner Konsuln und
> Kaiser zugleich."

Der jugendlich begeisterte Anhänger der Wiederentdeckung des klassischen Altertums mag vor den „ruinae" der alten Herrlichkeit, die er aus den Schriften der Alten sich aufgebaut, wohl einen rechten — wie wir heute sagen würden: Schock erlitten haben.
Zum andern hat der von *„kaiserlichen hennden"* kreierte Doktor nun aber doch die Verpflichtung in sich wachsen gefühlt, in einer der damals „modernen" Wis-

senschaften noch post promotionem sich zu bewähren; denn es war ja nun so: daß unter den Universitätslehrern solch kaiserliche Doktorwürde nicht das rechte Ansehen fand, solange der Träger dieser Würde nicht an der Universität Beweise einer vollkommenen und allseitigen wissenschaftlichen Bildung dokumentiert hatte. Celtis wählte zu solchem Bewähren Mathematik und Astronomie. Die blühten zu dieser Zeit im besondern an der Universität Krakau, und bei Albert de Brúdzewo, einem der großen Astronomen der Zeit, fand Celtis was er suchte. Brúdzewo war immerhin Schüler des berühmten Johannes Regiomontanus zu Wien gewesen und sollte, bald nach des Celtis Weggang aus Krakau, der Lehrer des berühmteren Nikolaus Kopernikus werden. Celtis saß zwei Jahre zu Brúdzewos Füßen und erfüllte in dieser Lehre vollauf den primären Zweck seines Krakauer Aufenthaltes.
Grund- und Herzensanliegen der Reise war aber für den Humanisten doch ein Höheres, und wir müssen das auch für alle weiteren und häufigen Ortsveränderungen grundlegend festhalten: die Verbreitung und Vertiefung der neuen Idee, ihres Geistesguts und Wissensstoffes. Und noch ein anderes, für ihn, den von der Idee Besessenen, gleich Wichtiges: die Sammlung der Kräfte, die Vereinigung aller in einem begrenzten Lebenskreise an dieser Idee Schaffenden. Das war dem jungen Heidelberger Studenten wohl in Dalbergs Kreise schon aufgegangen und hatte angesichts der *„Accademia Platonica“* des Julius Pomponius Laetus zu Rom Gestalt angenommen. Ein Neues brachte der lebhafte Geist des fahrenden Humanisten nun allerdings in diese akademische Planung, durch seine strenge Regionalgliederung: das will besagen, daß er, wohin er auch kam, die Vorkämpfer und Repräsentanten des humanistischen Gedankens aus dem ganzen Einzugsgebiet solch geistigen Zentrums zusammenzufassen bemüht war. Vielleicht sollten wir anstelle „Einzugsgebiet“ sogar gleich den Begriff „Stromgebiet“ setzen, denn Celtis hat die zu Krakau begründete Akademie ja auch — als erste seiner derartigen Gründungen — nach dem Stromgebiet der Weichsel benannt: *„Sodalitas litteraria Vistulana“.* Wie gründlich Celtis in seinem Planen war, bezeugt die Tatsache, daß er — und was „Reisen“ dazumal bedeutete, wissen wir ja! — das ganze Stromgebiet dieser *„Vistula“* von den Karpaten bis zur Ostsee bereist hat, allüberall Beziehungen anzuknüpfen, Studien an Land und Volk zu betreiben, und Freunde und Gesinnungsgenossen zu gewinnen, die ihm auch „Material“ für seine geplanten Bücher zukommen ließen.
Daß er das Weichsel-Stromland auch *„in amore“* erkundete, bezeugen feurige Liebeslieder und -briefe an eine wohl ebenso feurige Dame der polnischen Aristokratie — doch davon später in diesbezüglichem größerem Zusammenhang der Skizzen zu seinem vollendeten Hauptwerk der *„Quatuor libri amorum“.* Aber bleiben wir vorerst beim äußeren Ablauf dieses unruhigen Lebens des Conrad Celtis:
Sein nächstes Reiseziel nach dem Abschied von Krakau ist die ungarische Königsstadt Ofen. Dort hatte ein dem Neuen aufgeschlossener Herrscher, Matthias Corvinus, einen Kreis von Gelehrten, Dichtern und Künstlern um sich geschart, hatte für seine Bibliothek auch einen rechten Schatz von seltenen Werken, namentlich der alten Römer und Griechen, zusammengetragen. Auch hier versammelt Celtis ihm brieflich längst bekannte Gesinnungsfreunde zu einer vorläufigen *„Sodalitas litterarum Hungarorum“,* die wenige Jahre später zu Wien in der, nun wieder nach dem Stromlande benannten *„Sodalitas litterarum Danubiana“* aufging. Der Aufenthalt zu Wien, auf der Heimreise, war

diesmal nur kurz — er, Celtis, würde wiederkommen. Donauaufwärts über die „Urbs Patavina", Passau, allwo der Nürnberger Freund, Johannes Löffelholz, „Coclicus" mit Humanistennamen, als Domherr saß. Celtis hat ihn, später, mit einer seiner Oden bedacht, und in den paar Zeilen jenes Gedichts, beispielhaft, seine Meisterschaft dokumentiert, ein Stadtbild, eine geographische Gegebenheit, mit wenigen Worten auf das Präziseste einzufangen; darüber hinaus auch das Können des geschulten Humanisten, ebenso knapp wie scharf formuliert, den Angesprochenen — wie sagt man doch?: anzupflaumen — das klingt dann so:

„Urbs patavina, Cocles, monte tenet insita colli
Qui tria flumina conflua umgit...

Passau die Stadt, vom Felsen herrscht sie inmitten der Hügel,
Die dreier Flüsse Fluten umspielen,
Stürmt doch von Süden der Inn rasch von den Alpen herab,
Drängt von der Quelle die Ilz schwarz sich herbei,
Nimmt in der Mitten die Donau sie auf in ihr Flußbett,
Weiter wachsend zu stürmischer Woge.
So ragt aus den Flüssen, halbinselgleich aus der Ebne
Die Stadt, ihre Zinnen hügelan flüchtend.
Hier nun erfreust du dich, Janus, an schönen Mägdlein —
Bist ja auch reichlich versehn mit kirchlichem Zehrgeld;
Doch solltest du fürder an jene solch geistlichen
Schatz nicht verschwenden,
Da er doch dienen soll frommem Gebrauch."

1491 kam Celtis, nach beinahe vier Jahren der Wanderschaft, aus seiner großen Heimat des damals noch weiten Deutschland in die engere zwischen Main und Donau zurück. Er pendelt zunächst zwischen Nürnberg und Regensburg, da in beiden Städten Freunde und Gesinnungspartner seiner warten. In Nürnberg sind es vor allem Willibald Pirkheimer und Sebald Schreyer, die hoffen, den Laureatum von Nürnberg durch eine feste Stellung an die Reichsstadt binden zu können: *„Unsere Bürger wünschen sehnlichst die Berufung eines Poeten mit einem festen jährlichen Gehalt und ich hoffe, daß Du diese Ehrenstelle erlangst"* —. Der Briefschreiber, Peter Danhauser, täuschte sich: der Rat der Reichsstadt zeigte sich solchen Modernismen annoch ungeneigt — und: es wäre ja auch für den Unsteten und seine weitgespannten Pläne keineswegs das Rechte gewesen, jetzt schon an einen Ort gefesselt zu sein. Er hatte ja noch so viel vor sich, zu dessen Verwirklichung er der absoluten Freizügigkeit bedurfte:

Zuvörderst sein großes Anliegen der regionalen Raffung all derer, die optimae voluntatis waren, der neuen Geistigkeit zum Durchbruch zu verhelfen — eine grandiose und mit bewundernswerter Hartnäckigkeit verfolgte organisatorische Planung;

zum andern der weitgespannte Plan einer neuen *„Germania"*, nachdem die „alte" des Tacitus kürzlich erst wiederentdeckt worden war und von ihm, Celtis, auf seinen Vortragsreisen einer aufhorchenden Hörerschaft erläutert und nahegebracht wurde. Das neue Werk erforderte noch viel der Vorbereitung, der Materialsammlung. Beides geht bei Celtis laufend Hand in Hand; nebenher auch die beständige Sucharbeit in den Bibliotheken der bereisten Landstriche

nach den Quellen, nach verborgenen Handschriften der alten Klassiker und nach literarischen Zeugnissen deutscher Vergangenheit – wir werden davon noch besonders zu reden haben.
Der Sammelarbeit für die *„Germania"* wegen schlägt Celtis nun zunächst sein „Hauptquartier" in Regensburg auf, um von hier aus das Einzugsgebiet des „Danubius", der Donau, zu (wie wir heute sagen würden:) bearbeiten. Dazwischen schieben sich immer wieder Versuche, seßhaft zu werden – oder besser zu sagen: Versuche seiner wohlwollenden Freunde, ihn seßhaft zu machen – als a. o. Professor an der Ingolstädter Universität (der Nürnberger Sixtus Tucher, derzeit Rektor zu Ingolstadt, bemüht sich, Celtis dort zu binden); die Wiener Freunde wollen ihn an der unteren Donau festnageln – er, Celtis, ist noch nicht soweit! So finden wir ihn, unter den Ingolstädter wie Regensburger Zeiten, schon wieder unermüdlich tätig, zu Wien sowohl wie zu Heidelberg, das ihm als Kristallisationspunkt einer *„Sodalitas litterarum Rhenana"* vorschwebt. Von Regensburg aus sehen wir ihn, nur in Begleitung eines Roßknechtes, reiten gen Westen, durch das nördliche Schwaben, durchs Neckartal – bereits im Stromgebiet des „Rhenus", des neuen Zieles – nach Dalbergs humanistischer Provinz, dem Ausgangspunkt seines literarisch-wissenschaftlich-humanistischen Werdens. Hier geschah es ihm, daß er zum zweiten Male zum Dichter gekrönt ward, gelegentlich seines 32. Geburtstags, an dem auch die geplante rheinische Sodalitas ins Leben trat; Celtis übergab ihre Leitung eben jenem Wormser Bischof Johann von Dalberg, der zu seinen ältesten Freunden und Förderern zählte.
Um noch einmal von der Gründlichkeit der Arbeitsweise Conradi Celtis-Protucij zu reden (er hatte sich inzwischen auch noch den griechischen Humanisten-Namen *„Protucius"* zugelegt, der dasselbe bedeutet, nämlich Pickel oder Meißel): er hat es auch für diese Sodalitas Rhenana auf sich genommen, das gesamte Stromgebiet des namengebenden Flusses zu bereisen – zwischen Basel, Freiburg im Breisgau und dem Niederrhein! Auf mancherlei Umwegen gelangte der unermüdlich Tätige schließlich an den Schlußpunkt seiner allso konsequent verfolgten Studienfahrten durch die deutschen Lande: daß er dazu Lübeck ausersehen, als die meist aufgeschlossene unter den nordischen Hansestädten, möchte an sich für dieses Gemeinwesen sprechen. Jedoch: die geplante nordische Sodalität – *„Sodalitas Baltica"* – trat nicht ins Leben. Mag sein, daß die Stunde dafür im Norden noch nicht geschlagen hatte; möglich auch, daß die Krankheit, in die Celtis zu Lübeck fiel, ihm den gewohnten Schwung nahm, diese vierte Sodalität unter Dach zu bringen.
Mit der auch dort betriebenen Materialsammlung für seine geplante *„Germania"* war er jedenfalls zu Rande gekommen, und so finden wir ihn alsbald wieder in Nürnberg und Regensburg. An der Domschule der alten Donaustadt wirkt er 1492 auf 93 als Rektor. Er nützt aber auch die Zeit dieses Regensburger Aufenthalts zu gründlicher Durchforschung der reichen Bibliothek des alten Benediktinerklosters St. Emmeram. Dabei stößt er auf eine Handschrift der Dichtungen der Gandersheimer Nonne Roswitha, der ersten und ältesten deutschen Dichterin. Celtis beschließt, diese literarische Kostbarkeit seinen Zeitgenossen zugänglich zu machen, sie in Druck zu bringen – erst 1501 erscheint das Werk zu Nürnberg bei Friedrich Peypus, mit seitengroßen Holz-

Conrad Celtis nach einem Holzschnitt von Hans Burgkmair, um 1502

EXITVS ACTA PROBAT QVI BENE FECIT HABET
APOL
DVLCES RVPIS AMICICIAS
QVID NON LIBITINA
RESOLVIS
GER·ILLVS 4
AMOR 4
EPIGRA 8
ODAR 4
OPERA EOR
SEQVVTVR ILLO
D M S
FLETE PII VATES ET TVNDITE PECTORA PALMIS
VESTER ENIM HIC CELTIS FATA SVPREMA TVLIT
MORTVVS ILLE QVIDEM SED LONGV VIVVS IN EVVM
COLOQVITVR DOCTIS PER SVA SCRIPTA VIRIS
CHVN·CEL·PRO·VIENNE LAVREE CVSTOS E COLLATOR
HIC IN CHRIS QVIESCIT VIXIT AN·IXL·SAL·SESQVIMILL·
SVB DIVO MAXIMIL·AVGVST· ET VII
·H·B·

schnittillustrationen Albrecht Dürers und seiner Schule. Daß Celtis sich gegen den Bibliothecarius des Klosters und gegen die ihm anvertraute Handschrift nicht so recht korrekt benahm, soll — bei und trotz aller Verehrung für seine Person und sein Werk — nicht verschwiegen sein: der gute Pater Erasmus Australis hatte, wider alle Hausordnung, dem Domschulrektor mit dem berühmten Namen den Codex mit nach Haus gegeben — gegen Leihschein, vorsicht- und ordnungshalber, der sogar noch vorhanden ist —, aber: er mußte schon ungebührlich lange warten, bis er das Buch wiedersah, und *wie* wiedersah!: Celtis hatte die Handschrift nicht nur erst einmal seinem Humanistenfreund Trithemius großzügig zur Abschrift weiterverborgt, er hatte sich selbst das Abschreiben für die beabsichtigte Veröffentlichung ganz einfach erspart und bedenkenlos in das kostbare (damals schon kostbare!) Original des 10. Jahrhunderts seine Randbemerkungen und Korrekturen manu proprio placiert, das Buch so zur Nürnberger Druckerei und so auch wieder an den Pater Bibliothecarius zurückgegeben.
Zwischenbemerkung: aus bitterer Erfahrung eines alten Bibliothekarij zu reden — es ist ja auch heute noch der und jener Leser geliehener Bücher der Meinung, daß ein solches Buch durch seine Marginalien an Wert gewinnen müsse; nur: daß halt kaum einmal ein Celtis unter diesen Lesern ist! Dem ist sein Tun natürlich längst verziehen — im Gegenteil: die Handschrift der Roswitha liegt heute unter den Rariora *„cum notis manuscriptis Conradi Celtis Protucij“* in den Tresoren der Münchner Staatsbibliothek!
Von dem Werk des Conrad Celtis, davon diese Roswitha-Publikation ja nur ein kleiner, wenn auch charakteristischer Teil ist, von seinem Lebenswerk in litteris, wollen wir noch zu reden kommen, wenn wir den äußeren Ablauf dieses bewegten Humanistenlebens bis zu Ende verfolgt haben werden:
1494 schafft der treue Freund Sixtus Tucher es endlich, Celtis eine ordentliche Professur *„in studio humanitatis“* an der Ingolstädter Universität zuzubringen. Doch der Unstete enttäuscht ihn wiederum: bald ist er zu Heidelberg, bald zu Wien, seinen Plänen weiter nachzujagen. Nun: die Verhältnisse an der baierischen Universität sind für einen freidenkenden Humanisten ja auch nicht die erquicklichsten — im ganzen herrscht dort, trotz Tuchers Rektorat, immer noch der mittelalterliche Scholastizismus, und dessen überwiegende Anhänger sind eifrigst bemüht, Celtis das Leben so schwer wie irgend möglich zu machen; sie beschuldigen ihn sogar der Irreligiosität und der Freidenkerei. Es war auch allzuviel neu und gänzlich ungewohnt an ihm, an seiner Geistigkeit und an seiner Lehrmethode auch, als daß diese Ingolstädter Professores sich nicht mit aller Macht gegen diesen Eindringling hätten wehren sollen. Dazu kam noch die für des Conradi Celtis Protucij doch ziemlich aufwendige Lebenshaltung nicht unwesentliche Tatsache, daß die Dotation dieser Professur mit ganzen 50 Gulden bei Gott nicht überwältigend war!
Der Wiener Freundeskreis mahnte Celtis beständig an sein gegebenes Versprechen, dorthin zu kommen. Ihn endlich und unausweichlich in Wien vor Anker zu kriegen, gab es nur eines, und das wußten die Wiener Freunde zu realisieren: die Berufung durch den neuen, dem Neuen völlig geöffneten und zugetanen Kaiser Maximilian, den sie den „letzten Ritter“ nannten. Sie, die Berufung, geschah mit kaiserlichem persönlichem Handschreiben vom 7. März 1497, und der Kaiser berief Celtis damit als Professor der Eloquenz und der Dichtkunst an die Wiener Universität. Nun konnte Celtis nicht mehr aus — und nahm, selbstverständlich, an; wiewohl die Dotation auch hier zunächst nicht

überwältigend war — wenn auch besser als an der knauserigen baierischen Universität zu Ingolstadt; wiewohl es auch hier Widerstände gab von seiten der reaktionären scholastischen Überbleibsel — wenn auch hier keine ingolstädtisch-juridisch-baumgärtnerische Kollegenfrau mehr böse Prügel zwischen die Beine warf; die schützende Hand der kaiserlichen Majestät verhinderte solche Intrigen!
Celtis in Wien — Endstation Sehnsucht, einer den bislang Unsteten doch quälende Sehnsucht, endlich zur Ruhe zu kommen, zu geruhigem Schaffen an all dem, was an Geplantem in den verflossenen Wanderjahren sich aufgestaut —. Auch seine Lehrtätigkeit kommt nun in stete Bahnen, sowohl an der Universität wie an dem von Maximilian auf Celtis' Anregung begründeten *„Collegium Poetarum et Mathematicorum"*, einer ganz exklusiven Dichterschule, an der ein auserwählter kleiner Kreis von nur zwölf Discipuli dem Dichterfürsten zu Füßen saß, die Idee des Humanismus, wie Celtis sie im besonderen prägte, in sich aufzunehmen: denn *er* verband ja mit der Pflege des klassischen Altertums den Gedanken einer ebenso lebendigen Wiedererweckung eines, gerade bei ihm ganz stark ausgeprägten und von ihm geforderten Bewußtseins deutscher Vergangenheit.
So tritt Celtis mit dieser Übersiedlung in die Hauptstadt des „Römischen Reiches Teutscher Nation" — dieser Beiname der alten Vienna mag uns, nach dem eben Gesagten, irgendwie symptomatisch für Celtis' Programm vorkommen — nochmal in eine neue Lebensepoche. Sie wird für ihn, den bisher allso Unruhvollen, auch zur Zeit der großen literarischen Ernte. Nicht mehr beengt durch ewige finanzielle Sorgen und bedrückt von universitärem Kollegenstreit, kann Celtis sich nun endlich, neben seinen pädagogischen Aufgaben, der schriftlichen Fixierung seiner lange geplanten Publikationen in Ruhe widmen.
Die verbleibende Zeit ist zu kurz, noch alle Pläne wirklich werden zu lassen. Immerhin: Einiges gelangt noch zur Vollendung, kommt zum Druck; es ist sogar so viel, was da noch *„an den Tag kömmt"*, daß wir uns hier bescheiden müssen; das Ganze hat Josef von Aschbach in ausführlicher Bibliographie bereits 1877 gewissenhaft verzeichnet. Das Wichtigste soll hier, mit Proben daraus, mitgeteilt sein: Was er, Celtis, selbst dafür hielt, zeigt das noch zu seinen Lebzeiten und nach seinem eigenen Entwurf von Hans Burgkmair in Holz geschnittene „Sterbebild" mit der selbstverfaßten Grabschrift: es zeigt den 49jährigen, schon sehr greisenhaft wirkenden Dichtergelehrten in Doktorhut und Pelzschaube hinter einem Tische: vor ihm liegen vier Bücher, über die er, gesenkten Blicks, die Hände gebreitet hält — es sind, nach den zeitüblichen „Schnitt-Titeln", in der unteren Reihe seine *„Quatuor libri Odarum", seine Oden, die acht Bücher der „Epigramme"* auch, und die *„Quatuor libri amorum"*, von denen wir gleich noch zu reden kommen werden; obenauf, den Dichterhänden zunächst, aber liegt jenes Buch, vor dessen Vollendung der Tod dem Unermüdlichen die Feder aus der Hand nehmen sollte: die große, gleichfalls auf vier Bände geplante *„Germania illustrata"* — auch von ihr, die wir schon einige Male erwähnten, noch ausführlicher im Zusammenhang mit einer fertigen Skizze zu diesem großen Lebenswerk, dessen Nichtvollendung, nach dem vorliegenden Teilstück zu urteilen, als schmerzliche Lücke in der deutschen Geschichtsschreibung empfunden werden muß.
„Quatuor libri amorum — vier Bücher der Liebschaften": auch sie sind als Vorstudie zur *„Germania"* anzusehen, sind Frucht seiner jahrelangen Studienreisen durch die deutschen Stromgebiete, jener Reisen, deren anderer Zweck ja

die Organisation der humanistischen Sodalitäten gewesen war. Wir deuteten bei der Reise um die *„Vistula“*, um die Weichsel, schon an, daß der lebensfrohe fahrende Humanist dort in Amors Fessel gefallen sei; so hat er, Celtis, auch für die andern beschriebenen Stromgebiete der Donau, des Rheins und der Elbe in seine *„Quatuor libri amorum“* jeweils eine für die Mentalität des Landstrichs charakteristische Frauenfigur eingeführt, als repräsentativen dichterischen Angelpunkt seiner geographisch-historischen Beschreibung dieser vier Hauptgegenden Deutschlands. Die *„Hazilina“* der zwei Krakauer Jahre haben wir bereits kennengelernt: an der Donau, zu Regensburg, hat während seines dortigen Aufenthalts eine Frau *„Elsula“* ihn freundlich betreut, am Rhein die temperamentvolle Mainzerin *„Ursula“*, und in seiner Krankheit zu Lübeck die nordisch reservierte ernste *„Barbara“*.
Wirklich und urkundlich nachweisbar, und nicht nur eventuell dichterische Fiktion, ist nur die erste von den Vieren, denn sie hat sich in einem überlieferten Briefe bei dem Verfasser der Quatuor libri amorum bitterlich beschwert über die Indiskretion seiner dichterischen Ergüsse; sie schreibt ihm in tschechischer Sprache, die damals in der polnischen Gesellschaft noch als Umgangssprache in Gebrauch war; es ist ein gar langer Brief, und wir müssen uns auf wenige Sätze aus ihm beschränken: *„Auf glühenden Kohlen“* sei sie gesessen, als in Gesellschaft ein polnischer Magister, aus Wien kommend, aus den Gedichten eines gewissen Doctor Celtis vorgelesen habe, darin von einer schönen Geliebten zu Krakau und allem, was sich je zwischen ihm und ihr zugetragen – *„als zwischen solchen, die einander heftig liebten“* – die Rede war: *„Y pertoz, pane doctorze, wiess dobrze, kdyz gsme sie rozluczyli spolu, ...“ Daher, Herr Doctor, Du weißt recht wohl, daß Du versprachst, als wir voneinander Abschied nahmen, alles mit allem Guten entgelten zu wollen. Allein, statt Treue gibst Du Treulosigkeit, wenn Du so von mir schreibst, ohne meiner noch Deiner Ehre eingedenk zu sein. Ich bitte Dich daher, wenn noch ein Fünkchen Liebe zu mir in Dir ist, daß Du das Gedicht, so Du auf mich gemacht, verdammen und unterdrücken mögest... Laß ab davon, laß ab und denk daran, was Du mir und Dir schuldig bist... „Przestan, przestan doctorze toho, a mysl, czoz sie mnie a tobie powinnowati!“*
Dies nur zu urkundlicher Bestätigung des dichterischen Gerüstes jener *„Quatuor libri amorum“*, die Anno 1501 zu Nürnberg zum ersten Male im Druck erschienen; mit Holzschnitten Albrecht Dürers und aus seines Lehrers Wolgemut Werkstatt; wie gesagt: als Vorabdruck der geplanten *„Germania illustrata“*, die, nach all den gründlichen Vorstudien der Wanderjahre des Konrad Celtis, als eine genaue historisch-geographische Darstellung Deutschlands, als eine neue „Germania post Tacitum“, der Wiedererweckung eines neuen Geschichtsbewußtseins dienen sollte, wie es in den humanistischen Sodalitäten nach des Celtis Plänen im Wachsen war.
Die Vollendung dieses all seine Studien zusammenfassenden Werkes war Celtis nicht beschieden. Wie das Ganze jener großen *„Germania illustrata“* gedacht war, zeigt aber – wie Celtis in seinen *„Panegyris“* und in seiner *„Rhapsodia“* selbst feststellt – die bereits erwähnte Teil-Studie: *„De origine, situ, moribus et institutis Norimbergae libellus“* – das *„Buechlein von ursprung, gelegenheyt, Sytten und anschicklichkeiten* (d. h. Einrichtungen) *der Stat Nurmberg“*.
Im Juni 1495 überreicht Celtis dem Rat der Reichsstadt das ihm gewidmete Buch – es gibt damit zunächst einmal viel Ärger: nicht nur, daß der Rat der Stadt es für ausreichend erachtet, dem Verfasser dieses für die Nürnberger Ge-

schichte so grundlegenden Werkes ganze acht Gulden anzubieten, der Rat teilt Celtis gleichzeitig mit, daß er das Buch durch den Losungsschreiber Georg Alt, der kürzlich des Dr. Hartmann Schedel Weltchronik ziemlich flüchtig in ebenso flüchtiges Deutsch gebracht, übertragen lassen wolle. Johannes Löffelholz, jener Passauer Janus Cocles, der uns schon begegnet ist, hatte nach den Satzungen der rheinischen Sodalität, mit Dalberg zusammen, die Zensur des Werkes besorgt und erhob gegen diesen Übersetzungsauftrag erhebliche Bedenken — umsonst: Georg Alt „war schon fertig" mit seinem Machwerk, das den Prosatext des Konrad Celtis in ebenso holperigem Deutsch, wie zuvor die Schedelsche Chronicam, zusamt bis zur Sinnentstellung gehenden Übersetzungsfehlern, wiedergeben sollte. Celtis zog sein Manuskript zurück, unter dem Vorwand einer Überarbeitung — der Nürnberger Rat sah erst fünf Jahre später das gedruckte Buch wieder, und er schwang sich — sparsam-sparsam! — zu einer, gegenüber zeitüblichem Honorarsatz um runde 50 Prozent geminderten, „Ehrengabe" von 20 Gulden auf. Nürnberger Rat und Übersetzer hat Celtis dafür mit bissigen Epigrammen bedacht.
Tun wir einen, wenn auch nur kurzen, Blick in dieses Buch: *„Vom Pildnus dieser Statt"* sagt Celtis: *„Extra quidem urbis imago, cum arce sua, sacrisque aedibus pulcherrima specie ingredientium se oculis infert et contemplationi praebet ..."* — übersetzt Georg Alt: *„Die pildnus dieser Statt, mit irer Burg vnd heylligen gotzhewsern, zaigt sich von außen den awgen der hynzugeenden menschen in außdermassen hubscher gestalt vnd anschauung; die menschen so sie hinein in die stat kommen, zu noch merer verwunderung zuckende. Do sind weytt, sawber vnd gein der sunnen auffgethan gassen, allenthalben, von der Lasstwagen wegen, gepflastert; hundertsechsvndtzwayntzig gemayn schopfprunnen, dreyvndtzwaintzig Rornkasten an bequemlichen schickerlichen enden, durch die Stat, von prands vnd notturfftigs geprauchs wegen, er-*

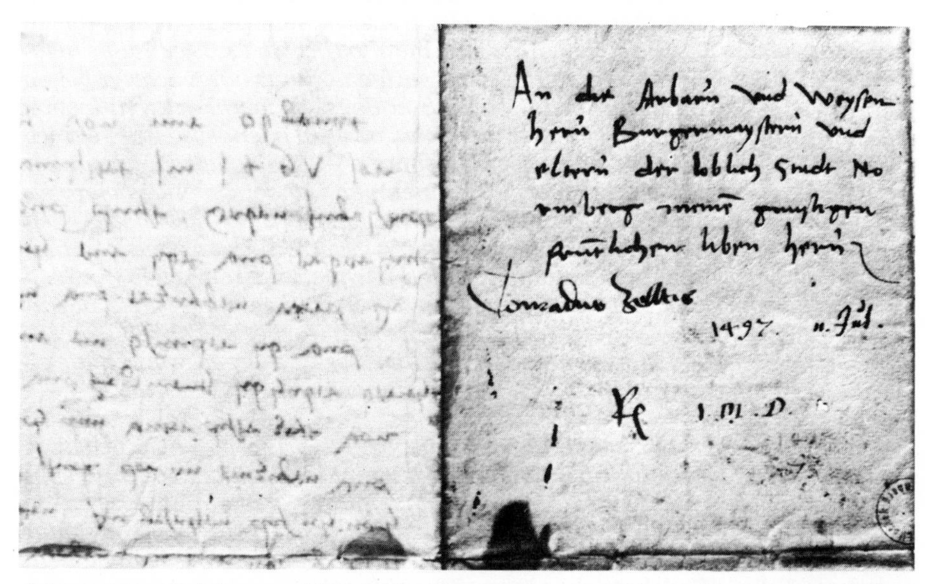

Adresse eines Briefes von Celtis an den Bürgermeister und Rat der Stadt Nürnberg vom 11. Juli 1497

pawt. Auch zwen prunnen, von vnden auff auß verborgnen Aderlein quellende, mit gar lauterem, durch den sand gesygnem vnd faßt sueßtrunckigem wasser..." und so weiter.
Die in den 16 Kapiteln des Buches ausgebreitete ausführliche Schilderung der Reichsstadt ist in ihrer Breite wie in ihrer Gründlichkeit ein typisches Erzeugnis der neuen humanistischen Anschauung der Dinge dieser Welt: über eine umfassende, peinlich genaue Darstellung der örtlichen Gegebenheiten, der baulichen Charakteristika der Stadt hinaus, geht der Verfasser mit scharfer Beobachtungsgabe ein auf Dinge der Rechtspflege und sozialer Einrichtungen, auf Handel und Gewerbe, auf soziologische Gliederung des Gemeinwesens auch — alles Dinge, die bisher außerhalb des publizistischen Gesichtskreises lagen. Celtis ist der erste, der im Sinne wahrer Humanitas solchen Fragen nachgeht, und sein Buch wär es wohl wert, um dieser Fragen willen einmal kulturhistorisch ausgewertet und einer breiteren Öffentlichkeit in verständlicher deutscher Übertragung und kommentiert nahegebracht zu werden.
Beschränken wir uns hier darauf, ein paar der lebendigen und überraschend stimmungsvollen, sagen wir — trotz ihrer Prosa — ruhig: dichterischen Bilder nürnbergischen Lebens aus dieser *„Norimberga"* des Konrad Celtis zu erfassen; Bilder, die nach unmittelbarem Erleben gestaltet sind, ohne literarische Vorlage und ohne antikisches Gewand. Celtis schildert mit spontaner Begeisterung, was hundert Jahre darnach in neuer, noch üppigerer Blüte sich um die alte Noris rankte: jenen Kranz grüner Gärten — *„gein dem auffgang, mytternacht vnd nydergang vil pawmgarten, wurtzgarten vnd lusstgarten, vnzallich, — mit frembden pawmen bepflantzet,... auch in den garten gepawte Hewßlein, zu Beschattigung, zu Sumerlichen lussten (und) zum Fogelgefang..."*
Vom Humanistisch-Sozialen her gesehen interessieren Celtis natürlich noch mehr die Öffentlichen Gärten der Stadt: die damals begrünte, heute als Parkplatz übel mißbrauchte „Schütt" und die nach der Celtisschen Darstellung heute gleichfalls mindestens geschrumpfte Hallerwiese: *„Amnis autem, ubi ab ortu per patentes arcus clatris et fortalitiis munitos urbi in fusus est, duas insulas efficit... So aber der Begnitzfluß, vom auffgang, durch offen Schwynbogen vnd vorweern* (Vorwehre) *befestigt, in die Stat fleust, so macht er zwen Inseln; die erst nymbt iren namen von dem zusamengetragen oder geschutten ertrich vnnd sannd, vnnd haist die Schutt... ist fast prayt —... amoenissimum ambulacrum per circuitum circumducens... einen gar wundersamen spacierweg, gescheybs vmb sich fuerend, mit vill pawmen* (Bäumen), *dick vnd voll in gestalt eines walds getzieret; zu heyser Sumerzeyt ein ergetzliche wunsame Beschattigung an beden gestadten des fluß mit den pawmen, als mit sewln* (Säulen) *besetzet; inwendig mit eim weytten, gen der Sunnen aufgethanen platz, darinnen die leynwat* (Leinwand), *der sich die teutschen weyber gewonlich gepranchen, an der Sunnen, mit besprengung des wassers, geweyset werden; demnach hieß es billicher die weysse, aber sie nennen es die playch."*
Und weiter:
„Quem circum, ut aestivis lavationibus amnis persalubris est, ad lucis occasum et nocte in tempesta multitudo hominum calorem relevantium confluit, submissus cantibus et culci murmure per tacitas umbras gradientium...
Zu sumerzeyten nach nydergang der Sunnen bey nachtlicher weyl, kombt auff dieser Schut, von wunsamer waschung wegen des Begnitzfluß — (soll heißen: zu sommerlichem Badebetrieb) *ein große menig vill menschen zusamen, sich der hitze wyder ergetzende mit zuchtigem gesanng vnd mit suesem gemurmel*

durch die stillen schatten spacierende; alß denn hörest du manncherlay gesanngs des jungen volcks vnd wie sie einander holtseligklich vnd freuntlich gruesen vnd empfahen, Vnd ist woll wunderlich zu sagen, das alda nye einich schlacht, zwytracht, zanck oder auffrur bescheen noch entstanden ist, mit solcher Ainwilligkeit des gemuets vnd der natur, sind sie zue lieb vnd freuntschafft gerichtet. Daselbst ist auch ain wiilpad, den heylldurfftigen Seuchen des Leybs fast haylsame vnd erquicklich, dareyn zu Lentzes zeyten, so das Wasser von Zunahmung der Sunnen die lawigkeyt vnd leblich widere erquickung emphecht (empfängt) *vnd sein adern miltigklicher öffnet, sich ein große menig volcks versamlet, iren verschwachten vnd in plodigkeit gesunckenen leiben wyderumb stercke vnd krafft erlangen; vnd allermayst ist diß willpad ertzneylich vnd zur gesuntheit würcklich, so die Sunn durch den Stier vnd die Zwiling, als lentzische gestirn, lawfft.*
So aber der Begnitzfluss durch zwelff quaderstaynen prugken, von eim teyl der Stat in den andern reichende vnd durch vntzalliche Raddere (gemeint sind die zahllosen Mühlenräder im Stadtgebiet —) *vnd zuletzst durch einen großen herlichen Schwinbogen für die Maur hinaußschleicht, so macht er an seynem gestadt einen gmaynen lustigen vnd gar wunsamen platz, dye Hallerwysen genannt. Daselbsthyn kombt an feyrlichen tagen, zu Lenntzes vnd Sumerzeyten, die Jugent vnd alles Allter. Da syht man dann die Jungen, mit Ringen, Spryngen, stayn- vnd stangen-stoßen vnd -werffen, vnd mit manicherlay ander vbung spiln vnd ire krefft vnd stercke der glyder versuchen, vnd mit manicherlay schympff* (d. h. „Jux") *dem feyernden volck zu anschawung kurtzweyl treyben. Dieselb Hallerwiesen ist fünfhundert schrit lanng, aber an der praytte* (Breite) *enger, inwendig mit viertzeyliger Ordnung der pawmen* (Bäume), *rechtermaßen voneinander steende, besetzet, vnd mit vier darundter entspringenden prunnen erlusstigt; Dero sind drey, der yeder von der hohe herab in vier erinen* (ehernen) *Rörlein das rauschend prunwaßer außgeust vnd Regensweys sprengt, in einen weyten synbeln geholerten staynin trog; der vierd prun, geringsvmb* (rundum) *in gehawen stayn eingefangen vnd byß an den boden hinab durchsychtig, quillet in derselben wysen, mit yberflüßiger mylter adern, zu tryncken gar haylsam lusstig vnd gesund ... So frölich plick ereugt sich allda, mit gronem vnd wudlendem wasen, vnd mit wolriechendem geschmack der pawmen, so die plwen* (blühen!), *bey den rauschenden gestadten des nechst daran hinrynnenden wasserfluss, auch in mancherlay suesem vogelgesang — varioque es dulci concentu volucrum, ex colle ... von dem daran gelegenen vnd mit fruchtpern pawmen vnd weynstocken getzierten Berg, hinab in dieselben Hallerwysen erklingende ..."*
Eine Idylle in Prosa. — Von gleich hohem dichterischem Schwung ist auch, am Schluß des Buchs, des Celtis Wunsch und Bitte an die unsterblichen Götter:
„... daß sie Eure Stadt in ihrem Wohlstand, Glück und dauerndem Bestand erhalten und schützen mögen ...

„die weyll der hymell die stern vmbtregt
vnd der Wynnd die wasser bewegt —

dum rotat astra polus
feriunt dum litora venti."

Nun: wie des Conrad Celtis *„Germania illustrata"*, von der diese *„Norimberga"* ein Entwurf, Beispiel und Bruchstück bleiben mußte, so ist auch dieser Entwurf eines Lebens- und Schaffensbildes Conradi Celtis Protucij ein Unvollendetes: wir sprachen nicht von den Zeugnissen der Freundschaft des Dichters mit dem Nürnberger Humanistenkreis — wir erwähnten nur die Freunde Sixtus Tucher, Sebald Schreyer und Willibald Pirkheimer, samt seiner gelehrten Schwester Barbara, die als Clarissen-Äbtissin zu Nürnberg *„Charitas“* hieß, erwähnten nur die Bedeutung der Freundschaft des Conrad Celtis mit Albrecht Dürer und dessen Illustrationen zu den *„Quatuor libri amorum“* und zur Veröffentlichung der Dichtungen jener ersten deutschen Dramatikerin Roswitha aus dem Kloster Gandersheim durch Conrad Celtis, von der Zusammenarbeit auch mit Hans Burgkmair, dem Augsburger, der des Celtis vorzeitiges Sterbebild schuf, mit dem er, Celtis, auch jenen großen Holzschnitt entwarf, der unter den Flügeln des Doppeladlers, des *„Aquila Imperialis“*, die neun Musen zeigt samt den sieben freien Künsten; unter dem Ganzen das Holzschnittabbild der Porträtmedaille des Conrad Celtis — *„Anno Vitae XLVIII“* — im Jahr vor seinem Tod; ein Jahr darauf, am 4. Februar 1508, ging Celtis aus seinem überreichen Leben; an der Ostseite des Wiener Stephansdomes ist sein Grabstein noch zu sehen.

VRBIS NORINBERGAE
CONRADI CELTIS PROTVCII GERMANI, IMPERATOriis manibus poetæ laureati, de origine, ſitu, moribus, & inſtitutis.
Norinbergæ libellus incipit fœliciter. Cap. Primũ.
Præfatio ad Senatũ.

CVM NVPER RELAXANDI ANIMI GRATIA in urbem ueſtrã ornatiſſimi ac fœliciſſimi Senatores cõceſſiſſem, ueſtrãq; florentiſſimã rempublicã, ordinẽ prudẽtiſſimi ſenat9, modeſtiſſimos ciues, religionis ſuperũq; curam, ſacras ædes, cæteraq; urbis ueſtræ ornamenta diligentius contẽplatus fuiſſem, cœpi mlta apud me tacito animo cogitare, quonã pacto & ego ueſtris uirtutibus monumẽtum aliquod relinquerẽ, & in ærariũ ueſtrũ uectigal aliquod non uulgare inferrem. Perſuaſus igit̃ quantũ anguſtia tẽporis paſſa eſt, ut aliqd de urbis ueſtrę origĩe, ſitu, inſtitutis, & moribus ſcriberẽ, litteriſq; cõmendarẽ, ut quẽadmodũ nomẽ ueſtrũ, q̊d iam fere totũ orbẽ ſua fama ĩpleuit, per cũctaſq;, terras, maria & emporia circũfert. Ita q̊q; in libris & bibliothecis a latinis & eruditis hoĩbus legi, admirariq; poſſit, maximeq; germaniæ noſtræ & eius inclytis urbibus, earumq; prĩcipibus & rectorib9 exẽplar & ſpeculũ quoddã imitabile fore, quo imperiũ Romani noĩs cuius uos ſpecimẽ, decus, & ornamentũ eſtis reuireſceret, reſurgeretq;, diui Maximiliani auſpiciis, de quo (ut ille iam pridẽ animos

Beginn der Studie über Nürnberg, nach dem Exemplar der Nürnberger Stadtbibliothek

Peter Christoph Kern

JOHANN VON SCHWARZENBERG

1463–1528

Die Eigenart und Bedeutung von historischen Epochen ist in der Erinnerung der Nachwelt immer an einzelne Figuren geknüpft, die alles Lob und allen Tadel auf sich ziehen, die mit ihren Leistungen, mit ihrem Denken und ihrem Handeln das Grundmuster liefern für die Beurteilung einer ganzen Zeit.
Noch heute ist es fast unmöglich, ein einigermaßen gerechtes Bild des Reformationszeitalters zu entwerfen, weil die Gestalt Luthers im Licht steht und sein Schlagschatten die übrigen Gestalten in unverdientem Dunkel stehen läßt. Und wo einer aus diesem Dunkel vorübergehend ins Licht treten darf, da wird er nur im Hinblick und Vergleich auf den Reformator und seine epochale Tat gesehen.
So geht es Melanchthon und Osiander, Pirkheimer und Hutten, so geht es auch einem Mann, dem die Sache Luthers zweifellos zwar außerordentlich viel verdankt, dessen Leistungen jedoch auf anderem als dem religiösen Gebiet weitaus bedeutsamer sind. Kein Schulbuch nennt ihn, kaum ein Literaturwissenschaftler kennt ihn, und nur Rechtshistorikern ist seine Gestalt vertraut: Johann Freiherr von Schwarzenberg und Hohenlandsberg, Hofmeister von Bamberg, später von Brandenburg-Ansbach, Mitglied des Reichsregimentes von 1522 bis 1526 und damit Statthalter des römischen Kaisers, der apostolischen Majestät Karls V.
Kein Schulbuch nennt ihn und doch dürfen wir in ihm einen Mann sehen, der wie nur wenige Wert und Ehre seiner Zeit und seiner Generation repräsentiert und dies nicht obwohl, sondern weil seine Leistung nur unterschwellig wirkt und in die Zukunft reicht. Man vergißt zu leicht, daß im 16. Jahrhundert nicht nur die religiösen Reformer auftreten, sondern auch auf anderen Gebieten, nahezu allen Bereichen des geistigen Lebens, die Grundlagen der Neuzeit gelegt wurden. Paracelsus' wäre hier ebenso zu gedenken wie Kopernikus', Martin Behaims oder eben Johann von Schwarzenbergs, des Schöpfers des ersten deutschen Strafgesetzbuches.
Geboren wurde dieser Mann als Sproß eines alten, aber nicht sehr begüterten Adelsgeschlechtes am zweiten Weihnachtsfeiertag des Jahres 1463 auf Schloß

Schwarzenberg im Südosten des Steigerwaldes, einer reichsunmittelbaren Freiherrschaft. Er wuchs auf, wie es sich für den Sohn einer angesehenen Familie gehörte, zunächst zu Hause, wo ein Ritter aus ihm gemacht werden sollte. Alle Anlagen dazu hatte er: sehr kräftig gebaut, hatte er schon früh den Beinamen Starker Hans und wird des öfteren als *„teutscher Renner und Stecher"* bezeichnet. Und offenbar sagten ihm die Waffen mehr zu als die Feder, denn schon damals wie sein ganzes Leben hindurch beklagt man sich über seine unleserliche und unzumutbare Handschrift. Als Knappe kam er dann an einen deutschen Fürstenhof am Rhein, war dort aber mehr wegen seiner Trinkfreudigkeit bekannt und beliebt als etwaiger geistiger Leistungen wegen. Das strapazierte dann aber doch auf die Dauer die Moral und den Geldbeutel des Vaters zu sehr; er schritt ein und schrieb dem Sohn: *„wo er das nit liess, so wolt er ine enterben und ehe sein gut zu einem gemeinem der leichtfertigen weiber hauss verordnen, dann ime, seinem sun, solch sein erb als einem ungeraten volgen zu lassen".*
Der Sohn verspricht: *„er solt auch keinen tag mer dann einen reinischen gulden verspilen und nimmer mer, wenig noch vil, zutrincken"* und hält tatsächlich sein Versprechen. Ja, noch mehr: wenige Jahre später verfaßt Johann selbst sein *„Büchlein vom Zutrincken"*, mit dem er seinem ehemaligen eigenen Laster

Zůtrincken.

zu Leibe rückte, einem Laster, dem verschiedene Schriftsteller der Zeit, so Brant, Murner, Franck, ausführliche Schriften widmeten und dem folgendes kaiserliche Verbot galt: *„Wiewol zuotrincken inn vor gehalten Reychs tagen mer dann eynest hoechlich verspotten, So ist es doch bißher wenig gehalten, volzogen oder gehandthabt worden. Darumb vnd sonderlich, dieweyl auß dem zuotrincken trunckenheyt vnd auß trunckenhayt vil gotßlesterung, todschleg vnd sonst vil laster entstehen, Also das sich die zuotrincker inn gefaerligkeyt jrer eheren, Seel, vernunfft, leybs vnnd guots begeben, So soll inn allen Landen ein yede Oberkeyt, hoch vnd nyder, Geystlich oder weltlich, bey jr selbs vnd jhren vnderthanen solchs abstellen vnnd das bey mercklichen hohen peenen verpyeten. Vnd ob die vom Adel das nit meyden wolten, daz dann Kay. May., Churfürsten vnd Fürsten, Geystlich vnd weltlich, vnd alle andere Oberkeyt die selben schewhen vnd jren hoefen oder diensten nicht halten."*
Es ist bezeichnend für Schwarzenberg: alles, was er in seinem Leben tun und schreiben wird, tut und schreibt er aus persönlichem Engagement, untermauert es aus dem Schatz seiner persönlichen Erfahrungen und verliert sich so nie in theoretische Abstraktionen oder einen starren Dogmatismus, weil ihm Verstehenwollen und Bessern höher stehen als hartes Urteil. Seine vielen reformatorischen Flugschriften etwa sind alle aus solch persönlichen Anlässen verfaßt. Wenn er seine Tochter 1524 aus dem Kloster nimmt, sammelt er die Gründe gegen Klosterzucht und Zölibat in einem offenen Brief, betitelt *„Eyn schöner sendbrieff des wolgepornen und Edeln herrn Johansen, Herrn zuo Schwarzenberg An Bischoff zuo Bamberg außgangen Darinn er treffenliche*

Johann Friedrich von Schwarzenberg, „seines alters bey Fünfftzig jaren"; Holzschnitt nach einer mutmaßlichen Zeichnung Albrecht Dürers aus Schwarzenbergs „Der Teutsch Cicero" 1534 (gering verkleinert). Die 16 Wappen sind die Wappen seiner Eltern und seiner Urgroßeltern

Erpach
Schwartzẽberg
Rieneckh
werthaim
Altenſperg
Hana
werthaim
Otingen
Pickhẽbach
Sponhaim
Pickhẽbach
Schwartz-
enburg
Schaunburg
Hennenberg
Munſterberg
Naſſa

und Christenliche ursachen anzeygt wie und warumb er seyn tochter auß dem closter daselbst (zum Heyligen Grab genant) hinweg gefüert unn wider unter sein väterlichen schutz unn oberhand zu sich genommen hab." Seinem altgläubig gebliebenen und fanatisch hetzenden Sohn Christoph widmet er folgende in großer Anzahl veröffentlichte Flugschrift: *„Diß Buechleyn Kuttenschlang genant // Die Teueffels lerer macht bekant. // Herr Johansen // von Schwartzenburgs andere Christenliche // veterliche warnung vnd vermannung / seynes Sons // herrn Christoffels // schreyben / das er wider genantes Herrn // Hansen Buechleyn die Schlangen // beschwerung genant jn druck // hat außgehen // lassen."*

Johann hatte zur Zeit der Abfassung dieser Broschüren eine steile Karriere hinter sich. Schon 1482 findet man den 17jährigen an der Seite seines Vaters mit der Verwaltung und Rechtsprechung in Hohenlandberg und Scheinfeld beschäftigt. War dann in Würzburger Diensten, leistete die damals sehr beliebte Kavalierswallfahrt ins Heilige Land ab und wurde 1501 Bambergischer Hofmeister, also höchster Verwaltungs- und Justizbeamter des Landes. Von hier aus besuchte er als Delegierter alljährlich die Reichstage, festigte dort seinen Ruf als gewiegter Politiker und trat schließlich 1522 als Vertreter des Kurerzkanzlers, des Bischofs von Mainz, sein Amt als Reichsstatthalter an — für die Zeit der Abwesenheit Karls V. in Spanien.

Dies ist der Höhepunkt in seiner Laufbahn: ist er doch hineingestellt in eine welthistorische Situation. Über Luther ist die Reichsacht verhängt worden, und denen, die ihm Schutz bieten, droht die Reichsexekution, die der päpstliche Nuntius fordert. Das Reichsregiment beauftragt einen Ausschuß zur Klärung dieser Frage, und wie dies bei Ausschüssen zu sein pflegt: die Angelegenheit wurde verlangsamt, hinausgezögert und verlor an politischem Gewicht. Den bedeutendsten Anteil an diesem für die Sache Luthers positiven Vorgehen trug zweifellos Schwarzenberg, der immer wieder Gutachten anfordert und selbst anfertigt, der zur Ruhe mahnt und so den Legaten hinhält. Unbehelligt konnte Luther auf der Wartburg seine Tätigkeit fortsetzen, seine Erfolge vertiefen.

In seinen letzten Lebensjahren finden wir Johann von Schwarzenberg bei den brandenburgischen Markgrafen von Ansbach, Kasimir und Georg. Offenbar war seine lutherische Gesinnung nicht mehr vereinbar gewesen mit seinem Amt an der Spitze des altgläubigen Bistums Bamberg. In Ansbach nun arbeitete er nach preußischem und kursächsischem Muster die Kirchenvisitationen aus, jene grundlegende Reform, die politisch und kirchenpolitisch das Bild Deutschlands in den folgenden Jahrhunderten prägen helfen sollte. Auf einer Reise nach Coburg, wo seine Pläne mit denen Luthers abgestimmt werden sollten, starb er, 63jährig, im Goldenen Kreuz in Nürnberg.

Seiner Zeit war er aber nicht als Politiker, sondern als engagierter Anhänger der Reformation bekannt geworden. Er trug einen erbitterten Flugschriftenkrieg aus gegen Kaspar Schatzgeyer, einen Ingolstädter Barfüßermönch, den man heute einen der Chefideologen der süddeutschen Altgläubigen nennen würde. Da geht es — theologisch aufs genaueste begründet — um Priesterehe und die Berechtigung von Klöstern, um die Fastengebote, um Ohrenbeichte und Laienkelch. Von der Schlüsselgewalt des Papstes wird da gehandelt und von der Schrift als alleiniger Glaubensquelle. Besonders dieser letzte Punkt, die Schrift als einziger Garant für Religion und christliches Verhalten, liegt

dem echten Humanisten, der Johann immer mehr wird, am Herzen, denn hier vereinen sich innige Frömmigkeit und moderne Weltläufigkeit am widerspruchslosesten.
Diese Ideen und Glaubensmeinungen in seinen Schriften sind keineswegs neu oder originell, es sind die landauf, landab durchdiskutierten, aufs schärfste angegriffenen und ebenso scharf verteidigten Einzelfragen des Reformationszeitalters. Johann ist aber einer der ersten und eifrigsten, der sich ausführlich des neuen Kommunikationsmittels bedient, der Presse, um sein Gelehrtengezänk, wie man das vielfach nannte, auszutragen. Luther begrüßte natürlich diese protestantische Aktivität, lud Schwarzenberg mehrfach zu Gesprächen ein und beklagte später, daß es so wenig Personen gäbe *„die auch verständig und treuherzig wären, als wenn Herr Hans von Schwarzenberg noch lebte, dem wüßte man zu vertrauen“.*
Dennoch besteht ein für die Zeit und für Johann typischer Unterschied zwischen ihm und Luther. Johanns kirchlich-theologische Abhandlungen bauen auf fundamentaler Bibelkenntnis und auf einem unerschütterlichen Schriftglauben auf, behandeln aber niemals dogmatische Fragen im engeren Sinn, sondern beschäftigen sich hauptsächlich mit praktischen und kirchenpolitischen Problemen, eben Klosterzucht, Priesterehe und ähnlichem. Man ist bei allem religiösen Engagement doch ein Kind seiner Zeit, der Zeit der Renaissance und des Humanismus, wo der Mensch, seine Belange, seine Bedeutung und seine Schwächen in den Mittelpunkt des Interesses gerückt sind.
Diesem Idealbild „Mensch“ verpflichtet sich auch Johann von Schwarzenberg, Verständnis für alles Menschliche und tiefe religiöse Überzeugung sind die Grundlage eines moralisch und sozial ausgerichteten Weltverbesserungswillens. Er ist für die Auflösung der Klöster, erarbeitet dabei aber einen ausführlichen und durchaus praktikablen Plan, wie die freigewordenen Ordensgüter für Armenpflege, Spitäler und für die Universitäten anzulegen seien, auf daß sie nicht in die Hände der Fürsten gerieten.
Ähnlich sozial und human verfährt er auch ganz praktisch während des Bauernkrieges, wo er in seinem eigenen Gebiet auf Aufhebung der sozialen Mißstände drängt, die Bauern zwar nicht in ihrem räuberischen Tun gewähren läßt, sie aber auch nicht bestraft.
Und aus der gleichen Haltung heraus beginnt er schon früh, in volkstümlichen Schriften, in denen er dem einfachen Mann aufs Maul geschaut hat, seine Ideen von einer moralischen Besserung der Menschen in Verse zu fassen und ihnen so ein breiteres Publikum zu verschaffen. Moralische Besserung mußte aber vor allem bei den Fürsten, den Fürstendienern und Pfaffen eintreten, damit auch eine Wendung in der allgemeinen Lage die Folge sein könnte. Freilich werden auch die niederen Stände nicht verschont, ein jeder wird dort gepackt, wo er am empfindlichsten reagiert, weil gerade da seine Schwäche liegt, die Fürsten bei der Habgier, die Richter bei der Bestechlichkeit, die Ärzte bei ihrem Hang zur Kurpfuscherei, die Geistlichen bei ihrem Lebenswandel und so fort. *„Denn ist dann nit offenbar, daß in allen Ständen guots und pöses funden wirt: darumb will ich alle nachfolgenden figuren und sprüch, welcherley Ständ die berüreten, in keiner andern gestalt, dann den guoten zur sterckung der tugent, mir selbs und andern gebrechlichen zur vermanung warnung und besserung machen.“*
Da ist jenes bereits genannte *„Büchlein vom Zutrincken“*, eine reizende Satire, in der seine Majestät, Herr Satan persönlich, seine Boten aussendet, mit

genauen Anweisungen, wie man die Menschen verführen kann zum Trinken und Spielen und wie die Argumente der Gegner aus der Welt geschafft werden können. Dies alles in der umständlichen Juristen- und Verwaltungssprache, wie diese bei kaiserlichen oder fürstlichen Erlassen der Zeit gehandhabt wurde, eine glanzvolle Parodie: *„Wir oeberste fürsteher, Regierer vnd Staende des höllischen Künigreychs entbyeten allen vnd jeden vnser vnnd vnsers Reychs lyebsten getrewen, die noch leyplich auff erden leben vnd sich inn vnsern mercklichen geschaefften vnnd beuelch des zuotrinckens vben, der aller Tittel wir hyerinnen nit auß vnwissenheit oder veraechtligkeit, sonder auß guoten ehrlichen vrsachen zuosetzen vnderlassen, Vnser freündtschafft, genad vnd alles guot, damit wir vnser fleyssigste dienstleüt begaben, zuouor, Vnnd zweyffel nit, euch sey guot wissen, wiewol wir ein grossen tail Laender vnd gegent Teütscher nation vber lange verjaerte zeyt, vnd lenger dann menschliche gedaechtnuß erreychen oder erforschen mag, durch den gebrauch des zuotrinckens inn vnserm dienst vnd herschung gehabt, Auch also inn ruolicher nutz vnd gewere besessen vnd herbracht haben, vnd darumb wenig abfals bey jn besorgen, Auch der weniger tayl billich dem mererm nachuolgt: So seind vns doch daneben etlich Teütsch gegent, als sonderlich Schwaben, Francken, Beyern vnd die oebern Reynlaender imm selben stuck lange zeyt fast widerwertig geweßt, haben inn jren gesellschafften vnd thurnieren etlich pündtnuß, pflicht vnd straff dawider gemacht, Also das wir der selben inn vil verschyner zeit vnd weyl, auch vber grosse mueh, arbeyt vnd fleyß, inn sollich vnser gehorsamm nit haben bringen künden oder moegen.“*
In Franken also, in Schwaben und Bayern wurde dem Teufel zu wenig getrunken — o Wandel der Zeiten —, und das mußte auf jeden Fall geändert werden. Denn aus den Säufern rekrutierte sich die teuflische Gefolgschaft in erster Linie. Dorthin werden also die satanischen Boten gesendet — werden freundlich empfangen und beginnen zu wirken.
Der Teufelsglaube war damals durchaus im Schwang — selbst Luther soll ja bekanntlich mit dem Tintenfaß nach dem höllischen Verführer geworfen haben —, und so las man derartige, übrigens recht häufige Schriften mit dem anregenden leichten Schauder, den man dem Unheimlichen gegenüber hat, wenn man es entlarvt oder ironisiert hat.
Dazu dienten auch die prächtigen Holzschnitte, die Schwarzenberg allen seinen Schriften beigab, für die er die besten damals bekannten Künstler gewinnen konnte. Hand in Hand arbeitete er mit ihnen, denn nicht wurden seine Texte nachträglich mit Bildern versehen, sondern in bewußt pädagogischer Absicht von Anfang an mithineinkomponiert, Wort und Bild ergänzen sich gegenseitig, sind ohne einander meist gar nicht verständlich, comic strips des 16. Jahrhunderts.
Und noch etwas, das ungemein geeignet ist, die Volkstümlichkeit zu steigern. Wie seine Zeitgenossen Brant und Murner, Sachs und Volz kennt Schriftsteller Schwarzenberg die Flüche und Kraftausdrücke der Zeit, lange genug war er ja als Justizbeamter mit allen Volksschichten in Berührung gekommen. Die Bacchusdiener etwa werden mit folgenden freundlichen Titeln bedacht: *Trunkenpotz, Flaschenzapf, Weinschlauch, Rebenhans, Speiinwein, Schlorkdenwein, Saufauß, Raßler, Puffel* usw.

Illustration zur Einleitung des „Büchleins vom Zutrinken“

Trunckēpoltz
Flaschenzapf
Weinschlauh
Rebenhans
Speyen wein
Weinnarr
Offenwein
Prasser
Schlemmer
Püffel
Esell
Postier iñ hohe teütsche lādt
Sůch vnser diener dir bekāt
Die iñ dem zettel sind benañt
Dē antwort dise brieff zůhādt

Es ist im Grunde ein sehr einfaches Weltbild, das uns in diesen Schriften begegnet: Hie Gut, da Böse, hie Tugend, da Laster. Besonders deutlich wird das in dem heute wegen seiner herrlichen Holzschnitte beachtenswerten *„Memorial der Tugend"*, einem Florilegium aller Übel der Zeit, die anhand warnender Beispiele beschrieben und illustriert werden. Exempel werden aus Altem und Neuem Testament, aus antiker Mythologie, aus alter und neuer Geschichte genommen – und zu jedem Bild folgt dann mit erhobenem Zeigefinger die Nutzanwendung für ein welt- und gottwohlgefälliges Leben.

Titel-Illustration der Ciceroübersetzung

Eine vernünftige und humanistische Tugendlehre bedurfte jedoch auch des theoretischen Fundaments, das man natürlich nur in der Antike vorfinden konnte. Die Sittenlehre Ciceros galt seit langem als maßstabsetzend, was nützte sie aber, wenn sie nur einem kleinen Gelehrtenkreis zugänglich war. So machte sich Johann an ein höchst eigenartiges und bezeichnendes Unternehmen. Obwohl er kein Latein konnte, veranstaltete er eine Ciceroübersetzung, zunächst eine Übertragung der Pflichtlehre: *„OFFICIA M. T. C. // EIn Buoch / So Marcus Tullius // Cicero der Römer / zuo seynem Sune // Marco / Von den tugentsamen ämptern / vnd zuo gehörun- // gen eynes wol vnd rechtlebenden Menschen / in Latein geschriben / Welchs // auff begere / Herren Johansen von Schwartzenbergs etc. verteütschet / // Vnd volgens / Durch jne / in zyerlicher Hochteütsch gebracht / Mit // vil Figuren / vnnd Teütschen Reymen / gemeynem nutz // zuo guot / in Druck gegeben worden."*

Schwarzenberg konnte kein Latein, aber sein Hauskaplan konnte es, dem wieder fehlte eine umgreifende humanistische Bildung, wie sie sich Johann allmählich autodidaktisch angeeignet hatte. Die Voraussetzungen für ein fruchtbares Teamwork waren also gegeben. Der Kaplan fertigte eine Wort-für-Wort-Übersetzung an, sein Herr brachte das Ergebnis dann in ein, wie er es nannte, gutes Hoffränkisch, nicht ohne diesen oder jenen Sinnspruch als Kommentar einzufügen. Auf Texttreue kam es nicht so sehr an als auf Sinntreue. Auch hier sehen wir wieder den durchaus aufs Praktische gerichteten Impetus. Und weil er sich über die Sinntreue nicht sicher sein konnte, wurde das ganze Elaborat an Willibald Pirkheimer und Ulrich von Hutten geschickt mit der Anweisung, es streng zu prüfen, ob Ciceros Meinung nicht verfälscht worden sei. Erst jetzt ging es in den Druck und erlebte binnen zehn Jahren zahlreiche Neuauflagen.

Bei dieser Zusammenarbeit zeigte sich der Freiherr, der von einem gesunden Selbstbewußtsein erfüllt zu sein schien, von einer seinen Mitarbeitern ganz und gar nicht angenehmen Seite. Immer wieder drängt er auf Fertigstellung, droht selbst und ist ganz und gar unleidlich. Pirkheimer beschwert sich dann auch bei Hutten über diese tyrannischen Allüren des Auftraggebers.

Wo er andern nichts nachsah, blieb Schwarzenberg auch gegen sich hart. Nicht daß man es bei ihm mit einem preußisch starren Pflichtbewußtsein zu tun hätte, das die Arbeit um ihrer selbst willen schätzt oder als metaphysisch gesetzte Aufgabe. Vielmehr meinte er einfach, die gegebene Lebenszeit sei sowieso kurz genug, sie müßte schon ausgenützt werden. Es gab ja so viel zu tun, zu lesen, kennenzulernen. Es war neuerdings eine Freude zu leben, aber leben hieß eben lernen. Von Ulrich von Hutten ist ja der diese Lebensfreude aussprechende Ruf überliefert: *„O Jahrhundert, o Wissenschaft, es ist eine Lust zu leben“*. Man könnte dies auch als Wahlspruch Johann von Schwarzenbergs auffassen.

Als wesentlichste Frucht dieses engagierten Fleißes entstand dann auch jenes epochemachende Werk, das Johann von Schwarzenberg seinen Platz unter den großen Deutschen, unter den fränkischen Klassikern sichert. Während seine Schriftstellerei interessant sein mag, aber gesundes Mittelmaß keineswegs übersteigt, während seine Arbeit als Übersetzer heute zwar den Philologen, sonst aber wohl niemanden interessieren kann, findet sich nichts, das in jener und der folgenden Zeit der Bambergischen Halsgerichtsordnung an Bedeutung gleichzusetzen ist, dem ersten deutschen Strafgesetzbuch.

Die Übernahme des römischen Rechts in die deutsche Gesetzgebung und Gerichtspraxis hatte bereits im 14. Jahrhundert begonnen und in Deutschland große Fortschritte gemacht, förderte es doch durch seine straffe Ordnung die zentrale Macht der Landesfürsten gegenüber ihren Untertanen und gegenüber dem langsam auseinanderbrechenden Reich. Doch war diese Rezeption nahezu ausschließlich auf den Bereich der Ziviljustiz beschränkt gewesen. Auf dem Gebiet des Strafrechts jedoch war man noch nicht so weit. Zwar hatten auch hier schon seit der Stauferzeit einige Reformen die germanische Praxis des Fehderechts, der Privatrache, einzuschränken versucht, und eine dem germanischen Rechtsdenken angepaßte Institutionalisierung des Strafvollzugs hatte sich eingebürgert, öffentliche Strafen an Leib und Leben, an Hals und Hand waren usus geworden. Aber verbindlich kodifiziert waren weder die Methoden der Strafverfolgung noch die der Rechtsprechung. Gegen Ende des 15. Jahrhunderts trat dann auch hier eine entscheidende Wendung ein. Ausgehend von italienischen Rechtsgelehrten, begann nun auch der Siegeszug des römischen Rechts. Nicht aber löste es das alte germanische Recht völlig ab, sondern ging mit ihm eine Einheit ein, da die materiale, die inhaltliche Seite des alten Rechts kaum angetastet wurde und darüber nur ein formaler Überbau lateinischer Gerichtspraxis erstellt wurde. Die gleichen Straftaten wie ehedem wurden verfolgt und gerichtet, die Art der gerichtlichen Behandlung nur erfuhr eine Straffung und Institutionalisierung.

Als Endprodukt dieser Entwicklung erläßt Kaiser Karl V. 1532 seine peinliche Halsgerichtsordnung, die *„Constitutio Criminalis Carolina“*, die auf Jahrhunderte hinaus gültig und verbindlich bleiben sollte. In seiner Grundidee und in allen seinen wesentlichen Formulierungen geht dieser Kodex zurück auf die *„Constitutio Criminalis Bambergensis“*, die von Johann von Schwarzenberg, Hofmeister zu Bamberg, im Jahre 1507 ausgearbeitet und veröffentlicht worden war.

Ihm ist es zu verdanken, daß nicht wie beim Zivilrecht die Eigenart des germanischen Rechtsdenkens ignoriert wurde und dadurch die bis heute noch nicht völlig überwundene Spaltung zwischen Rechtsempfinden und Rechtswirklichkeit eintrat. Aufgrund seiner langjährigen Praxis, vor allem aber seines gesunden Menschenverstandes und seines psychologischen Verständnisses gelang es ihm, die bisherigen Rechtsgewohnheiten mit den praktikablen Normen des römischen Rechts zu verbinden. Wie immer stellte er also auch hier die praktische Verwirklichung über die abstrakte Idee. Seine Devise blieb Gemeinnutz und Gerechtigkeit, und so konnte jenes zwar sehr strenge, dennoch humane epochale Gesetzeswerk entstehen.

Schwarzenberg glaubte ebenso fest an die sittliche Freiheit des einzelnen — hier also weit eher dem Humanismus eines Erasmus als dem Dogmatismus Luthers zugewandt — wie an eine durch Gott verfügte Weltordnung. Wo der einzelne diese Ordnung durchbricht, muß er zur Verantwortung gezogen werden, das kann aber nur durch die eingesetzte Obrigkeit geschehen, weil sonst die Unordnung nur weiter fortgesetzt und ins Ungemessene gesteigert wird. Nicht der Geschädigte konnte sich sein Recht holen, der Staat übernahm das für ihn, auch die örtlich verschiedenen Rechtsgepflogenheiten mußten zugunsten höherer Einheit eingeschränkt werden. Urteil und Strafe tragen ab nun öffentlichen Charakter.

Und erstmals in der deutschen Rechtsgeschichte legte Schwarzenberg Wert auf eine Differenzierung in der Schuldzumessung. Nicht mehr nur die objektive Straftat, sondern die persönliche Verantwortlichkeit sollte Maßstab für die Beurteilung sein, der Anstifter ist ernster zu bestrafen als der Angestiftete, der Unzurechnungsfähige und der Jugendliche werden anders behandelt als voll bewußte Täter.

Damit ist der Durchbruch gelungen zu einer Humanisierung des Strafrechts — und das sollte nicht zu gering veranschlagt werden —, auch wenn die einzelnen Strafzumessungen eine Strenge und Härte verraten, die für unser heutiges Gefühl groteskes Ausmaß annehmen. Handabhacken, Zungenabschneiden, Augenausstechen sind als Strafen vorgesehen, rückfälligen Dieben werden außer einer langen Freiheitsstrafe die Ohren abgeschnitten, Züchtigungen mit Ruten sind an der Tagesordnung, die Folter freilich ist abgeschafft. Die Todesstrafen sind vielfältig und gelten Verbrechen, die nach modernem Ermessen geringfügig sind. Landesverräter sind zu vierteilen, Diebe geweihter Gegenstände zu verbrennen, Straßenräuber zu hängen, Ehebrecher, Aufrührer zu enthaupten. Köpfen steht auch auf Notzucht, auf Abtreibung und Raub.

Dem Rechtsempfinden der Zeit war eine solche Härte geläufig, auch Johann von Schwarzenberg konnte und wollte sich dem nicht entziehen: Was Recht war, sollte Recht bleiben. Aber es sollte eben gerecht, das heißt ohne Bevorzugung und Benachteiligung einzelner zugehen bei der Rechtsprechung, Willkür und Privatrache sollten ausgeschaltet sein und Unschuldige geschützt werden zum Gemeinnutz aller und zur größeren Ehre Gottes.

In diesem Werk, der *„Bambergensis"*, konnten alle Eigenschaften ihres Schöpfers positiv zusammenwirken, sein Pflichteifer und Fleiß, seine Volkszugewandtheit, sein Tatsachensinn, sein Gerechtigkeitsgefühl und vor allem seine tiefe, nicht mehr doktrinäre, humane Frömmigkeit. Sie geben diesem Mann weit mehr als den meisten seiner Zeitgenossen eine die Zeiten überdauernde Beispielhaftigkeit. Einer anbrechenden neuen Epoche konnte und wollte er sich nicht entziehen, ihren Anforderungen gehorchte er, und das mit Einsatz seiner ganzen Person. Nicht aber warf er dabei die ihm überkommenen Güter über Bord, betrachtete es vielmehr als seinen Auftrag, sie, soweit sie ihren Wert bewiesen haben, in die neue Zeit hinüberzuführen, damit auch weiterhin in neuem Gewand gültig bleiben kann, was sich seit je und für immer bewährt hat: ein Konservativer war Johann von Schwarzenberg, im besten Sinn, den dieses Wort überhaupt haben kann.

Titel-Holzschnitt des „Kummertrost"

Hans Max von Aufsess

WILLIBALD PIRKHEIMER

1470–1530

In seltenen Ausnahmefällen schreiben sich Menschen in ehernen Lettern in die Geschichte ein, die gar nichts erweislich Bedeutendes geschaffen haben. Sie haben weder ein epochales Werk des Geisteslebens oder der Kunst hinterlassen, noch das Weltbild mit einer umwälzenden Entdeckung aus den Fugen gehoben, noch mit ehrgeizigen Taten oder Untaten die Völker bewegt.
Diese hintergründigen Eminenzen unter den üblichen Walhalla-Größen stehen gleichsam nur zwischen den Kulissen der großen Weltbühne. Sie sind weniger Akteure als Souffleure und Regisseure der abspielenden Handlung. Unter ihrer nachhaltigen Einwirkung und Ausstrahlung werden jedoch andere zu entscheidenden Einfällen und Durchbrüchen befähigt, für deren Vollbringung die eigene Kraft und Erkenntnis nicht ausgereicht hätte.
Ein solcher großer Auslöser oder Katalysator, der durch sein bloßes Dasein andere Stoffe umwandelt, war in der Zeit des Umbruchs vom Mittelalter zur Neuzeit Willibald Pirkheimer.
Er war das, was Goethe eine problematische Natur zu nennen liebte. Umstritten war sein hochfahrender Charakter, umstritten seine über die konservative Verhaltenheit des Nürnberger Patriziats hinausdrängende Rolle als Ratsherr, umstritten seine Befähigung als Feldherr, umstritten seine philologischen Leistungen als Übersetzer mehrerer lateinischer und griechischer Klassiker, zwiespältig seine Einstellung zu den Reformatoren und Gegenreformatoren, nicht immer ungetrübt sein Verhältnis zu seinen Freunden und hochgebildeten Schwestern, faustisch sein Streben nach Wissen und don-juanesk seine Beziehungen zum weiblichen Geschlecht.
In Willibald Pirkheimer summieren sich alle physischen und geistigen Kräfte, mit denen ein einzelner Mensch befrachtet werden kann. Alles atmete an ihm eigenwillige Potenz. Seine Kraftnatur und sein klarer Kopf waren recht dazu geschaffen, die großen Herausforderungen der Zeitenwende anzunehmen und an ihnen seine Persönlichkeit zu formen.
Willibald Pirkheimer stammte aus einer der begütertsten und gleichzeitig begabtesten Patrizierfamilien der damals im Ruhm einer europäischen Metropole strahlenden Reichsstadt Nürnberg. Schon als Knabe ritt er mit seinem rechtskundigen und diplomatisch versierten Vater, der als graduierter Doktor

vom Sitz im Nürnberger Rat ausgeschlossen war und daher die Stelle eines bischöflichen Rates beim Fürstbischof in Eichstätt angenommen hatte, auf dessen vielen Gesandtschaftsreisen von Stadt zu Stadt und von Land zu Land. Er lernte dabei, von seinem gelehrten Vater gewissenhaft unterrichtet, Sprachen, politische Verhältnisse und viele geistig und rangmäßig hochstehende Persönlichkeiten kennen.

Als Willibald Pirkheimer 16 Jahre alt war, hielt es sein Vater für angezeigt, den kräftig aufgeschossenen und hellwach aufgeschlossenen Knaben an dem damals angesehenen Hof in Eichstätt eine ritterliche und höfische Erziehung zu geben. Willibald, wie er bei seiner Geburt in Eichstätt nach dem Schutzheiligen der Stadt getauft worden war, übertraf bald alle seine Altersgenossen an körperlicher Gewandtheit, Stärke und Mut. Der junge Kampfhahn wollte daher am liebsten beim Kriegshandwerk bleiben. Sein jugendliches Feuer drängte ihn, an den nie mangelnden Händeln und Fehden der großen Herren im weiten Reich teilzunehmen und mit dem Schwert hoch zu Roß im glitzernden Ritterharnisch seinen Mann auf dem Schlachtfeld zu stellen.

Doch sein dem Humanismus zugeneigter Vater schnitt ihm diese Laufbahn ab und schickte den jungen Haudegen in der schon Generationen währenden Tradition der Pirkheimerschen Familie auf eine der fortschrittlichsten Universitäten, wie diese sich damals in den oberitalienischen Städten anboten. Willibald Pirkheimer hat drei Jahre in Padua und vier Jahre in Pavia die Rechtswissenschaften studiert. Doch scheint ihn das trockene Jus weniger angezogen zu haben als die neuerblühten humanistischen Wissenschaften, die sogenannten *„Humaniora"*, die die vergessenen griechischen und römischen Klassiker wieder auffrischten und mit neuem Blut füllten. Begierig hörte er die freigeistigen Lehren, die die Unsterblichkeit und sogar einen persönlichen Gott zu leugnen wagten. Sein christlicher Glaube scheint dadurch zwar keinen Schaden erlitten, aber für alle Zeiten von dogmatischen Fesseln freigeworden zu sein.

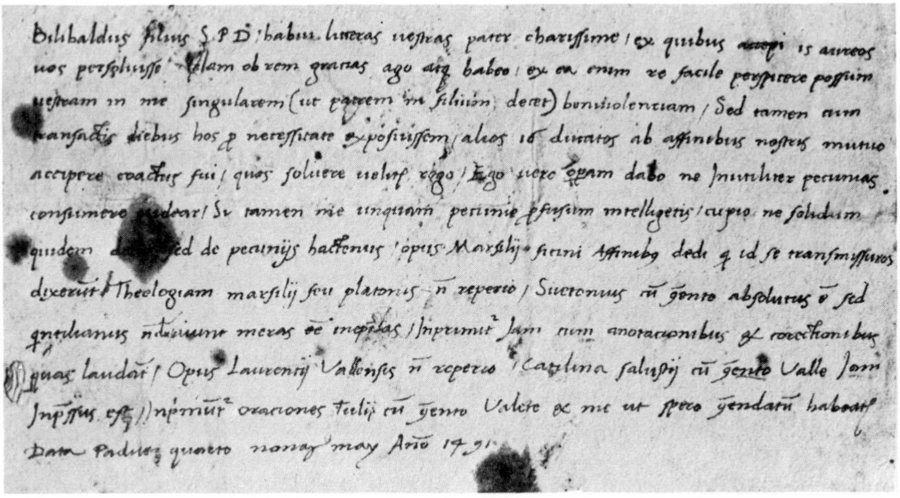

Bilibaldus filius S. P. D. habui literas vestras pater charissime, ex quibus accepi 15 aureos
vos persolvisse, quam ob rem gratias ago atque habeo; ex ea enim re facile perspicere possum
vestram in me singularem (ut patrem in filium decet) benivolentiam. Sed tamen cum
transactis diebus hos pro necessitate exposuissem, alios 16 ducatos ab affinibus nostris mutuo
accipere coactus fui, quos solvere velitis rogo. Ego vero operam dabo ne inutiliter pecunias
consumere videar. Si tamen me unquam pecunie profusum intelligetis, cupio ne solidum
quidem [illegible] sed de pecuniis hactenus. Opus Marsilii ficini affinibus dedi qui id se transmissuros
dixerunt. Theologiam marsilii seu platonis non reperio. Suetonius cum commento absolutus est sed
quedam [illegible] meras esse ineptias. Imprimitur iam cum annotacionibus et correctionibus
quas laudant. Opus Laurentii Vallensis non reperio. Catilina salustii cum commento Valle iam
impressus est. Imprimuntur oraciones tulii cum commento. Valete et me ut spero commendatum habeatis.
Datum Padue quarto nonas may Anno 1491.

Brief Willibald Pirkheimers aus Padua vom 4. Mai 1491 an seinen Vater Hans Pirkheimer in Nürnberg

Auch in den Hörsälen fiel der Jüngling auf durch seine eminenten Gaben, vor allem durch sein Gedächtnis, seine rasche Auffassungsgabe und seine leidenschaftliche Begier nach Wissen. Aus seinen damaligen Briefen geht hervor, daß er sich aus seinen deutschen Kommilitonen nicht viel gemacht und dafür viel Verdruß geerntet hat. Ihre Sauf- und Rauflust stach allzu rüde ab von den verfeinerten Sitten, dem regen Bildungsstreben und der geistigen Lebendigkeit seiner italienischen Freunde aus den höchsten Adelskreisen, Willibald wandelte sich in den langen Jahren fern der rauhen Heimat vom Eichstätter Eisenfresser zum wohlerzogenen uomo universale aller Wissensgebiete.

Mit seiner Musikalität brachte er sein Lautenspiel und seine Stimme zur Meisterschaft. Vielleicht hat dies dazu beigetragen, sich in das Herz einer schönen Geliebten einzuschmeicheln. Seine Bernardina schickte ihrem *„carissimo Bilibaldo“* noch einen glühenden Liebesbrief nach Deutschland nach, der erst kürzlich nach beinahe einem halben Jahrtausend aufgefunden worden ist. Dieses vergilbte billet doux mit dem heißen Dank für die verschwenderische Großmut des fernen Geliebten scheint Willibald sehr geschickt vor seiner Frau verborgen gehalten zu haben. Er hat damit ein Meisterstück in der schwierigen Kunst der Aufbewahrung von Liebesbriefen geliefert.

Kurz nach seiner Rückkehr aus Italien verehelichte sich Willibald Pirkheimer aus seiner stets hochgehaltenen Pietät für den Vater mit der rechtschaffenen Crescentia Rieterin aus vornehmer Nürnberger Patrizierfamilie, denn ein Nürnberger Ratsherr mußte verehelicht oder Witwer sein. Ein Junggeselle besaß nach Nürnberger Anschauung nicht die genügende Vertrauenswürdigkeit für einen Ratsherrn. Eine Eheschließung bedeutete in dem vom Großbürgertum beherrschten Rat einen so wichtigen wirtschafts- und kommunalpolitischen Akt, daß sogar das Rathaus für die Hochzeitsfeier zur Verfügung gestellt wurde. Ein Tucher konnte auf die Verwandtschaft mit allen 40 ratsfähigen Familien der Stadt hinweisen. Er hat ihre Wappen wie einen Strahlenkranz stolz um sein Porträt gefügt. Bei einer Ehe aus Neigung und noch dazu mit einer Ausländerin wäre dagegen die hergebrachte Ordnung im eng versippten Nürnberg in Gefahr geraten.

Mit diesem wohllöblichen Ehepakt ganz im Sinne des bäuerlichen Denkens, wonach der Hof den Hof zu heiraten pflegt, war die gewünschte Wirkung erreicht. Schon bei der nächsten Osterwahl 1496 wurde Willibald Pirkheimer in den regierenden Rat gewählt, dem er fast ununterbrochen bis sieben Jahre vor seinem Tod angehört hat. Als seine Frau nach fünf Töchtern im siebten Ehejahr bei der Geburt eines toten Knaben am Kindbettfieber starb, war Willibald Pirkheimer zu einer zweiten aufgezwungenen Verehelichung nicht mehr zu bewegen.

In den vielen auswärtigen Geschäften, Gesandtschaftsmissionen und Rechtsfragen konnte Willibald Pirkheimer als Rat der freien Reichsstadt seine rednerischen Fähigkeiten, seine Weltgewandtheit und seine vielen Kenntnisse zum besten des bedeutenden Stadtstaatsgebildes entwickeln und bewähren.

Vielleicht war es auch mehr seinem diplomatischen Geschick als seinen in Eichstätt erworbenen fragwürdigen Kriegskünsten zu verdanken, daß der Rat 1499 den Humanisten zum Feldobristen über 300 von Nürnberg abgestellte Landsknechte bestimmte, um Kaiser Maximilian I. auf dessen dringende Ersuchen in dem Krieg gegen die Eidgenossen zu Hilfe zu kommen. Die Nürnberger legten stets mehr Wert auf friedliche und geldliche Beilegung aller Kon-

flikte als auf militärische Erfolge, die nur ihre überallhin reichenden Handelsbeziehungen stören konnten und im nachhinein besehen nur viel teurer kamen.
Hier lernte Willibald Pirkheimer im vertrauten Gespräch den Kaiser bei mancher kriegsgegebenen Situation kennen und teilte mit ihm Wünsche und Sorgen. Als wohlerzogener Hofmann lobte er die Tagebuchaufzeichnungen Maximilians I. und sah über dessen schlechtes „Reiterlatein" hinweg. Wie jeder Renaissancemensch war auch der Kaiser mehr auf seinen ewigen Nachruhm als auf sein ewiges Leben bedacht. Er hat Willibald Pirkheimer zum Dank für die Verdienste im Schweizer Krieg zum Kaiserlichen Rat ernannt.
Den Krieg, der für die Schweizer viel Leid, für die Kaiserlichen wenig Ruhm brachte, hat Willibald Pirkheimer wirkungsvoller als Literat denn als Soldat bestanden. Sein in lateinischer Sprache erschienener Bericht über den Schweizer Feldzug, betitelt *„bellum Suitense"*, der sich durch Menschlichkeit und Fairneß gegenüber dem Gegner auszeichnet, hat ihm bei den Gelehrten später den Ruf eines deutschen Xenophon eingebracht.
Noch einmal, bevor Willibald Pirkheimer sich immer mehr in seine Bibliothek und Studierstube in dem Haus am Nürnberger Hauptmarkt vergrub, trat er in militärische Aktion. Es war in einer der vielen Scharmützel und Fehden, die die Nürnberger mit den Markgräflichen um Winzigkeiten austrugen. Der junge Markgraf Casimir hatte 6000 Mann zu Fuß, meist ziemlich unbrauchbares Landvolk, und 600—700 Reisige in Schwabach zusammengezogen. Es ging um den Kirchweihschutz für den kleinen Weiler Affalterbach, in dem man sich um die Gerichts- und Landeshoheit stritt. Die dem Feind entgegenziehende Hauptmacht der Nürnberger war dabei im unübersichtlichen Reichswald in einen Hinterhalt geraten und nach tapferem Widerstand in die Flucht zurück zu den Stadttoren Nürnbergs geschlagen worden. Der Rat unterstellte Willibald Pirkheimer darauf eine frische Schar von 800 Mann. Die grollenden Geschütze des Frauenturms genügten aber, um die Verfolger zu stoppen und zur Rückkehr zu bewegen. Willibald Pirkheimer brauchte gar nicht mehr in das Gefecht einzugreifen. Dennoch schob man ihm die Schuld an der Schlappe zu, bei der 400 Tote zu beklagen waren. Den Nürnbergern war an diesem schwarzen Tag am falschen Punkt der Kragen geplatzt, wie so oft, wenn ein Groll sich allzulang aufgestaut hat. Dieser Pirkheimer, dieser halbe Welsche, wie man den Sonderling scheelblickend in der reichsstädtischen Engbrüstigkeit empfand, hatte die Keckheit besessen, seinen zu Besuch weilenden italienischen Studienfreund, den Grafen San Severino Galeazzo, zu der ernsten Sache der Stadtverteidigung mitzunehmen.
Die beiden, der klotzige deutsche Winkelried und der grazile romanische Ziervogel, preschten, glücklich, den stickigen Kontoren und Ratsstuben entronnen zu sein, in bravouröser Laune und eitler Pose vor dem Nürnberger Hilfstrupp aus den Toren. Da soll auch noch der *„Malefiz-Galeazz"* seinen närrischen Federhut wie der Leibhaftige geschwenkt haben. Dies war für die aufgewühlte Seele der Nürnberger zuviel. Der Aberglaube durchbrach alle Schranken der Vernunft. Der schwarzhaarige Italiener mußte auf höchsten Ratsbeschluß hin noch am gleichen Tag völlig unschuldig die Stadt verlassen, Willibald Pirkheimer aber sich tagelang vor der Volkswut in seinem Haus einsperren. Das ewig Schildbürgerliche deutscher Reichsstädte hatte die Oberhand gewonnen.
Solche und ähnliche sich wiederholende Szenen in der Stadt und bei den fast täglichen Ratssitzungen haben den Hohn und Spott und einmal sogar die

schlagkräftige Faust des höchstreizbaren Draufgängers Willibald Pirkheimer herausgefordert. Wären seine Dienste und Verdienste für die Stadt nicht so unentbehrlich gewesen, hätte man ihn zum Teufel gewünscht. Man achtete und schätzte ihn, aber konnte den Mann von Welt und überlegenem Geist im wahren Sinn des Wortes nicht riechen, der sich *„mit Zipeta schmiere, sich mit orientalischen Parfums beräuchere, und wie ein Seidenschwanz herumstolziere, während er doch so wild aussähe, daß sich die Raubritter vor ihm fürchten könnten".*

Trat der große starke Nürnberger Abgesandte aber auf den zahlreichen Tagungen für seine Vaterstadt auf, dann lenkte er alle Blicke auf sich, dann bewunderte und bestaunte man diesen ungewöhnlichen Redner, der imstande war, Punkt für Punkt der gegnerischen Behauptungen zunichte zu machen und dafür seine eigenen als die einzig rechtmäßig begründeten hinzustellen, der auf der Stelle und aus dem Kopf sechzig und mehr Argumente des Gegners der Reihe nach widerlegte und ebenso viele Gründe entgegensetzte. Dabei umgab diesen imponierenden Außenminister Nürnbergs und Kaiserlichen Rat noch der Nimbus umfassender humanistischer Gelehrsamkeit, weitreichender Beziehungen und überlegener Körperkräfte. Willibald Pirkheimer handhabte gleich gut das römische Recht wie das Ritterschwert, zwei Dinge, die damals in der Wertschätzung an oberster Stelle gestanden haben müssen.

Es war daher ratsamer, sich mit dem leicht verletzlichen und zuschlagenden Choleriker nicht anzulegen. Als ihn das zwischen Lob und Tadel hin- und hergerissene Ratskollegium in einer Sondersitzung in vier Fällen der Pflichtverletzung anklagte, endete es mit einer Entschuldigung des Rats für die ihm gemachten Vorwürfe. Nicht anders ging es seinen unerbittlichsten Gegnern Tetzel und Schütz, die am Ende im Turm oder in der Verbannung aus Nürnberg endeten.

Nur einen Vorwurf hat Willibald Pirkheimer in seinen Verteidigungsschriften mit Stillschweigen übergangen, nämlich daß er *„frommen Frauen und Jungfrauen ein schwerer, merklicher Ehrabschneider"* wäre. Darauf konnte der früh wieder zum Junggesellen gewordene Galan und feurige Liebhaber der Frauen wohl nicht viel erwidern. Auch Dürer hat seinen Freund Willibald Pirkheimer damit aufgezogen, daß er so viele Liebesverhältnisse unterhalte, daß er nicht einmal in einem Monat bei allen herumkommen könnte. In einem Kupferstich, betitelt *„Der Traum des Doktors"*, hat er vor ihn eine übergroße nackte Schöne gestellt.

Soviel hat jedenfalls die ständige Anfechtung seiner Person bewirkt, daß er nie zum Obersten Losunger, also zum Vorsitzenden des Rats, gewählt worden ist, mögen auch die Wahlmänner über die von seinen Gegnern ausgestreuten Gerüchte gelächelt haben, Willibald Pirkheimer wolle sich zum Tyrannen über Nürnberg erheben. Um so unangefochtener und über den Gesichtskreis der Reichsstadt weit hinausgreifend war Willibald Pirkheimers Stellung als bewegende Achse, um den noch tief im Mittelalter steckenden Karren der Zeit über die Schwelle der Neuzeit zu heben. Willibald Pirkheimer stand im Schnittpunkt zwischen einer theozentrischen, auf Gott ausgerichteten, und einer anthropozentrischen, auf den Menschen bezogenen Ära, am Übergangspunkt vom gotischen Menschen zum aufgeklärten Menschen der Neuzeit, der das Heraus aus dem Jammertal der Sünde und das Voran zur Wiedergeburt des Menschen in seiner Gottähnlichkeit auf seine Spruchbänder geschrieben hatte. Alle Größen der Politik und des Geistes kehrten bei Willibald Pirkheimer

Albrecht Dürer: Exlibris Willibald Pirkheimer, Holzschnitt um 1501

ein, aßen an seiner Luxustafel, gedeckt mit feinen italienischen Speisen, oder standen in regem Briefwechsel mit ihm. Er ist in alle großen deutschen Fragen hineingezogen worden: in die grundlegende des Reichszusammenhangs und die einst so deutsche der ständischen Individualität, in die soziale der Handwerker- und Bauernnot, in die Spannung zwischen Fürstengewalt, Feudalismus und Großbürgertum, lauter Fragen, die radikalen Lösungen entgegendrängten. Auch in der Judenfrage, als einer geistig prinzipiellen, wurde er zur Auseinandersetzung und zur Stellungnahme veranlaßt. Er arbeitete an dem satirischen Werk der berühmten *„Dunkelmännerbriefe"* entscheidend mit. Überall verurteilte er dabei die Grobheit der Polemik und ermahnte zur Würde und philosophischen Ruhe. Die Nürnberger, die bald zum Luther-Glauben übertraten, haben ihm viel für die kluge Mäßigung bei diesem einschneidenden Übergang zu danken. Willibald Pirkheimer zieht gegen die scholastische Dialektik los und verweist auf die reinen Evangelien, deren Übernahme im kindlichen Sinn allem Theologisieren überlegen sei. Seine Schrift *„Der Fischer"* bringt ihm wegen des Eintritts für die milden Lehren Christi den Ruf eines Reformators ein. Erasmus bescheinigt ihm in einem der zahlreich gewechselten Briefe dafür: *„Hier hat das Herz Dich beredt gemacht."*
Mit dem gleichen Eifer setzt er sich für die großen antiken Klassiker ein und empfiehlt die alten Griechen, voran Plato, den Theologen zum Studium. Seine soziale Ubiquität und universale Bildung hebt ihn über alle Eiferer und Stürmer, die Reformatoren und Gegenreformatoren rechts und die Kabbalisten, Bilderstürmer und Mordbrenner links, weit hinaus. Erregend ist sein Briefwechsel mit seinen hochgebildeten Schwestern, voran der Äbtissin Charitas und Clara, mit denen er sich über Gott und die Welt verstreitet und wiederfindet.
Willibald Pirkheimer erkannte die Bedeutung Luthers, den er in sein Haus einlädt, erschrickt aber gleichzeitig über seine gefährliche Natur, die keine Nuancen und keine Brechungen kannte, die Werke der Vernunft als des *„Teufels Hure"* verschrie und das kopernikanische Weltsystem mit einem Bibelwort abtat. Willibald Pirkheimer war mit Melanchthon befreundet, der ihn als den *„heiteren Weisen von Nürnberg"* pries, verkehrte mit Zwingli genauso wie mit dem Luthergegner Cochläus, setzt sich mit Ulrich von Hutten, diesem sprachgewaltigen Publizisten und Partisanen der fränkischen Ritter, auseinander, tritt für Reuchlin, den Herausgeber einer hebräischen Grammatik zum besseren Verständnis des alten jüdischen Schrifttums, mutig ein und erntet dafür den Haß der Jesuiten, genau wie ihm seine satirische Streitschrift gegen den Lutherfresser Eck den päpstlichen Bannfluch eingebracht hat. Nur mühsam konnte er sich der gefährlichen Ächtung wieder entledigen.
Auch innerhalb der eigenen Stadtmauern wohnten genug ungewöhnliche und schöpferisch begabte Zeitgenossen, um nur den großen Dürer, den Mathematiker Regiomontanus Müller, den Chronisten einer zusammenfassenden Weltgeschichte, Schedel, den weitgereisten Geographen Martin Behaim, den Schusterdichter Hans Sachs, den Erfinder Peter Henlein, den Bildschnitzer Veit Stoß, den Erzgießer Peter Vischer, den Steinmetzen Adam Krafft unter vielen anderen zu nennen, die er in das Gespräch ziehen und fördern konnte. Die Kunst spielte ja damals noch eine zentrale Funktion im Leben der Menschen.
Der Humanist und Dichter Celtis besingt Willibald Pirkheimers Haus *„als die Herberge der Gelehrten"*. – Allen war sein Haus offen. Wer war nicht sein Gast? –

Albrecht Dürer: Porträt Willibald Pirkheimer, Kohle, 1503, Berlin Kupferstichkabinett

Das europäische Gespräch riß bei Willibald Pirkheimer nicht ab und machte ihn zuletzt zum Schiedsrichter, Befürworter und Mahner jeden Disputs in dem von Reformation und Revolution brodelnden Kessel des Römischen Reiches Deutscher Nation. In dem geschliffenen Konkavspiegel seiner umfassenden Persönlichkeit sammelten sich gleichsam alle Strahlen zu einem hellaufflammenden Brennpunkt, in dem das Unwesentliche verbrannte und das Wesentliche mit einer Überdeutlichkeit heraustrat. Alles, was von ihm bewegt wird, wird von seinem läuternden Geist erhoben. In ihm vereinigte sich eine ganze Universität an Wissen, Schau und Urteilsvermögen. Die Glut seines Strebens nach letzten Erkenntnissen verzehrte ihn fast selbst. Zwiespalt und Spannung zerrissen seine Brust. Heftig beklagte er sich dabei einmal, daß es einem ritterlichen Mann in Deutschland zur Schande gereiche, gelehrt zu sein. Er ahnte, daß Gelehrsamkeit und Mannhaftigkeit in getrennter Richtung fortan zu marschieren begannen. Seiner soldatischen Kraftnatur widersprach der neuaufkommende Typ des Gelehrten, dessen Gehirn gleichsam gefächert ist, der einseitig in die Tiefe bohrt und den Sinn und die Verantwortung für das Ganze dabei verliert. Gewiß hat Gottfried Benn seinen Vers

„Gelehrte zart und matt
Machen aus Tintentuben
Ihre Pandekten satt"

nicht auf Willibald Pirkheimer gereimt, der mit seinem vollblütigen Wesen einer der aussterbenden Einzelgänger im deutschen Gelehrtenparnaß blieb.
War schon zu Willibald Pirkheimers Zeit die Infragestellung der Autorität des Papstes zugunsten des Bibelwortes und die Auflösung der mittelalterlichen Ständeordnung zugunsten eines verschwommenen Gleichheitsideals Zündstoff genug, noch explosiver wirkte die Erfindung des Buchdrucks durch Gutenberg. Die aufrührerischen Gedanken hatten mit dem findigen Trick der getrennten Drucklettern und der damit ermöglichten Herstellung von Massendrucken eine ungeahnte Fern- und Breitenwirkung erhalten, die ähnlich den neuen Pulverwaffen in die herkömmlichen Bollwerke fest bezogener Meinungen tiefe Breschen schlugen. Luthers Wirksamkeit ist ohne die Druckerpresse gar nicht zu denken. Seine 95 Wittenberger Thesen flatterten als erste Extraausgabe der Weltgeschichte durch alle Länder und entzündeten die Köpfe.
Die aufkommende Presse und das Flugblatt wurden zur Artillerie der neuen brisanten Parolen. Die Neuzeit, die Gutenbergzeit, hatte begonnen, deren Ende uns heute im Zeitalter des Funks und Fernsehens in dem Buch *„Die Gutenberg-Galaxis"* von Marschall McLuhan vorausgesagt wird.
Willibald Pirkheimer wußte die neue Erfindung zu nutzen und baute sich die von seinen gelehrten Vorfahren begonnene handschriftliche Bibliothek zu einer der umfassendsten Büchersammlungen der damaligen Zeit aus. Sie bildete einen weiteren Anziehungspunkt für die europäische Geisteswelt in seinem Haus.
Mit zunehmendem Alter gehörte seine eigentliche Liebe immer mehr seinen Büchern und den durch sie vermittelten Wissenschaften. Erst wenn er zu ihnen zurückkehren konnte, fühlte er sich befreit von den Menschen und den Küm-

Albrecht Dürer: Porträt Willibald Pirkheimer, im Alter von 53 Jahren, Kupferstich 1524

BILIBALDI·PIRKEYMHERI·EFFIGIES
·AETATIS·SVAE·ANNO·L·III·
VIVITVR·INGENIO·CAETERA·MORTIS·
·ERVNT·
·M·D·XX·IV·

mernissen des Lebens. Seine Bücher sind in alle Winde zerflogen. Nur sein reicher Briefwechsel blieb in der Nürnberger Stadtbibliothek erhalten.
Das bewegende Ereignis aber im Leben Willibald Pirkheimers bleibt seine enge Freundschaft mit dem genialen Dürer, die zu jener Zeit der trennenden Standesunterschiede etwas Anstößiges bedeutete. Willibald Pirkheimer finanzierte als vielseitiger Mäzen die Reise Dürers nach Venedig. Am Ende widmete er dem vor ihm Verstorbenen die schöne Grabinschrift: *„Was an Albrecht Dürer sterblich war, birgt dieser Hügel. Er wanderte aus am 6. 4. 1528.“*
Dürer hat den 33jährigen und 54jährigen Pirkheimer mit dem Stift festgehalten. Gegenüber dieser Aussage bleibt alles biographisches Zusammenbasteln ein Stückwerk und ein Stammeln. Welche Hämmerung und Wandlung hatte sich in Willibald Pirkheimer nach diesen enthüllenden Konterfeis in den 21 Jahren seiner Nürnberger Ratsherrntätigkeit vollzogen. 1503 ist Willibald Pirkheimer noch der Typ des kraftvollen Condottiere, dessen eingedrückte Boxernase, begehrlicher Mund, wuchtiges Kinn und stechendes Auge mehr den Soldaten als den Literaten verraten. Der freie Hals und starke Nacken offenbaren seine fast brutale männliche Kondition. Die hintergezogene elegante Kappe auf dem Stierhaupt läßt die spannungsgeladene Stirn frei, aus der mächtige Augenwülste eigenwillig hervorstoßen. Ganz im Gegensatz zu diesen geballten Energien steht sein feingebildetes Ohr, das subtile Aufnahmefähigkeit und musikalisches Gehör verheißt. Willibald Pirkheimer, der immer begierig auf Menschen war, muß ein wunderbarer Zuhörer gewesen sein. Alles zusammengenommen wirkt sein Gesicht auf der ersten Zeichnung ebenso sinnenoffen und genießerisch wie eigenwillig stumpf.
In dem Gealterten dagegen überwiegt das Kontemplative über die vita activa, die ihre unverkennbaren Spuren hinterlassen hat. In der Erregbarkeit der nun nicht mehr zum Klingenaustausch herausfordernden, sondern forschend und klug abwägenden Augen fiebert die innere Glut des Denkers, Forschers und Sammlers. An die Stelle der kühnen Lust am Zupacken und Zuschlagen ist die Leidenschaft für die geistige Besitzergreifung der Welt getreten, wie sie damals Kolumbus mit der Entdeckung neuer Länder, Kopernikus mit der Entdeckung eines neuen Himmelssystems und Luther mit der Entdeckung des Bibelwortes entfacht hatte. In den Zügen des 54jährigen liest man aber auch die Galligkeit und den Verdruß des Weltbürgers über den Biedersinn und das Banausentum der Menschen. Noch arbeitet ein Vulkan in seinem mächtigen Körpermassiv. Aber auch die Schlacken mehren sich in dem furiosen Gesicht des großen Mannes, den die schmerzende Gicht zu immer größerer Bewegungslosigkeit verdammte.
In Willibald Pirkheimers Zügen ist der Geist der Zeit konzentriert verkörpert. Man ahnt, daß in diesem Kopf die Tragödie des modernen Menschen beginnt, der von dem Dämon des Intellektualismus heimgesucht, der dem Sündenfall des auf sich selbst gestellten, von Gott gelösten Menschen verfallen ist. Willibald Pirkheimer hat unter sein Altersbild das Bekenntnis gesetzt, daß nur der Geist weiterleben wird, nichts sonst.
Willibald Pirkheimer, der genau auf der Kippe des Jahres 1500 gestanden hat, denn er wurde 30 Jahre vorher geboren und ist 30 Jahre nachher gestorben, wäre für uns nicht so anziehend, wenn wir uns nicht in einer ähnlichen Zeitenwende befänden. Der damals für souverän erklärte Intellekt, die ratio, wird heute durch Elektronik, Computer und Apparate übertroffen und zur Entdeckung einer mit den fünf gesunden Sinnen nicht mehr faßbaren Mikro- und

Makrowelt befähigt. Die letzten Bindungen werden angefochten, eine wie damals unterschiedlich anhebende Wirtschaftsblüte modelliert eine neue Gesellschaft heraus. Neue Beeinflussungsmethoden und neue Waffen zwingen zu neuem Denken. Neue Nachrichten- und Verkehrsmittel lassen die Dimensionen der Erde zu einer Dorfgemeinschaft zusammenschrumpfen.
Die Geschichte scheint sich in runden Zahlen zu gefallen. 15. Jahrhundert und 20. Jahrhundert sind gleich erregend in ihren neuen Horizonten. Dem großen Beweger vom Mittelalter zur Neuzeit gehört daher im fernen Gleichklang unserer Zeit unsere Aufmerksamkeit und Bewunderung.

TRAGOE=
DIA LVCIANI CVI TITV=
LVS EST, PODAGRA
A QVODAM GRAE=
ce latineq; erudito, uer=
ſibus reddita.

Podagræ Laus, Bilibaldo Pirckey=
mhero Authore.

Anno 1 5 2 9

Titelblatt der „Laus podagrae" 1529

Hans Max von Aufsess

ULLRICH VON HUTTEN

1488—1523

Unserm Denken ist die Vorliebe eigen, den breiten Strom des Lebens abzufangen, aufzugliedern und zu unterteilen. Überall disponieren wir es in Abschnitte, Stufen, Kapitel und Epochen um. In Wirklichkeit mischt sich alles ineinander und fließt ohne unsere Programme und Diagramme gemächlich dahin. Die Geschichte weiß so wenig von ihren Zeitaltern wie die Erde von ihren Meridianen. Die Historiker und die Geographen haben die nützlichen Scheidelinien erst dazuerfunden.
Mit dieser Einschränkung auf die Unzulänglichkeiten aller Denkkonstruktionen läßt sich um so unbekümmerter behaupten, daß unsre liebe altgewordene Neuzeit ihren Eintritt just um das Jahr 1500 herum mit unüberhörbarem, geradezu theatralischem Pochen an den Ausgangspforten des Mittelalters angemeldet hat:
1492 entdeckt Kolumbus Amerika. Paracelsus und Kopernikus gestalten das Weltbild um. Michelangelo, Leonardo da Vinci und Dürer überwältigen durch eine neue Bildersprache, Luther, Melanchthon, Zwingli reformieren Kirche und Glauben, Erasmus von Rotterdam, Willibald Pirkheimer, Reuchlin leiten Humanismus und Aufklärung ein. Sie alle, ob jünger oder älter, haben den Silvesterabend des Jahres 1500 gefeiert.
Zu den äußeren Ereignissen aber, die die Neuzeit am explosivsten herbeiführen, gehören zwei Fernwaffen, das Pulver und die Druckerkunst. Mit ihrer Sprengkraft schlagen diese, ob fortifikatorisch oder geistig, Breschen in alles, was bis dahin feststand oder unerschütterlich schien.
In dieser Umbruchzeit vom Mittelalter zur Neuzeit tritt eine Gestalt auf, die, von Herkunft im vormittelalterlichen Stand der Ritter tief verwurzelt, zu *dem* Aktivisten, Partisan und Publizisten seiner Zeit wird. Es ist Ulrich von Hutten, geboren 1488 auf der Burg Steckelberg, da, wo zwischen Spessart und der Hochrhön das alte Herzogtum Franken in die hessischen Lande hinüberschaut.
Der Wald, vielleicht ein „Steckeleswald", wie der Name der Burg Steckelberg vermuten läßt, umstand nach den eigenen Schilderungen Huttens die väterliche Burg so nahe, daß bei Nacht das Heulen der Wölfe zu hören war. Kein Gang aus der Burg war ohne Waffe möglich. Vielfache Fehden, mißgünstige Nach-

barn und umherziehendes Vagabundenvolk machten es empfehlenswert, selbst auf die eigene Jagd und Fischerei „in Eisen" zu gehen.
Das Leben, umgeben von Gefahren, stählte die Ritter und ließ sie zu eigenwilligen Charakteren heranwachsen. Wenn auch um diese Zeit der selbständige, nur dem Kaiser verpflichtete Ritterstand durch die aufkommenden Städte und erstarkenden Fürsten weitgehend von der Mitwirkung an den bestimmenden historischen Aufgaben abgedrängt und politisch abgesunken war, so hatte er sich doch seinen Lebensstil in den ungebrochenen Burgen bewahrt. Der alte Freiheitsdrang lebte sich in einer Vielzahl streitlustiger Sonderlinge, seigneuraler Originale und Götz von Berlichingscher Kraftnaturen aus, deren skurrile Typen sich noch in spätere Jahrhunderte fortgepflanzt und dem Landleben eine würzige Note gegeben haben.
Bei aller Einflußlosigkeit und sehr oft Einfallosigkeit in wirtschaftlicher und geistiger Hinsicht war damals die Geltung des Adels ungebrochen. Selbst die reich gewordenen Stadtpatrizier, die in kulturellem Können die Wald- und Strauchritter weit übertrafen, eiferten trotz ihrer ganz anders gearteten, auf Geld und Handel fußenden Lebenseinstellung dem Ritterlichen nach. Sie kauften sich Landgüter und bauten sich zierliche Schlösser um ihre Städte herum. Nur wollte die Kopie der ritterlichen Sitten und Gebräuche nie überzeugend gelingen.
Worin lag nur die Ausstrahlung dieses schon vielfach verarmten, aber noch immer wertbestimmenden Ritterstandes? Wie zauberte sich Kaiser Maximilian I., ebenfalls Silvestergast des Jahres 1500, in die Herzen aller Zeitgenossen hinein, daß sie fasziniert von seiner Erscheinung ihn als den *„letzten Ritter"* priesen?
Die Ritter waren ein freigeborenes, in freier Wildbahn aufgewachsenes Jäger- und Kriegervolk, das sein Selbstbewußtsein und seine unskeptische Daseinsbejahung gleichsam mit der Muttermilch empfangen und dieses Erbe wahrscheinlich schon aus germanischer Vorzeit mitgebracht hatte. Das Aufsichselbstgestelltsein inmitten einer wilden Natur gab den Rittern eine Selbstsicherheit und einen in sich ruhenden Halt. Aus der Gebundenheit in einem überlieferten Stand und der Verbundenheit mit dem eigenen Land floß ihnen eine Überlegenheit, oft auch Arroganz zu, die sich in der Leichtigkeit und Großherzigkeit ausdrückte, die alle unabhängigen Naturen auszeichnet. Mochten sie oft ungebildet und borniert sein, niemals waren sie materialistisch und kleinlich. Sie spielten selbst mit ihrem Leben und verachteten sträflich das Geld und das kaufmännische Kalkül. Der Ritter war gleichsam der Mann, um überall gegen den Lindwurm zu kämpfen und seinen Mantel mit dem Schwachen auf allen Straßen zu teilen. Wenn er dabei gelegentlich einen zu dicken Pfeffersack erwischte oder mit einem Landstreicher gleich und gleich machte, so wurden solche Versehen nicht weiter tragisch genommen. Da der Ritter also ein Draufgänger und Beschützer zugleich war und seine Taten mit knabenhafter Anmut vollführte, wie die alten Bilder und Skulpturen dies getreulich überliefern, war er der homme à femme. Er hat sich damit so unsterblich in die Herzen aller Frauen eingeschrieben, daß noch heute der Begriff der „Ritterlichkeit gegenüber den Frauen" rühmlich fortlebt.
Das Gefühl für Klasse, geformt aus Zucht und Auslese, durchdrang alles: Es bewirkte die Grazie des Umgangs, die Nonchalance der Bewegungen, die Eleganz des Ausdrucks, die Souveränität der Haltung, ja, in einem gesagt: einen Adel des ganzen Seins. Dieses Sein, nicht seine Leistungen, neidete der auf-

wärtsstrebende Bürger dem Ritter als etwas schlechthin Unerreichbares. Weder höfische Etikette noch weltläufige Urbanität konnte dieses Gewisse ersetzen.
In dieser ebenso kernig rauhen wie freimütig beschwingten Lebensluft im heimatlichen Buchenwald hat Ulrich von Hutten seine Kindheitsjahre verlebt. Sie hat ihn sein Leben lang nicht losgelassen und immer wieder seine Haltung bestimmt.
Hieraus entsprang in weitgehendem Maße Größe und Schwäche seiner Persönlichkeit und Vollbringen und Versagen seines Lebens. Vielleicht haben die modernen Soziologen recht, die heute den Umwelteinflüssen in den ersten zehn Kinderjahren die entscheidende, nicht mehr auszulöschende Prägung einräumen.
Die Zeit der glücklichen Knabenjahre im fröhlichen Umgang mit Hunden, Pferden, Stallknechten und Kriegsvolk wurde jäh und hart unterbrochen. Obwohl Ulrich der erstgeborene Sohn war und damit nach fränkischem Brauch zum Nachfolger bestimmt gewesen wäre, schickte der Vater den Elfjährigen in die Klosterschule nach Fulda. Als Hauptgrund mag den Familienchef die für einen Rittersohn zu schmächtige Statur, vielleicht auch der zu hell aufflackernde, dem Instinkthaften allzu leicht abträgliche Verstand des kleinen Ulrich dazu bewogen haben. Diese etwas barbarische Auslese entsprach den damaligen Gewohnheiten. Die Kirche war zur Versorgungsanstalt, zum „Spital" des Adels, wie man spottete, entartet. Wessen Schultern nicht breit, wessen Fäuste nicht stark genug erschienen, der mochte für die dem Adel vorbehaltenen, recht einträglichen Kapitelstellen noch immer gut genug sein und dort zum Vorteil auch für die Familie seine Bleibe finden.
Für die geistigen Regungen des kleinen Ulrich wird in der lärmenden und betriebsamen Burg bis dahin nur ein schmaler Raum geblieben sein. Dafür wird der von Feldzügen des Kaisers Maximilian I. in Winterszeiten heimkehrende Vater den Kopf des Jungen um so mehr mit seinen Erzählungen über Politik und Kriegshandwerk aus dem unruhigen Reich gefüllt haben.
Der kleine Knabe mag wohl damals die Erschütterungen miterlebt haben, die mit der Erfindung des Pulvers den alten Ritterstand trafen und ihn endgültig aus dem Sattel gehoben haben. Die Verstärkung der Mauern und Tore hielt mit der Durchschlagskraft der immer weiter reichenden Kanonen nicht Schritt. In dünkelhafter Verbohrtheit hatten die Ritter versucht, ihren ganzen Leib mit beweglichen Schienen und Platten zu umgeben. Sie waren zu schwerfälligen reitenden Tanks, zu wandelnden Festungen geworden. Aber auch dies half nichts gegen das brisante Pülverchen im Schützenrohr.
Als der durch seinen Mannesmut und seine Waffenkunst berühmte Condottiere Paolo Vitelli im Jahre 1495 die ersten Gefangenen, die mit einem in Deutschland hergestellten Handfeuerrohr gekämpft hatten, machte, ließ er in seiner Empörung über die niederträchtige Kampfmethode den Bedauernswerten die Augen ausstechen und die Hände abschlagen. Er glaubte wohl, das Kriegshandwerk, das bis dahin noch Vorrecht eines besonderen Standes, eines besonderen Könnens und einer besonderen Gesittung war, vor dem Einbruch technischer Raffinesse und damit also die Qualität des Kämpfers vor der Quantität angelernter Rekruten retten zu können.
Unausdenkbar für den kleinen Ulrich, daß ein gemeiner Landsknecht mit dem bloßen Krümmen des Fingers am Abzug seinen in voller Rüstung ehrfurchtgebietenden Vater aus der Ferne mit einer Bleikugel vom Pferde purzeln lassen

Ulrich von Hutten, nach einem Holzschnitt von Erhard Schön; zuerst verwendet in seinem 1521 erschienenen „Gesprächbüchlein"

könnte. Wohin mußte diese Verpöbelung des Kriegshandwerks, wohin die Entwertung des Kampfes von Mann zu Mann führen. Vielleicht wurden auf Burg Steckelberg an den langen Winterabenden unter dem rauchenden Kien-

span bereits die ersten Materialschlachten von den Zechern des sauren Gutsweins in Orson Wellesscher Phantasie vorausgedacht.
Die vita contemplativa in den Klosterfluchten in Fulda war eine totale Umkehrung in der bisherigen Lebensweise des kleinen spitznasigen und sicher jetzt bleich gewordenen Klosterschülers. Der spätere Hutten spricht jedoch immer mit Dankbarkeit von den sechs Klosterjahren, in denen ihm die lateinische Sprache, die Grundlage der Scholastik und auch mancher moderner humanistischer Gedanke mit den ersten Buchdrucken nahegebracht worden war.
Neben dem Pulver zeichnete sich hier das zweite, die Neuzeit einleitende Ereignis ab. Durch die Gutenbergsche Erfindung der Druckerpresse erhält das Wort plötzlich eine ungeheure Fern- und Breitenwirkung. Die Gedanken, mit kleinen auswechselbaren Setzbuchstaben in das Massenhafte verbreitet und in die Welt verschossen, erhielten eine Explosivgewalt. Sie mußten selbst in die Hochburgen geistlicher Abschirmung gefährliche Breschen schlagen. Wieder ist es ein Italiener, der hochangesehene Regent Frederigo de Urbino, der in Vorahnung der Macht des mechanisch vervielfältigten Wortes, ja vielleicht in Voraussicht möglicherweise auftretender, auf das Wort und die Schrift sich berufender Reformatoren, jedes gedruckte Buch aus seiner Bibliothek verdammte. Wie sollte gegen die Massenauflage etwa der Heiligen Schrift die unfehlbare Autorität des Papstes, wie die Heiligkeit der Kirche weiter bestehen, mit der bis dahin die gläubigen Schäflein demütig in der vorgebeteten Ordnung verhaftet, wenn nicht bis zum Exzeß dumm gehalten worden waren?
Genug an Explosivkraft liegt jedenfalls in der Luft, daß der von Tatendrang und Ehrgeiz beseelte Hutten in den Klostermauern sich nicht länger mehr zu Hause fühlen konnte. Sein unruhiger Feuergeist konnte die doppelte Abservierung, hier seines Ritterstandes durch ballistische Kunststückchen und da seiner eigenen Person in das Klosterleben wegen mangelnder Gardemaße, nicht hinnehmen. Die Umwälzungen ringsum riefen seine Streitbarkeit mit aller aus kränkender Zurücksetzung wachsenden Kraft auf. Nun sollten sie gerade sehen, was in dem abgeschobenen Sproß eines alten Geschlechtes an vorwärtsdrängendem Geist steckte, und gälte es mit ganz neuen Mitteln die neue Zeit, die wir heute die Neuzeit nennen, zu bestehen.
So entfloh im Jahre 1505 der 17jährige kurz vor Ablegung des Mönchsgelübdes gegen den Willen seines Vaters und seiner klösterlichen Erzieher den stillen Mauern der Abtei, um sich in das wechselvolle Vagantentum eines Studierenden ohne Geld hineinzustürzen. Aus dem Alumnus des Fuldaer Klosters wurde jetzt ein Krippenreiter, der bei Freunden Schutz vor der Armut und der Heimatlosigkeit der Landstraße suchen mußte. Er tauchte an den Universitäten in Rostock, Greifswald, Wittenberg, Erfurt und Köln auf und reiste zweimal nach Italien. In Frankfurt wurde er zum Baccalaureus promoviert. Vor allem scheint er sich in „Allotria" verloren zu haben, wie man ohne Herabsetzung nach dem damaligen Sprachgebrauch die außerhalb des engen Fakultätsbetriebes stehenden Vorträge der neuen humanistischen Lehrer genannt hat. Überall lernte er große Humanisten kennen, die zwar durch das Studium der griechischen und römischen Klassiker ihn nicht der kirchlichen und der scholastischen Theologie entfremden wollten, aber erstmals jedem, der dazu bereit und fähig war, eine neue, auf dem Verstand beruhende Lebensanschauung eröffneten.
Es würde zu weit führen, auf die Einzelheiten dieser Periode einzugehen. Aber es fällt in diese Zeit eine Dichtung Huttens, die sogenannten *„Lötzeklagen"*, die

bereits die Wesenszüge des Huttenschen Charakters andeuten, wie sie ihn zu seiner historischen Rolle befähigen sollten.

Eine höchst zweifelhafte, fast windige Sache veranlaßte diese Schrift. Er rächte sich darin für die Pfändung, die sein Greifswalder akademischer Gastgeber für die Kosten der Aufnahme in seinem Haus hatte vollstrecken lassen. Hutten machte daraus mit einer bemerkenswerten Selbstbezogenheit eine Sache, die den ganzen humanistischen Stand und die Öffentlichkeit anginge. Mit gewaltiger Eloquenz bauscht er darin nicht wenig auf und nützt die gefährliche Wirkung des Wortes aus, das seit kurzem als gedruckte Rede durch die Lande gehen konnte. Dabei ist ihm, bar des dem Ritterstand gebotenen Maßes, jedes Mittel recht, seine Beleidiger zu schrecken und sie dem Hohn der Welt preiszugeben. Selbst die klassischen Götter und Helden müssen, in neues Versmaß gesetzt, herhalten, um seine unbezahlten Miet- und Wäscherechnungen zu rechtfertigen.

Huttens ganz auf die Tat gerichtete, händelsüchtige Natur kommt in den Lötzeklagen wie ein lang verhindertes Verlangen an einer ganz neuen Stelle zum Durchbruch. Er erweiterte, in der Federführung besser erzogen als in den Waffen, den im Ritterstand üblichen Fehdebrief erstmals zu einer vernichtenden Presseattacke. Es ist eine Herausforderung des Gegners auf Leben und Tod nicht mit Lanze und Schwert, sondern mit Druckerschwärze und Papier.

Die von Gutenberg erfundene Buchdruckerkunst war damals gerade dabei, in alle Städte vorzudringen. Als Luther in Wittenberg 1519 seine 95 Thesen an der Kirchentür angeschlagen hat, waren diese gleichsam als erste Extra-Ausgabe der Weltgeschichte in Druckschriften überallhin verbreitet worden und hatten schnell ungeheures Aufsehen erregt. Wie die Kugeln aus den Pulverrohren prasselten überall und von weither geschossen Huttens zündende Worte auf den nieder, den sie auf das Korn genommen hatten. Kein Grundgesetz, kein Pressegesetz und kein Landesverrats-Paragraph hemmten das gefährliche Bombardement.

Wie ein geschickter Verleger heute Sex, Politik und Krimi für die Massenabnahme seiner Illustrierten vermengt, mischte auch Hutten in die Beleidigungsschriften etwas hinein, was damals allgemein begehrt wurde und Begeisterung entfachte, obwohl es nichts damit zu tun hatte. Er befriedigte nämlich das damals aufkommende Verlangen nach antiker Bildung durch Anführung klassischer Beispiele und Zitate griechischer und römischer Schriftsteller. Er brannte also gleichsam mit edlem Feuer den gemeinen Schlamm zu massiven Ziegelbrocken zusammen, um den Gegner damit noch härter zu treffen.

Als in der Fechtkunst verhinderter Rittersohn sublimierte er die Finten, Paraden und Kniffe zu einer dialektischen Jonglierkunst, die heute zu gut bezahlten Reportergagen berechtigen würde.

Wie er die Tatbestände verdreht und die Motive verdächtigt, wie er in das Privatleben greift, wie er durch scheinbare Objektivität den Tadel um so glaubhafter macht und wie er durch verdeckte Attacken die Gefährlichkeit der offenen nur erst ahnen läßt, das alles qualifiziert Hutten zum Nestor aller Magazineure. Wir dürfen in Hutten den ersten Spiegelredakteur in deutscher Sprache begrüßen oder — wem es lieber ist — zum Teufel wünschen.

In Italien übte zu gleicher Zeit der geriebene Publizist Vasari mit seinen gedruckten Rezensionen eine Meinungsdiktatur aus, während der sich göttlich nennende Aretino als Techniker geistreicher Erpressungen von allen Potenta-

MAXIMILIANVS Diuina fauente clemen
Archidux Austrię Dux Burgundię Brabantię &c Comes palatinus &c. H.
bonum. Consonum Cesareę clementię maxime rati honoribus augere eos, qu
deinde sic putantes ad nram quoq gloriam pertinere, si optimi cuiusq vita
hominibus Iuuenem scientes. q amore literarũ Exul factus magna Europę
nibus haberent. te doctissimus quisq per Italiam pariter & Germaniam o
extarent Testimonia, quibus inter raros te collocarent. Et quia tu ad Ge
Te igitur Vdalricũ coram nra Maiestate & illustri Aulicorum nrorum
aureoq insuper Annulo iureq & usu aurei Annuli ob facundiam & eloq
tium te Laurea Corona per sacras Manus nras decoratum, exornatum, am
hoc Cesareo nro statuentes edicto quod de cetero in quibuscuq studijs & ger
immunitatibus Indultis honoribus preeminentijs gratijs & libertatibus
modolib& gaudent consuetudine uel de iure. Et amplius ut uberiori gra
bus q futuris in nram & sacri Imperij protectione tuitionem & Salua gu
tes ut apud nullũ alium Iudicem q apud Nos & Successores nros Roman
uersis & singulis sacri Ro: Imperij Principib tam ecclesiasticis q seculari
sitorum cuiuscuq sint conditionis gradus ordinis & status ut te hac nra
uent uti frui gaudere & potiri permittant necnõ te contra predictam nra
uissime ac quindecim Marcharũ Auri puri, quas contrafacientes totiẽ
Cesareo. reliquam uero partẽ tui Vdalrici passi iniuriam usibus decerni
Augusta die Duodecima Mensis Iulij Anno domini Millesimo quinge

Augsburger Urkunde vom 12. Juli 1517, in der Kaiser Maximilian erklärt, daß er Ulrich von Hutten zum Dichter gekrönt habe

I H R

[R]omanorū Imperator semper augustus, ac Germanie Hungarie Dalmatie Croatie &c. Rex

[P]atri Imperij fideli nobis dilecto Vdalrico de Hutten Poete & Oratori. Gratiam nrām Cesaream & omne

qua apud bonos Viros testificatio sit q hec ueluti stimulo ad optima studia capessenda plurimi incitent

nomio probet Vnde te Vdalricum prefatū ex nobili Equitum Familia comendatum nobis a probatis

multa dura & acerba tuleris, etiam vite pericula iniens idq assecutus sis, ut iam tua scripta in ma-

ltiorem eruditionē familiarissime complecteretur ac interim clarissimorū hominum publice edita

optimis studijs quesitam nobilitatē adiecisti dignum putauimus qui nro quoq calculo probareris.

m motu proprio ex certa scientia & Auctoritate nra Cesarea Laurea Corona donauimus exornauimus,

rauimus Laureatumq & Poetam & Vatem & Oratorē disertum pronuntiauimus prout tenore presen-

atū Poetam & Vatem & Oratorem facundū dicimus & pronuntiamus. Dantes & concedentes tibi &

e tam in arte Poetica q in Oratoria legere docere profiteri & interpretari ac insuper omnibus Priuilegijs

audere debeas & possis, quib ceteri Poete a nobis laureati ac Oratores freti sunt & usi fuere seu quo-

tum sentias Te eundē Vdalricum cum omnibus Bonis rebus actionibus & Iuribus tuis tam presenti-

us & accepimus prout tenore presentiū expresse assummimus & accipimus. concedentes tibi & elargien-

es & Consilium nrm & eorum in Ius uocari & Iuri stare possis & debeas. Mandantes iccirco vni-

bus Vniuersitatib Collegijs & Subditis quorumcunq locorum per vniuersum nrm Romanū Imperium

sumus dignitate ac omnibus Prerogatiuis & insignibus eius qualiacunq de iure & consuetudine ser-

mpulsare aut molestare ullatenus presumant directe uel indirecte sub poena indignationis nre gra-

fractū fuerit ipso facto incurrisse declaramus per presentes. Quarū quidem medietatem Erario nostro

L. Harū testimonio literarum Sigilli nri appensione munitarum. Datū in Ciuitate nra Imperiali

ptimo Regnorum nrorum Romani Tricesimosecundo Hungarie uero Vicesimo octauo

Ad mandatum Cesar Mais proprium

[illegible]

ten Schweigegelder, wenn nicht sogar Schweigepensionen sich zu ergaunern weiß.
Wenn Hutten in den Lötzebriefen als gelehriger Schüler der humanistischen Rhetorik auch alle Grenzen des Anstandes überschreitet, muß man das wenigstens seiner durch Armut und Mißachtung auf das höchste gereizten inneren Verfassung zugute schreiben. Vor allem hat er als echter Rittersohn nie seine Begabung in gute Münze umzusetzen verstanden und ist sein Leben lang unbemittelt geblieben.
Bald werden ihm die infolge von Zwietracht, Korruption und Tyrannei eingetretenen Mißstände in den deutschen Landen ein würdigeres Mandat als Rufer zur Freiheit und Einigkeit in die Hand geben. Hutten spürt ... *„wie die Geister sich regen, wie die Studien blühen. — Oh Jahrhundert, o Wissenschaft“*, ruft er begeistert aus, *„es ist eine Lust zu leben. Barbarei, nimm einen Strick und mach dich auf Verbannung gefaßt“*.
Es sind zuerst seine Epigramme an Kaiser Maximilian I., in denen er sich seine publizistischen Sporen als Politiker und Agitator verdient. Die Gabe, in einer herzhaften Sprache sich in die Meinung der Zeitgenossen einzupflanzen, hilft ihm dabei zu einem immer sichtbarer werdenden Erfolg. Durch seine weiten Reisen hat er sich den großen Begebenheiten nahefühlen und an Weitblick gewinnen können. In Rom lernt er Papsttum und römische Kurie aus nächster Sicht kennen. Seine aufgrund der dortigen Eindrücke verfaßten späteren Schriften trugen wesentlich dazu bei, der Reformation eine antipäpstliche Richtung zu verleihen.
Der Abschluß der ihm von seinem Vater aufgedrängten juristischen Studien vermittelt ihm schließlich Amt und geldliche Unabhängigkeit beim Kurfürsten zu Mainz. In seiner Offenheit und seinem Freiheitsdrang fühlt er sich aber nicht wohl unter den charakterlosen und katzbuckelnden Höflingen, denen sein lebensvolles, originäres Denken ein ständiger Vorwurf für die eigene Einfallslosigkeit sein mußte. Auch der Fürstendienst schmeckt ihm nicht, sein Freimut litt Qualen, *„wenn die großen Herren Dir ihren großartigen Dunst, ihre fürstlichen Possen vormachen“*.
Der Kurfürst enttäuscht ihn, daß er nicht für die Gründung einer humanistischen europäischen Bildungsmacht in dem zentral gelegenen Mainz zu gewinnen ist. Damals hätte noch das von den Gebildeten allgemein gesprochene Latein als gemeinsame Sprache einer europäischen Gelehrtenrepublik konstituiert werden können.
Das von pfäffischer Engstirnigkeit gegen den Humanisten Reuchlin entfachte Kesseltreiben gibt ihm Gelegenheit, sich maßgeblich an den „Dunkelmännerbriefen“ zu beteiligen, die die Theologen in einer mit politischem Witz erfüllten Satire der Lächerlichkeit preisgeben. In dem von Hutten geschriebenen Teil steigert sich die Schmähschrift zu bitterer Invektive. Immer wieder tritt an Hutten die Leidenschaft hervor, den Einzelfall in das Allgemeine zu ziehen und ihn zu überspitzen. Er ist ein Humanist in Waffen, dem nur die Macht gefehlt hat. Hätte sie in ausreichendem Maß hinter ihm gestanden, so meint sein humanistischer Zeitgenosse Camerarius, wäre eine Umwälzung aller Verhältnisse in Deutschland herbeigeführt worden.
In seiner Kampfeswut gegen jeden Feind der Freiheit und der Bildung wünscht er sich, ein dem Sokrates nachfolgender Alcibiades zu sein. Während Erasmus von Rotterdam eine höhere Geistesschärfe und eine tiefere Bildung, aber keine politische Durchschlagskraft besitzt und während der Nürnberger

Willibald Pirkheimer die weltläufige und ästhetische Seite des Humanismus vertritt, ist Hutten ein Partisan und oft ein übler Hetzer. Seine Selbstentzündung am Wort läßt ihn immer zu hoch schießen. Er will die nationalen Reformen in Deutschland höchstselbst als seine persönliche ritterliche Sache austragen. Er hat keine Geduld, die langsameren Umwege zu gehen, die Diplomatie und Klugheit geböten. Er möchte am liebsten immer dreinschlagen, wo nicht mit dem Schwert, so mit der Feder streiten. Hier freilich unterläßt er kein publizistisches Mittel vom Spott bis zum Pathos, um für die altgermanische Freiheit gegen papistische Bevormundung und das Kaisertum in seiner universellen und völkischen Bedeutung einzutreten: *„Jetzt ist dein Volk das größte, ehemals war es Rom“*, redet die *„Dame Italia“* den deutschen Kaiser an. An diesen Worten versteht man gut, wie gern Hutten im Wilhelminischen Kaiserreich gesehen war. Man hat ihn für viele ähnliche Worte an „mein Deutschland“ idealisiert und ihm gleichsam einen pompösen goldenen Rahmen posthum verliehen.
Die Gedanken Huttens waren immer Diener seines Willens. Sein Verdienst ist es, den Humanismus aus den Studierstuben weltabgewandter Gelehrter und von den Tafeln snobistischer Handelsherren in das Tagesgeschehen hineingezogen zu haben. Hutten interessiert es nur nebensächlich, ein brüchiges System anzugreifen, wie Luther und die Reformatoren es getan haben. Er glüht von hemmungslosem Eifer, den jeweilig Hervorstechenden, den Vertreter eines Systems im Alleingang auf die Hörner zu nehmen. Er will die Krankheit an ihren sichtbaren Geschwüren behandeln und ausbrennen, ein undankbares Unterfangen, bei dem er sich immer wieder seine Finger verbrannt hat.
Hutten wurde jedoch eine seltene Befriedigung im Leben zuteil, die zwar nicht am Ende seines früh beschlossenen, von einer Lustseuche verzehrten Lebens steht, aber hier an das Ende gestellt werden soll. Nicht die *„Trias romana“*, das Pamphlet gegen Rom und Manifest für die Freiheit Deutschlands, nicht die *„Fieberbriefe“*, nicht die *„Warner“*, nicht die *„Dialoge“*, nicht das Buch *„In tyrannos“* und viele andere Streitschriften sind die Krönung seines Daseins und die Erfüllung für sein zerrissenes Leben in einer zerrissenen Zeit in einem zerrissenen Vaterland gewesen. Die drei *„Ulrichbriefe“* sind es, mit denen er einen Frevler und Fürsten dazu wie mit Hetzhunden eingekreist und zur Strecke gebracht hat.
Ein junger Neffe Huttens, ein Recke so recht nach dem Herzen stolzer Rittervāter, stand damals, wir würden sagen als Flügeladjutant, in Diensten des Herzogs Ulrich von Württemberg. Und damit die Geschichte noch mehr zu Herzen

VLRICHI
DE HVTTEN EQVITIS
FEBRIS, DIALOGVS.
Interloquutores Huttenus & Febris. HVT

QVIN TV ABIS, QVAM oportuit primo ſtatim die exigere, tam moleſtam hoſpitam. Atq; audin'? Abi, abi apage. FEB. At ex tua ſimul humanitate, & ueteri Germanorũ inſtituto fuerat, hoſpitium ſaltem commonſtrare abeunti. Quanquam te iterum, ſi fieri poteſt, oro, ne expellas hoc hyemis, incertam quo diuertendum ſit. HVT. Tibi dico primum, abi, Ad hoſpitium deinde quod pertinet, Vides hanc portam? per eam deſcenditur rectà. FEB. Duc me age, uerum ad aliquem duc uoluptarium, diuitem, potentem, cui equi ſint, miniſtri, comites, & familia copioſe, & ueſtes, & horti, & balneæ. HVT. Hoſpes eſt hic ipſe, ad quem duco, ſed non caret his, ac utitur credo. Atque eccam tibi domum. Agit ibi magno cum comitatu Cardinalis S. Sixti, Roma hûc profectus, pecuniam à nobis ut petat, in bellũ contra Turcas, quam inſumant Romanen-

A ij ſes

Titel und erste Seite des „Febris“ in der lateinischen Fassung

geht, dieser junge Siegfried heiratete das bezauberndste Edelfräulein am württembergischen Hofe. Der Herzog, der aus politischen Gründen mit einer Verwandten des Kaisers verheiratet war, begehrte heiß die jungvermählte Frau. In seiner Eifersucht lockte er seinen arglosen Jagdbegleiter in einen Hinterhalt und meuchelte ihn in schmählichster Weise nieder.
Die ganze fränkische Ritterschaft, voran die wohl fünfzig Hutten-Familien, seßhaft im Einzugsgebiet des Main und Neckar, empörten sich in Groll gegen den Tyrannen und verlangten nach Rache.
Jetzt hatte die große Stunde für Ulrich von Hutten geschlagen. Jetzt konnte er als redegewaltiger Anwalt für eine gerechte Sache seiner Familie gegenüber sich beweisen. Der üble Empfang des Vaters auf Schloß Steckelberg – nie vergessen –, die Verachtung seiner Onkel und Vettern für den mißratenen Literaten mit seinen humanistischen Spielereien – nie verwunden –, das wich nun der heimlichen Bewunderung für einen hochtalentierten Verwandten. Für *einen* Mann standen jetzt alle Hutten da.
Sollten die anmaßenden Vettern einmal sehen, daß es etwas anderes, etwas Wichtigeres, eine bessere Hantierung gab, als Jagen, Beizen, Saufen, Prassen, Spielen, auf die sie sich allein verstanden. Zuerst verfaßte Hutten ein Trauergedicht über den jämmerlichen Untergang des Verwandten, sodann verbreitete er ein Trostschreiben an den Vater. Beide Arbeiten können wir zwei Probestücke nennen, mit denen Hutten seinen humanistischen Kursus magna cum laude absolvierte. In der lateinisch gehaltenen Trostrede trägt Ulrich dem betroffenen Vater an klassischen Beispielen vor, daß der Mörder an hyrkanischen Tigerinnen gesaugt habe und von einem Felsen geboren worden sei. Kein Mensch auf Schloß Frankenberg, wo der unglückliche Vater des Ermordeten lebte, wird eine Übersetzung dieses Briefes zustande gebracht haben. Am Schluß fordert Hutten alle Franken auf, die Untat mit den Waffen zu rächen. – Nur das wird auch auf lateinisch verstanden worden sein.
Und nun nimmt Huttens Publizistik Front gegen den gehaßten Territorialfürsten und blutigen Tyrannen. Er fordert den Kaiser und den württembergischen Landtag zur Bestrafung auf. In den nun folgenden drei großen Briefen, den sogenannten „Ulrichbriefen", ist Hutten ganz in seinem Element. Er lieferte hier Werke, die sich den klassischen Vorbildern, die sie nicht verleugnen, ebenbürtig zur Seite stellen. Die Redefülle, die Gabe, alle Umstände sich zunutze zu machen, den Feind niederzuschmettern und den Hörer zu rühren und fortzureißen, hat Ulrich gegen den württembergischen Herzog nicht minder bewiesen als Cicero gegen Catilina und Clodius. Hier ist auch seine Verallgemeinerungslust am Platz, daß es um Ordnung und Sitte im Reiche geschehen wäre, wenn der Wüterich straflos ausginge.
Der Kaiser setzte sich zwar redlich ein, aber es stand kümmerlich um des Kaisers Macht in Deutschland. Ohne ausreichende eigene Hilfsquellen, an den guten Willen der verschiedenen Reichsstände gebunden, immer wieder in ausländische Kriege verwickelt, erstickte jedes Einschreiten schon kurz nach seinem Bemühen. Schließlich war Kaiser Maximilian darüber verstorben.
Als der herzogliche Mordbube, diese Gunst nützend, noch die Stirne besaß, im Handstreich die kaiserliche Reichsstadt Reutlingen zu nehmen und zur württembergischen Landstadt zu erniedrigen, da war das Maß voll. Der Schwäbische Bund sammelte gegen den Landfriedensbrecher ein Heer, zu dem viele von der fränkischen Ritterschaft, die Hutten voran, stießen, die immer noch nicht die ihnen zugesprochene Entschädigungssumme empfangen hatten.

Martinus Lutherus. Vlrichus ab Hutten.

Gespräch büchlin
herr Vlrichs von Hutten.
Feber das Erst.
Feber das Ander.
Vadiscus. oder die
Römische dreyfaltigkeit.
Die Anschawenden

Veritatem meditabitur guttur meum.

*

Odivi ECCLESIAM malignantium.

Perrumpendum est tandem, perrumpendū est.

Titel des „Gesprächbüchlein" aus dem Jahre 1521. Das „Erste Gespräch über das Fieber" erschien zuerst lateinisch 1519, das zweite gleichfalls lateinisch 1520, ebenso der „Vadicus oder die Römische Dreifaltigkeit" und „Die Anschawenden". Hutten übersetzte diese vier gegen die römische Kirche gerichteten Dialoge bei Franz von Sickingen auf der Ebernburg und widmete sie ihm auch

Wie hätte Ulrich von Hutten da zu Hause bleiben können, wo sich ihm die Gelegenheit bot, den alten Widersacher, gegen den er vergeblich den Kaiser und das Reichsgericht aufgerufen hatte, endlich doch noch stürzen zu helfen. Während er seine Schmähbriefe noch einmal auflegen und versenden läßt, müht er sich, Pferd und Rüstung zu beschaffen. Wird unser kranker Ritter und zornesmütiger Literat nicht ein wenig wie aus dem Maskenverleih ausgesehen haben? Noch vor Aufbruch zum Feldzug schrieb er an Erasmus, daß er zwar den Banditen nicht fürchte, sollte ihn aber dieser Kampf verschlingen, so möge Erasmus durch seine unsterblichen Schriften für seinen Nachruhm sorgen.
Als sich dann die 789 Ritter, geführt von Franz von Sickingen, unweit von Kirchheim mit dem Bundesheer unter dem Obersten der Fußknechte Frundsberg zum Feldzug gegen das herzogliche Württemberg sammeln, rühmt Hutten den Mut und die Ausrüstung des Heeres mit den Worten: *„Stellet mir die Türken entgegen und heißet mich Asien bekriegen mit diesen Truppen! – Doch ich kann nicht weiter schreiben. Schon bläßt die Trompete. – Eilig unter Pferdegewieher, Trommeln und Lagerlärm. – Später Ausführlicheres."*
Wie hoch und vernehmbar mag da sein wackeres Enthusiastenherz unter dem hohlen Brustharnisch gepocht haben. Der Kriegsberichterstatter Hutten reiht sich nun endgültig unter die „schimmernde Wehr" seiner fränkischen Standesgenossen ein. Mit Sturmfahnen zieht das Fußvolk voran. Ein weiteres Hornsignal: Der Reiterhaufen formiert sich zu Stahligeln mit 789 Lanzenspitzen. Hutten mittendarin. Der kriegserfahrene Condottiere Sickingen gibt letzte Weisungen, und nun bewegen sich die Prunkstücke der Schmiede- und Plättnerkunst –, jedes zwanzig Kilo schwer, die Blüte des fränkischen Adels unter ihren Stahlverschlüssen bergend, ins grüne Württemberger Ländle hinein. Kriegsgott Mars bringt nun die Musen zum Schweigen. Aber gerade das macht Hutten zu einer jener anziehenden Figuren, denen die Feder nicht genügt, die ihre Ideale auch mit dem Schwert verfechten.
Der Feldzug verläuft wie ein Spaziergang. Die Briefe hatten ihre Wirkung getan. Alle Städte, selbst Stuttgart und Tübingen und am Ende die gefürchtete Veste Asperg, öffnen ohne Widerstand ihre Tore. Der Herzog ist außer Landes geflohen, seine Absetzung ist vollzogen und besiegelt.
Ein lustiger Feldzug, wo Feind und Feindinnen einem entgegenwinken und ein üppiges Ländchen zum Schmausen und Trinken einlädt! Doch wird bei aller Ausgelassenheit niemand sich vermessen haben, auf den reitwunden und sattellahmen Ulrich von Hutten spöttisch herabzublicken. Jeder wußte es, bei Freund und Feind hatte es sich herumgesprochen, daß der auf einem Leihgaul sich schleppende Reserveritter einer der Großen im Reich war. Der Name Hutten, das bedeutete damals Freiheitskämpfer und politischer Dichter, der die Druckerschwärze zur gewaltigen Angriffswaffe entwickelt und durch die Macht seiner Rede den Tyrannen niedergezwungen hat.
Nur Erasmus konnte es sich in seinem Antwortschreiben nicht verkneifen, seinen humanistischen Kollegen mit seiner Kriegslust aufzuziehen.
Es gereicht unserem Helden schließlich zur Ehre, was er in seinem Brief vom Ende des Feldzuges an Reuchlin geschrieben hat, daß er zum Beutemachen nicht gekommen sei. Wir bedauern es fast bei seinen hohen Auslagen. Doch sein Lohn war ein höherer: Der ausgestoßene Rittersohn hat es vollbracht, der Drache ist vernichtet. Hutten, der Schreiberling, hat den Großtyrannen besiegt. Hutten, das Ritterlein, aber hat, auf Beutemachen vergessend, dem am Boden liegenden Land damit gleichsam den Mantel seiner Großmut übergeworfen.

Hutten in ganzer Figur zwischen dem kaiserlichen Adler und dem gallischen Wappenschilde. Holzschnitt von Hans Burgkmair in der 1519 bei Joh. Miller in Augsburg erschienenen Sammlung Huttenscher lateinischer Gedichte. Hutten ermahnt in dem dazugehörigen Epigramm „Inscriptio Gallici clypei ad aquilam" den Adler zum Angriffe auf den Schild. – Künstlerisch wohl das bedeutendste Bildnis Huttens

Die Geschichte hat uns immer wieder Feuergeister wie Hutten beschert. Diese lassen sich weder hinter Klostermauern noch hinter Meinungsschranken sperren. Immer brechen sie abenteuerlich aus, fordern die Umwelt heraus und gehen lieber auf die Barrikaden oder in den Maquis, als sich der vorgeschriebenen Laufbahn zu unterwerfen. Seit dem Beginn der Aufklärung und Meinungsbeeinflussung mittels des gedruckten Wortes sind sie die unentbehrlichen Scharfmacher gegen alle finsteren Einbrüche in Recht und Freiheit. Ihr ungestümes Draufgängertum ist ebenso schockierend wie erfrischend. Immer stehen sie dem öffentlichen Bannfluch so nahe wie der Ehre, zum Retter des Vaterlandes erklärt zu werden.

Ulrich von Hutten, der Ahnherr der Pressefehde, hat an der Schwelle der Neuzeit diesen Widerstreit des modernen Publizisten in sich selbst erkannt, der in den zweischneidigen Eigenschaften seiner hohen Reizbarkeit, seiner leidenschaftlichen Parteinahme und seines rücksichtslosen Angriffsgeistes liegt. Er hat die Unvereinbarkeit seines entzweiten Partisanenherzens in Fahnenträger und Heckenschütze in dem Vers hinterlassen. *„Nehmt mich nicht als ein aufgeschlagen Buch. Ich bin ein Mensch mit seinem Widerspruch."*

Hanns Hubert Hofmann

DAS NÜRNBERG DER MEISTERSINGER

„Wie friedsam treuer Sitten
getrost in Tat und Werk,
liegt nicht in Deutschlands Mitten
mein liebes Nürenberg!“

Um die Mitte des 16. Jahrhunderts läßt Richard Wagner seinen Meister Sachs im großen Wahn-Monolog hier „mit freudiger Begeisterung ruhig vor sich hin blicken“. Und mit solch dichterischer Überhöhung sind wir nur zu gern geneigt, mit dem romantischen Historizismus des 19. Jahrhunderts in diesem *Nürnberg der Meistersinger* das Idol und das Ideal freier Bürgerherrlichkeit der deutschen Welt zwischen dem noch immer ausklingenden Mittelalter und dem — um die Jahrhundertmitte doch schon abgeebbten — stürmischen Anbruch der Neuzeit zu sehen. Es bedarf darum der „Normenkontrolle“ der geschichtlichen Realitäten, *dass Blüh' und Nutzen draus erwachs* aus der historischen und sozialgeschichtlichen Retrospektive der Spätromantik und des Bayreuther Magiers der Tonkunst den Schusterpoeten und die Meistersinger wie das Auf und Ab ihres Nachruhms wieder zu erkennen. Denn das allein *wünscht zu Nürenberg Hans Sachs.*

Nürnberg um die Mitte des 16. Jahrhunderts: Der Gipfel der politischen Macht der freien Reichsstadt, den sie mit dem Erwerb des großen geschlossenen Landgebiets im Osten, den sie als bedeutendes Glied im bündischen Gefüge der oberdeutschen Städte erklommen, liegt ebenso schon hinter ihr wie die Hochblüte ihrer Wirtschaftsentfaltung, ihres Reichtums und damit ihrer bürgerlichen Kultur. Hatte sie 1540 noch König Ferdinand unter dem Donner von 40 Kanonen von den Bastionen der modernsten Stadtbefestigung Europas empfangen, Reichtum und Macht prunkend vor ihm entfaltend, so war 1547 nächtens der finstere Alba unter dem drohenden Geleit von 200 schußbereiten Hakenschützen eingeritten, war der Herr des Imperiums vor und nach dem Niederwerfen der lutherischen Rebellen zu Mühlberg in ihren Mauern gewesen, wobei die tödliche Gefahr der von seiner Soldateska energisch geforderten Plünderung — eine „Sacco di Norimberga“ — nur mit Mühe abgewandt werden konnte.

Denn die freudig ergriffene neue Lehre, zu deren oberdeutschem Vorort sie alsbald geworden, hatte die Reichsstadt in den gefährlichen Gegensatz zu ihrem stadtherrlichen Schirmer, dem Reichsoberhaupt, gebracht, und das zugleich kaisertreue und doch vorsichtig zurückhaltende Lavieren seit den trutzigen Tagen von Worms und Speyer hatte ihr wenig Gutes eingetragen. Wenn sie nun in völlig passiver Politik Kriegsbedarf an beide fürstliche Religionsparteien verkaufte, in allem peinlich bemüht, nichts zu tun, was *„gegen kaiserliche Majestät als eines der gehorsamben Glieder des Reiches gericht“*, so erschöpften die unerbittlich geforderten riesigen Zwangsanleihen des spanischen Karl doch ihre Finanzen, denen ein sich langsam umstrukturierender Welthandel nicht mehr jene immense Quelle bot, die noch ihre Einschätzung im Reichssteueranschlag der *„allzeit neuesten“* Matrikel von 1521 voraussetzte.

„Erhalt uns Herr bei deinem Wort“ ließ der Rat in diesen Zeiten in allen Kirchen singen – und fürchtete dabei den katholischen Kaiser ebenso wie den dräuenden Halbmond, wider den seit 1542 täglich die Glocken von den Kirchen klangen zur Mahnung an das Gebet vor der Türkennot. Aber schlimmer schier als durch den Erbfeind der Christenheit kam die Kriegsnot über die Stadt, als der alte Rivale im Umland die ob der Ausbreitung des Evangeliums willen eine Zeitlang erreichte Gemeinsamkeit brutal zerbrach, als Markgraf Albrecht Alcibiades von Brandenburg – diese großartige macchiavellistische Fürstengestalt der deutschen Renaissance – im Gefolge der territorialfürstlichen Erhebung *teutscher Libertät* wider die *viehische hispanische Servitud* im Frühsommer 1552 ihre Mauern vergebens beschoß. Zwei Städte, drei Klöster, 90 Schlösser und Sitze und 170 Flecken und Dörfer ihres weitgespannten Landgebiets fielen in Schutt und Asche. Die aufgezwungene Kapitulation kassierte wohl der Kaiser nach zwei Jahren, doch die über zwei Millionen Gulden Schaden vernichteten nachhaltig ihren Wohlstand.

Seit der große Reichs- und Religionsfriede zu Augsburg 1555 dann den Ausgleich brachte, der das Beharren beim protestantischen Bekenntnis in einer mühsam gewahrten föderativen dualistischen Ordnung von Kaiser und Reich ermöglichte, begann wohl auch für Nürnberg eine Periode der inneren Konsolidierung. Doch die politische Aktivität war einer scheuen Apathie gewichen. Wie der zündende Funken der Reformation im kleinlichen Theologengezänk verflackert – während die Alte Kirche eine kraftvolle Erneuerung erlebte –, trat in allen Zügen ihres Lebens eine zunehmende Erstarrung ein.

Sie zeigt sich in der Kunst, wo der genialen Generation eines Albrecht Dürer, Adam Kraft, Peter Vischer, Veit Stoß und selbst noch Peter Flötner nun die der Kleinmeister folgte. Hatte ein Martin Luther einst geurteilt, *„gar kräftiglich die gemüter beweget, was dort im schwange gehet“*, in diesem Nürnberg, das ihm *„wahrlich in ganz Teutschland leuchtet wie ein sonne unter mon und sternen“*, so hatten die Koberger und Schreyer, Pirckheimer und Spengler und der ganze hohe Flug der Humanisten und *Martinianer* keine adäquate Nachfolge gefunden, hatte Osiander 1548 heimlich die Stadt verlassen. Und in der Wirtschaft hatten die Akzentverschiebungen jetzt Nürnbergs zentrale Lage im goldenen Spinnennetz der Welthandelsbahnen verrückt, seit Konstantinopel (1453) untergegangen, seit das Zeitalter der Entdeckungen – das Nürnbergs Instrumentenmacher letztlich erst ermöglicht, das darum auch Nürnbergs großer Sohn Martin Behaim in portugiesischen Diensten mit eingeleitet – mählich den Edelmetallstrom aus dem neuen Erdteil einsetzen ließ.

Die Weltmachtgewichte verlagerten sich aus dem engen und dabei doch so zerklüfteten Raum *teutscher Nation* in das Parallelogramm Spanien-Frankreich-Italien und (schon am Beginn seiner maritimen Rolle) England. Die oft geradezu monopolistische Stellung dieser altabendländischen Kapitale begann sich zu entleeren. Wohl blühten Handel und Gewerbe noch einmal auf in immer energischer gelenktem Verlag, der die dezentralisiert bleibende Produktion steuerte. Der von den Ständen des Kreises nun streng gehandhabte Reichslandfrieden sicherte endlich wieder die Straßen und legte Raubrittern wie dem Hans von Rosenberg, der noch 1542 der Stadt in zügelloser Fehde bös geschadet, nun endgültig das Handwerk. Aber dieser Nachblüte fehlten ebenfalls Glanz und Kraft, fehlte die fortschrittsbewußte Initiative wagemutigen Unternehmertums. Die Seuche, die 1562 über 9000 Menschen in ihren Mauern hinwegraffen sollte, ist nur *ein* Symptom eines Lebens „vom Tod umfangen". Es ist ein Leben *„unter dem Druck von Giebeln und Dächern, in der Straßen quetschender Enge —, in der Kirchen ehrwürdiger Nacht"*, zugleich voll von Frömmigkeit, die aus biederer Selbstbescheidung fließt. Denn es ist „in Handwerks- und Gewerbe-Banden" ein Leben in straffer politischer Ordnung und in schroffer ständischer Gezwungenheit.
Von jenem freiheitlichen Geist, der Idee und Wesen des mittelalterlichen Bürgertums durchweht, war wenig geblieben. Dieses seit dem 11. Jahrhundert in Deutschland sich entfaltende Phänomen der *Stadt* war eine Genossenschaft ihrer Bürger gewesen, eine Gemein mit Selbstverantwortung in Rat und Gericht, ja mit anonym bleibender Selbsteinschätzung der Steuerleistung durch den einzelnen, mit wirtschaftlichem und wirtschaftendem Gemeinsinn bei ungewöhnlicher sozialer Mobilität, in kollektivem *Mitleiden* aller Lasten und Aufgaben und mit kollektiver sozialer Hilfe für Arme, Schwache und Kranke. Sie umschloß so die Einheit einer politischen, sozialen, ökonomischen und kirchlichen Gemeinde im Ring ihrer Mauern und Türme. Und sie hatte in der Lösung von stadtherrlicher Gewalt, mit der Bindung an das Reich und der Verpflichtung für das Reich so in langgestrecktem Verlauf *„die schönste Erscheinungsform auf deutschem Boden, die Reichsstadt"*, gezeitigt.
Dieses strahlende Bild schloß freilich nicht aus, daß die Führungsschicht der *Bürger vom Rat* sich immer schroffer von ihren Mitbürgern schied, so daß schon im 15. Jahrhundert die Möglichkeiten steilen sozialen Aufstiegs verkümmerten. Gerade in Nürnberg hat die schmale oligarchische Gruppe der *ratsfähigen* – und damit politisch handlungsfähigen – Familien sich im *„Tanzstatut"* von 1521 unter geburtsständischen, feudalen Kriterien völlig abgeschlossen.

Es war bei einer kraß kapitalistischen Denkweise ebenso selbstverständlich, daß ungeheure Differenzen bestanden zwischen arm und reich, zwischen den Großkaufleuten und Verlegern — den breiten Gruppen der handwerklichen, kleinhändlerischen oder in der Handlung als Faktoren dienenden Gewerbebürger — der Masse der kleinstbürgerlichen Handwerker und Krämer, Gesellen und Lohnarbeiter —, und endlich dem riesigen Treibgut der unterständischen Dienstbaren aller Art wie der Arbeitsunfähigen, Arbeitsscheuen und damit gar schon Asozialen, wobei Kranke, Bettler und alle diese fluktuierenden, sozial abermals durch mehrere Schichten greifenden Almosenempfänger in der christlichen Sozialordnung freilich wieder notwendig waren als Objekt der für das Seelenheil unerläßlichen Milde, der Caritas des einzelnen wie der kollektiven Fürsorge der Gemein.

Und es galt wiederum dem ordo dieser spät- und nachmittelalterlichen Welt genauso als unverrückbares göttliches Gebot, daß solche politische, gesellschaftliche und ökonomische — mit einem Wort: *ständische* — Schichtung und Klassenbildung ein gleichermaßen differenziertes System von Abhängigkeiten wie von Berechtigungen bedingte: in der Sozialtopographie der Wohngegenden — hier etwa Sebalder und Lorenzer Stadt und in beiden nochmals zwischen älteren und jüngeren Stadtteilen —, in den Statussymbolen eines aufwendigen Luxus der Lebenshaltung wie der streng vorgeschriebenen Kleidung mit Schmuck, Pelzen, Seide und edlen Stoffen bei Taufen, Hochzeiten und Leichenbegängnissen, in der Diskriminierung ganzer Berufsgruppen oder aller unehelich Geborenen. Es war ja eine Welt strengster Moralbegriffe — und damit selbstverständlich auch einer schamlosen kapitalistischen Heuchelei. Während Nürnberg mit seinen rund 50000 Einwohnern bei den — wie jede Stadt selbst in einem durchdacht und wohl organisierten Gemeinwesen — doch unvorstellbaren hygienischen und medizinischen Verhältnissen und der daraus resultierenden Sterblichkeit ständig auf den Zuzug von mindestens 50 Prozent ihrer jährlichen Geburtsraten angewiesen blieb, beschränkte eine solche Gesellschaftsordnung immer mehr die Aufstiegsmöglichkeiten zu den oberen Klassen, verlangsamte sie selbst zwischen den mittleren. Dagegen mußte sie die abschreckenden Strafen für alle Verstöße gegen Disziplin und Recht immer brutaler verschärfen, mußte die Reglementierung jeder Lebensäußerung und Wirtschaftsgebarung immer einschneidender handhaben.
Wie die Reichsstadt schon seit jenen inneren Unruhen um die Mitte des 14. Jahrhunderts, die doch weit mehr Fraktionskämpfe der Führungsschicht im Verein mit bestimmten Gewerken gewesen waren, die Zünfte der Handwerker politisch entmachtet und zu Zwangsinnungen der in der Praxis mehr und mehr vom großunternehmerischen, kreditierenden Verlag gesteuerten Gewerbe gemacht hatte, übten diese vom Rat mehr geführten, denn überwachten Gewerke selbst in gruppenweiser Abschließung wieder eine straffe Kontrolle über Qualität, Quantität und Methoden der Produktion, über Zulassung und Zahl der Betriebe, der Meister, Gesellen und Lehrlinge wie über die Preise im Ein- und Verkauf aus. Wenn der Rat auch wiederholt versuchte, neue Gewerbe ansässig zu machen, so ward doch um des Prinzips der *gerechten Nahrung* willen jede Initiative dem Mittelmaß unterworfen.

Seit die große Wende im Deutschland des Halbjahrhunderts der Reformation die aus mittelalterlichen Formen wechselseitiger Bezogenheit von Herrschaft und Gefolgschaft sich lösende, nun erst in mählichem Übergang von der Rechtspflege zur Verwaltung und Steuererhebung sich ausbildende — und dabei noch ganz auf die Person des Fürsten bezogene — Staatlichkeit gebracht, seit das Evangelium diesen neuen Allbegriff der *Obrigkeit* mit christlich-metaphysischem Gehalt erfüllt, waren gerade in einer Reichsstadt wie Nürnberg in jener Identität von politischer, sozialer und kirchlicher Gemein unter der Obrigkeit des Rats diese sozialen und politischen Prozesse in vollster Schärfe ausgebildet worden. Das Aufheben der Institution der Alten Kirche hatte ja deren Aufgaben der seelischen, erzieherisch-schulischen und sozialen Fürsorge — oder besser schon: Ausrichtung — des Individuums samt dem dafür in Jahrhunderten der Werkgerechtigkeit geschaffenen reichen Kirchengut der Obrigkeit übertragen, als Luther in der bangen Erkenntnis der aus dem Gewissensentscheid des einzelnen sich entfaltenden Möglichkeiten der

Anarchie die *Freiheit eines Christenmenschen* in den Arm der landesstaatlichen oder stadtmagistratischen Gewalten geflüchtet. Der tiefe sittliche Ernst dieser durchaus im Bewußtsein des *Amtes Gottes* wirkenden Obrigkeiten aber mußte fast zwangsläufig in einer solchen, auf Gehorsam und Arbeit als Signa der Freiheit abgestellten Ethik auch die Obsorge für das irdische wie das jenseitige Wohl der ihr anvertrauten Untertanen in einem Maße übersteigern, das mit jener Gängelei jeden Rest alter genossenschaftlicher Freiheit nahm.
Denn im altgläubig-vorreformatorischen Denken war jede dieser ständischen Gruppen und Gemeinschaften – Rat oder Schöffenkolleg, Kaufmannsgilde oder Zunft, Gesellenbruderschaft oder Spitalgenossenschaft – ja stets mit der eigenen Trinkstube, den eigenen Festen und Tanzgelagen, der eigenen Tracht oder Berufskleidung und dem eigenen Brauchtum auch stets ein gleichsam in sich geschlossener „Versicherungsverein auf Gegenseitigkeit" gewesen: in der Ordnung der gemeinsamen Belange wie in der Fürsorge für den Verarmten oder Erkrankten, und in der Gebetsverbrüderung genauso über den Tod hinaus durch die gemeinsame Fürbitte für den Verstorbenen. Der reformatorische Ansatz zum *Fürsorgestaat* – der in der Struktur der deutschen Verfassungs- und Gesellschaftsentwicklung dann genauso das katholische Territorium erfassen sollte – aber hatte diesen christlich-humanitären Sozialcharakter weitgehend genommen, hatte all diese „Organisationen" viel stärker zu Organen seiner allumfassenden *Obsorge* gemacht.
Er hatte damit den Menschen in der Staatlichkeit und der Gemein, in jeglichem Stand und im patriarchalischen Gefüge der Familie fest eingebunden in die Ordnung dieser Welt, die für deren Luthertum der himmlischen Welt ethisch völlig gleichwertig galt und letztlich in der Erwartung des nahen *„lieben Jüngsten Tags"*(M. Luther) sekundär erscheinen konnte. Aber er hatte ihn damit eingeengt in ein vielstufiges, vielschichtiges, vielgliedriges System von Bezogenheiten, die *der Obrigkeit untertan* waren, wie Pauli *Römerbrief* (13,1) es befahl – und ihr nicht mehr gegenüberstand in jener germanisch-deutschen, der mittelalterlichen Partnerschaft von Herr und Holden.
Wenn wir seit der Befriedung durch jenen Augsburger Reichsschluß von 1555 in Nürnberg eine zunehmende innere Konsolidierung feststellten, so drückte sich diese gerade in einer Vielzahl von *Ordnungen* und *Verlässen* aus, die ein solch starres Gerüst obrigkeitlicher Bevormundung errichteten, das dem Wesen der lutherischen Orthodoxie seit der Konkordienformel auch in ihrer zu Nürnberg befolgten philippistischen Form genauso durchaus gemäß erscheint wie dem *„menschlichen Fachwerk in der himmlischen Gabe"* der Poesie, als das Jacob Grimm, der Altvater der deutschen Germanistik, den zu dieser gleichen Zeit des Hans Sachs in Nürnberg blühenden Meistergesang genannt hat.

An die 250 *Schüler, Schulfreunde, Sänger, Dichter und Meister* – wie ihre Adepten in steigender Linie der strengen zünftischen Ordnung sich nannten – sollen mit ihr hier dieser *holdseligen Kunst* gehuldigt haben, nachdem ihre erste Hoch-Zeit im letzten Viertel des vorigen Jahrhunderts schon abgeklungen. Der Bader und Wundarzt Hans Folz hatte sie angeblich damals aus ihrem Geburts- und Vorort Mainz hierhergebracht und in dieser Stadt kräftig blühender Handwerke, sinnierenden Tüftelns, das mit dem weitgerühmten *Witz* auch das „Nürnbergisch Ei" eines Peter Henlein gezeitigt – in der noch heute die höchste Anerkennung *„sauber!"* den Werkstattstolz einwandfreier Arbeit verrät –, hatte diese in ehrsam-biederer Tüchtigkeit handwerksmäßig er-

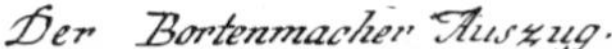

Tab: 4.

Mittwochs den 15 August 1694. wurde dieser Auszug aus der alten Herberge bei dem grünen Baum, durch die Stadt hindurch, zum Pfauen, oder der sogenañten feisten Kuchē gemachet.

lernbare, formale Künstelei tüftlerischen Verseschmiedens auch rasch und tief Wurzeln geschlagen.

Der Meistergesang war ein uns seltsam anmutender Trieb am Baum der Poesie, erwachsen aus der hehren *Minne* des staufischen Rittertums und der französischen Troubadours — die dann nicht wie in den romanischen Ländern sich fortbildete in die *canzoni, chansons, cancions,* die kunstvollen und kunstlosen Liedlein fahrender Scholaren und Volkssänger — sondern die hierzulande in der bürgerlichen Rechtschaffenheit handwerks- und zunftmäßiger Schulen gleichsam verholzte. Im goldenen Mainz hatte der Überlieferung nach zuerst ein solcher Kreis sich gebildet, der im statischen *Ordo*denken alsbald seine historische Fundierung suchte in einem nebulosen Hoftag Kaiser Otto des Großen zu Paris Anno 962, zu dem die großen ritterlichen Minnesänger des 13. Jahrhunderts und deren oft schon aus Bürgertum und bäuerlicher Dorfehrbarkeit kommenden Nachfolger an den Fürstenhöfen des 14. Jahrhunderts geladen gewesen, die er nun als seine *Stifter* betrachtete: den von der Vogelweide und Wolfram von Eschenbach, Reinmar von Zweter und den von Ofterdingen, den Marner — wie sie von Adel — und die Doctores Theologiae Frauenlob und Müglin, zwei Magister und mit Konrad von Würzburg und dem Mainzer Schmied Barthel Regenbogen fünf Bürger.

Aus den kleinen Dynastenhöfen und Rittersitzen des Odenwalds, wo man *„am stillen Herd zu Winterszeit"* noch den alten, immer formaler werdenden Minnesang gepflogen, scheint die Kunst in die Stadt an Main und Rhein gekommen zu sein. Hier — wo heute noch „Hofsänger" und „Gonsbachlerchen" ein auch schon wieder recht gekünsteltes Narrhallesenwesen treiben — fand sie

In seinem Gedicht „in trummeten weis“ schildert Michael Beheim, wie er am Webstuhl hinter die Kunst des Dichtens kam. Die auf sechs Linien geschriebene Notenschrift zeigt bereits Tonarten-schlüssel

um ihrer formalen Methoden willen rasch Anklang. Waren es zunächst noch freie Bindungen von Meistern und Schülern, so kam es bald zu geschlossenen, dem ständischen Zug der Gesellschaftsordnung entsprechenden Gesellschaften, zu zunftmäßig formierten *Schulen* mit strenger Gesetzmäßigkeit der Ausbildung im *Dichten* und *Singen.*
Fast ausschließlich Handwerker fanden sich nun in ihnen zusammen, wenn auch noch Fahrende viel zur Verbreitung und Ausbreitung beitrugen wie Muskatblüt oder jener Weber und Kriegsknecht Michel Beheim, der weithin als Hofsänger aufgetreten und zuletzt dann als Schultheiß seines Heimatdorfes Sulzbach bei Weinsberg 1474 in einem Raufhandel erschlagen ward. Und fast allein in der Städtelandschaft Oberdeutschlands waren sie daheim: zu Mainz, Straßburg, Würzburg und dann auch zu Zwickau und Prag im 14., zu Augsburg und Nürnberg seit der Mitte des 15., zu Colmar, Regensburg, Ulm und München im 16. Jahrhundert. Sie trieben etliche Ausläufer in die Alpenländer und nach Mähren, weit weniger dagegen in die niederdeutsche Tiefebene und in den ostelbischen Raum.
Und wieder lassen sich alle Züge einer erstarrenden staatlichen und gesellschaftlichen Ordnung, die wir verfolgt, auch ebenso bei der Entwicklung des Meistergesangs in ein lehrhaft hausbackenes, „altfränkisch“-selbstbescheidenes, zunftgerecht sauber mühseliges Zusammenschweißen von Reimen und Tönen verfolgen wie bei der seiner Liebhaber. Die starr sich abschließenden Gruppen beriefen sich wohl in ihrem stolzen Traditionsbewußtsein auf Landherren, Doktoren und Bürger – aber sie kamen doch über die berufsständische Gliederung hinweg aus den gleichen gesellschaftlich-ständischen Klassen. Sie erhielten die soziale Mobilität in der Möglichkeit des zunftgerechten Aufstiegs durch Leistung – aber diese war nicht von der schöpferischen Originalität der Idee bestimmt, sondern allein durch eine klug getüftelte Novität im strikten Befolgen allgemein kontrollierbarer Regeln. Sie bewahrten die genossenschaftliche Organisation durch die Wahl ihrer Vorsteher im *Gemerke* – aber auch dieser Zug alter bürgerlicher Freiheit war den Obrigkeiten so ver-

dächtig, daß in Nürnberg zum Beispiel bis 1546 jede Veranstaltung von einem *wohlweis-fürsichtigen Rat* besonders genehmigt werden mußte. Wenn in der Literaturgeschichte weithin so kraß über diese Form der Kunstübung geurteilt wird, so sei doch nicht vergessen, daß sie — im Denkstil ihrer Zeit und ihres Ethos bürgerlich-werkender Tüchtigkeit — die Kräfte des Gemüts gepflegt — und daß letztlich doch stets nur *„der Kopf das Neue will, das Herz aber immer das Alte“* (Erhart Kästner).

Es lag bei dieser geistigen Grundhaltung auch nahe, daß das Evangelium bei ihnen besondere Aufnahme fand und diese doch zutiefst bürgerliche Religion fortan dem Meistergesang weithin — wenn auch nicht überall — einen prononciert protestantischen Charakter gab. Und so gilt doch eben nicht nur für ihr wackeres Kunstgewerbe im biederen Streben nach edlem geistigem Tun, was Jacob Grimm im Abwägen von wahrer Poesie und ihrem Gereime feststellt — es gilt letztlich für alles Wesen dieses zunehmend verknöchernden kleinbürgerlichen Relikts alten bürgerlich-genossenschaftlichen Ideenguts: am beachtens- und liebenswertesten an ihnen ist *„die Treue, mit der man an einem absterbenden Körper gehangen“*. Erst 1839 — lange nach der politischen Emanzipation des Dritten Standes und schon im sozialen Umbruch des Biedermeier — sollte zu Ulm die letzte Singschule sich selbst auflösen.

Adam Puschmann 1586

Die strengen Regeln solcher Kunst, die *Tabulatur* samt den *„beyderlei Straffartikeln“*, hat 1571 der Görlitzer Schneider Adam Puschmann veröffentlicht, der sechs Jahre lang in Nürnberg bei Meister Sachsen gelernt. Das ohne Musikbegleitung gesungene Lied führte den Namen *Bar* oder *Gesetz*, die Melodie hieß *Ton* oder *Weise*. Der Bar wie der gesagte *Spruch* zerfielen in *Strophen*, die wiederum in *Stollen* und *Abgesang* genau ausgewogen waren. Alle Abweichungen von der starren Vers- und Tonlehre wie jede sprachliche Unreinheit galten als *Versingen*, das von den drei jeweils bestellten *Merkern* sogleich gerügt wurde. Solche regelmäßigen *Schulsingen* in geschlossenem Kreis fanden häufig auf dem Rathaus, oft auch in einer Kirche statt. An den drei christlichen Hauptfesten aber hielt man große öffentliche *Festsingen*, bei denen nur biblische Stoffe gewählt werden durften.

Den Vorstand der Gesellschaft wie solcher Veranstaltungen hatte das zeitlich gewählte *Gemerke: Büchsenmeister* und *Schloßmeister* als Kassenverwalter, der *Werkmeister* als der eigentliche künstlerische Leiter und der *Kronmeister*, der den Siegern jeweils einer Veranstaltung als ersten Preis den *Davidsgewinn* verlieh, ein schweres silbernes Gehänge mit einer Denkmünze „geschmückt mit König Davids Bild“, als zweiten „ein Blumenkränzlein von Seiden fein“. Das Gehänge bestand — ähnlich den heutigen Schützenmeisterketten — aus einer Vielzahl von Denkmünzen und Plättchen, oft Gaben ande-

Nürnberger Ölgemälde um 1630. Hans Sachs sitzt auf dem Singstuhl vor zwei Männern und zwei Frauen, während vorn zwei Anwärter auf die Aufnahme in die Meistersingerzunft warten. Links hinter der Barriere haben die vier Merker Platz genommen, und zwar Frauenlob, Regenbogen, Marner und Mügeln (Müglin)

rer Singschulen, so daß es nur unmittelbar bei der Preisverleihung verwandt wurde, während man sonst drei Münzen an einer Seidenschnur trug.
Die höchste Rangstufe, die ***Meisterwürde,*** errang nur, wer eine in Text und Melodie ganz neue Weise ***erfunden.*** Bis zu dem Weber Lienhard Nunnenbeck,

des Schustergesellen Hans Sachs Lehrmeister in der Nürnberger Schule, weist Puschmann nach den *zwölf alten Meistertönen* der sagenhaften Ahnherren der Gesellschaften nur 21 oberdeutsche *Nachdichter* und 12 Nürnberger Meister auf, mit und seit dem Schusterpoeten dann 48 – Zeichen der rascheren Verbreitung und Verflachung der Kunst. Für ihr späteres Niveau sprechen Bezeichnungen wie *Gestreiftsafranblümleinweis, Cliusposaunenweis, geblümte Paradiesweis* oder *Fettdachsweis* ebenso wie alle die, die – durchaus originalgetreu, doch noch nicht zeitgerecht – David in Wagners erstem Aufzug dem verdutzten Ritter gewichtig aufzählt. Die Stoffe dieser abenteuerlich unförmigen Strophengebäude kamen zunächst aus Heiligenleben, Dogmatik, Fabeln und Gleichnissen, seit der Reformation, die Luthers Bibelübersetzung zum stilistischen Vorbild machte, dann meist aus biblischen Texten, vornehmlich des Alten Testaments. Der Sternenflug des *kopernikanischen Zeitalters* blieb solch biederem Gereime dabei ebenso fremd wie das seit dem Humanismus erfühlte neue Weltbild der Antike wie der Natur – soziale Scheide adeligen wie großbürgerlichen und solch kleinbürgerlichen Geistes!
So kann es auch kaum wundernehmen, daß gerade der feudal sich kraß abschließende, selbst die nicht ratsfähige Großkaufmannschaft schurigelnde und vor allem seine Handwerke streng kontrollierende Nürnberger Rat – trotz des Hans Rosenplüt *loblichen Spruch von der erentreichen Stadt* Anno 1490 – auch die Meistersinger hart unter seinem allseits strengen Regiment

St. Marta Kirch und Pilgrim Spital bey dem frauethor. in Nürnberg.

hielt. 1528 ward ihre Singschule, die sie früher manchmal auch im Spital zum Heiligen Geist gehalten, aus dem Lorenzer Schulhaus ausgewiesen, da sie es *„mit Zerbrechen und anderer Unlust zu arg getrieben“:* sie sollten besser *„mit ihrem Unschick und Unzucht auf die Hallerwiesen oder den Plerrer“* gehen. Nach gelegentlichen Singschulen im Rathaussaal oder der Frauenkirche fanden sie seit 1562 dann Aufnahme im ehemaligen Predigerkloster, bis sie um 1580 ob mancherlei Roheiten abermals ein Verbot traf. Man wies ihnen nun die profanierte Marthakirche zu, falls sie sich *„schambarer unzüchtiger Lieder“* gänzlich enthielten und fürder auch *„ihre Stimme mit dem Singen dermaßen moderierten, daß es gesungen und nicht geplärret heiße“.* Seit 1620 hielten sie endlich zumeist in der Katharinenkirche ihre Schule, wo der Kammacher Thomas Grillenmaier die *stinkende Grillenweis* erfand. Als 1697 mit dem antiquarischen Interesse des Barock der Professor Johann Christoph Wagenseil zu Altdorf sein *„Buch von der Meistersinger holdseligen Kunst“* herausbrachte, lag der Nürnberger Meistergesang schon in Agonie. Wenn auch 1778 erst die letzte Singschule zu St. Katharinen gehalten ward, so sollte doch gerade Wagenseils Werk, das der Maler Peter Cornelius 1861 seinem Freund Richard Wagner in der Wiener Hofbibliothek nachwies, für diesen neben Jacob Grimms Studie zur wichtigsten Quelle seines Wissens werden.

Das Idealbild jener gerade von Hans Sachs heraufgeführten Blütezeit, in der dieser in einem *Schuelzetel* die älteste erhaltene Nürnberger Tabulatur mit 32 genau formulierten Regeln niedergelegt, erscheint durch solche historische Realitäten ein wenig getrübt. Zwar war es dem Grobianismus der Zeit selbstverständlich, daß es nur allzu herzhaft herging — weniger wohl auf den gravitätischen Singschulen und den doch repräsentativer Selbstdarstellung dienenden Festsingen als auf den häufigen *Zechen* im Heilsbronner Hof oder im

„Goldenen Schwan“ am Heumarkt (heute Theresienplatz), wo auch der zeitweilige Ausschluß und die Geldstrafen durch das Gemerke vor allem die Gesellen und Lehrbuben nicht im Zaum zu halten vermochten, deren Aufmucken gegen allzu viel selbstzufrieden-eitles meisterhaftes Gehabe wir ihnen gar nicht verdenken können. Auch die Ratsverlässe sind aus dem übertriebenen Obrigkeits- und Moralbegriff der Zeit zu verstehen. Der spießbürgerliche Zug, der in dem allen lag, aber bleibt in all seinen Licht- und Schattenseiten unverkennbar.
Und die *Gesellschafter,* die Hans Sachs gelegentlich nennt, sind denn auch alles kleine Handwerker mit doch wohl recht bescheidener *bürgerlicher Nahrung:* der Bäcker Conrad Nachtigall, der Nagler (Nagelschmied) Fritz Zorn, die Heftleinmacher (Nadelmacher) Vogelsang und Hermann Oertel, der Briefmaler Hans Schwarz, der Holzmesser Ulrich Eislinger (ein städtischer Bediensteter auf dem Holzmarkt oder der Peunt, dem Bauhof also), ein (namenloser) Schneider aus Gostenhof und die ohne Berufsangaben aufgeführten Sixt Beckmesser, Merten Grimm und Fritz Ketner. Keiner von ihnen gehörte jedenfalls zu den gesellschaftlich Bevorzugten, die das politisch funktionslose Gremium der *Genannten* der längst formal entleerten bürgerlichen Selbstverwaltung bildeten.
Auch der freilich nicht, den der junge Goethe 1776 — zwei Jahre also, bevor der Nürnberger Meistergesang endgültig verklang — wieder zu Ehren gebracht: der *Schuhmacher und Poet dazu* Hans Sachs. Gewiß stand Goethes Idealisierung im Überschwang solcher Neuentdeckung *alt-teutscher* bürgerlicher Poesie allzu sehr im Zeichen jenes literarischen Sturm und Drang, in dem zugleich ja ein politischer Unterton schwang wider das Establishment einer damals verhärteten Feudalgesellschaft über einem verspießerten, kapitalistisch orientierten Mittel- und Kleinbürgertum, ein Anlauf „zorniger junger Männer“, wie ihn zu allen Zeiten die jungen Intellektuellen geführt, führen und führen sol-

Johann Christof Wagenseils
Buch
Von
Der Meister-Singer
Holdseligen Kunst
Anfang / Fortübung / Nutzbarkeiten / und
Lehr-Sätzen.
Es wird auch
in der Vorrede
Von
vermuthlicher Herkunfft der Ziegeiner
gehandelt.

Titel von Wagenseils „Von der Meister-Singer Holdseliger Kunst“

Johann Christoph Wagenseil nach einem Stich von Sandrart 1650

len. Der in warmherziger Würdigung von ihm aber dem *teuren Meister* zugesprochene Eichenkranz *„ewig jung belaubt“* galt letztlich nicht dem Meistersinger, der allein 16 neue *Töne* erfunden — und der selbst dann in dem Riesenwerk seiner Schriften in echt zünftlerischem Geist das *Werkgeheimnis nicht eines* seiner 4275 Meisterlieder aufgenommen!

Sie galt dem Phänomen eines urwüchsigen Talents. Nicht das handwerksmäßige *„Dichten mit Draht und Pfriem"*, jenes *„Verseschreiben auf rohes Leder"*, die freieren dramatischen Versuche vielmehr, die erzählenden und lehrhaften Spruchdichtungen, die mitten aus dem Volksempfinden kommenden und auf das Volk wirkenden Einblattdrucke und Flugschriften, die Schlagfertigkeit seiner Dialoge und vor allem seiner 85 Fasnachtspiele weisen ihn als einen echten Dichter aus, der neben der von ihm mit Begeisterung und Hingabe betriebenen und geförderten Künstelei des Meistergesangs wirklich lyrisches Empfinden, wahres dramatisches Talent und besonders das Vermögen lebendiger Sprachgestaltung besaß. Sein gesamtes Opus aus zahlreichen, teils von ihm selbst gefertigten Abschriften und dem bald weitverbreiteten Nachlaß sammelten später in mühsamer Arbeit Adelbert von Keller und Edmund Goetze im Auftrag des literarischen Vereins Stuttgart. Die 6169 Titel sind Zeugnis eines fleißigen Lebens in einer Zeit stürmischer Umbrüche und vielfacher Unsicherheit, eines Lebens in lutherischem Gottvertrauen, Freude an dieser und tröstender Hoffnung auf jene Welt, eines Lebens auch, dem in von der Gesellschaft gesetztem Maß reicher und lohnender Erfolg beschieden war. Ein Wirken war es aber darum auch, in dessen ununterbrochenem Nachleben Schein und Wirklichkeit immer schwerer zu trennen waren. Denn je mehr der Meistergesang versteinerte, als dessen Exponenten man zu Recht den Nürnberger sah, je mehr auch jegliche *Volkspoesie* mit der allgemeinen Verrohung und Verdummung der bewußt von den Obrigkeiten in dumpfer Unwissenheit belassenen unteren Stände verkam, desto mehr mußte die Verachtung der schmalen bürgerlichen Intelligenz und ihrer ach so aufgeklärten Literaturkritik für den zünftischen Poeten wachsen. Während die fünfbändige Kemptener und Augsburger Quartausgabe seiner Werke 1612—16 nach 100 Jahren noch einmal eine Titelauflage erfuhr, während manche seiner Spruchgedichte und mehr noch die Knittelverse der derben Fasnachtspiele — also vor allem das, was nicht handwerkliche Reimschusterei und Umsetzen von Angelesenem in lehrhaft moralisierende Verse und hochgestochene Dramen war, sondern urwüchsig-lebendiges Abbild des Volkslebens — weithin verbreitet und geschätzt blieben und viele Nachahmer und noch mehr Plagiatoren fanden, galt der Nachruhm des Meisters so ebenso dem kernigen *Dichter des deutschen Volkes* wie die Karikatur ihn traf als *„verworrnen Eulenspiegel, der Klugheit Mißgeburt, Eunuchus edler Kunst, Nachtstuhl Apolls, der Clio Wisch und Siegel..."*. Die *Ehrenrettung* des Vaters der Knittelverse durch Gottsched, Gleim, Heinse, Kästner und Wieland, das Interesse Lavaters an seiner Physiognomie, das begeisterte Nachempfinden des jungen Goethe, sie wiederum suchten die verschütteten Quellen teutscher Poesie — und formten in ihrem Selbstverständnis des *Thiers Etat* dann aus ihm ihr eigenes Bild: *„In Froschpfuhl all das Volk verbannt, das seinen Meister je verkannt!"*
Diese in der Weimarer Hans-Sachs-Verehrung gipfelnde Entdeckung volkhafter dichterischer Kräfte ist schon eine Entdeckung des Mittelalters, die vor und neben der großen Bewegung der Romantik sich vollzieht, in der dann August Wilhelm Schlegels Berliner *„Vorlesung über schöne Litteratur und Kunst"* (1803/04) erstmals Hans Sachs richtig in die gesamte Evolution stellen sollte, nachdem schon sein Bruder Friedrich in den für ihn vorbildlichen *„Gesprächen*

über Poesie" die *„mehrenteils verkannten Urkunden der vaterländischen Vergangenheit"* gerühmt, *„vom Liede der Nibelungen her bis zu dem Nürnberger Hans Sachs und von den Minneliedern bis zu Opitz und Flemming"*.
Aus diesem Kreis germanistischer Studien aber kamen Tieck und Wackenroder, die auch in Erduin Julius Kochs *„Compendium der deutschen Literaturgeschichte"* (1790, [2]1795) mitarbeiten sollten. Und ihnen erklang in ihrem Erlanger Sommersemester 1793 im Fichtelgebirge erstmals der Grundakkord des Waldlieds der deutschen Romantik, tat sich in Nürnbergs enggewinkelten Gassen das Wesen mittelalterlichen Bürgertums und Gottesdienstes auf, eröffnete sich an Bambergs ragendem Dom Kunst und Glauben der katholischen Geisteswelt als des Ursprungs aller älteren deutschen Kunst und Kultur. Waren bislang schon Dürer und Sachs Wegweiser zu solchem Verständnis gewesen, so gelang nun in der Begegnung norddeutsch-protestantischen Geistes mit Nürnbergs Kunstdenkmalen aus der Zeit der großen Wende und Bambergs tief verwurzelter katholischer Gläubigkeit vor der Kulisse *„mondbeglänzter Zaubernacht der Natur mit ihren uralten und ewig jungen Märchen und Wundern"* das Wiederfinden nicht mehr nur eines Baustils – wie noch von Goethe am Straßburger Münster –, sondern einer ganz neuen Welt: des deutschen Mittelalters. Und Nürnberg vor allem sollte dieses romantische Idealbild seither prägen in zahllosen, vielfach schattierten Motiven, wie Ludwig Grote es jüngst so beredt gezeigt.

„Die alte Kraft, den hohen Geist wieder frei machen", aus dem, was der kühle Rationalismus der Aufklärung noch eines Immanuel Kant *„die selbstverschuldete Unmündigkeit des Menschen"* genannt, war so in der Hinwendung auf die Quellen der Sprache und Dichtung zunächst und dann der ehrwürdigen Kunstdenkmale und der belebten Natur Leitidee der Romantik gewesen. In solcher Poesie lag selbst dem feurigsten Geist unter den Reformern der zerschlagenen preußischen Monarchie, dem *Reichsfranken* Neidhardt von Gneisenau, *„die Sicherheit der Throne gegründet"*.
Der freie Atem des Geistes aber konnte in dieser Zeit nur noch ein bürgerlicher sein. Er mußte die neugewonnenen Kräfte einer Nation tragen, die sich vom weltbürgerlichen Geiste riß, um wider die politische Unterdrückung aufzustehen, das Reich wiederherzustellen. Als aber die Reaktion der „Heiligen Allianz" diese *Freiheitskriege* amtlich in *Befreiungskriege* umbog, als der Traum vom Reich zerrann in einen Bund von neununddreißig Fürsten und Vaterländern, da verband sich in zunehmender ideologischer Verkrampfung ein mystisch verworrener Reichsbegriff mit einem ebenso mystisch verworrenen demokratischen Gedankengut – und zeitigte eine der wesentlichsten Mißdeutungen im deutschen Selbstverständnis des 19. Jahrhunderts.
Denn nicht den beherrschenden (weltlichen wie kirchlichen) feudalen Kräften des Heiligen Römischen Reiches Deutscher Nation galt jener so viel besungene Traum von *alter Kaiserherrlichkeit* – sondern einem nie klar definierten *Volkskaisertum,* dem der Bürgerstolz des mählich sich entfaltenden ökonomischen Liberalismus und der zaghaft sich anbahnenden industriellen Revolution sich so zugesellen wollte, wie er *glaubte,* daß seine reichsstädtischen Vorfahren es einst gewesen. An den schroff oligarchischen – oder in Nürnberg gar aristokratischen – Charakter dieser Stadtregimenter, an die vom Kapitalismus geprägte starre Gesellschaftsordnung, an die dem eigenen kümmerlichen Untertanendasein durchaus gemäße politische Entmachtung verschwendete

Nachdem Auß Vergünstigung
Eines Edlen Ehrnvösten Hoch vnd Wohlweisen Raths
dieser Heyligen Reichs Statt Nürnberg, vnß den Maister Singern ist vergünt vnd zugelassen
worden Auf Heut diesen Tag Eine freie Offentliche Christliche Sing Schul Anzuschla-
gen vnd zu Hallen, Gott dem Allmechtigen zu lob Ehr vnd preis. Auch zu Außbreitung seines
Heyligen Göttlichen Worts Derohalben soll Aufgemelter Schuel nichts gesungen werden
dan was Heiliger Göttlicher Schrifft gemes Aus Alten vnd neuen Testament

Es ist Ein liebhaber der Kunst der gibt in Freunger
Etliche schöne gaben zu versingen, darum sollen gesungen werden, Schöne warhafftige Historien, von 12 Biß 15 Reimen, vnd wo ihr zwen oder mehr zum gleichen kemen, sollen sie
singen, von 13 Biß 16 Reimen, darnach weiß sich der Singer zu richten

Wer nun solche Christliche Sing Schul hören will, der verfiege sich vmb 12
Uhr zu St: Katerina Man wirt auch ein schönes lied vorher zusam [illegible]

Einladung zu einer Nürnberger Meistersinger-Veranstaltung (17. Jahrhundert)

man in solch verklärender Rückschau ebensowenig noch einen Gedanken wie an die doch meist recht klägliche Engbrüstigkeit jener geistigen Welt.

Nicht umsonst hat die Dichtung der Romantik lang nachhallend so mit allen Fasern dieses vermeintliche *Bürgerkaisertum* des Spätmittelalters gesucht — und die Entwicklung vor und seit Maximilian glatt negiert. Unverdrossen hat die politische Romantik — soweit sie nicht dem *„monarchischen Prinzip“* huldigte — die Emanzipation des Dritten Standes einfach in die Vergangenheit reprojiziert, haben die Dichtung und nur zu oft auch ihre legitime Schwester, die Geschichtsschreibung, genauso wie all die politischen Broschüren das Freiheits- und Gleichheitsideal wahlberechtigter, sich selbst verwaltender Stadtbürgerschaften aller Stände und Klassen liebevoll ausgemalt.

Der Nürnberger Reichsstadtbürger Hans Sachs mußte auch dabei geradezu zwangsläufig zum exemplarischen Modell werden. Hatte noch ein so rückschlägig-konservativer Publizist wie Adam Müller ihn den Letzten der *„großen deutschen Nationaldichter“* in der wechselseitigen Bedingtheit seiner *„politischen, ökonomischen und poetischen Existenz“* genannt, so stellte J. L. Deinhardsteins „Dramatisches Gedicht“ ihn 1829 *„mit weniger Rücksicht auf die bürgerliche Größe Nürnbergs“* als den *„Befreier der Poesie“* der *„Parodie des Zunftzwangs in der Kunst“* der Meistersinger gegenüber, der mit Kaiser

Maximilians gnädiger Hilfe doch des zum Bürgermeister der Stadt berufenen Goldschmieds Töchterlein Kunigunde dem um sie freienden Augsburger Ratsherrnsohn abgewinnt. Die völlige Aufhebung der verfassungs- und sozialgeschichtlichen Realität war dabei genauso selbstverständlich wie in E. T. A. Hoffmanns Nürnberger Novelle *„Meister Martin der Küffner...“*(1818), in der sogar der als Geselle heimlich in die Werkstatt eingetretene Ritter die Hand der Meistertochter erringt.
Auch Richard Wagners *„Meistersinger“*-Konzeption nun — von deren Vorbildern und zahlreichen Entleihungen hier nicht zu sprechen ist — erwächst in diesem Geist. Der erste Marienbader Entwurf 1845, noch mit den geringen Kenntnissen *„aus wenigen Notizen in Gervinus' Geschichte der deutschen Literatur“* skizziert, stellte die Merker- und die Schusterszene in den Mittelpunkt, die *„Revanche des populären handwerklichen Dichters für die pedantischen Untaten des Merkers“*, wobei in der anschließenden Prügelei des zweiten Aufzugs ein früheres Erlebnis in Nürnberg (1835) mit dem Volkssänger und Tischlermeister Lauermann seinen Niederschlag fand. Er bleibt also in Deinhardsteins Linie, den 1840 Adalbert Lortzing zur „heiteren Volksoper“ vertonte. Was mehr Unmut über die Kritik und Flucht vor der lastenden Arbeit am *„Lohengrin“* gewesen, verdichtete sich dann aber als Satyrspiel des *„Tannhäuser“*, des Sängerkriegs auf der Wartburg, zur politischen Mahnung des heimatvertriebenen Demokraten, der im Sturmjahr 1848 auf den Dresdener Barrikaden gekämpft. Das romantische Nürnberg-Erleben wird nun völlig von dem Streben nach nationaler Einheit durchdrungen, die für Wagner beim Beginn der eigentlichen Arbeiten 1861 — schon vor der ersten deutschen Teilung 1866 — bereits jenseits des alten großdeutschen Kaisergedankens denkbar wird. Der naive Zug bürgerlicher Idylle bei Deinhardstein, E. T. A. Hoffmann oder etwa auch Hagen aber weicht einer fast dämonisierten Typologie, in der die Verachtung des Schusters durch Schreiber und reichere Meister auch schon Töne bourgeoisen Dünkels anklingen läßt.
In der lebensprühenden Vollkraft des Werkes ward so jenes politisch-gesellschaftliche wie -historische Selbstverständnis des deutschen Bürgertums der ausklingenden Romantik zu einem *„letzten unwiederholbaren Ausdruck“* gebracht (H. Maier) — in und mit all den Mißdeutungen seiner Zeit! Und dies birgt dann freilich auch schon wieder die Tendenz zur Fortentwicklung aller Überlastung schwülstigen Makartstils, der Entwicklung zur bloßen *Stimmungskulisse*. Der ganze Streit um Wagners *„Musik der décadence“*(Fr. Nietzsche), die ganze Vergötzung des Bayreuthers auf der Gegenseite, sind hier, wo er — sich selbst — den Meisterkranz *„heil'ger deutscher Kunst“* zugedacht, exemplarisch angelegt.
Der Ratsschreiber Beckmesser etwa — mit dessen Gestalt Wagner die volle Schale höhnenden Zorns über den Wiener Kritikpapst Hanslick ausgießt — ist als Nachfolger eines Lazarus Spengler genauso undenkbar, wie die Pelzschauben und Prachtgewänder der Herren Bäcker, Würzkrämer und Seifensieder vor den Luxusordnungen der Zeit Gnade finden, von dem minnenden Ritter in dieser Gesellschaft — in der er nun die wahre Poesie wider die starre Tabulatur vertritt — gar nicht zu reden. Der Strafverbannungsort Hallerwiese als Festplatz, der Ruf *„Zünfte heraus!“* auf nächtlichen Gassen, und ihr stolzer Auftritt beim großen Festsingen an einem Johannistag, die Heilrufe, die nun dem Schusterpoeten gelten und nicht mehr (wie knapp 40 Jahre vorher) *„Heil Max, Heil Habsburg, Heil für immer!“*, widersprechen nicht minder jedem

geschichtlichen Wissen — das dagegen die uns heute so seltsam anmutende Verbindung des Lehrbuben mit der Amme als damals selbstverständliches Mittel sozialen Aufstiegs sehr wohl kennt. Die Schlußapotheose des ehrsamen Handwerks — niedergeschrieben 1867 im Paris jener imponierenden Industrieschau der großen Weltausstellung, fast zwei Jahrzehnte nach dem *„Kommunistischen Manifest"* — ist dabei erstaunlich rückschlägig, der Haß auf *„welschen Dunst"* und *„welschen Tand"* dagegen erschreckend zukunftsweisend. — *„Wahn, Wahn, überall Wahn!"*?

Und doch — es ist das Symbolhafte, im Guten wie im Bösen, das uns hier im Wandel der Zeiten und der Auffassung so anlockt: In Richard Wagners *„Großer komischer Oper"*, die in Geist und Form und Inszenierung so oft umstritten blieb — bei ihrer Konfrontation mit dem geschichtlichen Nürnberg der Meistersinger — und bei dem so vielgesichtigen Bild des Lebens wie des Nachruhms des Hans Sachs, den weit über seine zweifelsfrei große Bedeutung hinaus Weimar idealisiert und Bayreuth verklärt haben.
Wahrhaft: *„Hier lebt das Einst in kräftigster Fülle!"* (Ludwig Marcuse). Dies zu verstehen und — jenseits wie inmitten von allem notwendigen Streit der Interpretationen — verständlich zu machen, scheint allein mir die Aufgabe des Historikers.

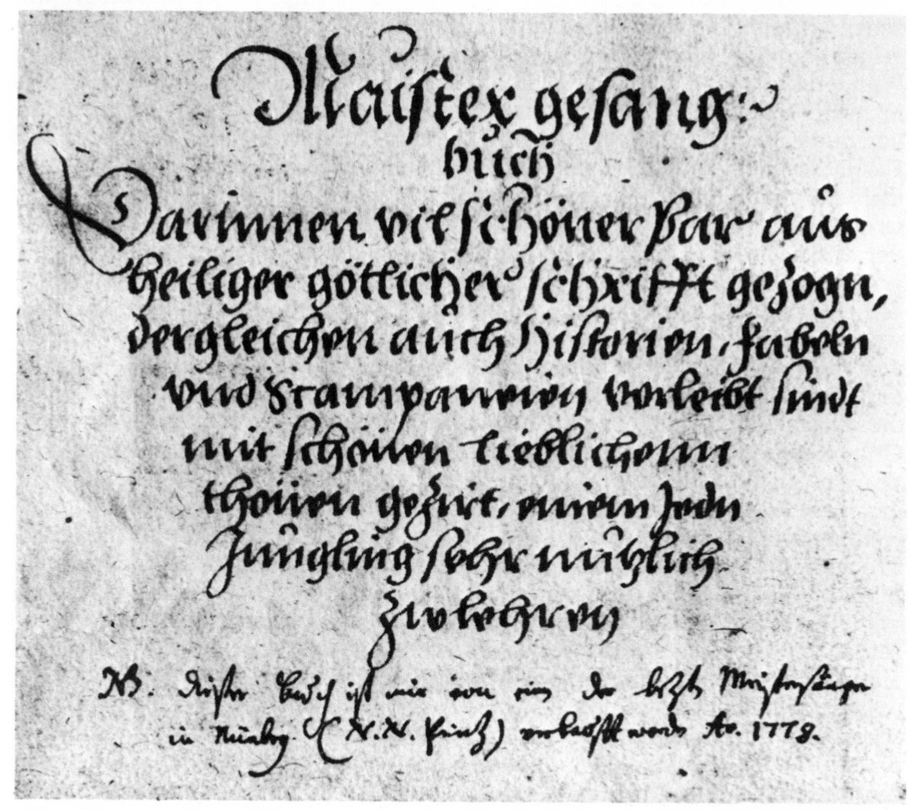
Maister gesang:
buch
Darinnen vil schöner Bar aus
heiliger göttlicher schrifft gezogn,
dergleichen auch historien, fabeln
vnd [illegible] verleibt sindt
mit schönen lieblichen
thönen gezirt, einem jeden
Jüngling sehr nützlich
zu lehren

Handschrift aus dem Besitz eines der letzten Nürnberger Meistersinger, die 1778 von ihm verkauft wurde

Horst Brunner

HANS SACHS

1494–1576

Am 1. Januar 1567 – neun Jahre vor seinem Tod – blickte der zweiundsiebzigjährige Hans Sachs auf sein bisheriges Leben zurück. In der autobiographischen *„Summa all meiner gedicht"* legte er sich und seinen Lesern Rechenschaft über Zahl und Art seiner Werke ab. 53 Jahre zuvor, 1514, hatte er auf der Wanderschaft in München sein erstes Meisterlied gedichtet. Nun verzeichnete er nicht weniger als 4275 Meistergesänge in 275 verschiedenen Meistertönen, von denen er 13 selbst komponiert hatte, ferner 208 Komödien, Tragödien und Fasnachtspiele, rund 1700 geistliche und weltliche Gespräche und Spruchgedichte, Fabeln, Schwänke und Possen, 7 Prosadialoge und 73 Psalmen und andere Kirchengesänge, geistliche Lieder, Gassenhauer, Buhl- und Kriegslieder. Insgesamt kam er auf nicht weniger als 6048 dichterische Arbeiten, wobei er von zahlreichen kleinen Gelegenheitsgedichten sogar noch absah. In 34 dicken handschriftlichen Büchern hatte er seine Werke gesammelt, viele davon waren in einigen hundert verschiedenen Einzeldrucken verbreitet – manche auch in fremde Sprachen übersetzt – und seit 1558 erschien die erste, vielfach aufgelegte Gesamtausgabe. Sie enthielt freilich die Meistergesänge nicht, da diese nach den strengen Regeln der Singschule nicht gedruckt werden durften. Ohne Zweifel ist das Gesamtwerk des Hans Sachs eins der umfangreichsten Œuvres, das die deutsche Literaturgeschichte kennt. Die von 1870 bis 1908 erschienene neue Gesamtausgabe umfaßt ohne die Meistergesänge nicht weniger als 26 Bände. Allein das genaue Werkverzeichnis füllt 653 Druckseiten. Trotzdem: der Ruhm dieses Dichters, von dem kein Geringerer als Christoph Martin Wieland 1776 meinte, er sei *„der popularste unter allen Dichtern, die vielleicht jemals gelebt haben"* gewesen und der in den bald 400 Jahren seit seinem Tode niemals völlig vergessen war, ist heute problematischer als der eines jeden anderen klangvollen Namens der deutschen Literatur. Trotz der ungeheuren Vielzahl seiner Werke – oder vielleicht gerade ihretwegen! – scheint der Zwiespalt zwischen Ruhm und Legende einerseits und wirklicher Kenntnis von Leben und Werk andererseits bei ihm größer als bei jedem anderen berühmten Dichter. Größer auch als bei seinen berühmten Zeitgenossen aus der Blütezeit der Reichsstadt Nürnberg. Werke Dürers, Adam Kraffts, Peter Vischers oder Veit Stoß' kennen unzählige Menschen aus eigener

Hans Sachs im 51. Lebensjahr, Holzschnitt von Michael Ostendorfer 1545

Anschauung. Woran aber denkt man, wenn man den Namen von Nürnbergs kaum weniger berühmtem Dichter hört?
Vielleicht an heiter-unbeschwerte, ein wenig derbe, im ganzen aber doch recht harmlose sommerliche Laienspielaufführungen einiger seiner Fasnachtspiele, des *„Fahrenden Schülers im Paradies“* etwa oder des *„Krämerskorbs“*. Oder man erinnert sich des berühmt-berüchtigten Zweizeilers

„Hans Sachs war ein Schuh-
Macher und Poet dazu“,

der einer Literatenfehde aus der Mitte des 18. Jahrhunderts entstammt und damals nicht so sehr den Dichter selbst, sondern vielmehr diejenigen treffen

sollte, die ihn als nachahmenswertes Muster eines altdeutschen Biedermanns und Dichters propagierten.
Allerdings: der Literatenstreit wurde vergessen, der diskriminierende Zweizeiler aber ist geblieben. Und obwohl es dem meistersingerlich streng geregelten Versgebrauch des Dichters hohn spricht, ein Wort im Reim am Versende auseinanderzureißen und die Verse auch sonst nicht korrekt sind, dient das Sprüchlein doch meist dazu, die angebliche Verstechnik des Hans Sachs zu illustrieren.
Literarisch Gebildete wissen, daß Verse dieser Art Knittelverse heißen. Seit dem 18. Jahrhundert gilt diese Versart – obwohl schon jahrhundertelang vor Hans Sachs in Gebrauch – als der Hans-Sachs-Vers schlechthin. Daher erinnert man sich bei den Versen eines Größeren an unseren Dichter:

„Habe nun, ach! Philosophie,
Juristerei und Medizin,
Und leider auch Theologie
Durchaus studiert mit heißem Bemühn.
Da steh' ich nun, ich armer Tor,
Und bin so klug als wie zuvor!"

Goethe war es, der Hans Sachs in der Sturm- und Drangzeit vor allem wieder neuentdeckte: *„Hans Sachs, der wirklich meisterliche Dichter, lag uns am nächsten, ein wahres Talent, . . . ein schlichter Bürger, wie wir uns auch zu sein rühmten"*, schreibt er rückblickend im 18. Buch von *„Dichtung und Wahrheit"*.
Es gibt kaum ein schöneres Dichterlob als Goethes Gedicht *„Erklärung eines alten Holzschnittes, vorstellend Hans Sachsens poetische Sendung"* von 1776 – aber trotz der kräftigen Schlußworte:

„In Froschpfuhl all das Volk verbannt,
Das seinen Meister je verkannt!"

hat es doch nicht vermocht, ein der historischen Wahrheit entsprechendes Hans-Sachs-Bild zu bewahren. Für die heute verbreiteten Vorstellungen von diesem Dichter ist Goethe ohnehin wohl erst an zweiter Stelle entscheidend. In erster Linie dafür verantwortlich ist Richard Wagners 1868 uraufgeführte Oper *„Die Meistersinger von Nürnberg"*. Der Hans Sachs Wagners ist idealer Mittelpunkt einer höchst unwirklichen Volksgemeinschaft unter deutschnationalen Vorzeichen, der mit Tränen in den Augen begrüßte Bewahrer der *„heil'gen deutschen Kunst"*. Bezeichnend genug: die Staatsgewalt erscheint in Wagners Oper ein einziges Mal – als Nachtwächter, der sich die Augen reibt und verwundert den Kopf schüttelt! Hans Sachs wurde hier jeder historischen Realität entrückt und zum letztlich apolitischen, irrationalen Wahnseher und Repräsentanten einer Butzenscheibenromantik gemacht, die einem für die bestehende Wirklichkeit geschärften Sinn als zutiefst harmlos und naiv erscheinen muß. Freilich wäre gegen dieses Wunschbild nichts einzuwenden, hätte es nicht den historischen Hans Sachs und sein Werk völlig in den Hintergrund gedrückt.
Damit haben wir die wichtigsten Vorstellungen gestreift, die heute mit dem Namen von Hans Sachs verbunden werden. Zu einem geschlossenen Bild vereinen sie sich kaum. Freilich gibt es angesichts ihrer nur einen Weg, auf

dem ein erneuter Zugang zu diesem Dichter und seinem Werk möglich gemacht werden könnte: den der Rückbesinnung auf seine Person, wie sie uns die historischen Quellen entgegentreten lassen, und auf sein Werk, dessen Grundlinien wir uns klarmachen wollen.
Hans Sachs wurde am 5. November 1494 in Nürnberg geboren. Sein Vater war der wahrscheinlich aus Zwickau in Sachsen nach Nürnberg eingewanderte Schneider Jörg Sachs, der 1490 Bürger und Meister geworden war und die Witwe Christina Prunner geheiratet hatte. Hans, der das einzige Kind seiner Eltern blieb, durfte von 1501 bis 1509 die Lateinschule vom neuen Spital zum Hl. Geist besuchen:

„Drin lernt ich puerilia,
Grammatica und musica
Nach schlechtem brauch derselben zeit“,

sagt er darüber im Alter.
Als Fünfzehnjähriger begann Hans Sachs eine zweijährige Schusterlehre, während der ihn der wahrscheinlich aus Augsburg zugewanderte Leineweber Lienhard Nunnenbeck in die Anfangsgründe des Meistersangs einführte. 1511 begab er sich, wie es vorgeschrieben war, auf Wanderschaft, auf der er weit herumkam:

„Erstlich gen Regnspurg und Braunaw,
Gen Saltzburg, Hall und gen Passaw,
Gen Wels, Münichen und Landshut,
Gen Oeting und Burgkhausen gut,
Gen Würtzburg und Franckfurt, hernach
Gen Coblentz, Cölen und gen Ach;
Arbeit also das handwerck mein
in Bayern, Francken und am Rhein.
Fünff gantze jar ich wandern thet
In dise und vil andre stätt.“

In dieser Zeit beginnt er seine Laufbahn als Dichter:

„Spil, trunckenheit und bulerey
Und ander kurzweil mancherley
Ich mich in meiner wanderschafft
Entschlug und war allein behafft
Mit hertzenlicher lieb und gunst
Zu meistergsang, der löbling kunst . . .
Wo ich im Land hört meistergsang
Da leret ich in schneller eil
Der bar und thön ein grossen teil,
Und als ich meines alters war
Fast eben im zweintzigsten jar,
Thet ich mich erstlich unterstahn
Mit gottes hülff zu dichten an . . .
Zu Münnichen, als man zelt zwar
Füfftzehundert-viertzehen jar.“

Als Meistersinger begann Hans Sachs, und Meistersinger blieb er sein Leben lang, auch wenn seine spätere dichterische Tätigkeit weit über die Meisterkunst hinausging. Aufgrund mancher Seltsamkeiten, wie sie sich vor allem in der Spätzeit, im 17. und 18. Jahrhundert, fanden, ist der deutsche Meistersang von den Zeitgenossen vielfach verspottet und von der Geschichtsschreibung gescholten worden. Nicht immer zu Recht! Denn es sollte immerhin zu denken geben, daß im 15. und 16. Jahrhundert nicht wenige prominente Dichter, darunter auch solche, die über eine humanistische Bildung verfügten, Singschulen angehörten und daß kein Geringerer als Martin Luther Meistergesänge sammelte.

Anfang der Vorrede zum letzten Band der von Sachs eigenhändig geschriebenen Sammlung seiner Meisterlieder: „anno salutis 1556 am 6. tag octobris hab ich Hans Sachs ein liebhaber der poetrey das nun sechzehent und leczt puoch mit maistergesang angefangen zu dichten und zu schreiben mit aigner hand“

Den Stadtbürgern des späten Mittelalters boten die Meistersingergesellschaften außerhalb der Höfe und der gelehrten Dichtung tatsächlich vielfach die einzige Möglichkeit, sich sinnvoll dichterisch zu betätigen. Hier lernten sie das wahrlich nicht geringzuschätzende Handwerk des Dichtens, den Umgang mit Sprache, Vers, Reim, Melodie, mit den Stoffen, und hier wurden ihre Gedichte einer ständigen strengen Qualitätskontrolle unterzogen. Aber darauf beschränkte sich die Funktion der Singschulen nicht. Noch wichtiger war, daß sie das Dichten überhaupt erst legitimierten. Erst in ihnen gewannen die dichterischen Versuche, die sonst nichts als unnütze private Nebenbeschäftigungen gewesen wären, Zweck und Funktion, erst hier vermochten sie auch etwas zur bürgerlichen Reputation ihrer Urheber beizutragen. Die Singschule stellte ihre Mitglieder in eine lange literarische Tradition, die bei König David begann und die sich in mehrfacher Hinsicht auf die großen deutschen Lyriker des Mittelalters berief. Dadurch wurde die Ausübung der Kunst vor Gott und der Obrigkeit gerechtfertigt. So erfüllte der Meistersang im Spätmittelalter weithin die gleiche Funktion, die im 17. Jahrhundert die Sprachgesellschaften übernahmen und die mannigfache literarische Vereinigungen und Zirkel bis heute ausüben.

In Nürnberg gab es schon um die Mitte des 15. Jahrhunderts ebenso wie in Mainz und vielleicht in Augsburg eine Singschule. Genaueres über sie wissen wir freilich nicht. Ihr berühmtestes Mitglied vor Hans Sachs war der in jungen Jahren von Worms her zugewanderte Barbier Hans Folz, *„der durchleuchtig deutsch poet“*, wie Hans Sachs ihn nennt, der als Meistersinger, Fasnachtspiel- und Schwankdichter, aber auch als Drucker eine emsige Tätigkeit ausübte. Als er 1513 starb, scheint die Nürnberger Singschule freilich weitgehend

verfallen und in einander befehdende Parteien aufgelöst gewesen zu sein. Anscheinend war es Hans Sachs, der nach seiner Rückkehr von der Wanderschaft 1516 der Gesellschaft wieder Leben einhauchte. Jedenfalls brachte er sie zur Blüte und machte sie zum Vorbild für die Neu- oder Wiederbegründung ähnlicher Singschulen in vielen deutschen Städten. Um die Mitte des 16. Jahrhunderts gehörten der Nürnberger Gesellschaft an die 350 Mitglieder an – eine im Hinblick auf die sonstigen Verhältnisse unerhörte Zahl!
Nach seiner Rückkehr von der Wanderschaft dichtete Hans Sachs vor allem Meisterlieder, darunter besonders viele Marienlieder, aber auch manche nach weltlichen Stoffen. Außerdem verfaßte er 1517 und 1518 seine beiden ersten Fasnachtspiele. 1519 heiratete er Kunigunde Creutzer aus Wendelstein, und 1520 wurde er Meister des Schuhmacherhandwerks. Im gleichen Jahr bricht seine bis dahin recht rege dichterische Produktion plötzlich für nicht weniger als drei Jahre ab.
Was ist der Grund für diese im Schaffen des Dichters einmalige Pause? Er ist in der Begegnung mit der die Zeit aufwühlenden und verändernden Lehre Luthers zu suchen. Auch für Hans Sachs war sie von entscheidender Bedeutung.

Sachsens Wohnhaus, nach einer Radierung von J. F. Klein etwa aus dem Jahre 1832, als das Haus im Äußeren noch wenig verändert war

1517 hatte Luther seine Thesen hinausgehen lassen, die im gleichen Jahr auch in Nürnberg gedruckt worden waren, 1520 erschienen *„An den christlichen Adel deutscher Nation"*, *„Die babylonische Gefangenschaft der Kirche"* und *„Von der Freiheit eines Christenmenschen"*, im gleichen Jahr verbrannte Luther die Bannbulle, 1521 weigerte er sich auf dem Reichstag zu Worms zu widerrufen. Der Nürnberger Rat versuchte in dieser Zeit zwischen der der Reformation zugewandten Volksstimmung und der dem Kaiser gegenüber angebrachten Vorsicht zu lavieren. Auch als Nürnberg 1525 lutherisch wird, bleibt der Rat vorsichtig.
Hans Sachs vertieft sich in diesen Jahren gründlich in die neue Lehre. Schon 1522 läßt er nicht weniger als 40 *„sermon und tractetlein"* zu einem Band zusammenbinden: *„Diese puechlein habe ich Hans Sachs also gesammelt, got vnd seinem wort zur eren vnd dem nechsten zur guet einpünden lassen ... Die warheit pleibt ewiglich"*. Als er 1523 wieder als Dichter hervortritt, tut er es in der Absicht, *„dem gemainen man ... zu underweysen und leeren, darauß er müg erkennen die götlich warhait und dargegen die menschlichen lugen, darinn wir gewandert haben"*, wie er in der Vorrede zu seinem großen Spruchgedicht *„Die Wittenbergisch Nachtigall"* ausführt. Dieses Gedicht, von dem noch aus dem Erscheinungsjahr nicht weniger als sechs verschiedene Drucke bekannt sind, machte Hans Sachs mit einem Schlage bekannt und populär.
Von nun an schreibt er in rascher Folge eine Reihe von Schriften im Dienste der Reformation. So etwa mehrere Prosadialoge, deren Titel bereits Aufschluß über den Inhalt geben, z. B.: *„Disputation zwischen einem chorherren und schuhmacher, darinn das wort gottes und ein recht christlich wesen verfochten wird"*, ferner geistliche Lieder, Psalmen sowie Parodien auf Marienlieder, die er *„verendert und christlich corrigirt"*, d. h. auf Christus umdichtet.
Gewiß kein harmloser Dichter also, sondern einer, der in den Händeln und Wirren der Zeit Partei zu ergreifen weiß und der festen Überzeugung ist, auf der Seite der Wahrheit zu stehen und ihr mit seinem Wort zu dienen. Und gewiß kein wirkungsloser Dichter!
1527 hatte der Prediger Osiander ein scharfes Pamphlet *„Eyne wunderliche Weissagung von dem Bapsttumb"* veröffentlicht. Zu den darin enthaltenen, angeblich einige Jahrhunderte alten, nach Osianders Deutung aber erst jetzt verständlichen Bildern hatte Hans Sachs deutsche Reime verfaßt, die dazu angetan waren, die Schrift volkstümlich zu machen. Etwa:

„Weil sich der bapst von got abwendt,
Auff gut und weltlich regiment,
Zu blut-vergiessen, krieg und streit,
Ist er kein hirt der christenheit."

Der Rat, der vielfältige politische Rücksichten zu nehmen hatte, ließ die Schrift sofort einziehen und erteilte Drucker, Herausgeber und Dichter einen scharfen Verweis: *„Item Hanns Sachssen schuester ist gesagt, es sey dise tag ein buechlein ausgangen on wissen vnd willen eines erbern Raths. Welichs besser vnterwegen gelassen were, an solichem büchlin habe er die Reimen zw den figuren gemacht. Nun sey solichs seyns ampts nit, gepürt Ime auch nicht. Darumb eins raths ernster bevelch, das er seins handtwercks vnnd schuechmachens warte, sich auch enthalte eynich büechlin oder Reymen hinfür außgen zulassen, ein erber rath werd sunst ir noturfft gegen Ime handeln. Vnnd umb*

Die Wittenbergisch Nachtigall
Die man yetz höret vberall.

Ich sage euch/wa dise schweygẽ/so werden die stein schreyẽ Luce.19.

„Die Wittenbergisch Nachtigall“, Titel-Holzschnitt Nürnberg 1523

dise geübte Handlung woll ein rath die straff dißmal bey sich behalten, doch mit eyner offenen Handt, die nach Irer gelegenheit fürzunemen."

Angesichts dieser „offenen Hand" verfuhr Hans Sachs in den folgenden Jahrzehnten bei seinen Veröffentlichungen vorsichtiger, wenn er auch keineswegs darauf verzichtete, *„Reymen außgen"* zu lassen. Nach der Rückkehr von der Wanderschaft führt er ein ruhiges, seßhaftes, zunehmend mit irdischen Glücksgütern gesegnetes Leben. Seit der *„Wittenbergisch Nachtigall"* schreibt er Werk auf Werk, oft entsteht jeden Tag ein neues Meisterlied, Spruchgedicht oder Bühnenstück. Versuchen wir als Anleitung zur Lektüre einige Grundzüge seines Schaffens zu skizzieren!

Wir gehen dabei am besten von der *„Wittenbergisch Nachtigall"* aus. Kennzeichnend für viele Schriften aus der Frühzeit der Reformation zwischen 1520 und 1525 ist das in ihnen herrschende Pathos. Es drängt nicht nur auf die Loslösung von der alten Kirche, sondern macht zugleich deutlich, daß damit auch alle übrigen Abhängigkeits- und Lebensverhältnisse in Frage gestellt sind und verändert werden müssen. Scharfe Satire ist mit dem Aufruf zum aktiven Handeln, zur Politik verbunden. Wir sind in der Zeit der Flugschriften, in den Jahren eines Ulrich von Hutten, Thomas Müntzer, der Bauernkriege und des Ritteraufstands.

Bei Hans Sachs ist von Revolution nicht die Rede. Zweifellos empfindet der Bürger der Freien Reichsstadt die Verflechtung von geistlicher und weltlicher Macht nicht in dem Maße als Bedrückung wie die geknechteten Bauern. Auch er schreibt zwar eine gegen den Papismus gerichtete Satire, aber er stellt weder die grundsätzliche Frage nach der weltlichen Macht der Kirche noch nach den bestehenden Machtverhältnissen überhaupt. Daß die bisherige politische Ordnung Deutschlands durch die Reformation fragwürdig geworden ist, scheint er gar nicht zu merken.

Entscheidend für Hans Sachs ist der Gedanke, daß es letztlich nicht auf das irdische Dasein ankommt, sondern einzig auf den Glauben, die Liebe zu Gott. Der einzelne steht allein vor seinem Gott, die guten Werke sind nicht eine Bedingung, sondern eine Folge des rechten Glaubens. Damit ist aber die Reformation völlig zu einer Privatangelegenheit geworden. An die Stelle des Willens zur Umgestaltung der ganzen Gesellschaft tritt der Rückzug auf die private persönliche Glaubensfestigkeit, der sich nach außen in einem weltüberwindenden Hiobsglauben äußert:

„Fürcht die nit, die euch den leib töten,
Der sel künnen sie nit genöten.
Ir christen, merkt die trostling wort,
So man euch fecht hie oder dort.
Lat euch kein tyrannei abtreiben,
Tut bei dem wort Gottes beleiben,
Verlaßet e leib unde gut.
Es wird noch schreien Abels blut
Über Cain am jüngsten tag.
Lat morden, was nur morden mag,
Es wirt doch kommen an das ent
Des waren Entchrists regiment."

Wir hüten uns davor, die bedenklichen und gefährlichen Seiten dieses für die deutsche Geschichte so bedeutsamen Glaubens zu verkennen! Seine Kehrseite bei Hans Sachs ist freilich eine in diesem Jahrhundert der Glaubenskämpfe bemerkenswerte Toleranz dem Andersgläubigen gegenüber. Bei dem, der den rechten Glauben hat, bedingt die Liebe zu Gott die Liebe zum Mitmenschen. Sie ist geprägt von der wohl zutiefst stadtbürgerlichen Überzeugung, der rechte Christ

„Tut iedem, wie er selbst auch wolt,
Als das von im geschehen solt."

Wer die Wahrheit nicht kennt, den soll man belehren und ihm den rechten Glauben vorleben. In seinen Empfindungen verletzen oder gar zur eigenen Überzeugung zwingen soll man ihn nicht. Für Hans Sachs hat diese Einsicht zur Folge, daß seine Satire so gut wie niemals scharf und persönlich ist.

Die Reformation ist somit bei Hans Sachs reduziert auf die Frage nach dem rechten privaten, persönlichen, bürgerlichen Verhalten, das nunmehr auf einer neuen Glaubensgrundlage beruht. Störungen im irdischen Bereich werden nicht auf die möglicherweise fehlerhafte Gesellschaftsordnung, sondern allein auf das falsche persönliche Verhalten einzelner zurückgeführt.

Entsprechend geht es bei Hans Sachs fast unablässig um das richtige persönliche Benehmen. Wie sein großer Zeitgenosse Erasmus von Rotterdam ist er von der nahezu unbegrenzten Bildungsfähigkeit des Menschen überzeugt. In seinen Werken wird das falsche Verhalten satirisch der Lächerlichkeit preisgegeben und dargestellt, wie man richtig handeln soll. Richtschnur dafür ist die Vernunft. Sie zeigt einem den rechten Weg — reicht die eigene Vernunft nicht aus, so soll der Mensch sich nach den Lehren der Weisen richten:

„Ein yegklicher, dieweil er lebt,
Las er sein vernunfft mayster sein
Und seytt sich selb im zaum gar fein
Und thu sich fleissigklich umbschawen
Bey reich und arm, mann und frawen,
Und wem ein ding ubel ansteh,
Das er des selben müssig geh,
Richt sein gedancken, wort und that
Nach weyser leute leer und rat!"

Handelt man indes dem Gebot der Vernunft oder der weisen Leute zuwider, so ist man ein Narr. Aus dieser Überzeugung erklärt es sich, weshalb der Großteil der Werke des Hans Sachs trotz der Veränderungen und Erschütterungen der Zeit das Thema der spätmittelalterlichen Narren- und Schwankliteratur wieder aufnimmt. Aufgabe des Dichters ist es vor allem, das falsche, närrische Verhalten vorzuführen und am Ende mit erhobenem Zeigefinger auf das rechte Benehmen hinzuweisen. Seine Dichtung ist also vorwiegend und bis hinein in die Details der Form satirisch und didaktisch zugleich. Freilich richtet sich die Satire fast nie gegen bestimmte einzelne, sondern meist gegen Typen, gegen den Faulen, den Schlemmer, den Ehebrecher, den Schuldenmacher, den Neidischen, den Schwatzhaften usw.

Ein nutzlicher rath den jungen gsellen/So sich verheyraten wöllen.

Rath zwischen dreyerley Heyrat.

Nach dem ein Jüngling frisch vnd frey
Het vnter hand der heyrat drey
Erstlich ein Junckfraw schön vnd zart
Nit fast reych/ yedoch guter art
Zum andern solt er jm vertrawen
Zu der Ehe ein junge witfrawen
Die vor gehabt het einen man
Zum dritten solt er nemen an
Ein alte reych vnd wolbegabt
Die doch vor zwen man het gehabt
Nun jr yede jn haben wolt
Nun west er nit / welche er solt
Nemen der dreyer/ vnd thet gan
Zu einem alten weysen man
Vnd jm die drey heyrat fürlegt
Der weyse man sein hand außstreckt
Auff ein fünffjering knaben mit
Welcher auff eim stecklein vmb rit
In der stuben/ vnd sprach/ nun frag
Das kind / auff das es dir hie sag
Mit kurtzen worten/ welche frey
Auß den dreyen zu nemen sey
Bald sprach der Jüngling zu dem knaben
Sag ob ich die Junckfraw sol haben
Das kneblein antwort/ Wie du wilt
Der Jüngling sprach/ sol ich die mile
Witfraw nemen / welche voran
Zu der Ehe hat gehabt ein man
Das kneblein antwort/ Wie sie wil
Der Jüngling sprach/ mir nit verhil
Ob ich mir nemen sol die alten
Welche auch vor hat haußgehalten
Mit zweyen mannen in der Ehe
Rath mir/ das ich mich nit vergeh:

Das kneblein warff sich bald herumb
Rit ringweiß in der stuben rumb
Vnd schry / Hüt dich mein pferd schlecht dich
Der weyß man sprach/ O Jüngling sich
Nun hast du deiner frag bescheyd
Der Jüngling sprach/ bey meinem eyd
Ich hab verstanden gar kein wort
Von dem kneblein an disem ort
Ich bit wölst mir das baß erklern
Der weyß man sprach/ von hertzen gern
Kanst du denn erstlich nit verstan
Da dir das kneblein zeyget an
Erstlich von der Junckfrawen milt
Da es zu dir sprach/ Wie du wilt
Da meynt er die Junckfrawe gütig
Wer noch forchtsam / gschlacht vnd weychmütig
Derhalb du jr wol möchst abziehen
All eygensinnigkeit zu fliehen
Des sie dir fein blib vnderthan
Das du im hauß blibst herr vnd man
Vnd alles thet/ wie du nur wolst
Zu dem andern du mercken solst
Von der witfrawen / in der still
Darzu der knab sagt/ Wie sie will
Meynt er/ weyl die wittib vorauß
Mit eim man het gehalten hauß
Würds all ding thun nach jrem sinn
Als die all ding wol wist vorhin
Vnd des haußhaltens het verstand
Vnd würd jr thun gar wee vnd and
Wo du sie wolst ein anders leren
Würd sich an dein straff nit vil keren
Darob vil zancks sich würd erheben
Ee dus nach deim sinn richtest eben

Als zu dem dritten ob der alten
Der knab das wort dir für hat gehalten
Hüt dich/ wann mein roß das schlecht dich
Darmit anzeygt er eygentlich
Das es ein grosse thorheit wer
Das sich ein man geb in solch gfer
Nem/ die so vor zwen man het gehabt
Obs gleich reych wer vnd wolbegabt
Bey den sie verböst vnd verargt
Wer in jrem eygnen sinn verstarckt
Das niemd möcht bendigen die frawen
Denn allein schaufel vnd die hawen
Wie man denn sagt von disen sachen
Alt hund böß bendig sind zu machen
Verloren ist all trew vnd güt
Zu endern ein verstockt gemüt
Wolst dus denn bendigen mit zorn
Mit rauffen/ schlagen vnd rumorn
So must du mit dem alten fratzen
Dein lebtag ziehen die streb katzen
Oder der narr bleyben im hauß
Jüngling nun wele dir selber auß
Die Erste / Ander/ oder Drit
Auff das dir in der Ehe darmit
Nit volg ein ewige nachrew
Sunder dir durch Eheliche trew
Frid / frewd vnd freundtlichkeit auffwachs
Im Ehelichn stand/ das wünscht Hans Sachs.

*

Das hat gedruckt Hans Guldenmund
Dem die drey heyrat all sind kund
Vnd warnt die jugent alle stund.

1 5 4 9.

Ein Flugblatt des Nürnberger Poeten, gedruckt 1549; der Holzschnitt ist von Virgil Solis

Allerdings unterscheiden sich die Werke des Hans Sachs in einem charakteristischen Punkt von denen der spätmittelalterlichen Narrenliteratur eines Heinrich Wittenwiler, Sebastian Brant oder Thomas Murner. Diese Dichter geißeln ihre Narren schonungslos. Narrheit ist für sie eine Verletzung der göttlichen Weltordnung, Todsünde. Anders bei Hans Sachs. Was ist für ihn die

Narrheit schon angesichts der Unendlichkeit der göttlichen Gnade, da es doch letztlich auf den Glauben allein, nicht aber auf die Werke ankommt! Das Lachen über die Narren klingt bei Hans Sachs freier als bei seinen Vorgängern, die letztliche Vergeblichkeit der weisen Lehre wird eingesehen:

> *„Weyl aber solche thorheyt bleibt,*
> *Was man strafft, lehret oder schreibt,*
> *So ist es lauter als verloren,*
> *Wann die welt wimelt voller thoren*
> *Inn undtern und in öbern stenden,*
> *Inn gaistlich, weltlich regimenten.*
> *Derhalb geht es, wie es dann geht,*
> *Das alle sach bawfellig steht*
> *Und alle laster gehn im schwanck,*
> *Die tugend ligt undter der panck,*
> *Weil die war weißheit wird veracht*
> *Und yedermann auff thorheit tracht.*
> *So geht es auch, als lang es mag,*
> *Und bleybet war des alten sag:*
> *Weil yedem gfelt sein weiß so wol,*
> *So bleibt das land der narren voll."*

Wir nennen eine solche Einstellung humoristisch. Sie ist für Hans Sachs kennzeichnend. Erst durch das Glaubenserlebnis der Reformation, durch die Trennung von irdischem Verhalten und Heilsgewißheit scheint sie möglich geworden zu sein. Sie erlaubt den liebevollen Blick auf die Details des Weltgewimmels, der Hans Sachs vor allen seinen Vorgängern auszeichnet.
In Werken vieler Gattungen — wir haben zu Beginn darauf hingewiesen — drückte Hans Sachs seine Lehren aus. Dabei erschloß er der deutschsprachigen, nicht gelehrten Dichtung zahlreiche neue, durch den Humanismus vermittelte Stoffbereiche, griechische und lateinische Klassiker, gelehrte Humanisten, ausländische Schriftsteller wie Boccaccio usw.
Hans Sachs ist auch der erste, der mit seiner *„Lucrezia"* nach Livius 1527 in Deutschland einen klassischen Stoff dramatisiert. Vor allem in dem Jahrzehnt von 1551 bis 1560 tritt er als Dramatiker, Schauspieler und Theaterveranstalter an die Öffentlichkeit. Schon viele Jahre zuvor hatte sich vermutlich im internen Kreis der Meistersinger eine rege Spieltätigkeit entfaltet.
Bis zur Reformation hatte Nürnberg ein recht lebhaftes Theaterleben besessen. Es war im 15. Jahrhundert durch Rosenplüt und Hans Folz bestimmt worden. Ihre Stücke waren vorwiegend derbe, ja obszöne Fasnachtspiele. Nach der Reformation sorgten strenge Ratsverordnungen dafür, daß es sowohl mit dem Überschwang der Fasnacht als auch mit der Nürnberger Spieltradition erst einmal vorbei war. Als nach einigen Jahrzehnten öffentliche Theateraufführungen wieder zugelassen wurden, unterlagen sie einer strengen Zensur und Kontrolle.
Auch Hans Sachs war davon betroffen, obwohl seine Stücke keineswegs mehr obszön waren. Aber der Rat war überaus vorsichtig. So können wir etwa den Ratsverlässen entnehmen, daß Hans Sachsens Fasnachtspiel *„Das Wildbad"* 1551 zur Aufführung nicht zugelassen wurde. Es stellt die Geschichte eines fetten Abts dar, der auf der Reise ins Bad, in dem er seine überflüssigen Pfunde

loswerden will, von einem Raubritter überfallen, eingesperrt und zu einer Hungerkur verurteilt wird; diese bekommt ihm zwar gut, er muß aber auch kräftig dafür bezahlen. Offenbar kam dieses Histörchen realen Ereignissen allzu nahe, denn der Rat verfügte: *„Hans Sachsen auf die beschehen erkundigung sein spil vom abt und ainem edelman, der in gefangen, weils daussend allerlei nachred geperen und mein herrn zu nachtail kumen möcht, weiter ze treiben mit guten wörten ablainen."* Und ein andermal heißt es: *„... Hans Sachsen warnen, mit machung derselben spil etwas behutsam zu sein, und was ainiche ergernus verursachen möcht zu umgehen."*
Man merkt, daß die Herren zu dieser Zeit mit dem in ganz Deutschland berühmten Dichter, der in einem Schreiben des Rats 1560 nicht ohne Stolz *„unser Bürger Hans Sachs, der berühmte teutsche Poet"* genannt wird, nicht mehr mit der 1527 gezeigten Schroffheit umspringen. Dennoch: je mehr man von der Wirkung seiner Gedichte überzeugt war, desto mehr war man auch entschlossen, ihm nichts durchgehen zu lassen, was irgendwie politisch unangenehm werden konnte. Dies zeigt das Satyrspiel zu Hans Sachsens Beziehungen zur städtischen Zensur, das sich am Tage nach seinem Tod ereignete.
1560 war Hans Sachsens Frau Kunigunde nach 41jähriger Ehe gestorben. Bald darauf, 1561, hatte er sich mit der 40 Jahre jüngeren Witwe Barbara Endres, geb. Harscher, die sechs Kinder mit in die Ehe brachte, wieder verheiratet. Seine eigenen sieben Kinder waren zu dieser Zeit alle schon tot. Obwohl er ein glückliches Leben führt, klagt er doch zunehmend über das Alter, das ihn mehr und mehr seiner Sinnes- und Schöpferkraft beraubt. 81jährig stirbt er am 19. Januar 1576 in seiner Vaterstadt.
Kaum wird der Tod des Dichters bekannt, schreitet die reichsstädtische Zensur erneut ein. 1552 hatte der Markgraf Albrecht Alcibiades von Brandenburg-Kulmbach das ganze Nürnberger Gebiet schwer verwüstet und die Stadt selbst belagert. Der Rat weiß, daß Hans Sachs damals — also zwanzig Jahre zuvor — mehrere Satiren gegen diesen schlimmsten Feind der Stadt geschrieben hatte, *„... die bisher nicht an den tag kommen, auch nicht gut were, das solche weiter gebracht wurden, soll man gedachts Sachsen erben beschicken und, was für gedicht der Sachs hinderlassen, zu meiner herren handen erfordern."* Die Spuren dieses Eingriffs der Zensur sind im 11. handschriftlichen Spruchbuch des Dichters, das heute in Zwickau aufbewahrt wird, noch deutlich sichtbar: die vier Blätter, die das schärfste der satirischen Gedichte enthielten, wurden fein säuberlich aus der Handschrift herausgeschnitten! Hätten nicht — höchst wahrscheinlich unter den Ratsherren selbst — Abschriften davon existiert, wäre es für uns verloren.
Dieses Gedicht — es trägt den Titel *„Gesprech von der himelfart margraff Albrechtz anno 1557"* — ist eine der wenigen persönlichen Satiren des Hans Sachs, den wir hier als politischen Dichter kennenlernen. Er erzählt darin, wie er im Traum in der Unterwelt die Höllenfahrt des Markgrafen miterlebt. Er vernimmt, wie das Volk über den Tod des tyrannischen Fürsten frohlockt. Die Geister der in seinen Kriegen ermordeten Weiber, Kinder, Bürger und Bauern verfluchen ihn, die seines Kriegsvolkes klagen ihn an, weil er sie zum Bösen verführt habe, und der höllische Fährmann Charon weigert sich, ihn überzusetzen, bevor er nicht seine Unarten, Sünden und Untugenden abgelegt und in einem großen Feuer verbrannt habe.
Dies gibt Hans Sachs Gelegenheit, das Sündenregister des Tyrannen eindrucksvoll darzustellen:

Hans Sachs, gemalt von Andreas Herneysen 1576

„Der fürst thet sich zum feuer nehen
Und schütt sein trunckenheit darein:
O, wie ward ein gestenck von wein!
Het schir erlescht das feuer gros.
Nach dem von im ins feuer schoß
Sein thiranischer trutz und frevel,
Das brennet gleich wie bech und schwefel.
Warf darein sein gotslestrung auch:
Bis auf gen himel ging der rauch.
Stürtzt auch darein sein neid und haß,
Darvor das feur erst flamen was.“

Und so geht die Aufzählung noch lange fort. Das im höchsten Grade Böse wird dargestellt als die schaurige, warnende Summe vieler einzelner Laster und Sünden; es wird nicht an den Verhältnissen, sondern an einer Person demonstriert. Man glaubt sogar zu bemerken, daß es Hans Sachs weniger um eine Invektive als vielmehr um den didaktischen, rational auf Einzelheiten unklugen und sündhaften Verhaltens reduzierbaren Gehalt des Falles geht.
Aus dem hier nochmals angedeuteten Grundprinzip seines Schaffens erklärt sich der ungeheure Umfang des Werkes dieses Dichters. Der Torheiten, Laster, Sünden und der Narren gibt es unendlich viele auf der Welt, der Stoff ist praktisch unbegrenzt. Sein Werk erfaßt den ganzen Bereich des menschlichen Lebens und spricht Menschen aller Stände an. Unermüdlich versucht Hans Sachs ihnen in Scherz und Ernst Richtlinien und Beispiele rechten, klugen und vernünftigen Handelns zu geben. Oder um es mit den Worten des Herausgebers einer Hans-Sachs-Ausgabe aus dem 17. Jahrhundert zu sagen: *„So jemandt alle seine Bücher durchlesen, wirdt er solche wundersame Materien finden, daß solche gleichsam ein Theatrum mundi, da ein jeder was Stands oder Person er möcht sein, in lieb oder leyd, schimpff oder ernst, ein sonderbare nützlich lection, und underricht darauß wird schöpffen mögen.“*

Gott geb noch lang mit Einigkeit/
Auff daß sein Lob grün/blüh vnd wachs/
Das wündschet von Nürnberg Hans Sachs.

E N D E.

Schlußvignette des „Lobspruchs der Stadt Nürnberg“

Hans Bertram Bock

JAKOB AYRER

1543—1605

Er ist vergessen, unbekannt, ein Studien-Objekt für Theater-Theoretiker, ein Zeitgenosse des unsterblichen Shakespeare: Jakob Ayrer, nach Hans Sachs der bedeutendste und fleißigste Dramatiker des 16. Jahrhunderts in deutschen Landen.
Während in Britannien William Shakespeare und seine Poeten-Kollegen Thomas Kyd, Christopher Marlowe, Thomas Heywood, Ben Jonson, John Webster und John Ford ihre ewig aktuellen, phantasievollen Dramen schmieden, muß man sich im kaiserlichen Germanien über den Nürnberger Stückeschreiber Jakob Ayrer freuen. In der komödianten-freundlichen Noris findet der 1543 als Sohn des Bildhauers Christoph Ayrer geborene Dichter die wesentlichen Anregungen und das entsprechende Echo für seine literarischen Versuche.
Über seine Herkunft und seine Ausbildung wurde in den zurückliegenden Jahrhunderten viel theoretisiert. Zuletzt versuchte ein schottischer Germanist 1892 in einer Dissertation den „Fall Ayrer" zu lösen. In der Leipziger Universität liegt Doktor Robertsons Analyse verstaubt in einer Ecke.
Das undurchsichtige Leben des Jakob Ayrer faszinierte Ludwig Tieck und den pedantischen Literatur-Reformer Johann Christoph Gottsched. Verwundert notierte der Poetik-Professor Gottsched nach der Lektüre von Ayrers *„opus theatricum"* in seiner Bestandsaufnahme *„nöthiger vorrath":* „Nun habe ich zwar noch einen geschriebenen folianten aus diesem Jahrhundert, von lauter dramatischen stücken. Es sind selbige Jakob Ayrers tragödien, komödien, fastnachtsspiele und, was am merkwürdigsten ist, singender spiele."
Der Stückeproduzent Ayrer hinterließ seinen Erben hundertsechs Spiele. Davon sind dreißig ernste und sechsunddreißig Possenspiele in seinem *„opus theatricum"* ediert worden. Drei ungedruckte Skripte lagern in der Dresdner Bibliothek.
Die Dramen-Sammlung kam 13 Jahre nach dem Tod des Dichters auf den Markt. Als der Ayrer-Sohn Fabian 1618 die 1300 doppelspaltigen Folioseiten präsentierte, stellte er einen Schlußband mit 40 weiteren Spielen in Aussicht. Es blieb bei dem Versprechen, der Nachlaß ungedruckt.

Die vorliegende Dramensammlung kann mit ihrem Bandwurmtitel durchaus den modischen Markenzeichen des Peter Weiss Konkurrenz bieten: *„Opus theatricum — dreissig ausbündtige schöne Comedien und Tragedien — vonn allerhand denckwürdigen alten römischen historien und anderen politischen geschichten und gedichten sampt noch andern sechs und dreißig schönen lustigen und kurtzweiligen fassnacht- oder possenspilen — durch weyland den erbarn und wolgelährten herrn Jacobum Ayrer, notarium publicum und gerichts procuratorn zu Nürmberg seeligen — auss mancherley alten poeten und scribenten zu seiner weil und lust mit sonderem fleiß zusammen-colligirt und ins teutsche reimen spilweiss verfasset, das man alles persönlich agirn kan, sampt einem darzu gehörigen register."*

Dieses *„Opus theatricum"* mit einer Vorrede *„an den christlichen gutherzigen Leser"* wurde noch einmal 1864 auf Kosten des *„Litterarischen Vereins Stuttgart"* verlegt. Seitdem kümmerte sich kein Buchmacher mehr um den spätmittelalterlichen fränkischen Dialog-Texter.

Daß es im vergangenen Jahrhundert zu einer erneuten Diskussion des „Falles Ayrer" und zur Neuauflage seines Dramen-Bündels kam, ist besonders das Verdienst des populären Ludwig Tieck. In seinem *„Deutschen Theater"* — Erscheinungsjahr 1817 — bewies er, daß Ayrers Werke starke Elemente des *„Englischen Komödianten-Spektakels"* beinhalten. Fahrende britische Gesellen vermittelten dem bühnenbeflissenen Jüngling Ayrer das dramaturgische Handwerk.

Ein Mixtum compositum entstand. Der bewunderte Hans Sachs diente als Vorbild. Hans Folz und Rosenplüt standen ein wenig abseits Pate. Über Parallelen zwischen dem Meistersinger-Epigonen Ayrer und William Shakespeare mutmaßte 1853 im Hamburger Morgenblatt ein Dr. William Bell: *„Es ist unstreitig, daß einige der shakespearischen stücke mit einigen der ältesten deutschen schauspiele, nemlich denen des notars Jakob Ayrer, die fabel gemein haben. Wenn man annimmt, daß seine stücke zehn jahre vor seinem tode geschrieben sein mögen, so käme man auf das jahr 1595, dasselbe, in welchem Shakespeare sein erstes stück herausgab; und da es beim damaligen mangelhaften verkehr zwischen fernen ländern sehr unwahrscheinlich erscheint, daß Ayrer an Shakespeare oder dieser an jenem ein Plagiat begangen, so ist sicher eine gemeinschaftliche quelle anzunehmen und diese kann Shakespeare nur in Deutschland persönlich kennengelernt haben. Shakespeares Sturm hat in der fabel viel mit der schönen Sidea von Ayrer, Maß für Maß manches mit der Phönicia des Nürnbergers gemein."*

So kam die Bell-Behauptung zustande, der britische Dramen-Dichter habe sich in den Fluchtjahren 1585 bis 1589 in Deutschland die Fabeln am Biertisch notiert. So müssen die Storys geläufig gewesen sein.

Jakob Ayrer griff zum Federkiel und fixierte seine Version. Intuitiv fand er die effektvolle Mischung, von der Lessing meinte: *„daß unsere alten Stücke wirklich sehr viel Englisches gehabt haben."*

Der Germanist Josef Nadler notierte: *„Ayrer hat zwar nicht der Größe, sondern dem Grundriß nach Shakespeares Schaffen widergespiegelt."*

Der Romantiker Eichendorff mochte den Stückeschreiber in seiner Geschichte der poetischen Literatur Deutschlands keineswegs loben. Für ihn *„hatte sich*

Titelblatt des „Opus Theatricum" der Nürnberger Erstausgabe von 1618

OPUS THÆATRICUM.

vnd Tragedien von allerhand Denck-
würdigen alten Römischen Historien vnd andern Politischen
geschichten vnd gedichten / Sampt noch andern Sechs vnd dreissig
schönen lustigen vnd kurtzweiligen Faßnacht
oder Possen Spilen /

Durch Weyland den Erbarn vnd wolgelährten Herrn Jacobum
Ayrer / Notarium Publicum, vnd Gerichts Procuratorn zu Nürmberg seeligen / Auß
mancherley alten Poeten vnd Scribenten zu seiner weil vnd lust mit sonderm fleiß zusammen col-
ligirt, vnd in Teutsche Reimen Spilweiß verfasset / das man alles Persönlich
Agirn kan / Sampt einem darzu gehörigen Register.

Gedruckt zu Nürmberg durch Balthasar Scherffen.

Anno M DC XVIII.

(Ayrer) aus dem englischen Nachlaß ganz besonders die Grausamkeit erwählt und ging, fast wie ein Trunkener, mit lauter Schauder, Blut und Schrecken dem schaugierigen Publikum verzweifelt zu Leib . . . Er geht wie ein lechzender Löwe der blutigen Fährte der englischen Komödianten nach, mit seinen Greuel- und Schauderstücken, Galgen- und Prügelszenen ihren Mordlärm noch überbrüllend, während er dabei mit echtdeutscher Tugendhaftigkeit von dem Hans Sachsischen Moralisieren nicht lassen kann, was eine ganz absonderliche Konfusion gibt".

Dieser Jakob Ayrer soll nach den dürftigen altfränkischen Überlieferungen *„als ein armer Junge nach Nürnberg gekommen (sein), habe in einem Eisenkram gedient und hernach selber dergleichen Krämerei angefangen und sich sodann den Namen Ayrer und ihr Wappen zugeeignet. Als sein Eisenhandel zurückging und sein Vermögen fast völlig aufgezehrt war, ging er nach Bamberg, legte sich auf die Schreiberei und lernte durch Not, Übung und Lesen so viel, daß er Hof- und Stadtgerichtsprokurator daselbst wurde und sich mit vielen Kindern gut ernährte. Jedoch begab er sich der evangelischen Religion wegen wieder von Bamberg weg und kam abermals nach Nürnberg, wo ihm der Rat 1594 das Bürgerrecht verehrte und er Gerichtsprokurator wurde. Er war auch kaiserlicher Notarius und starb 1605".*

Hypothesen, kein stichhaltiger Beweis über die Herkunft.

Bildhauer-Sohn?

Sproß eines Unbekannten?

Der Name bringt kaum neue Erkenntnisse für den Stammbaum. In der Noris sind mehrere Träger des Namens Ayrer bekannt. Und Ayrer heißt nach Deutung des Grimmschen Deutschen Wörterbuches *„Eierhändler"*.

In einem Fasnachtspiel umriß Ayrer sein wechselvolles Leben mit ein paar Zeilen, präsentierte seinem Publikum blanke Ironie:

„Ist etwan gewest ein Kauffmann,
Als es ihm wart ubel gangen,
Hat er die Schreiberey angefangen,
Damit hat er's so weit gebracht,
Daß man ihn hat Notari g'macht."

Will man über den Charakter und die Fähigkeiten des Jakob Ayrer mehr erfahren, muß man mit naivem Sinn dem Preislied glauben, das der Dramen-Sammlung beigeheftet wurde.

„Der Erbar und wohlgeübt Herr,
wie auch Sinnreich, Jacob Ayrer,
Notarius und Procurator,
Am Stadt und andern Gerichten Orator,
Ein Mann auffrecht von Ehren Vest,
Ist auch ein guter Poet gewest,
Der seine Scripta und Gedicht
All auff eine bsondere Art gericht,
Kurtz, Gut, Anmutig und Außbündig,
Wie auß diesem Werk ist kündig,
Welchs seinen Meister Lobt und Preist,
Als der sich darinn hat befleist,

Die Traurig-Langweiligen Gmüter
Durch kurtzweil zu erquicken wider,
der gstallt, wer drinn hat gefangen an
zu lesen, fast nicht auffhören kan,
Sintemal auch gemeingklich hinnen
Viel gutr heilsamer Lehr zu finnen,
Jederman Jung und Alt zum besten,
Wann sie sich nur drein zschicken westen,
Das böß zu meinen, aber das gut
Stets zu behaltn in guter hut.

Silberne Henkelmedaille mit dem Bildnis Jakob Ayrers nach einem Holzschnitt von Trambauer. Die Rückseite zeigt das Wappen des 1719 ausgestorbenen Nürnberger Zweiges der Familie Ayrer: im Schild ein springendes halbes Reh mit einem Pfeil in der Brust

Wer diß Buch kaufft, wird sich drob freuen,
Sein Gelt ihn nimmermehr gereuen,
Sondern zu aller wolfahrt gedeien."

Daß die Dramen-Sammlung ein Bestseller werden sollte, dürfte vor allem den Ayrer-Clan interessiert haben.
Bereits 1597 hatte die Familie mit der Edition eines 700-Seiten-Opus einen geschäftlichen Erfolg erzielt. Jakob Ayrer — im Nürnberger Heugäßlein wohnhaft — machte sich mit seinem gleichnamigen Sohn als Partner um die Publikation des Juristen-Opus *„Belialsprozeß"* verdient. Dieses fundamentum juris hatte Ayrer einst als Lehrbuch gedient, als er sich autodidaktisch vom Schreiber zum Prokurator mauserte. Jetzt zeigt er sich als meisterhafter Bearbeiter. Seine populärwissenschaftliche Deutung findet reißenden Absatz.
In Frankfurt, wo zehn Jahre vorher das Faustbuch herauskam, erscheint auch Ayrers Belial. Mephistophelische Geschichten sind beliebt; Belial schwimmt auf der Konsumwelle. Der Titel deutet trocken den Inhalt an:
„Historischer Processus juris, in welchem sich Lucifer über Jesum, weil er ihn die Hölle eingenommen und die Gefangenen daraus erlöst, auf das heftigste beklagt. Darinnen ein ganzer ordentlicher Prozeß von Anfang der Citation bis auf das Endurteil in erster und anderer Instanz gehandelt wird."
Der Verkaufserfolg war mit dem *„Opus theatricum"* nicht wiederholbar. Er blieb ein Wunschtraum. Theater lebt von der Realisierung auf der Szene, wird bei der Lektüre eines Dramas häufig nicht plastisch. Die Assoziationskette schließt sich nicht. Und Ayrers Figuren leben von der Aktion, von der Resonanz. Während Hans Sachs sich mit seinen Stücken den Zunft-Zirkel erschloß, suchte Ayrer mit der Synthese aus Sachs und Briten-Bühne einen größeren Radius zu schlagen. Der erträumte Erfolg stellte sich nicht ein, und die Nachgeborenen blieben auf den Dramen sitzen.
Zur Ayrer-Familie gehörten (neben der zur Bescheidenheit verurteilten Frau) sechs Söhne und fünf Töchter. Drei Söhne schickte Ayrer auf die Hochschule. Zwei Sprößlinge studierten Jura, der dritte Medizin. Sohn Fabian rückte nach dem Tode des Vaters auf den Procurator-Posten.
Im Nürnberger Archiv heißt es lakonisch: *„26. Martii 1605 starb der erbar Jacob Ayrer der elter, publicus notarius und der gerichten procurator, im heugäßlein."*
Von dem Schicksal der Erben existieren keine Zeugnisse. Die Zeit verwehte die Spuren. Es zählen allein die gedruckten Dialoge und lyrischen Versuche des poetischen Selfmade-Mannes.
Im *„Deutschen Dichterlexikon"* des renommierten Gero von Wilpert, das 1963 im Kröner-Verlag herauskam, steht kurz und bündig über Jakob Ayrers Schaffen, es sei in den Jahren zwischen 1592 bis 1602 entstanden: *„Im Gegensatz zum sonst meist episierenden deutschen Theaterstil reich an überraschenden,*

eindrucksvollen Begebenheiten und Zufällen, Steigerung bis zu grellen Bühneneffekten und Freude am Derbgemeinten. Bei aller guten Laune Verrohung und Vergröberung der Vorlagen."

Wie sahen diese Vorlagen aus, die Ayrer mit seinem Hang zum Unwesentlichen, Nebensächlichen und Überflüssigen verzeichnete und damit als Thema verschenkte?

Da biegt er ohne Skrupel die Tragödie *„Julius Redivivus"* des Humanisten Nikodemus Frischlin in Aktions-Theater um. Ging es dem Kaiser-Günstling Frischlin um ein heroisches Germania-Porträt, so spiegelt die Ayrer-Fassung ein wenig positives Bild: *„Lauter grob und Barbarisch Leut, Hetten kein Kunst oder weisheit, Kein Glauben und Religion. Deß Feldbau sie sich namen an Und führten gar ein strenges lebn. Theten nach keiner Hoffart strebn. Daher ist dann das gantz Teutschlandt Fast öd gelegen alles sandt."*

Das ist Cäsars Ansicht über Deutschland nach Ayrers Willen. Bei Frischlin kommen Cicero und Cäsar für kurze Zeit aus dem Hades auf die Bühne zurück, um sich von dem Fortschritt in Germanien zu überzeugen. Und eine Textprobe von ihm zeigt die Richtung deutlich an:

„Zu der Zeit als die Teutschen warn Allein in Kriegssachen erfahrn, Da warn sie gleich als wie die Baurn, Hetten kein Stätt, Schlösser noch Maurn und mußten stets in sorgen stahn."

Ayrer, den der Shakespeare-Forscher F. Holleck-Weithmann in seinem 1902 edierten Werk *„Much Ado About Nothing"* einen *„naiven Stümper"* nennt, skizziert das Bild eines häßlichen, minderwertigen Deutschen:

„Die Teutschen seind lauter grob gselln, Barbarisch Leut und Bauern gewesen, Haben nit glernt schreibn und lesen."

Seine Zeitgenossen sieht der fränkische Dichter dagegen unkritisch; er nennt sie pauschal: *„Fürtrefflich Leut."*

Nicht viel anders als dem umgedeuteten *„Julius Redivivus"* ergeht es auch den anderen Fabeln aus der römischen und germanischen Schatztruhe. Hugdietrich, Wolfdietrich, Ornit und die *„schöne Lucretia"* fallen seiner Adaptionswut zum Opfer. In fünf Teilen mit einem ungeheuren Aufwand an Ausstattung und Personen berichtet Ayrer über Rom. Die Tragödie von der Erbauung der Stadt umfaßt allein sechs Akte. Das Personenregister fordert 30 Schauspieler. Da fehlen weder Agrippa noch Jupiter. Da darf sich Lucifer einschleichen und über die Entstehung der City monologisieren:

Comedi Erster Theil/
Vom HuegDi-
terichen / vnd seinem Sohn
Wolff Dieterichen / König in Grie-
chenland/ wie es jnen beden ergangen/
mit 22. Personen/hat 6. Actus.

„Oho, diese zwen junge Knaben,
Die der Hirt hat auffgehaben,
Die send meine Diener und Knecht,
zu dem angfangen werck gar recht.
Wenn sie kommen zu ihren tagn,
Solln sie den König zu todt schlagn,

Iren Anherrn setzt in sein Reich,
Sich auch zu Königen machn gleich.
Einer den andern erschlagen wirdt.
Der ander soll an diesem ort
Anrichten vil Krieg, Raub und Mord,
Biß er auch entlich würd erschlagen.
Was thu ich hie all ding lang sagen?
Ich treib durch meine anschleg blendt
Und diese meine Instrument
In der Welt solche wunderthat,
Daß man davon zusagen hat,
Weil diese zeitliche Welt steht.
Ey, wenn nur niemand gehöret het!"

Tragedi Erster theil/
Von Erbauung
der Stadt Rom / vnd wie
sich jhr grosser Gewalt angefangen hat / vnnd hat sechß
Actus / mit dreissig
Personen.

Diese Kaspar-Fröhlichkeit des bösen Geistes, diese Geschwätzigkeit und schablonenhafte Charakteristik einer Figur zeigen deutlich die Schwächen des Dramatikers Ayrer. Er nimmt die Spannung vorweg, prophezeit in Holperversen die bevorstehenden Querelen zwischen Romulus und Remus.
Neu auf dem Dramenmarkt sind jedoch die Bühnenanweisungen. Ayrer hat genaue Vorstellungen von der Szene, der Aktion. Er liebt das naturalistische Gebaren, den Schau-Effekt, die starken Kontraste:
„Er lest das Kindlein nunter und geht weg. Wenn mans haben kan, soll ein Wölffin das Kind weg tragen und in ein Ecken legen. Der König mit dem Herdegund und zweyen Trabanten geht ein . . ."
So eine Anweisung in der Hugdietrich-Komödie. Im *„Julius Redivivus"* wird er noch ausführlicher:
„Er reißt die Büchsen rab, spandt sie, schüet Pulver auff und zeucht den Hannen herrüber und trücket lohs. Julius fellt auff die Knie, hebt die Händ auff."
Die ersten Schreibversuche machte Jakob Ayrer 1570. Seine Reimchronik von der Gründung Bambergs zeigt ihn als reinen Epigonen. Sklavisch hält er sich an die vierhebigen Reimzeilen des Hans Sachs. 72 Personen verlangt der Besetzungszettel. Kurfürsten, Trabanten, Komödianten, Edelknaben und Spielleute treten auf. Heinrich der Zweite wird gekrönt. Der Aufmarsch und Prunk überdecken den Text. Im siebten Akt darf Hofmeister Babo — laut Bühnenanweisung — 32 Söhne und acht Töchter auf das Podium führen. Dazu plaudert er munter:

„Ihr lieben Söhn, stellt euch allsander
Fein in Ordnung neben einander
Und also, das der Eltest schon
Allmahl dem Jüngsten steh voran!

Deßgleich ir Töchter auff die seiten
Steht auch nacheinander von weiten
Fein auffgericht! es wird jetztunder
Der Keiser zu uns gehn herunder.“

Bambergs Reimchronik, die mit Kaiser Heinrichs Tod endet, schloß Ayrer mit der Drohung ab:

„Wenn aber Gott gibt weiter Gnad
Und euch die gschicht gefallen hat,
So machen wir andermal mehr.“

Zu dieser Arbeit meint Gero von Wilpert: „Unbedeutend!“
Als Nachahmer der englischen Jigs, der Bühnentanz-Spiele mit verteilten Rollen, des singenden Possenspiels, ist Ayrers Bedeutung für das deutsche Theater jedoch nicht zu unterschätzen. Zu den Melodien meist komischer, bekannter Balladen ersann er seine Storys. So berichtet er in 43 Strophen in seinem ersten Singspiel *„Von dreyen Bösen Weibern, denen weder Gott noch ihr Männer Recht thun können, ins Rohlands Thon, mit sechs Personen“.*
Da streiten sich zwei Männer unnütz um die Ehre der Weiber. Da lockt der Abraham den Wolfrum mit einem Song aus der Reserve.

„Was weist du dann von meiner Frauen,
Du loser Lumpen Mann?
Thu selbst auff dich und deine schauen!
Wart, wastu hast zu than!
Du willst ein andern lehren,
Wie er sich halten sol,
Und fehlt dir selbst an Ehren,
Wie du es weist gar wol.“

Nach der Theorie des Franken-Forschers Wilibald Wodick *„fußt Ayrer zum Teil auf dem englischen Jig und ist beeinflußt durch einheimische Traditionen, zum Teil beeinflußt er die weitere Ausgestaltung des Singspiels und gab vielleicht den Anstoß zur weiteren Entwicklung, bis zu unserer Operette“.*
Ayrer als Ur-Ahne von Offenbach, Léhar, Stolz und Edmund Nick? Texter und Melodien-Verwerter der leichten Muse?
Keine schlechte Theorie für Jakob Ayrer. So bleibt ihm doch noch eine Prise Originalität. Er steht im Schatten seines Landsmannes Hans Sachs. Diese Persönlichkeit erschlägt ihn, läßt ihm keine Möglichkeit, sich zu entfalten.
Der Papier-Dichter Ayrer übernimmt kritiklos die Sachssche Stoffgier, den im englischen Theater entdeckten Pickelhering — die lustige Person —. Während Sachs seinen Stoff bewältigt, erliegt Ayrer der Fabel. Das Buch wuchert. Das bei Hans Sachs primitive Podium ist bei Ayrer eine utopisch-phantastische Dekorations-Bühne.

Ein Faßnacht/
spil auß dem Ritten orden/
deß Podagrischen Fluß mit
fünffzehen Personen.

Jakob Ayrer war mit sich zufrieden. Er setzte sich in dem Singspiel *„Aus dem Ritterorden des Podagrischen Fluß“* als Ulysses ein bezeichnendes Denkmal:

> *„Einem Procurator gebürt,*
> *Daß er getreu und fleißig sey*
> *Und versteh den Proceß dabey.*
> *Wenn er das thut, so kan er genug.“*

Als diese Verse entstanden, ließ William Shakespeare den Melancholiker Jaques in *„Wie es euch gefällt“* auftreten und das ganze Leben in ein Spiel heben:

> *„Die ganze Welt ist Bühne*
> *und alle Frauen und Männer bloße Spieler.*
> *Sie treten auf und gehen wieder ab.*
> *Sein Leben lang spielt einer manche Rollen*
> *durch sieben Akte hin.“*

Der *Schauspieler* Shakespeare überlebte den Zeitgenossen Jakob Ayrer um elf Jahre. Ein Vergleich zwischen den beiden *Bühnenautoren* und *Lyrikern* ist unmöglich.

Gedruckt zu Nürnberg/durch
Balthasar Scherff.

Im Jahr M D C X.

Schlußvignette der Erstausgabe des „Opus Theatricum“

Karlheinz Goldmann

JOHANN MICHAEL DILHERR

1604–1669

Vor 300 Jahren, *„am grünen Donnerstag, den 8. April 1669, entschlief sanft und selig von seinem Erlöser der ‚WohlErwürdig- und Hochgelehrte Herr Johann Michael Dilherr', gewesener vorderster Prediger, Bibliothecarius und am Auditorio Aegidiano Professor der Theologie, der Philosophie und orientalischen Sprachen, wie auch des Gymnasii und anderer Schulen Director und sowohl derselben als aller Stipendiaten Inspector etc. Er wurde am Oster-Dienstag, den 13. April, auf dem Gottesacker zu S. Rochus in sein Ruhkämmerlein gelegt".*

Die Familie Dilherr leitet ihren Stammbaum ab von Leonhard Dilherr, Altbürgermeister von Giengen, dessen ältester Sohn Rochus, Kanzler des Bischofs von Dillingen, die österreichische Linie und Magnus, der zweite Sohn, die Nürnberger Linie der Dilherr von und zu Thumenberg begründeten. Michael, der dritte Sohn, dessen Frau, Ursula Schad aus Sulzbach, dem Geschlechte des berühmten Mathematikers Regiomontanus entstammte, war fürstlich hennebergischer Rat und Amtmann zu Themar, er war der Großvater von Johann Michael Dilherr, der als achtes Kind des Jurisconsultus, der fürstlich sächsischen Regierung zu Meiningen und fränkischer Ritterschaft des Orts Rhön und Werra Rat und Advokaten Johannes Dilherr am 14. Oktober 1604 in Themar geboren wurde. Seine Mutter war die Tochter des Stiftsverwalters Joseph Götz zu Münnerstadt.

In der Jugend war Johann Michael Dilherr nicht auf Rosen gebettet, denn sein Vater, der Protestant war, hatte seine im Stift des Bischofs von Würzburg Julius Echter gelegenen Lehen verloren. Kurz bevor Johann Michael Dilherr 1617, ein Jahr vor Beginn des 30jährigen Krieges, in das Gymnasium nach Schleusingen geschickt wurde, verstarb auch seine Mutter. Der Konrektor der Schule erkannte früh die großen geistigen Fähigkeiten seines Schülers und sagte zu ihm, als er, der unter einem sehr strengen Rektor zu leiden hatte, die Schule vorzeitig verlassen wollte: „Lieber Sohn, habe noch ein wenig Geduld, du wirst in wenig Jahren größer werden, als alle deine praeceptors." Da er ein guter Schüler war, konnte er durch Nachhilfestunden seinen Lebensunterhalt aufbessern.

Als Zeitgenosse erlebte unser Johann Michael Dilherr den 30jährigen Krieg mit all seinen Schrecken, die er über das deutsche Volk brachte.

Mit 21 Jahren verließ er die Schule und ließ sich im Sommersemester 1623 an der Universität Jena immatrikulieren. Seine Absicht, die neu gegründete Universität Rinteln zu besuchen, scheiterte, da diese Stadt zu diesem Zeitpunkt von kaiserlichen Truppen belagert wurde. So kehrte er um in die Richtung nach Leipzig. *„Als er auf dieser Reise in Halle eingekehrt war, machte er, der völlig mittellos war, mit einem freundlichen Gastwirt Bekanntschaft, indem er nämlich des nachts zu den Tänzen von Kaufleuten aufspielte, erhielt er freie Herberge und Bewirtung. Hierbei sagte der Wirt zu ihm: ‚Iß und trink Studentlein, die zu deinem Spiel tanzen können, werden auch im Stande sein, für dich die Zeche zu bezahlen. Ich sehe du hast einen Geist, der zu allem geschickt ist, daher wird dir im Leben alles wohl gelingen'."*

In Leipzig — im Wintersemester 1623 immatrikuliert — war er Famulus des gelehrten Philologen Caspar Barth und versuchte seinen Lebensunterhalt durch die Annahme von Hofmeisterstellen bei verschiedenen Adeligen und durch Korrektortätigkeit bei Buchdruckereien zu verbessern. Von Leipzig ging er nach Wittenberg, wo er erkrankte und deshalb wieder nach Leipzig zurückkehrte. Das mag auch der Grund sein, weshalb sein Name in der Matrikel der Universität Wittenberg nicht zu finden ist.

Wie man sich leicht vorstellen kann, war es in jenen Jahren nicht leicht für einen Studenten, der kein Geld in der Tasche hatte. So war er froh, daß er als Famulus 1627 an der Nürnberger Universität Altdorf weiterstudieren konnte. Hier besuchte er die Vorlesungen der Professoren Kobe, Schwenter und Crinesius. Er erweiterte auch seine Sprachkenntnisse so weit, daß er in acht Sprachen disputieren konnte. In Altdorf wurde er auch zum poeta laureatus gekrönt. Im Sommersemester 1628 ging er dann mit einem seiner Schüler von Altdorf nach Jena, an die von Nürnbergern zu jener Zeit am meisten besuchte lutherische Universität. Hier — 1630 zum Magister promoviert — erhielt er im Oktober 1631 — 27 Jahre alt — die Professur für Eloquenz, 1635 die Professur für Geschichte und Poesie, und 1640 wurde er Nachfolger von Dr. Johann Gerhard und bekam dadurch die a. o. Professur für Theologie. Das Dekanat der philosophischen Fakultät hat er dreimal und das Rektorat der Universität Jena einmal zur Zufriedenheit der Kollegen und der Studentenschaft verwaltet. In dieser Eigenschaft und als Verwalter der Universitätsgüter hat er auch viel diplomatisches Geschick und Mut bei den Verhandlungen mit den Offizieren der schwedischen und kaiserlichen Armeen bewiesen. Sigmund von Birken berichtet in dem *„Himmel-klingenden Schaeferspiel dem Nachruhme deß hochwürdigen / fürtrefflichen und hochberümten Gotteslehrers und Professors Herrn Johann Michael Dilherrns ... gewidmet von der Blumen-Genossenschaft an der Pegnitz. Nürnberg 1669":*

„Vielbelobter unser DJLHERR ware A. 1640, eben in dieser Heil. Marterwoche, bey gröster Unsicherheit, als ein Kriegsbefehlshaber bekleidet nach Remda, das zu den Universitätsgütern gehörte, hingeritten und, ungeacht der Ort von einem Regiment Reuter rings umgeben war, glücklich hineingelanget. Sobald Er sich darinn befunden, liesse Er die Thore wol verwahren, die Trummel rühren, die Inwohner durch einen aus ihnen, der ein alter versuchter Soldat war, in Gewehr stellen und in Befehl nehmen, auch mit Doppelhacken, derer sechse im Schloß vorhanden waren, dapfer Feuer hinausgeben. Als ein Trompeter von dem Obristen hineinkame, liesse Er ihn mit verbundenen Augen vor sich bringen und befahle ihm, seinem Obristen zu sagen: Er solte samt seinen Reutern

Johann Michael Dilherr 1656

selbige Nacht mit Bier und Brod, das Er ihm hinaussenden wolte vor lieb nehmen und zum frühsten abziehen, weil sie im Schloß mit gedruckten Kaiserlichen Geleitbriefen versehen wären, widrigen falls solte ihm mit Musqueten und Doppelhacken der Weg gewiesen werden. Der Obriste deme zugleich ein Abdruck deß Geleitsbriefes mitgeschicket worden, konte sich in solchen trutzigen Bescheid nicht richten und fragte einen von den Bürgern: wer denn der Kerl wäre, der sich im Schloß so toll mache? der antwortete aus Einfalt: Es wäre der Obriste Dilherr. Gott gabe die Gnade, daß er durch diese dapfere Entschliessung geschrecket am Morgen mit den seinen ab und neben dem Schloß hin zoge. Der vermeinte Obriste Dilherr liesse an der Zinne zwischen den Doppelhacken stehend mit einer rohtsammeten Nebelmütze und weissen Feder sich sehen und hiese alles in Gewehr stehen bis das Regiment aus dem Gesicht ware. Hierauf kehrte er wieder nach Jena und brachte mit sich von Einkünften bey 1500 Reichsthaler für die Universität, welche, auser dieser seiner klugen Anstalt, den Kriegsleuten würden zu theil worden seyn."

Da sich Dilherr auch als Kanzelprediger in seiner Jenaer Zeit einen Namen gemacht hatte, wurden ihm verschiedene Predigerstellen angeboten. Eine Berufung als Prediger bei Unser lieben Frauen in Nürnberg 1641 zerschlug sich anscheinend an dem Widerstand der sächsischen Herzöge, die ihn in Jena zu halten versuchten.

„Als anno 1642 Jehn(a) mit kaiserlichem Volck unter dem commando eines Spanischen Gravens Moncado hart beleget und zimlich unsicher worden war, also, daß sich endlich kein Professor mehr getrauete, ins collegium zu gehen und seine lection zu verrichten, außer mir allein, der ich ledig und bei dem Herrn Moncado, einem gelehrten, tapfern helden, in zimlichen gnaden war und meine vier Professiones als Eloquentiae, Historiarum, Poeseos und Theologiae sicher verrichten konnte; verlohr ich nach und nach die Frequenz der Studenten, daß derer über 40 oder 50 nicht mehr da verblieben, welche aber auch wegtrachteten. Bei solchem Zustand bat ich bei den Herzogen zu Sachsen, als Nutritijs der Universität auf 4 monat dimission, willens in Welschland, biß nach Rom, zu ziehen, welche ich auch, neben einem guten vaß, gar wohl erlangete, einen eigenen Klepper kaufte, und mich, den dritten Pfingstag, alhier (in Nürnberg) bei meinem Vetter Johann Erasmus Dilherrn, einfünde, mein Fürhaben weiter fort zu setzen: wie ich denn werck und anders mehr, so dazugehörig, schon richtig gemacht hatte. Man machte mir aber die Gefahr zu Rom so groß, daß ich anstat Welschlandes, in einem strich Straßburg, Basel, Zürch, Genv und der gleichen Örter zu besuchen gedachte. Bei solchen gedancken wurde mir allerlei ehre alhier erwiesen und ich bewogen, an dem Johannisfest nach der Frühpredigt, in dem Augustiner-Kloster ein Orationem de Liberorum educatione memoriter zuhalten und mit des damahligen Herrn Kirchenpflegers h. Herrn Ulrich Grundherrn, wohladelichen Herrlichkeiten nunmehr auf das Festum Petro-Paulinum nach Altorf zu ziehen: wobei sich auch Herrn Georg Imhoffs h. wohladeliche Herrlichkeiten und der Herr Procancellarius, Herr D. Richter, beede nunmehr auch befinden. Unterwegs und draußen wurden allerlei reden geführet wegen aufrichtung eines Auditorij Publici (schon bald nach Eröffnung der neuen Schule am Egidienplatz 1633 ‚faßte man den Plan ihr, wie 1575 in Altdorf, Hochschulvorlesungen anzugliedern . . .') und meine meinung darüber begehret, welche ich unvergreiflich ertheilete: damit die jugend bei so geldklemmen läuften mit ihrem nuzen alhier länger könnte aufgehalten und den Eltern die unkosten gemindert werden."

Nach einigem Hin und Her wurde Dilherr das Direktorat über das Egidiengymnasium, die Inspektion aller Nürnberger Schulen sowie die Stelle eines Professors der Theologie, Philologie und Philosophie an dem Auditorium Egidianum übertragen. Außerdem sollte er bis zur Verleihung der nächstfreiwerdenden Predigerstelle den 3. Rang im geistlichen Ministerium nach Saubert, Hauptprediger bei St. Sebald, und Marci, Prediger bei St. Lorenz, einnehmen. Als Gehalt erhielt er 600 Gulden, wobei zwischen seinem Bericht und den Ratsverlässen eine nicht zu klärende Differenz besteht. Nach Abschluß der Verhandlungen reiste Dilherr nach Jena zurück und hielt, nachdem er seine Dimission von den sächsischen Herzögen erhalten hatte, am 10. Sonntag nach Trinitatis seine Valet-Predigt und kehrte, nachdem er ordiniert worden war, nach Nürnberg zurück. *„Seine Bücher aber waren so viele, dass sie 104 Centner wogen und vierzehn Fuhren dazu nöthig waren. Wie er nun mit selbiger Bibliotheka durch die Festung Forchheim kam, verlangte er freien Durchlaß, weil das alles freies Studentengut sei. Darauf sagte der Festungskommandant, so Graf Pappenheim war, sehr trutzig: ‚Wenn das alles Studentengut ist, muss der Herr ein vornehmer Student sein.' Hierauf erwiderte Herr Dilherr ebenso muthig: ‚Nicht vornehmer Herr Graf vor Gott, durch meine vielen Bücher, als Ihr, so Ihr zehnfach so viel Soldaten hättet. Uns beide, wie wir da sind, macht ein heiliger Spruch und Vers aus der heiligen Schrift reicher, als wenn wir alles wüssten, was in den 8000 Büchern geschrieben steht und all Eurer Soldaten Gewalt vermag.' Entgegnete der Graf: ‚Ich sehe wohl, dass Ihr ein demüthiger aber doch muthiger Mann seid!' Und liess ihn frei ziehen."*
Der seit 1639 im Bau befindliche Hörsaal des Auditorium Egidianum, in dem bis zum Ende der Reichsstadtzeit für die älteren Schüler Vorlesungen aus allen Wissenschaftsgebieten, mit Ausnahme der Medizin, gehalten wurden, wurde am 14. Oktober 1642 eröffnet.
Seine Tätigkeit in Nürnberg begann der Ecclesiastes Dilherr mit einer Visitation aller Schulen und der Examinierung von Schülern und Lehrern. An den Anfang seiner Nürnberger Lehrtätigkeit stellte er vier Orationes *„De Icaro academico"*, eine programmatische Betrachtung über die Vorlesungen und die Aufgabe des Auditoriums für die angehenden Studenten. Am St.-Andreas-Tag, den 30. 11. 1642, hielt er seine Antrittspredigt in St. Lorenz. Dilherr wollte durch seine Erziehungs- und Bildungsarbeit *„Sinn und Gedanken des Menschen auf das Leben in der kommenden Welt Gottes ausrichten"*, sein Erziehungsstil war also jenseitsbezogen. Mit seinen Reformplänen wandte er sich an die vier Erziehungsträger: Familie, Lehrer, Staat und Kirche. Seine Pädagogik hatte ihre Wurzeln in den Lehren des Reformpädagogen Ratke, später wurde er durch Comenius beeinflußt. Für die deutsche Übersetzung Sigmund Birkens, des für die Pädagogik revolutionären Werkes: *„Orbis Sensualium Pictus des Johann Amos Comenius"* las Dilherr die Korrekturen. Dilherr setzte sich auch dafür ein, daß die Stadt Nürnberg, trotz der allgemeinen finanziell schlechten Lage nach dem 30jährigen Krieg, die Universität Altdorf nicht eingehen ließ.
Als Magister Johannes Saubert, seit 1635 Hauptprediger bei St. Sebald — d. h. der Senior der Nürnberger Geistlichkeit und Vorsitzender im Scholarchate — und Stadtbibliothekar, starb, wurde Dilherr der Antistes von Nürnberg, Bücherzensor und Leiter der Stadtbibliothek. Mit Saubert hatte Dilherr manchen Strauß auszustehen gehabt, da dieser ein Mann des streng lutherischen Flügels der lutherischen Reformbewegung war und Dilherr zum linken Flügel

der Reformbewegung gehörte, den Saubert wegen seiner Unterwürfigkeit gegenüber den, wie Saubert es nannte, *„caesareopapistischen Anmaßungen des Rates“* als *„das Verderben der Stadt und der Kirche“* und als *„einen Fuchs, der in die Nürnberger Herde eingedrungen ist“*, bezeichnete.
Als Stadtbibliothekar hat sich Dilherr nicht nur um die Katalogisierung und die Mehrung des Bestandes der ihm anvertrauten Stadtbibliothek bemüht, er verstand es auch, den zahlreichen vornehmen Besuchern der Bibliothek bei seiner gewaltigen Gelehrsamkeit und seinem guten Gedächtnis durch gelehrte Diskurse zu imponieren. Sein Bericht über den etwa zwei Stunden währenden Besuch des Kaisers Leopold im Jahre 1658 wurde mehrfach – zuletzt von Bibliotheksdirektor Bock in der Zeitschrift *„Libri“* – veröffentlicht. Es spricht für Dilherr, daß er von dem Kaiser, der ihm eine Bitte erfüllen wollte, nicht einen persönlichen Vorteil forderte, sondern ihn bat, die ganze Zeit seiner Regierung den Kirchen, so der Augsburgischen Konfession zugehörend, nicht hart, sondern gnädig zu sein. Graf Portia, der den Kaiser erzogen hatte, sagte später zu Dilherr: *„Ihr seid der erste Protestant, mit dem mein Kaiser zeit meines Lebens Sprach gehalten.“* Von Roth aus wurde Dilherr von dem Erzherzog eine goldene Kette zugesandt. Dilherr hatte auch die Ehre, der Königin Christine von Schweden im Jahre 1662, dem ehemaligen Obrist-Feldherrn – hernach König von Schweden – Karl Gustav, dem Erzherzog Leopold von Österreich, den Kurfürsten von Mainz, Köln und Pfalz sowie vielen Bischöfen und Reichsfürsten die Bibliothek zeigen zu dürfen. Die Königin Christine scheint der Stadtbibliothek mehrere Bücher geschenkt zu haben, denn sie besitzt einige Werke, die früher Eigentum der Königin waren.
Über seinen Tod hinaus hat Dilherr für die ihm anvertraute Bibliothek gesorgt, indem er ihr durch Legat ein Kapital in Höhe von 1000 Gulden vermachte, von dessen Zinsen sie nach seinem Tode erweitert werden sollte. Hierdurch erhielt sie endlich die schon von dem Stadtbibliothekar Reich geforderte regelmäßige Geldzuwendung für Bücheranschaffungen. Dilherrs Porträt, ein bedeutendes Gemälde des Basler Künstlers Rudolf Werenfels, das sich noch heute im Besitz der Stadtbibliothek befindet, wurde nach seinem am 8. April 1669 erfolgten Tode von den Testamentsexekutoren, dem Prokanzler der Altdorfer Universität Magnus Fetzer und Christoph Gottlieb Dilherr, in die Stadtbibliothek gegeben. Seine Privatbibliothek aber, die er im Jahre 1642 bei seiner Berufung von Jena auf 14 Wagen nach Nürnberg transportiert hatte und die bei seinem Ableben rund 8000 Bände umfaßte, vermachte er nebst seinem Medaillenkabinett der Pfarrkirche zu St. Sebald. In seinem Testament bedachte er auch die Schulen in Themar, Meiningen und Schleusingen und stiftete für zwei arme Studenten Stipendien.
Als Antistes, d. h. Senior der Nürnberger Geistlichkeit, hat sich Dilherr bei Wahrung der Reinheit des lutherischen Bekenntnisses bemüht, zwischen den Nürnberger Theologen, unter denen sich auch Mitglieder des Pegnesischen Blumenordens, wie z. B. sein ehemaliger Schüler Daniel Wülfer – seit 1642 Professor für Logik, Metaphysik und Physik am Auditorium und seit 1652 Prediger bei St. Lorenz –, befanden, den Altdorfer Kalixtinern und den Helmstedter Professoren einerseits und den der Wittenberger Orthodoxie Zuneigenden auf der anderen Seite zu vermitteln, was aber nicht verhindern konnte, daß es 1664 zum Bruch mit den Wittenbergianern kam. Gutachtlich hat sich Dilherr schon 1646 gegen die Sekte der Weigelianer gewandt und die lutherische Lehre gegen die Kalvinisten und Sozinianer verteidigt. Wegen seiner Bemühungen

Gründlicher bericht wie es
mit meiner hiesigen vocation,
Profession und Pastorat stelle bewandt.

Als anno 1642. Jehn, mit Keiserlichem Volck, unter dem comm-
mando eines Spanischen Graven, Moncado, hart belegert, und
dermaßen unsicher worden war; also, daß ihm endlich kein
Professor mehr getrauete, ins Collegium zugehen, und eine
lection zuverrichten, außer mir allein, der ich ewig, und
diesem Herrn Moncado, einem gelehrten Cavallier selbsten,
insonderlichen gnaden war, und meine vier Professiones, als
Eloquentiæ, Historiarum, Poëeos und Theologiæ, fast
verrichten konnte: welches ich nach und nach bei
frequent der Studenten, daß deren über 40 oder 50.
nicht mehr da verblieben; welche aber auch weggetrachtet.
Bei solchem Zustand, bat ich, bei den Herren Herzogen
zu Sachsen, als Nutritijs der Universitet auf 4. monat
dimission, willens in Welschland, biß nach Rom
zu ziehen; welches ich auch, neben einem guten paß,
gar wohl erlangete, einen eigenen Wagen kauffte,
und mich, den dritten Pfingstag, alhier, bei meinem
Vetter, Johann Friedrich Dilherrn, einfand, mein
Fürhaben weiter fortzusetzen: wie ich dann wagen und
Knechtdiener, so dahingehörig, schon richtig gemacht hatte.
Man machte mir aber die gefahr zu Rom so groß, daß ich,
anstat Welschlandes, in einem strich, Straßburg, Basel,

fälschlich austragen: als ob ich dem publico gar zu viel sein, sondern allein ablrage: da doch die vierzehen jahr meines, mit Gott, verführten pastorat stelle, bei dem aerario Ecclesiastico sechstausend und etlich hundert fl. ersparet worden, die man einem andern, so ich [illegible], bei meiner damaligen übelbeschaffenen leibs disposition, wegen annehmung der praedicatur, entschuldiget, hätte geben müssen.
Ich habe je und alle Zeit in meinem beruf, einzig und allein auf die ehre Gottes, und meines Nechsten erbauung, nicht aber auf hohe ehr und grosses einkommen gesehen: sondern habe mich, mit meiner mediocri statione und conditione, vergnügen lassen: bei welchem gemüth mich auch mein Gott, die wenige übrige tage meines lebens, erhalten wird.

E museo 30. Oct. 1663.

Joannes Michael Dilherrus [illegible]

Johann Michael Dilherr: „Gründlicher Bericht wie es mit meiner hiesigen vocation, Profession und Pastorat-stelle bewandt“

um die Sonntagsheiligung hat er sich manche Feinde geschaffen. Durch Kirchenvisitationen in Stadt und Land war er um die Hebung des sittlichen und religiösen Niveaus der ihm anvertrauten Geistlichen und der Bevölkerung bemüht.
Während seiner Amtszeit wurde 1652/1658 das Konvertitenhaus im Kartäuserklosterkomplex, das denen, die zum evangelischen Glauben übertreten wollten, Wohnung und Unterhalt gewähren sollte, eingerichtet. Die 400 Bände umfassende Bibliothek, die von dem Nürnberger Buchhändler und Verleger Endter und anderen gestiftet worden war, wurde 1818 der Stadtbibliothek zugewiesen.
Für die bessere Ausbildung der Geistlichen wurde auf seine Anregung hin 1666 in Nürnberg das erste Predigerseminar Bayerns geschaffen, dessen Aufsicht sein Freund Daniel Wülfer übernahm. Es blieb nicht aus, daß man Dilherr auch an anderen Orten als Leiter des Kirchenministeriums zu sehen wünschte, u. a. wurde ihm die Generalsuperintendantur über die schwedischen Herzogtümer Pommern, Bremen und Verden und die Stelle des Hofpredigers in Dresden angeboten.
Dilherr war aber nicht nur ein guter Bibliothekar, Gelehrter, Pädagoge und Theologe, er hat auch die Musik, die bildenden Künste und die Dichtkunst nach Kräften gefördert, sicherlich nicht allein der Kunst wegen, sondern weil er sie — wie einst Luther — als Dienerinnen der Kirche betrachtete, und er sie für geeignet hielt, seine pädagogischen und theologischen Ideen zu interpretieren. Auf seine Veranlassung hin fand das große Nürnberger Musikfest am 30. 5. 1643 unter Leitung des Organisten der Sebalder Kirche Sigismund Theophil Staden statt, für das dieser den 150. Psalm nach Art unserer Oratorien in Musik gesetzt hatte, um die Geschichte der Musik in 22 Abteilungen darzustellen. Diese Aufführung, an der ein Sängerchor und 80 verschiedene Instrumente mitwirkten, wurde durch eine Rede Dilherrs: *„de ortu et progressu, usu et abusu musicae“* eingeleitet, die er in abgeänderter Form 1650 noch einmal publizierte. In dieser Rede wies er auf die Notwendigkeit hin: *„Die Musik in allen christlichen Schulen und Kirchen zu pflegen“*, und in seinem 1659 erschienenen Werk: *„Tugendschatz und Lasterplatz“* sagte er: *„Die Music hat eine absonderliche, verborgene Krafft, die Geister der Menschen zu erquicken, wie man alsbald an den kleinen Kindern sieht.“* Die enge Verbundenheit Dilherrs mit Staden geht wohl schon auf die Zeit zurück, da Stadens Sohn, Adam, 1635 von Dilherr, als dieser Rektor der Universität Jena war, dort immatrikuliert wurde. Dilherr hat Sigismund Theophil Staden, Paul Hainlein, Johann Erasmus Kindermann und David Schedlich zu religiösen Kompositionen, vor allem auch zur Vertonung von Kirchenliedern angeregt, wobei ihn seine Freunde Georg Philipp Harsdörfer, Johann Klaj und Sigmund von Birken unterstützten. Die von Dilherr und Kindermann gemeinsam verfaßten „Geistlichen Dialoge“ sind unmittelbare Vorläufer des deutschen Oratoriums.
In vielfacher Beziehung verdankten ihm auch die bildenden Künste, vor allem die Graphik, manche Anregung und finanzielle Unterstützung dadurch, daß seine zahlreichen Publikationen und die seiner Freunde mit Kupferstichen Nürnberger Meister illustriert worden sind.
Eitel, wie viele seiner Zeitgenossen, ließ er sich gern und oft porträtieren. Nicht alle Porträts tragen das Signum des Malers bzw. des Stechers. Unter den 19 Künstlern, die ich feststellen konnte, befinden sich u. a. Alexander Böner, Paul Fürst, Jakob Sandrart und Georg Strauch. Wegen seiner großen Verdien-

ste ließ ihm zu Ehren der Rat der Stadt zwei Medaillen mit seinem Bildnis in den Jahren 1664 und 1667 prägen. Schon vorher war aus Anlaß der Erneuerung der Sebalduskirche Anno 1657 eine Münze mit dem Sinnbild der Taube geprägt worden.
Dilherr stellte auch das Wort in den Dienst seines theologischen und pädagogischen Wirkens. Nicht umsonst hatte man einst Dilherr an der Universität Jena die Professur für die Beredsamkeit (Eloquenz) übertragen. So fanden denn seine Vorträge und Predigten stets großen Zulauf, die aber, sowie sie zu Papier gebracht wurden, wegen ihrer *„Weitschweifigkeit und der Neigung zu Abschweifungen und Überladung“* ihre Farbe verloren und damit auch die Wirkung auf den Leser.
Er hat in den 65 Jahren seines Lebens 47 lateinische und 76 deutsche Werke veröffentlicht, hinzu kommen 73 Programme und 32 Leichenpredigten. U. a. hat er für Gesangbücher mehr als 30 Kirchenlieder verfaßt, wobei er hier seinen Zeitgenossen, vor allem Paul Gerhardt, nacheiferte. Eines seiner Bücher wurde in die englische und ein anderes in die dänische Sprache übersetzt. Gelesen wurden seine Schriften, die zu ihrer Zeit eine große Verbreitung gefunden hatten, bereits ein halbes Jahrhundert nach seinem Tode kaum mehr. Wie Heinz Dörfler festgestellt hat, nimmt das Erzählgut, das noch dazu sehr weit verstreut ist, bei Dilherr im Verhältnis zum Umfang seiner Predigten und Schriften nur einen relativ kleinen Anteil ein. Der streng moralistische Dilherr liebte die nüchterne typologische, emblematische Darstellung. Bei dieser, den lutherischen Raum dieser Zeit charakterisierenden Einstellung mußte jede Ausgestaltung eine didaktische Funktion erfüllen. So ist es nicht verwunderlich, daß Dilherr sich selbst darüber beklagte, daß die Bauern seine Predigten nicht verstünden.
Einer seiner Schützlinge war Johann Klaj, ca. 1616 als Sohn eines Tuchbereiters in Meißen geboren. Nach zehnjährigem Studium kam der künstlerisch hochbegabte, aber verbummelte ewige Student, der wohl über dem Saufen und *„seiner dichterischen Fortbildung seine theologische vernachlässigt“* hatte, 1644 mittellos in Nürnberg an, wahrscheinlich, weil ihn der bekannte Wittenberger Literaturprofessor Buchner dem Nürnberger Patrizier Georg Philipp Harsdörffer empfohlen hatte. Hier besuchte er das unter Leitung von Dilherr stehende Auditorium Egidianum. Als Inspektor der städtischen Stipendiaten hat ihn Dilherr anscheinend auch finanziell unterstützt und ihm (1647) zu einer Lehrerstelle an der Sebalder Lateinschule und (1650) zur Pfarrei in Kitzingen verholfen. Nach Wiedemann hat Dilherr 1644 und in der Folgezeit es ermöglicht, daß die Klajschen Redeoratorien in der Kirche nach dem Gottesdienste aufgeführt wurden.
„Zu einigen dieser Stücke sind seine versifizierten Einladungen an die Kirchengemeinde überliefert. Stil und Stilhöhe dieser Gedichte stellen Dilherr neben die besten Vertreter der Nürnberger Gruppe, d. h. in die erste Reihe des zeitgenössischen Avantgardismus.“
Der dritte im Bunde war der Nürnberger Patriziersohn Georg Philipp Harsdörffer, dessen *„Frauenzimmer-Gesprächsspiele“* (1641 ff.) eine Sensation für das literarische Deutschland geworden waren und der zu den führenden Schriftstellern seiner Zeit gezählt wurde. Auf der Doppelhochzeit der Geschwister Tetzel von Kirchensittenbach am 14./24. 10. 1644 kam es zur Gründung des Hirtenordens an der Pegnitz und damit zur Blüte der deutschen Barockdichtung in Nürnberg. Dilherr *„hielt es offenbar mit seiner geistlichen*

Stellung für unvereinbar, einen Hirtennamen zu führen. Obgleich er also äußerlich dem Orden nie angehört hat, ist er auf Harsdörffer und seinen Nachfolger Birken von größtem Einflusse gewesen, hat die mit der Zeit immer mehr hervortretenden geistlichen Tendenzen des Ordens nach Kräften gefördert, das Ansehen desselben durch offen zur Schau getragene Gönnerschaft gestärkt — so lud er z. B. zu Ordenssitzungen durch lateinische Distichen des öfteren ein —, und hat zuletzt noch durch eine Stiftung zugunsten des Ordens dessen äußeren Bestand nicht unwesentlich gesichert.“

Dilherr hat auch eine größere Zahl geistlicher Lieder Harsdörffers in seinen Schriften veröffentlicht. Der Mitarbeit Harsdörffers an den 1654 erschienenen Betrachtungen über das Hohelied Salomons war es wohl in der Hauptsache zu danken, daß dieses Buch, für das Harsdörffer auch die Bilder entworfen hatte, ein großer Erfolg und fünfmal aufgelegt wurde. Dasselbe gilt auch für Dilherrs *„Christliche Welt- Feld- und Garten-Betrachtungen“* (1651), die vier Auflagen erlebten.

Den stärksten Einfluß aber hat Dilherr auf Sigmund von Birken genommen, der nach dem Tode seines Vaters (1642) als Vollwaise bei Dilherr Heim und Unterricht fand. Er hat ihn für die Universität vorgebildet. Nach drei Semestern Jura und Theologie mußte Birken jedoch aus finanziellen Gründen sein Studium abbrechen und kehrte nach Nürnberg zurück, wo er 1645 in den Pegnesischen Blumenorden aufgenommen wurde. Wohl auf Empfehlung Harsdörffers hin wurde er Erzieher des bekannten Barockdichters Anton Ulrich von Braunschweig-Wolfenbüttel. Hier wurde er 1646 zum poeta laureatus gekrönt. Wegen Unstimmigkeiten mit dem Hofe mußte er aber vorzeitig seine Stellung aufgeben, vagabundierte dann durch Norddeutschland und kehrte 1649 nach Nürnberg zurück, wo er bis auf einen dreijährigen Abstecher nach Bayreuth (1657/60) bis zu seinem Lebensende seinen Wohnsitz behielt (1681). Seine Lehrer waren in der Theologie Dilherr und in der Dichtkunst Harsdörffer, nach dessen Tode (1658) er Vorstand des Pegnesischen Blumenordens wurde (1662). Wegen seiner Publikationen anläßlich der Feierlichkeiten zum Abschluß des 30jährigen Krieges (1649/50) wurde er 1654 von Kaiser Ferdinand in den Adelsstand erhoben und ihm der Titel eines Pfalzgrafen verliehen. Wie ihm so hat Dilherr auch seinem Bruder Christian Betulius (Birken) geholfen, der 1642 zum VI. Kollegen am Gymnasium Egidianum, dessen Direktor Dilherr war, berufen wurde. Der kinderlose Dilherr war dem elternlosen Birken ein väterlicher Freund. Birken hat es ihm dadurch gedankt, daß er die Passionsblume, die Dilherr besonders verehrte, zum Wahrzeichen des Pegnesischen Blumenordens erhob. Nach dem Tode Harsdörffers nahm er, wie Dilherr selbst sagt, dessen Stelle als sein engster Mitarbeiter ein. Den Höhepunkt dieser Zusammenarbeit bildete die Herausgabe der *„Emblematischen Hand- und Reißpostille“* 1660/63, für die Birken die Emblemata entworfen und die 229 sinnbildlichen Erklärungen in Form von Liedern geschrieben hat.

Richard Mai sagt in seiner 1969 erschienenen Münchener Dissertation *„Das geistliche Lied Sigmund von Birkens“*, daß es im 17. Jahrhundert zu einer Annäherung der protestantischen Orthodoxie an den Katholizismus auf der einen und an das Sektierertum auf der anderen Seite kam, *„eine Annäherung, aus der sich schließlich in der zweiten Jahrhunderthälfte beinahe eine Vereinigung ergeben hätte“*. Bei diesen Männern, *„die sich gegen Ende des Jahrhunderts um die konfessionelle Einheit verdient gemacht haben“*, sei vor allem auch an Dilherr zu denken. *„Und hier im Nürnberg J. M. Dilherrs wurde es*

dann auch möglich — und zwar, soweit ich sehe, zum ersten Mal . . . —, das Emblem unmittelbar mit dem protestantischen geistlichen Lied in Verbindung zu bringen.“
Dilherr hat den Tod seiner Frau, mit der er zwanzig Jahre in einer glücklichen Ehe gelebt hatte, nur wenige Jahre überlebt. Er wurde unter großer Anteilnahme am 13. April 1669 auf dem Rochusfriedhof, wo vor ihm sein Töchterlein und seine Gattin die letzte Ruhestätte gefunden hatten, beigesetzt und nicht auf dem Johannisfriedhof, *„weil er das Sonntagsschießen auf dem daranstoßenden Schießhause nicht abbringen konnte . . . Als sein Grab Anno 1755 geöffnet und nach seinem Leichnam gesehen wurde, fand man solchen nach 86 Jahren noch scheinbar unversehrt und seinem Portraite bis zum kleinen Bärtchen sehr ähnlich . . . Als aber von ungefähr an den Sarg gestoßen wurde, zerfiel der ganze Leichnam in Asche.“* Die Lage seines Grabes war nicht mehr festzustellen, aber noch heute erinnert an ihn die Dilherrstraße in Nürnberg.

Frontispiz von J. M. Dilherrs „Christlichen Welt - Feld - und Garten - Betrachtungen“ mit einer Darstellung der Passionsblume, deren Vorlage Georg Philipp Harsdörffer für dieses Buch entworfen hat, das 1651 bei Endter erschien. Die Passionsblume erfreute sich Dilherrs besonderer Verehrung

Heinz Zirnbauer

GEORG PHILIPP HARSDÖRFFER

1607 – 1658

Zu einer Nürnberger Doppelhochzeit des Jahres 1644 erschien ein in der damaligen deutschen Literatur höchst eigenwillig anmutendes, seltsames Gedicht mit dem barocken Titel *„Pegnesisches Schäfergedicht, in den Berinorgischen* (= Norinbergischen) *Gefilden angestimmet von Strefon und Clajus".* Der erste der beiden Verfassernamen ist ein Pseudonym, der sich seiner bediente Georg Philipp Harsdörffer, der hier im Spiegel seiner Zeit gesehen sein soll. Das Gesicht dieser Zeit ist aus wenigen Zeilen des Gedichts sogleich erkennbar:

„Es schlürfen die Pfeiffen, es würblen die Trumlen,
Die Reuter und Beuter zu Pferde sich tumlen,
Die Donnerkartaunen durchblitzen die Lufft,
Es schüttern die Thäler, es splittert die Grufft,
Es knirschen die Räder, es rollen die Wägen,
Es rasselt und prasselt der eiserne Regen,
Ein jeder den Nechsten zu würgen begehrt,
So flinkert, so blinkert das rasende Schwert ...

Welche meine Schmertzenflamme
Treiben, sind vom Teutschen Stamme ...
Wie hat doch der Haß forthin
Gantz durchbittert ihren Sinn?
Meine Söhne, jhr seyd Brüder,
Leget eure Degen nieder!"

Die so in Reimen spricht, ist in diesem „als Spiel" geformten Hochzeitskarmen eine *„Melancholische Schäferin Pamela, die ihr einbildet, sie were das arme und in letzten Zügen liegende Teutschland";* Strefon und Clajus versuchen, sie zu beruhigen, und *„mit etwas sanfftmütigeren Geberden"* fährt sie fort:

„Entzwischen tröstet mich, daß so viel neue Feben
Erhalten meine Sprach' und Wolkenan erheben,
Was neulich Opitz geist beginnet auß dem Grund,
Ist ruchtbar und am Tag auß vieler Teutschen Mund."

In dieser kurzen Szene ist eigentlich schon alles angedeutet, was Leben und Schaffen des Georg Philipp Harsdörffer bedingt und ausmacht: sein Leben in der makabren Umwelt des vom 30jährigen Krieg geschüttelten Deutschland, mit aller Überfremdung und Sprachverwilderung, sein Schaffen auch, im Sinne „teutschgesinnten Re-Agierens", in den verspielten Formen zeitüblichen pastoral-schäferlichen Gehabens; das mag uns irgendwie absurd, ja deplaciert anmuten, es liegt jedoch hinter aller spielerischen Maske ehrlichste und ernsthafte Absicht verborgen.
Die Frage nach dem Woher solchen Wollens und nach der Form, in die es gekleidet war, nötigt uns nun aber doch zu kurzem Einblick in das Curriculum Vitae des Dichters: Georg Philipp Harsdörffer entstammt einer alten ratsfähigen Nürnberger Patrizierfamilie, die schon im 14. Jahrhundert aus dem Böhmischen nach Franken zugewandert war. Am 1. November 1607 wird er zu Nürnberg geboren. Halten wir einen Augenblick inne — 1607, unter demselben Stern erblicken auch Paul Gerhardt und Johannes Rist, die evangelischen Liederdichter, das Licht der Welt; ein Jahr zuvor wird Pierre Corneille geboren, ein Jahr danach der englische Dichter John Milton; um dieses Jahr auch entsteht zu Nürnberg das Pellerhaus, baut Elias Holl das Augsburger Zeughaus, werden Rembrandt Harmenszoon van Rijn und Joachim Sandrart, der spätere Gründer der Nürnberger Malerakademie, geboren; es erregen die „neuen" Werke eines Claudio Monteverdi die musikalische Welt, Galilei und Kepler die Naturwissenschaften ihrer Zeit. Dies nur zu „Ortung", zu Einordnung Harsdörffers in eine abendländische Sozietät der geistig Schaffenden, dieweil ja doch kaum einmal ein Dichter oder Denker, Künstler oder Musiker *allein* in seiner Zeit, in seiner Generation steht.
Weiter im Curriculum Vitae; in Stichworten: häusliche Erziehung nach dem Brauch von Zeit und Gesellschaft; seit dem 15. Lebensjahr breit angelegtes Universitätsstudium — Jus, Philosophie, Mathematik, Geschichte, alte Sprachen „und was sonst zu einer allgemeinen gelehrten Bildung jener Zeit gehört", an den Universitäten zu Altdorf und Straßburg. Von dort aus unternahm Georg Philipp Harsdörffer mit seinem Jugend- und Studienfreund Christoph Fürer die zeitübliche Studienreise — „Kavalierstour" hieß das dazumal —, die als unabdingbarer Teil patrizischer Jugenderziehung galt. So verbrachten die Freunde vier ganze Jahre auf wohlgenützter Reise durch Frankreich, England, die Niederlande und Italien, wo sie, unter anderm, einen ganzen Sommer lang zu Siena Eindrücke in sich aufnahmen, die fürs ganze weitere Leben und insbesondere für Harsdörffers Schaffen von maßgebender Bedeutung werden sollten. Ein Ergebnis dieser langen Reisejahre war die gründliche Kenntnis der Landessprachen — von der anderen „Ernte" dieser Jahre später mehr. Zunächst noch einmal zu Harsdörffers Biographie: 1631 kehrt er nach Nürnberg zurück, ein weitgereister, weltoffener junger Mann, der zudem „etwas darstellt", der, wie eine spätere Altdorfer Disputatio von ihm zu berichten weiß, *„auf den ersten Blick für sich einnahm: Gestalt und Haltung ließen auf Außergewöhnliches schließen und verschafften ihm viel Sympathie. Er hatte eine angenehme Gesichtsbildung, eine hohe, freie, glänzende Stirne ... und der lebendige Ausdruck seines Antlitzes wurde noch gehoben durch das üppige, rötlich blonde, gelockte Haar, das ihm bis auf die Schultern fiel. Seine Gestalt, deren Glieder in zierlichem Ebenmaß standen, war weder zu lang noch zu kurz geraten, wodurch sein Auftreten ungemein gewann".* Der mit solchen Vorzügen — über seine patrizische Abkunft hinaus — ausgestattete 24jährige fand

Georg Strauch: Porträt Georg Philipp Harsdörffer, Handzeichnung 1651

alsbald Verwendung im diplomatischen Dienste der Reichsstadt, so als Attaché Johann Jakob Tetzels, des nürnbergischen Vertreters im sogenannten „Consilium formatum“ zu Frankfurt a. M. Anno 1634, kam ein Jahr später ans reichsstädtische Untergericht, nach abermals zwei Jahren bereits ans Hauptgericht seiner Heimatstadt, und im Jahre 1655 schließlich in deren „Innern Rath“. Ein bürgerliches Leben reich an Ehren und Arbeit.

Woher Harsdörffer bei allso angespannter amtlicher Tätigkeit als Gerichtsherr und Senator in seiner verhältnismäßig kurzen Lebenszeit von 51 Jahren die Zeit fand, über 60 Bücher zum Druck zu bringen, nicht gerechnet die mehr denn 30 gezählten Beiträge zu den Veröffentlichungen anderer, bleibt schier rätselhaft; er muß eine außergewöhnlich „leichte Feder“ gehabt haben. Gewiß: vieles, sehr vieles ist nicht von seiner eigenen Invention, sondern Übersetzung und Nacherzählung aus fremden Sprachen. Dazu kam ihm einmal seine Gewandtheit in mehreren abendländischen Sprachen zupaß, zum andern stand es ja auch ausdrücklich im Plane seines Schaffens: mit einer europäischen Literatur in deutscher Sprache dem Lese- und Bildungshunger wie dem Unterhaltungsbedürfnis seiner Zeitgenossen entgegenzukommen, sie teilhaben zu lassen an allem Guten und Schönen, das aus abendländischen Federn floß in französischer und englischer, in spanischer und, vor allem, italienischer Sprache. Dieses Vermittelnwollen, das ebenso wie Harsdörffers eigenständiges Werk unleugbar lehrhafte Züge zeigt, zieht sich durch sein gesamtes Schaffen. Als „Schulbeispiel“ dafür wird sein Hauptwerk gelten müssen, die in ihrer Zeit und bis heute berühmten

„Frauenzimmer-Gesprechspiele, so bey Ehr- und Tugentliebenden Gesellschaften mit nutzlicher Ergetzlichkeit beliebet und geübet werden mögen (I)...“, auß Spanischen, Frantzösischen, Italienischen Scribenten in teutsche Sprach verfasset (II), und jetzund ausführlicher auf

sechs Personen gerichtet (I[2]) ... Nürnberg, Gedruckt bey Wolfgang Endter".

Acht Bände dieser Gesprächsspiele in gefälligem Taschenformat erschienen zwischen 1641 und 1649. Ihre gesellschaftsgeschichtliche Bedeutung ist beinahe einmalig zu nennen, denn es gibt, zumindest für Deutschland, kein Werk, das uns so sehr mitten in das Leben und Treiben und in die Geisteshaltung der damaligen „guten Gesellschaft" stellte; es ist bei der Mannigfaltigkeit des Inhalts dieser acht Bändchen ja auch nichts unberücksichtigt geblieben, was dem literarischen und ästhetischen Leben der Zeit irgendwie nahe lag und worüber die im Titel genannten „sechs Personen" sich nun in Rede und Gegenrede unterhalten. Über den Zweck des Werks ergeht der Verfasser sich in einem der acht Titel: er definiert es als Anleitung, wie bei den oben schon zitierten ehr- und tugendliebenden Gesellschaften *„freundliche und fruchtbarliche Gespreche aufzubringen und nach Beschaffenheit aus eines jeden sinnreichem Vermögen fortzusetzen"* seien, wie im besondern dabei dem weiblichen Teil der Gesellschaft auf leichte „spielende" Art die Kenntnis der wichtigsten Materien der damaligen gelehrten Bildung vermittelt werden solle. Dabei setzt er voraus, daß diese Gesprächsspiele *„mit holdseligen Lippen, wohlständigen Geberden, lieblicher Stimme und löblicher Bescheidenheit von derselben Liebhabern müssen ergänzt und vollständig gemacht werden";* denn — so gesteht er freimütig: *„daß darin nicht viel Eleganz zu finden, weil vielmehr auf den Inhalt der Sachen selbst und die unterschiedlichen Erfindungen gesehen"* sei, als auf einen glatten Stil, und daß er diese Gesprächsspiele bewußt, auf solches damals geläufiges Improvisationsprinzip bauend, *„nur halb geschrieben"* habe, eben im Vertrauen auf *„eines jeden sinnreiches Vermögen"!*
Mit gleicher Offenheit äußert sich Harsdörffer über die Herkunft der *Form* seiner Gesprächsspiele, also daß sie *„nicht unter die neuen, sondern erneuten*

Erfindungen zu zehlen, massen solche in Welschland üblich, und Plato, Lucian ... und andere sich dergleichen in ihren Schriften bedienet ..., von den Italienern abgesehen, welche die Frantzosen nach geahmet, und ist solche Verstandübung auch an vielen Teutschen Fürstenhöfen mit sonderem Behagen eingeführet worden ... werden aber zu Ausübung unserer Sprache deswegen für schicklich gehalten, weil solche eine freye Art, allerhand Fragen und Aufgaben zu behandeln wissen; im Ende alles das, was jungen Leuten zu wissen geziemet". Harsdörffer beruft sich also ausdrücklich auf italienische Vorbilder: da sind die *„Trattenimenti over' giuochi dilettevoli"* des Scipio Bargagli, *„dove a vaghe donne e da giovani Huomini rappresentati sono Honesti dillettevoli Giuochi ... e cantate alcune amorose canzonette"* – Harsdörffer hat von diesem Bargagli allein in die Gesprächsspiele 27 Stücke übernommen –, da sind ferner die *„Civil' Conversatione"* des Stefano Guazzo oder auch die *„Scherzi geniali"* des Giovan-Francesco Loredano, und noch ein rundes Dutzend anderer italienischer Autoren, die in diesem Sinne der *„Dialogi"* oder *„Giuochi"* dem Bildungsideal ihrer Zeit zollten und von Harsdörffer *„ins Teutsche gedolmetscht"* wurden. Von gleichgerichteten französischen Schriftstellern begegnet uns in den Gesprächsspielen der Bischof von Belley, Jean Pierre Camus, mit seinen *„Evénements singuliers"* (Lyon 1628) und, als unmittelbare Parallele, das ein Jahr nach Harsdörffers 1. Band zu Paris erschienene *„Maison des Jeux"* von Jean de la Lande, der eigentlich Charles Sorel hieß.

Die „Technik" dieser Gesprächsspiele (Giuochi-Jeux-Games) ist hier wie dort die gleiche und gleich einfach: es wird ein Sinnbild (Impresa) gezeigt, eine Geschichte oder ein Gedicht verlesen, es werden die Grundzüge des „Spiels" erklärt, und dann diskutieren die Gesprächsteilnehmer das vorgegebene Thema oder moralisieren über seinen Gegenstand. In dem *„Spiel von den Farben"* (I,83) – kombiniert aus des Bargagli *„Giuocho de' Colori"* und den *„Giuochi delle Gemme"* und *„delle figure celesti"* des Innocentio Ringhiero – beschreiben Harsdörffers „Spieler" z. B. die Eigenschaften der Hauptfarben, und setzen sie in Beziehung zu denen der Edelsteine und, für die ersten sieben, der Planeten; das sieht im Ergebnis so aus: Dem Gold entsprechen der Topas und die Sonne, dem Silber die Perle und der Mond, dem Rot der Rubin und Mars; zu Blau gehören Saphir und Jupiter, zu Grün Smaragd und Venus, *„Violbraun"* (Purpur) zum Amethysten und zum Merkur, und Schwarz schließlich zum Diamanten und zum Saturn. Eine ähnliche Gegenüberstellung der Planeten nun mit den Metallen in dem *„Planeten-Spiel"* des 2. Bandes der Gesprächsspiele steht in Parallele mit den älteren *„Canterbury Tales"* des Geoffrey Chaucer:

„Sol gold is, and Luna silver we threpe,
Mars iron, Mercurie quyksilver we clepe,
Saturnus leed (Blei) and Jupiter is tyn
And Venus coper, by my fader kyn."

Der zeitbedingte Komplex von Emblematik und Allegorie spielt in Harsdörffers gesamtem Schaffen eine beinah beherrschende Rolle, wie er es ja in der symbolüberladenen Bildkunst dieser Epoche gleicherweise tut. Der damals blühende sogenannte „Manierismus" ist eine internationale Erscheinung der Hof- und Gesellschaftskunst, die besonders gern mythologische, biblische und allegorische Elemente zu kunstvoll verschränkten Kompositionen mit weitgehend entstofflichten, ornamental aufgefaßten Figuren baut.

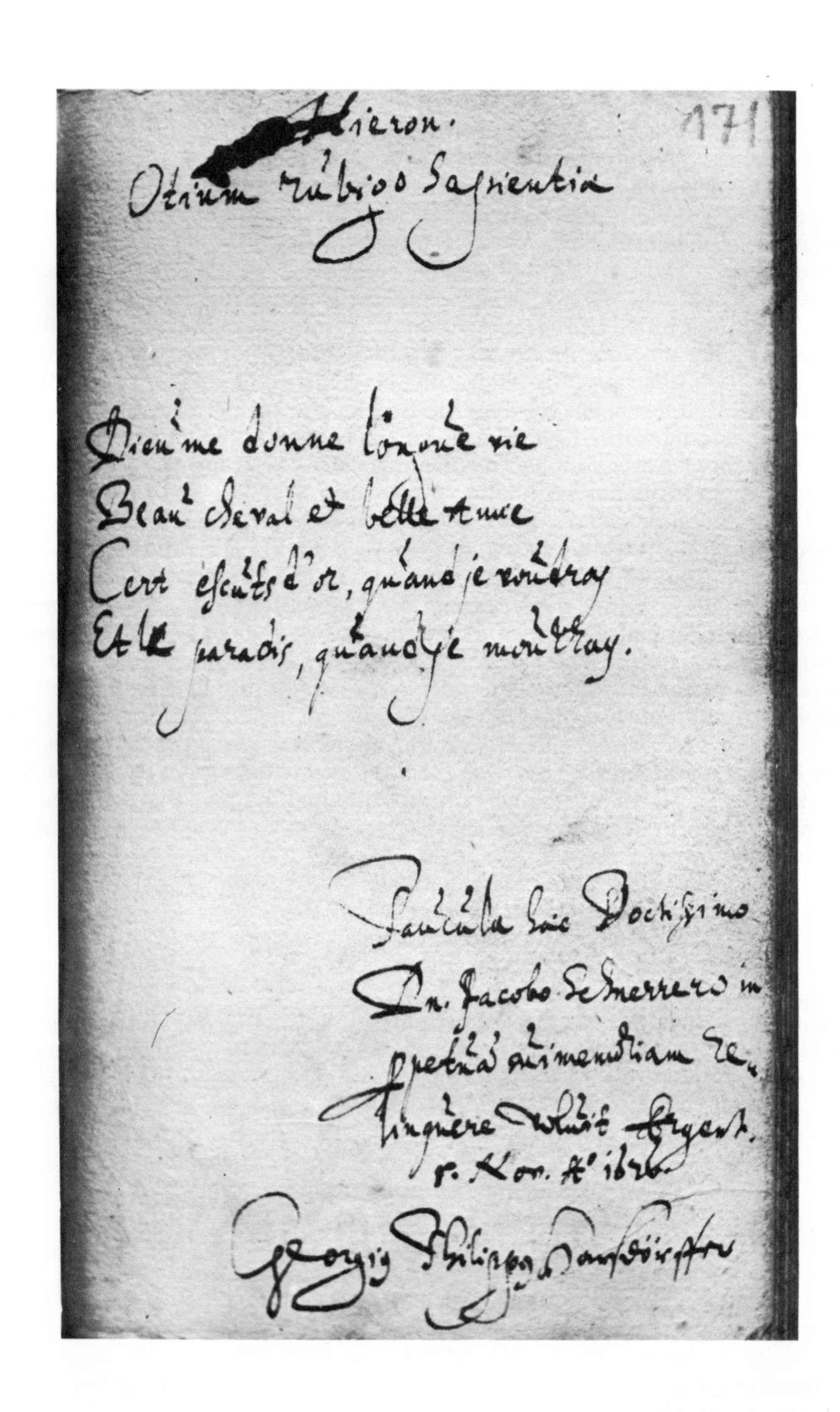

Otium rubigo sapientiae

Dieu me donne longue vie
Beau cheval et belle amie
Cent escuts d'or, quand je voudray
Et le paradis, quand je mourray.

8. Nov. Ao 1626

Georgius Philippus Harsdörffer

Französisches Gedicht. Eigenhändiger Eintrag Harsdörffers im Stammbuch des Jacob Schnerrer aus den Jahren 1623–1628

In Harsdörffers dichterischem Werk, im dramatischen wie lyrischen Anteil, geht dieser starke Hang zu Allegorie und Symbolik Hand in Hand mit fast ebenso starker Neigung zu vielfach stumm-pantomimischer Darstellung; er basiert offensichtlich auf französischen Reminiszenzen, auf Einflüssen des französischen Balletts, das Harsdörffer bei seinen zweimaligen Paris-Aufenthalten kennengelernt hat: *„Ich weiß mich zu erinnern, daß der König [von] Frankreich ... Dantzspiele von den Sternen etc. ... haben dantzen lassen."* Dazu gehörte Musik; doch auch sie bedarf bei Harsdörffer, über die klingende Verwirklichung hinaus, programmatischer Definition im Sinne der landläufigen Anschauungen über ihr Wesen, ihre Bedeutung und ihre Wirkungen, wie sie in der theoretischen Musikliteratur und selbst in den praktischen Musikwerken der Zeit vertreten werden. Die Erörterung solcher musikästhetischen Fragen in einem *nicht* fachlichen, sondern allgemein schöngeistigen Werk zeigt, daß diese Anschauungen nicht nur in Musikerkreisen Geltung hatten, sondern Gemeingut der gebildeten Welt waren. Daß der das Denken dieser Welt bestimmende Hang zum Symbolismus auch dieses Sondergebiet beherrscht, ist nicht weiter verwunderlich. Es ist das an sich auch nichts unbedingt Neues; Harsdörffer beruft sich in der Ästhetik seiner Gesprächsspiele auf die seit alters beliebten Vergleiche der Elemente der Musik mit Erscheinungsformen der Natur: *„Soviel ich mit meiner schwachen Vernunft ergreifen kann, ist unser Leben nichts anders als eine Art kunstvoller Music: Ein Teil desselben ist subtil, als die Lebensgeister, die Oberstimm und das Feuer: oder andere Mittelteil etwas gröber, als das Geblüt, die hohe Stimm, der Altus, und die Lufft: ferner gleichet das Fleisch der gemeinen Stimm (dem Tenor) und dem Wasser: dann letztlich die Gebeine der Grundstimm (dem Basso) und der Erden."* Das wird in der Folge, unter Hinzunahme der Jahreszeiten als Erscheinungsform der Natur, weiter ausgesponnen zu folgender spielerischer Konkordanz:

Discant – Feuer – Geist – Frühling,
Altus – Luft – Blut – Sommer,
Tenor – Wasser – Fleisch – Herbst, und
Bassus – Erde – Bein – Winter.

In seinem *„Tugendsterne"* benannten Spiel bringt Harsdörffer, unter Berufung auf Glareans *„Dodecachordon"* und Francesco Giorgio Venatos *„De Harmonia totius mundi"* von 1525, schließlich auch noch die Planeten in Zusammenhang mit den Tugenden und den *„Modi"*, den Kirchentonarten: demnach entsprechen untereinander:

1. *Dorius, der „dorische Ton" dem Glauben und der Sonne,*
2. *Phrygius der Hoffnung und dem Mond,*
3. *Aeolius der Liebe und der Venus,*
4. *Mixolydius der Stärke und dem Mars,*
5. *Lydius der Gerechtigkeit und dem Jupiter,*
6. *Jonicus der Vorsichtigkeit und dem Merkur und*
7. *Hyperaeolius der Mäßigkeit und dem Saturn.*

Harsdörffer bemerkt hierzu ausdrücklich, daß die Ordnung nach traditioneller Reihenfolge der *„Tugenden"* vorgenommen sei und *nicht* nach der Abfolge der Planeten und der Modi, so daß Glarean wie irgendeinem der griechischen Theoretiker wohl die Haare zu Berge stünden; aber für ihn, Harsdörffer, war die neuplatonische Astrologie eben auch nur „ein Spiel“ und die musikalische Kosmologie der alten Welt im 17. Jahrhundert von keiner realen Bedeutung mehr. Man weiß von ihr, als gebildeter Mensch seiner Zeit, und baut sie nach Belieben und Bedarf in die spekulative Spielerei allso erdachter „Gespräche“ ein.

In der praktisch-musikalischen Ausgestaltung seiner Spiele ist Harsdörffer nun ebensosehr seiner Epoche verbunden; die Vorbilder dafür haben wir, wie für die Form seiner Gesprächsspiele, wiederum in den südlichen Breiten der auf der „Kavalierstour“ berührten Länder zu suchen. Einen Hinweis gab bereits der weitschweifige Titel von Bargaglis *„Trattenimenti“*, man habe in den Giuochi *„cantate alcune amorose canzonette“* — das gilt für die vorhin zitierten *„Tugendsterne“* und gleichartige, in die Gesprächsspiele eingeordnete „Spiele“, in denen neben tänzerisch gedachten Interludien Sologesänge vorgesehen sind.

Der 4. Band der Gesprächsspiele enthält aber nun ein Stück, das als „älteste erhaltene deutsche Oper“ angesehen wird:

„Das geistliche Waldgedicht oder Freudenspiel, genant Seelewig, Gesangsweis auf Italienische Art gesetzet.“

Es ist bereits mehrfach festgestellt worden, wie sehr führende Größen der deutschen Literatur — neben Harsdörffer vor allem Opitz — sich in der dramatischen Form spürbar der neu erfundenen italienischen Oper nähern, und wie stark damals auch im Ausland die Florentiner Anschauung von der dramatischen Natur der Oper und ihrer vermeintlichen Identität mit dem altgriechischen Drama verbreitet war. Mit der *„Seelewig“* bringen die Harsdörfferschen Gesprächsspiele nun eine veritable Nachbildung des neuen italienischen *„dramma per musica“*, das gerade zu Harsdörffers Lebenszeit in den Werken eines Jacopo Peri, Emilio de Cavalieri und Claudio Monteverdi seinen Siegeszug durchs Abendland angetreten hatte. Es darf als sicher gelten, daß Harsdörffer auf seinen Reisen dieses neue italienische dramma per musica in dessen Geburtsland kennengelernt und mit freudiger Begierde in sich aufgenommen hat. Die Begeisterung darüber spricht aus seinen eigenen Worten: *„Es ist bey diesen Freudenspielen zweyerley sonderlich zu verwundern: als die Stimmen der Singer und Singerinnen, und dann der Schauplatz. Die Stimmen in den Italiänischen Helden- und Hirtenspielen sind auserlesen, und mit dem Reimgebäude auff mancherley weise dergestalt vereinbart, daß sie die Gemüter der Zuhörer gleichsam bezaubern.“* Im Sinne solch bezaubernder „Vereinbarung“ zum Gesamtkunstwerk übertrifft Harsdörffer seine Florentiner Lehrmeister sogar an Prägnanz der Anschauung; in seinem Vorwort zu dem dramatischen Spiel *„Von der Welt Eitelkeit“* (III) formuliert er ein wahres Programm des Wesens eben jenes neuen „Gesamtkunstwerks Oper“ mit den Worten: *„Ich habe vielmals betrachtet, daß nichts schicklicheres sey zu den Gesprechspielen, als die Mahl-, Reim- und Musikkunst miteinander zu vergesellschafften; können einen prächtigen Auffzug bringen ... kan doch die Bewandnis eines Dings nicht besser waar genommen werden, als durch die sichtbare Fürstellung, die vernehmliche Erregung deß Gehörs und innerliche Herzensbewegung der wohlbegründeten Ursachen.“* Der die Musik zu dieser *„Seelewig“* schrieb, war Harsdörffers Landsmann und Zeitgenosse Sigmund Theophil Staden, dem auch die übrigen Musikbeiträge in den Frauenzimmer-Gesprächsspielen zuzuschreiben sind.

Greifen wir nochmals zurück auf das eingangs zitierte Hochzeitskarmen von 1644: aus seiner Aufführung ergab sich etwas, das Harsdörffers weitreichenden Ruhm mit-verursacht hat: die Gründung des sogenannten *„Pegnesischen Blumenordens"*. Das abendländische Modell für dieses Nürnberger Dichterkränzchen, wie für alle andernorts erwachsenden ähnlichen Gesellschaften im deutschen und europäischen Raume, sind die italienischen „Accademie", die seit dem ausgehenden 15. Jahrhundert zu Florenz, Siena und Rom erstanden und im Laufe des 16. Jahrhunderts sich über das ganze Land verbreiteten. Ihr primäres Ziel, Pflege der Philosophie und Literatur der Griechen und Römer, richtete sich alsbald auf Literatur und Dichtung ihres Ursprungslandes aus. In diesem Stadium ihres Werdens und ihrer abendländischen Streuung geriet auch Harsdörffer in ihren Sog und übernahm, wie alle gleichgerichteten Gesellschaften des abendländischen Kulturkreises, mit ihren Bestrebungen auch alle merkwürdigen, ja bizarren Eigentümlichkeiten schäferlichen Gehabens und extravaganter Namensgebung der Gesellschaften wie ihrer Einzelpersonen. Es erstanden in jenen ersten Jahrzehnten des 17. Jahrhunderts, in Parallele zu den italienischen Akademien der Sieneser *„Accesi"* (der „Flammenden") oder der dortigen *„Intronati"* (der „Verdutzten") oder auch der Bologneser *„Stroditi"* (der „Staunenden"), die deutschen Orden der *„Fruchtbringenden Gesellschaft"* zu Köthen, auch *„Palmenorden"* genannt, Philipp von Zesens *„Deutschgesinnte Genossenschaft"* und der spätere kurzlebige *„Elbschwanenorden"* Johannes Rists, beide zu Hamburg, oder auch die Straßburger *„Aufrichtige Tannengesellschaft"*; in unserm Zusammenhang natürlich vor allem der *„Pegnesische Blumenorden"* Georg Philipp Harsdörffers und Johannes Klajs.

312

Klingreimen an den
Sprichwortliebenden Leſer/
Das Verbücherte Titulbildnis erklärend.

Wann der Chymiſt † ſich darff ſo freventlich vermeſſen
Zu forſchen mit Begierd' ein' neue Weibſparkunſt;
Wann aus der Erden er/ durch Feur und Sonnengunſt
Ein Bild mit Geiſt und Leib/ beginnet zu erpreſſen:
So kan man leicht an mir der Künheit auch vergeſſen/
Wann Spielweiß ich erbau' ein Bild (ohn Liebesbrunſt/)
Von Bücherangehör. Damit nun nicht umbſonſt/
Dein kluges Aug verſeh' was hierbey angeſeſſen:
So merck der Lippen Wachs/ das Ohrband ohne Degen/
Den Fleder-Kehrwiſch-bart/ der Augen Schlüſſelöhr/
Und wie dem guten Mann die Bücher angelegen.
Wann nun die erſt' Perſon hier vielleicht dich ergetzt
Auch folgend mancher Spruch dir tönet im Gehör/
So ſag nach deinem Kopff/ wie dieſer überſetzt?

Vorgeſpielet durch den
Spielenden.

† Daniel Sennert/ in ſeinem Buch/ von Eintracht und Zwitracht der Galeniſten und Chymiſten/ am 244. Blat.

Giuseppe Arcimboldi (1527–1593): Der Bibliothekar, von Harsdörffer als Titelbild für sein „Schauspiel Teutscher Sprichwörter" übernommen und der dazugehörige Text (oben) in der Erstausgabe, unterzeichnet „durch den Spielenden", wie sich Harsdörffer auch nannte

Das
Schau
Spiel
Sprichs
C. Leh man
Anto del Rio

Diese *„Pegnitzschäfer"*, wie sie auch kurz benannt werden, sind nun, soziologisch gesehen, ein „großbürgerlicher Orden von Dilettanten aus dem Nürnberger Patriziat", durch etliche herangezogene Literaten zielbewußt erweitert und ergänzt. Das organisatorische wie literarische Vorbild gaben die Ziele und Gesetze der *„Intronati"* von Siena; doch war der Nürnberger Blumenorden, auch im Vergleich mit den norddeutschen Ordensgründungen, nicht so sehr „Sprachgesellschaft" als vielmehr Poetenkränzchen mit allen Requisiten zeitüblicher Schäferidyllik, von Sprachgesellschaften und Vorbildern auch durch die Teilnahme von Frauen unterschieden, für die Harsdörffer ja auch die *„Frauenzimmer-Gesprächsspiele"* geschrieben hat. Wenn die zeitliterarische Zielsetzung nicht eine so gänzlich andere wäre, möchte man sich ob dieses femininen Gesellschaftsanteils beinahe an das wesentlich ältere italienische Modell der gleichfalls mit Musik durchsetzten „Erzählungsspiele" des Decamerone eines Giovanni Boccaccio erinnert fühlen; doch ist der Rahmen des Geschehens allzuweit verschieden, um mehr als ein flüchtiges Erinnern zu erlauben.

In Nürnberg nun „wird die barocke Maske des Schäferspiels Gemeinschaftsgrundlage, werden Bühne und Leben gewissermaßen eins". Die Schäferillusion wird zuerst in dem heute längst nicht mehr existenten „Poetenwäldchen" auf einer Pegnitzinsel gepflegt, später in einem „Irrhain" genannten Garten vor der Stadt, der heute noch rudimentär besteht, Überbleibsel eines Theaters für jene spielerische Geselligkeit, in die man damals, inmitten von Krieg und Verwüstung, sich rettete. Und doch darf solches Tun nicht nur als sozial-zeitbedingter Ausdruck einer gesellschaftlich-gelehrten Konvention begriffen werden: gerade in ihrer Zeit haben die deutschen Sprachgesellschaften ihre „echte Geschichtlichkeit"; ihre Notwendigkeit wird angesichts der damaligen Sprachverwilderung für Deutschland ebenso evident wie für die gleichgerichteten Genossenschaften Italiens oder Frankreichs. In der engeren Zielsetzung der *„Pegnitzschäfer"* ist diese Aufgabe der Sprachpflege nicht absolut programmatisch; sie bleibt der Initiative des führenden Geistes allein überlassen: so gehen aus Harsdörffers auf diesem besonderen Gebiete höchst streitbarer Feder zwei Werke hervor, die der programmatischen Aktivität der norddeutschen Schwestergesellschaften und selbst der eines Martin Opitz, des „Vaters des Gedankens", nicht nachstehen. Da ist einmal die den Gesprächsspielen *„zu einer Zugabe angefügete" „Schutzschrift für die Teutsche Spracharbeit und Derselben Beflissene"*.

Es erübrigt sich nach allem voraus Gesagten, Zweck und Ziel dieser Schrift zu erörtern, wenn wir Harsdörffer selbst das Wort geben: *„... ist zu wissen, daß die dickermelte Teutsche Spracharbeit nachfolgendes Absehen hat:*

> *1. Daß die Hochteutsche Sprache in ihrem rechten Wesen und Stande, ohne Einmischung fremder ausländischer Wörter, auf das möglichste und thunlichste erhalten werde,*
> *2. Daß man sich zu solchem Ende der besten Aussprache im Reden, und der zierlichsten gebundenen und ungebunder Schreibarbeiten befleissige,*
> *3. Daß man die Sprache in ihre grundgewisse Richtigkeit bringe, und sich wegen einer Sprache und Reimkunst vergleiche, als welche gleichsam mit einander verbunden sind,*

4. Daß man alle Stammwörter in ein vollständiges Wörterbuch samle, derselben Deutung, Ableitung, Verdopplungen, samt denen darvon üblichen Sprichwörter anfüge,
5. Daß man alle Kunstwörter von Bergwerken, Jagrechten, Schiffarten, Handwerckeren u. d. g. ordentlich zusammentrage,
6. Daß man alle in fremden Sprachen nutzliche und lustige Bücher, ohne Einmischung fremder Flickwörter, übersetze, oder ja das Beste daraus dolmetsche."

Das ist ein Anno 1644 aufgestelltes weitgespanntes Arbeitsprogramm, um dessen Verwirklichung heute noch Akademien und gelehrte Gesellschaften bemüht sind; Harsdörffer wußte wohl um solch zeitliche Spanne, denn *„also wird zu diesem hochrühmlichen Sprachbau geraume Zeit, gesamte Handanlegung aller Teutschliebenden Gemüther, aller Lehrbegierigen Sorgfalt, aller Kunstfähigen Nachsinnen ... erfordert".*
Das andere Lehrwerk aus seiner Feder geht über solches Anliegen noch hinaus; es ist die Formulierung einer deutschen Poetik seiner Zeit und hat Harsdörffer zu leider recht oberflächlicher und mißverständlicher Popularität verholfen durch seinen Titel *„Poetischer Trichter. Die Teutsche Dicht- und Reim Kunst, ohne Behuf der lateinischen Sprache, in VI Stunden einzugießen".* Das Buch ist in drei Teilen zwischen 1647 und 1653 zu Nürnberg erschienen. Seine Quintessenz: die Dichtkunst ist „eine erlernbare Sache", so, wie man „Bildung und Manieren" aus den Gesprächsspielen zu „erlernen" vermöchte. Die Grenzen zwischen Dichtung und Rhetorik, zwischen Genius und Ratio werden verwischt, wenn nicht aufgehoben — der Stift des Regisseurs (!) beherrscht die Szene: *„Der Poet und der Redner müssen eine schwarze Kohle aus der Hölle zu borgen wissen, die abscheulichen Mordgreuel eines bejammerten Zustandes zu zeichnen, und eine Feder aus der Liebe Flügel entlehnen, die herzbeherrschende Süßigkeit einer anmutigen Entzückung zu entwerffen."* Das ist barocker Manierismus in Reinkultur, jene „malerische Schilderungssucht", die das Dichten der Pegnesen im besondern beherrschte, und wir wundern uns beinahe darüber, daß die *„aus der Hölle geborgte"* Kohle lediglich „schwarz" ist und nicht, wie bei Zesen, „kohlpechrabenschwarz" sein muß. Das ist auch jene leicht fatale Mischung aus Sentimentalität und Prunkhaftigkeit, die auch aus den Künsten der Epoche spricht, die uns auch aus historischen Schaubildern der letzten Jahre, wie „Aufgang der Neuzeit" oder „Augsburger Barock", entgegenglitzert.
Auch was Harsdörffer an *„nutzlichen und lustigen Büchern"* aus der abendländischen „Produktion" seinen deutschen Lesern vorsetzt, liegt zumeist auf dieser Linie. Es wäre „ein Buch für sich", Harsdörffer als Übersetzer, als Novellisten zu zeichnen, als der er eine neue Literaturgattung in Deutschland einführte. Lassen wir es hier bei der Feststellung, daß er ein glänzender Erzähler war. In einer Reihe von Büchern mit hohen Auflagezahlen hat er Hunderte von Novellen französischer, spanischer und italienischer Autoren teils übersetzt, teils nacherzählt. Diese Sammelbände tragen so barocke Titel wie *„Der Große Schau-Platz Jämerlicher Mordgeschichte(n) Bestehend in CC (200) traurigen Begebenheiten ... Mit vielen merckwürdigen Erzehlungen und neu üblichen Gedichten".* Diese *„neu-üblichen"* Gedichte sind in Klang und Inhalt

Poetischer Trichter/

Die

Teutsche Dicht- und Reimkunst/ ohne Behuf der Lateinischen Sprache/ in VI. Stunden einzugiessen.

Erster Theil

handlend:

I. Von der Poeterey ins gemein / und Erfindung derselben Inhalt.
II. Von der Teutschen Sprache Eigenschafft und Füglichkeit in den Gedichten.
III. Von den Reimen und derselben Beschaffenheit.
IV. Von den vornemsten Reimarten.
V. Von der Veränderung und Erfindung neuer Reimarten.
VI. Von der Gedichte Zierlichkeit/ und derselben Fehlern.

Samt einem Anhang
Von der Rechtschreibung / und Schriftscheidung/ oder Distinction.

Durch ein Mitglied
der hochlöblichen
Fruchtbringenden Gesellschaft.

Zum zweiten mal aufgelegt und an vielen Orten vermehret.

Nürnberg/
Gedruckt bey Wolfgang End[illegible]

M. DC. L.

vielfach der religiösen Dichtung des 30jährigen Krieges nahe verwandt, Preislieder auch zu dessen langersehntem Ende, oder gleichfalls zeitgebundener schäferlicher Natur. Rhythmus und Reim wollen oftmals nur mit Widerstreben sich fügen, wenn Harsdörffer z. B. den Betrachter des *„Maienblümlein“* davor warnt, von seinen *„Glocken“... „eins von diesen abzupflocken“;* doch gelingen ihm auch wieder liedhafte schlichte Dinge wie der Beginn seines *„Herbst“:*

> *„Nun hebet an zu klagen die Hügel, Thal und Feld,*
> *es bringt viel Mißbehagen des rauhen Windes Kält',*
> *Es fallen falbe Blätter*
> *Und schweben in der Luft;*
> *Denn Schnee und Winterwetter*
> *Der Nordenstürmer ruft.“*

Wie aus des *„Cherubinischen Wandersmanns“* Sinnsprüchen klingt auch dies:

> *„Zu viel ist eine Last, zu wenig macht betrübt;*
> *Wer zwischen beiden steht, den hat das Glück geliebt.“*

Harsdörffer muß ja wohl auch „zwischen beiden“ gestanden haben – jedenfalls war das Leben dessen, der sich auch *„Der Spielende“* genannt hatte, voll erfüllt, als es vor 310 Jahren zu Ende ging; wie der Totenschild zu St. Sebald vermeldet:

> *„1658 den 17. September Ist in Gott selig Entschlaffen der*
> *WohlEdel, Gestreng, Fürsichtig und Wohlweiß Herr Georg*
> *Philipp Harßdörffer, des Innern Raths allhier,*
> *dem Gott ein fröliche Auferstehung verleyhen wolle.“*

Titelblatt des „Poetischen Trichters“, 1. Teil, Nürnberg 1650

Hans Recknagel

JOHANN KLAJ

1616—1656

Im Pegnitzgrund, vor den sicheren Mauern Nürnbergs, im Frühjahr Anno Domini 1644, rastete auf dem Weg zur Stadt ein Studiosus der Theologie namens Clajus. Aus der *„höchstgepriesenen Provintz Sesemin (Meißen) hat das rasende Schwert / die Rache der gesuchten Beleidigung / und das wütende Getümmel der Waffen unlängst alle Kunst und Gunst verjaget: Schäfer und Schäferinnen sind üm ihre liebe Wollenheerde gebracht / alle Dörfer / Mayerhöf / Forwerge und Schäfereyen sind verödet / Auen und Wiesen verwildert / das Gehöltze durch die Wachfeuere verösiget / Obst- und Blumengärten zu Schantzen gemachet worden. Statt der belaubten Fichten schimmern lange Spiese und Lantzen / vor die Dorfschalmeyen und Hirtenlieder höret man das wilde Feld- und Mordgeschrey der Soldaten / vor das fromme Blöken der Schafe / das Wiehern der Pferde / das Brausen der Paukken und Schrekken der Trompeten: darüm sich dann auch Klajus / ein namhaffter Schäfer / aus selbigen Orten fortgemachet / welchem nach vielen wandelbaren Unglüksfällen sein Verhängnis an den Pegnitzfluß geführet".* So schilderte Johann Klaj selbst im Pegnesischen Schäfergedicht seine Ankunft in der Noris im Jahre des Heils 1644; . . . eigentlich in den Jahren des Unheils, des 30jährigen Krieges: Das Monstrum des Deutschen Reiches war zum Sandhaufen geworden, auf dem die europäische Soldateska exerzierte — wie Seine Eminenz, der französische Kardinal Richelieu, sich ausdrückte. Die Bevölkerung war schließlich auf ein Drittel der Vorkriegszahl dezimiert. Und was hinter einer solch nüchternen Feststellung an Qual, Leid und Elend steht, mag unsere Zeit am ehesten ermessen. Ganze Landstriche, Dörfer und kleine Städte waren verwüstet, niedergebrannt und ausgeblutet. Die festen Städte von den Kontributionen an vorbeiziehende Heere, von Hunger und von der Pest ausgelaugt. Je länger dieser europäische Krieg in deutschen Grenzen dauerte, desto mörderischer, furchtbarer und sinnloser wütete er. Der schwedische General Wrangel soll wutentbrannt seinen Hut zerstampft haben, als er vom Friedensschluß zu Münster und Osnabrück erfuhr. Selbst die Kinderreime solcher Zeiten klingen anders:

„Die Schweden sind kumma,
ham alles mitgnumma,
ham die Fenster neigschlagen,
hams Blei davontragen,
ham Kugeln draus gossen
und alle derschossen.“

Ein ausgeblutetes und friedenwünschendes Deutschland spricht aus Andreas Gryphius' Sonett *„Threnen des Vatterlandes / Anno 1636“:*

„Wir sindt doch nuhmer gantz / ja mehr den gantz verheret!
Der frechen völcker schaar / die rasende posaun /
Das vom blutt fette Schwerdt / die donnernde Carthaun /
Hat aller schweis / und fleis / und vorraht auffgezehret.
. . .

und wo wir hin nur schawn
Ist fewer / pest / und todt / der hertz undt geist durchfehret.
Hier durch die schantz und Stadt / rint alzeit frisches blutt.
Dreymal sindt schon sechs jahr / als unser ströme flutt /
Von Leichen fast verstopfft / sich langsam fort gedrungen.“
. . .

Nürnberg selbst blieb relativ ungeschoren. Zwar lagerte 1632 Gustav Adolf mit seinem Heer sieben Wochen in der Stadt, ihm gegenüber auf der alten Veste Wallenstein, zwar war der Handel schier zum Erliegen gekommen und das Geld durch die ständigen Kriegskontributionen rar geworden; doch das Schlimmste blieb der Stadt erspart. Ja, sie erlebte schon während des Krieges und in der Erschöpfung der Nachkriegszeit eine gewisse kulturelle Blüte: nach der goldenen Dürerzeit, wenn nicht eine silberne, so doch eine bronzene Kulturepoche. Die Nürnberger Akademie zu Altdorf war durch allerhöchst kaiserliches Privileg im Oktober 1622 zur Universität erhoben worden. Der bedeutende Maler und Stecher Joachim Sandrart hatte sich in der Stadt niedergelassen. Homann druckte hier seine Landkarten und Atlanten. Der Polyhistor Daniel Schwenter, der Schriftsteller Francisci lebten hier; zwei der bedeutendsten Verlage der Zeit, die Endter und die Felsecker, waren in Nürnberg ansässig. Und schließlich und endlich wirkten hier die heute belächelten und damals hochberühmten Pegnitzschäfer mit Georg Philipp Harsdörffer, Johann Klaj und Sigmund von Birken an der Spitze. Harsdörffers *„Poetischer Trichter / Die Teutsche Dicht- und Reimkunst / ohne Behuf der Lateinischen Sprache / in VI. Stunden einzugiessen“* (1647) — zum Nürnberger Trichter verbalhornt — galt und gilt als eine der hervorragendsten Poetiken der Barockzeit.
Wie in der Noris, so regten sich allenthalben junge Schriftsteller und Poeten. Daß die deutsche Sprache wieder „hoffähig“, daß sie geschliffen und geschmeidigt wurde in Ausdruck und Syntax und dadurch konkurrenzfähig und selbständig blieb, ist das Verdienst dieser Generation. Inmitten des politischen Chaos keimte eine sprachliche und geistige Selbstbesinnung. Dieser Kriegs- und Nachkriegsgeneration gehörte Klaj an. Sehr wahrscheinlich wurde er 1616, wie Andreas Gryphius, also vor mehr als 350 Jahren, im Todesjahr von Shakespeare und Cervantes, zu Meißen geboren. Nach dem Baccalaureat an der Uni-

versität Leipzig (er wurde schon als Kind dort vorgemerkt) schrieb er sich in dem weniger kostspieligen Wittenberg als Student der Theologie ein. Hier erschien auch 1642 sein literarischer Erstling, ein typischer Klaj schon, was das biblische Thema anbelangt: *„Augusti Buchneri Joas, Der heiligen Geburt Christi zu Ehren gesungen. Auß dem Lateinischen ins Deutzsche versetzt Von Johanne Clajo."* Augustus Buchner, Professor der Beredsamkeit und Poesie, ein Promotor des neuen Stils (durch seine Schule ging neben Klaj ein gutes Dutzend bekannter Barockdichter), wurde von Klaj zeit seines Lebens innigst verehrt. Unter dieser Verehrung und der damit verbundenen Begeisterung für die neue Art, Verse zu machen, muß allerdings sein Theologiestudium etwas gelitten haben. Denn als Klaj mit kaum mehr als einem Empfehlungsschreiben Buchners an Harsdörffer nach Nürnberg kommt, ist er immer noch Kandidat der Theologie. Der wohlhabende Patrizier Harsdörffer, nur neun Jahre älter, aber als Gerichtsherr der Stadt bereits in Amt und Würden, war für Klaj der richtige Mann. Eine mehrjährige Kavalierstour durch Frankreich, England, Holland und Italien hatte ihn nicht nur zum Weltmann zugeschliffen, sondern ihm auch die Literatur dieser Länder vermittelt. Heimgekehrt, war er eifrig bemüht, seinen reichen Erfahrungsschatz in deutschsprachige Münze umzuprägen. Das achtbändige Kompendium der *„Frauenzimmer Gesprechspiele / So bey Ehr- und Tugendliebenden Gesellschaften / mit nützlicher Ergetzlichkeit / beliebet und geübet werden mögen"* (ab 1641) und *„Der grosse Schau-Platz jämmerlicher Mord-Geschichte. Bestehend in 200 traurigen Begebenheiten"*(1650/52) sind die Früchte solcher Versuche. Harsdörffers literarische Produktion war immens: 50 Bände, ungerechnet sein reichhaltiger Briefwechsel mit der geistigen Creme! 50 Bände in 51 Lebensjahren: das Phänomen eines Großliteraten.

Daneben nimmt sich der andere Förderer Klajs, der gelehrte Theologe Johann Michael Dilherr, eine Art Kulturreferent der Stadt, scheinbar bescheiden aus. Doch Dilherr ermöglichte es erst, daß Klaj seine Redeoratorien nach dem Gottesdienst *„bey St. Egidien in dem neuen Auditorio"* vortragen konnte. Seine Einladungsverse sorgten für ein zahlreiches und hochgestelltes Publikum: Etwa die zu Klajs erstem Oratorium zu Ostern 1644, der *„Aufferstehung Jesu Christi / In ietzo neuübliche hochteutsche Reimarten verfasset / und in Nürnberg Bey hochansehnlicher Volkreicher Versamlung abgehandelt. Durch Johann Clajen der H. Schrifft Beflissenen"*.

„Ihr grossen Vätter komt / ihr Kunstergebnen Leute /
komt / komt und höret an / was ich euch nur bedeute /
Wann morgen / liebt es Gott / der Sonnenschatten rührt
Den zweyten Zeigerstrich / wird alles außgeführt.

Komt / komt und höret an das liebliche Vermögen /
Das unser Sprache hat die Hertzen zu bewegen /
Hört dem Poeten zu / was in gebundner Weiß
In unsrer Mutterzung erlange klugen Preiß.

Nürnberg, den 23. April 1644
Johann Michael Dilherr."

PEGNESISCHES
SCHAEFERGEDICHT/
in den
BERINORGISCHEN
GEFILDEN/
angestimmet
von
STREFON und CLAIUS.

Nürnberg/ in Verlegung Wolfgang Endter.

M. DC. XXXXIV.

Titelblatt des Pegnesischen Schäfergedichts, gedruckt bei Endter 1644

Der gelehrte Theologe auf der einen Seite, der Patrizier und Kenner der europäischen Literatur auf der andern: Was konnte der mittellose Flüchtling Klaj diesen wohlsituierten Herren überhaupt bieten? Was weckte deren Aufmerksamkeit, was ließ sie aufhorchen? Vor allen Empfehlungsschreiben wohl Klajs poetisches Ingenium, dessen poetische Ader. War Harsdörffer mehr der homme de lettre, der großartige Literat und Schriftsteller, so war Klaj weit mehr Dichter aus Instinkt; bei aller ratio ein Gefühls- und Sinnenmensch. Ein Kenner der barocken Dichtung wie H. Cysarz geht so weit, Klaj *„den Größten in Nürnberg und einen der Größten in seinem Jahrhundert"* zu nennen. Die finanzielle Situation dieses Erzpoeten scheint zunächst nicht sehr rosig gewesen zu sein. Mit Privatunterricht, als eine Art Hauslehrer hat er sich mehr schlecht als recht über Wasser gehalten. Eine Eintragung in den Nürnberger Ratserlassen Anfang 1647 ist Beweis genug: *„Johannis Claji supplication, darinnen er unseren Herren seine Dürfftigkeit zu erkennen gibt und bitt, ihme und seinen studiis mit hülff zu erscheinen, damit er länger allhier zu leben habe, soll man den Herrn Kirchenpflegern und den Herrn Scholarchiis übergeben und auff ihre Hoch-Ehrwürden lediglich stellen, wie sie ihme Claij vermittels eines vacirenden Pfarrdienstes oder in anderer weg solcher gestalten eine Unterhaltung nur so lang schaffen wollen, bis etwan ein bequemer Kirchen- oder Schuldienst, dahin er befurdert werden könnte, sich erledigen möchte."* Noch im selben Jahr wurde er Lehrer an der Sebalder Lateinschule. Im darauffolgenden Jahr heiratete er eine Nürnberger Bürgerstochter, Maria E. Rhumelius, die ihren Mangel an Schönheit durch eine ansehnliche Mitgift wettgemacht haben soll. Und 1650 wurde er Pfarrherr der evangelischen Diasporagemeinde in Kitzingen, wo er mit dem katholischen Bischof von Würzburg besser auskam als mit seinen Pfarrkindern, und wo er 1656, erst vierzigjährig, an einem Schlaganfall starb.

In der Kitzinger Isolation war Klajs literarische Produktion allmählich versiegt. Nicht zuletzt deshalb, weil der literarische Zirkel, die barockem Dichten notwendige Gesellschaft, weil der geistige Ansporn und die Gemeinschaft Gleichgesinnter fehlte. Barocke Literatur ist trotz ihrer oft avantgardistischen Stillage Gesellschaftsdichtung. Der Dichter im Elfenbeinturm oder achselzuckende Verständnislosigkeit seitens des Publikums sind dieser Zeit unvorstellbar. Der Dichter spielt seine Rolle in der Gesellschaft. Scheinbare Äußerlichkeiten, wie informative und deshalb zwangsläufig ellenlange Titel oder Widmung und Widmungsgedicht, an die Leser gerichtete Vorreden und Anmerkungen, oder die mit abgedruckten Lobgedichte befreundeter Dichter; dieses „Beiwerk" erklärt sich aus dem gesellschaftlichen Charakter dieser Dichtung. Sein Osteroratorium widmet er selbstverständlich *„Denen Edlen / Ehrenvesten / Fürsichtigen / Hoch- und Wolweisen HERREN / Herren Bürgermeistern und Rahte der weitberühmten Freien Kaiserlichen Reichs-Stadt Nürnberg."* Das ist nicht nur Spekulation auf klingenden Lohn, oder gar Lobhudelei, das ist vor allem bewußtes Stehen in der Gesellschaftsordnung.

Der Flüchtling aus Meißen muß rasch Anerkennung in der Noris gefunden haben (schon 1645 wurde er zum Dichter gekrönt). Nicht allein das Stadtregiment und das Patriziat dieses Stadtstaates haben sich die Widmungen Klajscher Werke gerne gefallen lassen, auch der schwedische Kronprinz Carl Gustav von Pfalz-Zweibrücken und der schwedische Feldmarschall Wrangel. Beide weilten zu den abschließenden Friedensverhandlungen im Jahre 1650 in Nürnberg.

Klaj widmete beiden nicht nur zwei seiner schönsten Redeoratorien – er verfaßte zugleich, als eine Art Hofpoet, hymnische Beschreibungen der Festivitäten dieser Herren. Die Wertschätzung seiner Zeitgenossen verdankte er seinen sechs sogenannten *„Redeoratorien“*, das heißt gesprochenen Oratorien ohne Gesang und Orchester. Sie haben allesamt religiöse Themen als Vorlage: die Geburt Christi, den Bethlehemitischen Kindermord, Kreuzigung, Auferstehung, Himmelfahrt und den Kampf Michaels mit Lucifer. Zwar treten in diesen Stücken verschiedene Personen auf – Christus, die Jünger, die Marien, Engel und Teufel, Herodes, der Evangelist oder Poet –, doch wurden alle diese Rollen wahrscheinlich von Klaj allein gesprochen. Lediglich die Chöre, denen oft die Melodie eines bekannten Kirchenliedes unterlegt war, sind davon ausgenommen. Sie wurden wahrscheinlich vom Publikum oder von Chorknaben mitgesungen. Diese Zwitter zwischen dramatischem Schauspiel, epischem Vortrag und vollendeter Lyrik sind in der damaligen deutschen Literatur einmalig. Einmalig und großartig, zumindest im Kreis der Pegnitzschäfer, ist auch Klajs Sprachgewalt. Er beherrscht das furchtbare Crescendo eines Schlachtengemäldes:

Titelblatt zu Klajs Weihnachtsgedichten, verlegt bei Jeremias Dümler 1648

„Auf / Auf der Feind bricht ein / stost in die Heerposaunen /
Löst die Musqueten ab / verdoppelt die Carthaunen /
Fort / fort / fort setzet an / das Thor steht sperweit auf /
Die Schildwach ist erlegt / so / gehet dapfer drauf.
Der Spiele lauter Lerm / das Jauchtzen der Trommeten /
Der Stükken Donnerschlag / der Blitz der Falkeneten /
Verwechseln Furcht und Lust. Werft Feuerballen auß /
Holt Kettenkugeln her auß deß Verderbers Hauß /
Bringt seinen Amboß mit / die Aesse / Hämmer / Kohlen /
Granaten / Pandalier / Pedarten und Pistolen /
Daß es das Pulver muß außsprengen auß der Lufft /
Daß alles knakt und knikt und knastert in der Lufft.“

(Höllen- und Himmelfahrt Jesu Christi, 1644)

Frontispiz zu Klajs „Geburtstag des Friedens" bei Endter 1650

und die Idylle des Friedens:

> *„So bringt der Friede Fried: in einer Hand das Horn*
> *mit Trauben angefüllt / Granaten / Blumen / Korn;*
> ...
> *Es hecken hin und her verbuhlte Turteltauben /*
> *in einen holen Helm / in Sturm und Pickelhauben /*
> ...

Das blaue Wolckenhauß läst theure Perlen tauen /
Es fleust Purlauter Gold in Gründen und in Auen /
Die schönbegilbte Saat in schwangern ähren steht /
Das Vieh / das feiste Vieh in feistem Grase geht /
der Götter Tischtrunck reucht wann sich die Flüß ergiessen /
und gehn den Schlangengang. Die Honigbäche fliessen
mit Amber angefeucht; deß Balsams Fettigkeit
dringt durch die Rinden durch; O lang gewünschte zeit!"

(Freudengedichte der seligmachenden Geburt Jesu Christi ..., 1650)

Diese bilder- und klangreiche Sprache trug den Pegnitzschäfern und barocker Dichtung allgemein die Geringschätzung späterer Zeiten ein. Dem *„Löblichen Pegnesischen Blumenorden"*, wie sich die Pegnitzschäfer auch nannten (er war ja aus einer Gemeinschaftsarbeit Harsdörffers und Klajs, dem *„Pegnesischen Schäfergedicht"* von 1644, entstanden), hatte es der Klang, das Akustische der Sprache besonders angetan: von den verschiedenen Versmaßen, Reimen und Binnenreimen über Assonanzen und Alliterationen bis zur Klangmalerei. Die Sprache wird zum bewußten und artistischen Sprachspiel. Das charakterisiert sie unter den vielen anderen Sprachgesellschaften des Barock. Johann Klaj, der vom Poeten verlangt, daß er *„ein vielwissender / in den Sprachen durchtriebener und allerdinge erfahrner Mann sey"*, scheint von den klanglichen Möglichkeiten der deutschen Sprache fasziniert: *„Lasset uns aber hierbey auch unser Teutsches in Acht nemen / und besinnen mit was kräftig kurtzer Ausrede / nach Geheiß der innerlichen Eigenschaft / die Teutsche Sprache sich hören läst / Sie blitzet erhitzet / sie pralet und stralet / sie sauset und brauset / sie rasselt und prasselt / ... sie wittert und zittert / sie schüttert zersplittert / sie brüllet und rüllet / sie gurret und murret / sie qwaket und kaket / sie dadert und schnadert / sie girret und kirret / sie schwirret und schmirret / sie zitschert und zwitschert / sie lispelt und wispelt / sie zischet und knirschet / sie klatschet und platschet und tausend anderen Stimmen der Natur weis sie meisterlich nachzuahmen."*

(Lobrede der Teutschen Poeterey ..., 1645)

In ihrer Entdeckerfreude und Experimentierlust sind diese Klangzauberer und Sprachspieler manchmal über das Ziel hinausgeschossen. Die Kritiker späterer Zeiten, allzu sehr überzeugt vom alleingültigen Stil ihrer eigenen Zeit, machten es sich leicht, Auswüchse anzukreiden und in Bausch und Bogen zu verdammen. Ein einziges Gedicht von Klaj muß sie verstummen lassen:

„Hellgläntzendes Silber / mit welchem sich gatten
Der astigen Linden weitstreiffende Schatten /
Deine sanfftkühlend-beruhige Lust
Ist jedem bewust.

Wie solten Kunstahmende Pinsel bemahlen
Die Blätter; die schirmen vor brennenden Strahlen /
Keiner der Stämme / so grünlich beziert /
Die Ordnung verführt.

Es lisplen und wisplen die schlupfrigen Brunnen /
Von jhnen ist diese Begrünung gerunnen /
Sie schauren / betrauren und fürchten bereit
Die schneyichte Zeit.“
(Pegnesisches Schäfergedicht . . ., 1644)

Diesen Edelstein gilt es nicht zurechtzuschleifen, sondern zu fassen! Zugegeben, der Klang dieser Sprache – und dieses Gedicht ist zuallererst potenzierter Klang und Wohllaut –, der Klang dieser Sprache mutet unseren Ohren fremd an. Doch bei aller Befremdung vermag dieses Gedicht auch heute noch zu bezaubern. Brentanos Klangvirtuosität und poetische Potenz ist uns vertrauter. Was die Sprachmeisterschaft betrifft, ist aber der Pegnitzschäfer sein direkter Vorfahre. Klaj starb vor über 300 Jahren. Sein Werk kann nicht als seltene Antiquität und interessante Kuriosität abgetan werden. Die Kunst kennt den technischen Begriff des Fortschritts nicht. Sie kennt nur Möglichkeiten und Variationen.

Vignette aus dem Titelblatt „Deß zu Nürnberg geschlossenen Friedens“

Conrad Wiedemann

SIGMUND VON BIRKEN

1626–1681

Nürnberg um die Mitte des 17. Jahrhunderts ist, kulturell gesehen, ein Glücksfall. Eine geschickte Politik der Nichteinmischung hat die Stadt fast unbeschadet über den Dreißigjährigen Krieg gebracht; man ist in der Lage gewesen, Flüchtlinge aus ganz Deutschland aufzunehmen, und scheint Gelehrte, Theologen, Dichter und Künstler bevorzugt behandelt zu haben. Zu einem Zeitpunkt, da in den meisten deutschen Städten das öffentliche Leben einen Tiefpunkt erreicht hat, kann sich in Nürnberg, unter der Schutzherrschaft eines bürgerlich denkenden, aber mit aristokratischem Anspruch lebenden und regierenden Patriziats, ein vielgestaltiges, fortschrittliches Kunst- und Geistesleben entfalten.
Repräsentiert wird es vor allem durch mehrere Großschriftsteller, die in ganz Deutschland von sich reden machen. Es sind dies Johann Michael Dilherr, der liberale Schulpolitiker und Theologe, Georg Philipp Harsdörffer, der Gründer des Pegnesischen Blumenordens, der sich zur Aufgabe gemacht hat, das Fundament für eine gehobene Gesprächs- und Lesekultur in Deutschland zu schaffen, Catharina Regina von Greiffenberg, die geniale Sonettdichterin und Verfasserin mystisch-manieristischer Traktate, — und schließlich Sigmund von Birken, poetischer Arrangeur und Anreger großen Stils, Meister der hohen Panegyrik, der Schäferpoesie und des erbaulichen Kirchenliedes, Briefschreiber in alle literarischen Himmelsrichtungen, der Pritschmeister des Reiches, wenn man so will, aber auch ein barocker Literaturpapst en miniature.
Birken ist nicht das verkannte Genie, das es zu retten gilt — das sei gleich im voraus gesagt —, wichtig erscheint er uns vielmehr als literarische Schlüsselfigur der Jahre von 1650 bis 1680, wie es vielleicht keine zweite gibt. Daß Männer wie er in der Literaturgeschichte wenig bekannt sind, liegt an einem Mangel der traditionellen Literaturgeschichtsschreibung, die in ihrer Betrachtungsweise von Gipfel zu Gipfel, von Genie zu Genie fortzuschreiten gewohnt ist und dabei wenig Interesse entwickelt für die Hochebene, für das der jeweiligen Moderne allgemein erreichbare Niveau, in dessen Artefakten sich die Tendenzen der Zeit am klarsten niederschlagen. Die spezifische Leistung des Genies läßt sich jedoch nur richtig am Abstand messen, den es zur etablierten Dichtung, eben der Hochebene, gewinnt. Die Vagheit, die die Vorstellung von der

Zeit*losigkeit* aller großen Kunst umgibt, ist im wesentlichen durch das Desinteresse verursacht, das wir der Zeit*haftigkeit* künstlerischer Größe entgegenbringen.

Die uns diese Zeithaftigkeit verbürgen, sind die Dichter der zweiten deren Veranlagung weniger durch Genie als durch Instinkt und Routine geprägt ist, Männer wie Johann Christoph Gottsched, Friedrich Nicolai, Ludwig Tieck oder Friedrich Spielhagen. Zu ihnen gehört auch Sigmund von Birken, vielleicht kein „fränkischer Klassiker", aber jedenfalls ein Klassiker des Barock in Franken, wenn wir klassisch im alten Sinn von musterhaft, prototypisch, stellvertretend verstehen.

Suchen wir Sigmund von Birken, alias Sigmund Betulius, den Dichter der Zeit, am besten in seiner Zeit auf. Wir schreiben das Jahr 1649. Die Friedenbestimmungen von Münster und Osnabrück sind unterzeichnet, der Dreißigjährige Krieg und mit ihm die konfessionelle Epoche sind vorbei, das Fundament für das europäische Staatensystem, für die zukünftige Politik des europäischen Gleichgewichts ist gelegt. In Deutschland haben die Fürsten und Stände endgültig die Souveränität gegenüber dem Reich erkämpft, sie haben das Recht, selbständige Bündnispolitik zu treiben, wenn sie sich nur nicht offen gegen den Kaiser richtet. Sie entscheiden fortan über die religiösen Freiheiten ihrer Untertanen. *„Cuius regio, eius religio"*. Damit ist die deutsche Kleinstaatenmisere, der Territorialabsolutismus, das *„Monstrum"*, wie noch im selben Jahrhundert der Staatsrechtler Pufendorf sagte, aus der Taufe gehoben. Jetzt, vom April 1649 bis zum Spätsommer des folgenden Jahres, haben sich die Parteien des großen Krieges noch einmal versammelt, diesmal in Nürnberg, um auf dem sogenannten Exekutionskongreß zu beraten, wie die zahlreichen Bestimmungen des Westfälischen Friedens praktisch durchzuführen seien. Die Verhandlungen sind langwierig und verbissen, doch das hindert die Beteiligten nicht, eine Reihe glanzvoller Feste zu inszenieren: Banketts, Landpartien, Armbrustschießen, Maskeraden, Festspiele, Feuerwerke. Es sind gleichsam Vorübungen für die zukünftige Einrichtung der Hoffeste, die Selbstdarstellung des absoluten Souveräns. Für die Künstler und Kunsthandwerker der Stadt herrscht Hochkonjunktur.

Niemand von Rang und Namen, der seine Dienste nicht anböte: der Maler Joachim von Sandrart, die Komponisten Sigmund Theophil Staden und Johann Erasmus Kindermann, die Dichter Georg Philipp Harsdörffer und Johann Klaj. Dazu kommen gute Chöre und Instrumentalisten, routinierte Kupferstecher und vor allem ein halbes Dutzend rühriger Verleger. Man empfiehlt sich den anwesenden Standespersonen durch Dedikationen, hofft auf Geschenke, auf Ämter oder nur auf einen großen Auftritt.

Das ist die Stunde des 24jährigen Sigmund Betulius, Pfarrerssohn und Theologiestudent ohne Abschluß und Mittel. Daß er P. L. C. hinter seinen Namen setzen darf, Kaiserlich gekrönter Poet, will nicht allzu viel besagen; schon damals muß man kein Petrarca mehr sein, um sich diesen Titel zu erdichten, wenngleich er auch noch nicht für ein paar Taler zu kaufen ist, wie wenige Jahrzehnte später. Was er seinen Künstlerkollegen jedoch wesentlich voraus hat, ist eine einjährige Hoferfahrung, die er sich als Prinzenerzieher in Wolfenbüttel, einem der fortschrittlichsten und kunstfreundlichsten Höfe Deutschlands, erworben hat. Er kann die politischen Tendenzen und damit das legitimistische Interesse der Fürsten an der Kunst wohl ziemlich konkret abschätzen.

Kupferstich von Jacob Sandrart aus der zweiten Hälfte des 17. Jahrhunderts

Während etwa sein poetischer Mentor Harsdörffer aus seiner Parteilichkeit gegen die Kaiserlich-Katholischen in einem Gedicht kein Hehl macht und dafür vom politisch übervorsichtigen Rat der Stadt zu ein paar Tagen Karzer verurteilt wird, bemüht sich der protestantische Theologe Betulius erfolgreich, eben jenen Kaiserlichen als der einflußreichsten und kultiviertesten der anwesenden Delegationen, seine poetischen Dienste abzubieten. Während Harsdörffer und Klaj, die Ordensgenossen, in ihren Friedensgedichten das Hauptgewicht auf die virtuose sprachliche Darstellung der Friedensfreude und der festlichen Ereignisse legen, steht bei Betulius die Ehrung der beteiligten Standespersonen im Vordergrund. Als Octavio Piccolomini, Fürst von Amalfi, das Haupt der kaiserlichen Delegation, für den 16. Juni 1650 den Kongreß und die Stadt zu einem solennen Abschlußfest einlädt, erhält Betulius den Auftrag, ein allegorisches Festspiel dafür zu schreiben. Unter dem Titel *„Teutscher Kriegs Ab- und Friedens Einzug“* wird es zu einem Riesenerfolg. Die Söhne der angesehensten Nürnberger Patrizierfamilien posieren in den Hauptrollen. Noch vor der Aufführung wird jedem der vornehmen Gäste aus ganz Europa eine Druckfassung des Stückes überreicht. Zusätzlich hat Betulius die emblematische Ausschmückung des Festgebäudes besorgt und dabei unmißverständlich die Idee einer weltlichen Hierarchie, gipfelnd im Kaisertum, dargestellt.

Auf vielfältige Weise betreibt er so die Propaganda des Souveräns, und stets schlägt sie als Propaganda seiner selbst auf den Dichter zurück. Wir müssen uns freilich hüten, mit dem barockfeindlichen 18. und 19. Jahrhundert derartige literarische Verfahrensweise als plumpen Byzantinismus zu verurteilen. Die literarische Intelligenz des 17. Jahrhundert, die vom lateinischen Humanismus geprägt und Martin Opitz zu Beginn des Jahrhunderts in die Deutschsprachigkeit gefolgt war, hatte im Ständesystem keinen rechten Platz. Ihrem Bildungsanspruch nach gehörte sie dem Großbürgertum, ja dem Adel zu, ihrem Einkommen als Lehrern, Erziehern, Geistlichen, Kantoren nach dem Kleinbürgertum. Der wechselhafte Lebenslauf von Martin Opitz beweist, daß die Dichter der Zeit kaum eine andere Wahl hatten, als in den Dienst der Souveränitätsidee, des Absolutismus, zu treten; als Verkündern eines neuen ordo-Denkens ist ihnen ein angemessenes Prestige und meist auch ein Auskommen gesichert.

Was aber bei den Großen der Epoche entweder nur Tendenz bleibt, wie bei Opitz und Fleming, oder aber in seiner Widersprüchlichkeit erkannt wird, wie bei Gryphius und Lohenstein, erfaßt der junge ehrgeizige Betulius als ungebrochene Notwendigkeit. Geschickt versteht er es, seinen Triumph beim Friedensfest von 1650 in Erinnerung zu halten. Noch im gleichen Jahr gibt er unter dem Titel *„Teutschlands Krieges-Beschluß und Friedens-Kuß“* eine drehbuchartige Umschrift seines Stücks mit allen Regieanweisungen und Begleitumständen heraus; 1652 erscheint die *„Fried-erfreuete Teutonie“*, eine Gesamtdarstellung des Nürnberger Friedens in Prosa, worin er sich ein weiteres Mal zum Chronisten des eigenen Ruhms aufschwingt. Zur gleichen Zeit beginnt er ein panegyrisches Werk zu Ehren des Hauses Piccolomini unter dem Titel *„Amalfis“* zu schreiben. Doch nicht von dort winkt ihm das Glück, weswegen er wohl das Vorhaben abgebrochen hat, sondern von dem am Wiener Hof einflußreichen Grafen Gottlieb von Windischgrätz, einem echten Mäzen und Literaturliebhaber. Seine Briefe nach Nürnberg zeugen von einer ungewöhnlich engen Liaison zwischen Standesperson und Dichter:

Frontispiz der „Fried-erfreueten Teutonie", verlegt von Dümler 1652

„Ich versichere den Herrn, daß ich seine Bekanntschaft für eine meiner großen Glückseligkeiten zehle. Zweifle auch keineswegs, daß der große Lust, den ich zur Poesie hege, werde mit der Zeit, unter einem so unvergleichlichen Lehrmeister, meine schwache Feder in etwas schärfen, und zu Sinn-reichen Gedanken aufmuntern. Dieses allein habe ich billig zu bedauren, daß mein Verhängnis mir nicht länger vergönnen wollen, um ihn zu seyn; Es wird mir aber dieses bittere Leiden in etwas durch sein freundliches Brief-wechseln hinfüro versüßt werden ..."

Was Birken antwortet, ist uns nicht bekannt, immerhin beeindruckt es den Grafen so sehr, daß er am 15. Mai 1654 bei Kaiser Ferdinand III. das Erbadelskomitiv für ihn erwirkt, einen Adelsbrief, der mit dem Amt eines Pfalzgrafen und einer Reihe von Privilegien verbunden ist. Nach dem Papier besitzt er nun das Recht, Dichter zu krönen, Notare zu ernennen, uneheliche Kinder zu legitimieren und Wappenbriefe auszustellen, gebührenpflichtig notabene. Viel hat er auf diese Weise jedoch nicht verdient. Das Amt des Pfalzgrafen hatte in der Freien Reichsstadt Nürnberg keine hohe Geltung. Immerhin bleibt der erbliche Adel, das will in einer zunehmend ständisch sich gliedernden Gesellschaft viel bedeuten.

Daß Betulius seinen Humanistennamen bei dieser Gelegenheit in eine dekorative, schäferlich-romantische Form zurückübersetzt, dürfen wir durchaus symbolisch verstehen. Die Literatur hat in Deutschland um 1655 endgültig ihren humanistischen Charakter verloren und ist entschieden barock geworden. Für Sigmund von Birken, so nennt er sich jetzt, sind mit der Nobilitierung die Weichen in die Zukunft gestellt. Er verzichtet auf einen bürgerlichen Beruf und versucht – eins der wenigen Beispiele seines Jahrhunderts – als freier Schriftsteller zu leben. Auf diesem Wege entwickelt er sich zum perfektesten Parteigänger der absolutistischen ordo-Idee, den die deutsche Barockdichtung aufzuweisen hat.

Fragen wir nach der Notwendigkeit dieser Entscheidung, so müssen wir sie vor dem Hintergrund von Birkens Jugenderfahrung sehen, die als exemplarisch für diese Generation – es ist die Generation Grimmelshausens – gelten kann. Birken ist 1626 in Wildstein bei Eger geboren. Drei Jahre später schon, nach der Niederlage der Protestanten in Böhmen, muß die Familie das Land verlassen. Der Vater wird verhaftet, darf erst später der Familie nachreisen. Drei Jahre schlägt man sich durch, dann findet man in Nürnberg ein Unterkommen. Die Stadt ist zwar vor dem Krieg relativ sicher, doch nicht vor der Pest, die im Jahr der Ankunft ein Gutteil der Einwohner, man spricht von 12000, hinwegrafft. Vielleicht ist das der Grund, daß für den Vater bald ein kirchliches Amt frei wird. 1633 stirbt die Mutter, der Knabe muß in rascher Folge zwei Stiefmütter über sich ergehen lassen. 1643 zieht er, als 17jähriger und inzwischen Vollwaise, auf die Universität Jena. Auch hier erwarten ihn Unordnung und Mißgeschick. Er wird ausgeraubt, gerät in Studentenquerelen, hat zwei gefährliche Unfälle und ist nach gut einem Jahr finanziell so erschöpft, daß er nach Nürnberg zurückkehren muß.

Allerdings scheint er sich in Jena poetisch infiziert zu haben, denn er schließt sich jetzt sofort der von Harsdörffer und Klaj gegründeten *„Hirtengenoßschaft"*, dem späteren *„Pegnesischen Blumenorden"* an. Schon sein erstes gedrucktes Werk, eine *„Pegnitz-Schäferey"* von 1645, zeigt seine ungewöhnliche rezeptive Veranlagung. In formaler Hinsicht gibt er seinen beiden Lehrern kaum mehr etwas nach und steht damit auf der Höhe der zeitgenössischen, d. h. opitzianischen Dichtkunst, – freilich in ihrer besonderen Nürnbergischen Variante, jenem berühmten Reimklingklang, das bis hin zu Heinrich Heine als Musterbeispiel barocken Schwulstes bestaunt und belacht wurde.

„Es singen / und klingen / und ringen Feldschlürffende Pfeiffen.
Den Mayen / am Reyen / Schalmeyen Der Hirten / verschweiffen.
Es bellen / und gellen / und schellen die Rüden und Heerden.
Es stralet und pralet / bemalet / das Stikkwerk der Erden."

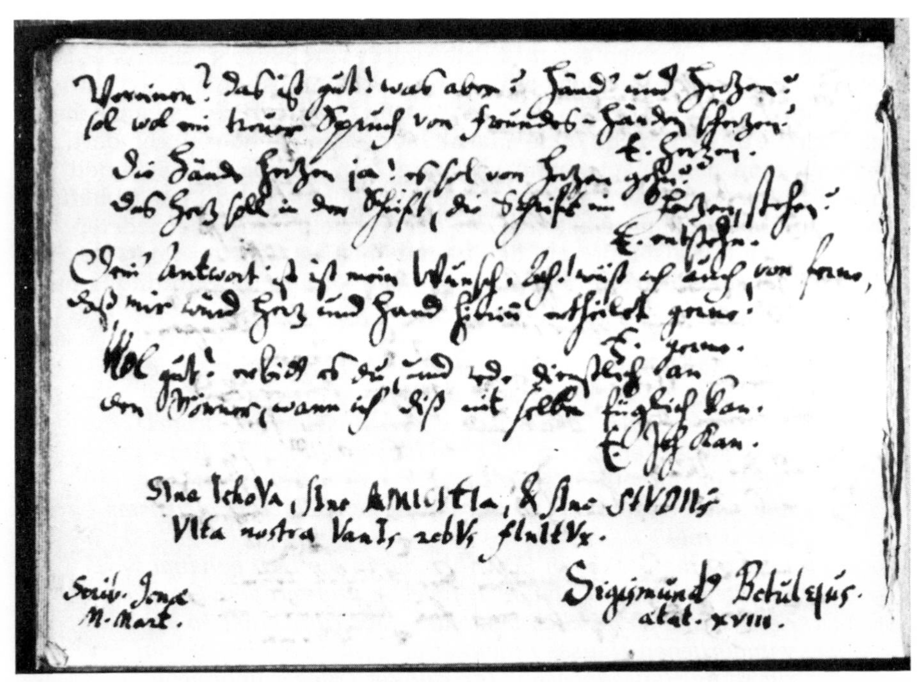

Aus dem Stammbuch des „Floridan", Blatt 5 verso

Birken hat diesen Ton nicht selbst erfunden, doch er entspricht seiner Vorstellung von Sinn und Zweck der Poesie. Daneben versteht er durchaus einen disziplinierten, klaren und fließenden Prosastil zu schreiben.
1645 vermittelt ihn Harsdörffer an den Hof von Wolfenbüttel, wo ihm ein Jahr lang die literarische Erziehung des 13jährigen Prinzen Anton Ulrich von Braunschweig-Lüneburg obliegt, desselben Anton Ulrich, der später den deutschen Barockroman auf seinen Höhepunkt führt. Mit ihm, ähnlich wie mit dem Grafen Windischgrätz, verbindet Birken fortan eine echte Freundschaft.
Anerkennung und Existenzgrundlage als Literat kann Birken, bei den gesellschaftlichen Gegebenheiten der Zeit, nur von oben, aus der Sphäre des Hofes und des Adels, erwarten. Trotzdem hat er den Hofdienst, der ihm zweifellos offenstand, gemieden. Indem er nach Nürnberg, in den bürgerlichen Lebenskreis, zurückkehrt und auch nach seiner Nobilitierung dort bleibt, bewahrt er sich die politische und konfessionelle Unabhängigkeit. Nur von hier aus kann er zum großen literarischen Vermittler und Anreger werden, nur von hier sind ihm alle Höfe erreichbar. Er kann Anton Ulrichs große Romane redigieren und zugleich das Haus Habsburg verherrlichen, er kann Verbindung halten mit allen literarischen Lagern, Jesuiten ebenso wie protestantischen Exulanten, und er kann schließlich in einer bürgerlich-akademischen Schäfergesellschaft eine Führerrolle spielen, wie sie bei Hofe undenkbar gewesen wäre.
Aus Birkens umfangreichem Gesamtwerk lassen sich unschwer zwei Hauptgruppen herauslösen: Geschichtsschriften, die den Ruhm von Fürstenhäusern zum Gegenstand haben, und Schäfereien, mit denen Bürgerliche und niedere Adelige geehrt werden. Die Unterscheidung ist symptomatisch. Nur hohe

Standespersonen, Könige und Fürsten, repräsentieren ja nach Auffassung des Jahrhunderts die Geschichte; zur Stilisierung des großbürgerlichen oder landadeligen Lebens bietet sich das unpolitische Schäferkostüm an. Der Sachverhalt spiegelt ein Stück soziale Wirklichkeit, das Verhältnis von Landesherrn und Landherrn – abnehmende Macht hier, zunehmende Macht dort. Die Schäferei kann dementsprechend privatere Züge entwickeln, sie spielt fast immer in lokal vertrauter Landschaft, vermag Fluß, Berg, Dorf und Gehöfte zu benennen. Der Schäfer selbst tritt als der Vertreter eines befriedeten und friedliebenden Mittelstandes auf den Plan und ist am liebsten damit beschäftigt, über das unendlich sinnreiche Prinzip der göttlichen Weltordnung nachzugrübeln:

> *„Ein Schäfer liget / und sihet über ihm den Himmel: den er desto frölicher anschauet / weil ihn / das Gewissen seiner Unschuld / der Gnade dessen Gottheit versichert. Und wie er denselben die Erde ümrunden sihet / also bildet er ihm ein / werde auch dieses gantze All von der allweisen Obacht des unümschränkten Schöpfers gleichsam umspannet.*
> *Der so einen schönen Schwibbogen in die Luft gehänget / der denselben mit blauen Teppichen und mit dem Goldflor der Wolken so herrlich bekleidet / der Herr eines so verwunderlichen Hauses / (denket er) solte der nicht sorgen für seine Hausgenossen? Ihn dünket / dieser liebreiche Weltvater habe gleichsam ein sichtbares Bildnis seiner sonst unbegreiflichen Freundlichkeit über die Wolken setzen / und uns durch das Aug des Himmels / die Sonne gnädig anäugeln wollen: wie dann auch / wan sich dieses güldne angesicht von uns gewendet / Donner / Hagel und Regen in dessen platz treten / und an stat der freundlichen Liebesblicke / feindliche Wetter-Blitze auf uns daher schießen."*

Ähnlich wunderbar wie das Himmelsbuch ist das Buch der Natur zu lesen:

> *„Neben und üm sich herüm sihet er den schönen Saal der Erden / welchen die Natur / die hand des Allschöpfers / als eine künstliche Werkmeisterin / mit den prächtigsten Tapezereyen auf das herrlichste ausgeschmücket. In erwägung dessen unzehlbarer Wunderschönheiten / dünket ihn derselbe ein stummes Buch zu sein / in welches der große Baumeister der Welt / vieltausend Sinnbilder seiner unumschreiblichen Weisheit und Allmacht gemähl-weis entworfen. In dem zeitvertreib / dieselbe redend zumachen / suchet er zuweilen seine Poetische Wollust / und schreibet etwan / an einen Baum / in dessen Rinden:*
>
> *Wer etwas bey mir sucht /*
> *findt Schatten / Holz und Frucht.*
>
> *Wiederum an den Zaunpfal einer grasreichen Blum- und Kräuterwiesen:*

Ich / das Haar der Erden /
weide Aug und Herden.
Oder an eine Weidenwurzel / die sich / am Ufer / in das fisch- und schiffreiche Wasser strecket:
Ich netze / und nütze / ich trage und lenke /
ich lalle und spiegle / ich bade und tränke."

Die Welt, durch die der schäferliche Dichter wandert, ist eine Welt aus Sinnbildern. Sein Blick geht durch die Dinge hindurch in die geistigen Bereiche der Bedeutung und des Begriffs, um schließlich auf Gott oder wenigstens einen Schimmer seiner Weisheit zu treffen. Besonders überzeugend gelingt das bei der Betrachtung des Selbst, des Wunders Mensch:

„Im ende schwinget er sich aus der großen Welt in die kleine / und wie die Tagewerke des Schöpfers in den Menschen / als dem letzten / bästen und vollkommensten Geschöpfe / geruhet / also ruhen auch seine Gedanken in demselben / als in welchem kurzen Begriff alle seine vorige Betrachtungen in eins zusammen fallen. Er findet aber an diesem so viel zu bedenken / daß er nicht weiß / wo er anfangen soll / und die Mänge ihn arm machet. Die erstaunung tritt in platz der Betrachtung. Betrachtet er den Leib / das Haus so vieler Vollkommenheiten / so weiß er nicht / wo er anfahen / oder aufhören soll / sich zu verwundern. Er vergleichet denselben einem schönvermahlten künstlichen Uhrwerk / dessen Gleiträder / von den dreyen Kräften der Seele / der wachstümlichen / sinnlichen und vernünftigen / gezogen / auf Eine Bewegung zusammenstimmen."

Das konkrete Einzelne will aus dem Chaos der Erscheinungen herausgelöst und als das sinnvolle Teilchen eines vollendet geordneten Ganzen erkannt sein. Ähnlich hatte ja Johannes Kepler wenige Jahrzehnte früher seine Theorie von der harmonia mundi, die sich in der Sphärenmusik darstellt, begründet. Die Pegnitzschäfer bewegen sich ganz auf der Keplerschen Linie, wenn sie zu ihrem Gesellschaftssymbol die siebenröhrige Pansflöte wählen und zu ihrem Wahlspruch die Devise: *„Alle zu einem Ton einstimmend!"* Dieser Ton meint nichts anderes als den Preis der göttlichen Ordnung in den Dingen dieser Welt. Dichten ist somit nicht Neuschöpfung, sondern Aufdecken, Auffinden sinnreicher, doch verborgener Bezüge: *„ist doch die Natur nichts anders / als die mit den Geschöpfen erschaffene und ihnen eingepflanzte Ordnung des Schöpfers / nach welcher / als nach einem selbst-beliebten Staatsgesetze er dieses sein Weltreich regiret und bezeptert."*
Die Anspielung auf den absolutistischen Anspruch des weltlichen Herrschers, die Analogisierung himmlischer und irdischer Hierarchie und damit die Ideologisierung des Ideals sind unüberhörbar. Birken hat sich ja, wie wir noch sehen werden, mit einer anderen literarischen Form ganz in den Dienst dieser Ideologie gestellt.
Werfen wir jedoch erst noch einen Blick auf die Praxis des Schäferlebens. Fast immer treffen wir die schäferlichen Freunde sich lebhaft unterhaltend auf

einem Spaziergang an. Die begegnende Natur gibt die Stichwörter für das Gespräch. Kommt man an ein Wasser, so erörtert man dessen Nutzen, Schönheit, Eigenart, man assoziiert Biblisches, Historisches, Mythologisches — kurz, das Thema könnte heißen: Alles über das Wasser. Ein Bildungsspiel. Am Ende steht in der Regel ein klangmalerisches Gedicht:

„Ihr trägen Goldbächlein / ihr hellen Glasquellen /
Ihr schwällende Wellen / ihr Silberflut-Zellen /
Ihr Pegnitz-Najaden
In sumpfigten Pfaden!
Nehmt dieses / nehmt hiesig-erneuernde Lieder /
Wir ringen und klingen und singen hier wieder."

Es liegt auf der Hand, daß auch diese Klangmalerei mit ihrer besonderen Vorliebe für In- und Binnenreim, für Assonanzen und Parallelen aller Art im Dienste des ordo-Gedankens steht. Wir haben hier gewissermaßen die Nürnberger Barockästhetik in nuce. Ordnung hat ja nicht nur eine pragmatische und moralische Dimension, sondern auch eine ästhetische. Poetische Schönheit ist somit nichts anderes als sichtbar bzw. hörbar gemachte immanente Sprachordnung.

Nicht alle Themen, die aufgegriffen werden, bleiben in dieser spielerischen Unverbindlichkeit. Der Berg, den die Dichter zusammen besteigen, verwandelt sich, wie könnte es anders sein, zum Parnaß. Das setzt eine Assoziationskette in Gang: Aus der Bibel ist bekannt, daß Gott und die Propheten von Bergen sprechen, aus der Antike, daß die Dichter zugleich als Propheten (vates) gelten. Erfüllt nicht auch der Barockdichter eine Prophetenaufgabe, indem er Gott in seinen Werken erkennt? Steht nicht jeder wahre Dichter näher zu Gott? Der Parnaß wandelt sich so zum Berg Zion, das Dichteramt erhält geistliche Würde.

Ähnlich wird an anderer Stelle die Notwendigkeit des Adels aus der Natur hergeleitet, wobei Birken nicht versäumt, dem Verdienst- und Waffenadel einen Geistes- und Kunst-

Der
Norische Parnaß
und
Irdische Himmel-Garten:
welchen der
Norische Föbus /
als deren Besitzer /
verwechslet mit dem
Himmelischen Sion
und
Ewigem Paradeis:

bewandlet und behandlet von
Floridan /
in geleitschaft seiner Weidgenoßen.

Nürnberg / gedrukt bey Christof Gerhard / im 1677 Christgeburt-Jahr.

Titelblatt des „Norischen Parnaß", Nürnberg 1677

adel an die Seite zu setzen. Erst recht wird dieses Legitimationsprinzip natürlich dann angewandt, wenn es gilt, den jeweiligen Adressaten der Schäferei, meist eine hochgestellte Person, zu ehren. Einer Nymphe obliegt es dann, die Hirtengesellschaft in eine Grotte oder einen Ehrenhain zu führen, wo in sinnbildlicher Weise Herkunft, Verdienst und Ruhm des Geehrten verewigt sind. Wie könnten Rang und Privileg besser besiegelt werden als durch die Natur?
Damit sind wir bei jenen rein ideologischen Geschichtsschriften, mit denen Sigmund von Birken die europäischen Fürstenhäuser belieferte. 1657 erscheint der *„Ostländische Lorbeerhayn“* für das Haus Habsburg, 1664 das *„Mausoleum der Hungarischen Könige“*, 1669 ein *„Nidersächsischer Lorbeerhayn“* für das Haus Braunschweig-Lüneburg, 1667 ein *„Hochfürstlicher Brandenburgischer Ulysses“* für den Markgrafen von Brandenburg-Bayreuth, 1677 ein *„Sächsischer Helden-Saal“*, um nur die wichtigsten zu nennen. Birken wird durch diese Schriften zum literarischen Vorgänger jener Architekten und Freskenmaler, die von nun an ein gutes Jahrhundert lang die europäischen Höfe mit Festons und Ehrenpforten, Denkmälern und Apotheosen ausstatten. Mitunter hat er nichts anderes zu leisten, als eine alte Chronik des Fürstenhauses sprachlich und inhaltlich zu barockisieren und einen feierlichen Rahmen um sie zu legen. In den Jahren von 1660–68 verwandelt er für Kaiser Leopold I. auf diese Weise die Fuggersche Chronik des Hauses Österreich in einen *„Österreichischen Ehrenspiegel“*, wobei ihm aus Wien genaue Vorschriften zugehen. So muß Birken, wie ihm in einem Brief vom 25. August 1660 bedeutet wird, *„alles dasjenige, so etwan wider Ihro Päbstliche Heiligkeit, die Geistlichen, Venedig, Bayern, Schweitz, und andere hohe Häuser geschrieben, und etwan mit absonderlichem eifer erzählet worden, auslassen“*.
Politisches Schreiben bedeutet hier nicht mehr polemisches Schreiben, wie im Humanismus, sondern noch einmal wie im Mittelalter, legitimierendes Schreiben. Daß Birken, wie die meisten seiner gebildeten Zeitgenossen, in der absolutistischen Lehre als der Idee vom gerechten und souveränen Regenten die Gewähr für politische Ordnung suchte, haben wir kein Recht zu bezweifeln. Trotzdem müssen wir offenlassen, ob er seine Geschichtsschriften aus Überzeugung schrieb oder nur, weil sie ihm eine gesellschaftliche Position und, wie es in

Birken nach einem Kupferstich um 1703; der Zeichner und Stecher ist Wolfgang Philipp Kilian

seinem Tagebuch heißt, immer wieder einen *„güldenen Regen"* einbrachten. In einem dieser Panegyrica stehen, in anderem Zusammenhang, die berühmt gewordenen Verse:

„Das Herz ist weit von dem / was eine Feder schreibt.
Wir dichten im Gedicht / daß man die Zeit vertreibt.
In uns wohnt keine Brunst: ob schon die Blätter brennen
Von manchem Flammenwort. Es ist ein bloßes nennen."

Sollte, was hier aus wenig überzeugenden Gründen auf die Liebesdichtung seiner Jugend gemünzt ist, nicht viel eher auf die Brotschriftstellerei des Alters zielen?
Jedenfalls scheinen uns die schäferlichen Dichtungen mit größerem persönlichen und künstlerischen Engagement ausgestattet als die panegyrischen Geschichtswerke und die rein geistlichen Arbeiten, denen er sich im Alter zunehmend widmet. Das sollte kein Zufall sein. Speziell in den Schäferdichtungen findet jener Grundwiderspruch Ausdruck, der die deutsche Barockdichtung bestimmt. Es ist ein Konflikt zweier Notwendigkeiten: der absolutistischen ordo-Idee und der subjektiven Freiheit des Schreibens.
Als Birken 1681 stirbt, ist die Idee vom souveränen Fürsten in Deutschland längst Wirklichkeit geworden. Die Dichtergeneration nach ihm wird sich bereits auf ein neues Ordnungsprinzip berufen, das der Vernunft, das hundert Jahre später den Fürstenstaat zu Fall bringt.

Schlußvignette des „Norischen Parnaß"

Helmut Sterzl

ERASMUS FRANCISCI

1627 – 1694

„Der ungeheuerste Foliant
Hat, wie der dickste Kerl, zuweilen auch Verstand
Nicht seiner Bildung darf man spotten
Steckt Ambra nicht in Cachelotten."

Dieser Vers des liebenswürdigen Dichters Friedrich von Hagedorn aus der ersten Hälfte des 18. Jahrhunderts könnte als freundliche Rechtfertigung über dem Lebenswerk eines Mannes stehen, der ein halbes Menschenalter früher der wohl erfolgreichste und bedeutendste Schriftsteller der alten Reichsstadt Nürnberg war. *„Der nie genug gepriesene Erasmus Francisci!"* So rühmte ihn sein Zeitgenosse Anselm von Zigler und Klipphausen, der Verfasser des bekannten Barockromans *„Die asiatische Banise"*, und der Dichter Adolf von Haugwitz schrieb im Begleitsonett seiner *„Maria Stuarda": „Dein Kiel, dein netter Kiel, der manchen Sinn ergetzt!"*
Heute ist der Name des einst Vielgerühmten völlig in Vergessenheit geraten. Wo er gelegentlich noch in der wissenschaftlichen Literatur auftaucht, da verbindet sich mit ihm kaum mehr als die Erinnerung an einen gelehrten Vielschreiber, bei dem länger zu verweilen kaum der Mühe lohnt. Was konnte ein Mann wie Francisci auch einer Nachwelt bedeuten, die über weit Größere seines Jahrhunderts den Stab gebrochen hatte. Er war ja nichts weniger als ein Dichter im geläufigen Sinne, und er selbst hat sich auch nie für einen solchen gehalten: *„Ich habe mich in der Tichtkunst nie geübt / liebe dennoch dieselbe gar sehr und weide meine Augen an einem zierlich reinen Verse."* Trotzdem besaß der Name Francisci einst einen so bedeutenden Klang, daß noch Jahrhunderte später sein Andenken unvergessen blieb. 1753, fast 60 Jahre nach seinem Tode, erschien, von Gotthold Ephraim Lessing angekündigt, eines seiner bekanntesten Bücher mit dem barock weitschweifigen Titel:

„Der höllische Proteus oder tausendkünstige Versteller /
vermittelst Erzehlung der vielfältigen
Bildverwechslungen erscheinender Gespenster /

„Der höllische Proteus", verlegt bei Endter 1725

Der
Höllische Proteus
Oder
Tausendkünstige Versteller/
vermittelst
Erzehlung der vielfältigen Bild-Verwechslungen
Erscheinender Gespenster/
Werffender und poltrender Geister/
Gespenstischer Vorzeichen der Todes-Fälle/
wie auch
Andrer abentheuerlicher Händel/ arglistiger Possen, und seltsamer Aufzüge dieses verdammten
Schauspielers/
Und von theils Gelehrten, für den menschlichen Lebens-Geist irrig angesehenen
Betriegers/
(nebenst vorberichtlichem Grund-Beweis der Gewißheit/daß es würcklich Gespenster gebe)
abgebildet durch
Erasmum Francisci/
HochGräfl. Hohenloh. Langenburgis. Rath.

Nürnberg/
Verlegts Wolfgang Moritz Endters, seel. Erben.
Druckts Johann Ernst Adelbulner/ 1725.

werffender und polternder Geister /
gespenstischer Vorzeichen und Todesfälle /
wie auch andrer abentheuerlicher Händel /
arglistiger Possen und seltsamer
Aufzüge dieses verdammten Schauspielers /
und von teils gelehrten / für den menschlichen
Lebensgeist irrig angesehenen Betriegers /
(nebenst vorberichtlichen Grundbeweis der Gewißheit /
daß es wirklich Gespenster gebe)
abgebildet durch Erasmus Francisci. Nürnberg 1708"

Kein Geringerer als Johann Wolfgang Goethe las 1801 in diesem Gespensterbuch und benützte es für seinen *„Faust"*. 1824 trug sich der österreichische Dichter Franz Grillparzer mit dem Gedanken, die im *„Höllischen Proteus"* enthaltene Geschichte von der *„Spinnerin am Kreuz"* zu dramatisieren. Auch schöpfte er aus dem gleichen Werk seine in der *„Ahnfrau"* verwertete Kenntnis von der „Weißen Frau" – der todverkündenden Stammutter adeliger Familien, die in Böhmen als Jungfrau von Pernstein ihr Unwesen treibt. Noch der Naturphilosoph und Romantiker Gotthilf Heinrich Schubert verwendet den *„Höllischen Proteus"* für die dritte Auflage seines Buches *„Die Symbolik des Traums"* und bezeichnet Francisci im Vorwort als einen *„nützlichen und gelehrten Mann"*. Es war das letzte Mal, daß man sich in so wohlmeinender Weise an Francisci erinnert hat. Fragen wir deshalb zunächst nach seiner Herkunft.

Erasmus Francisci wurde am 19. November 1627 in Lübeck als Sohn des Braunschweigisch-Lüneburgischen Hofrats Franciscus von Finx geboren. Dieser war verheiratet mit der Tochter eines im Dienste Christians IV. stehenden dänischen Geheimrats. Sie hieß Margaretha Rentz und ist um 1630 im Dom zu Lübeck begraben worden. Nach seinem Großvater mütterlicherseits erhielt Francisci in der Taufe den Namen Erasmus. In späteren Jahren, vermutlich nachdem er volljährig geworden war, nahm er den Taufnamen seines Vaters als Zunamen an und nannte sich seitdem „Erasmus Francisci" anstatt „Erasmus von Finx". Sonst wissen wir über seine Kindheit und Jugend nicht mehr als das, was er gelegentlich selbst mitteilt: *„Ich bin in Allem nur zwei Jahre lang von einem Schüler primae Classis zur Trivialschule geführt / die übrige Zeit aber meiner Knabenschaft von einem Hauspraeceptor informiert bis ins vierzehnte Jahr meines Alters. Da ich in ein trefflich gutes Gymnasium verschickt und darin nebenst vielen fürnehmer Leute Söhnen / worunter auch Herr Doktor Samuel Vossius / ein geborener von Adel gewest / in den drei Hauptsprachen wie auch in Poesie / Rhetorik und Logik so fleißig informiert / daß ich meinen damaligen Praeceptoribus unter der Erden dafür Dank weiß. Weil aber ungefähr drei und einhalb Jahre hernach der einbrechende Krieg selbiges fürstliches Gymnasium dissolvirte / versetzten die Meinigen mich in ein höheres und damals so berühmtes / daß es aus vielen deutschen Ländern einen ansehnlichen Confluxum gewann / weil es in der Blüte freier Künste und Wissenschaften wenigen Academien viel bevor gab."* Die Akademie von Lüneburg, wohin Francisci etwa vier Jahre vor dem Ende des 30jährigen Krieges von seinen Eltern gebracht worden war, galt damals in ganz Deutschland als Mittelpunkt der Kunst und Wissenschaft. Hier konnte er trotz des großen Krieges seine humanistischen Studien unbehelligt fortsetzen. Der Vater, der ein

Mann von außerordentlicher Bildung war, förderte die wissenschaftlichen Neigungen seines Sohnes auf jede nur mögliche Weise. Seinem Wunsche folgend, studierte Francisci schließlich Rechtswissenschaft, wandte sich jedoch gleichzeitig mit besonderer Vorliebe geschichtlichen Studien zu. Seine späteren Werke zeugen von den ungewöhnlichen Kenntnissen, die er sich auf diesem Gebiet erworben hat.

Während seiner Studentenzeit lebte Francisci bei der Schwester seiner Mutter und einer verwitweten Base, die zusammen mit einem Diener ein Haus bewohnten. Wie Francisci im *„Höllischen Proteus“* erzählt, träumte er eines Nachts von einem Mann namens Hans, der ihn mit einem Gewehr erschießen wollte, aber gerade im rechten Augenblick von der dazukommenden Base verjagt wurde. Am folgenden Tage ging dieser Traum tatsächlich in Erfüllung. Als der Hausdiener, der ebenfalls Hans hieß, gerade dabei war, ein Jagdgewehr zu reinigen, löste sich ein Schuß, der den am Fenster seines Studierzimmers sitzenden Francisci um Haaresbreite verfehlte: *„Indem ich die linke Hand emporhebe und in Gedanken den Kopf kratze / druckt ermeldter Diener dasjenige Rohr / welches er kugelleer zu sein gemeint / los und hält es gerade gegen mein Fenster zu: also / daß er vermutlich mich unfehlbar getroffen hätte / so ich nicht um einen Augenblick zuvor aufgestanden und ungefähr eine Handbreit zurück gewichen wäre / ehe der Schuß geschah. Denn weil derjenige / dem er die Röhre geliehen / diese eine auf einen Wolf sehr scharf geladen hatte / fuhren nebst einigen großen Hageln zwo Kugeln durch mein Fenster / zwar Gott Lob! ohne meine Verletzung / doch gleichwohl über alle Maßen gefährlich. Angemerkt die eine Kugel hart an der Brust / genau über meinen aufgehobenen linken Arm vorbei und die andere gleichfalls genau vorüber passierte. Beide schlugen in die Wand hinein; der Hagel aber zur rechten und linken Seiten neben mir dergestalt hin / daß mich kein einziges Schrot davon berührete / aber die Fenster häßlich zerlästert und gelöchert wurden. Wie der Diener aus dem Geklinge der in den Hof hinab gefallenen Fenstergläser merkte / daß er unwissend scharf geschossen / eilte er meiner Stuben zu. Vor Bestürzung konnte er kein Wort reden / sondern sah mich nur an und gab durch die Gesichtserblassung seinen Schrecken zu verstehen: gleich wie ich auch vor Entsetzung nicht straks / sondern über eine kleine Weile allererst / lächelnd zu ihm sagte: seid nur guten Muts! ich lebe noch! Jetzt ist mir mein Traum redlich ausgegangen. Nehmt ein andermal euere Röhre besser in Acht. Indem er hierauf höflich um Verzeihung bat / kam obgemeldete Base dazu / schändete ihn ärgerlich aus und wann ich mich noch recht erinnere / so hat sie ihm ein paar tapfere Maulschellen gereicht.“*

Nach Beendigung seines Studiums war Francisci mehrere Jahre als Hauslehrer tätig. Dann trat er zur Erweiterung und Vervollständigung seiner Kenntnisse als Hofmeister seines Vetters, eines Herrn von Wallenrodt, die obligate Bildungsreise seines Jahrhunderts an, die ihn durch die damaligen Modeländer Italien, Frankreich und die Niederlande führte. Als echtes Kind des Barockzeitalters hat Francisci immer wieder auf den großen Bildungswert des Reisens hingewiesen und es jedermann empfohlen, vor allem aber der Jugend: *„Es gehet uns gleich der Perlen / welche so lang sie ihrer Mutter anhangen und zwischen den Schalen der Schnecken kleben / ganz weich und zart sind / aber heraus an die Luft gezogen / erhärten und in den Kranz kommen. Darum tun junge Leute wohl / daß sie reisen / wann ihnen gute Vernunft eine Gefährtin gibt und Verstand den Hofmeister spielet.“*

Nach längerer Abwesenheit kehrte Francisci 1655 wieder in sein Elternhaus zurück. Bald darauf heiratete er, inzwischen 28 Jahre alt geworden, *„Maria Hedwig Sybilla, eine Frau geschmückt mit allen Tugenden“.* Sie war die Witwe eines Hauptmanns und die Tochter des Oberzollinspektors Lukas Friederici und soll eine überaus kluge und kenntnisreiche Frau gewesen sein. Dies geht schon daraus hervor, daß einige Gegner Franciscis ihr einen weitaus größeren Anteil an der publizistischen Tätigkeit ihres Mannes zuschreiben wollten, als tatsächlich der Fall war. Zu diesem Gerücht meint Francisci selbst: *„So viel gestehe ich gern / daß meine Ehegehilfin in ihrer zarten Jugend mit ihrer lieben seligen Eltern Erlaubnis bei einem Praeceptore domestico und Magistro / den man ihrem seligen Bruder gehalten / die lateinische Sprache etlicher Maßen mit begriffen; folgends sich auch der französischen und niederländischen dergestalt beflissen / daß sie dieselbe perfekt nicht allein verstanden / sondern auch geredt. Solches erstreckt sich aber noch so weit bei weitem nicht / daß sie mir Bücher schreiben könnte.“*
Unmittelbar nach der Heirat kam es in Franciscis Familie zu Erbstreitigkeiten, die einen recht unglücklichen Verlauf nahmen. Das beanspruchte mütterliche Erbe war weithin verstreut, die Schuldner waren größtenteils nicht zahlungsfähig, und so blieb bei standesgemäßer Lebensweise nicht mehr viel davon übrig. Der Verlust seines Vermögens zwang Francisci, Lübeck zu verlassen. Er folgte der Einladung eines Nürnbergers namens Johann Doppelmayer und siedelte etwa um das Jahr 1657 mit seiner Ehefrau nach der alten Reichsstadt über. Dort nahm er Wohnung in einem ansehnlichen Gebäude an der Säu- oder Dörresbrücke gegenüber dem Bitterholz, einem damals vielgerühmten Gasthause. Da Francisci in große finanzielle Bedrängnis geraten war, mußte er längere Zeit die wohlwollende Unterstützung seines Freundes und Gönners Doppelmayer in Anspruch nehmen, bis ihm endlich in der damals berühmten Nürnberger Verlagsbuchhandlung der Familie Endter die Stelle eines Korrektors angeboten wurde.
Das Überarbeiten fremder Werke scheint zu dieser Zeit kein geringes Verdienst gewesen zu sein, denn obschon Francisci wenig später selbst zur Feder griff, wird diese Tätigkeit von Zeitgenossen immer wieder eigens hervorgehoben: *„Aber nicht allein die vielfachen Früchte seines Geistes brachte er an das Licht / sondern auch andere Bücher verschiedener Art wurden seiner Obhut übergeben / damit er die Fehler ausbessere und sie auf das sorgfältigste geprüft den Gebildeten übergebe.“*
Als Francisci etwa ein Jahr nach seiner Niederlassung in Nürnberg sein erstes Buch zu schreiben begann, war er bereits 31 Jahre alt. Bald entfaltete er eine schriftstellerische Produktivität, die uns heute unfaßbar erscheint. In den knapp 37 Jahren bis zu seinem Tode entstanden nicht weniger als 66 Bände, größtenteils riesige, in Leder gebundene Folianten oder dickleibige Quart- und Oktavbände. Dies bedeutet nach ungefährer Schätzung eine jährliche Durchschnittsleistung von nahezu 2000 Druckseiten. Nur Philipp Harsdörffer, Nürnbergs bekannter Barockpoet, ist an Vielseitigkeit und Fruchtbarkeit mit Francisci, seinem literarischen Nachfolger, zu vergleichen, obwohl auch er nicht über 50 Bände hinauskam. Schon zu seinen Lebzeiten ist Francisci deshalb viel bewundert worden: *„Der fleißige Francisci zu Nürnberg ist wie ein Auszug aus allem / was einer begehret zu wissen. Eine hochgelehrte und dennoch frömmere Person wird bei jetziger mit lauter Lastern geschwängerten Zeit fast so selten als der berufene Phönix angetroffen.“* Beim Tode Franciscis hielt der

Erasmus von Finx, genannt Francisci

Nürnberger Superintendent Johann Conrad Feuerlein eine Grabrede, in der es u. a. heißt: *„War schon die liebe Ehe bei unserem seligen Mitbruder unfruchtbar / was liberos, die Kinder und Leibesfrüchte anlangt, so war sie desto fruchtbarer an libris / an schönen Büchern und wohlausgearbeiteten Geistesgeburten."* Und ein anderer Zeitgenosse schreibt in seiner Laudatio auf den Verstorbenen: *„Sechs und sechzig Bücher schreiben / erfordert an sich selbst Mühe und Zeit / aber 66 nützliche Bücher schreiben / dies ist eben sonderlich zu bewundern. Hätte aber seine jetzt erstarrte Hand noch ein einziges zu den erwähnten Büchern hinterlassen / zähleten wir gleich derselben so viele / als er Jahre auf dieser Welt erlebet."*
Eine in der Tat staunenswerte publizistische Leistung, die sich nur begreifen läßt aus der besonderen Eigenart dieser Werke! Ganz allgemein gehören sie zur Gattung der sogenannten Kompilationen, das sind wissenschaftliche Werke, deren Inhalt aus mehr oder weniger zahlreichen anderen Arbeiten zusammengeklittert ist. Die Zahl solcher im Laufe des 17. Jahrhunderts erschienenen Kompilationen ist Legion — ein Zeichen für die überaus große Beliebtheit, die man diesen meist auch reich illustrierten Büchern entgegenbrachte. In der Vorrede zu einem seiner Werke bemerkt Francisci: *„Von solchen Sachen seynd gewißlich in dem heutigen Weltalter so viele Relationen / Reisebeschreibungen / Schiffahrtserzählungen / ja ganze große Bücher herausgegeben / daß mancher ehe persönlich nach Indien reisen / als alle dieselben durchlesen sollte."* Die Verfasser solcher Kompilationen waren zumeist stille Gelehrte, die im Frieden deutscher Kleinstädte mit bewundernswerter Ausdauer ihre ebenso zahlreichen wie umfangreichen Bücher schrieben. Das ungeheuere Material, das ihren geographischen, topographischen oder geschichtlichen Darstellungen zugrunde liegt, übernahmen sie einfach von Vorgängern, die es in oft jahrelanger Forscherarbeit mühselig zusammengetragen hatten. Bevorzugt wurden vor allem wissenschaftliche Reiseberichte über ferne Länder. Kaum einer jener gelehrten Vielschreiber ist jemals in den Ländern gewesen, die sie so genau und anmutig zu beschreiben wissen und deren Wunder ihre Phantasie mit immer neuen Farben auszumalen versteht. Einen treffenden Eindruck vom kunterbunten Inhalt dieser Kompilationen vermittelt allein der Titel eines Werkes von Francisci:

„Ost- und West-Indischer wie auch Sinesischer Lust und Staatsgarten / Mit einem Vorgespräch von mancherley lustigen Discursen: In drey Hauptteilen unterschieden. Der erste Teil begreift in sich die edelsten Blumen / Kräuter / Bäume / Mehl-Wasser-Wein-Arznei- und Giftgebende Wurzeln / Früchte / Gewürze / Specereyen / in Ostindien / Sina und America: Der andere Teil das Temperament der Luft und Landschaften daselbst; die Beschaffenheit der Felder / Wälder / Wüsteneyen; die berühmten natur- und künstlichen Berge / Täler / Hölen; imgleichen die innerlichen Schätze der Erden und Gewässer; als Mineralien / Bergwerke / Metallen / Edelgesteine / Perlen und Perlfischereyen; folgends unterschiedliche wundersame Brunnen / Flüsse / Bäche / lustreiche Seen / schauwürdige Brücken; allerley Meerwasser / abenteuerliche Meerwunder; Lust- Spazier- Zier- Kauf- und Kriegsschiffe: Der dritte Teil das Staatswesen / Polizeyordnungen / Hofstäte / Paläste / denkwürdige Kriege / Belagerungen / Feldschlachten / fröhliche und klägliche Fälle / Geist- und Weltliche Ceremonien / merkwürdige Taten und Reden der Könige und Republicken daselbst. Wobey auch sonst viel leswürdige Geschichte / sinnreiche

*Erfindungen / verwunderliche Tiere / Vögel und Fische / hin und wieder mit eingeführet werden. Aus den fürnehmsten alten und neuen Indianischen Geschicht- Land- und Reisebeschreibungen mit Fleiß zusammengezogen und auf annehmliche Unterredungsart eingerichtet. Nürnberg / In Verlegung Johann Andreae Endters / und Wolfgang des Jüngeren Sel. Erben. Anno **1668.**"*

Dieser Kaiser Leopold I. gewidmete Foliant umfaßt nahezu 2000 doppelspaltig beschriebene Seiten und enthält 65 Kupferstiche. Bestimmend für die Auswahl des Stoffes und die Art seiner Darbietung war für Francisci ebenso wie für die übrigen Kompilatoren jenes Zeitraums einzig und allein der Geschmack einer sensationslüsternen und wundersüchtigen Leserwelt: *„Die edelste Aufgabe eines bescheidenen Schriftenverfassers ist es / seinen Lesern mit nützlicher Lehr und anmutreicher / tugendhafter Ergetzung zu dienen."* Die Leser wollten nicht allein belehrt, sondern vor allem unterhalten sein. Deshalb bietet Francisci nach dem Muster der Harsdörfferschen *„Frauenzimmergesprächsspiele"* alles Wissenswerte gern in der Form eines Gesprächs, das in der Regel von allegorischen Personen geführt wird. Eine Fülle von Anekdoten, Fabeln, Legenden und Geschichten, die ihnen Francisci in den Mund legt, sollen das Interesse des Lesers wachhalten: *„Damit nun alles an stat verhoffter Lust / keine unlustige Langweil erwecke / sollen zur Ermunterung derer / die diesen Lustgarten mit ihren Augen besuchen und sich darinnen zu ergehen würdigen / unterschiedliche Gastungen und Spazierfahrten angestellet und bei solcher Gelegenheit das / was die Natur vermittelst ihres wachsenden Vermögens benannten Ost- und West-Ländern aus freundlicher Huld zugespielet / bei allerhand Gesprächen allhie nachgespielt und erklärt werden. Unterweilen wird bald diese / bald jene Person einer seltsamen Fügnis und Geschichte Gehör geben."* So wurden die Kompilationen zu einer Art Unterhaltungsliteratur des 17. Jahrhunderts, ähnlich den illustrierten Magazinen, Feuilletons und Zeitschriften wie *„Readers Digest"* in unserer Zeit. Nach dem Motto: Wer vieles bringt, wird jedem etwas bringen! boten die Kompilatoren alles, was für ein breites Publikum wissenswert, interessant und merkwürdig war. Da ihrer Einbildungskraft keinerlei Grenzen gesetzt waren, wurden die Kompilationen zum Tummelplatz einer ausschweifenden barocken Phantasie.

Wie die meisten Autoren jener Zeit war auch Francisci ein sogenannter Polyhistor, ein dem Ideal des 17. Jahrhunderts entsprechender Gelehrtentyp, der das gesamte Wissen seiner Zeit umspannt. Unterstützt durch seinen Freund und Mitarbeiter Wolfgang Christoph Deßler, den Konrektor an der Heilig-Geist-Schule zu Nürnberg, veröffentlichte Francisci neben Länder- und Sittenbeschreibungen auch zahlreiche naturwissenschaftliche Werke, theologische Schriften, geistliche Erbauungsbücher und Lieder sowie eine Fülle von gelehrten Abhandlungen, in denen Themen aus fast allen Bereichen des menschlichen Lebens erörtert werden. Nahezu ein Dutzend Bände befaßt sich ausschließlich mit den Türken, die mordend und plündernd an der Ostgrenze des Reiches wüteten, noch ehe die Schrecken des Dreißigjährigen Krieges ein Ende gefunden hatten. Wie sehr auch Francisci von dem trüben Pessimismus und der quälenden Hoffnungslosigkeit seiner Zeit erfaßt wurde, zeigt die folgende Äußerung: *„Es verwundet mich diese sorgenvolle Zeit mit ihren scharfen Dornen bisweilen so tief / daß mir das Herz blutet und ich mit dem lieben David vergesse / mein Brot zu essen. Was bringt uns die wöchentliche Post fast anders mit / als wie bald hie: bald da eine Stadt oder Dorf ausgeraubt / Bürger* *und Bauern bis aufs Blut gepresset / die Freiheit der Deutschen von Ausländern so grob angetastet / so manches Gotteshaus zum Roßstall / der Altar zum Nachtstuhl von freventlichen Kriegsgurgeln gemißbraucht / ja wohl geschleift und ein feuerspeiendes Bollwerk in den Platz gelegt wird / wie grausamst entsetzlich und ärger als türkisch oder tartarisch Mord und Unzucht in den Niederlanden / am Rhein- und Mainstrom vor nicht allzu langer Zeit gewütet und noch auf diesen Tag keine menschliche Verfahrung von solchen Unmenschen zu hoffen / an den Orten / wo sie herumstreifen. Sehen wir doch dieses weltweiten Kriegsfeuers noch kein Ende / und es dürfte besorglich eher der große Gerichtstag einbrechen / als der Tag eines geschlossenen Friedens."*

Den Frieden der Seele aber fand Francisci im Glauben an eine höhere und beständige Welt. Mit seinen Werken schuf er zugleich auch eine religiöse Erbauungsliteratur christlich-protestantischer Prägung. Sie ist Ausdruck einer mystisch-frommen Grundhaltung, die die Freuden dieser Welt als Blendwerk der Hölle verdammt und den Tod als Beginn des wahren und ewigen Lebens herbeisehnt. Als gläubiger Protestant hielt Francisci unbeirrbar fest an Luthers Gedanken von der potestas permissiva, der von Gott zugelassenen Macht des Teufels, gegen dessen Verführungskünste und Listen sich der Mensch nur schützen kann durch Gottvertrauen, Gebet und ein reines Herz. Helfer und Apostel des göttlichen Widersachers sind die Gespenster, deren Realität ebensowenig bezweifelt wird wie die des Teufels: *„Ein Gespenst ist keine betrogene Einbildung oder bloßer Wahn noch Irrtum noch Possenspiel / sondern ein wirklicher und wesentlicher Geist / der in mancherlei Gestalt sich sehen oder mit bloßer Stimme hören und vernehmen läßt."* So ist Franciscis *„Höllischer Proteus"* keineswegs eine Sammlung von allerlei Volksaberglauben, sondern eine ***„nützliche Entlarvung"*** des Teufels. In Form von unterhaltsamen Geschichten bietet das Buch Beispiele für die mannigfaltigen Erscheinungsformen und Verführungskünste des listenreichen Satans sowie für die furchtbaren Strafen, die seine Opfer zu erwarten haben.

Außer im *„Höllischen Proteus"* schrieb Francisci noch ungezählte andere Geschichten, die zum großen Teil wie Rosinen im Teig seiner gewaltigen kompilatorischen Schriftenmasse sitzen. Was uns daran heute noch interessiert, ist nicht allein ihr religiös-ethischer Gehalt, sondern die Eleganz und Zierlichkeit der sprachlichen Darbietung. Francisci war ein für seine Zeit beachtenswerter Stilist und Erzähler und als solcher seinem Vorgänger Philipp Harsdörffer weit überlegen. Selbst ein Romandichter wie Zigler hat große Teile aus Franciscis *„Lust- und Staatsgarten"* wörtlich, mit nur geringfügigen Retuschen, in seinen Originalroman *„Die asiatische Banise"* übernommen. Wie geschickt Francisci zu erzählen wußte, zeigt ein kurzer Ausschnitt aus seiner Geschichte *„Das verstörte Löffelpaar"* aus dem *„Höllischen Proteus"*. Philemander, ein liebedurstiger Edelmann, befindet sich mit Zeteandra, die ihm ein Eheversprechen abnötigen will, im Schlafgemach, als beide durch lautes Gepolter von Gespenstern im Nebenzimmer gestört werden. Dabei kommt es zwischen beiden zu folgendem Dialog:

„O Herr! Was fangen wir an? Ich vergehe vor Angst und Schrecken! Er hieß sie guten Mutes sein / tröstete sie und sprach hernach weiter: Ich weiß für uns beide keinen besseren Rat / als daß wir uns zuvörderst aus der Gefahr / darin wir schweben / in Sicherheit bringen. Meinen in der nächsten Kammer steinfest schlafenden Diener zu rufen / scheint nicht dienlich / er könnte schwätzen

und hernach ihre Ehre in Disput kommen. Allein, was macht man!? Sie ist jetzo meines Erachtens benötigt / sich aus dem Bette zu erheben und auf einen Stuhl niederzusitzen. Gleich damit sprang er auf / ruckte denjenigen / der seines Wissens zu den Füßen des Bettes stand / herauf und stellte ihn nahe zu seinem Kopfkissen / daß sie darauf sitzen möchte / wozu sie vor tiefer Entsetzung und Bangigkeit sich kaum bereden ließ. Aber er sprach zu ihr / sie sollte sich ein Herz fassen und sich an seiner Hand / welche er ihr aus dem Bette zureichte / mit der ihrigen nur festhalten / doch noch fester mit ihrem Vertrauen an Gott / jedoch denselben in ihrem Herzen auch um Verzeihung bitten / daß sie ihn versucht und ihre Ehre in solche Gefahr gesetzt / denn ob dieselbe gleich unverletzt geblieben und sie nicht Unzucht halben zu ihm gekommen / hätte sie doch leicht ohne Zucht und Ehre können wieder von ihm kommen. Ihre Antwort war / sie könnte es wohl wie hoch beteuern / daß sie gar kein leichtfertiges Verlangen mit sich daher getragen. Er gab wieder zur Antwort: Ihr ehrliches Gemüt stünde bei ihm in ungezweifelten Kredit. Nichtsdestoweniger / obgleich ihre Leiber noch in der Vollkommenheit beharrten / könnten doch die Gemüter gar leicht geschwächt und brünstig geworden sein. Der menschliche Sinn sei wandelbar und springe nach Bewandnis der Sachen so leicht um wie der Wind. Indem er also aus einem Buhler oder Löffler ihr Lehrer geworden war und ihr predigte / arbeitete der Poltergeist draußen im Vorgemach immer erschrecklicher fort / stellte sich auch etliche Mal / als ob er gerade auf die Tür seines Schlafgemachs mit einem starken Tritt zuginge und in die Kammer wollte / trat auch etliche Mal wirklich auf die Schwelle der weit offen stehenden Tür. Darüber entsetzte sie sich so heftig / daß er sorgte / sie könnte das Freischlein bekommen / denn sie wußte vor Angst weder aus noch ein. Daher wohl zu glauben / daß / wann sie vorhin ein Gift böser Gedanken sollte bei sich empfunden haben / solches in diesem Angstbade sie ohne Zweifel alles wieder ausgeschwitzet hätte.“

Charakteristisch für diesen Erzählstil ist eine rührende Naivität und Treuherzigkeit. Fast könnte man meinen, Francisci säße inmitten einer andächtig lauschenden Kinderschar, der er mit gespielter Ernsthaftigkeit seine Geschichten erzählt. Tatsächlich erinnert seine Erzählweise in Tonfall und Gebärde stark an die Kinderbücher des 18. Jahrhunderts. Die Gestalten wirken überaus drollig und possierlich und nehmen sich aus wie Puppen eines Marionettentheaters, die von einem unsichtbaren Spieler dirigiert werden. Er läßt sie gravitätisch einherstolzieren, erhabene Worte sprechen, pathetisch deklamieren und große Taten vollbringen. Eine bunte Schar drolliger Personen, die eigentlich nichts anderes sind als Nürnberger Spielzeug. So findet die Tradition der alten deutschen Reichsstadt, die schon immer Hauptstapelplatz des literarischen Spielzeugs war, in Franciscis Werken ihre Fortsetzung. Der größte Teil davon ist heute im Besitz des Germanischen Museums und des Landeskirchenarchivs in Nürnberg. Dort befindet sich auch das einzige bekannte Porträt Franciscis. Es zeigt einen Mann mit klugen Augen und grobknochigem Gesicht unter einer mächtigen Allongeperücke. Für ihn war Nürnberg stets die eigentliche Heimat. Zahlreiche Ämter und Chargen, die ihm im Laufe seines Lebens von mehreren Reichsfürsten angeboten wurden – u. a. eine geheime Sekretärstelle und die Würde eines Kurfürstlich-Brandenburgischen Rates –, schlug er aus, da er ungern die Stadt verlassen wollte, von der er einmal begeistert ausrief: *„Mein geliebtes Nürnberg, du Krone und Zier unseres werten Teutschlandes!“*

Erst im Alter von 61 Jahren entschloß sich Francisci, da er die Amtsgeschäfte von Haus aus erledigen konnte, dem Drängen des Grafen Heinrich Friedrich von Hohenlohe nachzugeben und den Titel eines Hohenlohischen Rates anzunehmen. Bis zum Ende seines Lebens war er unermüdlich tätig. Nur in den letzten Jahren vor seinem Tode scheint er unter einer sich stetig verschlimmernden Krankheit sehr gelitten zu haben. Sein Handbuch, in dem er täglich las, waren die *„Bekenntnisse des Hl. Augustin"*. Am 15. März 1692 starb seine Frau, *„die Edle viel Ehren und Tugendreiche Maria Hedwig Sybilla, eheliche Hausfrau und geborene Friedrichin."* So lautet der Eintrag im Totenbuch von St. Sebald. Zwei Jahre später, am 20. Dezember 1694, starb auch Francisci im Alter von 67 Jahren. Drei Totenlieder, die er noch kurz vor seinem Ableben geschrieben hatte, wurden auf Wunsch des Verstorbenen am Grabe und im Gottesdienst gesungen. Einer seiner Freunde verfaßte die Grabinschrift, deren letzte Strophe lautet:

„Er war ein solcher Mann / dem wenig zu vergleichen /
Er schrieb vom Ewigen und mußte sterblich sein.
Doch sollt er nur so lang als seine Bücher leben /
So müßt er ewiglich der Welt vor Augen schweben."

Ursula Naumann

CATHARINA REGINA VON GREIFFENBERG

1633–1694

Zum 15. April 1694 vermerkt eine alte Nürnberger Chronik: *„dato am Sonntag wurde die bey der Gelehrten Welt wohlbekannte und sinnreiche Poetin Frau Catharina Regina von Greiffenberg bei der Nacht mit Windlichtern auf einem mit sechs Pferden bespannten Leichenwagen nach St. Johannis Kirchhof geführt."* Die Leichenrede hielt Georg Albrecht Hagedorn, *„Diener des Worts Gottes an der Pfarr-Kirche zu St. Lorenzen"*, wie es im Titel der gedruckten Fassung heißt, die heute in der Stadtbibliothek Nürnberg aufbewahrt wird.
Obwohl Catharina von Greiffenberg der „Gelehrten Welt" schon lange als die bedeutendste Dichterin des deutschsprachigen Barock gilt, ist über ihr Leben bisher verhältnismäßig wenig bekannt gewesen. Erst seit 1967, nachdem Horst-Joachim Frank die Briefe Catharinas an den Nürnberger Dichter Sigmund von Birken ausgewertet und neues biographisches Material erschlossen hat, können wir uns ein anschauliches Bild von ihrem Leben machen, ein Bild, das die wenigen biographischen Angaben der Nürnberger Leichenrede nur andeuten konnten.
Feierlich-umständlich, zutiefst untertänig und in antithesenreicher „barocker" Sprache gibt diese Leichenrede ein getreuliches Abbild der Zeit Catharinas, deshalb sei hier der volle Wortlaut des biographischen Teils zitiert: *„Zum Preiß des Ewigen und Allerhöchsten Gottes ... soll nu noch ein mehrers gemeldet werden / was der Herr ... Gutes gethan hat an dem herrlichen Werck Seiner Göttlichen Liebe: an der Hoch- und Wohl-Gebohrnen Frauen / Frauen Catharina Regina / Frauen von Greiffenberg / Gebohrnen Freyherrin auf Seysenegg ... Diese wolte der gütigste Gott unter denen haben / welche Er von den Edlen und Hohen dieser Welt erwehlet / und liesse Sie / nach heiliger Gnade Seiner Göttlichen Weisheit / aus hohem Geblüt und Freyherrlichem Stand im Seegen erzeuget / und erfreulich zur Welt gebohren werden. Die ... Hohe Eltern waren / der Herr Vatter / der Hoch- und Wohl-Gebohrne Herr / Herr (Johann Gottfried) von Greiffenberg / Freyherr auf Seysenegg ... Die Frau Mutter / die Hoch- und Wohl-gebohrne Frau / Frau Eva Maria / eine gebohrne Herrin von Pranckh."*
...
„Die gesegnete Geburt aber dieser aus so hohem und auch von der Welt herrlichem Geblüt erzeugten Tochter geschahe im Jahr nach der Heyl-Geburt Jesu

Christi . . . 1633. am 7ten Tag des Monats Septembris, zwischen 9. und 10. Uhr in der Nacht. So wurde dazumahln dem Hohen FreyHerrlichem Hause / durch die glückseelige Entbindung der Gnädigen Frau Mutter / die Finsterniß selbiger Nacht / Licht und Freude . . . Zu heiligem Andencken der empfangenen Taufe wurden ihr . . . beede nachdencklich-schöne Namen Catharina Regina zugeeignet."
Catharina verbrachte ihre Jugend auf Seisenegg, dem Stammschloß ihrer Familie. Es lag etwa zwei Tagereisen von Wien entfernt in Niederösterreich in der Nähe des Marktfleckens Amstetten am Fluß Ybbs und unweit der Donau, dem „Ister-Fluß", wie die Zeitgenossen auch sagten. Die religiösen Kämpfe der Zeit – sie wurde ja mitten im 30jährigen Krieg geboren – bestimmten auch ihren Lebensweg. Das regierende Kaiserhaus Habsburg war katholisch, ihre Eltern gehörten zum protestantischen Adel des Landes und waren damit ohne Kirche, denn wenige Jahre vor der Geburt Catharinas hatte Leopold I. durch ein Edikt alle evangelischen Geistlichen und Lehrer des Landes verweisen lassen. Dieser Befehl muß zu merkwürdigen Praktiken geführt haben. In dem Bericht eines Beamten, der nachprüfen sollte, ob die kaiserlichen Befehle befolgt würden, heißt es zum Beispiel: *„Zu Amstetten hat man mir gesagt, daß des von Greiffenberg Prädikant zu Viehdorf die Leute noch zuletzt auf drei bis vier und fünf Jahr sakramentiert haben soll . . ., und ob (die Leute) schon katholisch werden müssen, sollten sie gleichwohl wie zuvor beten."*
Als Catharina etwa sechs Jahre alt ist, stirbt der Vater. Hagedorn erinnert in seiner Predigt an jenen *„Trauer-vollen Abend / da Sie Ihres Herrn Vatters Freyherrlichen Gnaden / welche am Morgen / in wichtigen Dero Angelegenheiten / gesund und wohl-vergnügt waren abgefahren / nebenst Dero Genädigen Frau Mutter mit Freuden in dem Schloß-Hof entgegen giengen / und aber Dero Gnaden / mit höchstem Erstaunen / auch wider alles Vermuthen dero mit Ihnen angekommenen Bedienten / etwan durch einen jähen Schlag-Fluß getroffen / todt auf der Carosse finden musten."* Das Erbe tritt der Stiefbruder des Verstorbenen an, Hans Rudolph von Greiffenberg, der sich auch um die wissenschaftliche Ausbildung seiner Nichte kümmert, die umfassend gewesen sein muß: *„Durch herrliche Fähigkeit Ihres natürlichen Geistes fassten Sie gar bald die Belehrung dessen / was / Ihrem hohen Stand gemäß / in irdischen Wissenschaften vorgetragen wurde: worzu auch die Erkäntniß der Lateinischen / Italiänischen / auch Französischen und Spanischen Sprache kam."*
Offenbar hat sie früh angefangen, sich mit Literatur zu beschäftigen, denn in seiner *„Zuschrifft"* zu den *„Geistlichen Sonnetten, Liedern und Gedichten, zu Gottseeligem Zeitvertreib erfunden und gesetzet durch Fräulein Catharina Regina / Fräulein von Greiffenberg"*, die 1662 in Nürnberg *„zwar ohne ihr Wissen / zum Druck gefördert"* wurden, schreibt Hans Rudolph: *„Also hat Sie auch / da Sie ihre Zeit auf dem Land in weniger Gesellschaft bishero zugebracht / ihre Einsamkeit sonders wol und nützlich / nemlich zu Lesung guter Bücher / verwendet / und also . . . in mangel der Lebendigen / sich mit den Todten besprochen. Insonderheit hat Sie / von erster Zeit an ihrer Leskündigkeit / zu der nunmehr in unserer Teutschen Muttersprache hochgestiegenen edlen Dichtkunst ein eiffriges Belieben getragen / und nicht allein dergleichen Bücher vor andern mit Lust gelesen / sondern auch endlich mit Zuwachs der Jahre / die Feder selber angesetzt / und zu ihrem Zeitvertreib / aus selbst-eigner Belehrung ihres schönen Verstands / ein und anders Gedichte zu Papier gebracht: welche denn von etlichen unsern guten Freunden / die von dieser*

Catharina Regina von Greiffenberg, wahrscheinlich in ihren letzten Lebensjahren

löblichen Kunst-Ubung beydes Verstand und Ruhm haben / mehrmals beliebet und belobt worden.“
Die *„guten Freunde“* waren vor allem Wilhelm von Stubenberg, ein österreichischer Edelmann, und der ebenfalls aus Österreich stammende, aber nun in Nürnberg ansässige Sigmund von Birken, Harsdörffers Nachfolger im Vorsitz der Nürnberger Dichtergesellschaft der Pegnitzschäfer. Stubenberg, damals als Übersetzer vor allem italienischer und französischer Romane bekannt, führte einen kleinen Kreis literarisch interessierter österreichischer Adeliger, der in Korrespondenz mit den Pegnitzschäfern stand. Etwa 1659 schickt er Birken ein Sonett Catharinas zu, von der er berichtet, sie sei seine *„halbe Schülerinn gewesen, Zu Seisenekk in Oesterreich 4 Meilen von Mir wohnhafft, dahero Ich vielmahls die Ehre gehabt, daß Sie Mir ihre sachen anfangs Zuverbessern übersändet“*. In seiner Antwort spricht sich Birken lobend darüber aus und mag Hans Rudolph damit ermutigt haben, die Gedichte seiner Nichte zu veröffentlichen. Jedenfalls stellt er bald darauf ein Manuskript zusammen und schickt es zu Birken nach Nürnberg mit der Bitte, es für den Druck fertig zu machen. Birken kam dieser Bitte nach. Wenige Wochen nach Erscheinen des Werkes bedankt sich Catharina bei ihrem *„geEhrten kunstförderer“* für *„So große bemühung, durch künstliche außzier- und Außführung Einer ungestalten Mißgebuhrt“*, und Stubenberg spricht von einem *„gold gefassten demant“*, der *„durch des Herrn Zierliche Vorrede, u. lob“ „erst . . . rechten Glanzgrund überkommen“*. Die Berechtigung dieser Anerkennung kann man an einem 1967 erschienenen und damit allgemein zugänglich gewordenen reprographischen Nachdruck der Originalausgabe sehen. Außer der *„zierlichen Vorrede“*, die mit einer langen Aufzählung bedeutender Frauen der Bibel und Heiligengeschichte auf eine Streitfrage der damaligen Zeit (ob Frauen den Männern auf geistigem Gebiet ebenbürtig sein könnten) eingeht, und einigen Widmungsgedichten stellte er der Sammlung einen emblematischen Kupferstich voran.
Der Stich mit der Inschrift *„Der Teutschen Uranie Himmel-abstammend und Himmel-aufflammender Kunst-Klang und Gesang“* zeigt vor einem Felsen eine halb stehende, halb kniende Frau mit himmelwärts gerichtetem Blick. Ihre Hände greifen in die Saiten einer Leier. Daran ist ein Band befestigt, dessen anderes Ende am oberen Bildrand eine in einer Gloriole schwebende Taube trägt. Eine *„Erklärung des KupferTitels“* deutet das Bild:

> *„die Leyr / kommt Himmel-ab / und wieder himmlisch werde.*
> *Diß zeigt uns dieses Buch. Der Andacht Himmelbild*
> *spielt Gott zu Ehren auf / schickt ihm die Flammen wieder /*
> *die sie von Ihm empfieng / und dichtet Engel-Lieder.“*

Bild und Erklärung charakterisieren sehr hübsch die geistige Struktur des Werkes, das *„Lobe-Rund“*, wie Catharina selbst es nennt:

> *„Ach lob den höchsten Gott / mein Herz aus deinem grund /*
> *ach wollst zu seinem Lob den ganzen Geist ausschütten /*
> *daß er sein' Ehr' und Preiß recht finde in der mitten;*
> *daß in des Herzens Herz und Lebens Leben-Stund*
> *es fahr' unendlich fort das Lobe-Rund der Mund.“*

Die weitaus meisten Gedichte sind Lob- und Preisgesänge, eines der schönsten das folgende, das wie 14 weitere Sonette überschrieben ist *„Gott-lobende Frühlingslust“:*

*„Jauchzet / Bäume / Vögel singet! danzet / Blumen / Felder lacht!
springt / ihr Brünnlein! Bächlein rauscht! spielet ihr gelinden Winde!
walle / Lust-bewegtes Träid! süsse Flüsse fliest geschwinde!
opffert Lob-Geruch dem Schöpffer / der euch frisch und neu gemacht!
jedes Blühlein sey ein Schale / drauff Lob-Opffer ihm gebracht /
jedes Gräslein eine Seul / da sein Namens-Ehr man finde.
an die neu-belaubten Aestlein / Gottes Gnaden-Ruhm man binde!
daß / so weit sein Güt sich strecket / werd' auch seiner Ehr gedacht.
Du vor alles / Menschen Volck / seiner Güte Einfluß Ziele!*
...
*Gott mit Herz / Hand / Sinn und Stimm / lobe / preiße / dicht' und spiele.
Laß / vor Lieb' und Lobes-Gier / Muht und Blut zu Kohlen werden /
lege Lob und Dank darauff: Gott zum süssen Rauch auf Erden.“*

Typisch für das Dichten Catharinas ist das Zusammenrücken von Sinn- und Bildebene, eigentlichem und uneigentlichem Sprechen in eine einzige sprachliche Ebene, im gerade zitierten Gedicht zum Beispiel in den beiden letzten Versen:

*„Laß / vor Lieb' und Lobes-Gier / Muht und Blut zu Kohlen werden /
lege Lob und Dank darauff: Gott zum süssen Rauch auf Erden.“*

Das läßt die Gedichte in manchen Passagen kühn und modern erscheinen; das Sonett *„Auf meine / auf Gottes Gnad gerichtete / unabläßliche Hoffnung“* beginnt mit den berühmt gewordenen Zeilen:

*„Ich stehe Felsen-fest in meinem hohen hoffen.
Die wellen prellen ab / an meinem steinern Haubt.“*

Der Grund für das unvermittelte Zusammenfallen von Abstraktem und Konkretem ist wohl über die Doppelbewegung *„himmelabstammend — himmelaufflammend“* einsichtig: als Werk Gottes ist die Schöpfung auch Zeichen Gottes und kann über ihre Dinglichkeit hinaus auf geistige „geistliche“ Zusammenhänge verweisen. Der Zeichencharakter alles Irdischen spiegelt sich gleichsam im Zeichensystem der Sprache bzw. Schrift wider: Gott „schreibt“ mit den Dingen der Schöpfung sein eigenes Lob. Eine Strophe aus dem Lied *„Auf die blühenten Bäume“* heißt:

*„Kreiden-weißes Blüh-Papier!
auf dich wird / des Schöpffers Zier /
sich / durch schwarze Kirschen / schreiben /
und die Süssheit einverleiben.
Jedes Blätlein / ob schon stumm /
laut bekennet seinen Ruhm.“*

Diese wenigen Beispiele aus dem Hauptwerk Catharinas zeigen doch schon, daß das folgende boshafte und zutreffende Urteil über die poetische Produktion der meisten adeligen Dichterinnen des Barock auf ihr Schaffen nicht zutrifft: *„was in den höheren Kreisen und auch sonst öfter von Frauen gedichtet wurde, hatte die doppelte Entschuldigung für sich, daß es doch meist ungedruckt blieb und geistliche Erbauung war"*, und sie zeigen auch, daß eine Beschäftigung mit ihren Dichtungen gedankliche Anstrengung verlangt. – Aber kehren wir zum *„Lebens-Lauff"* zurück.

1663 kommt Catharina von Greiffenberg zum erstenmal nach Nürnberg. Unmittelbarer Anlaß für ihre Reise war der Einfall der Türken in Ungarn, der viele österreichische Adelige dazu brachte, vorübergehend ihre Güter zu verlassen. Für die Wahl Nürnbergs als Zufluchtsort sprachen mehrere Gründe. Einmal waren ihre Sonette gerade hier erschienen; vor allem aber war Nürnberg schon lange zum traditionellen Aufenthalt der österreichischen Emigranten geworden, die wegen ihres protestantischen Glaubens die Heimat verlassen hatten, so auch der Großeltern Catharinas. Hermann Uhde-Bernays, der die erste größere Biographie Catharinas schrieb, berichtet: *„Die Zahl der in Nürnberg versammelten Adeligen war so groß, daß schon im Jahre 1630 die gemeine Emporkirche zu St. Lorenz erweitert werden mußte . . . Innige Freundschaft verband zahlreiche Mitglieder des österreichischen Adels vornehmlich mit den wissenschaftlich hochstehenden Geistlichen der Stadt . . . während sie dem eingesessenen Adel der Stadt meist fremd gegenüberstanden und verwandtschaftliche Verhältnisse fast gar nicht eingingen. Auch vermieden sie es, wirkliche Bürger zu werden."* Ein weiterer Grund für die Übersiedlung war vielleicht die Heirat Catharinas mit ihrem Onkel, Hans Rudolph von Greiffenberg, die in Österreich kaum möglich gewesen wäre. Hagedorn sagt in seiner Predigt: *„Um so viel mehr geschahe es dann / daß / nach wunderbahrer Fügung der Göttlichen Weisheit / der weyland Hoch- und Wohl-gebohrne Herr / Herr Rudolff von Greiffenberg / ein Herr von sonderbahr-Christlichem Geist ... Sich Ihre Gnaden / die damahlige Fräulein / zur Freyherrlichen Gemahlin hochbedächtlich erwehlten / und in Christ-geziemender Gottseeligkeit eifrig ersuchten. Die Gnädige Fräulein nahm die vorher nie verlangte Aenderung und gantz unvermuthete Schickung in ... Furcht vor Ihres Gottes Angesicht an / und ergab die gantze Sache Ihrem Himmlischen und Ewigen Bräutigam mit heiligem Gebet. Darauf verfügte sich dann auch die Frey-Herrliche Vermählung . . ."*

Wie kam es zu dieser merkwürdigen Heirat zwischen Onkel und Nichte? Aus der Formulierung *„Die Gnädige Fräulein nahm die vorher nie verlangte Aenderung und gantz unvermuthete Schickung in . . . Furcht vor Ihres Gottes Angesicht an / und ergab die gantze Sache Ihrem Himmlischen und Ewigen Bräutigam ..."* kann man wohl herauslesen, daß Catharina über den Antrag des fast 30 Jahre Älteren nicht sehr glücklich war. In einem Brief Birkens heißt es sogar: *„Die Dame, nachdem ihr solche Liebe Kundt und ein ehliches Gelübde an Sie gesuchet worden, hat zwar mit dem Amanten, als ihrem Wohltäter, ein beyleid, aber von dessen amour, als eines Blutgefixtens* (Blutsverwandten) ... *abscheu getragen."* Erst die Reaktion Hans Rudolphs, bei dem nach der Zurückweisung *„die Liebe gefährliche Leibs- und Gemüts-Krankheiten zu würken begonnen"* und als *„ein morbus incurabilis ... Leib- und Seel-gefährliche effectus und affectus"* erzeugt habe, hätte sie endlich umgestimmt. Der Bericht über die Liebeskrankheit Hans Rudolphs klingt allerdings ziemlich romanhaft und wenig wahrscheinlich; was sich tatsächlich zwischen beiden abspielte, wissen wir nicht.

So problemlos, wie man nach Hagedorns knapper Mitteilung vermuten könnte, „verfügte" sich die Vermählung übrigens nicht. Ohne die Hilfe Birkens, der seinen Freund, den Bayreuther Generalsuperintendenten Caspar von Lilien, für eine Vermittlung beim Markgrafen von Brandenburg-Bayreuth, Christian Ernst, gewann, wäre es für Hans Rudolph schwer gewesen, die für eine derartige Heirat notwendige Sondergenehmigung zu bekommen. So aber erklärte dieser sich einverstanden, *„daß Besagtem Von Greifenberg in Unßerm Land und Fürstenthumb die Priesterliche Copulation wiederfahren möge"*, und er sprach die Hoffnung aus, *„es werde derselbe ... zu Verhüttung anderer besorglicher inconvenientien seine in Oesterreich liegende Güter förderlich ver- und in unßerm lande sich ander weit wiederumb ein Kauffen"*. Die Trauung fand in Frauenaurach am 12. Oktober 1664 statt. Dem Pfarrer war ein *„Special Befehl"* des Markgrafen zugegangen, das Paar *„ohne einiges Bedencken, im Namen der Allerheiligsten Dreyeinigkeit, förderlichst zu copuliren"*.
Nach der Hochzeit lebt Catharina zunächst weiter in Nürnberg und vollendet hier ein schon auf Seisenegg begonnenes Werk mit dem Titel: *„Sieges-Seule der Buße und Glaubens / wider den Erbfeind Christlichen Namens: aufgestellet ... durch Catharina Regina / Frau von Greiffenberg ..."* Die Schrift sollte den Widerstand gegen die Türken stärken und trägt die Widmung: *„An mein wehrtes Teutsches Vatterland"*: *„Allerliebstes Vatterland! Die allerschönste, beste und löblichste Sache auf Erden, so von aller Welt gepriesen, von allen Gelehrten beschrieben, von allen Helden geübet, und von jederman geliebet worden, ist die Liebe des Vatterlandes. Sie ist der Athenienser Ehre, der Lacedämonier Lob, der Römer Ruhm, und aller Berühmtheiten Preiß und Kron gewesen ... Die sind nicht wehrt, in einem Vatterland gebohren zu werden, die solchem nicht wiederum tausend Dienste gebähren."* Dann erklärt sie, was sie mit Vaterland meint: *„Ich verstehe aber / durch den Namen Vatterland nicht nur die Landschafft / Gegend / und das Schloß / wo ich gebohren / sondern Germanien / Teutschland / das Römische Reich / und die ganze löbliche Teutsche Nation und Völkerschaft / ... das löblichste Haubt / und die Durchleuchtigste Glieder / Regirer und Vorsteher / endlich auch alle dessen Inwohner."* Diese Zeilen haben Catharina in der Vergangenheit den Ruf einer nationalen Dichterin eingetragen (Uhde-Bernays schließt seine Biographie mit den Worten: *„sie war eine echte deutsche Frau"*), aber schon der Titel — *„Sieges-Seule der Buße und Glaubens"* — zeigt, daß sie vor allem ein religiöses Anliegen hatte. Das wird zum Beispiel in der folgenden Aufforderung ganz deutlich:

„... Wolan / in Gottes Namen!
nicht nur das Teutsche Reich / es trette nun zusammen
was Christlich heist und ist / und helff mit Herz und Hand
dem wilden Wider-Christ thun dapfern Widerstand
ohn' alle Wägerung ..."

Als Endziel des Kampfes erhofft sie nach der Bekehrung aller Ungläubigen ein christliches Weltreich unter der Führung des Kaiserhauses Habsburg:

„... Ach! wehrte Geistes-Taube /
...
... Ach! bring / durch deine Flammen /
so vieler Völker Zung' in einem Sinn zusammen /
zu einem Glauben bring' ihr' ungezehlte Zahl:

daß sie / dich Einigen / unendlich überall
in aller Sprachen Zier / einmütig glaubend loben."

Das Gelingen dieses Planes wird im Titel *(Sieges-Seule)* utopisch vorweggenommen.
Inhaltlich besteht das Werk aus dem historischen Bericht über die Kämpfe zwischen Christen und Heiden von den Zeiten Mohammeds an bis in die Gegenwart der Dichterin und ist durch die enge stoffliche Bindung vor allem von zeitgeschichtlichem Interesse. Es finden sich aber auch freie Passagen, die zum Teil außerordentlich kompliziert und kunstvoll „gearbeitet" sind. Gott verspricht seinen Gläubigen Schutz:

„Ihr seid (denkt ewig doch, was könnt er Tiefers sagen,
Das inniglicher wär) auch mein Augapfel gar;
Sein Sternlein und darin das schwarze Sehe-Klar
Laß ich antasten nicht; ließ eh die Sonn zerstören
Als den Kristallen-Saft, den Mittelpunkt versehren
Dem Werkzeug des Gesichts. Die gläsern Feuchtigkeit
Soll aller Donnerstrahl' der Feinde sein befreit.
Das Wasser-Wölklein soll kein Tröpflein auch verlieren.
Es soll kein rauher Wind die Spinnenweb anrühren,
Die den Kristallen-Glanz vom Wässerichten teilt.
Es soll von keinem Blitz das Häutlein sein durchpfeilt,
Das Glas und Wasser scheidt. Das Netz ist wohl gestricket,
Das den Beseelungs-Geist durch den Gesichts-Nerv schicket
Dem Aug aus dem Gehirn / dem es zum Wiedergelt
Das Bildnis, was es sah von außen, treu zustellt."

Die Verletzlichkeit des Auges ist in immer neuen eigenwilligen Bildern mit großer Behutsamkeit und Sensibilität ausgedrückt.
Außer der *„Sieges-Seule"* hat Catharina von Greiffenberg noch zwei weitere Schriften verfaßt, durch die sie politisch-religiös wirken wollte. Unter dem Titel *„Der geheime Lebenslauf der Catharina Regina von Greiffenberg"* hat Hubert Gersch ihre allerdings ziemlich phantastischen Pläne beschrieben: *„Die aus Österreich wegen ihres protestantischen Glaubens vertriebene Dichterin wollte den klerikal erzogenen und in der Konfessionsfrage besonders intoleranten Kaiser Leopold I. und den Wiener Hof, das Zentrum der unter Anleitung der Jesuiten scharf und erfolgreich betriebenen Gegenreformation, zum Protestantismus bekehren und dadurch die gespaltene Christenheit wieder vereinen!"* Beide Werke sind verschollen, wir wissen von ihnen nur aus dem Briefwechsel mit Birken, der sie zur Beurteilung zugeschickt bekam: *„Bitte solches mir zu sonder Gefallen durch zu lesen, und genau zu betrachten, Auch mich aufrichtig zu berichten, wie Es Ihm gefalle. Ob Er Es Tüchtig und schikklich finde, Einigen Zugang Zu dem bewusten Hohen Zwekk Zu machen, Ob ich mich genug verwahrt und verblümet, ob Es die rechte Ahrt und über Einstimmung hat, auch was irgend sonsten dabey zu erinnern und außzustellen were? Ich bekenns, daß ich dergleichen Schrifft ganz ungewohnt, und mein Lebtag keine gemacht habe, also werden wohl gar viel Fähler mit unter lauffen."*
Daß sie im Intrigieren tatsächlich so ungeübt war, wie sie schreibt, kann man auch daraus schließen, daß sie die erste Bekehrungsschrift dem Kaiser ausge-

rechnet durch seinen jesuitischen Beichtvater in die Hände spielen wollte. Damit hatte sie natürlich keinen Erfolg; als auch der zweite Versuch über eine Hofdame der Kaiserin mißlang, resignierte sie: *„Jezt werd' ich von allen dergleichen Versuchen ruhen, aber nie vom Flehen, daß Gott meinen so billich alß schönen Wunsch erfüllen wolle."* Zeitlich liegen die eben geschilderten reformatorischen Bemühungen in den siebziger Jahren des Jahrhunderts, also etwa zehn Jahre nach der Hochzeit 1664.
Im Sommer 1665 reist das Ehepaar nach Österreich, um den Verkauf seiner dortigen Güter zu regeln. Unterwegs wird Hans Rudolph plötzlich verhaftet und beschuldigt, er habe sich mit *„seines verstorbenen Herrn Bruders Tochter in Lieb eingelaßen"* und *„an unterschiedlichen orthen im Römischen Reich angesucht"*, bis er *„endlich einen Praeticanten angetroffen, welcher ihn copulirt"*. Erst nach einigen Monaten wird er aus der Haft entlassen, nachdem sich der Kurfürst Georg von Sachsen auf Bitten seiner Tochter, der Bayreuther Markgräfin, für ihn eingesetzt hatte. Merkwürdigerweise gibt er nach seiner Freilassung den Plan einer Umsiedlung nach Deutschland auf und beschließt, seine Güter von Seisenegg aus zu bewirtschaften.
Jetzt beginnt zwischen Catharina und Birken der Briefwechsel, von dem am Anfang die Rede war. Etwa 200 Briefe der Dichterin sind erhalten. Da Birken alle Briefe, die bei ihm eintrafen, numerierte und mit Datum versah, kann man die Entstehungszeit fast aller Briefe ziemlich genau bestimmen: ein Brief hat damals von Seisenegg nach Nürnberg etwa eine Woche gebraucht.
Als Herrin von Seisenegg hat Catharina offenbar wenig Zeit für ihre literarischen und religiösen Interessen gehabt. Die Gäste ihres Mannes müssen meist

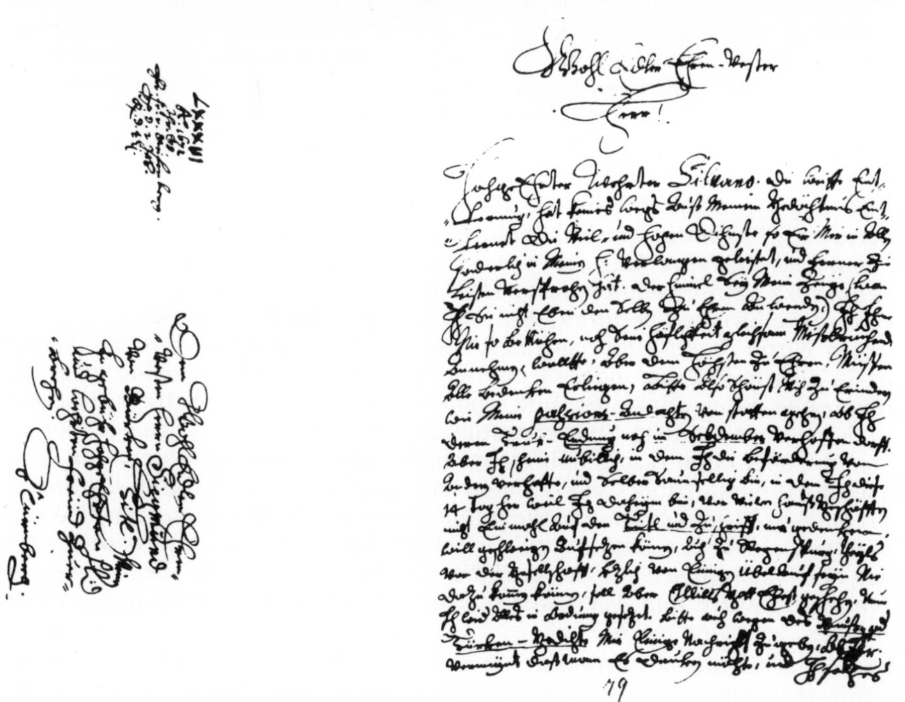

Auszug aus einem Brief der Dichterin an Sigmund von Birken vom Juli 1672

ziemlich roh und ungebildet gewesen sein: eine *„gesellschafft die nichts lieblichs noch löblichs liebt, Entweder von Närrischen bossen oder von unzüchtigen Sachen, (oder Aufs Sauberste) Von Schweinen Selber zu Reden Pfleget, wanns hoch kommt Spielen, welches Mir Alles Zu wette zu wider ist“.* Nicht einmal die Sonntage kann sie nach ihrem Willen in Einsamkeit verbringen: *„Man kan leider! nie weniger still seyn als am Sabbath. Da geschehen alle Zusammenkunfte / Besuchungen / Ausfahrten und Feste. Da soll man GOtt stehen lassen / und der Welt aufwarten; das Himmelanklopfen in wind schlagen / und der Eitelkeit aufhupfen; die Bibel wegschieben / und die Karte in die hände nehmen. Thut man es nicht / so wird man vor ein Närrin / oder was noch ärger / vor eine Pharisäische Heuchlerin gehalten ... man wird wider seinen willen / an der Ruhe und Stille in GOtt verstöret / weil man / wie ein einsames Vöglein / überall aufgetrieben wird: geschihet es nicht durch eine Gesellschaft / so kömt doch irgend ein Geschäfte oder Haussache.“*

Nur die Jagd im Herbst macht ihr Freude, und sie schreibt davon hübsch und lebendig: *„Waarhafftig, Die Bewegung ist halbes Leben, und die beste Freündin der Gesundheit ... jetzt, da wir Auf der Jagt Alle Berg und Büsche durch den Füchsen und hasen wakker nach setzen und hetzen, ist ... mein Kopf wieder Eingericht und schmekket uns Essen und schlaffen Wohl. Wann gar jenes in der kälte, unter Freyem himmel geschicht. Fischen und Jagen ist Meine größte Lust Auf dem Land ... das Jagen Sonderlich!“*

Meist aber fühlt sie sich einsam und sehnt sich nach Birken und ihren anderen Freunden in Nürnberg. Jedes Jahr fährt sie einige Wochen zu ihnen, um *„recht Verträulich Sich mit“* ihnen zu *„unterreden“.* Zu Hause müsse sie *„unter lautter boshafften Bauers leüthen“* ohne *„die geringste Außsprach oder Allgemeyne unterhaltung“* leben. Auch hat sie wieder unter Anfeindungen wegen ihrer angeblich unrechtmäßigen Ehe zu leiden, und sie klagt: *„Wie die Winde und Stürme im Isster Raasen und blasen Also die Neid und läster-Mäuler in Ohren und Herzen! biß so lange Sie einen gemühts-Sturm, und Augen-Regen erregen.“*

Ihre Lage wird durch den Tod ihres Mannes noch schwieriger. Hagedorn berichtet: *„Das einige war betrübt in dieser hohen Ehe / daß sie ein Ende nahm / und nach 11. Jahre lang genossener solcher Göttlichen Güte / nehmlich im Jahre 1675. hocherwehnter Herr / Herr Rudolf von Greiffenberg / von Seinem Gott in die Ewigkeit beruffen / Seine so hoch geliebte Frau Gemahlin im kläglichen Wittib-Stand hinter sich ließ.“* Der Ausdruck *„kläglicher Wittib-Stand“* ist in diesem Fall besonders treffend, denn jetzt geriet Catharina in große finanzielle Schwierigkeiten und endlose Prozesse. Zwar hatte sich Hans Rudolph noch auf dem Sterbebett um die Regelung seiner Angelegenheiten bemüht, aber ohne Erfolg. Jahrelang zogen sich die Verhandlungen hin, und auch die Unterstützung von Freunden half nicht viel: *„... es bemühn sich meine Freunde in beyden Landen in Steyr und Oester Reich, mich dieser Kwahlen zu befreyen. Allein die Rechts- und Gerichtsgänge haben Bley in Füssen, gehn wie der langweilige Saturnus und die Kwahlen entzwischen fliegen wie ein Bienen Schwarm und legen sich um mein Haubt und Herz an, daß ich von Schmerz vergehen möchte.“*

Über den Ausgang des Prozesses ist nichts Sicheres bekannt; offenbar hat sie wenigstens einen Teil ihres Vermögens retten können. 1680 siedelte sie endgültig nach Nürnberg über. Vorher schon hatte sie Birken gebeten: *„Er suche*

mir indeßen eine schöne grühne Einsamkeit auß, darinnen ich mein Leben schließen kann."
Da die Korrespondenz mit Birken mit der Übersiedlung abbricht, wissen wir wenig über ihre letzten Jahre. Sie scheint ziemlich zurückgezogen gelebt und die meiste Zeit an religiösen Andachtsbüchern gearbeitet zu haben, wie sie gerade in Nürnberg damals sehr verbreitet waren. Vier solcher Andachtsbücher sind uns erhalten. Sie bringen sämtlich Betrachtungen zum Leben und Sterben Jesu, die mit Liedern und Gedichten abwechseln. Hagedorn berichtet noch von weiteren angefangenen Schriften dieser Art, die verloren sind, und von neuen Sprachstudien Catharinas: *„Die Süssigkeit des Göttlichen Worts um so viel desto mehr zu kosten / nahmen Sie die Lehre der heiligen Sprachen / der Hebräischen / Chaldäischen / Syrischen und Griechischen gar begierig an: in welchen Sie auch den Geist Gottes kunten reden hören. Wie Sie dann in Hebräischer und Griechischer Sprach das Wort des Herrn nicht zu lesen / sondern auch ungehinderten Verstand davon fassen / und eigner Andacht nachdenckliche Gedanken . . . darob haben kunten."*
Sicher übertreibt er hier, wie das in Nachrufen üblich ist, aber selbst dann bleibt seine anschließende Bemerkung zutreffend: *„Welches in Warheit / bey Ihres Standes hohen Personen und Geschlecht sehr rare Gaben Gottes / und zum Preiß des Allerhöchsten / nicht unbemeldet bleiben sollen."*
Am 8. April 1694 stirbt Catharina Regina von Greiffenberg in Nürnberg. *„Das geschahe am 1. Tag des 8. Monats Ihres 61. Jahrs; Abends ein Viertheil nach 9. Uhr . . . Damit hörte auf zu leben der zuletzt auf Erden lebende Zweig des Freyherrlichen Greiffenbergischen Stammes . . . Und so hielten Sie Ihre Himmelfahrt an Jesu Auferstehungs-Tag."*

Schlußvignette aus „Des Glaubens Geheime Süßigkeit", Nürnberg 1694

Fritz Aschka

JOHANN PETER UZ

1720–1796

Am 10. Oktober 1795 griff der Landgerichtsdirektor Johann Peter Uz zur Feder und schrieb seinem Freund, dem Leipziger Singspieldichter Christian Felix Weiße, unter anderem folgendes: *„Ich hinterlasse weder Frau noch Kinder, und habe nur noch eine ledige Schwester, ungewiß, ob sie mich oder ich sie überleben werde. Meine kleine Verlassenschaft kömmt in fremde Hände, meine Papiere werden durchstöbert, und es wäre ein gar herrlicher Fund für den Eigennutz, wenn eine so vortreffliche Briefsammlung auf einmal jemanden in die Hände fiele."*
Der Landgerichtsdirektor Uz nämlich war ein allezeit bescheidener, die Ordnung schätzender, fast ängstlich auf die Wahrung seiner bürgerlichen Privatsphäre bedachter Mensch. Er hob die Briefe, die ihm sein Freund Weiße im Laufe einer langen Bekanntschaft geschrieben hatte, nicht nur säuberlich auf, er gab sie ihm auch ein gutes Jahr vor seinem Tode am 12. Mai 1796 mit dem eben zitierten Begleitschreiben wieder zurück. Schließlich hatte der 1720 zu Ansbach geborene Uz zu dieser Zeit schon sein 75. Lebensjahr erreicht, und es schien an der Zeit, das Haus zu bestellen. Ein braves Beamtenleben neigte sich dem Ende zu und wäre auch nicht weiter betrachtenswert, wenn nicht eben dieser Johann Peter Uz in seinen jüngeren Jahren ein reichlich umstrittener Dichter gewesen wäre. Er war nicht nur einer der bekanntesten unter den sogenannten Anakreontikern, die als ein loses, fast sittenloses Völkchen galten, er gab auch den Anstoß zu einer bösen literarischen Fehde, an der sich große Geister der Zeit, Wieland, Lessing, beteiligten.
Der fränkische Goldschmiedssohn Johann Peter Uz, der im Wintersemester 1741/42 die Universität Halle zu juristischen Studien bezog, kam auf einem durchaus konventionellen, damals wie heute gerne beschrittenen Pfad in die Gefilde der Dichtung. Er fand die literarische Richtung, die seinen Vorstellungen zu entsprechen schien, die Anakreontik, und er fand die literarischen Partner, die sich gemeinsam mit ihm auf die neue Richtung warfen, die mit ihm sozusagen eine Gruppe bildeten, nämlich seine Studienfreunde Johann Nikolaus Götz und Wilhelm Ludwig Gleim. Mit ihnen zusammen begeisterte er sich an einer neuen Dichtweise, wie sie zum Beispiel der Hamburger Friedrich von Hagedorn in poetischen Fabeln und Erzählungen, in Oden und Liedern

Gemälde von Johann Michael Schwabeda 1780

vorführte – mit ihnen zusammen befaßte er sich vor allem mit dem großen, namengebenden Vorbild Anakreon, dem griechischen Lyriker, beziehungsweise mit einer Sammlung von Gedichten, die diesem Lyriker aus dem sechsten vorchristlichen Jahrhundert zugeschrieben wurden.
Die Sammlung war zwar schon Mitte des sechzehnten Jahrhunderts von einem Franzosen namens Henri Estienne herausgegeben worden, fand aber erst jetzt, in der nachbarocken Zeit, den richtigen Widerhall. Die große Geste des literarischen Barock, das Pathos, die aufgetürmte Wortkunst, die Verwirklichung in der Antithese – das alles waren Erscheinungen, mit denen die Dichter des frühen achtzehnten Jahrhunderts nicht mehr viel anzufangen wußten. Sie schätzten eher das Maß, den Ausgleich, Klarheit, Einsicht, Belehrung, läuternde Vernunft und bürgerliche Zufriedenheit. Inzwischen war ja auch nicht umsonst die Aufklärung ins Land gegangen.
Ganz überzeugend kamen die Dichter freilich noch nicht vom Barock los. Sinnenhaftes Dasein, barocker Überschwang, Liebeslust, das alles hätte ihnen wohl auch gefallen. Notwendig erschien nur, daß man das barocke Welttheater, daß man die ungeheuren Spannungen zwischen Liebe und Tod, zwischen Lebenskraft und Leere – vanitas – auf ein bürgerliches, vernünftiges Maß reduzierte. Und dazu bot sich Anakreon an. Er führte das leichte Liebesspiel vor, das galante Getändel, die Freude am Wein in Rosenlauben und anmutigen Landschaften, die gleichsam unverbindliche Lebensfreude. Und unverbindlich war es dann auch, was die Anakreontiker, unter ihnen Johann Peter Uz, an zierlichen Versen zu Papier brachten. Man bewegte sich gewandt und elegant als Schäfer durch die immergrüne Flur, vermied nach Möglichkeit das Derbe, das Direkte, den freien Ausdruck von Gefühl – kurz, man spielte, ohne sich zu engagieren.
Allerdings: so unverbindlich in ihrer Gesellschafts- und Konversationslyrik konnten die Anakreontiker gar nicht sein, um nicht doch oder vielleicht gerade deswegen Anstoß zu erregen. So machte sich ein Spötter namens Abraham Gotthelf Kästner über die beschränkte Thematik der Anakreontiker lustig: *„Was Henker soll ich machen / Daß ich ein Dichter werde? / Gedankenleere Prose / In ungereimten Zeilen / In Dreiquerfingerzeilen, von Mädchen und von Weine / Von Weine und von Mädchen / Von Trinken und von Küssen / Von Küssen und von Trinken / Und wieder Wein und Mädchen / Und wieder Kuß und Trinken / Und nichts als Wein und Mädchen / Und nichts als Kuß und Trinken / Und immer so gehindert / Will ich halbschlafend schreiben / Das heißen unsere Zeiten / Anakreontisch dichten."*
Aber auch die ernsthafte Literaturgeschichte ließ die Anakreontiker in ihrem unverbindlichen Schäferspiele nicht ungeschoren. In seinem weitberühmten Standardwerk über die deutsche Literatur des achtzehnten Jahrhunderts notierte Hermann Hettner ungehalten: *„Alle jüngeren Dichter dieser Zeit, selbst die begabtesten, wie Götz, Uz, Hagedorn, Weiße, Lessing, Zachariae, Kleist, Cronegk und Gerstenberg, wurden Anakreontiker. Es gehörte zu dem Wesen eines anakreontischen Gedichts, daß es ‚ohne Reim und scherzhaft und verliebt sei'; der ganze deutsche Parnaß erschien erfüllt von Amor und Bacchus, von rosenbekränzten Zechern in kühlen Lauben, von verlangenden Schäfern und spröden Mädchen unter allerlei arkadischen und mythologischen Namen und Masken. Und bald suchte man diese Spielereien auch auf das Leben zu übertragen. Erlogene anakreontische Heiterkeit wurde schöngeistige Mode, wie in den Tagen Byrons und Heines der erlogene Weltschmerz."*

Auch dies eine weithin zutreffende Beschreibung, wenn wir davon absehen, daß das Prinzip der Reimlosigkeit zum Beispiel für Uz nicht gilt und daß die Klassifizierung „erlogen" doch zu hart und zu allgemein ist. Der ernsthafte Uz jedenfalls hat die Heiterkeit seiner Verse kaum auf sein Leben übertragen. Er, der Dichter galanten Liebesspiels, war zeitlebens ein Hagestolz. Einmal zwar, während eines Aufenthalts bei seinem Freunde Grötzner in Römhild, einem kleinen Ort an der thüringisch-fränkischen Grenze, einmal zwar wäre er beinahe in Liebe entflammt. Die Geschichte weiß aber nur, daß er zu seiner Angebeteten, der Schwester Grötzners, in stiller Verehrung emporblickte.
Außerdem war der Besuch in Römhild in den Jahren 1752/53 das einzige größere Ereignis in Uzens späterem Leben. Nach seinen Studien in Halle und in Leipzig war er in seine fränkische Heimat zurückgekehrt, wo er in Ansbach und in Nürnberg geduldig auf der Leiter des höheren juristischen Staatsdienstes emporstieg. Die Verbindung zur Umwelt der Studentenzeit und zu seiner sonstigen Außenwelt beschränkte sich auf den Austausch von Briefen — mit dem erwähnten Christian Felix Weiße, und vor allem mit dem Hallenser Freund und späteren Kanonikus in Halberstadt, Wilhelm Ludwig Gleim.
Außerdem hatte Uz genügend zu tun, um seine gesammelten Werke immer wieder zu vermehren und auf den neuesten Stand zu bringen. Uz nämlich hatte gleichsam vom ersten Gedichtband von 1749 an begonnen, seine gesammelten Werke zu publizieren. Was er nach diesen ersten lyrischen Gedichten, den eigentlich anakreontischen, auch schrieb und herausbrachte: in Abständen wurde die gesamte literarische Produktion immer wieder in einem Band zusammengefaßt. Die erste vermehrte Sammlung dieser Art, auch die bekannteste, kam 1755 heraus, die letzte Ausgabe zu Lebzeiten 1790. Mit welchem Ernst Johann Peter Uz diese Editionsarbeiten betrieb, das zeigt ein Bericht seines späteren Herausgebers und Biographen August Sauer über die Erstausgabe 1749: *„Selten wurde ein Erstlingswerk so sorgfältig vorbereitet wie dieses; jahrelang, wie man sieht, wurde an den Gedichten gefeilt und gesiebt, jede Zeile, jedes Wort mehrmals erwogen, alles Äußere wohl überlegt."*

Frontispiz der Wiener Ausgabe von 1790

Allerdings — ins Letzte abgewogen hat der penible Jurist Uz die Sache wiederum auch nicht. Er, der unverbindlich galant tändelnde Gesellschaftslyriker, hatte in seinem *„Morgenlied der Schäfer"* in einer einzigen Strophe einen etwas derberen, direkteren Ton gewagt:

„Wenn mancher, den ihr wißt
Sich doch verleugnen könnte
Daß, was ihm unnütz ist
Er seinem nächsten gönnte!
Was soll der schwache Mann
Beim jungen Weibe keichen?
Was er nicht brauchen kann
Das gönn er meinesgleichen.“

Uz zitterte zwar, als er diese Strophe in Satz gab. Er bemerkte auch: ich bin schon fest entschlossen, die fünfte Strophe des Morgenlieds auszulassen. Dann aber faßte er Mut, und nach der größeren und mehr beachteten Ausgabe von 1755 war der große Krach da. Allenthalben zeigte sich moralische Entrüstung, selbst Uzens Freunde schienen sich zu distanzieren. Salomon Geßner, in der Literaturgeschichte als Verfasser von Idyllen bekannt, wandte sich zweifelnd an Gleim: *„Seine* — Uzens — *Bilderchen und Gemälde sind fein und ausgemalt, nicht zu karg und nicht zu häufig. Kurz, die meisten sind Meisterstücke, und ich wünschte nur, daß seine Sittenlehre zuweilen weniger frei wäre. Was hilft es, eine Sittenlehre so reizend zu malen, die wir doch nie annehmen dürfen?“*

Gleim selbst konzipierte einen eindringlichen Warn- und Bußbrief an Uz, den er dann allerdings nicht absandte: *„Sie haben, wo ich nicht irre, eine noch unverheiratete jüngere Schwester. Getrauen Sie sich, ihr die Verse vorzulesen und wollen Sie wohl, daß sie das ganze Bild dieser starken Verse sich vorstellen möchte?“*

Eigentlichen Lärm aber schlug erst Christoph Martin Wieland, der sich damals, wie mancher große Geist vor und nach ihm, im Hause des Literaturtheoretikers und Dichtervaters Johann Jakob Bodmer in Zürich aufhielt. Wieland wetterte los über den unchristlichen und sittenlosen Anakreontiker aus Ansbach und verstieg sich sogar zu einem Kraftausdruck, den der arme Uz nur fassungslos aufnehmen konnte: *Ungeziefer!*

Freilich muß man dabei wissen, daß sich Wieland damals in einem erbärmlichen Seelenzustande befand. Liebeskummer hatte ihn getroffen, eine religiöse Erschütterung kam hinzu, er war sich selbst und der Welt und Uz nicht gut. Außerdem

Johann Peter Uz
poetische Werke.

Erster Band.

Mit Groshz. Badisch. gnäd. Privilegio.

CARLSRUHE,
im Bureau der deutschen Claſſiker.
1819

Titel der Uz-Ausgabe aus dem Jahre 1819

Inneres Medaillon eines Uz-Kupferstiches von J. F. Brause 1776 (verkleinert)

war es nicht Wieland allein, der da losschlug. Uz nämlich hatte es gewagt, Johann Jakob Bodmer literarisch anzugreifen. Und Bodmer war nicht nur eine „Hebamme der Genies", wie ihn Goethe charakterisierte, er war für seine Zeit neben dem Leipziger Gottsched auch das, was man einen Literaturpapst nennt. So mag Wielands Attacke gegen Uz ganz im Sinne oder gar im Auftrag Bodmers gewesen sein. Dieser Verdacht aber erregte wiederum andere Gemüter, das literarische Deutschland geriet für kurze Zeit über Uz und Uz-Kritik in Aufruhr.

Friedrich Nicolai, der große Freund Lessings, schrieb: *„Wer sollte aber wohl unter dem Bilde, welches Herr Wieland von den Leuten, wider die er eifert,* *macht, einen Uz erkennen? Wir schämen uns wirklich für Herrn Wielanden, daß er sich von einer blinden Leidenschaft zu so unwürdigen Ausschweifungen verleiten läßt."* Gotthold Ephraim Lessing selbst kommentierte in seinem siebenten Literaturbrief: *„Sie wissen es schon zum Teil, wie schlecht er sich gegen den Herrn Uz aufgeführt hat. Herr Uz, nach der Freiheit, zu der jeder seinesgleichen berechtigt ist, erklärte sich wider eine gewisse Art von Dichtern; Herr Wieland hielt sich beleidigt, und anstatt seinen Gegner gleichfalls von der Seite des Schriftstellers anzugreifen, fiel er mit so frommer Galle, mit einem so pietistischen Stolze auf den moralischen Charakter desselben, brauchte so hämische Waffen, verriet so viel Haß, einen so verabscheuungswürdigen Verfolgungsgeist, daß einen ehrlichen Mann Schauder und Entsetzen darüber befallen muß."* Lessing beziehungsweise Uz hatten denn auch die Genugtuung, daß Wieland bitterlich bereute und bekannte, er habe selbst auch schon in anakreontischer Manier gedichtet, und der Unterschied zwischen seinen und Uzens Werken sei eigentlich gar nicht so groß. Dieses Bekenntnis fiel nicht mehr schwer, sowohl Wieland wie Uz hatten um diese Zeit – 1758 – ihre anakreontische Periode eigentlich schon überwunden.

Uz hatte neben seinen anakreontischen Gedichten bereits ein Versepos *„Der Sieg des Liebesgottes"* nach einem Muster des britischen Aufklärers Alexander Pope geschrieben sowie eine Theodizee, das heißt, eine in Philosophie und Dichtung der Aufklärung mehrfach versuchte Rechtfertigung Gottes als des Schöpfers der besten aller möglichen Welten.

Nun folgten Oden und Lehrgedichte, ein *„Versuch über die Kunst, stets fröhlich zu sein"*, poetische Briefe. Größeres Aufsehen erregte Uz damit freilich nicht mehr. Die Zeit schritt über sein friedliches Dichterdasein hinweg, in Deutschland, in Europa erhob sich als neue Großmacht Preußen, man dachte patriotisch, preußisch, heroisch. Auch Wilhelm Ludwig Gleim, Freund aus alten Anakreontikertagen, hörte, was die Uhr geschlagen hatte. *„Preußische Kriegslieder in den Feldzügen 1756 und 1757, von einem Grenadier"*, so hieß die Sammlung, die er Anno 1758 anonym herausbrachte.

Drastische Schilderung des blutigen Kampfes, glühende Verehrung des großen Friedrich zeichnete diese Lieder aus. Überdies waren sie so geschickt gemacht, daß man sie tatsächlich als Aufzeichnungen eines unbekannten Grenadiers auf dem Schlachtfelde ansehen konnte. Lessing jedenfalls, der kritische, glaubte an die Existenz des Grenadiers und förderte sein Werk nach Kräften. Uz hingegen blieb friedlich und zurückgezogen und schrieb:

„Mein schüchtern Saitenspiel sträubt in verwöhnten Händen,
O Gleim, sich wider kriegrisch Lob
Und trau'rt, seit Zwietracht sich erhob
Und Helden edles Blut verschwenden."

Hin und wieder packte es freilich auch den friedfertigen Juristen in Ansbach. Im Jahre 1760 dichtete er trutzig:

„Nicht immer wird das Glück den Scharen Österreichs lachen;
Bald, bald siegt wieder Preußens Held.
Der große Friederich wird schrecklicher erwachen
Im waffenvollen Feld."

Insgesamt aber war die kriegerische Zeit im Leben Uzens doch nur eine Episode am Rande. Er vermehrte sein gesammeltes Werk noch um einige größere Gedichte, darunter *„An die Freude"*, das noch Schillers Wohlgefallen fand. Zusammen mit Ansbacher Freunden widmete er sich einer Horazübersetzung, außerdem war er auf landesfürstlichen Befehl mit einer neuen Ausgabe des Ansbachischen Gesangbuches beschäftigt, die er 1781, fünfzehn Jahre vor seinem Tode, herausbrachte.

Vorbericht.

Johann Peter Uz, königl. Preußischer geheimer Justizrath und Director des Landgerichts zu Anspach, geboren zu Anspach am 3. October 1720.

Ein deutscher Dichter, Deutschlands werth,
Von aller Welt gelesen und verehrt,
Voll Kenntniß, Kunstgeschmack und Wissenschaft,
Verbindend Witz mit Geist und Kraft,
Ein Philosoph in Worten und in That,
Ein Patriot für seines Fürsten Staat,
Ein Richter nach Gesetz, noch mehr nach Recht und Licht,
Im Leben stets sich gleich, gehorsam jeder Pflicht,
Dienstfertig sonder Eigennutz,
Ein Weiser und ein Christ: wer kann dieß seyn, als — Uz?

Gedicht von Uz aus dem Vorwort von F. L. Weiße zum 1. Band der „Poetischen Werke" aus dem Jahre 1819

Als Johann Peter Uz 1796 starb — er hatte es bis zum Geheimen Justizrat gebracht —, da befand sich der größte deutsche Anakreontiker, Johann Wolfgang von Goethe, auf der Höhe seines Schaffens und seines Ruhmes. Es war die Zeit der Freundschaft mit Schiller, *„Wilhelm Meister"* war soeben beendet, *„Hermann und Dorothea"* begonnen, schließlich die Arbeit am *„Faust"* wieder aufgenommen.

Für diesen Goethe war die Anakreontik natürlich nur eine kleine Phase in der Entwicklung, ein Stück läßlicher Jugendsünde, die aber gleichwohl ein Gedicht hervorgebracht hat, das die Gedichte der anakreontischen Vorläufer und Zeitgenossen mühelos überragt. Es heißt *„Mit einem gemalten Band"* und beginnt:

„Kleine Blumen, kleine Blätter
streuen mir mit leichter Hand
gute junge Frühlingsgötter
tändelnd auf ein luftig Band.

Zephir, nimms auf deine Flügel,
schling's um meiner Liebsten Kleid!
Und so tritt sie vor den Spiegel
all in ihrer Munterkeit."

Hier ist, was die Anakreontiker in ihrer galanten, aber unverbindlichen Gesellschaftslyrik nicht bringen konnten: eigener Ton, frisches, natürliches Wesen trotz des konventionellen Bildes. Indes wäre es aber ungerecht, wollte man den braven, liebenswerten Johann Peter Uz jetzt zum Schluß ganz in den übergroßen Schatten Goethes stellen. Ein Gedicht nämlich, ein echtes, hat uns Uz doch hinterlassen, ein frivoles, aber ein gekonntes, das anakreontische Muster und persönlichen Witz vereint:

„O Traum, der mich entzücket!
Was hab ich nicht erblicket!
Ich warf die müden Glieder
in einem Tale nieder,
wo einen Teich, der silbern floß,
ein schattigtes Gebüsch umschloß.

Da sah ich durch die Sträuche
Mein Mädchen bei dem Teiche;
das hatte sich, zum Baden,
der Kleider meist entladen
bis auf ein untreu weiß Gewand,
das keinem Lüftchen widerstand.

Der freie Busen lachte,
den Jugend reizend machte.
Mein Blick blieb lüstern stehen,
bei diesen regen Höhen,
wo Zephir unter Lilien blies
und sich die Wollust fühlen ließ.

Sie fing nun an, o Freuden!
sich vollends auszukleiden:
doch ach! indem's geschiehet,
erwach ich, und sie fliehet.
Oh, schlief ich doch von neuem ein!
Nun wird sie wohl im Wasser sein!"

Hermann Dallhammer

JOHANN FRIEDRICH VON CRONEGK

1731–1758

> *„Mein Tod bleibt unbekannt und ruhig wie mein Leben.*
> *Die Welt wird meinem Ruhm kein prächtig Denkmal weihn;*
> *Die Nacht wird um mein Grab mit stillen Flügeln schweben,*
> *Die Erde wird mir leicht, mein Schlummer ruhig sein."*

Der diese Verse schrieb, war ein Zeitgenosse Lessings, geboren in Ansbach, verstorben in Nürnberg: Johann Friedrich Freiherr von Cronegk. Wer sich die Mühe macht, seiner Herkunft nachzuspüren, den Gellert als *„geistreichen und feinen Freund"*, Lessing sogar als *„Genie"* bezeichnet hat, der wird auf einen vergessenen Dichter aus Franken stoßen. Die Ahnen Cronegks stammen aus Österreich, wo sie zeitweise als Erbtruchsesse fungierten. In der einzigen im 18. Jahrhundert verfaßten Biographie Cronegks schreibt der Anakreontiker Johann Peter Uz fast verschämt, daß die Cronegk zu den Emigranten gehörten, die aus Glaubensgründen aus dem Erzbistum Salzburg ausgewiesen wurden. Uz vermerkt zur Familie des Dichters: *„Unter den Kaisern Ferdinand und Leopold haben einige, der Religion wegen, ihr Vaterland verlassen, wovon die Anspachische Linie abstammet..."*

Die heimatvertriebenen Cronegk finden eine neue Bleibe in Franken, wo sie rasch einwurzeln. Der Vater des Dichters, zunächst Kommandeur des markgräflichen Grenadier-Leibbataillons, Friedrich Johann Carl von Cronegk, heiratet standesgemäß eine Baronesse Sophie Christiane von Crailsheim. Dieser Ehe entstammt als einziges Kind Johann Friedrich von Cronegk, geboren am 2. September 1731 zu Ansbach. Auffällig leicht lernt der sprachbegabte Junge Latein, Französisch, Englisch, Spanisch und Italienisch, wird, dank kluger Führung durch seine geistreiche Mutter, weltgewandt und weltoffen erzogen und bleibt doch bescheiden und von echter vornehmer Zurückhaltung. Systematisch verzeichnet der junge Mann, was er gelesen hat, entwirft Exposés seiner Lektüre und beginnt selbst zu schreiben, sammelt Erfahrung, indem er seinen *„Cleveland"* und den kritischen *„Misanthrope"* konzipiert, die beide Bruchstücke bleiben. Nur einen Fehler kreidet ihm sein Biograph Uz an: Cronegk schreibt nicht schön, er schmiert entsetzlich:

„Wir fanden seine vielen Papiere in Unordnung und zerstreuet: sie mußten zusammengesucht und in Ordnung gebracht werden. Sie waren mehrentheils mit einer kaum leserlichen Hand geschrieben; sie mußten mit größter Mühe entziffert und abgeschrieben werden. Oft haben wir bloß rathen müssen, und manchmal haben wir, nach langem Nachsinnen, doch nichts errathen. Es sind Lücken übrig geblieben, die wir nicht haben ausfüllen können."
Cronegk zieht es, wie viele seiner literarisch interessierten Zeitgenossen, an sächsische Universitäten. 1749, mit 18 Jahren, beginnt er sein Studium in Halle. Für ihn, den durch Herkunft, Fleiß und Können prädestinierten adeligen Studenten, öffnen sich die Türen zu exklusiven Gesellschaften fast automatisch. Nicolai führt ihn 1749 in Halle in die „Gesellschaft der Freunde der schönen Wissenschaften" ein. Ein Jahr später wird Gellert in Leipzig Cronegks Lehrer und Freund; er lernt Gleim kennen, und mit dem berühmten Lustspieldichter Goldoni trifft er sich in Venedig. Finanzielle Sorgen hat Cronegk nicht, da ihn der Ansbacher Markgraf bereits 1752 zum *„Cammerjunker, auch Hof-Regierungs- und justizrathe"* ernennt.
Es bleibt die Frage, ob Cronegk dieser Vorzugsbehandlung würdig war. War er wirklich einer der wenigen seines Standes, die durch Leistung und nicht durch Geburt oder Protektion ihre Vorrechte erwarben? Cronegk war Literat aus Berufung. Er versuchte sich auf dem Gebiet der Komödie und der Tragödie, als Kritiker, als Essayist und als Lyriker. Wer den Dichter nur nach seinem Trauerspiel *„Codrus"* beurteilen will, worin der Selbstmord um der Staatsräson willen verherrlicht wird, wer dies tut, hat Cronegk nicht verstanden. Seine künstlerische Gestaltungskraft war vielgliedrig und nicht an Sektoren der Literatur gebunden. Auf vielen Gebieten zeigt er sich geschmeidig, gewandt und angriffslustig, manchmal auch lehrhaft, wie in seinem Vorspiel *„Die verfolgte Comödie"*, wo er fordert:

„Sei munter, scherzhaft, frei, verschon die Toren nicht.
Verachte deren Zorn, die dich aus Dummheit schmähen.
Ahm nach und sei doch neu; laß Deutschlands Kenner sehen,
Daß wahre Schauspielkunst sowohl ergötzt als nützt,
Wenn feiner Witz sie ziert und Tugend sie beschützt."

Bis an den Rand der Satire geht er in seiner ersten vollständigen Komödie *„Der Mißtrauische"*. In bürgerlicher Umgebung spielt sich das Geschehen ab, messerscharf hat Cronegk den Hypochonder herausgearbeitet. Dieses Lob gilt allerdings nur für die ersten drei Akte. Dann knickt der Autor selbst das Stück in irreparabler Weise. Die Moral nimmt überhand, der personifizierte Tugendbegriff läßt keine künstlerisch befriedigende Lösung mehr zu. Hier kommt der Einfluß Gottscheds, des Magisters der deutschen Bühne, überdeutlich zum Ausdruck. Noch ist Cronegk zu jung, um einen eigenen Stil zu prägen, noch ist Lessing, dem großen Zeitgenossen, der Durchbruch zur neuen Aussage nicht gelungen. Die gebildete Öffentlichkeit fordert Tugend und Moral auf der Bühne, während sie selbst in genüßlicher Laszivität verschwimmt.
Cronegk entscheidet sich für die Darstellung des Großen, des Heroischen, für Tugend und Moral auf der Bühne, obwohl er seiner Anlage nach eher zum eleganten und bissigen Zeitkritiker prädestiniert erscheint. Mit tiefem Ernst geht der Dichter an die Gestaltung seiner Dramen, und mit erstaunlicher Selbstkritik betrachtet er seine Tragödien. So schreibt er zum Beispiel in seinem Essay

Johann Friedrich von Cronegk, Kupferstich von J. M. Bernigerroth 1760 (Ausschnitt)

„Gedanken über das Trauerspiel Codrus“: „Man kann unmöglich von seinen eigenen Versen im Tragischen recht urteilen, wenn man seine Stücke nicht recht aufführen sieht. Sollte mein ‚Codrus‘ einmal in meiner Gegenwart aufgeführet werden, so würde ich gewiß vieles ändern.“

Er versucht sich zunächst mit Trauerspielen im hergebrachten, französischen Geschmack. Aber schon rollen, trotz der überall noch glitzernden Anakreontik, wie Grundseen die ersten Brecher der Aufklärung an die Borde des deutschen Theaters. Lessing wischt, fast mit einem Federstrich, den französischen Alexandriner vom Tisch und setzt dafür den von Marlowe zuerst angewandten fünffüßigen Jambus, den Blankvers. Erstaunlich, daß auch Cronegk, zur gleichen Zeit wie Lessing, die englische Richtung aufgreift. Sein Biograph Uz schreibt dazu: *„Die brittischen Dichter bekamen bey ihm mit der Zeit ein großes Übergewicht über die Dichter anderer Nationen."* Im Trauerspiel *„Codrus"* und dem Drama *„Olint und Sophronia"* bleibt Cronegk zwar noch dem Alexandriner treu, aber schon das Bruchstück *„Der ehrliche Mann, der sich schämet, es zu sein"* ist in Blankversen abgefaßt. Ob dies auf direkten englischen Einfluß zurückzuführen ist, oder ob ihm im Versmaß Lessing Vorbild war, läßt sich heute schwer sagen.
Auffällig sind jedenfalls in Cronegks Drama *„Olint"* erste aufklärerische Ansätze, wobei Gedanken zur Toleranz aufblitzen, wie sie Lessing 22 Jahre später in seinem *„Nathan"* einer starren Orthodoxie entgegenschleudert. Verblüffend sind einige Parallelen, die sich beim Vergleich von Cronegks im Jahre 1757 verfaßten Stück *„Olint"* mit Lessings erst 1779 veröffentlichtem *„Nathan"* ergeben. Cronegk nahm die Leitidee zu seinem *„Olint"* aus Tassos *„Gierusaleme liberata"*; das Kernstück im *„Nathan"*, die Ringparabel, entlehnte Lessing dem *„Decamerone"* Boccaccios. Beide Male spielt die Handlung in Jerusalem, für beide Dichter steht das Verhalten verschiedener Menschen, die verschiedenen Religionen angehören, im Mittelpunkt. In Cronegks Stück ist es der Kampf zwischen Christentum und Islam; Lessing zeigt uns die mögliche Synthese von Judentum, Islam und Christentum. Cronegk nennt seinen Fürsten Aladin, bei Lessing heißt er Saladin. Manch jugendlich-trotziger Zug von Cronegks christlichem Helden Olint begegnet wieder in Lessings trotzig-stolzem jungen Templer. Am deutlichsten aber zeichnet sich die Parallelität in Cronegks zelotischem Moslem-Priester Ismenor und Lessings christlich-zelotischem Patriarchen ab. Wohl niemand, der Lessings *„Nathan"* gesehen oder gehört hat, wird das jeder Menschlichkeit hohnsprechende Wort des Patriarchen vergessen. *„Tut nichts, der Jude wird verbrannt!"*
In gleicher Borniertheit ereifert sich Cronegks Moslem-Priester Ismenor: *„Wer einen Christen schont, der muß mit ihm verderben!"*
Und mit voller Wucht trifft Cronegk die scheinheilige Orthodoxie seiner Zeit, wenn er der persischen Prinzessin Clorinde die Worte in den Mund legt: *„Der Himmel kann verzeihn, allein ein Priester nicht! Was wagt ein Sterblicher, den andern zu verfluchen?"*
Diese Worte sollen bei Aufführung des *„Olint"* eine ungeheure Erregung im Publikum hervorgerufen haben, wußte man doch genau, daß Cronegk damit bornierte Selbstzufriedenheit angriff. Bezeichnend; daß im Jahre 1766 sein *„Olint"* das Hamburger Nationaltheater eröffnete. Kritiker an diesem Theater war Gotthold Ephraim Lessing.
Diese wenigen Beispiele mögen die Geisteshaltung der damaligen literarischen Avantgarde veranschaulichen. So wie heute vor allem Anouilh die Werke der griechischen Klassiker in moderner Form wiederbelebt hat, so hat vor mehr als 200 Jahren Cronegk versucht, mit der Einführung des antiken griechischen Chors in seinem *„Olint"* die klassische Dichtung wieder zum Leben zu erwecken. Erfolg ist ihm damit allerdings nicht beschieden. Der *„Olint"* blieb

Codrus

ein Trauerspiel,

in fünf Aufzügen,

von

Hrn. Joh. Fr. Freyh. v. Cronegk,
weil. Hochfürstl. Anspachischen Kammerjunker,
Hof- und Regierungsrath.

Auf
der Kaiserl. Königl. privilegirten
deutschen Schaubühne
zu Wien
vorgestellet.

Codrus pro patria non timidus mori.
HORAT.

Zu finden in dem Kraußischen Buchladen nächst
der Kaiserl. Königl. Burg in Wien.
1764.

Titel der „Codrus"-Ausgabe von 1764

Torso und wurde von anderen nicht glücklich zu Ende geschrieben.

Während Lessing in einem mühevoll-bitteren Leben zum Meister, einem unbestechlichen Kämpfer für Wahrheit und Toleranz heranreift, wird Cronegk, den keine persönlichen und finanziellen Sorgen drücken, dessen Leben gesichert erscheint, im Alter von 26 Jahren hinweggerafft, bevor er seine literarischen Qualitäten voll entfalten kann. Welchen Verlust sein Tod für die deutsche Literatur bedeutet, beweist ein Brief Lessings an Nicolai. Lessing hatte Nicolai dafür gewinnen können, 1757 ein Preisausschreiben für das beste deutsche Trauerspiel zu veranstalten. Als gnadloser Kritiker, dem nie alles recht zu machen war, urteilt Lessing über Cronegk im Januar 1758: *„Erteilen Sie immerhin dem ‚Codrus' den Preis. Aber haben Sie schon gehört, daß der Verfasser desselben, der Herr von Cronegk, vor einigen Wochen in Nürnberg an den Blattern gestorben ist? Es ist wirklich schade um ihn; er war ein Genie, dem bloß das fehlte, wozu er nun ewig nicht gelangen wird, die Reife."*

Daß Cronegk als Dramatiker noch nicht vollkommen war und erst am Anfang stand, sagten ihm seine Freunde in schöner Offenheit. So schreibt ihm Gellert 1753 als Kritik zum *„Codrus"*: *„Wenn ich eine zuweilen nachlässige, gezwungene, bald harte, bald gedehnte Versification ausnehme, wenn ich die Länge des Stückes selbst abrechne, so behaupte ich: Ihr Codrus ist schön, der Charakter groß, beinahe christlich groß, welches letztere ich zuweilen gemäßigt sehen möchte."*

Es spricht für den jungen Dichter, daß er diese Kritik positiv aufnahm und sein Lieblingswerk noch einmal überarbeitete. Daß er, versunken in die Welt seiner Dichtung, seinen Mitmenschen, vor allem einfachen Leuten, nicht ganz geheuer erschien, ist verständlich. Er pflegte in einer Zeit, in der Conduite, gestelzte Grazie und Künstlichkeit alles galten, seine Spaziergänge barhäuptig zu unternehmen, mit langen, fliegenden Haaren, laut seine Verse memorierend. Als vernünftige Zeitgenossen gegen dieses unschickliche Benehmen beim Landesherrn protestierten, gab der Fürst seinen Polizeiorganen den Befehl, dem Dichter auf seinen Waldspaziergängen alle Gaffer vom Halse zu halten.

Cronegks dichterisches Potential erschöpfte sich nicht auf dem dramatischen Feld. Sein Schaffen erstreckte sich auf alle literarischen Gebiete, auch auf das der vergleichenden Kritik, wie sein Essay „*Die spanische Bühne*" beweist. Er zeigt darin nüchtern und überzeugend, daß Molière, Corneille, Goldoni und Steele mehrfach spanische Vorbilder zum Teil wörtlich benutzt haben, ohne ihre Quelle zu nennen.

Vergessen wir über Cronegk als Kritiker nicht seine Lyrik, seine Gesänge, die Lehrgedichte, die Oden und die oft schelmisch-spöttischen Lieder, von denen zumindest eines trotz verspielter anakreontischer Form über das bloße Tändeln hinausreicht.

Das Kind

Jüngst lief die kleine Sylvia
Mit Weinen schluchzend zur Mama.
O weh! Wie hab ich mich gestochen!
Es blutet, sehn Sie nur Mama!
Mich stach ein Dorn, den ich nicht sah,
Als ich dort Rosen abgebrochen.

Ich weiß, wie schlimm die Mädchen sind,
Sprach drauf die Mutter zu dem Kind.
Es wird schon heilen, tu bescheiden.
Die Rose blühet schön — allein
Sie kann nicht ohne Dornen sein,
Und so sind auch der Liebe Freuden.

Jetzt schweigst du noch gelassen still,
Du weißt nicht, was ich sagen will:
Du wirst es nur zu bald erfahren.
Oh, wie gefährlich wirst du sein!
Gefällig, munter, schalkhaft, fein,
Mit blauem Aug und braunen Haaren!

Tut dir ein Dornenstich so weh,
Daß ich dich trostlos weinen seh;
Was wird nicht erst dein sanftes Lachen,
Dein schlauer Blick, dein feiner Scherz,
Dein muntrer Geist, dein zärtlich Herz,
Den Jünglingen für Schmerzen machen!

Rein im Anakreontischen befangen ist allerdings die folgende Strophe aus dem Poem „*Die Zeit wirds lehren*":

„Daß Doris in der Kindheit Zeit,
Wenn man sie küssen will, noch schreit,
Das läßt sich hören.
Wird sie wohl achtzehnjährig sein
Und auch alsdann beim Küssen schrein?
Die Zeit wirds lehren."

Zur Freude seiner Zeitgenossen skizziert Cronegk mit feinem Stichel das Generationenproblem, das auch damals bestand:

Das Beispiel

Will mit Zanken und mit Schrein
Uns Caecil im Trinken stören:
Lacht und trinkt und schenkt ihm ein,
Folgt dem Beispiel, nicht den Lehren.
Laßt uns fromm und altklug sein!
Trinket, wie die lieben Alten!
Stoßt mit vollem Kelchglas an.
Hätte dies Gesicht voll Falten
Sich so rot und frisch erhalten,
Hätt es nicht der Wein getan?

Blinde Jugend! ruft Crispin,
Willst du dich nicht bald bekehren?
Küsse, Scherz und Mädchen fliehn?
Folgt dem Beispiel, nicht den Lehren!
Brüder folgt, und ehret ihn!
Wände werden nicht verraten,
Was bei Hannchen jüngst geschah.
Lachet nicht, daß seine Taten
Seine Lehren übertraten:
Gnug ists, daß es niemand sah.

Mädchen folge der Mama:
Ihre Predigt läßt sich hören.
Doch man weiß, was sonst geschah!
Folg dem Beispiel, nicht den Lehren:
Sie betrog die Mutter ja.
Mach es auch so, laß sie schmälen,
Folge heißer Triebe Glut!
Blicke, die wir ihr verhehlen,
Mäulchen, die wir heimlich stehlen,
Schmecken noch einmal so gut.

Und es verblüfft den heutigen Leser, mit welch spitzer Satire der junge Cronegk das „Dolce Vita" der Playboys und Callgirls seiner Zeit in seiner *„Romanze"* attackiert.

„Ihr Männer, hütet eure Frauen
Mit Vorsicht doch!
Schlimm sind die dummen, doch die schlauen
sind ärger noch.
Dies will ich euch anjetzt erzählen,
Was jüngst geschah,
Als Stax die Hälfte seiner Seelen
Ihm untreu sah.

Es war die Hälfte seiner Seelen
Sein junges Weib:
Die wollte sich Leander wählen
Zum Zeitvertreib.
Der Mann ging immerdar zum Schmause
Und sang beim Wein.
Indes blieb Dorilis zu Hause
Und war allein.

Ich bin allein, so seufzt die Schöne,
Was fang ich an?
Ich, die mich nach Gesellschaft sehne,
Was fang ich an?
Dazu kam ungefähr Leander,
Ich weiß nicht wie.
Sie spielten lange miteinander
Ich weiß nicht wie.

Es fand der Ehmann sein Vergnügen,
Sein frommes Schaf,
Sanft in Leanders Armen liegen,
In tiefem Schlaf.
Nun laß ich jeden Ehmann raten,
Was Stax gedacht,
Als ihn dergleichen Freveltaten
Bestürzt gemacht . . .“

Die Beispiele mögen den Eindruck erwecken, als hätte Cronegk in lässiger Zurückhaltung seine Umwelt nur bespöttelt. Wer schieren Hohn auf eine versnobte Gesellschaft aus des Dichters Feder lesen will, betrachte Cronegks Nachruf auf Samuel Butler, den Verfasser des *„Sir Hudibras“*. Cronegk fetzt in seinem Gedicht (nach englischem Vorbild) *„Butlers Grabschrift“* den Kulturbonzen seiner Zeit die Maske vom Gesicht.

„Steh Wandrer, Butlers Bild zu sehn:
So lang er noch am Leben,
Fand sich kein gütiger Mäcen,
Ihm nur ein Mittagsmahl zu geben.

Nun hauet man ihn nach dem Tod
In prächtgen Marmor ein.
Ihr künftgen Dichter: Butlers Not
Kann euch ein Vorbild sein.
Der arme Dichter bat um Brot:
Man gibt ihm einen Stein.“

Butler hat wenigstens einen Gedenkstein erhalten, das vielversprechende Talent Cronegk dagegen verglüht wie eine Sternschnuppe. Zu jung noch, um bleibende Spuren in der deutschen Literatur zu hinterlassen, erkrankt er im Dezember 1757 bei einem Besuch in Nürnberg an den Pocken. 26 Jahre ist er

erst alt, aber er handelt wie ein alter Grandseigneur, als er weiß, daß ihn die tödliche Krankheit in den Krallen hat. Ruhig und gefaßt schreibt er seinen letzten Willen, bestimmt, was seine Freunde aus dem Nachlaß erhalten sollen. In der Silvesternacht, unter dem Geläute der Neujahrsglocken, stirbt Johann Friedrich von Cronegk.
Liebevoll hat Johann Peter Uz seine Biographie gestaltet, aber die Zeit ist über Cronegk hinweggegangen, in keiner der handlichen Literaturgeschichten ist sein Name verzeichnet. Vor zwei Menschenaltern hat man sich in seiner Geburtsstadt Ansbach entschlossen, ihm zu Ehren eine Straße zu benennen. Länger als ein halbes Jahrhundert trugen einige Häuser den Namen Cronegkstraße. Wer aber das neueste Adreßbuch Ansbachs aufschlägt, wird die Cronegkstraße vergeblich suchen. Sie existiert nicht mehr. Die Stadt Ansbach hat dafür gesorgt, daß der Dichter mit seinem Grabspruch recht behielt:

„Mein Tod bleibt unbekannt und ruhig wie mein Leben.
Die Welt wird meinem Ruhm kein prächtig Denkmal weihn.
Die Nacht wird um mein Grab mit stillen Flügeln schweben,
Die Erde wird mir leicht, mein Schlummer ruhig sein."

Codrus.

Ein

Trauerspiel

in fünf Aufzügen.

Codrus pro patria non timidus mori.

HORAT.

Frontispiz der Ausgabe von 1777

Helmut Diterich

DER ANSBACHER KREIS

Markgraf Johann Friedrich 1654—1686
Karl Ludwig Knebel 1744—1834
Karl Siegmund von Seckendorf 1744—1785
Julius von Soden 1754—1831
Friedrich Wilhelm von Meyern 1759/60 oder 1762—1829

Man braucht nicht lange nachzudenken, wenn es um die literarische Bedeutung der Stadt Ansbach geht. Eine ganze Reihe von Namen fällt einem rasch ein, deren Träger sich als Schriftsteller, als Dichter in die deutsche, ja, in die europäische Literaturgeschichte eingetragen haben.
Aber wie überall sind diesen musisch-literarischen Spitzenkräften der Ansbacher Landschaft, die sozusagen als Planeten auf dem Dichterhimmel erscheinen, kleine Gestirne als Trabanten beigegeben, deren Leuchtkraft und Bedeutung erst dann klar wird, wenn man sie in ihrer Entstehung und Wirkung in Zusammenhang mit ihrer Umgebung betrachtet.
Solche in ihrer Zeit gerühmte Schriftsteller, deren Strahlkraft bis in unsere Gegenwart durchdrang, gibt es in Ansbach mehrere. Sie unter dem Begriff Ansbacher Kreis zusammenzufassen, mag allein deswegen gerechtfertigt sein, weil alle fünf, von denen nachfolgend die Rede sein soll, entweder in Ansbach geboren und aufgewachsen sind, mit dieser fränkischen Residenzstadt in Verbindung standen oder hier die entscheidenden Jugendeindrücke erlebten.
Daß ihr Leben und Wirken vom Geburtsjahr des ältesten bis zum Todesjahr des zuletzt Gestorbenen von ihnen einen Zeitraum von 180 Jahren umfaßt, schließt eine innere Verbindung und Beziehung zwischen ihnen — von einer Ausnahme abgesehen — aus. In diesen eineinhalb Jahrhundert seit der Geburt des ersten der fünf Ansbacher Dichter, die hier zur Sprache kommen sollen, des Markgrafen Johann Friedrich von Brandenburg-Onolzbach, im Jahre 1654 bis zum Tode des Goethe-Urfreundes Karl von Knebel im Jahre 1834 hat sich das Bild der deutschen Literatur und Kultur so gewandelt, daß Beziehungen zwischen den fünf Dichtern auch schon deswegen ausgeschlossen werden müssen, weil sie in ihren Werken und Wirken zeitlich auf gänzlich unterschiedlichen Fundamenten beruhen.
So wird man die fünf Schriftsteller: Markgraf Johann Friedrich (1654—1686), Karl von Knebel (1744—1834), Karl Siegmund von Seckendorf (1744—1785), Julius Graf von Soden (1754—1831) und Friedrich Wilhelm von Meyern (1759, 1760 oder 1762—1829) als literarische Einzelgänger betrachten dürfen, ja — wie wir sehen werden — betrachten müssen.

Markgraf Johann Friedrich von Brandenburg-Ansbach, nach einem zeitgenössischen Stich aus einer Ansbacher Chronik

Der älteste von ihnen, Markgraf Johann Friedrich, ragt noch in das Zeitalter des Barock hinein und soll unter dem Pseudonym Isidor Fidelis dem Pegnesischen Blumenorden zu Nürnberg angehört haben. Einen echten Beweis dafür kann man allerdings nirgendwo entdecken, es sei denn, man nimmt die Behauptung J. H. von Falckensteins in dessen *„Nordgauischen Alterthümern"* Teil 3 (1788) als solchen. In dem Mitgliederverzeichnis ist weder der Name des Markgrafen noch sein Pseudonym zu finden. Immerhin wäre eine Mitgliedschaft möglich gewesen, die dann freilich nur ideeller Natur gewesen sein könnte, denn es erscheint ausgeschlossen, daß der Pegnesische Orden nicht den Namen eines Dichters, zumal eines erlauchten, festgehalten hätte, der noch dazu mehrere eigene Werke geschrieben hatte. Literarische Interessen des Prinzen sind bezeugt. Das Inventar des Prinzen nach dem Tode seines Vaters, des Markgrafen Albrecht, läßt auf geistig-literarische Betätigung schließen. Es heißt darin: *„Ein Schreibtischlein, unten auf vier silbernen Knöpfen stehend und mit Leisten herum, darinnen (von Silber ganz weiß) ein Tintenfaß, eine Streubüchse, Papierblätter, eine Petschaft, dabei ein Messer, Schere und Federmesserlein . . ."*, und es ist in diesem Inventar auch die Rede von einer umfangreichen Bibliothek und Sprachkenntnissen des Prinzen, die die Vermutung erlauben, daß Johann Friedrich ein Mann mit Talent gewesen sein muß, der der Versuchung, gar selber den Pegasus zu reiten, durchaus unterlegen sein konnte. Der Sohn von Markgraf Albrecht und Markgräfin Sophie Margarete von Oettingen sprach Französisch und Lateinisch, war in der Musik geübt und hatte am Hof des Sonnenkönigs geweilt und von dort wohl auch ein verfeinertes literarisches Interesse mitgebracht.

Der literarische Ehrgeiz Johann Friedrichs scheint sich denn auch in Übersetzungen erschöpft zu haben, denn nirgends war ein sicherer Hinweis darauf zu finden, daß er sich auch eigenschöpferisch betätigt hatte. So heißt es in den Nordgauischen Alterthümern Falckensteins über den musischen Markgrafen folgendermaßen: *„Wofern sonst einige Stunden von der Regierungslast dem Herrn Markgrafen gelassen wurden, die wendete er zur Lesung guter und rarer Bücher an, welche Er nicht allein laß, sondern auch ein und die andere aus fremden in unsere teutsche Sprache übersetzt, ja, unter den Namen Isidoro Fidele, ein Staats- und Helden Roman abfasste, welches auch, nebst noch anderen Traktätlein, zum Druck befördert worden, und von der Geschicklichkeit und Capacität in den Wissenschaften ein Zeugniß ablegen kann."*

Es war in jener Zeit üblich, nicht nur französische Sitten nachzuahmen, sondern auch französische Bücher zu lesen. Der Markgraf machte darin keine Ausnahme, aber er hatte wohl auch die Bedeutung der deutschen Sprache erkannt und übersetzte französische Romane, schwülstig und bombastisch in Handlung und Formulierung, um sie seinen Untertanen nahezubringen. So ließ er 1678 in der Druckerei des Jeremias Kretschmann in Ansbach ein mit hübschen Stichen versehenes Büchlein unter dem Titel *„Der Boulognesische Hund oder der getreue Liebhaber"* drucken, als dessen Autor sich *„der vergnügt – doch oft betrübte Schäfer Isidoro Fidele"* auswies. Es handelt sich dabei um die Übersetzung eines damals vielgelesenen Romans aus dem Französischen, *„Le chien de Boulogne"*, in welchem ein Schoßhündlein über seine Erlebnisse und Beobachtungen im Boudoir seiner schönen Herrin berichtet. Auch der Roman *„Mancipium suave ac sibi sufficiens oder Der glückselige Leibeigene"* ist wohl von Markgraf Johann Friedrich übersetzt worden. Während der Roman *„Der durchlauchtigste Pilgram"* nicht mehr in seiner

Herkunft identifiziert werden kann, scheint es ziemlich sicher zu sein, daß der Markgraf der Verfasser des Romans *„Die ungleich Verliebt: und geliebte Pariserin“* ist, da sich im *„Hochfürstlich Brandenburgisch-Onolzbachischen Inventarium De Anno 1686“* mehrere gebundene und ungebundene Exemplare dieses Romans befinden, die also offenbar noch nicht abgesetzt waren. Der erlauchte Schriftsteller und Übersetzer scheint ein höchst natürlich empfindender Mann gewesen zu sein. Liest man beispielsweise den *„Boulognesischen Hund“*, fühlt man sich trotz der Naivität der Handlung angesprochen von dem frischen Stil, von den geschickten Formulierungen und dem Fehlen von falschem Pathos und Schwulst.
Sicherlich ist Markgraf Johann Friedrich kein außerordentlicher Schriftsteller gewesen. Wahrscheinlich war er nur ein mittelmäßiger Autor, aber gewiß kündigt sich in ihm und seiner Schriftstellerei, die man nach unseren Begriffen etwa als Hobby bezeichnen könnte, eine neue Zeit an, eine Zeit, in der Schwulst und Fremdtümelei durch Besinnung auf Schlichtheit und die eigene Sprache verdrängt werden.
Es ist einmal gesagt worden, daß die westmittelfränkische Landschaft und deren Charakter für das darin wohnende Volk das Vorherrschen des epischen und lyrischen Charakters bedingt, und zwar vorwiegend in idyllischer Färbung. Diese Feststellung stimmt nur bedingt, denn es wird sich bei der Betrachtung der nächsten Angehörigen des Fränkischen Kreises zeigen, daß auch das dramatische Element wirksam ist.

Bei Karl Ludwig von Knebel ist das freilich noch nicht festzustellen. Er war ein Soldat, hatte Theologe werden wollen, brachte es zum Prinzenerzieher und starb schließlich hochgerühmt am 23. Februar 1834 und geehrt durch die goldene Leier, die auch Goethes Sarg geziert hatte, als ein Schriftsteller, von dem man heute nicht mehr viel mehr weiß, als daß er Goethes „Urfreund“ gewesen ist.
Karl Ludwig von Knebel lebte 57 Jahre hindurch in Goethes Kreis, in Weimar, Ilmenau, Jena und Ansbach, wo zwar nicht seine Wiege stand, wohin er aber immer wieder zurückkehrte, wenn ihm die Weimarer Welt zu bunt und abgeschmackt erschien. Denn nach Ansbach war der am 30. November 1744 in Wallerstein geborene Sohn eines Markgräflich Ansbachischen Geheimrats, der von Friedrich dem Großen geadelt worden war, als Zwölfjähriger gekommen.
Das Grillenfangen im preußischen Dienst gefiel dem jungen Leutnant wenig, der sich mit den literarischen Größen seiner Zeit, mit Wieland, Herder, Klopstock besser verstand als mit dem trockenen Gamaschendienst, und so schien ihm das Angebot, nach Weimar als Erzieher des Prinzen Constantin zu gehen, als ein Glücksfall. Diese Entscheidung war für das weitere Leben dieses literarischen Hypochonders ausschlaggebend, der im Laufe seiner 90 Jahre eine sonderbare Unruhe und Unzufriedenheit an den Tag legte und unstet seinen Wohnsitz wechselte wie seine Launen, die ihm den Tag vergällten, wenn er nicht gerade hinter seinen Büchern saß und römische Autoren übersetzte, bukolische Gedichte schrieb oder sich von Goethe gar als Schauspieler gebrauchen ließ.
„Knebel ist gar gut und brav“, schrieb Goethe 1780 an Frau von Stein, *„und wenn er beharrt, kann er uns unendlich nützen ...“*
Treibt man's auf die Spitze, so kulminiert in Knebel die deutsche Literaturgeschichte. Was wäre geschehen, wenn Knebel nicht nach Weimar gegangen

wäre? Vermutlich wäre Goethe ebenfalls nie dahingelangt, die Dioskuren Goethe und Schiller wären sich nie begegnet, und Weimar wäre nicht Musensitz geworden. Die Vermutungen bewegen sich ins Irrationale. Aber auf der ersten Reise, die Knebel mit Constantin nach Karlsruhe unternahm, fielen die Würfel des Schicksals, die Knebel in seinen Händen hielt. Das Interesse, das ihn am 11. Dezember 1774 in Frankfurt mit Goethe bekannt werden ließ, wie man in *„Dichtung und Wahrheit“* nachlesen kann, führte zur Begegnung Goethes mit den prinzlichen Begleitern Knebels, unter denen sich auch der Erbprinz Carl August befand. Sie sollte zu einer endgültigen Verbindung werden. Schon ein Jahr darauf trug diese Sternstunde deutscher Kulturgeschichte ihre Früchte: Goethe kam nach Weimar. Als Nebenprodukt entwickelte sich dann daraus jene *„Freundschaft sondergleichen“*, die Goethe dem achtzigjährigen Freund Knebel später attestiert hat.
Vielfältig sind die Beziehungen zwischen dem Dichtergenie und Knebel, nicht immer ungetrübt, aber immer wieder neu aufgefrischt und im Grunde vertrauensvoll in jeder Hinsicht, was etwas heißen will, denn beide waren schwierige Charaktere. Knebel formte sich zum Eigenbrötler, je älter er wurde, er wurde zum Sonderling und besaß im Schatten des Größeren fast so etwas wie eine eigene Hofhaltung. *„Seine vermittelnde und geistig anschmiegsame Natur“*, so charakterisiert ihn ein Literarhistoriker, *„ließ ihn unter Umständen und in Berührung mit den ausgezeichneten Geistern, wie es sich nicht zum zweitenmal an einem kleinen deutschen Residenzort wiederholen wird, eine persönliche Bedeutung für jene Literaturepoche gewinnen, welche in den Zeugnissen dieser Heroen selbst sich am glänzendsten abspiegelt.“*
Knebels Natur war nicht auf systematisches Arbeiten abgestimmt. Er war ein Vielwisser, ein nachschöpferischer Mensch, dessen Hauptbedeutung in seinen Übersetzungen liegt, die Goethes Anerkennung fanden. Er war darüber hinaus eine Institution mit hohem Ansehen, an der selbst Schiller nicht vorbeikam. *„Dieser Tage bin ich auch in Goethes Gartenhaus gewesen, beim Major von Knebel, seinem intimen Freunde . . . Aus diesem Knebel wird hier erstaunlich viel gemacht und unstreitig ist er auch ein Mann von Sinn und Charakter“*, schrieb Schiller an seinen Freund Körner. *„Es wurde mir als eine nothwendige Rücksicht empfohlen, die Bekanntschaft dieses Menschen zu machen, theils, weil er hier für einen der gescheitesten Köpfe gilt, und das mit Recht, theils, weil er nach Goethe den meisten Einfluß auf den Herzog hat.“* Jean Paul, mit dem er ebenfalls Umgang und Briefwechsel hatte, schrieb über Knebel: *„Er ist ein Hofmann im Äußeren, aber so viel Wärme und Kenntnisse, so einfach.“*
Einfach ist Knebel sicherlich nicht gewesen, aber ein Mann mit geradem Verstand, den er mit einer gewissen militärischen Autorität zu gebrauchen wußte, wobei ihn seine theologisch-philosophischen Neigungen eher zu Herder denn zu Goethe passen ließen. In der Tat hat er auch, was sein literarisches Urteil betrifft, manchmal danebengehauen und dabei nicht nur Goethe, sondern beispielsweise auch seinen Landsmann Platen falsch beurteilt. Herder hingegen schätzte Knebel, nannte ihn einen *„menschenfreundlichen Timon“*, einen *„lieben, weisen Grämling“*, glaubte an das Talent Knebels und regte ihn zu der Lukrez-Übersetzung an, die Knebel fast ein Leben lang beschäftigt hat.
Knebels literarische Leistung liegt weniger in seinen eigenen Schöpfungen als vielmehr in seinem Briefwechsel mit den großen Geistern seiner Zeit, vor allem mit Goethe, Herder und Wieland. Er war eine Art Spiegel, darinnen sich die Welt Weimars abbildet, ein Satellit, der die Großen umkreiste, mit ihnen

Karl Ludwig Knebel im 80. Lebensjahr, nach einer Zeichnung von J. Schneller, 1824

verbunden durch die Anziehungskräfte eines Geistes, dessen Hervorbringungen durch die Bedeutung dessen überstrahlt wird, was die Geistesheroen Weimars, denen er Freund und Begleiter sein durfte, geleistet haben.
Knebel hat – wie das seiner Zeit entsprach – viele Gedichte geschrieben, aber seine Lyrik ist unterschiedlich, wurde jedoch von seinen weimarischen Zeitgenossen sehr geschätzt. Frau von Stein lobte besonders seine 1815 in einem Bändchen herausgebrachten Gedichte, und Goethe hat ihm einmal ein unerwartetes Lob ausgesprochen. An einem Winterabend, als gerade Schnee fiel, schlug Goethe den in einer Runde anwesenden Gästen vor, darauf ein Gedicht

zu machen. Knebel schrieb: *„Tritten des Wanderers über den Schnee sei ähnlich mein Leben! Es bezeichne die Spur, aber beflecke sie nicht!“ „Für dieses Distichon“*, soll Goethe gesagt haben, *„gäbe ich einen Band meiner Werke.“*
Das Hauptverdienst, das sich Knebel als Übersetzer erwarb, beruht auf seiner Übertragung des Properz und Lukrez aus dem Lateinischen ins Deutsche. Die Properz-Übersetzung erschien 1798 und wurde später durch Vossens Übersetzung in den Schatten gestellt. Die Lukrez-Übersetzung ist Knebels Meisterwerk geworden. Sie erschien 1821 im Göschen-Verlag. Diese Übersetzung ist durch die Grundsätze, von denen Knebel in Behandlung deutscher Sprache in der Verskunst dabei ausging, auch von allgemeiner literarischer Bedeutung. Knebel ist nicht, wie Voss, der Ansicht, daß der deutsche Hexameter nach den strengen metrischen Gesetzen, die sich in den antiken Sprachen anwenden und befolgen ließen, geregelt werden müsse, sondern er hielt vielmehr einen freien, zwangloseren und leichter gefügten Bau dieses in Anpassung der eigentümlichen Silbenverhältnisse unserer Sprache für angemessen. Dem Übersetzer kam es auf den Akzent und auf die richtige Wahl und Ordnung und Stellung des Wortes an, was diesen Übersetzungen Knebels — er hat sich auch in Bruchstücken an Plato, Pindar, Ossian, Machiavelli, Cervantes, Byron, Alfieri versucht, dessen „Saul“ er vollständig übertrug — eine besondere Lebensnähe gibt. In seinen Tagebüchern hat er bis in die kleinsten Einzelheiten sein Leben beobachtet und geschildert und eine Selbstbiographie begonnen, aber nicht vollendet. Knebel war einer der Experimentatoren, von denen einer von Knebels Biographen und Herausgeber seines Nachlasses mit Recht gesagt hat: *„Vor lauter Dichten und Denken, das wie ein vergnügter Müßiggang beständig in ihnen spinnt, können sie nie zum eigentlichen Dichten und Denken gelangen.“* Und Knebel selbst hat sich so beurteilt: *„Mein Leben ist bloßes Stückwerk, aus mannigfaltigen und verschiedenen Teilen zusammengesetzt. Zum eigentlichen Schriftsteller bin ich nicht geboren“*, und einmal hat er sich selbstkritisch geäußert: *„Ich war nicht imstande, ein Buch zu schreiben.“*
Karl Ludwig von Knebel stand zeit seines Lebens in inniger Beziehung zu Ansbach, zu Franken, das er immer wieder auf seinen Reisen besucht hat, teils, um seine Familien in Ansbach aufzusuchen, teils, weil er sich in der Heimat besonders wohl fühlte, fernab dem weimarischen Hoftreiben, das er oft nur murrend und quengelnd erduldete.
Hier in Ansbach hatte er Bruder und Schwester, und hier erlebte er bei einem Spaziergang in der Umgebung Ansbachs den Selbstmord seines Bruders Max, der Rittmeister bei den Leibdragonern des Markgrafen war. Der Vorfall erschütterte ihn so tief, daß er eine Elegie, *„Der Hügel“*, schrieb. Mit seiner Schwester Henriette verband Knebel zeitlebens ein besonders inniges Gefühl der Verbundenheit, und er hat sie schließlich auch zu sich nach Weimar geholt, wo sie durch seine Vermittlung Erzieherin der Prinzessin Caroline wurde.
Knebel hat in späten Lebensjahren noch geheiratet, eine an Jahren sehr viel jüngere Sängerin, und schlug seinen Wohnsitz in Jena auf, wo ihn die verschiedensten Persönlichkeiten besuchten, Goethe oft bei ihm weilte und den Freund um Rat bat. Der *„Literarische Nachlaß und Briefwechsel“* Knebels, 1835 herausgebracht, gibt Aufschluß über die vielseitigen engen Beziehungen Knebels zu seinen Zeitgenossen, über seine weitverzweigten Interessen, die von Naturbeobachtung bis zu literarischer Kritik reichten, und Knebels umfangreicher *„Briefwechsel mit Goethe“* offenbart die engen freundschaftlichen Beziehungen zwischen beiden, die sich bis zu Goethes Tod fruchtbar für beide

Seiten gestalteten. Theodor Mundt, der Herausgeber von Knebels Nachlaß, hat ihn in seiner Bedeutung und Wirkung folgendermaßen charakterisiert: *„Als vertraute Freunde und Genossen großer Männer, als Schildträger der glorreichen Vorkämpfer und Helden, als stille, aber tieferregte Begleiter der bedeutendsten Entwicklungsperioden haben solche weibliche Geister oft unberechenbar auf das Allgemeine zurückgewirkt."*

In signo di perpetua memoria
scrive, del signor possessore,
l'amico e servo osservantissi
mo
Carlo Lodov: de Knebel.

Eintragung Knebels im Stammbuch von Georg Ludwig Rabe aus Ansbach

Ein seinem Landsmann Knebel sehr ähnliches Lebensschicksal hatte der am 26. November 1744 in Erlangen geborene Karl Siegmund Freiherr von Seckendorf-Aberdar, der es auf dem militärischen Sektor bis zum Oberstleutnant in sardinischen Diensten, zum Kammerherrn am Sachsen-Weimarischen Hof und schließlich zum preußischen Gesandten bei dem Fränkischen Kreis in Ansbach brachte. Dort ist er – kurz nachdem er dem ihm überdrüssig gewordenen Leben und Treiben in Weimar entflohen war – am 26. April 1785 gestorben. Es ging ihm also wie Knebel. Die weimarische Luft mundete ihm nicht besonders, aber während Knebel doch ein ganzes Leben in Weimars Nähe wenigstens zubrachte, entfloh Seckendorf nach zehnjährigem Aufenthalt und kehrte in die Heimat zurück. Aber die Ursachen der Verstimmung waren bei beiden verschieden. Bei Knebel lagen sie in seinem Charakter begründet, der das ihm Unangenehme in sich zu kompensieren wußte und einfach an den Rand des Geschehens rückte, um von hier aus teilzunehmen. Seckendorfs Schicksal war persönlicher. Er hatte das Pech, Goethe in den Weg zu geraten. Denn ursprünglich war er für den Posten ausersehen, den dann Goethe bekam, und einem solchen Rivalen, wenn man das einmal so bezeichnen will, war Seckendorf seiner ganzen Veranlagung nach nicht gewachsen. Dennoch kennzeichnet es seine fränkische Wesensart, daß er in den Jahren seiner Weimarer Zeit – von 1775 bis 1785 – ein Eigener, ein Charakter blieb, der sich nicht unterordnete, sondern immer nach eigener Leistung strebte, vor allem auf den Gebieten, auf denen er, wie er meinte, am meisten zu leisten imstande war: als Musiker und als Dichter. Dabei muß der Musiker an erster Stelle genannt werden.

Wie Knebel wollte auch Seckendorf an der Entwicklung der deutschen Literatur beteiligt sein, und wir dürfen es ihm aus der Sicht unserer Zeit nicht verübeln, daß er unter Umständen seinen eigenen Beitrag höher eingeschätzt hat, als er wirklich ist. Seckendorf war ein Mann guten Willens und voller bester schöpferischer Absichten, aber er ist ganz gewiß kein Genie gewesen. Goethe nannte ihn einmal einen *„lieben Jungen, dem Fülle im Herzen ist"*, und dichtete mit ihm gemeinsam 1782 die Neujahrswünsche für die Hofgesellschaft, die sich durch witzige Schärfe auszeichneten. In Goethes berühmtem Gedicht *„Ilmenau"* wird nicht nur Knebel, sondern auch Seckendorf geschildert mit seinen langen, feingestalteten Gliedern, die er ekstatisch faul nach allen Seiten dehnt, während er ein monotones Lied vom Tanz der himmlischen Sphären mit großer Inbrunst singt. Wahrscheinlich sind in dieser Goetheschen Formulierung und Beschreibung Eindrücke eingeflossen, die Goethes intuitive Gabe erkennen lassen, die Menschen zu charakterisieren, und zwar nicht nur äußerlich, sondern auch innerlich. Seckendorfs Begabung lag nun einmal auf dem Sektor Musik, und Goethe mochte das gespürt haben.

Jeder im Kreis um Goethe und den Herzog, um Herder und Wieland mußte wohl sein Schreibtalent nachweisen oder fühlte sich dazu gedrängt, es zu versuchen. Auch Seckendorf blieb das nicht erspart, und er stürzte sich, wenn auch nicht mit Begeisterung, so doch mit einem bemerkenswerten Ehrgeiz in die Dichtkunst. Seine zahlreichen lyrischen Versuche jedoch heben sich kaum über den Rang der Mittelmäßigkeit hinaus, und er selbst sah sie im Grunde nur als Unterlagen für seine Liedkompositionen an, die ihm freilich besser gelangen. Als Wieland diese Gedichte einmal zum Druck empfahl, freute sich Seckendorf, denn so meinte er, *„jetzt habe ich nicht mehr zu befürchten, von den Herren hier in die Klasse der Vierfüßler gesetzt zu werden"*. Eine Äußerung, die schlagartig erkennen läßt, daß da in Weimar so etwas wie literarischer Hochmut herrschte, dem nur durch eigene, und sei es die bescheidenste, Leistung zu begegnen war.

Aber Seckendorfs literarisches Bemühen ist älter als sein Ehrgeiz, Weimars Geistesgrößen ebenbürtig sein zu wollen. Denn schon 1770 hatte er das Trauerspiel *„Codrus"* seines fränkischen Landsmannes, des Ansbacher Dichters Johann Friedrich von Cronegk, ins Französische übertragen, das in einem Wettbewerb als das beste Drama ausgezeichnet worden war. Die Übersetzung ist sehr geschickt gestrafft, sie zeigt sicheres Geschmacksempfinden und Stilgefühl. Er hat die Cronegkschen, damals üblichen philosophisch-reflektierenden Betrachtungen gekürzt, wohl auch in Erkenntnis der besonderen Eigentümlichkeiten französischer Wesensart, für die die Übersetzung bestimmt war, und er hatte diese Betrachtungen in knappe, leichter faßbare Sentenzen zusammengefaßt. Dabei hat es seine Aufgabe erleichtert, daß er die deutschen Alexandriner lediglich ins Französische zu übertragen brauchte. Als er sich dann an die Übertragung von Goethes *„Die Leiden des jungen Werthers"* in die gleiche Sprache machte, hatte er eine schwierigere Aufgabe zu bewältigen. Aber während Wieland diese Übersetzung sehr zurückhaltend beurteilte, gibt es andere Zeugnisse, die diese Übersetzung mit hohem Lob bedachten. Kein Geringerer als Napoleon soll diese Seckendorfsche Übersetzung auf dem Feldzug nach Ägypten bei sich getragen haben. Seckendorf, durch langen Aufenthalt als Offizier auf Sardinien sprachlich geübt, übersetzte als erster Deutscher Lieder des Camões in deutsche Verse und übertrug spanische Prosa und hat —

Karl Siegmund Friedrich von Seckendorf nach einem Gemälde von Johann Heinsius

das ist wohl eine seiner entscheidenden Leistungen — auf diese Weise anregend für viele Nachfolger gewirkt.
Nur wenig zu ermitteln ist noch von seinen zahlreichen Dramen, Singspielen und Gelegenheitsdichtungen. Immerhin wurde mit seinem Drama *„Kalliste"* das neue Theater in Weimar eröffnet, wobei Goethe in einer Rolle auftrat. Goethe hat dieses Trauerspiel allerdings sehr kritisch — und er war ja kompetent genug — *„ein fatales Stück"* genannt, obwohl es immerhin mehrere Druckauflagen erlebte und also offenbar beim Publikum, das weniger kritisch war,

gut ankam. In der Tat ist dieses Stück sentimental, gefühlvoll übertreibend und durch viele umständliche Formulierungen nur schwer in seinem Handlungsablauf zu verstehen. Es ist psychologisch einfach gebaut, naiv, die Charaktere sind unplastisch, manches ist rhetorisch überlagert, die Gestalten erscheinen nicht lebensvoll, sondern maskenhaft. Das Thema ähnelt dem *„Romeo und Julias“* entfernt. Das Stück spielt in Genua unter verfeindeten Parteien, zwischen denen Kalliste, die Tochter Scioltos, steht, die Lothario liebt, der der anderen Partei angehört und von Kallistes Vater im Zweikampf getötet wird.
Seckendorf schrieb das Libretto zu einer Oper *„Superba“*, das nur bruchstückweise erhalten ist, und dichtete ein Festspiel *„Das Louisenfest“*, das den Beifall Goethes gefunden haben muß, denn er nahm es in den *„Biographischen Einzelheiten“* bei der Beschreibung des Festes zum Namenstag der Herzogin Louise — für das es gedichtet worden war — in vollem Wortlaut auf.
Auch ein Roman *„Das Rad des Schicksals oder die Geschichte Tschoangsis“* ist aus der Feder Seckendorfs erschienen. Es ist ein Buch im Stil und nach dem Geschmack der Zeit, breit angelegt, im orientalischen Milieu spielend, schwülstig und phantastisch in der Behandlung von Personen und Umwelt, ein typisches Produkt der Zeit, das von den Lesern und von der Kritik als geistreich gerühmt worden ist, ohne es im Grunde zu sein.
Seckendorfs wirkliches Talent lag auf musikalischem Gebiet. Hier hat er als Volksliedschöpfer im Gefolge Herders eine erstaunliche Begabung nachgewiesen durch Kompositionen, die dem Charakter der vertonten Gedichte gut gerecht wurden.

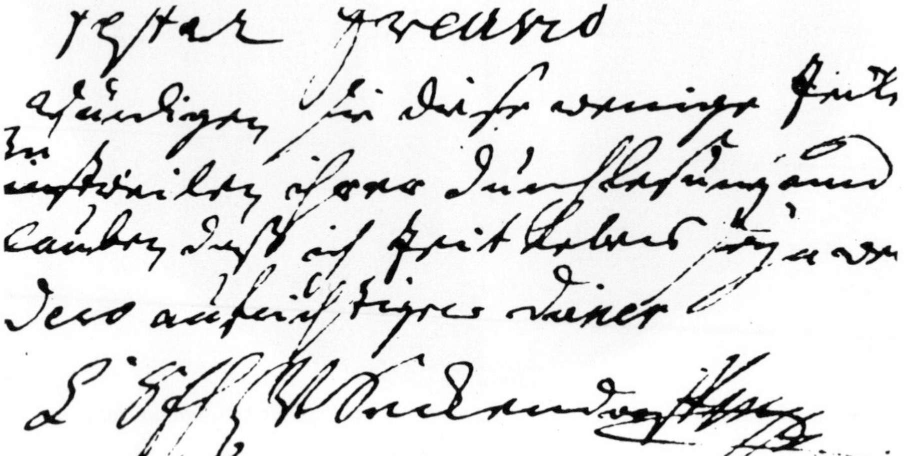

Eintragung Seckendorfs im Stammbuch von Georg Friedrich Lucius(?) aus Michelstadt

Seckendorfs Doppelbegabung als Musiker und Dichter, als Lyriker und Dramatiker entspricht eine ähnliche Begabung des vierten Vertreters des Ansbacher Kreises, des Reichsgrafen Julius von Soden, der am 4. Dezember 1754 zu Ansbach geboren wurde und am 13. Juli 1831 in Nürnberg gestorben ist. Sodens

IULIUS Gr. v. SODEN.

Begabungen lagen auf so unterschiedlichen Gebieten, wie es Wirtschaft und Theater, politisch-soziales Engagement auf der einen Seite und Theaterbesessenheit auf der anderen nur sein können. Er schrieb eine vierbändige *„Nazional-Ökonomie“* und verschaffte diesem Begriff Eingang in die deutsche Fachsprache. Er war Theaterleiter in Bamberg und Würzburg und schrieb mehrere zu seiner Zeit vielgespielte Dramen, von denen heute allerdings nichts mehr auf deutschen Bühnen zu sehen ist.

Soden hatte eine juristische Laufbahn unter dem letzten Markgrafen von Ansbach begonnen, war dann in Königlich-Preußische Dienste als Gesandter getreten, schied 1796 aus, nachdem er in den Reichsgrafenstand erhoben worden und zum Mitglied der Kurfürstlich Mainzischen Akademie der nützlichen Wissenschaften ernannt worden war. Sodens nationalökonomische Studien, die zur Abfassung zahlreicher Schriften und Aufsätze geführt haben, interessieren hier ebensowenig wie seine tagespolitischen Betrachtungen zu Problemen der Zeit. So hat er *„Nürnbergs Finanzen“* in einer Schrift aus dem Jahre 1793 untersucht, hat *„Merkwürdige Kriminal- und Civil Rechtsfälle“* geschildert, die Möglichkeiten und die Voraussetzungen zur Schaffung des Maximilians-Kanals analysiert, der dann der Ludwigs-Kanal geworden ist, umfangreiche philosophische Betrachtungen über *„Psyche – über Dasein, Unsterblichkeit und Wiedersehen“* angestellt und *„Die Franzosen in Franken 1796“* geschildert. Er war ein vielseitig interessierter Mann der Feder, ein Aufklärer, dem es um nationale und soziale Reformen ging, und der auf seinem Gut Sassanfahrt seinen musischen Neigungen lebte und Bühnenstücke schrieb, die er in Bamberg und Würzburg aufführen ließ.

Doktor Faust.

Volks-Schauspiel.

in

fünf Akten.

von

Julius Soden,

Reichs-Graf.

Mit einem Kupfer.

Augsburg,

bey Georg Wilhelm Friedrich Späth 1797.

Titelblatt von Sodens „Faust“-Ausgabe 1797

Wir befinden uns im Zeitalter der Romantik, als Soden seine Dramen verfaßt. Er holte sich seine Stoffe aus der Geschichte, aus der Antike, aus der deutschen Vergangenheit, aus der Zeit der Entdeckungen Amerikas, aus Epochen also, in denen die von ihm gewählten Gestalten außerordentliche Leistungen vollbringen und zu beispielhafter Haltung gezwungen waren. Es handelt sich durchweg um dramaturgisch sehr geschickt aufgebaute Stücke, stilistisch unkompliziert, teilweise sehr wirkungsvoll in Szene zu setzen. Soden leistete Schwerarbeit für seine Theater, er war sozusagen deren erster Vorarbeiter und konnte des Erfolges seiner Schauspiele schon deswegen sicher sein, weil er sie für die

Brief Sodens (Auszug), „Sassanfarth bey Bamberg, 18. Apr. 1799“, an August von Kotzebue

Bühnen schrieb, auf denen er Direktor war. Seine Stücke haben so schwungvolle Titel wie *„Lindor und Ismene“*, *„Ignes de Castro“*, *„Anna Boley“*, *„Romio und Juliette“*, *„Autora oder das Kind der Hölle“*, *„Kaiser Heinrichs IV. Leben und Tod“*, *„Ernst Graf von Gleichen“*, *„Kleopatra“*, *„Franz von Sickingen“*. Er schrieb auch ein Drama *„Medea“*, das in Würzburg mehrmals gespielt worden ist und ein interessantes Pendant zu Grillparzers gleichnamigem Drama ist. Er befaßte sich mit der Gestalt Pizarros in dem Drama *„Franzesco Pizarro oder Der Schwur im Sonnentempel“*, und schrieb ein antikes Drama *„Virginia“*, die

Geschichte der Jungfrau, die sich dem Tyrannen nicht ausliefert, sondern sich vom Vater töten läßt, während der Tyrann gestürzt wird. Sodens Stücke, darunter auch das naive Lustspiel *„Rosalie von Felsheim oder Liliput“*, wurden auf den damaligen deutschen Bühnen viel gespielt und fanden starken Beifall. Heute sind sie verschollen und fast vergessen. Der Versuch, das eine oder andere wieder aufleben zu lassen, wäre sicherlich lohnend, wenn sich ein Bearbeiter fände, der sie auf den Geschmack unserer Zeit reduziert und sie des Schwulstes und der Gefühlsemphase entkleidet. Ähnlich verhält es sich mit Sodens Roman *„Abentheuer des Persodes und der Sigismunde“*, einer nordischen Geschichte von Miguel de Cervantes Saavedra, offenbar eine Übersetzung aus dem Spanischen und mit dem Roman *„Zoe“*. Das Fremdländische, das Exotische – wir sahen es schon bei Seckendorf – war damals Mode. Die Produktivität Sodens – sein Gesamtwerk umfaßt ungefähr 80 Bände – war ungeheuer. Er war ein typischer Aufklärer, ein Mann seiner Zeit, der durch die Feder wirken wollte, und der glaubte, auf allen Gebieten der Politik, der Wirtschaft und der Kultur wirken zu können: eine der einflußreichsten Gestalten in seiner engeren Heimat.
Er war ein Genie nach damaligen Begriffen, das sein Wissen, sicherlich groß und ausgedehnt, einsetzte für das Volk. Zudem zeigte sich Soden deutlich beeinflußt von den Gedanken der Französischen Revolution. Revolution als Umsturz durch das Volk von unten war ihm als Adeligem verhaßt. Er zielte offenbar auf Verhinderung einer Revolution von unten, indem er den anderen Weg, den der Aufklärung und der Wissensvermittlung, wählte und in seinen Dramen die moralischen Werte des menschlichen Lebens: Mut, Stolz, Freiheitsdrang, Edelmut, Güte, Liebe verherrlichte und damit versuchte, das, was er als gut empfand, zu erhalten und auf der anderen Seite dem unaufhaltsam andrängenden Neuen den Weg zu bahnen.

„Dya-Na-Sore“ – „ein merkwürdiges und unerquickliches Zeugnis davon, wie tief und weit der Geschmack an einem falschen Idealismus eine Zeit beherrschte, die sich wahrhaftig um andere Dinge hätte kümmern sollen. Der Schauplatz ist angeblich Tibet, in der That nirgends, die Personen sind Namen, an die sich ideal verstiegene und nichts Greifbares bietende Reden knüpfen“, so steht es in Kürschners *„Deutscher National-Literatur“* aus dem Jahre 1885 zu lesen. *„‚Dya-Na-Sore‘ ist ein Buch, das, als Roman, ja, überhaupt als poetisches Ganzes von sehr geringem, ja im Grunde von gar keinem Werthe ist – das aber die höchsten menschlichen Überzeugungen ausspricht“*, so schreibt Ernst von Feuchtersleben in seinem Vorwort zu der 1840 erschienenen Ausgabe des Romans aus der Feder des fünften Autors, dem eine Beziehung zu Ansbach nachgesagt wird.
In der Tat, so unterschiedlich wie diese Urteile über den einzigen Roman Meyerns sind auch die Angaben über Geburtsjahr und Geburtsort eines Mannes, der – eine Art Vorläufer des sagenumwobenen Bruno Traven – aber doch jedenfalls im Umkreis von Ansbach geboren worden ist, wenn nicht dort. 1759, 1760 und 1762 ist als sein Geburtsjahr angegeben, doch deuten gewisse Hinweise darauf hin, daß Meyern als Friedrich Wilhelm Meyer im Kloster Frauenthal bei Creglingen, und zwar 1762, als Sohn eines Rentbeamten und Gutsbesitzers geboren worden ist. Auch er war Student in Erlangen und Altdorf und schlug dann die militärische Laufbahn bei der österreichischen Artillerie ein. Glaubt man seinem Biographen, so war auch er ein vielseitig an den verschie-

Wilhelm Friedrich von Meyern

densten Wissenschaften interessierter Mann, dessen Hauptinteresse freilich dem Reisen galt. So quittierte er in jungen Jahren den Militärdienst und begab sich auf eine weite Reise durch das damalige Europa, und vielleicht ist ihm auf dieser Reise – die ihn nach Kleinasien geführt haben soll – der Gedanke an seinen Roman gekommen. Meyern hielt sich auf Sizilien auf, entwickelte dort Pläne zur wirtschaftlichen Besserstellung der Insel durch Ansiedlung deutscher Kolonisten, begab sich dann, als sich diese Hirngespinste auflösten, nach Rom und schließlich – hier verlieren sich genaue Lebensspuren – nach Wien, wo er den Landsturm organisieren half, der gegen Napoleon aufgestellt wurde. Zum Hauptmann der österreichischen Artillerie befördert, betätigte er sich auf militärischem Gebiet in den Auseinandersetzungen mit Napoleon, und zwar dann — zusammen mit Canova — bei der Kommission, die 1815 die Auslieferung der italienischen Kunstgegenstände aus Paris zum Gegenstand hatte. Er gehörte dann zur Umgebung des Fürsten Schwarzenberg und schließlich zur Militärkommission der Bundesversammlung in Frankfurt am Main. Dort ist er im Mai 1829 gestorben. Ein wahrhaftig abenteuerlicher Lebenslauf eines Militärs, der sich nebenberuflich als Schriftsteller betätigt und dies heimlich tat. Denn auch sein Hauptwerk, der oben erwähnte Roman „Dya-Na-Sore", ist anonym erschienen, erst sein Freund Ernst von Feuchtersleben lüftete den Schleier über den Verfasser des seinerzeit berühmten Buches.

Meyerns Roman ist ein Kind der Zeit wie sein Verfasser, den die Theaterzeitung *„einen der seltsamsten und zugleich edelsten Sonderlinge"* nannte. Die Wirkung des Romans wäre außerordentlich gewesen, heißt es in einer Biographie Meyerns. Er und sein Roman seien eine Ausnahmeerscheinung. *„Das Erscheinen dieses Werkes mitten im vollen Entwicklungsgange der neuen Dinge, dabei die Beziehungen desselben zu den politisch-nationalen Verhältnissen waren so mächtig, ja erschienen so bedenklich, daß das Buch in Wien, wo es gedruckt worden war, verboten wurde."*

Es scheint, daß dieses Buch, das in seiner ersten Auflage 1787 bis 1789 erschien, wirklich eine ungewöhnliche Wirkung hervorrief, wenngleich die Fabel schwach und es im ganzen nur schwer zu lesen ist. Schiller hat das Buch gekannt und rezensiert. Es handelt sich um die Geschichte von vier Söhnen des Priesters Athor, die in einem weltfernen Fabelreich spielt. Diese charakterlich unterschiedlich veranlagten Söhne wandern durch geheimnisvolle Welten, erhalten geheimnisvolle Botschaften zu Geheimbünden, die das geknechtete Volk befreien sollen. Es wird ein Umsturz geplant, aber das Volk ist nicht reif und der spartanisch-strengen Herrscherclique nicht würdig, sondern wirft diese Herren ab, und die Verschwörer ziehen in die Ferne. Wichtig ist aber weniger die abstruse Handlung als vielmehr der Geist dieses Buches, von dem einer seiner Kritiker und Neuentdecker erst kürzlich behauptet hat, es handle sich um eine seherisch vorweggenommene Apotheose des „Dritten Reiches".

In der Tat finden sich zahlreiche Formulierungen in dem Buch, die an die jüngste deutsche Vergangenheit gemahnen. *„Nationalhaß ist eine ebenso nothwendige Eigenschaft als Vaterlandsliebe"*, heißt es da einmal, oder *„Ich zittere vor dem Ende des Krieges — eine Erde ohne Verwüstung, eine Nation ohne Krieg wären ein Unglück, das man durch Gebet abwenden sollte. Krieg ist Wachen, Friede Schlaf!"* Um die Blütenlese fortzusetzen: *„Unsere Schlachten müssen blutig seyn"*, sagt Meyern und preist den Krieg als Vater aller Dinge, und Thesen wie Gemeinnutz geht vor Eigennutz, oder Das Volk ist alles, der einzelne nichts, scheinen der Vorbereitung auf jenes Dritte Reich gedient zu haben, in welches auch Meyerns Postulat *„Bild und Glaube sind für Schwache"* zu gehören scheint. Unter dem Titel *„filosofisch-patriotischer Roman"* hält Meyerns *„Dya-Na-Sore"*, wie der erwähnte Neuentdecker meint, *„die Mitte zwischen Plathons ‚Politeia' und Nietzsches ‚Zarathustra'"*, und er schreibt Meyerns Buch und seiner darin niedergelegten Geisteshaltung Parallelen zu Jean Paul, Fouqué, Goethe, Clausewitz, Karl May, Nietzsche und Friedrich Ludwig Jahn zu, der die Gesinnungen in praktische Bahnen gelenkt hat, die Meyern theoretisierend in seinem Roman niedergelegt hat.

Meyern selbst hat übrigens in seinem Buch dann seine eigene Wandlung vom Republikaner zum Monarchisten sichtbar gemacht, indem er die entsprechenden Stellen der ersten Auflage in der zweiten Auflage (1791 bis 1800) passend veränderte.
Die Höhe dieser Auflage beweist, wie vielgelesen und wohl auch wie wenig begriffen dieses Buch wurde. Sicherlich hat Meyern seinen Roman – er schrieb daneben noch ein Trauerspiel *„Die Regentschaft"* und hinterließ eine Reihe kleinerer Schriften, die Ernst von Feuchtersleben herausgab – aus bester Absicht heraus geschrieben, und er konnte nicht ahnen, daß seine Gedanken einmal politisch verwirklicht werden würden. Der Geist, in welchem er lebte, war vorgeprägt. Er hat die Glut entfacht und die Flamme angeblasen, hat die dunklen Gefühle von Ahnenkult und Wehrpflicht, von Nationalhaß und Vaterlandsliebe, vom Krieg als Vater aller Dinge, vom Heroismus harter Erziehung der Jünglinge fern von der Frau, von geistiger Überheblichkeit der Rasse, gedankenloser Grausamkeit und Massenhysterie artikuliert und auf 2500 Seiten niedergeschrieben. Vielleicht darf man dieses Buch eines Mannes, das sein einziges geblieben ist, als ein Kuriosum der deutschen Literatur bezeichnen. Auch wenn man es heutzutage nicht mehr zu lesen vermag: Es sollte als Warnung für alle Zeiten dienen.

Hans Recknagel

JOHANN KONRAD GRÜBEL

1736–1809

Der Schlosser und sein Gesell

A Schlosser haut an Gsell'n g'hat,
Der haut su longsam gfeilt,
Und wenn er z' Mittog gess'n haut,
Dau ober haut er g'eilt;
Der Eierst in der Schüss'l drin,
Der Letzt ah wider draus,
Es is ka Mensch su fleißi gwöst
Ban Tisch in ganz'n Haus.

Öitz haut amaul der Master gsagt:
Gsell dös versteih i niet,
Es is doch su mei Lebta gwöst
Und, wall i denk, die Ried:
Su wöi mer ärbet, ißt mer ah;
Ba dir geiht's nit asu,
Su longsam haut no Kaner gefeilt,
Und ißt su gschwind wöi du.

Ja, sagt der Gsell, dös waß i scho,
Haut All's sein gout'n Grund;
Des Ess'n wöhrt halt goar nit lang,
Die Ärbet verzi Stund.
Wenn Aner möißt den ganz'n Tog
In an Stück ess'n fort,
Töt's aff die Letzt su longsam göih,
Als wöi ban Feil'n dort.

Am 3. Juni 1736 wurde in St. Sebald das neunte Kind des achtbaren Flaschnermeisters Jonas Paulus Grübel auf den Namen Johann Konrad getauft. Von insgesamt zwölf Kindern überlebten nur er und zwei Geschwister den Vater. In diesen Zeiten fast das Normale! Mit Johann Grübel erlosch die Familie. Seine leiblichen Kinder starben alle vor ihm; lediglich seine poetischen Geschöpfe tradierten seinen Namen. Nach der Schulzeit ging er bei seinem Vater in die Lehre, nahm nebenher Zeichenunterricht an der Malerakademie und blieb auch als Geselle in der väterlichen Werkstatt. Die damals übliche Gesellenwalz schenkte er sich. Grübel wurde bald als tüchtiger Flaschner geschätzt, so daß er 1768 von der Stadt beauftragt wurde, den Sebalder Nordturm mit Zinnblech zu decken. Während dieser Dacharbeiten lernte er die Tochter des Mesners kennen, die er dann 1773 heiratete.

Das Geschäft florierte, und bald stellten sich auch Ehrungen seitens der Stadt und der Bürger ein: Er wurde zum Stadtflaschner ernannt, zum Handwerksgeschworenen gewählt, d. h. zum Vertreter der Flaschnerzunft gegenüber der Stadt, und schließlich wurde ihm auch noch das keinesfalls beliebte Ehrenamt eines Gassenhauptmanns aufgebürdet. Rüstig bis ins hohe Alter – mit 68 Jahren deckte er noch eigenhändig den Kirchturm von Betzenstein –, starb er 73jährig am 8. März 1809.

Grübel, nach einem Stich von Fr. Fleischmann

Die äußere Erscheinung entspricht diesem Leben. Drei Porträts sind überliefert: ein leicht idealisiertes Ölgemälde, von seinem Zeichenlehrer Ihle 1775 gemalt, und zwei weniger schmeichelhafte Stiche „nach dem Leben gestochen" aus dem Jahre 1779 und aus seinem Todesjahr 1809. Ein breiter energischer Kopf auf einem ebenso dicken wie kurzen Hals. Das gut entwickelte Doppelkinn und ein bürgerlich dezentes Jabot unterstreichen den fließenden Übergang von Kopf zu Schulter. Die wülstige Unterlippe, die kräftige, fast knollige Nase und die Spottfältchen markieren diesen Kopf. Die Haare, gekräuselt und gepudert, enden in einem schmächtigen, aber nicht zu übersehenden Zopf. Ein gutsituierter Bürger, dieser Grübel; bürgerlich konservativ selbst in Haartracht und Kleidung, verglichen mit den freiwallenden Mähnen und offenen Hemden seiner Zeitgenossen, der Stürmer und Dränger.

Alles in allem, Lebenslauf und Erscheinung eines tüchtigen, biederen Handwerkers, dessen Namen heute niemand mehr wüßte! Hätte dieser Flaschnermeister nicht mit viel Geschick und Humor ein Steckenpferd geritten: das Versemachen. Verse, die nicht aus dem Stahl des Hochdeutschen geschmiedet sind, sondern aus den „Rohlingen" der Mundart. Die Zinn-, Blei- und Kupferdächer, die Dachrinnen, Dachvasen und Wetterhähne des Stadtflaschners Grübel sind längst von der Witterung zerfressen. Seine Gedichte in Nürnberger Mundart werden heute nicht nur noch gedruckt, sondern auch gekauft und gelesen.
Nicht weniger bekannt als der *„Schlosser und sein Gesell"* ist eines seiner letzten Gedichte:

Der Käfer

Dau sitz i, siech an Köfer zou,
Tout in der Erd'n kröich'n:
Öitz kröicht er aff a Grösla naf,
Dau tout si's Grösla böig'n;
Er git si ober alli Möih,
Und rafft si wider af,
Und hält si on den Grösla oh,
Will wider kröich'n naf.
Bald kröicht er naf, bald fällt er roh,
Bannah a halba Stund,
Und wenn er halb oft drub'n is,
So ligt er wider drunt;
Und wöi er sicht, daß's goar nit geiht,
Und daß er goar nit koh,
So brat't er seini Flüg'l aus
Und flöigt öitz ganz dervoh.
Öitz denk' i: Wöi's den Köfer geiht,
Su tout's dir selber göih,
Der haut doch gleiwuhl meih'r Föiß,
Du ober haust ner zwöi.
Du kröichst scho rum su langa Zeit
Die Läng und in die Quer,
Und kummst döstwög'n doch nit weit,
Und wörst aff d'Letzt wöi der:
Wennst lang genoug dau in den Gros
Bist kroch'n, haust nit g'wüßt, vur wos,
So wörst, nauch Sorg'n, Möih und Streit,
Fortflöig'n in die Ewigkeit.

Mit diesen beiden Gedichten sind ungefähr die Grenzen gesetzt, zwischen denen sich Grübel bewegt. Im *„Schlosser"* die pointierte Episode aus dem bürgerlich-bäuerlichen Alltag, mit einer guten Prise Spott bzw. Satire gewürzt und mit versöhnlichem Humor übergossen. — Im *„Käfer"* die pansophistische, aufklärerische Meditation über letzte Dinge. Ein *„Irdisches Vergnügen in Gott"* am äußersten Ende der Aufklärung, wie es der Hamburger Brockes am Anfang jener Epoche besungen hat.

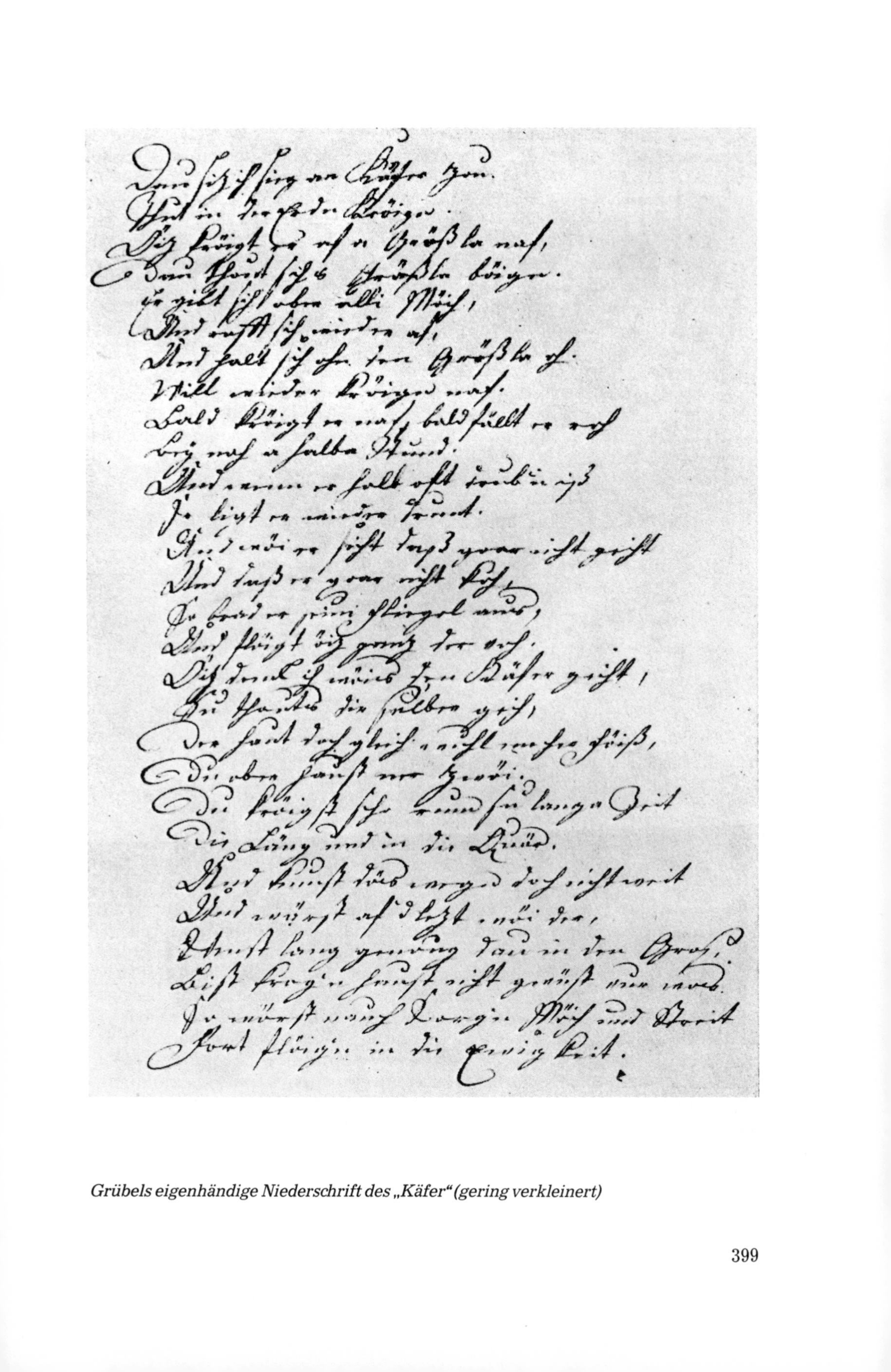

Grübels eigenhändige Niederschrift des „Käfer" (gering verkleinert)

So viel zunächst von Unterscheidungen. Das Gemeinsame beider Gedichte ist vor anderem die Mundart. Damit scheint aber auch der literarische Maßstab gegeben, der zwangsläufig mundartlicher Dichtung nur lokalen Rang, nur lokale Bedeutung zumißt. Die plattdeutschen Romane und Gedichte von Fritz Reuter und Klaus Groth, die 1803 erschienenen alemannischen Gedichte von Johann Peter Hebel oder auch Gerhart Hauptmanns *„Weber“* in der Erstfassung scheinen dieses Urteil zu widerlegen. Doch gut und gern gelesen und verstanden werden alle diese Autoren nur von ihren Landsleuten. Trotz ihres überregionalen Ruhms genießen auch diese Mundartdichter im Grunde nur regionale Wertschätzung. Wenn man den Erinnerungen des Schauspielers Anschütz glauben darf, *„fehlten namentlich in Norddeutschland Grübels Gedichte auf keinem Teetisch, in keinem Boudoir“.*
Sehr wahrscheinlich wurden aber in Norddeutschland nicht die Originale gelesen, sondern Transponierungen ins Hochdeutsche, wie sie ein Weimarer Trabant Goethes namens Joh. Daniel Falk für einen Almanach auf das Jahr 1806 versucht hat. Der Vergleich des Originals mit der Falkschen Übersetzung zeigt, wie wenig einer Mundartdichtung damit gedient ist:

„Mer thout die Freundschaft z'Hülf no nehma,
Es red't 'n no a Jedes zou;
Er will si ober nit bequema,
Er will halt in die Fremd, der Bou.
Öitz sagt die Mutter vuler Zurn:
So siech doch ner dein Vatter oh!
Er ist nit g'rast, und is doch wur'n
A Moh, der alli Künst'n koh.“

Man thut die Freundschaft z'Hülf nun nehme,
Es redt ihm nun ä Jedes zu,
Er will sich aber nicht bequemen,
Er will halt in die Fremd der Bou.
Itz sagt die Mutter voller Zorn:
„So sieh doch nur dein Vater an:
Er ist nit gereist, und ist doch word'n
A Mann, der alle Künste kann!“

Trotz der engen Bindung ans Regionale ist Mundartdichtung meilenweit entfernt von sogenannter Blut- und Bodenliteratur. Sie ist zu realistisch, als daß sie für Ideologien zweckentfremdet werden könnte. Eine schöne Ausnahme dieser nur regionalen Wirkung war die Berliner Hofschauspielerin Henriette Hendel-Schütz. Als sie im Frühjahr 1808 für einige Wochen in Nürnberg gastierte (unter anderem spielte sie auch die Jungfrau von Orléans), bat sie den alten Grübel um die Ehre seines Besuches. Ein Augenzeuge berichtet davon: *„Ich war zugegen, als er bei der Hendel-Schütz eintrat. Exaltiert, wie sie war, lief sie auf ihn zu, umarmte und küßte den alten Mann so herzhaft, daß dieser nicht wenig überrascht war von solcher Ovation einer so gefeierten Frau. Aber geschmeichelt hat es dem alten Knaben doch ...“*
Besuch und Gegenbesuch lösten sich ab. Die Hendel trug in der Öffentlichkeit seine Gedichte vor. Grübel widmete ihr drei Gedichte. Die Verehrung dieser großen Schauspielerin erfüllte den bescheidenen Grübel mit heimlichem Stolz.

Johann Konrad Grübel, gemalt von Eberhard Ihle

Madame Hendel hatte offenbar für Mundartdichtungen ein Faible: ein Jahr später bereitete sie dem Karlsruher Professor Johann Peter Hebel eine ähnliche persönliche Ovation.

Ein auffälliges Interesse für Grübel zeigte Goethe. Bezeichnenderweise setzt auch er für eine allgemeinere Verbreitung der Grübelschen Gedichte eine Übersetzung ins *„reinere Deutsch"* voraus. Das erste Bändchen Grübelscher Gedichte wird von Goethe und Schiller subskribiert. Natürlich sind sich die beiden Anführer der damaligen literarischen Avantgarde oder Moderne bewußt, daß Grübel unzeitgemäß, ja sogar altmodisch ist. Schiller spricht es in einem Brief an Goethe klar aus; zugleich aber fordert er Goethe zu einer Rezension dieser Mundartgedichte auf: *„Ihr Nürnberger Meistersänger spricht mich wie eine Stimme aus einem ganz anderen Zeitalter an und hat mich sehr ergötzt. Wenn Sie Knebeln schreiben, so bitten Sie ihn doch, auch mich zu einem Exemplar mit Kupfer unter den Subskribenten anzumerken. Ich halte es wirklich für nötig, daß man sich bei diesem Werklein vorher meldet, weil es sonst vielleicht nicht zustande kommt, denn der gute Freund hat sein Zeitalter überlebt, und man wird ihm die Gerechtigkeit schwerlich erzeigen, die er verdient. Wie wär's, wenn Sie nur ein paar Seiten zu seiner Einführung ins Publikum sagten? Er scheint es wirklich so sehr zu brauchen als zu verdienen."*
Zehn Monate später, im Dezember 1798, nach dem Erscheinen des Bändchens ermutigt Schiller noch einmal zu einer Besprechung: *„Es ist gar nicht übel, wenn Sie ein paar Worte zu seiner Empfehlung sagen; denn hier ist der Fall, wo keiner das Herz hätte, auf Risiko des eigenen Geschmacks zu leben, weil man auf keine modische Formel fußen kann."*

Kurz vor Weihnachten läßt dann Goethe eine mehrseitige und detaillierte Besprechung von Grübels Gedichten in Cottas *„Allgemeiner Zeitung"* erscheinen. Sieben Jahre später, 1805, veröffentlicht der Geheime Rat eine zweite Rezension der Gedichte des Nürnbergers:

„Die Grübel'schen Gedichte verdienen wohl neben den Hebel'schen gegenwärtig genannt zu werden: denn obgleich schon länger gedruckt, scheinen sie doch den Liebhabern nicht, wie sie verdienen, bekannt zu sein. Um sie völlig zu genießen, muß man Nürnberg selbst kennen, seine alten, großen städtischen Anstalten, Kirchen, Rath- und andere Gemeinhäuser. Seine Straßen, Plätze, und was sonst Öffentliches in die Augen fällt; ferner sollte man eine klare Ansicht der Kunstbemühungen und des technischen Treibens gegenwärtig haben, wodurch diese Stadt von Alters her so berühmt ist, und wovon sich auch noch jetzt ehrwürdige Reste zeigen. Denn fast nur innerhalb dieser Mauern bewegt sich der Dichter, selten ist es eine ländliche Szene, die ihn interessiert, und so zeigt er sich in seinem Wesen und Gesinnung als das, was er wirklich ist, als rechtlichen Bürger und Klempnermeister, der sich freut, mit dem alten Meister Hans so nahe verwandt zu sein.

Wenn der Dichter überhaupt vor vielen andern darin einen Vorzug hat, daß er mit Bewußtsein ein Mensch ist, so kann man von Grübeln sagen, er habe einen außerordentlichen Vorsprung vor andern seines Gleichen, daß er mit Bewußtsein ein Nürnberger Philister ist. Er steht wirklich in allen seinen Darstellungen und Äußerungen als ein unerreichbares Beispiel von Geradsinn, Menschenverstand, Scharfblick, Durchblick in seinem Kreise da, daß er demjenigen, der diese Eigenschaften zu schätzen weiß, Bewunderung ablockt. Keine

Grübels

Gedichte

in

Nürnberger Mundart.

1798.

Spur von Schiefheit, falscher Anforderung, dunkler Selbstgenügsamkeit, sondern alles klar, heiter und rein, wie ein Glas Wasser. (. . .)
Sein Dialekt hat zwar etwas Unangenehmes, Breites, ist aber doch seiner Dichtart sehr günstig. Seine Sylbenmaße sind ziemlich variirt, und wenn er dem einmal angegebenen auch durch ein ganzes Gedicht nicht völlig treu bleibt, so macht es doch bei dem Ton der ganzen Dichtart keinen Mißklang."
Der Vergleich mit Hans Sachs und Johann Peter Hebel ist zwar naheliegend, doch falsch. Außer der Heimatstadt und der sozialen Herkunft aus dem Handwerk haben Sachs und Grübel herzlich wenig gemein. Zwar nennt man beide gern „Volksdichter", zwar ähneln sich manchmal die Stoffe ihrer schwankhaften Anekdoten; aber Sachs ist doch der urbanere und weltoffenere Geist; er verarbeitet die gesamte abendländische Tradition, während Grübel — fast biedermeierlich begrenzt — kaum über die Mauern seiner Vaterstadt schaut.
Sein Zeitgenosse, der Alemanne Hebel, unterscheidet sich von Grübel in der sozialen Stellung (Hebel war Professor für Dogmatik, evangelischer Prälat und später badischer Landtagsabgeordneter) und durch das leichtere und weltmännische alemannische Temperament. Auch Hebel hat ein Gedicht über einen Käfer geschrieben, der sich schließlich — nachdem er von Blüte zu Blüte geflogen ist und sich überall *„e Schöppli"* Nektar hat schmecken lassen — hinlegt und stirbt:

„Druf fliegt er zue si'm Schätzli heim,
's wohnt in der nöchste Haselhurst.
Es balgt und seit: ‚Wo blibsch so lang?'
Er seit: ‚Was chani für mi Durst?'

Jez luegt er's a, und nimmt's in Arm,
er chüßt's, und isch bim Schätzli froh.
Druf leit er si ins Totebett,
und seit zum Schätzli: ‚Chumm ball no!'

Gel Sepli, 's dunkt di ordeli!
De hesch au so ne lustig Bluet.
Je, so ne Lebe, liebe Fründ,
es isch wohl für e Tierli guet."

Grübels ***„Käfer"*** braucht sich davor nicht zu verstecken. Er ist eben anders: schwermütiger, verhaltener; nicht so liebenswürdig und leicht. Abgesehen von diesen Vergleichen mit Hans Sachs und Hebel hat aber Goethe in den Grübel-Rezensionen seine gute Nase und sein scharfes Urteil bewiesen. Grübel war auf diese unvermutete Ehre auch sichtlich stolz. Ein olympischer Höhenrausch packte ihn aber deswegen nicht; er blieb auf dem Nürnberger Pflaster. Wenn er sich zum Schreiben in seine Studierstube zurückzog, in sein *„Musäum"*, dann nicht aus Berufung oder aus einem inneren Zwang heraus, sondern aus Liebhaberei, aus Freude an seinem Steckenpferd: völlig unzeitgemäß in der sogenannten Geniezeit!
Die Hauptsache bleibt für Grübel sein Beruf. Seine Gedichte sind gleichsam saftige Früchte poetischer Nebenstunden. Dichten als „Nebensache" verstanden, soll häufig schriftstellerische Schlamperei oder Laxheit entschuldigen.

Das vermied er geflissentlich. Am Anfang seines zweiten Bändchens versichert er:

„Ih hob tou, wos i koh,
I hob mi nit mit g'schickt,
Und eppet in der Flucht
Ner g'schwink wos zammag'flickt.
Mer haut's scho oft verlangt,
Ih hob drum doch nit g'eilt,
Und hob su gout ih koh,
droh g'schliff'n und droh g'feilt;
Hob's mach'n g'scheit'n Moh
Ah wider g'lös'n vür;
Wenn döi wos finna droh,
Sie sog'n's scho zo mir."

Dilettantismus hätte all seinen Begriffen von sauberer Arbeit widersprochen. Trotz so gewissenhafter und überlegter Arbeitsweise ist im Laufe der Jahre doch ein Werk von beträchtlichem Umfang entstanden.
Grübel bevorzugt die gebundene Rede, also den Vers. Selbst sein einziges Lustspiel *„Der unterbrochene Spaziergang"* (es handelt sich eigentlich um eine größer geratene anekdotische Szene von der Fraternisation zweier Nürnberger Bürgerinnen mit einem französischen Besatzungssoldaten) und seine unter dem Titel *„Correspondenzen"* herausgegebenen Briefe sind in Versen geschrieben. Um die Menge seiner Gedichte besser übersehen zu können, empfiehlt es sich, zwischen Gedichten mehr anekdotisch schwankhaften Charakters, gesellschaftlich-politischen Charakters und allgemein lyrischen Charakters zu unterscheiden. Das rein Lyrische in der Art des *„Käfers"* ist ziemlich selten. Das Gelegenheitsgedicht aus politischen, familiären oder festlichen Anlässen charakterisiert ihn. Hier wird der Aufklärer Grübel am stärksten spürbar. Er gebärdet sich nicht als Revolutionär, dazu ist er zu besonnen, zu konservativ; aber er zieht Bilanz, er übt Kritik. Ob es nun die Jahresbilanz seiner Neujahrsgedichte ist, oder ob er die Begeisterung mancher Mitbürger für die französische Revolution zügelt, ob er humorvoll allgemeine Schwächen der Menschen anprangert, oder ob er vorsichtig die Kommunalpolitik der Stadtväter kritisiert – immer erweist er sich als Mann, der den Mut hat, sich seines eigenen Verstandes zu bedienen. Daß seine Kritik und seine Satire oft so milde gestimmt sind, erweist den Kleinbürger Grübel als einen Menschen, der sich seiner beschränkten Perspektive und der menschlichen Schwächen wohl bewußt ist. Grübel ist ein typischer Repräsentant der späten Aufklärung, sehr bewußt, sehr kritisch andern und auch sich selbst gegenüber. In stoischer Gelassenheit stand er den politischen Wirren seiner Zeit und seiner Stadt gegenüber: der mehrmaligen Besetzung Nürnbergs durch französische Truppen, dem drohenden finanziellen Bankrott der einst so blühenden Reichsstadt, der Geldentwertung, der erdrückenden Steuerlast und der schreienden Not des einzelnen. Hinter seinen Idyllen und Schwänken vermutet man kaum einen solch finsteren Zeithintergrund. Und selbst in einem politischen Gedicht wie *„Die Neufranken"*, wo sich zwei Vettern – einer davon war früher franzosenfreundlich eingestellt – über die eben wieder abgezogenen Franzosen unterhalten, ist der unmittelbare Schrecken schon verklungen und ironisch gemildert.

Grübels

Correspondenz

und

Briefe

in

Nürnberger Mundart.

1 8 0 6.

In seinen satirischen Schwänken in der Art des *„Schlossers"* kommt seine tolerante Haltung noch prägnanter zur Geltung. Er spottet zwar, aber so, daß der Verspottete mitlachen, genauer gesagt, mitlächeln kann. Köstliche Episoden aus dem kleinbürgerlichen Heldenleben, die heute noch genauso erheiternd wirken wie am Tag ihres Erscheinens. Die Ursachen für die peinlichen und lächerlichen Situationen, in die seine Gestalten geraten, liegen immer in diesen selbst: Nicht nur Hochmut, auch Dummheit, Mißverständnisse und Bauernschläue kommen so zu Fall. Durch alle Kritik, allen Spott und alle Satire aber scheint Humor, Freude am Detail und die erstaunliche Gabe, mit wenigen Strichen originelle Charaktere zu zeichnen.

Die beschaulichen Bilder des kleinen Lebens, der kleinen Gesellschaft, die direkte Anrede des Lesers — er fühlt sich immer in der Gemeinschaft, er braucht die Gesellschaft — das machte und macht seine Beliebtheit beim Leser aus. Die kritisch heitere Distanz zu eben dieser Gesellschaft kennzeichnet ihn vor anderen Mundartdichtern. In seinem kleinen Kreis stehend, sieht er dennoch die Grenzen und die Mängel dieses Kreises. Grübels Szenen lassen ein wenig an den biedermeierlichen Spitzweg denken: eine überschaubare Welt, in der Gauner und Gendarm, Käuze und ehrbare Bürger, Liebespärchen und Hagestolze zusammenleben. Zu dieser Welt im kleinen, die kaum über die Stadtmauer hinausgeht, in der die Uhren langsamer zu gehen scheinen, paßt die Mundart. Sprache, jeden Laut langsam auf der Zunge zergehen lassend, und Besprochenes stimmen überein.

Was aber, wenn das Lokale, das Regionale aufgeht im Überregionalen, wenn Verkehrs- und Kommunikationsmittel landschaftlich bedingte Eigenarten zurückdrängen und überspielen! Ist dann Mundartdichtung überhaupt noch möglich bzw. diskutabel? Der Wiener Poet Hans Carl Artmann ließ 1958 seine *„gedichtar aus bradnsee"* erscheinen unter dem leitmotivischen Titel *„Med ana schwoazzn dintn"*. Gedichte, hochmodern in Stil und Stoff, mit einer makabren finsteren Thematik, geschrieben in einer dunklen, metaphorisch kühnen Sprache, und nicht zuletzt: Gedichte in Mundart. Moderne Lyrik in breitestem Wiener Vorstadtdialekt. Für die literarische Güte und für die Beliebtheit dieses Bandes sprechen seine Auflagen.

blauboad 2

heit kumst ma ned aus
heit muas a de griang
heit lok a de au wia r a fogal
zu mia hinauf iwa sexaneinzk schdiang
in zima kawinet und kuchl . .
(. . . .)

heit schboa r e kan aufwaund
heit wiad opariad
und nochhea kumst owe zun donaukanäu
fon wo de des wossa noch oewan entfiad
und ii — wosch me en finztara unschuid . .

muang wean s as daun lesn
und duach s radio hean:
schon wida ein madl ferschwuntn in wean!
und ii — da blauboad fom brodaschdean
sizz solid in kafee bei an gschdregtn . .

doch heite bleibt heit
und do gibt s kan bardaun:
a keazzn a frau und a messa!
en so ana xööschoft do is ma net z draun
do reit me a koischwoazza kefa . . .!

Moderne Dichtung in Mundart; hochdeutscher Lyrik ebenbürtig, im Klangreichtum überlegen! Hier, wie in allem Dialekt, ist die Sprache noch überreich an Bildern, Klängen und Lauten. Damit besitzt die Mundart einen Schatz, den die abgeschliffene und eingeebnete Hochsprache verloren hat.
In Nürnberg hat sich noch zu Lebzeiten Grübels eine beachtliche Dichterschule entwickelt. Der Pfarrer Witschel, ein Freund Grübels, Johann Wolfgang Weikert, die beiden Rietsch, Johann Priem, der Türmer auf dem Sinwel Christian Wildner, der als „Pausala" bekannte Paul Rieß usw. usw. Sie alle kommen irgendwie von Grübel her, sie alle haben ihren Pegasus mit Halfter und Sattelzeug der Nürnberger Mundart geritten. Noch Franz Bauer ist diesem Stadtflaschner verpflichtet.
Was ist es eigentlich, das an den Grübel-Versen immer noch gefällt? Warum kann man sich kaum ein Schmunzeln verbeißen? Warum schluckt man selbst den Tropfen Moralin am Schluß der meisten Gedichte? Ist es nur Lokalpatriotismus, ist es nur der vertraute Dialekt, oder sind es gar nur die lustigen Geschichten und die damit verbundene fatale Schwärmerei von den „guten alten Zeiten"? So gesehen, ist den Gedichten ein mindest ebenso langer Zopf gewachsen wie ihn einst ihr Autor trug. Nicht die Materie zeichnet diese Gedichte aus, sondern zuerst und vor allem die Haltung, aus der sie geschrieben wurden. Aufklärung, das geistige Mündig-Werden des Menschen, ist heute wieder ein Schlagwort geworden. Dennoch ist sie nötiger denn je. In heiterer Kritik sich selbst und dem anderen gegenüber, in seiner besonnenen und bewußten Art praktizierte Grübel Aufklärung en miniature.

Das erste für Grübel radierte Bildchen: das Titelblatt zum vierten Druck des „Kränzleins" von Ambrosius Gabler (Ausschnitt)

Hermann Glaser

MORITZ AUGUST VON THÜMMEL

1738—1817

„Ich kann mir nicht helfen — so demütigend auch das Geständnis für den Stolz des innern Menschen sein mag —, so schwer es auch über die Lippen eines ausgemachten Philosophen gehen würde; dennoch sage ich es zur Ehre der Wahrheit und unverhohlen, daß ich nur dem Rütteln und Schütteln einer armseligen Postchaise den wieder erlangten Gebrauch meiner Seelenkräfte verdanke." Der Herr, der mit diesen Worten seine Berichte an einen in der Heimat verbliebenen Freund — Eduard des Namens — einleitet, befindet sich auf der Fahrt nach Frankreich — auf der *„Reise in die mittäglichen Provinzen von Frankreich"*. — Wir haben es mit einem griesgrämigen, hypochondrischen, anscheinend etwas ältlichen Herrn zu tun, der hinter den verhängten Fenstern seiner Kutsche, wie in der *„Zelle eines Karthäusers"*, seiner Genesung entgegenfährt. Dieser Herr, Wilhelm des Namens, ist freilich erst 38 Jahre alt. Der sauertöpfische Habitus ist nur die Schale eines im Kerne recht lebenslustigen Mannes, den die Reise nach Frankreich sein eigenes Selbst finden läßt. Bald durchdringt südliches Licht den nordischen Nebel.

Bis Frankfurt am Main ist Wilhelm noch ein Welt- und Menschenfeind. Im „Römischen Kaiser" bleibt den Gästen im Speisesaal, als Wilhelm ihn betritt, der Bissen im Munde stecken — *„... sie rückten erschrocken zusammen und ließen mir und dem Arzte, an den ich mich anklammerte, eine ganze Seite des Tisches frei ..."* — In Straßburg verbessert sich die Lage unseres Patienten zusehends. Wilhelm trifft seinen Universitätsfreund Jerom: den Wunder-Arzt, den *„Propheten"*, der besonders von der Damenwelt gepriesen und gefeiert wird —

> *„die feine Lebensart,*
> *das freundliche Gesicht*
> *und den Prophetenbart*
> *hat ein Betrüger nicht —.*
> *Ein Mann, der, ohne auszuruhn*
> *so fremde Wege geht*
> *der — ist wirklich ein Prophet;*
> *ein Mann, der jede Weiberlist,*

den stillsten Mädchenwunsch versteht,
der ist, der ist
noch mehr als ein Prophet!"

Die Begegnung mit Jerom wird mit allerlei Hokuspokus vorbereitet, aber statt magischer Kräfte und wundersamer Elixiere erhält Herr Wilhelm einen verhältnismäßig einfachen Rat: *„Höre meinen Rat, lieber Wilhelm ... Du gehst zu deinem Glücke in das Land des Leichtsinns: nutze diesen Umstand zu deiner geistigen und körperlichen Genesung, wie ihn andere zu ihrem Verderben mißbrauchen. Suche den Scherz und das Lachen auf, wo du es antriffst ... Der herrliche Wein, der jenes Land bekränzt, sei deine Arznei, das flammende Gesicht des braunen Mädchens dein Arzt, und das Spielwerk der Liebe deine Philosophie ... Wie geschwind wird deine dickblütige Moral verdunsten, wenn dich erst die auflösende Sonne jenes Landes durchwärmt haben wird!"*
Ein Land:

„... wo unter lauter Schäferstunden
der Gott der Zeit sich schwindlich dreht
und nicht so leicht ganz unempfunden
ein Jugendwunsch verloren geht;
wo statt des Nordwinds nur Gefieder
schalkhafter Weste dich umwehn,
und alle Herzen, alle Mieder
und alle Fenster offen stehn." –

So verheißt Jerom seinem Freund Wilhelm, dem Manne mit dem *„geschwächten Kopf, dem verdorbenen Magen, der ausgetrockneten Brust, den zusammengezogenen Eingeweiden"*, einen warmen Mittag – in den mittäglichen Provinzen von Frankreich. – Vor allem die Liebe wird dessen erkaltete Seele durchwärmen.
Der Schauplatz der Reise ist das Frankreich des Jahres 1785. Noch liegt das Land im mild-süßen-fahlen Schein des Rokoko. Moritz August von Thümmel, geb. 1738 auf dem Rittergut Schönefeld bei Leipzig, hatte 1772 bis 1777 Frankreich und die Niederlande besucht; die Szenerien seines Romans sind die der eigenen Reise-Erfahrungen. Die einzelnen Teile des Werkes erschienen freilich erst 1791 bis 1805. Als Thümmel den Roman niederschrieb, war die sonnige Zeit seines Lebens vorüber. Nach zwanzigjähriger Tätigkeit als Minister im Coburgischen Staatsdienst hatte er sich 1783 – erst fünfundvierzigjährig – in den Ruhestand zurückgezogen; der Tod der Gattin und der Stieftochter trafen ihn schwer; als das sicherste Mittel, *„die Grillen zu vertreiben"*, nahm er 20 Jahre nach dem Erscheinen seines letzten Werkes (*„Die Inoculation der Liebe"*) die Feder wieder in die Hand. Auch das Land seiner Sehnsucht war in dunkle Wolken gehüllt; die Botschaften, die aus Frankreich kamen, bedrückten Thümmel. An die Stelle der Bilder eines leichten und frohsinnigen Lebens trat die Kunde von den schrecklichen Ereignissen der Revolution und des Krieges. – Der Roman ist eine Elegie – freilich eine „unernste" Elegie, da es eine Elegie des Rokoko ist. In Egon Friedells *„Kulturgeschichte der Neuzeit"* heißt es von dieser Zeit – und die Beschreibung trifft weitgehend auch auf Thümmels Roman zu: *„Alles ist von weicher Abendkühle durchweht, in ein sterbendes Blau und zartglühendes Rosa getaucht, das das Ende des Tages ankündigt. Eine fahle*

Reise
in die
mittäglichen Provinzen von Frankreich
im Jahr 1785 bis 1786.

Erster Theil.

Leipzig,
bey G. J. Göschen, 1791.

Titel von Thümmels Hauptwerk in der Göschen-Ausgabe

Herbststimmung breitet sich über die Menschheit, die auch ganz äußerlich die Farben des Verwelkens bevorzugt: honiggelb und teegrün, dunkelgrau und blaßrot, violett und braun. Dieser Décadencestil par excellence ist müde, gedämpft und anämisch und vor allem prononciert feminin; raffiniert kindlich und naiv obszön ... verschleiert und boudoirhaft, parfümiert und geschminkt, satiniert und konditorhaft; ohne männliche Tiefe und Gediegenheit, aber auch ohne virile Schwere und Pedanterie; schwebend und tänzerisch ... immer vielsagend lächelnd, aber selten eindeutig lachend; amüsant, pikant, kapriziös; feinschmeckerisch, pointiert, plaudernd und degagiert, skeptisch und populär, komödiantisch und genrehaft ..."

Thümmels literarische Kunst ist Genremalerei: verniedlichende Darstellung des alltäglichen Lebens — d. h. des alltäglichen Lebens, wie man es sich sentimentalisch und sentimental vorstellte: ein Frankreich im Stile Bouchers, Fragonards, Watteaus. Thümmel hatte Sterne, Wieland, Rousseau, aber auch Voltaire im Sinne, als er die Episoden der *„Reise in die mittäglichen Provinzen von Frankreich"* entwarf; er hatte vor allem auch seine Leser im Sinne: zwar diente ihm das Schreiben nicht zum Lebensunterhalt, er betrieb es — wie schon erwähnt — als Heilmittel gegen die Hypochondrie, als Diät für die Seele; aber er war dennoch ein gewiegter Unterhaltungsschriftsteller, dem es auf die Lesermasse ankam, ein Autor, der von einigen seiner Kritiker zur Trivialliteratur gerechnet wird.

„Leichten Ton haben sie — die Reisen Thümmels ins südöstliche Frankreich, die jetzt so ausposaunt werden", schrieb Schiller 1791 an Körner, *„aber sie sind flach, oft seicht und verraten nicht eben viel Geist"*. Anders urteilt Walther Rehm im *„Reallexikon der Deutschen Literaturgeschichte"* ein gutes Jahrhundert später: *„Ein reifes künstlerisches Werk, das in seltsamer Mischung Empfindsamkeit und Rationalismus verbindet und in geistreicher Weise ein psychologisches Problem, die Heilung eines Hypochonders, mit autobiographischen Zügen darstellt. Thümmel verkündet gleich Wieland eine Philosophie des heiteren Lebensgenusses. Er beobachtet scharf, bringt Satire auf Staat und Kirche, besonders auf den Klerus, geißelt liebenswürdig die Fehler und Schwächen seiner Mitmenschen, und all das in einer elegant-graziösen Schreibart, die ihn als unmittelbaren Vorläufer Heines erscheinen läßt."*

Empfindsamkeit und Rationalismus — diese zwei wesentlichen Züge des Werkes — sollen durch die Beschreibung einiger Episoden (mit Textproben) illustriert werden. In Nîmes hat Wilhelm die Grippe bekommen; er ist aufs Land hinausgezogen, nach Caverac, einem idyllischen Dörfchen; er lebt bei einfachen Landleuten; zur Zerstreuung und Aufwartung holt der Bauer seine hübsche Nichte aus dem Nachbardorf. Zurück zur Natur, zur Schäfernatur, zum Schäferstündchen ist das Motto; Sonnen-Auf- und -Untergänge, leichtverhüllte Busen, sich wiegende Bäume, leichte Lüfte und süße Düfte, sprudelnder Silberquell — Wilhelm befindet sich in Arkadien!

„Der zeitige Schlaf vor Mitternacht, in der mir ungewöhnlichen Stille, die mich bald einwiegte, brachte mir heute einen ebenso ungewöhnlichen zeitigen Morgen ein. Ich strebte schon dem Fichtenberge zu, da noch die Glut in graulichem Nebel unter ihm lag, sah den Vorhang sich heben, und gewann dadurch den überraschenden Anblick des immer glänzender hervortretenden Schauspiels ...

Wer, in dem Bruderarm gesunden Schlafs erquickt,
sein Lager im Gefühl der Auferstehung flieht,

vom ersten Sonnenstrahl, der durch den Nebel zückt,
sein Morgenopfer brennen sieht,
dem lohnt Begeisterung ...
Man kann kein fröhlicher Bild sehen, als so ein Landmädchen, wenn es, zwei Körbchen an der Seite mit Bedürfnissen, die es aus der Stadt geholt hat oder nach der Stadt bringen will, lustig einher oder davon trabt, dem flinken Burschen, der ihrer wartet, das Band reicht, das sie ihm mitgebracht, oder sich einen Kuß von ihm auf den Weg geben läßt ...
Ich habe meinen Hunger an dem schmackhaftesten Braten gestillt, wie ihn der König nicht essen kann, wenn er seine Schöpse nicht auch mit Rosmarin füttern läßt, der den hiesigen die gewöhnlichste Weide ist — habe eine Flasche Landwein getrunken, den man den Kennern in Berlin mit aller Ehre für Burgunder vorsetzen könnte, und kaum stand ich mit glühenden Wangen von meinem Schmause auf, so trat mein Wirt mit seiner Nichte an der Hand herein, und brachte mehr Leben mit, als ich brauche ...
Ich sehe mit Zittern den Zeitpunkt sich nähern, der mich von diesen Söhnen und Töchtern der Natur trennen soll, und ... arme Margot! Auch dein empfindsamer Busen hebt sich; auch in deinen Augen glänzen Tränen der Wehmut; auch an deinem Liebe atmenden Mund regen sich Zuckungen eines heimlichen Schmerzes, wenn du an unsere Scheidung, an die Trennung von einem Freunde denkest, der dir nur gar zu lieb, gar zu teuer geworden ist." — Hier täuscht sich Wilhelm freilich; er verliert sein Herz, ohne das von Margot zu gewinnen; diese hat mit Wilhelms Diener Bastian sich geeinigt; statt daß sie sich an Wilhelm verliert, verliert dieser seinen Begleiter, der nun in Caverac an Margots Busen als ihr Mann zurückbleibt. Die Sentimentalität schlägt in die Ironie um; Rationalist Thümmel zügelt sein eigenes Gemüt.
Voltaire war Thümmels Lieblingsschriftsteller in der Jugend gewesen — *„dessen Leben mir das meine erst wünschenswert und froh gemacht";* freilich tadelte er an seinem Vorbild die *„giftatmende Begier des Neides, die kleinliche Eitelkeit".* An Voltaire orientiert sind jedoch Thümmels Sarkasmus und Ironie, mit denen er vor allem die katholische Kirche bedenkt. Seinem aufgeklärten Weltbild widerstrebten Mystik und Hierarchie; mit Spott, Hohn, ja Haß karikiert er die Unsitten des Klerus, etwa *„die gefühllose Dummheit auf den Stirnen der Mönche, die hinter ihren Schmerbäuchen hertrabten ...";* er persifliert den Reliquienkult, der Wilhelm dazu verhelfen soll, eine schöne Betschwester, die sich als Hure der Pfaffen erweist, zu verführen. — Nîmes, Avignon sind die hervorstechendsten Schauplätze des sittenlosen klerikalen Treibens: *„ein schöner, aber mißbrauchter Erdstrich."* Das Fazit der Erfahrungen dort wird — wie meist bei den Höhepunkten des Romans — in gereimter Sprache dargeboten:

„O, Land, das nur den faulen Bäuchen
der Mönche zu Gebote steht,
und, mit abgöttischen Gebräuchen
belastet, — schwankt und untergeht!
Ach, warum hat, ruft meine Stimme,
Gott seinen Blick von dir gewandt?
O du, der Hirnwut und dem Grimme
der Heiligen verratnes Land! ...
Ihr Räuber dieses Landes! höret
der Wahrheit Ruf, die aus mir spricht:

Moritz August von Thümmel: Brief an Felix Weiße, Coburg, 4. 9. 1768

Euch droht, die ihr das Volk betöret,
des Volkes blutiges Gericht:
Ich seh im Kreis von euern Bürgern
des Aufruhrs schwarze Fahne wehn,
und eure Schafe – zu den Würgern,
Furcht – zur Verzweiflung übergehn ...“

Das Sentimentale und Rationale, die Rührseligkeit und das Kalkül verbinden sich vor allem in den erotischen Schilderungen. Die *„Reise in die mittäglichen Provinzen von Frankreich“* ist ein Reiseroman, ein Bildungsroman, ein gesellschaftskritischer Roman – sie ist vor allem auch ein erotischer Roman. Thümmel, der sich zunächst in den hypochondrischen Wilhelm hineinspiegelt,

ist ein sehr lebenslustiger, an Pikanterien sich erfreuender Hedoniker. – Wer an die Sex-Welt, an die Enthüllungs- und Verhüllungspornographie unserer Tage gewöhnt ist, wird in der erotischen Kalligraphie Thümmels die harten, aufreizenden Züge vermissen; das Schnörkelhafte, Spielerische, Tändelnde herrschen vor – auch hierin ist der Dichter ein typischer Vertreter seiner Zeit. Die Schaukel war beliebtes Requisit des Rokoko: auf und ab – voll kitzelnder Schwindel – von der Erdenschwere entfernt, aber dieser doch auch immer wieder bedenklich nahe – manchmal ein kleiner Fall, ein Sprung, ein Seitensprung – Weiterflug – Tändelei – Parkeskühle – Koketterie – Verführung als Kunst – Naivität als Aphrodisiakum ... In einem Distichon hat Schiller Thümmels Roman gebrandmarkt: *„Wie es hinter dem Mieder beschaffen und unter dem Röckchen – lehret, wißt ihr es nicht, zierlich der reisende Freund."* – Schiller, dem herben, rigorosen Moralisten, mußte das spielerisch-vertändelte, mit Kalkül angelegte System der Zweideutigkeiten und die durch Retardierungen die erotische Phantasie des Lesers aufreizende Kompositionstechnik ein Greuel sein.
Der *„Göttingische Gelehrte Anzeiger"* dagegen fand Freude an der schalkhaften Kühnheit Thümmels, der es verstehe, *„an der Grenze der Delicatesse hinzuspielen, ohne sie je zu überspringen".* Die *„Neue Leipziger Literaturzeitung"* schrieb 1805: *„Als Deutscher blieb Thümmel jedoch der Moralität getreu, und wenn er schon mitunter, zu häufig, wollüstige Szenen malte, so wußte er ihnen doch eine solche Wendung zu geben, wodurch ihre Schädlichkeit für Tugend und gute Sitte ins Auge springt; oder ging dies ja nicht, so räsoniert er nachher über dieselben und setzt ihre Gefährlichkeit ins Licht."* Bei allem Respekt vor Thümmels bürgerlicher Moral (so preist er wiederholt die Sinnlichkeit, die in der Ehe sich befriedigt) meinen wir freilich, daß der hausbackene Anstrich der „lockeren Szenen" auch nur Kalkül war, und die *„Neue Leipziger Literaturzeitung"* – bieder wie ihre offensichtlich sehr biederen Leser – dem schlauen Autor auf den Leim ging. Fürs deutsche Heim und Haus des 19. Jahrhunderts schrieb der Coburger Ministerpensionär noch nicht!
„... Wie ein aufgescheuchtes Reh, fuhr sie von ihrem Lager auf, so daß sie mir kaum Zeit ließ, meine Augen so lange wegzuwenden, bis sie ihr Röckchen über sich geworfen hatte. O Natur! Natur – auch Koketterie, wie sie aus deinen Händen kommt, ist rührend! ...
Zugleich bog sie sich über mein Bette, legte mir das Tuch an, und indem sie es zusammenknüpfen wollte, geschah es, daß durch die Richtung, in die ich jetzt, des Knotens wegen, nach ihr hingezogen ward, mein Gesicht auf den schönsten jugendlichsten Busen zu ruhen kam, der wohl je unter den Küssen eines Mannes gezittert hat ...

Wie ward mir! Ach, aus meinen Augen blickte
ein Herz, das wie ein Gott genoß;
die Stimme fehlte mir – in meinen Adern floß
ein Feuerstrom, der sie nur stärkender erquickte,
je wütender er sich ergoß,
die Liebe in Ungestüm verweilte nirgends – pickte
ein Röschen hier, das seinen Kelch verschloß,
eins dort, das sich schon besser schickte,
schon prahlender in Blätter schoß,
und jedes, das die lange Zeit verdroß,

die es umsonst im Schutz der Interdikte
der Lüsternheit entgegensproß."

„Nimmst du den Fall an", so läßt sich der in Berlin zurückgebliebene Freund preußisch-streng vernehmen, *„daß die Gemälde deiner Unsittlichkeit zu der Ehre einer öffentlichen Ausstellung gelangen, so wäre ich wohl neugierig, das Bedürfnis zu erfahren, das euch leichtsinnige Schriftsteller berechtigen könnte, eine Leidenschaft zu spornen, die wir ohnehin Not genug haben, im Zaume zu halten!"* Das erregt Wilhelm: *„Gehe ehrlicher mit mir zu Werke guter Freund! Verstecke deine gesunden Augen nicht immer hinter die Blenden deiner Bücher, und ziehe erst, ehe du mit mir rechtest, den schleichenden unnatürlichen, unmännlichen Gang in gehörige Betrachtung, den die schönste aller Leidenschaften in einem Zeitalter nimmt, das in so vielen Rücksichten nur von ihr seine einzige Hilfe erwartet. Sage mir auf dein Gewissen, Eduard, ob man es einem Schriftsteller, der nur einigermaßen hoffen darf, in gute Häuser zu kommen — ob man, anstatt ihn zu tadeln, es ihm nicht als ein Verdienst anrechnen sollte, wenn er das Herz faßt, Mädchenliebe zu predigen, und sie mit so lebhaften Farben zu schildern sucht, als diese Art Malerei nur vertragen kann. Mag meinetwegen ein künftiges tugendbelobteres Jahrhundert meine armen Schriften zum Scheiterhaufen verdammen!"*
Was soll man — *„auf Gewissen"* — dem liebenswerten Thümmel aus einem anderen, aber wohl nicht *„tugendbelobteren"* Jahrhundert, das seine Schriften zwar nicht verbrannte, aber vergaß, „nachrufen"? Soll es ein Nachruf auf seine Dichtung oder ein Weckruf für seine Dichtung sein? — *„Wilhelmine oder der vermählte Pedant. Ein prosaisch komisches Gedicht"* von Thümmel ist jüngst als Reclam-Bändchen erschienen; das wird zur Renaissance nicht ausreichen. *„Selbst der heutige Leser wird sich dem Reiz dieses Werkchens nicht ganz entziehen können"*, heißt es quasi entschuldigend im Nachwort zu dieser Ausgabe. Die Längen von Thümmels Hauptwerk, der *„Reise in die mittäglichen Provinzen von Frankreich"*, das wir in einigen seiner wesentlichen Züge vorstellten, werden wahrscheinlich den modernen Leser des öfteren zum Gähnen und in die Versuchung zu diagonaler Lektüre bringen (wenn er sich das Buch als Pensum vorgesetzt hat). Thümmel war kein Großer der Literatur, er ist kein vergessenes Genie. Kein zündender Dichter, kein begnadeter Poet tritt uns aus diesem Werk entgegen, wenn wir den Staub, der nun einmal auf alten Folianten ruht, weggeblasen haben; wohl aber begegnen wir einem Schriftsteller, der reizvolle Bilder einer vergangenen, sowohl spielerisch-verträumten wie auch sarkastisch-bösartigen Welt entwirft, die anzusehen uns manche Freude, manche Betroffenheit und damit auch manchen Nutzen einbringt.
„Folgen Sie nur den mütterlichen Anweisungen der Natur — aber wohl zu merken: der schönen Natur", ist der Ratschlag, zu dem das Buch führt. Der Held hat seelische Gefährdung und leibliche Erkrankung überstanden — das Reisefieber brachte freilich andere Fieber mit sich; nun waltet Kalokagathia, die „Schöngutheit" — Schönheit und Sittlichkeit in harmonischer Einheit. — *„Gesegnet sei der Mann der das Reisen erfand!... Ich kann mir nicht helfen, so demütigend auch das Geständnis für den Stolz des innern Menschen sein mag — so schwer es auch über die Lippen eines ausgemachten Philosophen gehen würde; dennoch sage ich es zur Ehre der Wahrheit und unverhohlen, daß ich nur dem Rütteln und Schütteln einer armseligen Postchaise den wieder erlangten Gebrauch meiner Seelenkräfte verdanke."*

Franz Xaver Pröll

CHRISTIAN FRIEDRICH DANIEL SCHUBART

1739–1791

Am 26. März 1739 wurde in dem in der ehemaligen Grafschaft Limpurg gelegenen Obersontheim ein Mensch geboren, der zu seiner Zeit durch seine Gesänge — vor allem aber — durch sein trauriges Schicksal — wenn nicht eine europäische — so doch eine allgemein deutsche Berühmtheit erlangt hatte, der Dichter des Spottverses

„Als Dionys von Syrakus
aufhören muß
Tyrann zu sein,
da ward er ein Schulmeisterlein."

Christian Friedrich Daniel Schubart. Jedermann wußte, daß diese Verse dem Herzog von Württemberg Karl Eugen galten, der nach langen Kämpfen im Erbvergleich von 1770 das Recht der Landstände anerkennen mußte und gleichzeitig die Karlsschule auf dem Lustschloß Solitüde gründete.
Fünfzig Jahre nach seinem Tode kannte kaum mehr ein Mensch die Gedichte Schubarts, denn *„Er wußte sich nicht zu zähmen und so zerrann ihm sein Leben wie sein Dichten."*
Dennoch gibt es auch heute noch Menschen, die die Bedeutung Schubarts als Dichter erkennen. Hermann Hesse schreibt 1926:

„Kennengelernt habe ich Schubart zuerst in einem unserer schwäbischen Schul- und Lesebücher, wo Gedichte von ihm abgedruckt waren ...
Es vergingen immerhin manche Jahre, ehe ich von Schubart mehr wußte und erfuhr als den starken Duft von Poesie und Eigenwilligkeit, den jene paar Gedichte ausströmten und die rührende Geschichte von seiner schmählichen politischen Gefangenschaft.
Das Ganze von Schubarts Leben und Werk habe ich erst viel später erfaßt, als ich viele seiner glühenden und pathetischen Gedichte und Teile seiner so sehr frischen, volkstümlichen, prachtvollen Prosa kennengelernt hatte."

Auch heute ist das noch schwierig. Schubart hat zwar im Kerker einem Mitgefangenen seine Lebensgeschichte diktiert. Sie ist aber nicht nur sehr schwer zugänglich, sondern auch durch die Kerkerluft extrem grau gefärbt.

Schon an den Tagen seiner Kindheit läßt er keinen guten Zahn. *„In meinen jungen Jahren ließ ich wenig Talent blicken, dagegen mehr Hang zur Unreinlichkeit, Unordnung und Trägheit ... und konnte im 7. Jahre weder lesen noch schreiben.“* Was will Schubart eigentlich damit? Wir finden doch nichts Besonderes darin, wenn ein Kind erst im siebten Lebensjahre beginnt, Lesen und Schreiben zu lernen. Wir finden eher das Besondere in der Entwicklung der nächsten sieben Jahre, die er noch im Elternhaus verbringt. *„Plötzlich sprang die Rinde, die mich einschloß und ich holte nicht nur meine Mitschüler in weniger Zeit und meist durch eigene Anweisung auf, sondern ich übertraf sie auch alle.“*
Ein Jahr nach seiner Geburt kommt er mit seinem Vater im Jahre 1740 in die schwäbische Reichsstadt Aalen. Das Zusammentreffen mit dem preußischen Werbeoffizier von Maltitz wird auf zweierlei Weise bedeutsam. Durch ihn lernt er die fünf ersten Gesänge des Messias kennen. *„Eine Seite meines Herzens, von keinem Finger noch berührt, tönte zuerst und klang überlaut. Von diesem Augenblick wandelte mich die größte Ehrfurcht an, wenn man den Namen Klopstock nannte.“*
„Seine erkohrensten Lieblinge und Vorbilder“ waren nach der 1798 in Erlangen erschienenen Schrift *„Schubarts Karakter von seinem Sohne Ludwig Schubart“*, der Anfang des Jahres 1789 preußischer Legations-Sekretär in Nürnberg wurde und später dort, *„auf Pension gesetzt“*, privatisierte, *„Seine erkohrensten Lieblinge und Vorbilder waren in der Prosa — Luther; in der Poesie — Klopstock; in der Musik — Bach ... Friedrich der Große gehörte vorzugsweise noch zu diesen seinen Lieblingen ...“*
Diese von einem preußischen Offizier in ihm ausgelöste Klopstockbegeisterung übertrug er wahrscheinlich schon damals auf Friedrich den Großen. Daneben wurden auch sonst bereits in Aalen die Grundlagen für sein späteres Leben gelegt. *„Sehr früh fand ich Geschmack an der Lektüre und verschlang sonderlich die altdeutschen Romane und Rittergeschichten. Luthers derber Ton gefiel mir schon damals.“* Später war vor seinen derben Knittelversen — nicht selten der skandalösen Chronik entnommen — kein Stand mehr sicher. Mit den Versen

„Hans Marx von hochgebornem Blut
Bestellt bei dir 'n neuen Hut.
Recht fein gestutzt, klein, flüchtig, süß,
Nach Geckenmode in Paris.
O Städele sei doch so gut,
Mach ihm den Kopf gleich mit dem Hut.“

geißelt er einen adeligen Dummkopf, der den Hutmacher Städele in Memmingen mit einer kleinen Kommission aufgehalten hatte.
Auch der betrügerische Bierwirt, wie könnte dies anders sein, nachdem diese Verse meist am Biertische entstanden sind, auch der betrügerische Bierwirt bekommt seine Geißel zu spüren.

„Bruder, komm, ich rate dir,
Braue hübsches dünnes Bier.
Wirf, damit's die Gäste dürste,
Handvoll Salz in deine Würste.

Halte eine schöne Magd,
Die den Gästen nichts versagt;
Und für eine kleine Freude
Schreibe doppelt mit der Kreide!
Halt auf deinen Vorteil fest,
Du wirst reich! — Probatum est.“

Gewiß dürfte Ludwig Schubarts Bemerkung „*Luthers Tischreden, so wie wir sie jetzt haben, sind gewiß nur ein sehr ärmliches Bächlein gegen den Orellanastrom von Laune und herzlichen Einfällen, den er während seines Lebens ausgegossen hat.*“ übertrieben sein, aber es sind mutige Verse gegen den Ungeist der Zeit und die Unsitten seiner Menschen.

„Sammle doch in deinen Scheuren
Dieses Jahr viel Früchte ein!
Einen Knecht brauchst du zum Dreschen,
Und du kannst der Flegel sein.“

schreibt er „*An Herrn Grobian*“.
Man sagt, daß während der zehnjährigen Haft Schubarts seine Kraft gebrochen worden sei. Trotzdem gelangen ihm noch 1787 — es ist das Jahr seiner Entlassung aus dem Kerker — seine Verse „*Toleranz*“:

„Der dicke Franz nahm eine Hur' ins Haus.
Sein Nachbar Melcher sprach:
Ei Franz, jag doch das Mensch hinaus!
Im ganzen Dorf spricht man dir Übles nach.
Hm, sprach der aufgeklärte Franz,
's ist dummes Volk, weiß nichts von Toleranz.“

Mit Schubarts Versen geschah Ähnliches wie mit der Rede Ernst Wiecherts „*An die deutsche Jugend*“, die hinter dem Rücken der Machthaber des Dritten Reiches maschinenschriftlich in immer neuen Abschriften von Hand zu Hand ging. Ein Unbekannter hat während Schubarts Gefangenschaft die Sammlung unter dem Titel „*Originalien*“ herausgegeben. Schubart schrieb dazu an seinen Sohn: „*Der Herausgeber hat es vermutlich gut mit mir, und auch besser mit seinem Beutel gemeint; im Grunde steht aber doch mein ehrlicher Name auf dem Pranger. Wären die besten Einfälle, die ich Zeit meines Lebens an fröhlichen Tafeln und beim klingenden Kelchglas gesagt habe, in einer Sammlung beisammen, so würde sich unstreitig mehr Geist und Salz darin finden, als in allen meinen Schriften zusammen.*“
Damit kehren wir wieder zu Schubarts Kindheit zurück. Wenn alles, was er über die ersten vierzehn Jahre seines Lebens sagt, unübertrieben wahr ist, dann waren, als ihn sein Vater nach Nördlingen im Jahr 1753 schickt, schon die wesentlichen Züge seines Lebens und Charakters durch seine Erziehung und seine Abkunft ausgebildet. Da sein Vater schon ein Jahr nach der Geburt

Christian Friedrich Daniel Schubart, Kupferstich von E. Morace nach J. Ölenheinz (gering verkleinerter Ausschnitt)

Schubart

Schubarts 1740 von Obersontheim in die nahegelegene schwäbische Reichsstadt Aalen gezogen war, wurde dieser durch diesen Aufenthalt in der Jugend, durch seinen späteren in Geislingen, Ulm, Ludwigsburg, Stuttgart und auf dem Hohenasperg, zum Schwaben gestempelt, obwohl er seiner Abstammung nach Franke war, denn sein Vater Johann Jacobus ist 1711 in Altdorf geboren, wurde in Nürnberg erzogen und studierte ab 1732 auf der Universität Altdorf und sein Großvater Walter Bartholomäus war in dieser Stadt Cantor an der protestantischen Kirche und Stadtschullehrer.
Schubarts Mutter war die Tochter des Forstmeisters Georg Friedrich Hörner in Sulzbach am Kocher im fränkischen Kreise. Ihre Verwandtschaft lebte in der Grafschaft Limpurg,einer überwiegend fränkischen, nur mit schwäbischen Elementen durchzogenen Landschaft. Im letzten Viertel des vorigen Jahrhunderts gab es um die Stammeszugehörigkeit Christian Friedrich Daniel Schubarts eine gelehrte Auseinandersetzung.
Während Adolf Wohlwill behauptete, Schubarts *„lebhaftes, unruhiges, zur mündlichen Mitteilung drängendes, übersprudelndes Wesen sei eher fränkisch als schwäbisch"*, entgegnet Gustav Hauff, sein *„Hang zum Erkennen, seine theosophische Ader, der starke Zusatz von Melancholie zu seinem überwiegend sanquinischen Temperament"* ließen *„ihn eher als Schwaben denn als Franken erscheinen."*
Doch was sagt Schubart selbst zu seinem Verhältnis zu Franken bzw. zu Nürnberg? *„Überdies hatte der Charakter der ‚Nürnberger' bei all seiner Derbheit so etwas Gutes, Heimseliges, Launiges, daß ich mich gar bald mit Wärme an sie anschmiegte und es gleichsam in meinen Pulsschlägen fühlte, daß das Blut meiner Väter unter diesem Himmel kochte und auf mich einfloß."* Als 1767 seine Bewerbung um eine Stelle in Ulm abgelehnt wurde, schreibt der Präzeptor Schubart an seinen Schwager Böckh: *„... ich bin in Deutschland geboren, und bin doch in Deutschland ein Fremdling — ich bin in Schwaben erzogen, und bin doch in Schwaben ein Fremdling — ich bin ein Reichsstädter und keine einzige Reichsstadt erkennt mich für ihren Bürger. Können Sie dies Rätsel raten? — Tausendmal denk' ich nun, welch ein Glück es sei, ein Vaterland zu haben, wo man doch dem Vieh sein Futter gibt, und dem Ochsen, der da drischt, nicht das Maul verbindet. —"*
Mit der von Hauff erwähnten *„theosophischen Ader"* war es aber bei Schubart im ersten Teil seines Lebens auch nicht weit her, sie war eine Frucht der Erziehungsmaßnahmen des Herzogs, denn in Erlangen schreckte ihn der trockene Ton, mit dem man Theologie lehrte. *„Und erst spät habe ich erkennen lernen, daß die wahre Theologie oder Theosophie die einzige Wissenschaft ist, die in ihrem Lichtkreis alles beisammen hat, was Wahrheit ist und deren reines Feuer alles verzehrt, womit Erdenmenschen ihre Seele belasten."*
Josef Nadler findet in seiner *„Literaturgeschichte der deutschen Stämme und Landschaften"* die richtige Lösung. *„Da Schubarts Vater aus Altdorf stammte, so bietet der Dichter vielleicht ein neues Beispiel für die alte Tatsache, daß der Franke so gern und willig im Alemannischen aufging ... In Nördlingen und Nürnberg machte er die Schule und wie der Vater ein Altdorfer war, so liegt auf dem Sohn ein Widerschein von der derben volkstümlichen Kultur der Stadt des Hans Sachs und Jakob Ayrers."*
1753 schickte ihn sein Vater in das Gymnasium nach Nördlingen. Er fand dort unter der Leitung des Rektor Thilo eine mustergültige Schule vor. *„Damals war der enzyklopädische Geist, der heutigen Tags so viel oberflächliche Vielwisser*

zeugt, noch nicht in den Schulen eingedrungen. Man trieb wenig, doch dies mit Ernst." Thilo machte Schubart mit den klassischen Schriftstellern und auch mit den neueren Dichtern bekannt und erweckte in ihm zugleich die Neigung zu der deutschen Dichtkunst ... So entstanden in Nördlingen seine ersten Volkslieder und ein Gedicht auf das Erdbeben in Lissabon am 1. November 1755. *„Man hat es nachher in Schwabach gedruckt und ungeachtet der greulichen Stelzenpoesie doch Funken eines echten Dichtertalentes drin bemerken wollen.*" Da es wie alle seine früheren Gedichte verschollen ist, können wir nicht beurteilen, ob Schubarts Urteil gerechtfertigt ist.
Auf seinen dreijährigen Aufenthalt in Nördlingen folgt 1756 ein zweijähriger in Nürnberg, *„Welcher Stadt*" sein Vater *„mit ungestümerer Liebe anhing als je ein Grieche, Römer oder Schweizer seinem größeren Vaterlande.*"
Er kam nach Nürnberg, als der Siebenjährige Krieg begann. Da die Sebalder Schule überfüllt war, besuchte er die Schule zum Hl. Geist. Schubart brachte die Zeit meist nützlich zu, da er den Mangel in der Schule durch Privatunterricht und durch den Besuch der Bibliotheken ausglich.
„Hier lebte ich die seligsten Tage meines Lebens." Nie mehr hören wir ein derartiges Wort aus Schubarts Mund. *„Bald wurde ich Frühmesser und Organist, hatte Anteil an den öffentlichen Stiftungen, nahm und gab Unterricht, hatte mit dem Zuschusse von meinen Eltern ein reichliches Auskommen, genoß der vollkommensten Gesundheit, hatte die Liebe und Achtung meiner Vorgesetzten und Mitschüler, bekam öffentliche Prämien an kostbaren Büchern und so schien mir gleichsam das Schicksal zuzurufen, mein Leben in dieser meiner Vaterstadt zu verbringen.*"
Vor allem hat auch Schubarts musikalisches Talent günstigen Boden in Nürnberg gefunden. Unter den Stadtmusikanten fand er *„Beinahvirtuosen"*, in den Kirchen hörte er Schüler von Bach, die *„michs das erstemal fühlen machten, welch ein seltener Mann ein guter Orgelspieler sei"*.
Die Dichtkunst verschaffte ihm zahlreiche Freunde und Gönner. Ihnen erklärte er den eben herausgekommenen zweiten Teil von Klopstocks *„Messias"* und setzte ihn gegen Gottsched, den damaligen Diktator in der Literatur, durch. Dreißig Jahre später urteilt er: *„Klopstock würde lächeln, wenn er wüßte, mit welchem Rolandsungetüm ich feuriger Jüngling den Feinden seiner Muse entgegen ging, die aus Geschmacklosigkeit und Unkenntnis Gottscheds nur seiner Spießgesellen Urteil nachlallten.*"
In Nürnberg begeisterte ihn zum zweitenmal ein preußischer Offizier. Diesmal wurde sicher die politische Weltanschauung seines ganzen Lebens beeinflußt. Er lag vor Begeisterung ständig auf dem Dachboden und beobachtete die preußischen Husaren unter der Führung des Generalmajors Maier 1757 vor den Toren Nürnbergs. *„Die Lieder, die ich damals macht, wurden allgemein bekannt und gesungen, ich selbst aber dafür von einem Salzburgischen Soldaten, dessen Landsleute hier in Besatzung lagen, mit der Muskete niedergestoßen und würde ohne Zweifel zerstampft worden sein, wenn nicht einer von den berühmten Faustschlägern unter den Namen der Rusigen bekannt, mir schleunigst zur Hilfe gekommen wäre.*"
Als Schubart nach Nürnberg kam, fand er nicht mehr die Reichsstadt, deren Bild heute in uns lebt, vor. *„Diese Stadt, weiland Fürstin unter den deutschen Städten, war zu meiner Zeit schon tief herabgesunken. Der Reichtum hatte sich unter einzelne Familien versteckt. Die schon verdorbene Staatsverwaltung hatte die Bürger mißmutig gemacht. Sie, die ehemals mit Fürsten sich*

maßen und Kaiser und Könige zu ihren Schuldnern hatten, wurden jetzt von ihren Nachbarn geneckt und nicht selten mißhandelt. Doch war noch ein Rest von ihrer ehemaligen Großartigkeit übrig, der mir bei meiner wenigen Welterfahrung unbeschreiblich angenehm war." Auch der karge Rest seiner Vorfahren war *„herabgesunken in tiefste Armut, Wiedrigkeit und Verachtung".* Er denkt an die Stunden der Freundschaft, die sein *„Leben in Nürnberg zum Paradiese machten. Oft saß ich mit meinen Busenbrüdern in den Kirchhöfen Sankt Rochus oder St. Johannes, auf dem Grabmale Albrecht Dürers, öfters noch auf dem Erbbegräbnisse meiner Vorfahren und beschwor den Bund der heiligen Freundschaft.*
Man sieht, daß mir die Vorsehung auf mehr als einer Seite zurief: Bleib in Nürnberg! — Freundschaft, Liebe, Vorschläge zur künftigen Versorgung, Gesundheit, Beifall — alles hätte mich bestimmen sollen, mich in der Stadt meiner Väter anzusiedeln."
Seine prophetischen Worte im zweiten Teil seiner Lebensgeschichte über die Zukunft der Reichsstädte zeigen das Problem, vor dem der junge Schubart stand, als er sich entschied, nicht in Nürnberg zu bleiben. *„Daß die Reichsstädte in allem so sichtbar heruntersinken, ist eine Folge der untergehenden Freiheit in Deutschland. Wien und Berlin, München und Mannheim, Dresden, Leipzig und wenig andere Fürstenstädte sind ebenso viel Riesenarme, die die Reichtümer und Künste der Reichsstädte an sich reißen, um sie auf diese Art ohne Schwertschlag von sich abhängig zu machen. Die trefflichsten Köpfe sind Reichsstädter, aber sobald sie sich fühlen, so wandern sie in eine Fürstenstadt, um Brot und Ehre zu erwerben. Es kann kein Jahrhundert mehr anstehen, so müssen sich die Reichsstädte, um nicht zugrunde zu gehen, dem Kaiser oder sonst einem mächtigen Fürsten von selbst unterwerfen."*
Er folgte nicht dem Ruf *„Bleib in Nürnberg",* denn er schmachtete nach dem Universitätsleben. Schubarts Eltern willigten trotz ihrer eingeschränkten Lage ein. Als er im Herbst 1758 nach Jena reisen sollte, kam er nach Erlangen. Dort blieb er wegen des Siebenjährigen Krieges hängen. Aber sein noch nicht fertiger Charakter scheint dem wilden Treiben nicht gewachsen zu sein, denn der Krieg *„verursachte einen solchen Zusammenfluß von Studenten, die die verderbtesten Sitten und alle Burschengreuel dahinbrachten, daß es höchst gefährlich für einen feuerfangenden Jüngling war, daselbst zu studieren."*
Er war anfangs ungemein fleißig, *„lernte Hebräisch, hörte Logik, Methaphysik und Moral, Naturrecht, Geschichte, schöne Wissenschaften und hernach die Theologie in allen Teilen."* Die Weltweisheit übte den meisten Reiz auf ihn aus. Der trockene Ton, mit dem man die Theologie lehrte, störte ihn. Schubart bezeichnete sich selbst als den besten Flügelspieler und Dichter Erlangens. Sein Talent verschafften ihm manchen Beifall und Geldverdienst. Trotzdem häufte er Schulden auf Schulden. Er wurde von seinen Gläubigern vier Wochen in den Karzer geworfen.
Etwa 400 Gulden hatte der Vater ihm in den 1½ Jahren seines Aufenthaltes in Erlangen geschickt. Als er nach Hause gerufen wurde, mußte sich sein Vater schriftlich verpflichten, an den Hausherrn seines Sohnes, Groß, 71 Gulden und an den Wirt Glaser „Zum Goldenen Kreuz" 210 Gulden zu zahlen. Es dauerte viele Jahre, bis der Vater die Schulden restlos zurückgezahlt hatte.
Die nächsten Jahre führte er zu Hause ein richtiges Bummelleben. Er betrieb vorwiegend Musik, setzte eine Menge Musikstücke, bildete eine Standmusik in Aalen und gründete ein kleines Orchester. Als er 1763 endlich Präzeptor in

Geislingen wird, klagt er: *„Mein Geist ist in der Presse und alle meine Arbeiten sind Blutstropfen. Neid und Verfolgung sind aufs höchste gestiegen ... Man klaubt in meinen Schriften, um Gift zu finden und mich dadurch zu vergeben ...“*
Endlich hat man auch etwas gefunden: einen Neujahrswunsch, den er privat Schülern diktiert hatte und der verfälscht weitergegeben wurde.

„Was wünsch' ich dir Herr Bruder?
Heut ist das Neue Jahr.
Ich bin so faul wie Luder,
Gedanken sind so rar.
Heut sind fast alle Menschen
Von Komplimenten starr.
Was, soll ich denn nicht wünschen?
Heut wünscht ein jeder Narr; –
Drum wünsch ich, daß du Glücke
In diesem Jahr erlangst,
Daß du an keinem Stricke
Dies Jahr am Galgen prangst.
Friß nicht wie Schaf und Rinder
Gras, Stroh und dürres Heu;
Es hau dir auch der Schinder
Den Schädel nicht entzwei.
Henk dich an keinen Nagel,
Stürz dich in keinen Fluß,
Dich töte nicht der Hagel
Und kein Kanonenschuß.
So viel Glück als man Haare
Auf allen Eseln zählt,
Damit in diesem Jahre
An Glück dir's niemals fehlt.“

Es muß eine ungeheure Zeit gewesen sein, in der dieses Gedicht zur Anklage und Verurteilung eines Lehrers führen konnte, der in seinen offiziellen Schuldiktaten kaum einen anderen Stil anwandte. Wer sie liest, erkennt, daß Schubart ein guter, ja ein ausgezeichneter Lehrer gewesen sein muß, der den Weg in die Seele des Kindes fand, um schwierige Probleme leicht zu lösen in mannigfaltiger wechselnder Weise, mit Liedern, Erzählungen und Briefen. Sein dichterischer Schwung, sein Witz und sein Humor, mit denen er täglich sechs Stunden *„eine verwilderte Horde von 120 Grasteufeln, Meerkatzen, Troßbuben und Tartaren“* unterrichtete, verdienen noch heute Bewunderung.
Unter günstigeren finanziellen Verhältnissen kam er 1769 als Musikdirektor nach Ludwigsburg, der Residenz des Herzogs Karl Eugen von Württemberg. Eine unvorsichtige Parodie auf die Litanei

„Vor Advokaten, die uns zwicken,
Vor Ärzten, die am Körper flicken,
Vor Bonzen, die mit Drachenblicken
Prophetisch uns zum Teufel schicken,
Behüt uns lieber Herre Gott.“

und ein satirisches Gedicht auf einen Hofmann veranlaßten am 21. März 1773 seine Ausweisung aus Württemberg.
Schubart wurde nun der herumirrende Mann, der bald ein Bettler war und bald an der Tafel des Fürsten speiste und im stattlichen von vier Schweißfüchsen gezogenen Wagen fuhr. Seine Irrfahrt führte von Heilbronn über Schwetzingen, Heidelberg und Mannheim nach München.
In Würzburg spricht er mit Fürstbischof von Seinsheim *„über die künftige Anordnung der Universität, die zum zweiten Rang nach Göttingen emporstrebte, oder vielmehr nach dem ersten Rang unter den deutschen katholischen Universitäten“.*
Von Oktober 1773 bis Anfang 1774 hielt er sich in München auf. Dann mußte er es wieder verlassen, nachdem sich eine einflußreiche Persönlichkeit in Stuttgart über ihn erkundigt hatte. Sein Weg führte nach Augsburg. Ende März 1774 erschien die erste Nummer seiner *„Deutschen Chronik“.* Nun hatte er die richtige Aufgabe für seinen feuersprühenden Geist gefunden. Jedoch war auch kein Gewerbe für ihn gefährlicher. Der Druck seiner Zeitung wurde in Augsburg bald verboten, nach Ulm verlegt und im Jahre 1775 mußte er, aus Augsburg ausgewiesen, ihr folgen. Endlich schien die Ruhe einzukehren, die er so lange vergebens gesucht hatte. Am 17. November schreibt er seinem Bruder: *„... Wie ich lebe? — Narr, lustig und wohl auf. Ich lese alles, was schön und gut ist, korrespondiere mit den edelsten meines Vaterlandes, eß und trink, was gut ist, ... Kerl, 's ist dir 'ne Lust, kein Amt zu haben. Ich tu, was ich will und der Teufel hat mir nichts zu befehlen. Schau, das ist wahres Herrenleben. Geld hab ich freilich nicht viel; aber doch immer so viel, wie ich brauche. Hab' ein Trauerspiel gemacht und 50 Gulden davor bekommen; vor acht Tagen gab ich ein Konzert, 's trug mir 40 fl. ein, vor meine Chronik wird mir monatlich 30 fl. bezahlt. Vor einem Carmen bekomm ich 12, 15 bis 20 und mehr Gulden, und so kann ich leben ...“*
Nur zwei Jahre dauerte dieses Leben. Im Januar 1777 wurde er heimtückisch auf württembergisches Gebiet gelockt und gefangengenommen. Der herzogliche Erlaß vom 18. Januar 1777, mit dem diese Aktion ausgelöst wurde, lautet: *„... Dieser sich nun in Ulm aufhaltende Mann fährt bekanntermaßen in seinem Geleise fort, und hat es bereits in der Unverschämtheit so weit gebracht, daß fast kein gekröntes Haupt und kein Fürst auf dem Erdboden ist, so nicht von ihm in seinen herausgegebenen Schriften aufs freventlichste angetastet worden, welches Se. Herzogl. Durchl. schon seit geraumer Zeit auf den Entschluß gebracht, dessen habhaft zu werden, um durch sichere Verwahrung seiner Person die menschliche Gesellschaft von diesem unwürdigen und ansteckenden Gliede zu reinigen.“*
Der unmittelbare Anlaß für die Gefangennahme bildete die Falschmeldung über den Tod Maria Theresias in der „Deutschen Chronik“. Da Schubart mit dem 1776 veröffentlichten Traum aus dem 20. Jahrhundert — *„In Deutschland herrscht Kaiser Friedrich, der die Preußischen und die Österreichischen Staaten zusammen besitzt.“* — für Preußen Partei zu nehmen schien, war ihm der Wiener Hof sowieso nicht günstig gesinnt. Aber auch sein Gedicht *„Der Reichsadler. Ein aufgelöstes heraldisches Rätsel“* wird ihm kaum fürstliche Freunde verschafft haben.

„Ihr Forscher in der Wappenkunde,
Was fragt ihr ängstlich nach dem Grunde:

Veste Asperg den 7.ten Januar 1787.
Abends 7. Uhr.

Guter Ludwig,

Gleich, nachdem du fort warst, gieng ich zum General und las ihm das Gedicht auf die Herzogin vor. Er – und sein Weib – und seine stattliche Tochter nickten Beifall. Aber – wie donner vom hellen Himmel – schoss in unsere traulichen Gesellschaft die Nachricht:

„Der Herzog werde über den Geburtstag der Herzogin verreisen."

Pfui, der Fürsten, der sein Volk täuscht! – das gute Volklein, aber den [illegible] der [illegible] [illegible] und aufs Wort seines [illegible] – [illegible]! muss sich der [illegible] vom [illegible] [illegible] aus der Hand schlagen lassen. — Gedankenstriche, mit höllischer Pflugschaar geschnitten, schaudern hieher. —

Mein General aber sagte, das Gedicht solle doch abgedruckt werden – nur soll's nicht die Mutter, sondern der General selbst [illegible] dem Herzog überreichen. O die guten Herren!! —

Du kriegst also das Gedicht – gedruckt u. gebunden hieher u. gibst in Stuttgardt [illegible] Exemplar aus. Der General verspricht sich gute [illegible].

Deiner lieben Mutter – meiner herzallerliebsten [illegible] – und dem Julchen, diesem [illegible] [illegible] Engelein – den herzlichsten Gruss u. Kuss

von

Deinem
eingekerkerten Vater
Schubart

Brief Schubarts aus der Asperg-Zeit

Warum in jeder Schilderei
Der Adler doppelköpfig sey?
‚Zwei Köpfe', sprecht ihr oft im Feuer,
‚Sind doch ein wahres Ungeheuer,
Und Köpfe noch dazu, wie die,
Voll bissiger Antipathie'.

O laßt doch einmal nach, mit Forschen euch zu plagen,
Ein Novellist sogar kann euch die Wahrheit sagen.
Der eine Kopf, der westwärts blickt,
Sanft scheint und desto schärfer pickt,
Ist Kaiser Josephs Kopf, des toleranten Weisen!
Der andere Kopf, der nordwärts schaut,
Scharf sieht und mit dem Schnabel haut: –
Ist Friedrich, der Donnergott der Preußen.
Warum sie aber uneins sind,
Begreift beina' ein kleines Kind;
Sie sind entzweit in dem gemeinen Falle;
Was eine Kralle packt, packt auch die andre Kralle; –
Drum zerren sie so jämmerlich –
O Vaterland, wie daurst du mich!"

Er wurde zehn Jahre auf dem Hohenasperg festgehalten. Man verbot ihm das Schreiben und Lesen und vernichtete die Gedichte und Entwürfe zu Romanen, die er mit der Lichtschere oder mit der Gabel aufgezeichnet hatte. Seine Lebensgeschichte mußte er einem Mitgefangenen durch eine Mauerlücke diktieren und unter den Steinfliesen verbergen. Das Gedicht *„Die Fürstengruft"*, das ohne sein Wissen in drei Zeitschriften erschien, verschärfte nicht nur seine Haft, sondern verlängerte sie auch. Aber ein Gedicht sollte ihm auch die Freiheit wieder bringen. Ein Einzeldruck von dem *„Hymnus auf Friedrich den Großen"* wurde in Berlin am Tage seines Erscheinens in 7000 Exemplaren verkauft. Nun schaltete sich die königliche Familie ein. Am 11. Mai 1787 jubelt Schubarts letzter Brief vom Hohenasperg *„Ich bin frei! ... Schreien möcht ich vor Freude, mich wälzen untern freien Himmel ..."* Vom Herzog wurde er zum Direktor des Schauspiels und der Musik ernannt.
Schubart war einer der eifrigsten Anhänger der Sturm- und Drangperiode. *„... Er veranschaulicht alle Mängel und Vorzüge derselben um so vollkommener, weil er sie nicht nur in literarischer, sondern auch in sozialer und politischer Beziehung, in Versen und Prosa, als Schullehrer und Journalist, in seinem Verkehr mit unteren Volksklassen nicht weniger als in seinem Verhältnis zu den Machthabern des damaligen Deutschland bekundet und auch im vorgerückten Lebensalter die Eigentümlichkeiten dieser Entwicklungsstufe des deutschen Geistesleben nicht gänzlich überwunden hat."*
Die Anfänge seiner Dichtung gehen in seine Nördlinger Lyzeumszeit zurück. Hier zeigte sich schon die Verschiedenartigkeit seines Strebens zum Großartigen und seiner Veranlagung zum Einfachnatürlichen. Wielands Urteil über Schubart, als der 26jährige seine Ode auf den Tod Franz I. schrieb – *„Sie sind zum Dichter geboren und also wird Ihnen eine Aeneide so wohl gelingen als ein Hirtenlied und ein komisches Gedicht so gut als der ätherische Flug des Vogels Jovis."* – ist keineswegs übertrieben, obwohl auch dieses Werk beweist, daß ihm das einfache Lied mehr lag als die geschraubte Ode.

Schubart erkannte dies vermutlich selbst, denn er schrieb an Wieland: *„Ich werde freilich noch manchen mißlungenen Versuch machen müssen, bis ich selber weiß, in welchem Felde der Dichtkunst ich mit dem mehrestem Vorteil arbeiten kann."* Trotzdem hatte er sich den besten Odendichtern genähert. Er erhielt für sie das Diplom eines gekrönten Dichters und wurde Mitglied der Deutschen Gesellschaft in Altdorf. Als aber das erwartete Honorar ausblieb, bemerkte er: *„So vergüldet man mir, wie dem Ochsen in der Fabel, die Hörner, damit ich den Abgang des Futters nicht merken soll."*
1766 vollendete er die Wieland gestifteten *„Zaubereien"* und 1767 erscheinen die *„Totengesänge"*. Sie fanden geteilte Aufnahme. 1769 übersetzt er, obwohl er dieses Werk des Nürnbergers ablehnt, Herels *„Satyren"* in so glänzender Manier, daß man glaubt, das Original vor sich zu haben. An die Reichsstadt Nürnberg, in die er vielleicht 1777 zurückgekommen wäre, wenn man ihn nicht vorher verhaftet hätte, denkt er immer wieder. Einmal bildet sie den Ort der Handlung für die rührende Erzählung über ein betrogenes Mädchen, ein anderes Mal endet sein 1774 entstandenes Gedicht *„Märchen"*, das die Erlebnisse eines armen Bauern im Himmel schildert:

„Dieß Mährchen hat Hans Sachs erdacht
und es in Knittelvers gebracht;
Doch – ärgert dich's, mein frommer Christ,
So denk, daß es ein Mährchen ist!"

Es hat geärgert, denn es wurde in Augsburg verbrannt. Sein weiteres Leben gestaltete sich für seine Dichtung nicht günstig. In Ludwigsburg lebte er mehr für die Musik. Er fand keine Zeit zu großen Werken. Später war er Journalist geworden. Er schrieb, nein er diktierte seine *„Deutsche Chronik im Wirthaus bei einem Bierkrug und einer Pfeife Tabak"*.
Genauso entstanden seine Gedichte, da die Chronik fast vollkommen seine schriftstellerische Kraft erschöpfte. In der Gefangenschaft wurde seine dichterische Arbeit vollkommen unterbrochen. Zu spät erhält er seine Freiheit! Seine Kraft war gebrochen, die „gute Erziehung" hatte seinen Körper zerstört und seinem Geist das Feuer genommen. Im August 1790 schreibt Frau Schubart an ihren Sohn Ludwig: *„Dein Vater ist jetzt so untätig, daß es ihm oft schwer fällt, seinen Namen zu schreiben ... Zwar liefert er seine Chronik, um Leben zu können; und dies kostet ihm wöchentlich zwei halbe Tage. Dies ist aber alles, was er tut, denn sein Amt hat er ganz abgeschüttelt ... Kommt bisweilen ein Bube, der gut Gläser leeren kann, so ist der sein Mann ... Das meiste kommt leider von seiner Erziehung, und vom Aschberg."*
Großangelegte Dichtungen wie *„Der ewige Jude"*, für den er seit Jahren eine großartige Idee in sich trug, blieben Stückwerk. Am 10. Oktober 1791 starb Schubart mit 52 Jahren.

Inge Meidinger-Geise

JEAN PAUL

1763–1825

Wir schlagen ein Buch auf und finden folgende Bemerkungen: *„Lasse sich doch kein Dichter in einer Hauptstadt gebären und erziehen, sondern womöglich in einem Dorfe, höchstens in einem Städtchen ... Im Dorfe liebt man das ganze Dorf, und kein Säugling wird da begraben, ohne daß jeder dessen Namen und Krankheit und Trauer weiß ... und dieses herrliche Teilnehmen an jedem, der ein Mensch, welches daher sogar auf den Fremden und den Bettler überzieht, brütet eine verdichtete Menschenliebe aus und die rechte Schlagkraft des Herzens. Und dann, wenn der Dichter aus seinem Dorfe wandert, bringt er jedem, der ihm begegnet, ein Stückchen Herz mit, und er muß weit reisen, eh er endlich damit auf den Straßen und Gassen das ganze Herz ausgegeben hat."*
So könnte ein gestriger Heimatdichter sprechen – oder ein heutiger Außenseiter unter den Autoren, wie die junge Elisabeth Engelhardt aus Leerstetten bei Nürnberg in ihrem Roman *„Feuer heilt"*. Das Zitat jedoch stammt aus der *„Selbstbeschreibung"* von Jean Paul Friedrich Richter, einem gestrigen Außenseiter der Literatur, darf man sagen. Im Jahre 1965 beging man seinen hundertundvierzigsten Todestag. Sein Name steht in allen Literaturgeschichten, die Schüler, die Studenten müssen von ihm wissen, man benennt Straßen nach ihm – aber lebt seine Gestalt nicht uns allen aus einigen im Laufe der Zeit aufgehäuften Schlagworten – etwa: Der kauzige Vielschreiber. Der verschnörkelnde Humorist. Der liebenswürdige Idyllenmaler mit dem Wort. Der literarische Frauenliebling der Goethezeit.
Teilweise wahr und dennoch zu kurz gedacht dies alles. Näher an Bindungen und Wanderwege und an den Ausgleich dieser Spannungen führt das Eingangswort. Die Klammer, die allen besondern und auch fragwürdigen Reichtum umgreift, heißt Innigkeit des Herzens, heißt Liebe. Aber welche Schwankungen zwischen Halt und Verschweifen erschüttern beides, mit welcher Tatsächlichkeit kann man bei Jean Paul von einem Menschen und Autor sprechen, der weder hier noch dort, sondern immer zwischen dem Eindeutigen an Plätzen und Gesellschaftsschichten, an politischen und geistigen Strömungen seiner Zeit sich bewegte.
Johannes Alt spricht von den Akzenten dieser Zeit: *„Die komische Verquickung von deutscher Spießbürgerlichkeit mit dem Glanze der ‚großen Welt',*

den der Hof Ludwigs XIV. ausgestrahlt hatte. In Jean Pauls Dichtungen wie in seiner menschlichen Erscheinung blieb immer etwas von der Ineinanderschiebung zweier unharmonischer Schichten, wie auch sein Werk ebenso häufig die Idyllenwelt der Zopfzeit als deren Hofleben zum Grundmotiv nahm.“
Widerspruch ist ein Grundzug in Jean Pauls Wesen. Widerspruch, der ohne Gewaltsamkeit aus seiner landsmannschaftlichen und zeitgenössischen Existenz mitgedeutet werden kann. Bei der Herausgabe der politischen Schriften Jean Pauls 1939 betont Wilhelm von Schramm: *„Auch hier sind Jean Pauls Ideen durch eine merkwürdige Mittel- und Zwischenstellung bedingt – und diese ist sicher zum nicht geringen Teil in seiner fränkischen Heimat und deren eigentümlicher Zwischenrolle begründet. Seine einmalige, ganz und gar eigenartige Stellung über und zwischen den Extremen und den Parteien, ob preußisch oder österreichisch, für oder gegen Napoleon, ist ausgesprochen idealistisch-moralisch.“*
Einen Ausgleich eigenster Weise zwischen dem Idealisch-Moralischen und den bitter realen Erfahrungen als Zeitgenosse von Feudalstaat und ärmster Kleinbürgerei, von politischer Gewalt und wundersamer landschaftlicher Großräumigkeit und Stille schuf sich der Dichter in seinem Humor, in dem geistig-überlegenen Lächeln, das aus Mitleiden und Wissen kommt, und in einer dazugehörigen Überschau, der kein Detail entgeht, der alles zur Analogie innerster Maximen wird.
Schon zu seiner Zeit spaltete sich auch das Urteil über Jean Paul: Das Werk, weniger den Menschen, bejahten beispielsweise der Romantiker Tieck, der Verleger und Buchhändler Perthes in Hamburg. Entzückter vom Menschen als vom Autor waren Heinrich Voß, der Dichter August von Platen. Die Popularität des damals meistgelesenen Romanautors trieb seltsame Blüten. 1810 berichtet der Buchhändler Karl Friedrich Kunz über einen Besuch Jean Pauls in Bamberg, wobei dieser viel Vergnügen fand an seinem Porträt, das in einem *„Tabakspakete“* gelegen hatte – heute würden wir sagen: ein Reklamefoto –, mit folgendem Text: *„Jean Paul, der Wahrheit Freund, Feind aller Laster, empfiehlt gewiß auch gerne diesen Knaster.“*
Auch in diesem sinnigen Verse findet sich die Bestätigung für Paul Fechters nachdenkliche Zustimmung zur bis weit ins 19. Jahrhundert gehenden Beliebtheit des Dichters und den Nachstrahlungen aus seinen Lebensjahren als „Bestseller-Autor“: *„Es war wohl dies, daß die Leser trotz allem sentimentalen Barock der Unform bei diesem Autor zum erstenmal eine Seele direkt sprechen hörten, daß die Worte dieses Dichters da und dort wenigstens unmittelbar an die innere Wirklichkeit des Seins rührten und mehr beschworen, als den Größeren neben ihm zu beschwören gegeben war.“* Dieses Unmittelbare an Gefühl und verströmenden Bildern mochte nicht zuletzt das Weimarer Freundespaar Goethe – Schiller bei dem mehrfachen Besucher Jean Paul anziehen und zugleich in Reserve gehen lassen.
Wenn man den Anderthalb-Jahrhundert-Sprung in unser Heute macht, so steht man abermals in bezug auf Jean Paul Widersprüchlichem gegenüber. Die Überfracht an poetischer Vielseitigkeit und ihrem Ausdrucks-Rankenwerk, die Inhalte und ihre Tendenzen scheinen einerseits abständig, durch Kerben der Zeitlichkeit von uns getrennt. Ziehen wir aber einige Summen aus dem Riesenwerk, z. B. was die phantastische Gedanklichkeit um das Ich und seinen *„andern Gast“* in sich selber angeht (damit haben wir schon den heutigen Lyriker Walter Höllerer zitiert), oder was die kritisch komponierte Doppelgängerei

Aus einem Brief Jean Pauls

des Helden und seines Gefährten in so manchem Roman Jean Pauls betrifft – so stehen wir bei der umstrittenen modernen Romanarbeit etwa eines Peter Jokostra und seinem Buche *„Herzinfarkt“.* Wenn Paul Celan einem Lyrikband den Titel *„Sprachgitter“* gibt, so finden wir dieses Wortbild mehrfach in Jean Pauls Bekenntnissen und Dichtungen. Die lyrisch-geistige, die über das Reale hinauszielende Tendenz vom blumig verschlüsselten Werke dieses Autors zwischen Aufklärung und Romantik, dieses Bürgers und Liberalen aus Herzensgrund, dieses kritischen Lebenden mit dem Wissen um letzte Conclusion jenseits des Irdischen findet also ihre Begegnung in unserer heutigen, zwischen Realität und Transparenz schwankenden Dichtung. Zwischen diesem großen Bogen einer verhaltenen, oft unbewußten und oft ungeschickt analysierten heutigen Begegnung (man denke an die wenig ausgeschöpften Vergleiche zwischen Jean Paul und Heimito von Doderer) liegt das literarische Begräbnis Jean Pauls, das mit Gervinus' Urteil beginnt, und liegt die *„ständige Auferstehung aus dem Zustande des Scheintotseins“,* wie der Jean-Paul-Forscher Eduard Berend 1922 mit Recht sagen darf – denken wir allein an Stefan Georges Hinweise auf Jean Paul und an seine Huldigungen, denken wir daran, daß in schneidend-eleganter Dialektik Nietzsche Jean Paul sehr deutlich als ein bleibend schwieriges Problem für die literarhistorische Forschung erklärt: *„Er wußte sehr viel, aber hatte keine Wissenschaft ... er hatte Witz, aber für seinen Heißhunger danach viel zu wenig ... er war ein bequemer guter Mensch und doch ein Verhängnis – ein Verhängnis im Schlafrock.“*
Diesen Hieb gegen den Bayreuther Poeten und biertrinkenden Familienvater entkräftet allein die behutsame und geduldige Beschäftigung mit dem vielstufigen Werk und dem menschlich-allzumenschlichen Autor, nicht jenes Pathos der Einordnung, das Eduard Herold 1921 an den Tag legte, als er den Oberfranken Jean Paul pries: *„Unser Oberfranken – in der Mitte zwischen Süd- und Norddeutschland gelegen und von beider Einfluß durchtränkt – hat seinen Jean-Paul ... Unsere Seele sollte jubeln ... denn er ist unser, der einst seiner Zeit Führer war und der unter den Kämpfern für die ‚Freiheit des Fühlens‘ stets an erster Stelle steht.“*

Deutlicher, legitimer als jene gutgemeinten Worte spricht für den lebendig gebliebenen Jean Paul als großen heimatlichen Landschaftsmaler mit der Sprache und als größeren Humoristen mit allen charakteristischen Merkmalen von Cervantes bis Sterne der bisher letzte bedeutende deutsche Nachfahre dieser weltliterarischen Reihe, nämlich der Romancier Kurt Kluge und sein bereits fast dreißig Jahre alter Roman *„Der Herr Kortüm"*. Nicht von ungefähr grenzt das thüringische Milieu dieses Epos von Masken und Menschen, von Erderfahrung und kometenhafter Unsterblichkeit des Titelhelden an die Wälderheimat Jean Pauls, prägt ebenfalls philosophierende Käuze und kuriose Sammler und Träumer, wie wir sie in dessen Werk finden. So stehen wir als Gegenwärtige näher der Gestalt und dem Werke Jean Pauls, als es zunächst den Anschein hat. So kann ihm besonders Franken seine Lebendigkeit bewahren, ohne gewaltsame Schlüsse ziehen zu müssen. Seine Herkunft, sein Wesen, sein Werk sind mit dem heimatlichen Raume verwachsen. Diese drei Komponenten zu sichten, heißt in allen Spannungen ein Ganzes erschauen.

Am 21. März 1763 wurde Johann Paul Friedrich Richter zu Wunsiedel im Fichtelgebirge geboren als erster Sohn des Tertius und Organisten Johann Christian Christoph Richter und der Sophia Rosina, Tochter eines reichen Tuchmachers namens Johann Paul Kuhn in Hof. Nach diesem großväterlichen Paten nennt sich später, französelnd, der Autor. Auf Wunsiedel und die Wunsiedler bleibt — humorig und liebevoll — der Dichter stolz: *„Es ist hinlänglich bekannt, wie die Wunsiedler den Hussitten widerstanden und obsiegt, und ich bin, wenn man statt der Hussitten Rezensenten setzt, vielleicht nicht aus der tapfern Art geschlagen ... Ich bin gern in dir geboren, Städtchen am langen hohen Gebirge, dessen Gipfel wie Adlerhäupter zu uns niedersehen!"*

Als dreißig Jahre später der Romantiker Ludwig Tieck Wunsiedel erwandert, ahnte er wohl noch kaum Jean Paul und seine Bedeutung, aber er empfindet diese Stadt und ihre Umgebung wie geschaffen für die Spannungen aus idyllischer Geborgenheit und den Weltkämpfen, für die man sich hier wappnet und in die man hineinstürzt.

Zunächst mutet alles an wie eine gute, arme Idylle. Kleine Avancen bedeuten die Versetzungen des Vaters 1765 nach Joditz, ein Jahrzehnt darauf nach Schwarzenbach an der Saale. Hier fördert der Rehauer und später Wunsiedler Pfarrer Erhard Friedrich Vogel mit seiner Bibliothek den wissensdurstigen kleinen Johann Richter. Erste wunderliche Fernliebe zu blattergesichtigen Mädchen und Besuche im Adelshause von Zedtwitz, die Wanderungen zum Großvater, um für die wachsende Familie zusätzliche Lebensmittel indirekt zu erbitten — dies ergänzt in romantischer und auch in bitter realer Weise die Pfarrhausidylle, die heimliche Entfaltung des Kindes mit sonderbaren und bezeichnenden Erfahrungen und Liebhabereien: *„Nie vergeß ich die Geburt meines Selbstbewußtseins ... an einem Vormittag stand ich als ein sehr junges Kind unter der Haustüre und sah links nach der Holzlege, als auf einmal das innere Gesicht: ich bin ein Ich, wie ein Blitzstrahl vom Himmel vor mich fuhr und seitdem leuchtend stehenblieb."*

Bis der Vater vom Nachtlesen ins Zimmer kommt, das er mit Jean Paul teilt, liegt dieser *„mit dem Kopfe unter dem Deckbette, im Schweiße der Gespensterfurcht: ‚Ich sah im Finstern das Wetterleuchten des bewölkten Geisterhimmels, und mir war, als würde der Mensch selber eingesponnen von Geisterraupen'."*

Der Knabe erbaute nach Jean Pauls eigenem Bericht *„ein vollständiges Fliegenhaus aus Ton ... so lang und so breit wie eine Männerfaust und um etwas höher. Es war aber das ganze Speisehaus rot angestrichen und mit Dinte in Ziegelquader abgeteilt, innen mit zwei Stockwerken, vielen Treppen und Geländern und Kammern, einem geräumigen Dachboden versehen ... Wenn der Junge nun die unzähligen Fliegen in diesem weiten Lustschloß treppauf, treppnieder in alle Zimmer ... laufen sah: so machte er sich eine Vorstellung von ihrer häuslichen Glückseligkeit ... und er setzte sich an die Stelle der Hausbesitzer ...“*

All diese inneren Stationen des Kindes – das Wissen vom Ich, das staunende Grausen vor Geistern und dem Unermeßlichen, den behaglich friedevollen Spaß an der Begrenzung durch Dach und Tor –, wir finden sie dichterisch verbrämt in jeder Altersstufe des Autors wieder, finden die Spannungen von Angst und Ewigkeitshoffnung, irdischer Freude und geistiger, ja geistlicher Unruhe fortentwickelt, immer voll anbruchshafter Lebendigkeit.

Bis zum Werk ist zunächst ein unausdenkbarer Weg. Vom Besuch des Gymnasiums in Hof 1779, dem Todesjahr des Vaters, geht es 1781 nach Leipzig zum Studium der Theologie. Not und Armut, das Wissen um die in ihrer Witwenschaft mühsam den Alltag bestehende Mutter, die Sorge um die Brüder lassen ihn 1782 an den vertrauten Pfarrer Vogel verlauten: *„Ich wil Bücher schreiben, um Bücher kaufen zu können; ich will das Publikum beleren (erlauben Sie diesen falschen Ausdruk wegen der Antitese) um auf der Akademie lernen zu können; ich wil den Endzwek zum Mittel machen und die Pferde hinter den Wagen spannen, um aus dem bösen Holweg zu kommen.“*

Der Student beginnt mit Satiren. 1783 erscheinen die *„Grönländischen Prozesse“* – überhäuft mit Anspielungen gelehrter und zeitkritischer Art. Jean Paul, der Schriftsteller, richtet sich ein mit seiner Manier, aus Zettelsammlungen, wir dürfen sagen, einer Enzyklopädie der Willkür und unbestreitbaren Energie des Wissens, seine Gedanken, seine Aufsätze zu speisen – derart, daß die unverkennbare Technik seines Werkes entsteht im guten und äußerst quälenden Sinne. Es kann zukünftig geschehen, daß der Leser sich zum Kern eines Gedankens, eines Ereignisses hindurchlesen muß wie durch einen Schlaraffenberg von teils köstlichen, aber immer sprunghaft nebeneinandergesetzten Bemerkungen. Der Widerstreit von Sprache, Form und geistigem Verlauf beginnt. Der geistige innere Widerstreit zwischen Wirklichkeit und Ideal beginnt gleichermaßen. Beide bestimmen für immer das Werk. Hierzu trägt das frühe Toderleben Jean Pauls bei: Junge Freunde, wie Lorenz von Oerthel und Bernhard Hermann, sterben, der Bruder Heinrich ertrinkt 1789 in der Saale.

In den Jahren, die zwischen 1787 und 1794 Jean Paul zeitweilig als Erzieher nach dem Fortgang aus Leipzig verlebt, entstehen die ersten köstlichen humoristischen Proben und Idyllen. Letzterer Erstling hielt sich durch die Zeiten als freundliche Vorläuferin der bürgerlichen Bild-Idyllen des Malers Ludwig Richter, nämlich das *„Leben des vergnügten Schulmeisterlein Maria Wutz in Auenthal.“* Viel eigene Jugendfreude und -absonderlichkeiten, viel eigen Kindisch-Verspieltes und zugleich die ernste Frage an den Tod füllen dieses Lebensbild. Es ist ebenso von der vorläufigen Enge und Umwelt Jean Pauls geprägt wie die herrlich humorige Skizze von den vor allem durch Regen erfolgten Hemmnissen auf *„Des Rektor Florian Fälbels und seiner Primaner Reise nach dem Fichtelberg“.*

Der 34jährige; Stich H. Pfenningers nach einer Zeichnung 1797 in Hof

In diesen Jahren auch entstehen die ersten Romane, *„Die unsichtbare Loge“* und darauf der Erfolgsroman *„Hesperus“*, der besonders die Leserinnenwelt begeisterte von Weimar bis Berlin, der mit seinem Erscheinen 1795 nachweislich seit Goethes *„Werther“* der größte Bucherfolg war. In diesem ersten bedeutsamen Roman werden, mit dem sich schon entfaltenden Rankenwerk der aufbauenden und der zerstörenden Gestalten um die Hauptfiguren, der Aufstieg eines jungen Mannes in höfische Welt und höfische Intrigen und sein

Scheitern, sein Zurücksinken in das private Leben als Arzt mit der geliebten Frau geschildert. Dem idealischen Menschen steht die prunkvoll falsche Wirklichkeit gegenüber; zwischen Resignation und Fluchtmöglichkeit ins anonyme glücklichere Dasein liegt der Rückzug des Helden Viktor. Die reichen Werkstattpläne Jean Pauls lassen auch in den folgenden Jahren die humorige Idylle neben der ehrgeizigen Vorarbeit zu einem nach klassischem Vorbilde zugeschnittenen Roman, dem späteren *„Titan"* weiterwachsen, verquickt mit stärkeren Gedanken um den Tod und seine Überwindung durch Ergebenheit und irdische, geistig sich verklärende Liebe — so in dem 1796 erscheinenden *„Leben des Quintus Fixlein"*.

1797 aber bringt in der heutigen Sicht auf das lebendig Bleibende aus dem Werke Jean Pauls einen Höhepunkt, den dreiteiligen, in Wahrheit als ein breites, lebensbuntes, bitter-realistisches Mosaik erscheinenden Roman *„Blumen-, Frucht- und Dornenstücke oder Ehestand, Tod und Hochzeit des Armenadvokaten Siebenkäs im Reichsmarktflecken Kuhschnappel"*. Die Geschichte des Advokaten und seiner nervtötend praktischen Ehefrau Lenette, die sich steigernden Eheschwierigkeiten bei allem guten Willen, ihnen zu entgehen, der Grund dafür in der von Anfang an gröblich unterschiedlichen Wesensart der Gatten, die Lösung der Ehe und die neuen Wege, die Siebenkäs nach seinem mit dem Freunde Leibgeber vorgetäuschten Tode geht — all dies beherrscht trotz üblicher geistiger Ausschweifungen die Dichtung in eindringlicher Szenerie und phantastisch-realistischer Mixtur. Jean Paul bleibt hier ganz in seinem heimatlichen engeren Landschaftsbereich und haftet in der Handlung an jenem armen Alltag, den er durch seine Jugend nur zu gut kennenlernte. Der Roman, der nach dem *„Simplizissimus"* als der erste realistische Roman der neudeutschen Dichtung gilt, wurde in unseren Tagen in die Reihe *„Epikon"* der dreißig besten Romane der Weltliteratur mit einem Nachwort von Hermann Hesse aufgenommen. Seine Inhalts- und Sprachschichtung ist dreifach bedeutsam. Heimatliche Eindrücke von Hof prägen den Schauplatz Kuhschnappel, der schon bald nach Erscheinen des Romans sprichwörtlich wurde; die Wanderwege der Freunde Siebenkäs und Leibgeber berühren beispielsweise Gefrees und Berneck. Mit großem, begeistertem sprachlichem Dekor schildert Jean Paul hier die Aufteilung der Landschaft in Gartenebene, Waldgürtel und Hügelzüge, die zu Bergketten anschwellen. In der Altersdichtung wird sich die Vielfalt der heimatlichen Landschaftseindrücke zarter verklären. Zu einem bravourösen Bekenntnis gegen den Atheismus und einem durch die Jahrzehnte hin als gesonderte visionäre sprachliche Leistung gewürdigten Kapitel im Werke Jean Pauls erwuchs aus diesem Roman *„Die Rede des toten Christus vom Weltgebäude herab, daß kein Gott sei"*. Aus den Keimen der früheren Dichtungen entfalten sich hier zwei wesentliche Gestaltungskräfte mit der Spiegelung der Heimat und mit den Träumen und Vorstellungen aus christlicher Grübelei um den Tod und frommen Ewigkeitsglauben. Niemals mehr aber im gesamten Werk erreichte die graue Humorigkeit, die bittere Realistik Jean Pauls diese Breite und Eindringlichkeit wie im *„Siebenkäs"*.

Schon eine kleine Szene wie die abendliche um das Lichtschneuzen steht für manche: *„Das elende dünne Gedankenpaar, die Lichtputze mit der Lichtschnuppe, tanzte keck Hand in Hand auf allen Buchstaben seiner schärfsten Satiren auf und ab und ließ sich sehen vor ihm. ‚Lenette', sagt er bald wieder, ‚amputiere doch zu unserer beiden Besten den dummen Schwarz-Stummel!'*

Jean Paul im 61. Lebensjahr, gemalt von Lorenz Kreul

‚Hab ich's vergessen?' sagte sie und putzte geschwind. Leser von historischem Geist, wie ich sie mir wünsche, sehen nun schon leicht voraus, daß die Umstände sich immer mehr verschlimmern und verrenken müssen. In der Tat hielt er jetzo häufig an sich, harrte, ellenlange Buchstaben hinreißend, auf eine wohltätige Hand, die ihn vom schwarzen Dorne der Lichtrose befreiete, bis er endlich in die Worte ausbrach: ‚Schneuz!' – Er griff zur Mannigfaltigkeit in Zeitwörtern und sagte bald: ‚Lichte!' – bald: ‚Köpfe!' – bald: ‚Kneip ab!' – Oder er versuchte anmutigen Abwechsel in andern Redeteilen und sagte: ‚Die Lichtputze, Putzmacherin! – es ist wieder ein langer Sonnenflecken in der Sonne...'

Seit 1796 entfaltet Jean Paul in einer unruhvollen Beharrlichkeit, die wie die mannigfachen Freundschaften oder gar zärtlichen Kontakte zu Mädchen und fraulichen Persönlichkeiten von Hof bis Weimar, von Berlin bis Bayreuth zu seinem nie befriedigten Wesen zu gehören scheint, eine bis in seine spätere Ehe anhaltende Reiselust. Überall hin, wo reges geistiges und höfisch-gesellschaftliches Leben herrscht, zieht es ihn hoffnungsvoll; nirgends kann er lange sein, weil er immer bald die alten Spannungen zwischen Ideal und Leben erkennen muß. So wie ja seinem zu Ruhm und Ruf kommenden Dichterdasein die arme Mutter und die wenig tüchtigen Brüder anhangen. Nach Weimar pilgert Jean Paul mehrmals und gerät durch die große Verehrung, die er seinen geistigen Zielen gemäß Herder entgegenbringt, in den dortigen latenten und auch teils offenen Literaturkrieg. Er besucht Dresden und Halberstadt. Vom Herzog von Hildburghausen wird er 1799 zum Legationsrat ernannt. 1800 ist er in Berlin und begegnet Königin Luise, verkehrt im Kreise der Henriette Herz mit Fichte, Schleiermacher, Friedrich Schlegel. Berlin löst ihn endgültig von der Braut Karoline von Feuchtersleben und läßt ihn mit einer anderen Karoline (Mayer) 1801 Hochzeit halten. Zu dieser Zeit beginnt die Arbeit an dem zweiten, stark von heimatlich-fränkischer Landschaft und kauzig-lyrischer Handlung bestimmten, letztlich Fragment gebliebenen Roman *„Die Flegeljahre"*. Die junge Ehe ist glücklich, wenn auch noch ohne festes Nest. Das Ehepaar Richter hält sich in Weimar, dann in Meiningen auf. Eine Tochter wird geboren. Man versucht, in Coburg zu wohnen, 1803 wird der Sohn Max geboren. 1804 endlich ziehen die Richters nach Bayreuth um, wo Jean Paul nun bis zu seinem Tode wohnen wird. Die zweite Tochter wird hier bald geboren. Jean Pauls liebster Roman, *„Titan"*, 1803 erscheinend, beendet vorläufig als das gedankenschwerste Werk des Dichters die rein höfisch orientierten Dichtungen in der Nachfolge von Goethes Wilhelm Meister. Mit diesem Werk hatte Jean Paul versucht, seine Gedanken um die Maßlosigkeit und die tätige Harmonie umzusetzen in eine mit höfischen Verwicklungen komplizierte Handlung, die aus den alten Motiven männlicher Rivalität wie schon beim Hesperus ebenso lebt wie aus der Unheimlichkeit der Doppelgängerei, die *„Siebenkäs"* phantastisch beschattete.

Unheimlich mutet das bei aller verworrenen Üppigkeit der einzelnen großen Romane in Sprache und Form und Inhaltslinien weiterschreitende Doppelmaß von Arbeit an, das Jean Paul bewältigt. Der *„Titan"*, 1803 vorliegend, erhält nun 1805 im umfangreichen Fragment *„Die Flegeljahre"* eine lyrisch-romantische Ergänzung. Diese Biographie von den ungleichen Brüdern Walt, dem Schwärmerischen, und Vult, dem Satiriker und Weltmann, rankt sich um eine Erbschaftsklausel, durch die Walt gezwungen ist, sich im praktischen Leben umzusehen. Die alten, von Jean Paul bevorzugten Motive um Testamentsentschei-

Rollwenzels Traiteurhaus

dungen, um höfisch-bürgerliche Entscheidungen in der Liebe, die Beschäftigung mit Träumen von der Ewigkeit, der Spaß an Masken und Verwechslungsspiel, das Doppelgängerthema, die Visionen von der Himmelswelt bestimmen die bunte rhapsodische Folge des Buches, von dem es heißt, es seien in keiner Dichtung Jean Pauls sonst die Menschen und Landschaften so fränkisch.
Wahrhaftig wird hier neben freundlicher Hügellandschaft Frankens nicht nur die Mittelgebirgswelt des Fichtelgebirges geschildert, sondern ganz nach Jean Pauls Herz und Geist ausgedeutet: *„Die Felsen drängen sich einander entgegen und wollen sich mit den Gipfeln berühren, und die Bäume darauf langen wirklich einander die Arme zu. Keine Farbe ist da als Grün und oben etwas blau. Der Vogel singt und nistet und hüpft, nie gestört auf dem Boden ... Kühle und Quellen wehen hier, kein Lüftchen kann herein. Ein ewiger dunkler Morgen ist da, jede Waldblume ist feucht, und der Morgenthau lebt bis zum Abendthau. So heimlich eingebauet, so sicher eingefasset ist das grüne Still-leben hier und ohne Band mit der Schöpfung als durch einige Sonnenstrahlen, die Mittags die stille Stelle an den allgewaltigen Himmel knüpfen. Sonderbar, daß gerade die Tiefe so einsam ist wie die Höhe."*
Diese Probe mag zeigen, mit welcher lyrischen Kraft, die in den *„Flegeljahren"* als uns Heutigen gar nicht ungeläufig rhythmisierte Aussage sogenannte Polymeter, Streckverse, ungereimte Satzpoesie darbringt, Jean Paul seine Sprache entfalten kann und sich das Absurdum leistet, daß er als einer der lyrischst gestimmten deutschen Dichter keinen einzigen Vers schrieb.
Die folgenden Jahre sind, beeinflußt durch die Zeitereignisse, ausgefüllt mit sogenannten politischen Schriften, besser gesagt moralistischen und religiös fundierten Gedanken zu Krieg und Frieden, wie es 1808 die *„Friedenspredigt an Deutschland"* ausdrückt und 1817 die *„Politischen Fastenpredigten während Deutschlands Marterwoche"*. In diese Jahre fällt auch die im Geiste Rousseaus verfaßte Erziehungslehre *„Levana"*, in der Jean Pauls Ganzheitsbegriff von der

sittlichen Natur und ihrer natürlichen Entfaltung den Menschen und Dichter gleichermaßen spiegelt, wie es theoretisch für die Dichtung allein, aber geistiges Verhalten allgemein einbeziehend, 1804 die *„Vorschule der Ästhetik"* tat, deren Abschnitte über den Humor besonders bedeutsam sind: *„Wenn der Mensch, wie die alte Theologie that, aus der überirdischen Welt auf die irdische herunter schauet: so zieht diese klein und eitel dahin; wenn er mit der kleinen, wie der Humor thut, die unendliche ausmisset und verknüpft: so entsteht jenes Lachen, worin noch ein Schmerz und eine Größe ist."*

Von Bayreuth aus bereist Jean Paul endlich Nürnberg, Bamberg, Erlangen; in Heidelberg wird er 1817 Ehrendoktor der Philosophie. Der Tod von Freunden und Verehrten zeigt ihm, wie die Jahre dahingehen. 1803 starb schon der geliebte Herder, 1819 stirbt der als Philosoph ebenso verehrte Freund Jacobi, 1821 stirbt Jean Pauls einziger Sohn Max an einem Nervenfieber als Student. Es sind die Jahre, in denen sich der Dichter mit seinem Fragment gebliebenen Altersroman, dem *„Komet"*, befaßt und mit dem Werk über die Unsterblichkeit, *„Selina"*. Im *„Komet"* gipfelt noch einmal das Erleben der kleinen Bürgerstädte, der Residenzen, der angestrengten Pracht und der Ränke zum tragikomischen Romanthema vom Prinzen ohne Land, der sich in Anlehnung an Cervantes' Don Quijote edlen Abenteuern und Täuschungen hingibt.

In *„Selina"* hören wir noch einmal die durchaus uns Heutigen übersetzbaren Gedanken Jean Pauls über die Umkehrung der schöpferischen Kraft, die jedes Teil zu einem Ganzen, einer Harmonie machen kann, was uns Sterblichen als Zerstörung nur erscheint: *„Warum soll die Natur mit Untergängen geizen, da sie mit Aufgängen und Schöpfungen wuchert? Nur in den Händen des Menschen zerspringt die Leuchtkugel in Leuchtkügelchen, aber in der Natur umgekehrt das Weltchen in Welten, das Kleine ins Große und der Ätna hebt sich höher, indem er Berge auswirft."*

Der so schrieb und dachte, sah von seiner Lebensmitte ab immer mehr nach dem Urteil seiner Zeitgenossen aus *„wie ein Brauwirt"*. Es ist überliefert in mehreren Briefen, daß den Oberfranken, wo er auch weilte, das starke Bier und die Berge zurückzogen ins Heimatliche, daß er wegen der Landschaft und des Trunkes, den er brauchte wie Medizin, in dem nur durch ein paar Freunde ihm menschlich erhellten Bayreuth lebte. Wer ihn nicht kannte, mochte ihm den weitberühmten Dichter und Ästheten nicht anmerken. So beschreibt der Sohn des deutsch-dänischen Dichters Jens Peter Baggesen 1825, im Todesjahr des Dichters, zweifellos vom äußeren Eindruck beeinflußt: *„Während mein Vater ... das Gepräge des genialen Dichters trug, hatte sich Jean Paul fast nie über die Grenzen von Bayern hinaus entfernt, hatte nie weder die Alpen noch das Meer gesehen, fühlte sich am behaglichsten unter den einförmigen heimischen Zuständen und glich in seinem ganzen Äußeren vollkommen einem gutmütigen, höchst phlegmatischen und wohlgenährten Spießbürger."*

Wenn wir uns vorstellen, wie dieser rundliche Mann, mit Büchertasche, Spazierstock und dem geliebten Hund regelmäßig den Weg zur Eremitage nahm, um in deren Nähe bei der gescheiten Rollwenzelin in seinem Stammzimmer im Gasthaus oder draußen im Freien am Tisch zu schreiben, so mischen sich bis zuletzt bei Jean Paul Idylle und das Unheimliche, aus jedem Alltag Weisende, das sich ja zu gern in Masken gibt.

Die Besessenheit und die Bestätigung, daß für Jean Paul das Dasein Schreiben hieß und Wirklichkeit die Umsetzung in Phantasie bedeutete durch alle Lebenszeit, klingt aus dem Bericht seiner Frau Karoline am 5. Oktober 1825, fünf Wochen vor seinem Tod am 14. November, dem Erblinden und totale Schwäche vorausgingen: *„Ein unendliches Glück ist es, daß der Teure gar keinen Gedanken der Gefahr hat. Noch arbeitet er täglich an der Vollendung seines Buches über die Unsterblichkeit, allein es ist sichtlich, wieviel Anstrengung es ihm kostet . . .“* Als *„oft unglaublich heiter“* beschreibt ihn weiter seine Gefährtin und aufgeschlossen noch immer den Gesprächen, etwa mit dem durchreisenden Schelling, oder der Lektüre, besonders aus Jacobis und Herders Schriften.

Seine letzten Gedanken gelten dem Erfolgsroman *„Hesperus“*, über den er zu seinem Neffen Richard Otto Spazier die bezeichnend kritische Frage stellt, *„ob ein Buch doch noch großen Wert haben könnte, wenn es auch . . . die ihm vorgesetzte Aufgabe nicht ordentlich erreicht hätte . . .“*

Jean Paul hat sich selber und seiner Bedeutung, hat über das eigene Dasein in heimatlicher Enge und innerer Weite ein Motto gesetzt, das besser als jede historische Würdigung oder heutige literarische Wertung, wie sie behutsam vor allem Max Kommerell vornahm, uns die Maximen von Werk und Leben gibt. Unserem veränderten Leben, das gleichwohl Sehnsucht nach Geborgenheit kennt und um tausend Zersplitterungen weiß, mag dies etwas sagen.

Im *„Leben des Quintus Fixlein“* heißt es: *„Man muß dem bürgerlichen Leben und seinen Mikrologien . . . einen . . . Geschmack abgewinnen, indem man es liebt, ohne es zu achten . . . Der erhabenste Mensch liebt und sucht mit dem am tiefsten gestellten Menschen einerlei Dinge, nur aus höhern Gründen, nur auf höhern Wegen. – Jede Minute, Mensch, sei dir ein volles Leben! – Verachte die Angst und den Wunsch, die Zukunft und die Vergangenheit! . . . Halte eine Residenzstadt nur für eine Kollekte von Dörfern und ein Dorf für die Sack-*

Jean Paul mit seinem Pudel Ponto, Scherenschnitt von Luise Duttenhofer, Stuttgart 1819

Jean Paul auf dem Totenbett, Zeichnung von J. Würzburger

gasse einer Stadt, den Ruhm für das nachbarliche Gespräch unter der Haustüre, eine Bibliothek für eine gelehrte Unterredung, die Freude für eine Sekunde, den Schmerz für eine Minute, das Leben für einen Tag und drei Dinge für alles: Gott, die Schöpfung, die Tugend!"

Hanns Hubert Hofmann

KARL HEINRICH RITTER VON LANG

1764 – 1835

Am 26. März 1835 starb Karl Heinrich Lang, den man vielleicht noch kennt als den Autor der berüchtigten „Mémoiren des Ritters von Lang", zu dem der gute alte König Max Joseph einmal ungnädig gesagt hat: „Aber hören Sie, Sie haben einen Mund wie ein Schwert. Es wäre gut, wenn Sie sich künftig mäßigten."
Als einen *„gediegenen Oppositionsmann"*, eine *„bitterböse hämische verwegene Kanaille"*, *„einen grundgescheiten, aber boshaften alten Kerl"* haben die Zeitgenossen den *„wegen seines gottlosen Mauls Gefürchteten"* empfunden — und zugleich doch den *„geistvollen, gründlichen, freimütigen und unbestechlichen Geschichtsschreiber"* gerühmt, der *„unter den Historikern unstreitig eine der höchsten Stufen erklommen und um die vaterländische Geschichte sich unsterbliche Verdienste erworben hat"*. Wegen der darin enthaltenen *„Schmähungen gegen Kirche und Staat, gegen die Verfassung und selbst gegen den Monarchen"* hat die bayerische Regierung die von ihm versiegelten und erst nach seinem Tode veröffentlichten Memoiren alsbald verboten.
Aber über den Lebenden hatte eine so kluge Frau und erfolgreiche Schriftstellerin wie Therese Huber im Jahre 1816 geschrieben: *„Lang ist einer der reichhaltigsten Menschen, den ich kenne. Weich, verschlossen und aus diesem Widerstreit bouguenard und bourru, durch das Studium der Alten mit dem Schönsten vertraut. Durch das Leben in der Welt, durch und mit ihr, von ihrem Geschwätz über das Schöne gesättigt, ist er zuweilen fast zynisch, besonders, wenn er spotten will, und Spott ist sein gewohnter Ton, sobald er Albernheiten sieht. Da habe ich ihn denn aber auch schon mit einer Sorglosigkeit die Leute mit Spott vernichten sehen, wobei ich vor Lustigkeit und Verwunderung recht innig das Leben des Geistes fühlte ... Seine Lebhaftigkeit ist ganz erstaunlich. Ein Mensch von einer Art Genialität, der mehr durch Fantasie und Laune als durch Vernunft und Grundsätze regiert ist, dessen überlegener Verstand ihn beim Guten festhält, der aber die Welt zu gut kennenlernte, um sich für die Götzen der Zeit, welche sie sein mögen, zu enthusiasmieren. Ich traue dem wunderlichen Heiligen Haß und Rache zu: Aber sie würde, begegnete man ihr edel, leicht weichen."*

Denn ein Mensch in zweier Zeiten Wendebruch war er, dessen Leben und Werk schon tief in das 19. Jahrhundert hineinragt, dessen Wurzeln sich jedoch gleich tief in das 18. senken, nicht nur den Daten dieses Lebensganges nach. Er war in den Kreis hineingeboren worden, der seit Generationen als bürgerliche Beamtenschaft in fürstlichem Dienst als gehobene Klasse stand zwischen Fürst und Adel auf der einen und der Masse der Untertanen auf der anderen Seite, die den Staat in der kleinteiligen Herrschaftwelt der fränkisch-südwestdeutschen reichsunmittelbaren Territorien fast allein trug, ohne an ihm und seiner adeligen Gesellschaft doch je eine Teilnahme gewinnen zu können — und die darum den Zündstoff der Revolution in sich trug. Früh verwaist, seine gesellschaftliche Zurücksetzung und materielle Abhängigkeit zutiefst empfindend, rebellierend darum von früher Jugend an, war Lang von den Ideen der historisierend-erzieherischen Aufklärung eines Justus Möser angerührt, mehr noch von der kraftgenialischen Fessellosigkeit der beißend zersetzenden Kritik eines Ludwig Weckhrlin aufgerüttelt. Ein „zorniger junger Mann" ist er zeit seines Lebens geblieben.
Sein erster Biograph hat 1848 einen anderen, sehr reizvollen Gedanken zugrunde gelegt: *„Die französische Culturgeschichte, welche sich seit der zweiten Hälfte des 17. Jahrhunderts in Deutschland ablagerte und besonders in den höheren Regionen der Gesellschaft eine Menge früher unbekannter socialer, administrativer und belletristischer Bedürfnisse erzeugte, brachte auch eine neue Kategorie von Herrendienern, ‚Secretäre' genannt, hervor, die dazu bestimmt war, jene Bedürfnisse, wenigstens einen bedeutenden Teil derselben, zu befriedigen. Aber der Mangel an fester Begränzung der Thätigkeitsweise des Secretärs machte diesen zu einem wahren Protheus. Bald Geschäftsdirigent eines Großen, bald bloßer Vorleser oder Copist, hier einem Famulus, dort einem Instructor ähnlich, das eine Mal zu Archivars-, das andre Mal zu Advocatendiensten gebraucht, zwischen den Funktionen des geheimen und denen des lustigen Rathes wechselnd, wurde der junge Mann, der sich dem Secretärsberufe hingegeben hatte, in einer sehr vielseitigen Schule des Lebens gestählt und abgerieben, bis Glück und Geschick ihn dem Hafen einer dauerhafteren, bald minder glänzenden Versorgung zuführte und so den Heimweg des viel erfahrenen Odysseus vollende."*
Ein solcher Sekretär ist der junge Lang nach kurzem Studium zu Altdorf 1792 im heimischen Fürstentum Oettingen geworden. Zwischendurch hat er als Hofmeister magyarischer Magnaten und süddeutscher Diplomaten Holland und Ungarn wie die große Residenzstadt Wien kennengelernt und zu Frankfurt am Main der Krönung des letzten Kaisers des Heiligen Römischen Reiches beigewohnt. Von der Gesellschaft, der Staatskunst und -verwaltung und dem Hofleben hat er so rasch ein gutes Bild gewonnen — aus der Sicht des recht kurz gehaltenen Sekretärs freilich, der nur die Ironie dessen, der diese Welt als überaltert sehen möchte, auch geholfen hat, die Rolle des letzten, die er darin spielte, für sich selbst zu überspielen.
Auch seine ersten literarischen Versuche sind von dieser Haltung des Aufklärers par excellence bestimmt, die den geschuriegelten Regimentsmedicus Schiller ebenso auszeichnete wie manch anderen literarischenn Stern seiner Epoche, der als Hofmeister Diothimen diente. Ein patriotisches Lehrbüchlein ist es, *„der Jugend und dem wißbegierigen Bürger, welcher die vorhandenen Quellen zu gebrauchen nicht Gelegenheit hat, einen deuttlichen Begriff von der Beschaffenheit und Verfassung seines Vaterlandes beizubringen".*

Karl Heinrich Ritter von Lang
geb. 7. Jul. 1764. zu Balgheim
im Rieß.

Die intellektuelle Aufklärung sucht hier im Geiste Mösers zur ethisch-praktischen Erziehung des Volkes fortzuschreiten. Noch in Werther-Seligkeit *„in den Nachtigallenhainen des Hofgartens auf den Rasen hingestreckt“* und zugleich doch in klarem Forschen, klugem Ordnen und nüchterner Kalkulation das rationale Erbe seiner Zeit verarbeitend, ist dies geschrieben, wobei im selben Moment doch schon auch der zweite Grundzug in Langs Charakter und Wesen zum Ausdruck kommt: eine höchst eigenwillige, sprunghaft spielende Phantasie, der doch das eigentlich Schöpferische, Gestaltende fehlt.
Ob der fürstliche Regierungsakzessist nun das *„Öttingische Wochenblatt“* redigiert und eine Zeitlang ganz in den Spuren Weckhrlins wandelt, ob der nach ein paar Jahren in der heimischen Welt Gescheiterte dann an der norddeutschen Prinzenuniversität Göttingen endlich ein ordentliches Studium absolviert, die Staatslehre der Zeit gründlich in sich aufnimmt und eine beachtliche Arbeit erscheinen läßt: *„Die historische Entwicklung der deutschen Steuerverfassungen“*, ob er, wieder als Sekretär, dem Freiherrn von Hardenberg sein Familienarchiv ordnet und eine Geschlechtergeschichte schreibt, immer wieder werden diese beiden Wesenszüge des Menschen wie des Schriftstellers Karl Heinrich Lang deutlich: Intellekt und Phantasie ohne echte Schöpferkraft.
1795 holt ihn Hardenberg, nun allgewaltiger Minister der preußischen Fürstentümer Ansbach und Bayreuth, als Archivar auf die Plassenburg und dann als Rat in die Ansbacher Kriegs- und Domänenkammer. Noch immer sind ja Geschichtskenntnis und pragmatische Staatskunst untrennbar verbunden. Der Archivar hat darum das geltende Recht, ja selbst die Gewalt, die erst die politischen Zustände schafft, abzuleiten aus den Ansprüchen früherer Jahrhunderte. Der Beamte der Exekutive ist so zugleich Historiker — und Statistiker, der diese Daten weiterverarbeitet für die materia regendi.
Und Lang ist beides. Er wirkt als Sekretär bei all den Kongressen, in denen seit Rastatt aus dem bunten Flickenkleid des Alten Reiches neue Großstücke geschneidert werden, nachdem er hierzu *„Tabellen über Flächeninhalt, Menschenzahl, Einkünfte und bevorstehenden Verlust der deutschen Reichslande“* publiziert hat. Er wirkt als Spezialkommissär bei den zahlreichen schwierigen Ausmittlungen und zähflüssigen Übergabe- und Übernahmeverhandlungen, mit denen Preußen und Bayern ihre fränkischen Provinzen zu bereinigen suchen. Er legt immer wieder die Deduktionen vor und verfaßt die endlosen Gutachten, in denen gegen den ohnmächtigen Aufschrei der Betroffenen das altehrwürdige versteinerte Reichsrecht und die vielschichtig komplizierten Observanzen der süddeutschen Klein- und Kleinst-Territorien pervertiert werden, um nun mit Gewalt das Neue, den Flächenstaat mit einheitlicher Verwaltung und Gerichtsbarkeit zu erzwingen.
Es ist eine der drangvollsten und schönsten Epochen in der vielbewegten Geschichte Frankens, dieses große Experiment moderner Staatsbildung auf mittelalterlichem Boden, das sich in der Ära Hardenberg hier vollzieht. Denn jetzt soll die Idee der Aufklärung im straff organisierten, eudämonistisch sorgenden, disziplinierend gängelnden Wohlfahrtsstaat mit dem Appell an die bürgerlichen Tugenden entgegengestemmt werden der zügellos gewordenen Schwesteridee der Französischen Revolution. Ein kleiner Kreis „zorniger junger Männer“, durchglüht vom heiligen Feuer dieser Aufklärung, durchwühlt vom Sturm und Drang des fin de siècle, schafft, reglementiert, regiert, zerschlägt das Alte um dieses erhofften Neuen willen, wendet sich dabei zuvorderst gegen die adelige Herrschaft, die nicht nur dieses Kommende hemmt,

sondern die zugleich diesen Männern bislang den sozialen Aufstieg verwehrt hat. Diese neue Beamtengeneration bürgerlicher wie adeliger Herkunft dient dem Staat, denn sie ist der Staat; der Staat, der sich nun auch über die Person des Regenten erhebt, der noch nicht das Individuum kennt, aber der dem einzelnen und der Gesellschaft die Entfaltung aller idealistischen Fähigkeiten sichern will für alle Bereiche des öffentlichen wie des privaten Lebens.

Und Lang wirkt hier gestaltend mit, Rad, treibendes Rad in diesem Mechanismus. Es sind seine besten Jahre, im Zenit seines Lebens, in seinem Schaffen, das ganz seinem Weltbild entspricht. Und in diesen Jahren heiratet er dreimal. Er erschließt sich auch damit sozial neue Stufen — und verliert binnen sieben Jahren dreimal die junge Gemahlin. Seither bleibt er allein, ein Charmeur gegenüber schönen Frauen, aber einer, dem die Galle nur allzu leicht das Lächeln verdirbt.

Der Verbitterte, von einem so grausamen Schicksal Geschlagene, wühlt sich nicht nur in die Arbeit, er sucht auch Trost in der Geschichtsschreibung, veröffentlicht die aus sorglichem Quellenstudium geschöpfte *„Neuere Geschichte des Fürstentums Bayreuth"* und dann die *„Annalen des Fürstentums Ansbach unter der preußischen Regierung von 1792 bis 1806".*

Es ist seine innere Auseinandersetzung mit dieser Epoche, denn mit dem Anfall Ansbachs an Bayern ist er in den Dienst der neuen Herren getreten, den Aufbau einer neuen Staatsordnung fortzusetzen, nun freilich unter anderen Vorzeichen. Denn des großen bayerischen Ministers Freiherrn v. Montgelas Schöpfung hat keine Zeit. Sie muß in rasender Eile den Rheinbundverfassungsplänen des übermächtigen Franzosenkaisers zuvorkommen, muß mit einem alles erfassenden doktrinären Staatsabsolutismus und -zentralismus alles an sich reißen, alles zerschlagen an hergekommenem Recht und altüberlieferter Ordnung, um den Staat von oben her total zu vereinfachen und dann erst von unten her neu aufzubauen. Und sie muß dies tun gegen die konservativen alten Mächte, gegen Kirche und Adel. Übereifer und menschlichen Unzulänglichkeiten ward so zwangsläufig ein allzu großer Spielraum gegeben.

Lang arbeitet nun nicht mehr in der Zentrale. Er ist Verwaltungschef der zum „Rezatkreis" werdenden Provinz, ein sicherer Routinier der Aktenarbeit, der mit unveränderter, außergewöhnlicher Energie die Administration nach den neuen Richtlinien umgestaltet. Aber er ist kein wendiger Taktiker im Getriebe einer immer schwerfälliger mahlenden Bürokratie. Und er ist ein allzu schroffer Stürmer gegen die alte Ordnung, gegen die adelige Welt, der er als Ritter des Zivilverdienstordens der Krone Bayern nun zugehört — aber doch nicht angehört.

Und dabei bleibt er — nun geadelt, reich, angesehen — als Doktrinär des Aufklärungszeitalters ebenso sauber und unbestechlich, allein auf das Werk ausgerichtet — wie etwa aus der gleichen Moral heraus ein Robespierre im Blutsumpf des Terreur. Mit beißendem Sarkasmus reagiert er ab, was er immer stärker spürt, daß diese bayerische „Revolution von oben" sich nämlich festläuft in krasser Korruption und in dem Abringen zwischen der alten und der neuen Führungsschicht.

Sein literarisches Schaffen ist noch immer Sekretärsarbeit des Statistikers. In den *„Annalen der öttingischen Finanzverwaltung"* schwingt ein wenig mit von dem Triumph des als Übernahmekommissär in die Heimat Zurückgekehrten, die ihn verstieß. In der *„Historischen und statistischen Beschreibung des Re-*

zatkreises" sucht er, Landesbeschreibung, Landesverwaltung und Denkmalpflege zu vereinen, um im Wirbel des Umbruchs das Alte mit dem Neuen, die Geschichte mit der Gegenwart zu verklammern.
Wieder scheitert er. Man reißt ihn, den man als Autochthonen nicht in Ansbach belassen wollte, jäh aus seinem Wirkungskreis, will ihn wieder zum Archivar machen, was er schon 1806 Hardenberg abgeschlagen hatte. Er trotzt, höhnt, fügt sich doch. Und die Bayerische Akademie der Wissenschaften erkennt seine immer reichere wissenschaftliche Tätigkeit mit der Berufung zum ordentlichen Mitglied an. Zugleich aber verstrickt dieses literarische Schaffen ihn in immer mehr Fehden, die er mit ungemeiner Heftigkeit, mit der Schroffheit des sich moralisch überlegen Dünkenden führt.
Als ihm Montgelas endlich das Reichsheroldenamt anvertraut, erhält er wieder eine Schlüsselposition. Denn die Prüfung des Adels, eines in einer aus den Fugen geratenen Zeit nur allzu oft schlichtweg usurpierten oder aus trüben Quellen stammenden Adels, sollte Voraussetzung sein für dessen Einordnung in den modernen Staatsbürgerverband. Aber auch ein Vorsichtigerer, als Lang es gewesen, mußte hieran scheitern. Eine Unzahl von Feinden hat der als Adelsfresser Verschriene sich – notwendig wohl um der Sache willen, aber übermäßig gereizt durch seine böse Zunge, die er einmal als seine Dotation bezeichnet – dabei geschaffen.
Es ist bezeichnend für seine Unbeugsamkeit, daß er in dem Moment, da das Werk dieser letzten Spätform der Aufklärung zu wanken beginnt und er Mitglied der Kommission wird, die Bayern eine neue Verfassung geben soll, versucht, eine gerechte Bilanz zu finden. 1814 erscheint *„Der Minister Graf Montgelas unter der Regierung König Maximilians von Baiern"*, im nächsten Jahr als Frucht seiner amtlichen Tätigkeit das *„Adelsbuch des Königreichs Baiern"*.
Noch vor dem Minister stürzt er, wird noch einmal Verwaltungschef im heimischen Ansbach. Neben angespannter, aber immer mehr vergällter Tätigkeit erscheinen nun als Frucht mittelalterlicher Quellenstudien die *„Baierischen Jahrbücher von 1179–1294"*. Dann nimmt er, resigniert, verbittert bis zur Verzweiflung, den Abschied.

Aber es ist kein otium cum dignitate. Denn seine politische Vorstellungswelt ist zerbrochen. Nicht ihre Ideale allein sind der Reaktion erlegen, all die unendlich fleißige Arbeit seines tätigen Wirkens ist umsonst. Und der Vereinsamte, der in faustischem Schaffen im Notjahr 1817 sein Landhaus „Heimweg" über Ansbach bauen ließ, droht darüber zu zerbrechen. Sein Intellekt wehrt sich, sucht Hilfe in unermüdlichem Studium, doch seine Phantasie treibt den bitteren Sarkasmus nun oft zu weit. Er überspitzt – und ist sich dessen durchaus bewußt, wenn er etwa in einem Briefe schreibt: *„Es gehört gewiß viele Stärke dazu, wenn man bei alle dem, was man itzt sieht und empfindet, noch so den Lachenden machen kann, daß die andern mitlachen müssen."*
Der Historiker Karl Heinrich Ritter von Lang wird ein geachtetes Mitglied mehrerer wissenschaftlicher Akademien und Gesellschaften. Er veröffentlicht zahlreiche geschichtliche Studien, methodisch sauber, den Archiven verhaftet. Daß er, den die Brüder Grimm schätzen und der mit dem älteren in einem regen Schriftwechsel steht, in seinen philologischen Arbeiten dem Slawismus erliegt, ist Schuld seiner Zeit, nicht seine.
Das große vierbändige Quellenwerk der *„Regesta sive rerum Boicarum autographa ad annum usque 1300"*, dem nach seinem Tode noch die *„Regesta circuli*

Aus einem Brief Langs vom 10. September 1822

Rezatensis" folgen sollen, kommt aus dem gleichen Geist, in dem der Freiherr vom Stein das Riesenwerk der *„Monumenta Germaniae Historica"* anfangen hieß, dem Geist, der das große Jahrhundert der deutschen Geschichtsschreibung erst ermöglicht hat, die Erforschung der Vergangenheit Bayerns aus ihren Quellen.

Und diese Erforschung nimmt er so ernst, daß er, der quiescierte Herr Kreisdirektor, in endlosen Fußmärschen mit dem Ränzel auf dem Rücken durch die Lande zieht, die steinernen Zeugen und die entlegenen Archive selbst aufzusuchen. Es ist kein frohes, den Naturschönheiten aufgeschlossenes Wandern des Romantikers. Dem Natur- und Kunstempfinden seiner Umwelt steht er fremd gegenüber. Diese Welt ist nicht mehr die seine.

Sein Denken wie sein wissenschaftliches Arbeiten ist rückwärts gewandt, ist letztlich Sekretärsarbeit, die Geschichte aufzubereiten für die Praxis. Seine auf sorglichem Quellenstudium aufgebauten Arbeiten suchen in der mittelalterlichen Geschichte das System des Staatsbaus, der Organisation zu ergründen, wollen auch Frankens Anteil an Bayerns Staatswerden belegen. Und der alte Aufklärer wird wieder Sekretär, als er 1830 den Historischen Verein des Rezatkreises mit begründet. Quellenedition, Statistik, Rezension: eine Fülle von Anregungen geht hier von ihm aus, aber das Schöpferische bleibt seinem Arbeiten fremd. Dort wo ein künstlerisches Schaffen den Rang des Geschichtsschreibers bestimmt, ist seine Grenze.

Dies ist der eine, der Historiker Lang. Der andere aber, der allein einem breiteren Kreis der Nachwelt Bekannte, ist der Mann aus der Zwischengeneration eines Weltensturzes, der seine Enttäuschung abreagiert in politischen Schriften, die Scherz, Satire, Ironie und tiefere Bedeutung haben, weil er, wie er selbst schreibt, *„darein schäkernd Dinge legen und übertragen will, über die ich gerne meine Meinung sagen möchte, und die zum Teil fast immer in etwas wahr, nur geflissentlich etwas lächerlich verstaltet sind"*.

So entstehen 1817—33 die *„Hammelburger Reisen"*, eine Parodie auf die wuchernde Reiseliteratur der Zeit, unverständlich heute, weil sie ebenso gespickt sind mit zeitbedingten Anspielungen wie die Schriften Jean Pauls oder Christian Dietrich Grabbes, denen er zutiefst verwandt ist im Geiste, wenn er den lehrhaften Zeigestock der Vernunft nun skurril als Narrenzepter schwingt. Auch die *„Geschichte der Jesuiten in Bayern"*, die ihm so viele Anfechtungen einbrachte, ist ein politisches Buch im Mantel wissenschaftlicher Darstellung — und die Zeit hat dies durchaus so empfunden, auch wenn sie ihm seine „Hanswurstiaden" übelzunehmen gedachte. Denn den Spiegel, den er ihr vorhielt, hat sie dann mit Begeisterung gelesen und mit Emphase verdammt, die berühmten — und doch so gründlich mißverstandenen — *„Memoiren"*. 1830 hat er sie abgeschlossen, nachdem auch das letzte Auftreten in der politischen Öffentlichkeit als Präsident des Landrats des Rezatkreises mit schriller Dissonanz geendet, hat sie versiegelt und seinen Erben vermacht. 1842 sind sie erstmals erschienen, 1882 erneut und dann immer wieder, aber immer mehr gekürzt und dadurch verstümmelt und verfremdet.

Denn in ihnen hat einer, der nach seinem eigenen Bekenntnis *„vieles für Schattenspiele hält und dessen frohen Mut noch nichts in dieser Welt gebeugt"*, aus der Bitterkeit des Herzens *„Wahrheit statt Dichtung"* bewußt in Satire und Ironie verhüllt. Er substituiert diese als Kunstmittel, um den Kontrast zwischen Wahrheit und Schein desto greller zu erhellen. Die Phantasie hat er da-

bei üppig schießen lassen, das Knochengerüst der geschichtlichen Wahrheit umhüllt mit saftigem Fleisch, aber deren Kern nie verfälscht.
1914 hat Adalbert von Raumer gegen das Verdammungsurteil seines Lehrers Karl Theodor Heigel diesen Wahrheitsgehalt erwiesen und versucht, dem Menschen Lang aus der geistesgeschichtlichen Sicht gerechter zu werden. Gründliche Aktenkenntnis der modernen fränkischen Landesgeschichte hat Zug um Zug dieses Bild erhellt, und das psychologische Verstehen unserer Tage hat ihm freundliche Lichter aufgesetzt.

Dem Historiker Karl Heinrich Lang dankt die deutsche Landesgeschichte viel, die aus der „vaterländischen Geschichte" seiner Tage erwuchs. Der kgl. preußische Kriegs- und Domänenrat und der kgl. bayerische Staatsrat hat als Verwaltungsfachmann und Politiker an seinem Platz entscheidend mitgewirkt am staatlichen Umbruch einer Zeit, aus deren Erbe wir noch immer leben. Die Memoiren des Ritters von Lang sollte man darum nicht als Zeugen einer „bösen alten Zeit" betrachten.
Denn sie sind der lebendige Ausdruck eines solchen Zeitensturzes, satirisch wohl in der dramatisierenden Zuspitzung und Übersteigerung, weil der unlösbare Widerspruch zwischen Ideal und Wirklichkeit die Flucht in die Ironie erzwang. Diese Dialektik entsprang so der Verbitterung und Verzweiflung über das Scheitern so viel menschlichen Glücks und so hochgespannter Hoffnungen. Sie begriff letztlich zutiefst das Schwanken aller Werte. Gerade darum aber steht sie den Menschen unseres „neuen kopernikanischen Zeitalters" wieder näher als denen einer saturierten Welt, die dies — und ihn — vergessen wollte.

Rudolf Schlauch

KARL JULIUS WEBER

1767 – 1832

Zur Wiederkehr seines zweihundertsten Geburtstages hat Karl Julius Weber, ähnlich wie er die Mitwelt verspottete, auch die Nachwelt verwirrt: Sämtliche Biographien, die über ihn berichten, datierten seinen Geburtstag auf den 16. April 1767. Kürzlich aber stellte man im Geburtsregister der Pfarrei Langenburg fest, daß Karl Julius tatsächlich am 21. April geboren und am 22. von Hofprediger Wibel dort getauft wurde. Doch, ob 16. oder 21. April – es ist lang genug her, daß der in der höfischen Luft der Duodezresidenz geborene Weber, noch aufgewachsen in den mittelalterlichen Traditionen eines alten Ländchens, später als konstitutioneller Demokrat, sich gerne ins neue Königreich Württemberg einfügte und einer der „Neuwürttemberger" nach der Mediatisierung wurde, der nicht wie andere mit Groll die Stuttgarter Usurpation beklagte. Sein Leben verbrachte er allerdings großenteils im Idyll des noch in alten Träumen versunkenen Hohenloher Landes. Er studierte, las, philosophierte in der Zurückgezogenheit eines einsamen Lebens, das jeweils durch eine größere Reise im Jahr unterbrochen wurde, und schrieb in Jagsthausen, Weikersheim, Künzelsau und Kupferzell ein umfangreiches, bemerkenswertes literarisches Werk, dessen Witz ihn über das literarische Unikum hinaus zu einem gestandenen Literaten im Grenzgebiet zwischen fränkischer Drolerie und schwäbischer Handfestigkeit machte.
Ihn literarisch einzuordnen, fällt nicht ganz leicht. Zwischen den Extremen des flüssig schreibenden Feuilletonisten und des meditierenden Philosophen gibt es für ihn viele Möglichkeiten. Sein Werk zeigt sie alle. Es war die Tragik seines Lebens, daß er, hochbegabt und für ein wichtiges Hofamt oder den diplomatischen Dienst berufen, nicht zum Zuge kam. Er schreibt: *„Die großen Veränderungen im Vaterlande nötigten mich, auf eigene Faust zu leben; nichts wollte mir schußgerecht stehen und so gewöhnte ich mich an Einschränkung und reines literarisches Leben und verfiel sogar auf die Schriftstellerei, woran ich nie gedacht hätte."*
Demnach ist in Webers Leben eine deutliche Cäsur zu finden, die seine Entwicklung in eine rezeptive und eine produktive Hälfte teilt. An einem kurzen Lebensabriß läßt sich das leicht ablesen: *„Die Fürsten Hohenlohe waren gute Staatshaushalter und hatten das Glück, meist redliche Diener zu finden bei*

schmalen Besoldungen." Webers Vater war einer dieser Diener, nämlich Rentmeister des Fürsten zu Langenburg. In diesem hübschen Städtchen wuchs Weber auf. Er lernte gut, viel und schnell, hatte von Jugend auf großes Interesse an Geschichte, Geographie und den Klassikern der Antike und Moderne; auf dem ausgezeichneten Landesgymnasium in Öhringen, dessen Musterschüler er war, vervollkommnete er seine Bildung und wollte ein hohes Staatsamt erreichen. Die Universität Erlangen gab ihm die gründliche juristische Ausbildung, zugleich aber vermittelte sie ihm einen umfassenden Einblick in die zeitgenössische, vor allem die französische Philosophie und Literatur. Nach abgeschlossenem juristischem Studium bewarb er sich bei Hofe in Langenburg als Jurist, verzichtete jedoch gerne auf die Anstellung, als er merkte, daß er in der Reihenfolge der vielen Hofchargen hinter den Kammerdienern rangiert hätte.
Das kleine Langenburger Intermezzo wurde auch noch in anderer Hinsicht richtungweisend für ihn. Wollte er unter dem Einfluß des Hofpredigers, der an einer so kleinen Residenz eine beachtliche Rolle spielte, früher sogar einmal Theologe werden, so wandte er sich nach einem Konflikt mit dem geistlichen Herrn völlig der Aufklärung zu. Als Schüler hatte ihm Hochehrwürden ein Konfirmandenbüchlein mit 958 Fragen und Antworten *„voll dogmatischen Sauerteigs"* diktiert, die Weber alle auswendig können mußte; jetzt — nach Jahren — besuchte der Hofprediger den examinierten Juristen: *„Er schüttelte seine Wolkenperücke und stampfte mit seinem Kamaschenfuße, daß alle Flöhe in Aufruhr kamen beim Anblick englischer und französischer Klassiker in meiner Büchersammlung, die er nur dem Namen nach kannte. ‚Ei, Ei, lauter Deisten, lauter Freigeister!' Gegen Griechen und Lateiner hatte er nichts, vermutlich weil sie ante Christum natum freigeisterten."* Das erwähnte Konfirmandenbüchlein hatte später allerdings einen Ehrenplatz in Webers Bibliothek neben der Bibel. Den Zeitgenossen und Nachfahren jedoch galt Weber als Heide. Freilich war er legitimes Kind der Aufklärung, lehnte allen *„pfäffischen Obskurantismus"* und die institutionalisierte Kirche ab. Aber die Bibel war sein „Handbuch", das zu täglichem Troste auf seinem Schreibtisch lag, und seine gründliche Kenntnis der Schrift, die fast auf jeder Seite seiner Bücher zum Ausdruck kommt, kann jedem Theologen ein Beispiel sein.
Weber verläßt das heimatliche Idyll, als ihm in Göttingen eine juristische Professur winkt. Jedoch auch diese Hoffnung trügt, und er flieht das *„Land der Kartoffeln, der Würste und der Kompendien"*, um als Hauslehrer bei einer reichen Genfer Familie zwei gewinnbringende Jahre zu verleben. Paris, Lyon, die französische Schweiz und das freizügige Leben im westlichen Nachbarlande schlagen ihn in ihren Bann und machen ihn zum Frankophilen. An der Frage, die ihm oft gestellt wurde: *„Les Allemands ont-ils de l'esprit?"* prüft er sich selbst und nimmt sich vor, wozu ihm seine Veranlagung hilft: auch als Deutscher den Esprit zu kultivieren.
Er kehrt nach Deutschland zurück, nicht ohne zu betonen, daß er in Frankreich das *„savoir vivre"* und das *„savoir voir"* gelernt habe. Er kehrt heim als Mann von Welt, mit einer Tasche voller Dukaten. Zwar nicht, wie sein Zeitgenosse Goethe, mit zweihundert weißen Hemden und Spitzenjabots, aber doch als eleganter Reisender. Den Abscheu gegen den *„Laternen- und Guillotinengang"* der Französischen Revolution, deren Gedanken er anfangs begeistert zustimmte, bringt er mit nach Deutschland zurück und verschreibt sich wieder mit Haut und Haar dem Idyll seines Heimatlandes. Er erhält den Titel „Regierungsrat" und wird Kabinettssekretär des Deutschordenskanzlers in Mergentheim.

Nichts deutete damals auf einen Verfall dieser großartigen Institution des Mittelalters hin. Weber fühlte sich *„wie das Kind im Hause"*, genoß als Protestant die besondere Protektion des Kanzlers Graf Erbach und des Hochmeisters Maximilian Franz, freute sich der ausgezeichneten Bibliothek des Ordens, der weitreichenden diplomatischen Verbindungen und der üppigen Rittertafeln. *„Solange der Deutsche Orden lebte, fand man gar nichts Unschickliches darin, die Schinken verziert mit einem Ordenskreuz auf die Tafel zu bringen, bis 1793 Dumouriez fragte: ‚Comment? le cochon est-il aussi de l'ordre Teutonique?'"* (Wie, gehört das Schwein auch zum deutschen Orden?)
Eine Chance, in die Diplomatie überzuwechseln, die Weber auf dem Rastatter Kongreß geboten bekam, scheiterte allerdings ebenso wie die Aussicht, leitender Hofbeamter der Regierung des Landes Ysenburg-Büdingen zu werden. Hofintrigen, schwere Enttäuschungen machten aus dem so selbstsicheren Weber einen gebrochenen Mann, der, mit schwerer Hypochondrie belastet, auf jede weitere Karriere verzichtet und sich, diesmal endgültig, wieder in seine Hohenloher Heimat flüchtet: *„Im seligen Gefühl der Freiheit, in dörflicher Stille, unter Freunden, Büchern und unschuldigen Kindern erwachte ich wieder zum Leben und eine Bauernkirchweih war mir mehr als Rittertafeln und diners diplomatiques."* Sechsunddreißig Jahre alt war der *„kleine Dorf-Nemo"* Weber, als er zur Feder griff und aus dem Herrn Hofrat der *„lachende Philosoph"* wurde. Philosophie bedeutete für ihn allerdings kein Denken in Systemen, keine Spekulation im Abstrakten, sondern praktisch angewandte Lebensweisheit. Er konnte sich zu dem Satz versteigen: *„Bonne ou mauvaise santé fait notre philosophie"* – gute oder schlechte Gesundheit bedingt unsere Philosophie.
Und so wählte er sich, ein trefflicher Kenner der Antike, Demokrit aus Abdera nicht nur als Pseudonym, sondern auch als physisches Gegengewicht zum Vorbild. Die Schüler Demokrits, auch Webers geliebter Horaz, wurden ebenfalls seine Freunde. *„Demokrit, der Repräsentant des Lachens, dessen Buch über Euthymia leider verloren ist, sagt: ‚Ein Leben ohne Freuden ist eine weite beschwerliche Reise ohne Gasthaus' und Epikur, der ebenso dachte, setzte das höchste Gut in ein fröhliches Herz!"* Damit hat Weber das Thema und Leitbild seines Hauptwerkes gefunden, des *„Demokritos oder Tagebuch eines lachenden Philosophen"*, an dem er dreißig Jahre lang schrieb. *„Demokrit lachte, Heraklit weinte, der eine betrachtet das Leben als Trauerspiel, der andere als eine Posse oder eine ‚partie de plaisir' und beider Ansichten flossen im Grunde aus dem Prinzip der Eitelkeit, sie verachteten die Menschen um sich her. In einer solchen Stimmung war es auch, wo ich die Grundlage zu diesem Werke legte."* Er lebt sich in das Werk und Denken Demokrits ein, nicht ohne sich gegen den „Demokritismus" seiner Zeitgenossen, etwa Wielands, abzugrenzen, dem er in seinem Buch das Kapitel *„Die Abderiten"* widmet, und er sagt: *„Wenn dieser mein ‚Demokrit' denen, die nach mir kommen, ein Lächeln zu entlocken oder eine trübe Stunde aufzuheitern vermag, so habe ich den Zoll entrichtet, den ich Büchern, die mein einziges häusliches Glück ausmachen und ihren Verfassern, die längst dahingegangen sind, schuldig zu sein glaubte. Heiter, froh und nachruhmesstolz lächle ich, wenn ich mir denke, daß andere, wenn ich schon modere, noch mit mir lachen, über meine Arbeit, über mich, gleichviel."*
So wurde Webers Lebenswerk ein umfangreiches Kompendium des Lachens und der Heiterkeit, aber auch der praktischen Lebensphilosophie. 366 Kapitel – daß man auch im Schaltjahr jeden Tag eines zu lesen vermag – über die

Karl Julius Weber, gezeichnet von Mena 1811, gestochen von C. Deis

verschiedensten Themen zwischen Gott und Welt, eine Anthropologie unter dem Motto des Horazwortes: *„Aequam memento rebus in arduis servare mentem"* — erhalte dich bei Gleichmut in Trübsalszeiten — hat er in diesen zwölf Bänden konzipiert. Die Lehre, die er verbreitet, ist die *„aequitas animi"*, die ausgeglichene Seelenheiterkeit. Nicht zufällig stand der *„Demokrit"* im vorigen Jahrhundert in den Bücherschränken der gebildeten Leser, nicht von ungefähr schätzten unsere Väter und Großväter einige seiner pikanten und frechen Kapitel so sehr, daß er neben vielen Gesamtauflagen auch in Reclams Taschenausgaben veröffentlicht wurde. Der *„Demokritos"* war einer der Bestseller des vorigen Jahrhunderts, obwohl sein Verfasser fast prophetisch vorausgesagt hatte: *„Die berühmtesten Bücher der Zeit werden kaum nach hundert Jahren mehr gelesen, höchstens Bücherwürmer fahnden danach. Die meisten werden zu Pfeffertüten und Fidibus verwandt."*

Das andere große Motiv für Webers Arbeit als Schriftsteller ist seine Leidenschaft für die Wahrheit. So eng war er mit menschlicher Verlogenheit und Verderbnis in Berührung gekommen, daß er neben jeder persönlichen auch aller literarischen und vor allem geistlich-frömmelnden Heuchelei den Kampf ansagte. Er war sich dabei bewußt, daß Wahrheit ungeschminkt und brutal wirkt. Trotzdem legte er seinen Schriften die *„nuda veritas"* zugrunde, von der Horaz redet, weshalb sie oft aggressiv und schockierend wirken, ist aber, wie der römische Dichter, elegant genug, seine Gedanken lachend zu formulieren. Ob es seine Thesen über die *„Möncherei"*, das *„Ritterwesen"* oder das *„Papsttum"* sind, denen er seine ersten drei Bücher widmet, oder ob er die Beobachtungen seiner zahlreichen Reiseerlebnisse fixiert, die in den *„Briefen eines in Deutschland reisenden Deutschen"* ihren Niederschlag finden — stets nimmt Weber die Deckfarben der Heiterkeit und hellt mit ihnen seine galligen Erfahrungen auf. Daß er sich dabei seiner Kritik selbst unterzieht, macht seinen Stil farbig, persönlich und sorgt immer für den Dialog zwischen Autor und Leser, eine Zwiesprache zwischen zweien, die sich genau kennen. *„Der freie philosophische Geist, der allein zur höheren Weltanschauung, zu jener weltverachtenden Idee, welche die wahre Niederlage des Komischen ausmacht, führt"*, ist Webers Geist.

Die Quellen, aus denen er schöpft, machen solche Zusammenhänge noch deutlicher. Kant ist ihm nicht sympathisch, weil er ihm zu wenig Sinn für Poesie und Kunst besaß. Auch Fichte und andere „nordische" Philosophen schätzt er nicht. Dagegen liebt er die Franzosen, vor allem die Enzyklopädisten, also ebenfalls Schüler des alten Demokrit. Diderot, der dessen Atomlehre aufnahm, ist Webers Vorbild besonders in seinem Pantheismus, der die Gottheit im Wahren, Schönen und Guten erkennt. Montaigne, der an diese Lehre anknüpft, die Natur als einzige Lehrmeisterin, die Lebensklugheit als einzige Tugend und die Eitelkeit (vanitas) als einziges Grundübel bezeichnet, ist der zweite Franzose, den Weber hochschätzt. Nicht minder genau kennt er Rousseau und Voltaire, die er häufig zitiert und erwähnt. Daß Diderot in heutiger Zeit wieder neu aufgelegt und angepriesen wird, fällt nicht zufällig mit der Renaissance Webers zusammen, dessen *„Demokritos"* unlängst in zwei Kurzausgaben neu herauskam. Ihn jedoch nur aus diesem Buch verstehen zu wollen, wäre eine unbillige Verzeichnung seines Gesamtwerks. Wenn auch der *„Demokritismus"* in allen anderen Arbeiten grundlegend bleibt, so führt ihn Weber doch zu eigenwilligen Variationen. Zu nennen sind die drei großen kulturhistorischen Monographien, deren Themen und Grundlagen noch in der Zeit

vor der Säkularisierung wurzeln, in den Jahren also, da der Verfasser beim Deutschorden, in Burgen, Schlössern und Archiven seiner Heimat ungestört ein- und ausgehen konnte. Die *„Möncherei“*, das *„Ritterwesen“* und das *„Papsttum“* wurden nach seiner Auffassung ihrer mittelalterlichen Aura erst durch die Säkularisierung und Mediatisierung entkleidet, wobei Weber durchwegs aus dem vollen schöpfen konnte, weil er noch Augenzeuge gewesen war. Zur Ehre seines Zeitalters, *„das wir das aufgeklärte zu nennen belieben“*, wollte er in Mönchtum und Ritterwesen *„das Ernste und Gute nicht vergessen sine ira et studio“*, wollte die Verdienste des Adels um Tradition und Kunst hervorheben, wollte aber alle *„alten finsteren Perücken und Wolkenkrägler“* des katholischen und protestantischen *„Pfaffentums“* seinem Spotte genauso aussetzen wie die Arroganz des Adels und dessen antibürgerliche Haltung.
Gleichwohl erhielt sein *„Ritterwesen“* viel Beifall, die Standesherren seiner Heimat aber waren böse, und die Bücher wurden grundsätzlich aus ihren Bibliotheken verbannt. Das *„Papsttum“* schließlich als Abriß der *„wichtigsten Macht des Mittelalters“* schließt Weber mit der Bemerkung, er hätte gerne *„de mortuis nil nisi bene“* gesagt, es habe aber beim *„nil nisi vere“* bleiben müssen. Zwar sind diese drei historischen Werke längst überholt, die Art aber, wie ihr Autor *„den Nektar und die Ambrosia des Lachens über die sonst wenig schmackhafte Kost“* verteilt, wird auch den heutigen Leser dieser zehn Bände amüsieren.

Das Papstthum

und

die Päpste.

Ein Nachlaß des Verfassers der Möncherei,

Carl Julius Weber.

O Popery what hast thou answer for!
STERNE.

Erster Theil.

Mit königl. württembergischem Privilegium.

Stuttgart,
1834.
Hallberger'sche Verlagshandlung.

Originaltitel zu Webers „Sämmtliche Werke“, Band 1

Die große Heiterkeit, ein erstes Ahnen des heraufdämmernden feuilletonistischen Zeitalters, aber kommt aus den *„Briefen eines in Deutschland reisenden Deutschen“*. Herr Biedermeier hatte sie in seinem Reisegepäck, und sie gelten mit Recht als eines der wichtigsten Kulturreisebücher des vorigen Jahrhunderts. Das attische Salz des Spottes überzieht Landschaften, Städte und Menschen *„con amore“*, wie Weber sagt, und die launigsten Einfälle formen sie nach dem Bild des Verfassers, der das pompöse Horazwort vom Heldentode in das Motto umwandelt: *„Dulce et decorum est pro patria – scripsisse!“* Man erwarte also keinen Baedeker mit Tips und genauen Beschreibungen, sondern die eigenwillige Darstellung eines Individualisten. So schildert er, beispielsweise, seine Landsleute im Kapitel „Würzburg“: *„S. Urban ist ihr Heiliger, er ist das, was Bacchus in Griechenland. Die Franken sind heiter, wie es Weinländern zusteht, und die Würzburger stehen obenan. Schon die Römer nannten ein Mahl ohne Wein ein ‚prandium caninum‘, ein Hundemahl, viele Hundemahle* *gibt es in den meisten Gegenden Deutschlands, in Franken nicht. Die Franken sind gebildeter als in vielen anderen Teilen des Vaterlandes, sie haben einen Nationalstolz, den Deutsche sonst entbehren. Nun, Deutschland verdankt den alten Franken, so roh sie auch waren, Vieles! Das schöne Franken — warum verewigt kein besonderer Bundesstaat diesen schönen Namen? Sie sind jetzt, politisch genommen, Bayern, aber es scheint zwischen Alt-Bayern und Neu-Bayern so etwas zu liegen wie zwischen Alt- und Neu-Württembergern. Ein Sprichwort rührt noch aus der Zeit der griechischen Kaiser: ‚Den Franken habe zum Freund, aber nicht zum Nachbarn.' Wie die Franken zu dem nachstehenden Spruch kamen, weiß ich nicht: Wir guten Franken, wir loben und danken, daß wir nicht seyn wie die Groben vom Rhein!"*

Lakonisch und bezeichnend zugleich ist Webers Urteil über Nord und Süd, das er zu Beginn der Beschreibung der hessischen Lande fällt: *„Das Land der Hessen macht recht eigentlich den Übergang vom deutschen Norden zum Süden, die gebildeten Stände gehören noch dem Süden an, der gemeine Mann aber schon mehr dem Norden, dessen Sprache bald platt ist. Das Klima ist schon rauher, die nordöstlichen Winde, durch welche gar oft Pflanzen und Menschen leiden, sind ziemlich nordisch. Hessen gehört gerade nicht zu den fruchtbarsten Gegenden Deutschlands. Aber so arg ist es auch nicht, wie es die alten Reime machen: ‚Im Lande Hessen ist wenig zu essen, hohe Berg und tiefe Tal, saure Weine überall, wenn die Schlehen und Holzäpfel mißraten, haben sie weder zu sieden noch zu braten!'"*

Neben seinen philosophischen Studien war das Reisen Webers einzige Abwechslung in der Hohenloher Einsamkeit. Da er Junggeselle geblieben war, *„zur Frau konnte ich nie kommen, vielleicht wegen der Frauen und ich wandelte dahin, ohne an den Abend zu denken und jetzt — sagte mir unlängst eine Dame — jetzt ist's nicht mehr der Mühe wert"*, konnte er sich unabhängig fühlen und auf weiten Fahrten und Fußmärschen Deutschland und Österreich, das er besonders liebte, durchstreifen. Nord und Süd wurden ihm dabei zu Gegensätzen, beinahe wie uns heute Ost und West. Die beiden deutschen Hauptstädte z. B. sieht er folgendermaßen: *„Berlin übertrifft Wien an öffentlichen Denkmälern weit! Aber die Pyramide von St. Stephan wiegt hundert Monumente auf! Welch ein Anblick herab vom Stephansdom auf die gesegnete Gegend, verglichen mit dem Gensd'armes-Turm von Berlin! Und was ist der Tiergarten gegen den Prater mit seinen schönen Frauen, frohem Volksgewimmel und üppiger Vegetation! Im Tiergarten habe ich keine andern Tiere gesehen, als etwa die jungen Herrn, die den ‚Nymphen' nachstreichen. Was die Sinnlichkeit betrifft, ist zu Wien ohnehin alles solider. Man hat mehr, folglich genießt man auch mehr. Aber der Geist ist in Berlin besser versorgt. Alles ist hier mehr gedacht, feiner, vornehmer, aber auch steifer. Wenn die Berliner gebildeter und klüger sind und der höhere Grad von Bildung allerdings anzieht, so sind die Wiener desto gutmütiger und ehrlicher, Frohsinn und Gastfreiheit tritt an die Stelle kalter Höflichkeit und nordischer Verschlossenheit. Was ist das Bessere?*

Auf der langen Brücke in Berlin, die nur deshalb lang heißt, weil die andern noch kürzer sind und über die Spree eine lange Brücke wirklich Überfluß wäre, steht die Reiterstatue des Großen Kurfürsten von Schlüter. In diesem Lande, wo man ganz recht lieber Generalen als Heiligen Statuen errichtet, wimmelt es schon genug von lebendigen Kriegern, die selten, wie in Wien, in Civilkleidern erscheinen. Warum gibt es nicht auch Büsten großer Männer aus Wissenschaft

und Kunst? Plutarch in seiner Abhandlung: ‚Ist Athen ausgezeichneter durch Waffen oder durch Wissen?' entscheidet sich, wie Spree-Athen, fürs Erstere – aber die Alten haben nicht immer recht!“
Je älter Weber wurde, desto mehr vertiefte er sich in eine bis zum Zynismus sich steigernde misanthropische Einsamkeit. Meditierend schritt er im großen Kupferzeller Schloßpark auf und ab, brachte die letzten Kapitel seines *„Demokritos“* zu Papier und überlegte sich seinen Grabspruch. Am liebsten hätte er seine letzte Ruhestätte mit dem bissigen Wort versehen lassen: *„Hier ruhen meine Gebeine, ich wollt, es wären deine!“* Weil er seinen Nachruhm jedoch nicht mit einer Banalität gefährden wollte, dichtete er sich selbst ein echt Webersches Wort, das auf seinem Grabstein im Kupferzeller Friedhof steht. Sein Geburtshaus ist nicht mehr vorhanden, seine umfangreiche Bibliothek – etwa 11 000 Bände –, seine Manuskripte, seine geringe persönliche Hinterlassenschaft sind in alle Welt zerstreut, die in Stein gemeißelten Worte allein blieben erhalten. Sie lauten: *„Jocosus vixi, sed non impius, Incertus morior, nec perturbatus, Humanum est nescire et errare. Ens entium, miserere mei“* und kennzeichnen den Demokrit aus Hohenlohe auf unvergängliche Art. Ihre Übersetzung lautet:

„In Heiterkeit hab ich gelebt und immer Gott verbunden
Ins Ungewisse scheid ich ab, doch ohne Bangen.
Ich weiß, 's ist Menschenart, zu straucheln und zu irren.
Erbarm dich mein, du höchstes aller Wesen!“

Wilhelm Staudacher

CHRISTOPH VON SCHMID

1768 – 1854

Das Urteil der Geschichte kennt keine Gnade. Nur was Gewicht hat, vermag sich dauerhaft im Gedächtnis der Nachwelt festzusetzen. So fundamental diese Erfahrung sein mag: das Rezept für lebendig bleibenden Nachruhm hat noch niemand unwidersprochen gültig formuliert. Zu ihrer Lebenszeit kaum Beachtete rückten nach Jahr und Tag unversehens in die vorderste Reihe der Geistesgrößen auf, mit eminentem Einfluß auf Gegenwart und Zukunft. Andere, vom Erfolg Getragene und als unsterblich Gerühmte büßen binnen kurzem Klang und Ruhm ein, und ihre Namen finden sich fernerhin oft nur noch in den Sammelverzeichnissen der Bibliotheken. Oder, ein Ausnahmefall, Nachruhm und Gedächtnis werden durch ein Denkmal aus Stein oder Erz gesichert, von einer Gemeinschaft als energischer Widerspruch gegen das Unabwendbare aufgestellt, freilich oft nur von lokaler Bedeutung.
Solche Erinnerungs- und Nachruhmmonumente befinden sich im mittelfränkischen Dinkelsbühl und im schwäbischen Thannhausen. Die Darstellung des auf diese Art dem Vergessensein Entwundenen gilt dem Jugendschriftsteller, Lehrer und Priester Christoph von Schmid.
Seine Erzählungen und Geschichten waren in 24 Sprachen übersetzt. Er war ein Schriftsteller von weltweiter Ausstrahlung. Man kannte seinen Namen in Paris ebenso wie in Rom, in Prag nicht weniger als in Madrid und Athen, in London genauso wie in Stockholm, und es steht außer Zweifel, daß man seine Schriften auch in Rußland, China und Japan las, in den arabischen Ländern, in Südamerika, und wo auch immer.
Wer war dieser Christoph von Schmid, von dem *heute* kaum noch ein Buch in den Buchhandlungen zu finden ist, *über* den aber, insbesondere in den letzten Jahren aus Anlaß der zweihundertsten Wiederkehr seines Geburtstages am 15. August 1968, ein nicht geringes Volumen Erinnerungs- und Würdigungsliteratur verbreitet wurde? War er ein Schriftsteller, der nahezu ein Jahrhundert lang, moralische Lehren verbreitend, zu den literarischen Erziehungshelfern der halben Welt zählte, seit Anfang des technischen Zeitalters aber, in Bibliotheken verstaubt, nur noch mit einem kleinen Absatz in der Geschichte der Pädagogik der Nachwelt überliefert ist? Oder war er ein nach der Forderung Goethes liebender Autor, der durch die Kraft seines Wesens das treffende Wort gefunden hatte, dem Nächsten und Mitmenschen etwas zu seiner inneren

Festigung und zu seinem geistig-seelischen Wachstum zu sagen, und der sich dadurch in der halben Welt in die Herzen seiner Leser geschrieben hatte?
Christoph von Schmid war am 15. August 1768 in der kleinen fränkischen Reichsstadt Dinkelsbühl zur Welt gekommen. Sein Vater, ein Beamter des Domkapitels und des Deutschordens, und seine Mutter, denen nach Christoph noch sechs Söhne und zwei Töchter geboren wurden, erzogen ihre Kinder mit jener heiteren Liebe, die es vermag, verborgene Veranlagungen behutsam zu wecken. Der Vater, pflichttreu, fromm, ehrenfest, verstand es, beizeiten Christophs Sinn für kritisches Denken zu schärfen. In seinen Lebenserinnerungen, die Christoph von Schmid noch als Achtzigjähriger niedergeschrieben hat, schildert er wiederholt, wie der Vater zum Beispiel Gespenstergeschichten, die in den engen Gassen Dinkelsbühls ihren ahnungsvollen Hintergrund hatten, durch einfache Überlegungen und Nachprüfungen als unnatürlich widerlegte und wie ihm dieses Beispiel des Vaters im späteren Leben auf überzeugende Weise zustatten kam.
Unvergeßlich und für sein eigenes Verhalten in Angelegenheiten des Glaubens entscheidend, hatte sich ihm das Eintreten des Vaters für einen Judenknaben eingeprägt, der nach redlicher Glaubensüberzeugung gehandelt und sich deswegen den Spott anderer zugezogen hatte. Und geradezu bestimmend für seinen Weg als Priester war das Urteil des Vaters über die später durch den Augsburger Bischof Clemens Wenzeslaus verbotenen Kontroverspredigten: *„Man sollte keine Kontrovers- oder Streitpredigten halten, die nur dazu dienen, die Entzweiung zwischen den Konfessionen, zwischen Christen und Christen, zu vergrößern. Man sollte vielmehr Einigungspredigten halten, um das christliche Volk zu überzeugen, daß wir fast in allen wesentlichen Stücken des Christentums einig sind."* Hinzu kam die Erziehung zur Hilfeleistung für Arme und Bedürftige, zu eigenem Tätigwerden, ohne dazu aufgefordert zu sein, zu friedlichem Zusammenleben in der Familie und in jeder anderen und größeren Gemeinschaft. Es duldet nicht den geringsten Zweifel, wenn Christoph von Schmid seine Altersaufzeichnungen mit dem Satz einleitete: *„Die süßeste Erinnerung aus den Jahren meiner Kindheit ist der Gedanke an das väterliche Haus."*
Dieses Lob für das Elternhaus schließt die Erinnerung an das Talent des Vaters ein, anschaulich, lehrreich und zugleich unterhaltend zu erzählen. Die Freude an schönen Erzählungen wurde noch gesteigert durch eine Tante mütterlicherseits, die in der Familie lebte und deren unerschöpfliche Erzählkunst die Vorstellungskraft Christophs beflügelte. Freilich war, bei aller Begeisterung, bei allem Lerneifer und bei seinem wachen Sinn für Sprache, die Art und Weise, wie ihm in der Schule das Lateinische beigebracht wurde, nicht die rühmlichste Zeit im Leben Christoph von Schmids. Der Lateinlehrer, ein Karmelitermönch namens Adrian, hielt sich an die damals noch weitverbreitete Schlagmethode. In seinen Erinnerungen hielt Christoph von Schmid fest: *„Für alle und jede Sprachfehler, die er Böcke nannte, gab er uns mit einem Haselstocke zwei derbe Schläge auf die Hand, Tatzen genannt. Da wir aus Ängstlichkeit und Furcht der Strafe noch mehr Fehler machten, als wir sonst wohl gemacht hätten, so kam er auf den Einfall, nach Art der Türken uns auf die Fußsohlen zu schlagen."* Christoph von Schmid sparte in seinen Aufzeichnungen nicht mit hart formulierten Anmerkungen über derartige Lehrmethoden, und doch brachte er diesem Lehrer, der von sich behauptet hatte, noch viel schärfer gezüchtigt worden zu sein, Zuneigung und Verehrung entgegen.

In der Schule hatte Latein Vorrang vor dem Deutschen. Eine Erkenntnis, geäußert von einem fortschrittlichen jungen Lateinlehrer namens Lehnauer, blieb dem Knaben nachhaltig im Gedächtnis: *„Es ist schmählich, daß wir alle Sprachfehler in der lateinischen Sprache so sorgfältig zu vermeiden suchen, aber in unserer Muttersprache so viele Fehler machen."* Die Begegnung mit deutschsprachiger Literatur war unter diesem Vorzeichen dürftig. Sie sollte der späteren Schulausbildung im Gymnasium zu Dillingen vorbehalten bleiben. Dorthin wurde Christoph von seinem Vater nach einer vorübergehenden Beschäftigung als jugendlicher Hilfsaktuar und Kanzleirechner, bei der er sich, wie er festhielt, sein erstes *„schriftstellerisches Honorar"* verdiente, auf Empfehlung seines Lehrers Lehnauer geschickt und nach einer kurzen Prüfung im Lateinischen sofort in die fünfte, „Poesie" genannte Klasse aufgenommen.
Ein Glücksfall wollte es, daß Christoph seine Wohnung bei einem Buchbinder, einem ehemaligen Dinkelsbühler Bürger, nehmen konnte, in dessen Haus sich stapelweise Bücher zum Einbinden befanden. Christoph, plötzlich mit soviel neuer Literatur konfrontiert, las oft bis tief in die Nacht, darunter manches Buch, das nicht für Jünglinge geschrieben war. Gellerts Fabeln und Werke Kleists begeisterten ihn. *„Die Leiden des jungen Werthers"* fanden wegen der dichterischen Gestaltung seine Zustimmung, erregten aber seine Kritik und seinen Unwillen, weil Werther durch Schwärmerei und Leidenschaft sein Unglück selbst verschuldete.
Nach Traumgesichten, die Christoph um Dreikönig 1784 ängstlich bedrückten, erfuhr er wenige Tage später, daß sein Vater gestorben sei. Aus der Notlage, in die seine Angehörigen dadurch geraten waren und die auch sein weiteres Studium gefährdete, half ein Studienfreund, Heinrich von Brentano. Er überließ ihm eine Hauslehrerstelle bei dem hochangesehenen Geheimrat von Weber in Dillingen, dessen drei Kinder er fortan, neben seinem Studium, unterrichtete. Lehre und Beispiel seines Vaters sollten hier Früchte tragen. Seine Naturbegabung als Pädagoge und sein Talent als Erzähler stellte er in den Dienst seiner Auffassung, die das Werk der Schöpfung als Ganzheit verstand, mit dem Menschen als wichtigstem Glied in der Schöpfungskette.
Jene Jahre der Studienzeit in Dillingen lassen im übrigen erkennen, was Christoph von Schmid sich noch bis ins hohe Alter bewahrte: die Liebe zur Natur. In seinen Lebenserinnerungen, seinen Briefen und Erzählungen äußert sich diese Verbundenheit mit Natur und Landschaft immer wieder als eines der Leitmotive seines inneren Wesens. In freien Stunden zu wandern, sich an den Schönheiten der Natur zu erbauen, eine Landschaft mit all ihrem Sonderbaren und Ausgeglichenen zu genießen, das erfüllte ihn mit einem Glücksgefühl ohnegleichen. In schwärmerischen Beschreibungen und in seinen Gedanken hielt er solche Begegnungen fest, für ihn echte, wirkliche Erlebnisse, von denen er zehrte, wenn er in trüben Stunden bei einer freundlichen Erinnerung Zuflucht suchte.
Dazu beinahe diametral entgegengesetzt standen für ihn manche Erlebnisse und Erfahrungen an der Dillinger Universität. Dem geistig aufgeschlossenen Studenten, der, bei aller Bereitschaft zu Konzilianz, um seiner Entwicklung als Persönlichkeit willen keine entwürdigenden Fesseln dulden konnte, mußten die Bücherverbote an der Dillinger Hochschule aufs höchste verwerflich vorkommen. Die Vernachlässigung der zeitgenössischen deutschen Literatur war erklärte Absicht der Leitung der akademischen Anstalt, denn man wollte den Schülern keinen Zugang zu „schädlichen Büchern" verschaffen. Das ging so

Christoph v. Schmid.

Christoph von Schmid, Lithographie von M. Fröschle 1847. Auf ein Exemplar des Blattes, das heute im Besitz des Dinkelsbühler Heimatmuseums ist, schrieb Schmid das Wort: „Kinder bewachen ist Engelsgeschäft“

weit, daß sogar den Dillinger Buchhändlern bei Strafe untersagt wurde, derartige Bücher in ihren Buchhandlungen zu führen. Freilich war die Auseinandersetzung mit dem Gedankengut der Zeit, vor allem mit dem der Aufklärung, nicht aufzuhalten. Nicht von außen, sondern von innen her vollzog sich an der Dillinger Hochschule allmählich eine Wendung, die vor allem durch die Philosophievorlesungen des neu nach Dillingen berufenen Professors Weber gefördert wurde. Hinzu traten Professor Zimmer mit Vorlesungen über Dogmatik und Johann Michael Sailer als Professor für Ethik und Pastoraltheologie. Mit Unterstützung oder doch zum mindesten wohlwollender Duldung durch den Provikar Thomas de Haiden hielt die Aufklärung Einzug in die bis dahin hermetisch abgeschlossene Dillinger Alma mater. Endlich war es Professoren und Studenten möglich, sich mit den modernen Geistesströmungen auseinanderzusetzen. Hinzu kam, daß die lateinische Sprache nicht mehr ausschließlich als Voraussetzung für wissenschaftliche Philosophie und Theologie angesehen wurde. Sailer und andere Professoren hielten Deutsch zur Erläuterung des Lehrstoffes für geeigneter als das Lateinische.
Sailer, der große Erzieher und Wegbereiter eines universalen Verständnisses für ökumenisches Denken, sollte schicksalhaft am Lebensweg des jungen Gymnasiasten und Studenten Christoph Schmid stehen. Als noch nicht Dreißigjähriger hatte er vor seiner Berufung nach Dillingen seinen Lehrer und Exjesuiten Stattler mit ironischen Streitschriften gegen aufklärerische Eiferer verteidigt. Später, als eben dieser Stattler seinen *„Anti-Kant“* veröffentlichte, fand Sailer unter dem Einfluß der Dillinger Professoren Weber und Zimmer den Weg zur Kantischen Ethik. Von allen Lehrern stand Sailer dem jungen Christoph Schmid mit seiner ganz persönlichen Art der Schriftbetrachtung und mit seiner Hinwendung zu einer echten Begegnung mit *allen* Menschen am nächsten. Und mit Dank registrierte Christoph Schmid die Aufgeschlossenheit Sailers, der sich trotz der noch fortbestehenden Bücherverbote nicht nur für die Verbreitung der vorwiegend von Protestanten verfaßten theologischen und philosophischen Werke einsetzte, sondern auch das Interesse für die zeitgenössischen Werke der Belletristik weckte.

Christoph Schmids Lesehunger war beträchtlich. Seine leidenschaftliche Liebe zur Dichtkunst ließ ihn zu vielen Werken zeitgenössischer Dichter und Schriftsteller greifen. Goethes Dichtungen las er mit differenzierender Kritik: *„Götz von Berlichingen“*, *„Hermann und Dorothea“*, Gedichte wie *„Der Zauberlehrling“* und *„Der Recenzent“* fanden seine ungeteilte Zustimmung, hingegen lehnte er, wie später auch Fontane, Goethes *„Egmont“* als eine historische Sünde ab. Schillers Werke entfachten in Christoph von Schmid helle Begeisterung. Für Lessings Prosa hatte er höchstes Lob, ebenso für Herders Werke, über die er in einem Brief vom September 1788 schrieb: *„Das Beste, was ich im Augenblick lese, ist Herders Schrift vom Erkennen und Empfinden. Lauter neue, kühne, große Ideen. Ganz heißhungrig fiel ich darüber her. Ich kanns gar nicht satt werden. Mir ist, als packte mich ein Riese und schleuderte mich in eine neue Welt.“*

Schmid, mit Anhänglichkeit seinen Lehrern, und von diesen ganz besonders Sailer verbunden, nahm die Tendenzen der Aufklärung mit wachem Geist auf. Er fühlte sich ein in die optimistische Welt- und Lebensschau eines Leibniz, in die strenge Ethik der Pflicht eines Kant, und er öffnete sich dem faszinieren-

den naturseligen Gedankengut Rousseaus. Und doch vermochte ihn, bei all seiner Aufgeschlossenheit und Aufnahmebereitschaft, nichts unwiderruflich in seinen Bann zu schlagen. Seine Grundüberzeugung von der Ganzheit aller Schöpfung verwehrte es ihm, sich nur einem einzigen und in Wirklichkeit begrenzten Gebiet von Auffassung und Lehre hinzugeben. In seiner Phantasie verwandelten sich das Sentimentale und das Rationale, das Apodiktische und das Fragwürdige einer Lehre in jenen formbaren Stoff, den er mit seiner schon zu dieser Zeit gefestigten Grundüberzeugung vom Walten der göttlichen Vernunft in allen Dingen verschmelzen konnte. Diesem Streben nach Einheit und Geschlossenheit der Weltschau kamen Matthias Claudius' Dichtungen am meisten entgegen. Ebenso wie sein Lehrer Sailer schätzte und liebte Christoph Schmid die christliche, poetische und heitere Grundstimmung der Werke des Wandsbeker Boten.
Seine eigenen schriftstellerischen Versuche, kleine Gedichte, kurze szenische Spiele und Lieder, zu denen er in dieser Zeit angeregt wurde, behielt er im wesentlichen für sich. *„Die Früchte meiner Arbeiten sind noch immer grasgrün"*, schreibt er im September 1788 an seinen Freund Aulinger. Und so gewiß es ist, daß ihn die Lust und der Wille unablässig zu eigener literarischer Produktion drängten, sind für diese Jahre und noch für eine lange Zeit danach kaum nennenswerte literarische Arbeiten zu verzeichnen. Um so wichtiger und bedeutsamer sind die Briefe aus jener Periode des ununterbrochenen Aufnehmens und Verarbeitens in allen Bereichen seines Lebens. In einer Sprache, die kennzeichnend ist für seinen kritischen Geist, schildert er in einem Brief vom September 1788 an seinen Freund Aulinger eine Treibjagd des Fürsten zu Oettingen, am Schlusse der Schilderung fragend: *„Und was hältst Du von derlei rohen Vergnügungen? Von ihrem Wert? Einfluß auf Herzensbildung?"*. Und von der Dinkelsbühler Gesellschaft sagt er im gleichen Brief: *„Übrigens finde ich hier viele Menschen, die sich das ganze Jahr in einem so bestimmten gemeßnen Kreise herumdrehen, wie ein Mühlrad um die Achse. Ihr Ideenvorrat ist dürftiger als ein Opferstock auf'm Sonntagsberg bei Wien. Ihre witzigen Einfälle lassen sich zählen. Es ließe sich da eine glänzende Rolle spielen, wenn wer mit seinem bißchen Wissen breit tun wollte. Das will ich aber nicht. Aufklärung! Davon ist nicht zu reden. Wenn es nur erst dämmerte. So aber kämpft siebenfache ägyptische Finsternis gegen alles Licht."*
Kritiker und Schwärmer, der er war, mußte er als Zwanzigjähriger in seiner Sturm- und Drangperiode auch der Liebe begegnen, inmitten romantischer Natur. *„Ein liebes rosenwangigtes Mädchen, mit blauen Augen und seidnen Locken würde so eine Gegend ungemein verschönern"*, schreibt er, wischt solche Gedanken aber sofort wieder aus mit der Überlegung: *„Zu was ein Gedanke, der nur nimmt, nicht gibt? Ich will ganz frei sein. Dulde keine, auch nicht die feinste Kette der Liebe, und wärens aus Rosen geflochten, überzeugt, daß sie gewiß zu Eisenfesseln werden."* Ohne Rücksicht auf Gefühle streift er den Dingen ihre Regenbogenhaut ab. Er geht kein Risiko ein. Stoisch weist er die Leidenschaft ab, und damit räumt er auch der Tragik in seinem Leben keinen Ansatzpunkt ein.
Am 17. August 1791, zwei Tage nach Vollendung seines 23. Lebensjahres, wurde Christoph Schmid zum Priester geweiht. Sein Lehrer Johann Michael Sailer hielt ihm zu Ehren am 27. August 1791 in Dinkelsbühl die Festpredigt. Danach führte ihn seine Tätigkeit als Seelsorger zunächst nach Nassenbeuren, wo er seine erste Stelle als Kaplan ausübte. In seinen späten Erinnerungen entwarf

er ein anheimelndes Bild dieser Zeit. Doch es war nicht alles beschaulich und ausgewogen. Die Ereignisse von Dillingen, die dortigen kontroversen Einstellungen der Professoren zu den vielfältigen Fragen der Zeit, nicht zuletzt das Intrigenspiel der Installierten gegen die fortschrittlichen Kräfte, blieb nicht ohne Auswirkung auf Christoph Schmids weitere Entwicklung.
Geniehaftes in Christoph Schmid blitzt auf, als er seine geistvollen und übermütigen Briefe an seinen Freund Salat, einen Gleichgesinnten, schreibt. Rhetorisch peitschenschwingend, verurteilt er mit bitterem Sarkasmus eine Hochgräfliche Exzellenz, die ihn in entwürdigender Weise Stunden um Stunden auf eine Audienz warten ließ. Mit Begeisterung der Redekunst zugetan, schreibt er, eine von ihm verfaßte Primizpredigt für seinen Bruder sei ihm als der Triumph der deutschen Beredsamkeit erschienen, doch die Autorwut, wie er es nennt, habe ihn kurz darauf verlassen, und bald habe ihm die Rede nur noch halb und später ganz und gar nicht mehr gefallen.
Christoph Schmid war nicht verborgen geblieben, daß gegen seinen Lehrer Johann Michael Sailer Anklage erhoben worden war. Sollte die Engstirnigkeit eines jesuitischen und dogmatisch festgefahrenen Klüngels über den reformfreudigen und menschenfreundlichen Lehrer die Oberhand gewinnen?
Von einer Reise durch das Allgäuer Land zurückgekehrt, über die Christoph Schmid ausführlich und begeistert schrieb, erkannte er, wie sehr sich freier, republikanischer Geist unter den Allgäuer Bergbewohnern ausgebreitet hatte. Wie selbstverständlich ergab sich für ihn der Vergleich mit den nach freier Entfaltung strebenden Lehrern in Dillingen. *„Dies bringt mich auf die Revolution“*, schreibt er an seinen Freund Salat. *„Die beste Constitution haben wir schon. Ich meine das Evangelium. Würde dies allgemein gehalten, wir könnten uns — die politische Constitution sei übrigens wie sie wolle — wohl befinden. Eine Revolution wäre überflüssig, ja unmöglich.“* Und Christoph Schmid folgert, weil diese göttliche Constitution weder von den Großen noch von den Kleinen gehalten werde, sei die Revolution nicht nur möglich, sondern notwendig. In einem furiosen Akt der Leidenschaftlichkeit entwirft er, ohne die Bezüge der aktuellen Wirklichkeit beim Namen zu nennen, zwölf Artikel eines teuflischen Revolutionsplans: Fort mit den Armeen an den Grenzen. Die Freiwilligen, auf die sich die Großen verlassen können, zuerst zusammengeschossen. Den Abgang durch gezwungene Bauernsöhne ersetzt. Das Volk durch schwere Abgaben und noch drückendere Truppenaushebungen aufs äußerste getrieben. Verschwendung an den Höfen muß fortgesetzt werden, und die Ausgaben sind von Zeit zu Zeit zur allgemeinen Kenntnis in die Zeitung zu setzen. Männer von Verdienst, denen es gelingen könnte, die Jugend zu nützlichen Bürgern zu bilden, sind außer Wirkung zu setzen. Die Aufsicht über junge Leute ist Schafsköpfen anzuvertrauen. Besonders muß jungen Geistlichen eine dümmere Erziehung gegeben werden, das hilft der Religion auf. Von neueren Schriften dürfen sie keine Notiz nehmen. Die Beamten müssen immer übermütiger und gewalttätiger werden und der Stolz des Adels vollends grenzenlos. Besonders muß der Adel jeden, der mehr kann und weiß, als einen Demokraten von sich stoßen, damit er sich ihn, der ihn ehrte und liebte, zum Feind macht. Schließlich, wer Ruhe, Ordnung und deutsche Verfassung liebt und sie gerne gesichert und darum die Dinge geändert wissen möchte, ist ein Jakobiner.
Dieser Feuergeist Christoph Schmid, ein durch und durch freiheitlicher und revolutionärer Kopf, mußte die Niederlage und Demütigung seines väterlichen

Liberat Hundertpfund: Christoph von Schmid in seinem Studierzimmer, Gemälde 1847

Lehrers und Freundes Sailer, dem nach der Rückkehr von einer Ferienreise in Dillingen das Entlassungsdekret ausgehändigt worden war, mit Bitternis und Enttäuschung hinnehmen. Auch Professor Weber war aus dem Lehramt entlassen, Professor Zimmer in seiner Lehrtätigkeit auf die Physik eingeschränkt

worden. Der junge Kaplan Christoph Schmid gab die Zuneigung zu seinen bisherigen Freunden nicht preis. Wie mancher von ihnen fühlte auch er sich der Erweckerbewegung um den lutherähnlichen Martin Boos verbunden.
Die Verbitterung über die Menschen, die ihn bis zum Menschenhaß trieb, ließ den unentwegt nach innerem Ausgleich Trachtenden lange nicht los. Hinzu kamen die Querelen und anhaltenden peinlichen Nachstellungen der Augsburger Inquisition gegen seine Freunde, und auch er selbst blieb als Verehrer und Freund Sailers von einer Untersuchung seiner Papiere und Bücher nicht verschont. Seine innere Aufwühlung muß in jener Zeit, in der er der Allgäuer Erweckerbewegung nahestand, allmählich abgeklungen sein. Nicht ohne nachwirkenden Einfluß auf diese Beruhigung war schließlich auch seine Tätigkeit als Kaplan in Seeg, die er im Anschluß an seine Nassenbeurer Zeit eine kurze Frist lang, ganz dem Seelsorgeamt hingegeben, ausübte.
Danach sollte ihn ein zwanzig Jahre dauerndes Wirken als Schuldirektor in Thannhausen, ganz im Zeichen der kulturellen und politischen Änderungen, die sich nach der Französischen Revolution vollzogen, außerordentlich erfolgreich und weithin beispielgebend bekannt werden lassen.
Der Erfolg seiner als Student ausgeübten Hauslehrertätigkeit in Dillingen hat hier durch den charismatisch begabten Pädagogen eine ungeahnte Vervielfältigung erfahren. Aus seiner Schulpraxis gewonnene Lehrprinzipien setzten sich beispielgebend durch. Seine Auffassung von der Ganzheit des Weltverständnisses war Grundlage für seine im Wortsinn verstandene und von ihm praktizierte Universitas. Nicht Prügelstrafe, wie er sie selbst noch erlitten hatte, sondern verständnisvoller Umgang mit den Kindern, nicht einseitig doktrinäre Lehre, sondern Erziehung zu selbständigem, kritischem Denken waren die Mittel der von ihm entwickelten und in die Tat umgesetzten Pädagogik.
Die Arbeitslast während seiner Thannhauser Zeit muß für Christoph Schmid geradezu erdrückend gewesen sein. Hinzu kam, daß er, eingezwängt in vielfältige Pflichten als Schuldirektor, Lehrer und Kaplan, kaum Zeit fand, seinen schriftstellerischen Neigungen in dem Maße nachzugehen, wie er es sich selbst wünschte. Trotzdem entstanden durch den Umgang mit der Jugend viele Entwürfe zu Erzählungen und Geschichten, darunter die später weltberühmt gewordenen Erzählungen *„Die Ostereier“* und *„Genovefa“.* Zu den erfolgreichen Schriften, die er in Thannhausen verfaßt hatte, zählt, neben anderen Schulschriften, vor allem auch die *„Biblische Geschichte“,* die weiteste Verbreitung und Anerkennung gefunden hatte.
Christoph Schmid sah seine schriftstellerische Aufgabe vor allem darin, den Schulunterricht und die Kindererziehung durch pädagogische Schriftstellerei zu unterstützen. *„Erblickst du einen in Jammer und kannst ihm helfen, so frage nicht lange: ist er ein Christ, ist er katholisch? Er ist ein Mensch“,* hatte er in ein Tagebuchblatt vom 10. Januar 1794 geschrieben. In der Kontinuität von eigener Erziehung, Lebenserfahrung und geistig-seelischer Auffassung mußte auch das, was er schrieb, unter dem Leitmotiv eines tieferen und wirklichen Menschentums stehen. Und wo anders als beim Kind konnte der Anfang zu diesem Menschentum gemacht werden?
Nach seinen Thannhauser Jahren verbrachte Christoph Schmid von 1816 bis 1827 in Oberstadion bei Ulm eine Zeit der Seelsorge, die für ihn auch als Schriftsteller fruchtbar und erfolgreich sein sollte. Die klare, durchsichtige Welt eines unter dem Zeichen ewiger Gerechtigkeit stehenden Lebens, in der das Gute innen wie außen am Ende aller Verstrickungen und Anfechtungen

triumphiert, fand auch hier in vielen Geschichten und Gedichten Ausdruck. Möglich, daß Christoph Schmid durch diese Art der Darstellung eine Bestätigung seiner eigenen, nicht von Anfechtungen und Störungen verschont gebliebenen, aber frei gewählten Entscheidung für seinen Weg als Priester und Lehrer suchte und auch fand. Denn nichts mehr war zu spüren von den ungebärdigen Jahren seiner Dillinger Zeit, aus denen ebenso ein Revolutionär und Welterneuerer hätte hervorgehen können wie nun ein um Ausgeglichenheit und innere Ruhe bemühter Menschen- und vor allem Kinderfreund aus ihnen hervorgegangen war. Von Jahr zu Jahr erlebte er den zunehmenden Erfolg seiner Veröffentlichungen. Er hatte keinen Anlaß, jener Entscheidung nachzutrauern, mit der er, eine Einschränkung seiner schriftstellerischen Lieblingstätigkeit befürchtend, einen Ruf als Professor für Pädagogik und Ästhetik beim Dillinger Lyzeum abgelehnt hatte.
Schließlich lobte ihn auch die literarische Kritik seiner Zeit. Friedrich Rückert, der junge fränkische Dichter, von dem nicht wenige meinten, er werde noch Goethe überglänzen, hielt seine Erzählung *„Die Ostereier“*, seine wohl gelungenste Prosaarbeit, für ein *„geniales Produkt“*. Johann Michael Sailer nannte ihn einen *„klassischen Schriftsteller“* und einen *„ausgezeichneten Jugendschriftsteller“*, sogar etwas *„Genie-Ähnliches“* sah er in seinen Talenten.
Die Gefühligkeit der Jugendschriften Christoph Schmids und ihre überdimensionierte idealistische Ausrichtung auf den Erfolg des Guten muß bei den Lesern Anteilnahme und tiefe innere Bewegung ausgelöst haben. Immer wieder wird berichtet, Schmids Erzählungen seien *„unter Tränen“* gelesen worden. Selbst sein väterlicher Freund und Lehrer Johann Michael Sailer schrieb ihm nach der Lektüre seiner Erzählung *„Der Weihnachtsabend“*, deren Entstehung zurückzuführen ist auf eine Jugenderinnerung Schmids an einen Vetter namens Joseph und dessen wundersame Weihnachtskrippe: *„Ach, Du hast uns in Regensburg so viele Tränen ausgepreßt, daß eine neue Überschwemmung zu fürchten war — und eine größere als in St. Petersburg. Die Polizei mußte das Lesen des Büchleins verbieten, um das Wasser zu sistieren. Im Ernste, liebster Freund! Wenn Du so fortfährst, so muß die Kirche Dich zu ihrem fünften Evangelisten machen, und das von Rechts wegen.“* Nun, sie hat ihn nicht zum Evangelisten gemacht. Sie hat ihn 1826 durch König Ludwig zum Domkapitular nach Augsburg berufen. Dort verfaßte er neben Schulschriften vor allem auch seine Lebenserinnerungen, in deren erstem Teil er seine Jugendgeschichte darstellte und deren zweiten Teil er seinem Freund und Lehrer Sailer widmete.
Wenn es richtig ist, daß die Geschichte nicht nur am Beispiel der Großen beschrieben zu werden verdient, sondern vor allem auch und erst recht durch die Darstellung des Lebens der Kleinen, des kleinen Mannes, so haben die Lebenserinnerungen Christoph von Schmids eine über die Wirkung seiner Erzählungen und Geschichten hinausreichende Bedeutung. Denn nirgends scheinen die Kleinstadtverhältnisse Dinkelsbühls, der Geburtsstadt Schmids, und Dillingens, der Stadt seines Studiums, mehr auf als hier.
Seine Erzählungen sind vergessen. Sie stehen in den Regalen der Bibliotheken der halben Welt, in den Universitäten in Rom, Paris, Prag, Madrid, Athen, in London, Moskau, Bombay und Peking, natürlich auch in manchen deutschen Schriftensammlungen. Sie waren nahezu ein Jahrhundert lang Lesestoff für die Kinder. Sie hatten eine Breitenwirkung, die anderen und zumal größeren Namen versagt blieb.

Die Kinder bey der Krippe.

1.

Ihr Kinderlein kommet, | o kommet doch all!
Zur Krippe her kommet | in Bethlehems Stall,
Und seht, was in dieser | hochheiligen Nacht
Der Vater im Himmel | für Freude uns macht.

2.

O seht in der Krippe, | im nächtlichen Stall,
Seht hier bey des Lichtleins | hellglänzendem Strahl,
In reinlichen Windeln | das himmlische Kind,
Viel schöner u. holder | als Engel es sind.

3.

Da liegt es – ach Kinder! | auf Heu u. auf Stroh;
Maria u. Joseph | betrachten es froh;
Die redlichen Hirten | knieen betend davor,
Hoch oben schwebt jubelnd | der Engelein Chor.

4.

~~Die Kinder der Hirten~~ mit freudigem Sinn, Mancher ... bringt
~~[illegible]~~ nach Bethlehem hin; Milch, Butter u. Honig
Ein Körblein voll Früchte, | das purpurroth glüht, ~~[illegible]~~
Ein schneeweißes Lämmchen | mit Blumen behängt. ~~[illegible]~~

N. B.

2.) O betet: Du liebes, du göttliches Kind, Liebes
Was leidest du alles | für unsere Sünd!
Ach hier in der Krippe | schon Armuth u. Noth,
Am Kreuze dort gar noch | den bittern Tod.

N. B.

1.) O beugt wie die Hirten | anbetend die Knie ~~[illegible]~~
~~[illegible]~~ und danket wie sie!
Stimmt freudig, ihr Kinder, | wer sollt sich nicht freun,
Stimmt freudig zum Jubel | der Engel mit ein!

Eine strenger und nüchterner gewordene Kritik, die das Gefühlige und Moralisierende aus den Räumen der Literatur hinausgekehrt hat, auch der Wandel in den Auffassungen der Pädagogik mit der Abwendung von einem idealistischen Schönheits- und Ganzheitsdenken, trugen dazu bei, daß Christoph von Schmid kaum mehr dem Namen nach bekannt ist. Wenigen sagt der Verfassername Christoph von Schmid etwas, der in den Weihnachtsliederbüchern über dem Lied *„Ihr Kinderlein kommet"* steht.
Christoph von Schmid, eine Persönlichkeit mit geist- und gemütvoller Ausstrahlungskraft, war körperlich von kleiner Statur. Seine hohe, schön gewölbte Stirn, seine kleinen, etwas tiefliegenden blauen Augen und seine Gesichtszüge, die nichts Hartes und Eckiges aufwiesen, verrieten Milde und Güte eines liberalen, humanen Menschen. Bei Betrachtung seines Bildes ist es nicht anders denkbar, als daß er schrieb, wie er war. Seine Erzählungen und Geschichten waren im Grunde nichts anderes als die Spiegelung seines Lebens.
Am 3. September 1854 starb er in Augsburg an der Cholera. In der von Krankheits- und Ansteckungsangst erfaßten Stadt soll es bei seinem Begräbnis weder Blumen noch Kinder gegeben haben.
Noch wenige Jahre vor seinem Tod hatte er sich in einem Brief an seinen Freund Jakob Salat beklagt, daß er die kraftvollsten Jugendjahre damit zubrachte, als Schulgehilfe das Mechanische des Lesens, Schreibens und Rechnens zu treiben, anstatt die vielen hundert, ja tausend Tage und Stunden zum Schreiben zu verwenden, um mehr und Besseres zustande zu bringen. Eine späte Einsicht, daß ihm vielleicht doch manches, was er geschrieben hatte, unzulänglich erschien und einer reiferen Kritik nicht mehr gewachsen? War im hohen Alter noch einmal jene jugendliche Zwiespältigkeit zum Durchbruch gekommen, die zwischen dem Streben nach Größe und dem Verlangen nach innerer Ruhe schwankte? Damals hatte er sich durchgerungen zu der Äußerung: *„Größe? Ach nichts Großes, nur das zu sein, was ich muß, um ruhig in mir selbst, um Eins zu sein mit mir selbst."*
„Mehr und Besseres" – hätte Christoph von Schmid dieses Ziel bei seiner Veranlagung und seinem Charakter erreichen können?

„Ihr Kinderlein kommet" in Schmids Handschrift

Hendrik Bebber

GEORG FRIEDRICH REBMANN

1768–1824

Das Krachen, mit dem das morsche „ancien régime" 1789 in Frankreich zusammenbrach, löste im Blätterwald der politischen Presse in Deutschland ein reges Echo aus. Leidenschaftlich und begeistert setzten sich die Journalisten mit der Französischen Revolution auseinander. Ungeachtet der Beschränkungen, die durch die scharfe Zensur in den deutschen Kleinstaaten einer freien Meinungsäußerung auferlegt war, verbreiteten sich die Nachrichten von den Ereignissen wie ein Lauffeuer.
In Jena erreichten sie Andreas Georg Friedrich Rebmann, der hier gerade seine Studien in den Rechts- und Staatswissenschaften abschloß. Rebmann, ein unruhiger und wacher Geist in einer unruhigen und wachen Zeit, mußte wegen eines Duells von Erlangen nach Jena fliehen. Es war dies das einzige Mal in seinem Leben, daß er der Klinge gegenüber der Feder als Waffe den Vorzug gab.
Den Kampf mit der Waffe der Kritik beherrschte er wie viele streitbare Publizisten des ausgehenden 18. Jahrhunderts meisterhaft. Er handhabte messerscharfe Satire, ätzende Parodie und zerschmetternde Polemik souverän gegen Despotismus, Kleinbürgertum und reaktionären Geist. Schon die Titel der Journale, an denen er mitarbeitete oder die er selber herausgab, sind Kampfansagen: *„Wahrheiten ohne Schminke", „Das Neue Graue Ungeheuer", „Die Geissel".*
Zu den Idealen der Französischen Revolution, der Gleichheit, Freiheit und der Brüderlichkeit, gesellte sich bei ihm noch die Wahrheit. Dieser Hang zur Wahrheit – der sich in seinen Schriften und in seinem Leben in kritischer Rationalität äußerte – verließ ihn nie; auch dann nicht, als er am Ende seines Lebens unter dem Druck der äußeren Umstände so manches resignierend verneinen mußte, für das er in seiner Jugend eingetreten war.
Rebmann stammte aus dem gebildeten Bürgertum. Sein Vater Johann Christian war Direktorialkassierer des Freiherrn von Seckendorff zu Markt Sugenheim bei Neustadt an der Aisch. Hier wurde auch Georg Friedrich Rebmann am 23. November 1768 geboren. Die Nachrichten über seine Jugend sind spärlich. Er besuchte in Nürnberg die Schule und wurde bereits mit 13 Jahren

in Erlangen immatrikuliert. Rebmanns Freund Friedrich August Schulze berichtet in seinen Memoiren, die er unter dem Pseudonym Friedrich Laun veröffentlichte, daß kein besonders inniges Verhältnis zwischen Vater und Sohn geherrscht hat. Dieser, ein „Fürstendiener“ voll kleinlicher Pedanterie, mag den hochfliegenden Plänen und Ideen seines Sohnes wohl verständnislos gegenübergestanden sein. Tatsächlich führte der junge Rebmann von Jugend an ein eigenständiges Leben.

Nach dem Abschluß seiner Studien kehrte er wieder nach Erlangen zurück. Er legte sich hier mit dem reaktionären Spießbürgertum an, das in fruchtlosen Debattierklubs die Ereignisse der Französischen Revolution zerredete. In den *„Briefen über Erlangen“* spottet er: *„Gewöhnlich tritt ein Sprecher dieser Parlamentarier auf, liest eine oder mehrere Zeitungen vor und illustriert jede Zeile mit hochweisen Bemerkungen. Dies ist nur Feuer ins Pulver. Im Augenblick ergreift die Wut zu kannegiessern die ganze ehrsame Gesellschaft. Leidenschaftlich schwellen die Adern der Streiter, eine schwere Rauchwolke steigt aus ihren Pfeifen. Aristokraten und Demokraten, Royalisten und Konstitualisten stehen Mann für Mann und nicht selten müssen die Köpfe der Gegenpartei das politische Gleichgewicht von Europa sehr handgreiflich empfinden.“*

Er selber äußert sich noch nicht über die Französische Revolution. Während er, vom Geiste der Aufklärung getragen, gegen die Mißstände in der Verwaltung, den Klerus und die Universität wettert, beobachtet er die Entwicklung in Frankreich besorgt und erregt. An politischen „Kannegießereien“ will er nicht teilnehmen. *„Laßt uns Gedichte tun, nicht dichten“,* fordert er später einmal seine Mitstreiter auf. Ihm genügt es nicht mehr, ein aufklärerisches „enfant terrible“ zu sein; ihn drängt es zur Aktion, und so folgte er nach einer längeren Reise durch Deutschland einem Ruf nach Dresden.

Hier übernahm er die Redaktion von zwei Zeitschriften. Diese beiden Blätter, die *„Neuen Dresdner Merkwürdigkeiten gemeinnützigen Inhalts“* und der *„Neue Sächsische Annalist“* teilen bald das Schicksal vieler journalistischer Produkte jener Tage. Kaum gegründet, gehen sie bereits 1793, ein Jahr danach, wegen Mangels an Mitarbeitern und finanzieller Schwierigkeiten ein. Trotz dieser Kurzlebigkeit sind diese Schriften im Vergleich zu ähnlichen Produkten bemerkenswert: Frei von grenzenlosem Enthusiasmus und blindwütender Polemik seziert und analysiert Rebmann die Ereignisse der Französischen Revolution mit kritischer Rationalität. In der ersten Nummer wird das Ziel der Zeitschrift abgesteckt: *„dem durch die letzten Begebenheiten in Europa erwachten politischen Interesse und der nützlichen Wissbegierde zu Hilfe zu kommen“.* Hinter diesem Leitfaden erkennt man wieder die konsequente aufklärerische Gesinnung Rebmanns. Sittliche, soziale und politische Kritik wird hier rational und empfindsam zugleich in pädagogisch und didaktisch angelegte Schriften gepackt, die einer Vervollkommnung der Menschen dienen soll.

Rebmanns erste politische Schriften sind für ihn ebenfalls eine erste Bestandsaufnahme der Situation, die sein Leben lang Motor seines Handelns und Tuns sein werden: die Auswirkungen der Französischen Revolution auf Deutschland. Entschieden trennt er die Ausschreitungen in Frankreich von der Idee der Revolution. Der Keim der Exzesse wurde nicht durch den Umschwung gelegt, sondern er trieb aus dem alten Regime heraus die Schreckensgestalt des „blutigen Robespierre“ über ein „hintergangenes Volk“.

In zwei Artikeln unterzieht Rebmann die Fragen „Was ist Gleichheit" und „Was ist Freiheit" einer kritischen Betrachtung. Aufgrund der natürlichen Gegebenheiten und Begabungen kann es keine vollkommene Gleichheit zwischen den Menschen geben. Die Gleichheit der Bürger im Staat beruht auf einer unterschiedslosen Behandlung durch die Gesetze und auf einem gemeinsamen Anspruch aller auf Schutz, Rechte und Vorteile der Gesellschaft. *„Die bürgerliche Freiheit ist derjenige Zustand, in welchem der Wille jedes einzelnen keine anderen Schranken kennt, als diejenigen, die ihr das Wohl des ganzen Volkes und die gleichen Rechte seiner Mitbürger setzen. Das Gesetz ist der Schutz der bürgerlichen Freiheit."* Diesen Gedanken vermochte Rebmann später als Richter in die Praxis umzusetzen.
In den Kreisen der Dresdner Intelligenz war Rebmann bald ein geschätzter Diskussionspartner. Der junge Mann, dessen Aussehen als kränklich und nicht sehr einnehmend geschildert wird, gewinnt viele Freunde wegen seiner Persönlichkeit, die den Mangel an äußeren Vorzügen wettmacht. Gerühmt werden sein Humor und seine Spottlust, die in seiner fesselnden rhetorischen Begabung zum Ausdruck kamen. Seine unbegrenzte Menschenliebe bewahrte ihn vor Zynismus. Oft war er an der Grenze des Bankrotts, weil er seinen Bekannten und Freunden finanziell aushalf, ohne an sich zu denken.
Seine Menschenliebe begründete auch die Abneigung gegen jede Gewalt. Seine Gedanken kreisten beständig um das Problem, die Ergebnisse der Revolution auch in Deutschland zu erlangen, ohne aber die gleichen Methoden benützen zu müssen. Diese ständige Sorge um Deutschland veranlaßt den jungen Schriftsteller zu einer scharfsinnigen Analyse der sozialen, politischen und geistigen Mißstände in den Fürstentümern. Dabei erschöpft er sich nicht allein in der Kritik, sondern stellt detaillierte Vorschläge zur Veränderung der Verhältnisse und damit zur Vermeidung der Revolution auf: *„Frankreichs Unglück gibt folgende Lehre: gewaltsame Revolutionen entstehen, wenn der Despotismus im Vertrauen auf die Apathie, die er erzeugt, den Druck auf die niedere Menschenklasse immer mehr verstärkt."*
Einen Weg, Revolutionen zu vermeiden, erkennt Rebmann in den Reformen, die die Fürsten im Sinne des „Zeitgeistes" schrittweise selber durchführen müssen. Die Schriftsteller fordert er auf, an einer Verfassungsverbesserung mitzuwirken und publizistisch aufzuklären.
Das politische Konzept, das Rebmann in Leipzig entwickelte, ist trotz seines Idealismus bemerkenswert realistisch. Die kursächsische Regierung gewährte den kritischen Geistern einen gewissen liberalen Spielraum, der auf einen Sieg der Rationalität hoffen ließ. Erst als Rebmann erkennen mußte, daß die deutschen Fürsten zu keinen Kompromissen bereit waren, ja entschieden gegen die reformfreudigen Kreise einschritten, verließ er den schwankend gewordenen Boden der politischen Realität und begab sich in die fernen und exotischen Gefilde der politischen Utopie.
Dies geschah leider sehr bald. Durch seine unverhohlene Sympathie für Frankreich hatte sich Rebmann mißliebig gemacht. Den Ausschlag für die feindselige Stimmung gab jedoch der satirische Roman *„Hans Kiekindiewelts Reisen in alle vier Weltteile und in den Mond"*. Mit diesem Roman folgte Rebmann dem Beispiel vieler Schriftsteller der Aufklärung, dem Druck der Zensur durch fiktive Reisebeschreibungen zu entgehen, in denen Europäer von unglaublichen Zuständen in exotischen Ländern berichten. In Wirklichkeit sind aber eben diese Länder groteske Zerrspiegel der eigenen Wirklichkeit.

Ebenso wie in Voltaires *„Geschichte der Reisen Scarmentados“* wird Hans Kiekindiewelt an die Ufer eines von Schwarzen bevölkerten Landes Monopta geworfen. In einer *„Allgemeinen Übersicht von Monopta“* stellt Rebmann die Klassenstruktur vor:

„Monopta läßt sich eigentlich im allgemeinen als ein großer Tiergarten, der zum Vergnügen des ohnbeinigen Monarchen angelegt ist, betrachten. Die Menschen als die Geschöpfe des zweiten Ranges teilen sich in folgende Klassen:

1. *Uhehes. Dies sind gewisse Familien, die von den Göttern abstammen sollen. Die Wahrheit ist, daß ihre Vorfahren Räuber waren, die sich durch Barbareien und Schurkenstreiche mächtig und furchtbar zu machen wußten. Sie haben ausschließlich das Recht zu den öffentlichen Staatsbedienungen, und niemand als ein Uhehe kann um die Person des Monarchen sein.*
2. *Pililis. Dies sind Mädchen, die um den Monarchen sind, um ihm in müßigen Stunden die Zeit zu vertreiben.*
3. *Bronzen. (Auf deutsch ohngefähr Priester.) In Monopta sind drei herrschende Religionen. Die eine behauptet, daß die Pantoffeln des Skidi (eines Götzenbildes) aus dem Meerschaum und der Luft erzeugt, die andere, daß sie aus dem Feuer hervorgegangen, die dritte, daß sie von der Erde ausgeworfen worden seien. Alle drei Religionen hassen sich auf das fürchterlichste.*
4. *Schistilis. Dies sind die Totschläger, welche täglich sechs Biribis erhalten, um zu morden, wen man morden lassen will.*
5. *Pruskis. Menschen, die, wenn jemand mit einem anderen einen Streit hat, so lange schreien, bis die beiden Streitenden keinen Heller Geld mehr haben und niemand mehr weiß, wer recht hat.*
6. *Utis. Gelehrte. Von diesen weiter unten.*
7. *Pruskis. Soviel als Schauspieler.*
8. *Rahirs. (Soviel als Kanaille.) Begreifen den Kaufmanns-, Handwerker- und Landmannsstand. Diese Rahirs müssen alles, was sie verdienen, den Uhehes, Bronzen, Schistilis und Pruskis geben.“*

Die Anspielungen auf Deutschland werden noch durch viele Anagramme verstärkt, die die Namen von bedeutenden Schlüsselfiguren des politischen und geistigen Lebens des Landes verbergen.

Hans Kiekindiewelt entflieht der Dumpfheit und der Brutalität Monoptas und findet sein Glück im Nachbarland, wo er sich mit einer „Tochter der Natur“ vermählt. Der Vater des Mädchens weiht die Verbindung mit den Worten: *„Das ewige Gesetz der Natur heißt Liebe, Liebe oder Dasein“*, und als er stirbt, sind seine letzten Worte an das Paar: *„Zerstörung und Erzeugung heißt dein heiliger, ewiger Kreislauf, Natur! Erzeugung gebiert Zerstörung und Zerstörung Erzeugung. Beide zusammen sind Liebe.“*

Verglichen mit der Nüchternheit seiner journalistischen Arbeiten wirken die Naturschilderungen in Hans Kiekindiewelt intimer, lyrischer und zärtlicher. Diese affektive Einstellung zur Natur entspricht bei Rebmann einem Einklang des Begriffspaares Vernunft und Gefühl. Den Schritt von der Aufklärung zur Romantik vollzieht er jedoch nicht: Trotz aller Empfindsamkeit bleibt die Natur für ihn transparent. *„Natur steht für Tugend, Vernunft, Wahrheit und Selbstverwirklichung des Menschen.“* Neben die Natur setzt Rebmann in diesem Roman noch ein zweites normatives Ideal: die Menschlichkeit. Dabei verläßt er die Länder seiner Phantasie und zeigt an konkreten Beispielen, wie

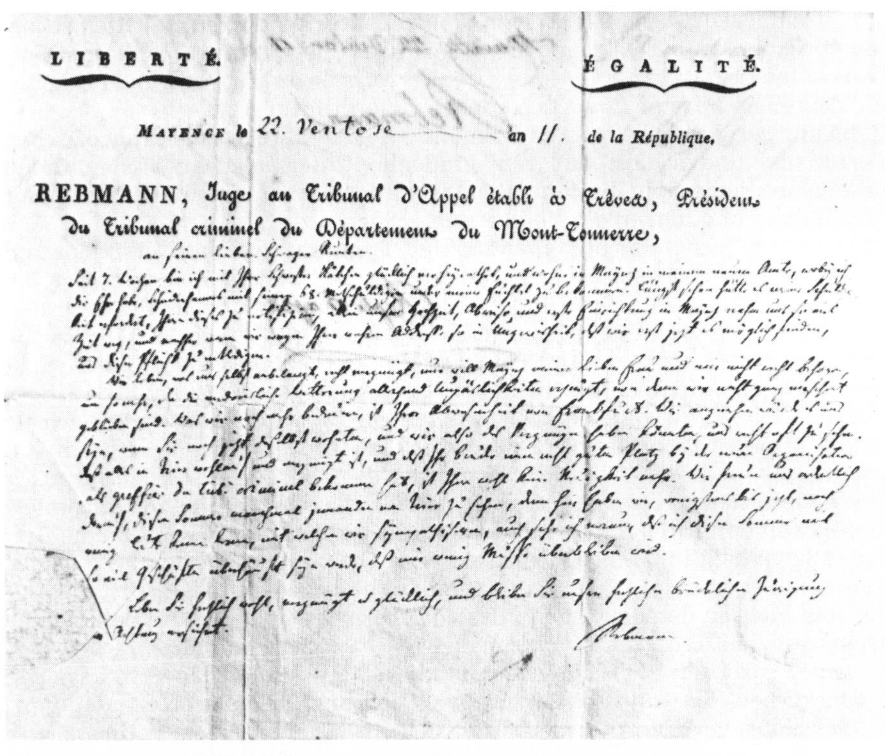
LIBERTÉ. ÉGALITÉ.

MAYENCE le 22. Ventose an 11. de la République.

REBMANN, Juge au Tribunal d'Appel établi à Trèves, Président du Tribunal criminel du Département du Mont-Tonnerre,

Brief Rebmanns vom 27. Oktober 1804, wahrscheinlich an seinen Bruder

die Bestialität gegenüber der Menschlichkeit triumphiert. Leidenschaftlich klagt er den Sklavenhandel Westafrikas an und schildert die Revolution in Santo Domingo. Bei aller Sympathie für die Unterdrückten, die gegen ihre Peiniger aufstehen, bei aller Rechtfertigung, die er für ihre Ausschreitungen findet, schmerzt ihn die Inhumanität.
Nach langen Irrfahrten kommt Hans Kiekindiewelt nach Amerika, dem Land, *„wo Freiheit und Glück sich zum schönen Bruderband die Hände bieten, wo Werte und nicht Worte gelten"*. In einem Epilog zur ersten Auflage des Romanes betont Rebmann den satirischen Charakter des Buches. Er habe sich dabei eine Harlekinsjacke angezogen. In seinen idealistischen Vorstellungen verläßt der Harlekin den fragwürdig gewordenen Boden der Realität und bewegt sich als Traumtänzer auf dem Seil der Utopie, angezogen von der Vision der „besten aller Welten".
Durch seine freimütig geäußerten Ansichten machte sich Rebmann in Dresden als Jakobiner verdächtig. Er setzte sich rechtzeitig nach Dessau ab, wo ihm und seinem Freund Vollmer aber die Aufenthaltserlaubnis verweigert wurde. Endlich bot sich in Erfurt, welches unter Kurmainzer Verwaltung stand, die Chance, wieder eine Schrift herauszugeben. Die Zeitschrift *„Das Neue Graue Ungeheuer"* sollte die Nachfolge des *„Grauen Ungeheurs"* antreten, welche der streitbare süddeutsche Publizist Wekhrlin bis zu seinem Tode veröffentlichte. Das Ziel der Zeitschrift war, der immer stärker werdenden reaktionären

Presse entgegenzutreten. Diese von keiner Zensur berührten Schriften schürten eifrig die Antipathie gegen die Französische Revolution. In lebhaften Farben malten sie das Schreckgespenst der Terroristen an die Wand und forderten die deutschen Fürsten zu entschiedener Unterdrückung auf.
Rebmann verglich in seinen Artikeln diese Reaktionäre mit den französischen Terroristen und schloß, daß nur graduelle Unterschiede zwischen ihnen beständen. Beide appellierten an niedere Emotionen, verleumden schamlos ihre Gegner und hetzen die Völker zum Kriege.
Nach wie vor besteht er auf einer strikten Trennung zwischen Ursachen und Wirkungen der Französischen Revolution, aber es werden immer weniger, die seine Gesinnung teilen. Der Zeitgeist hat sich gewandelt und die Begeisterung der öffentlichen Meinung ist in offene Abneigung und Furcht umgeschlagen. Die stereotypen Apologien in Rebmanns Artikeln können einen Umschwung nicht mehr erreichen. Er war zu keiner Konzession bereit und mußte sich deswegen isolieren. Wo sollte er auch Gesinnungsgenossen finden. Er, der sich als „citoyen" in der Tradition des reformatorischen Bürgertums bewegte, mußte erleben, wie nach dem Sturz der Jakobiner die Bourgeoisie im Machtrausch eine neue Serie von Exzessen auslöste und sich damit von seinen Idealvorstellungen weit entfernte. Als Republikaner und Tyrannenfeind war ihm die Aristokratie verhaßt und ein natürlicher Feind. Die politische Kraft des Proletariats nahm er erst viel später wahr. Seine bürgerliche Einstellung distanzierte ihn vom Plebs in den deutschen Fürstentümern, die unaufgeklärt den Feudalismus stützten. Trotz dieser Haltung wird er zum beredten Fürsprecher, und in seinen späteren Reisebildern schildert er ergreifend das Schicksal der Unglücklichen, die von den Fürsten wie Vieh an ausländische Staaten zum Söldnerdienst verhökert werden; freilich, mehr als eine soziale Verbesserung aus sentimentalen Gründen dieser unterprivilegierten Klassen strebte er nicht an.
Als im Juli 1793 deutsche Truppen das vorübergehend von den Franzosen besetzte Mainz wieder zurückeroberten, kam es zu zahlreichen Schauprozessen gegen die sogenannten Klubisten. Diese Anhänger der Revolutionsbewegung hatten während der kurzen französischen Herrschaft republikanisch-demokratische Verwaltungsinstitutionen gegründet und wurden dann von der Kurmainzer Regierung als politische Verbrecher eingekerkert.
Das *„Neue Graue Ungeheuer"* wurde zum Anwalt dieser Unglücklichen. Auch seine belletristischen Werke kämpften gegen die Reaktion und für die Verbreitung der französischen Revolutionsideale. *„Leben und Taten des jüngeren Herrn von Münchhausen, wohlweisen Bürgermeisters zu Schilda"* prangert die Narrenpossen eines korrupten Bürgermeisters an, dessen blödsinnigsten Anordnungen von den Bürgern mit Schafsgeduld ertragen werden.
Die *„Geschichte eines Kraft-, Licht- und Dranggenies"* berichtet von den nicht minder grotesken Zuständen an den kleinen Fürstentümern, und *„Ludwig Waghals"* gibt das Leben eines Fürstbischofs wieder, der *„ein Wüstling und Taugenichts, durch Feste und Luxus sein ganzes Land in Armut gestürzt hat"*.
Wertvoller als diese vollgepackten Satiren, in denen oft der Gag das Argument sticht, sind Rebmanns Reiseschilderungen. Anknüpfend an ein Buch Wekhrlins nennt er seine unter dem Pseudonym „Amselmus Rabiosus der Jüngere" veröffentlichten Werke *„Wanderungen und Kreuzzüge durch einen Theil Deutschlands"*. Eine scharfe Beobachtungsgabe steht hinter den geschliffenen und pointierten Städteporträts. Hier formuliert er im Klartext, was im Wust

der Rahmenerzählungen seiner Romane nicht mehr durchsichtig ist. Neben der Verspottung der Zustände in einzelnen deutschen Städten findet der Leser oft manches Lob, und die Schilderung der Künste, Sitten, Gebräuche und des öffentlichen Lebens gibt trotz der oftmaligen Skizzenhaftigkeit ein reiches und eindrucksvolles Bild der Wende vom 18. zum 19. Jahrhundert. Rebmann war unbestechlich. Ihn konnte die Patina der glorreichen Vergangenheit nicht über die Hohlheit der miserablen Gegenwart hinwegtäuschen. So schreibt er beispielsweise über Nürnberg, das damals in politischer, wirtschaftlicher und geistiger Agonie lag: *„Sooft ich noch diese Reichsstadt betrat, sooft war mir's, als ob ich weinen müßte. Die ganze Bürgerschaft kommt mir vor wie eine Pflanzschule von Seidenwürmern, die man blos aufzieht, um ihnen, wenn sie reif sind, die Haut abzuziehen. Nichts Großes, nichts Erhabenes, nichts Emporstrebendes ist hier zu finden. Alles ist beengt, kleinlich, niedergedrückt, alles ein Bild der Leerheit und des Sinkens. Mehr als eine mittelmäßige Existenz verlangt man gar nicht, man will nur soviel Erleichterung der Fesseln, um ruhiger für die Tyrannen arbeiten zu können."* Man bedenke, daß diese Zeilen eben zu der Zeit der romantischen Neuentdeckung Nürnbergs geschrieben wurden. Während Tieck und Wackenroder durch Nürnbergs mittelalterlichen Habitus zu kulturidealistischen Spekulationen angeregt wurden, sieht Rebmann tiefer. Er findet anerkennende Worte für die Anhänglichkeit der Nürnberger an ihre Vaterstadt und an ihre Tradition, beklagt aber bitter die Ausnützung dieser Tugend als Mittel feudalistischer Repression: *„Diese nämliche Anhänglichkeit ist aber eben der Kunstgriff, dessen sich jene Übermütler bedienen, um das arme Volk, das immer an Spielwerken klebt, in ewiger Anhänglichkeit zu erhalten. Man läßt ihm die alten Formen und macht mit dem Wesen, was man will."*

Für den Franken aus Sugenheim ist alles Altfränkische ein Greuel. Er, der sich selber oft als *„Neufranke"* bezeichnet, steht der Romantik ablehnend gegenüber und kanzelt sie schroff als *„neue Mystik"* ab. In einer Auseinandersetzung mit Schlegels Ideen bemängelt er, *„daß diese Vertreter der neuen Mystik selten die Vernunft, stets aber die Phantasie gebrauchen und deswegen unfähig werden, die Wahrheit zu erkennen. Die Romantiker gehören ja zu einer Schule, welche die Wahrheit in Nebel zu verhüllen strebt und alles, was nüchterne Prüfung fordert, vermeidet."* Mittlerweilen war der Kurfürst von Mainz auf Rebmann und seinen Freund Vollmer aufmerksam geworden. Der eitle und reizbare Kirchenfürst verlangt Vorschläge von seiner Erfurter Dienststelle, wie es möglich wäre, *„solche von hier abzuschaffen, da wichtige Gründe die Entfernung dieser Leute anraten"*.

Die Behörden arbeiten prompt. Kramer und Vollmer, seine Mitarbeiter, werden verhaftet und in die Festung geworfen. Bei Nacht und Nebel flieht Rebmann aus Erfurt. Mit zitternder Hand schreibt er auf einen Papierfetzen an einen Freund in Berlin: *„Man will meinen Kopf. Nackt und blos bin ich den Henkern entflohen. Mein Verbrechen nennt man Hochverrat, weil ich frei und kühn sprach. Ich schreibe Ihnen das unter dem Altar einer Dorfkirche, wo ich mich verkrochen habe. Ich habe nichts gerettet, als die Münze, die ich bei mir trug. Vollmer sitzt auf der Zitadelle. Die Husaren sprengen meilenweit nach mir."*

Rebmann wendet sich zunächst nach Altona, wo er sich unter den Schutz der liberalen dänischen Behörden stellt. Von dort begibt er sich nach Frankreich. *„Am 2. Messidor der Batavischen Freiheit"*, dem 20. Juni 1796, überschreitet er die holländische Grenze. Hier rechnet er zunächst mit dem Kurmainzer Regime ab. Darüber hinaus zieht er in dem Buch *„Die vollständige Geschichte meiner Verfolgungen und meiner Leiden“* die Bilanz seines bisherigen Lebens und damit auch der politischen Situation in Deutschland. Neben dem Partikularismus der deutschen Kleinstaaten, der jede nationale Erneuerung von vornherein zum Scheitern verurteilt, sieht Rebmann in gewissen Ausprägungen des deutschen Nationalcharakters ein Hemmnis für eine progressive Entwicklung: *„Es liegt in der Natur des kalten Deutschen jede Neuerung solange zu unterlassen, bis ihn die augenscheinliche Erfahrung von den Vorzügen derselben von der alten Einrichtung überzeugt hat.“* Und an anderer Stelle meint er: *„Man glaubt die innere Ruhe nicht zu teuer durch völlige Sklaverei und unbedingte Entsagung zu erkaufen.“*

Die Kritik, die Rebmann an Deutschland äußerte, war stets getragen von einer tiefen Sehnsucht nach Verhältnissen, die diese Kritik unnötig machen würden. So aber stehen in seiner Wertskala die Begriffe Freiheit und Recht vor Vaterlandsliebe, und ein patriotisches Loyalitätsgefühl muß bei ihm auf Gegenseitigkeit beruhen. *„Die süße Anhänglichkeit an das Vaterland“*, so ruft er aus, *„muß bei den Menschen verschwinden, wenn seine Menschenrechte durch die Verfassung des Vaterlandes nicht anerkannt werden.“*

Wie aus verschiedenen Äußerungen von ihm in Frankreich zu spüren ist, hat er trotz enger geistiger Verbundenheit sehr oft über sein Emigrantenschicksal geklagt. In seiner kosmopolitischen Weltanschauung verfolgt er die Freiheitsbewegungen auf der ganzen Welt mit einem warmen Mitgefühl. Er steht mit dem leidenschaftlichen Gedicht *„Finis Poloniae“* am Anfang der deutschen Polenliteratur, und sein Bericht über die Sklavenaufstände in Santo Domingo mögen als vorgegriffene Apologie der Emanzipationsbewegung der dritten Welt gelten.

Die überschwengliche Begeisterung, die Rebmann erfaßt hatte, als er im August 1796 nach Paris kam, war bald einer Ernüchterung gewichen. *„Paris – die geliebte Stadt, wo die Freiheit der Welt gegründet wurde“*, war auf dem Wege, die Revolution und seine Vertreter zu zerstören.

Unverzüglich nahm Rebmann seine journalistische Tätigkeit wieder auf. Seine Arbeiten geben einen guten Überblick dieser turbulenten Zeit und versuchen, in dem Labyrinth der sich überstürzenden Vorfälle einen roten Faden aufzuzeigen. Seine Wahrheitsliebe schafft ihm auch in Paris viele Feinde. Unverblümt tadelt er die diktatorischen Maßnahmen des Direktoriums, den wachsenden Einfluß der Royalisten, den hemmungslosen Luxus der Reichen und die erschütternde Armut der unteren Schichten. Dennoch zeigt er sich optimistisch in der Hoffnung, daß der Grundgedanke der Revolution die Pervertierung überdauere und schreibt, daß *„Frankreich sich zu den übrigen europäischen Ländern noch immer so verhalte, wie ein Rekonvaleszent von einem heftigen Fieber zu einem Schwindsüchtigen, dem durch die Kunst des Arztes noch einige Augenblicke Lebens gegeben sind.“*

Mehr und mehr wandte sich die reaktionäre Stimmung in Paris gegen ihn, und so war ihm der Auftrag der französischen Regierung, als Richter in die rheinischen Departements zu gehen, sehr willkommen. Über die Konsequenz dieses Schrittes war er sich voll bewußt, und es spricht mehr Resignation als Triumph aus den Worten, mit denen er seine Haltung rechtfertigen will: *„Oh Germanien! nimm die Zähre des bitteren Unmuts, die über meine Wange rollt, zum letzten Opfer von deinem dir nur gezwungen absagenden Sohn. Der schöne*

Traum, Deutschland zu einer Republik und die Deutschen zu einer Nation werden zu sehen, muß aufgegeben werden!"
Rebmann zählt sich zu den *„zu Franken gewordenen Deutschen"*, und er hofft, daß von seinem Wirkungskreis, *„von diesem zweiten Sinai eine neue Gesetzgebung für Deutschland ausgehen würde, die den Deutschen Freiheit und Menschenrechte bringe!"*
Rebmanns richterliche Tätigkeit wird von seinen Zeitgenossen wegen seiner Gerechtigkeit, Lauterkeit und seiner steten Sorge für die Unterdrückten und Verfolgten gerühmt. 1803 führt er den Prozeß gegen den Schinderhannes, der ihm mehr Beachtung in der Öffentlichkeit einbringt als seine literarische Tätigkeit. In seinem abschließenden Bericht weist er ausdrücklich darauf hin, daß die Gesellschaft ein Gutteil der Schuld an dem Verbrecherunwesen trägt: *„Diese unglücklichen Menschen, die ohne Unterricht und Erziehung aufgewachsen, aus Not und Müßiggang stehlen und in einer Art Krieg mit der Gesellschaft, zu der sie durch kein Band angehören, leben, mußten werden, was sie sind — Verbrecher."*
Die aufreibende Tätigkeit als Richter läßt Rebmann ruhiger und abwägender werden. Durch die französische Eroberungspolitik sind seine Sympathien für Frankreich merklich abgekühlt. Besonders hart trifft ihn die Gründung des Kaiserreiches durch Napoleon, den er einst glühend verehrte. Doch er vermochte es nicht mehr, sich offen gegen den Kaiser zu stellen. Zum zweitenmal emigrierte er, diesmal in die innere Emigration. Erst nach dem Wiener Kongreß im Jahre 1815 greift Rebmann wieder zur Feder. Der Republikaner Rebmann, deprimiert von dem Zusammenbruch all dessen, an das er geglaubt hatte, kann sich nur noch zwischen dem reformistischen Regen und der reaktionären Traufe entscheiden. Er wird zum Verteidiger Bayerns, wo es noch gewisse liberale Spielräume gibt. In der Schrift *„Bayern vor Teutschlands Richterstuhle"* preist er die Reformen des aufgeklärten Ministers Montgelas. Die innere Ordnung Bayerns stellt er als vorbildlich hin, und die Angriffe der Metternichschen Reaktion weist er mit den Worten ab: *„Den Geist der neuen Zeit, der in den Freiheitskriegen unbewußt zum Ausdruck kam, hat Bayern schon vorher verstanden. Durch seine aufklärenden Reformen hat der König von Bayern die Liebe seiner Untertanen gewonnen . . ."* Diese Modifizierung des Standpunktes wurde Rebmann oft als Verrat angelastet — allein der Druck der Verhältnisse ließ ihm keine andere Wahl. Er versuchte zu retten, was noch zu retten war, und es gelang ihm dabei, die Beibehaltung der französischen Rechtsverfassung durchzusetzen. Die königliche Regierung honorierte ihm seine Haltung. Er wurde 1816 Oberpräsident des Appellationsgerichtes des bayerischen Rheinkreises zu Zweibrücken. Dieses Amt behielt er bis zu seinem Tode im Jahre 1824. Es spricht für seinen ungebrochenen Bürgerstolz, daß er von dem verliehenen Adelstitel nie Gebrauch machte.
Krank, von beständigen Schmerzen geplagt und halb erblindet, schreibt Rebmann, ermattet von einem lebenslangen Kampf um Demokratie und Humanität an seinen Freund Laun: *„Ich sitze denn hier an der Grenze Deutschlands ziemlich gut, so lange die Götter Ruhe schenken. An die mögliche Zukunft muß man nicht denken, sondern von Tag zu Tag leben, Gutes und Böses durcheinander annehmen, seinen Pudding in Ruhe essen und schweigen."*
In diesem bitter-ironischen Selbstbekenntnis spielt Rebmann auf ein Gedicht Johann Heinrich Voß' *„Der zufriedene Sklave"* an. Die Wahrheit als Richtschnur seines Lebens legt er auch an sich an, und so mag ein anderes Gedicht

von Voß, welches Rebmann seiner Zeitschrift *„Haydeblümchen"* voranstellte, für den großen Vertreter der revolutionären deutschen Publizistik besser gelten:

> *„Dir, Wahrheit und Gerechtigkeit,*
> *dir schwör ich Treu auf immer.*
> *Vergebens lockt die Welt und dräut*
> *mit ihrem Trug und Schimmer.*
> *Sei noch so schlimm, Gefahr und Not,*
> *Verachtung selbst und schnöder Tod,*
> *unredlich sein ist schlimmer!"*

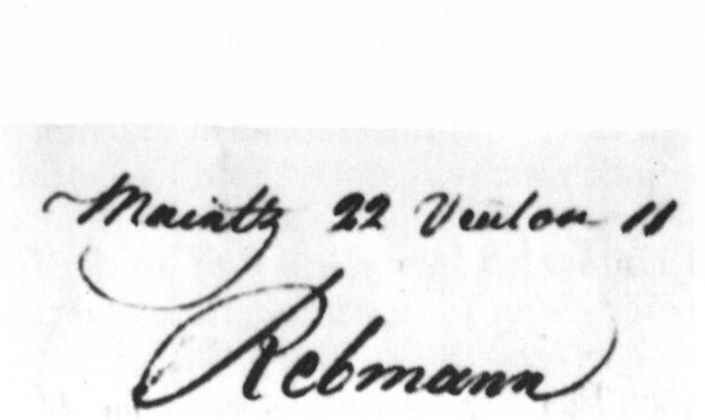

Namenszug Rebmanns unter einem Brief vom 13. 3. 1803 an seinen Schwager Damian Runten

Wolfgang Baumgart

E.T.A. HOFFMANN

1776–1822

Er war zu klein von Gestalt. Zwergisch gewachsen und zwergisch geblieben, litt er sein Leben lang unter solchem Fluch, ohne es eigentlich einzugestehen. Nur dichterisch verschoben schuf sich das Leiden Ausdruck. Sein Märchen von Klein-Zaches, genannt Zinnober – dem Jacques Offenbach, wie seinem dichterischen Schöpfer, von Paris aus durch das Auftrittslied der Titelgestalt seiner Oper *„Contes d'Hoffmann"* zu Weltruhm verhalf, unter grotesker Brechung von Sprache, Kunstform, Stil und Sinn, einer ganz hoffmannesken vielfachen Brechung von Spiegelungen – dieser Klein-Zaches ist ein grausig verzerrtes Selbstporträt Hoffmanns. Klein-Zaches, der Mißgeburt, schenkt die gütige Fee Rosabelverde zum Ausgleich seiner Häßlichkeit und Zurückgebliebenheit die Gabe, daß alles, was in seiner Gegenwart Gescheites getan und gesagt wird, von den Anwesenden ihm zugeschrieben wird; ein Fluch, wie sich zeigt, weil sie den Körper- und Charakterkrüppel dazu verdammt, sich selbst hochstaplerisch zu ruinieren. Hoffmann sah seine Lebensbenachteiligungen, seinen Zwergwuchs, seine frühe Verwaisung, seine liebeleere Kindheit durch das Zaubergeschenk der Künstlergaben wettgemacht, das ihm mitgegeben war. Ein bedenklicher Zauber war auch das für ihn, wie der des Klein-Zaches, denn der Gaben waren zu viele. Nicht nur das dichterische Wort war ihm geschenkt. Es blieb sogar lange Zeit stumm und seinem Dichter selbst unbewußt, bis er es, sich selbst zu großer Überraschung, hörbar werden lassen konnte. Er hatte dazu eine weit überdurchschnittliche zeichnerische und malerische und, vor allem andern, eine überragende musikalische Begabung. Das lenkte die Wege und Umwege seines Lebens.

Geburt, Herkunft, Epoche schienen diese Wege vorzuzeichnen. Aus einer Juristenfamilie zu stammen, in Königsberg, dem Mekka der deutschen Aufklärung, und auf dem Gipfel der Epoche – Kant, seit einigen Jahren an der Königsberger Universität Professor der Logik und Metaphysik, arbeitete damals an der *„Kritik der reinen Vernunft"* – geboren zu sein, das hätte eine Festlegung von besonderer Nachdrücklichkeit bedeuten können. Aber die Aufklärung hatte ihren Scheitelpunkt überschritten, bis dieses 1776 geborene Kind in eine freudlose und durch Vernachlässigungen verkargte Jugend herangewachsen war. Sein geistiges Wachstum wurde ebenso von aufklärerischen wie von antiaufklärerischen Nährstoffen gespeist. Pedantische Strenge und Achtlosigkeit der Verwandtenerziehung hielten einander die Waage, gerade systemlos und verworren genug, um zwei sehr verschiedene Ergebnisse zu zeitigen. Dieser Erziehung gelang es, in Hoffmann die preußischen Pflichtvorstellungen des aufklärerischen Bürgertums unausrottbar fest zu verankern, aber zugleich zu erschüttern und zu diskreditieren. Auf der andern Seite pflegte sie in gehobenem Dilettantismus die Künste eines nachbarocken Gesellschaftsprogramms, Malerei und Musik, in einem Ausmaß, das geeignet war, sie in einer eingeengten Seele zu Wunschtraumbereichen eines Fluchtideals hinaufzusteigern. Hier bildete sich ein Riß in Hoffmanns Natur, der sich zu einem Lebenszwiespalt vertiefte. Er verschuldete die unversöhnte Doppelung seiner Existenz und ist in den odysseeischen Wechselschlägen seiner Biographie gespiegelt. Hoffmanns große zeichnerische und noch wesentlich größere musikalische Begabung nahm die künstlerischen Unterweisungen so willig auf, daß er, mindestens im Musikalischen, den Vorbildungsbedingungen eines Berufsmusikers in nichts nachstand, als er darauf angewiesen war. Er nahm die juristische Ausbildung, Studium und Prüfungen, so unwillig oder wenigstens lustlos auf sich, daß es überrascht, ihn fleißig und erfolgreich zu sehen. Rasch tat er die ersten Schritte einer Juristenkarriere und war mit 24 Jahren Assessor bei der Regierung in Posen. Hier machte schon nach kurzer Zeit die Behendigkeit seines Zeichenstiftes einen groben Strich durch seinen Schicksalsentwurf. Treffend boshafte Karikaturen von Posener Notabilitäten, obenan des allmächtigen kommandierenden Generals, im Karneval 1802 verteilt, riefen einen Skandal hervor, und Hoffmanns bevorstehende und schon zur Unterzeichnung bereitliegene Ernennung zum Regierungsrat wurde zwar nicht kassiert, aber mit einer Strafversetzung verbunden, nämlich nach Plozk an der Weichsel, einem elenden Provinznest. Die zwei Jahre, die er dort aushalten mußte, wurden für Hoffmann zu einer Vorschule der Kunstausübung musikalischer, zeichnerischer und, wenn auch noch nicht dichterisch verstanden, literarischer Art. Dann wurde er nach Warschau versetzt und konnte auf die Fortsetzung einer nur gestörten Beamtenlaufbahn rechnen. Aber auch diese Erwartung ging fehl. Den nächsten Strich durch die Rechnung, gründlicher als sein eigener Karikaturenstift es konnte, machte ihm die Weltgeschichte. Die Franzosen besetzten, nach der preußischen Niederlage, in November 1806 Warschau und machten der Verwaltung der damals preußischen Provinzhauptstadt ein Ende. Die Beamten teilten die wenigen vorhandenen Gelder unter sich auf und standen dann, in einem auf ein Mindestareal reduzierten Königreich Preußen, vor dem Nichts. Hoffmanns Beamtenlaufbahn war, wie die vieler anderer, zu Ende. Fast zwei Jahre eines sich immer mehr verschlimmernden Daseinselends hatte er zu durchstehen, bis die entschiedene Wendung zur Kunst als Beruf einen neuen Abschnitt seines Lebens eröffnete. Er wurde Musikdirektor des Theaters in Bamberg. Für viereinhalb Jahre, vom 1. September 1808 bis zum 21. April 1813, wurde Franken seine Heimat. Hier vollzog sich die Metamorphose. Der Beamte wurde zum Künstler. Diese Lebenswendung steht wie ein Modellfall vor dem Hintergrund der weltgeschichtlichen Ereignisse, durch die sie hervorgerufen wurde. Napoleon, der irrationale Erbe der rationalen Revolution, befreite Europa mit rücksichtsloser Radikalität zu politischer Unsicherheit. Damit wurde das 19. Jahrhundert eingeleitet, das die Erbschaft des Aufklärungsjahrhunderts übernehmen mußte, die Auseinandersetzung zwischen seinen rationalen und seinen irrationalen Kräften und Gegenkräften. Das

E. T. A. Hoffmann im Sommer 1821, Bleistiftzeichnung von Wilhelm Hensel. Das einzige gesicherte Bildnis Hoffmanns von fremder Hand

napoleonische Ereignis schwemmte mit der Gewalt eines Naturvorgangs zunächst einmal fast alles Bestehende fort. Es war dieselbe Woge, die auch Hoffmann aus den Fesseln des preußischen Beamtenzwanges riß. Sie schleuderte ihn in die Ausgesetztheit künstlerischen eigenen Seins.

„Längst hatte ich gewünscht, Verhältnisse aufzugeben, die mich drückten und ängstigten, und nicht zürnen konnte ich auf das Schicksal, welches das bewirkte, was auszuführen ich selbst so lange nicht Mut und Kraft genug gehabt hatte. Nein! – Als ich mich frei fühlte, da erfaßte mich jene unbeschreibliche Unruhe, die, seit meinen frühen Jugendjahren, so oft mich mit mir selbst entzweit hat... – ein wüstes wahnsinniges Verlangen bricht oft hervor nach einem Etwas, das ich in rastlosem Treiben außer mir selbst suche, da es doch in meinem eigenen Innern verborgen... Nur einen Engel des Lichts gibt es, der Macht hat über den bösen Dämon. Es ist der Geist der Tonkunst, der oft aus mir selbst sich siegreich erhebt, und vor dessen mächtiger Stimme alle Schmerzen irdischer Bedrängnis verstummen.“ (Kater Murr. Erster Band. Erster Abschnitt.)

Das ist, in dichterischer Überhöhung, in den Worten des Kapellmeisters Kreisler, ein verschlüsselter Rückblick Hoffmanns auf seine seelische Situation während der Bamberger Zeit. Das Engagement am Bamberger Theater machte seiner Daseinsgefährdung kein Ende. Die wirtschaftliche Bedrängnis dauerte, mit vielen Schwankungen, einmal zum Besseren, einmal zum Schlechteren hin, über alle vier Sommer und fünf Winter an. Aber die Bamberger Jahre waren die Epoche, die Hoffmanns künstlerisches Sein klärten und festigten, in denen seine künstlerischen Möglichkeiten erprobt und entschieden wurden, in denen seine Leistungen als Künstler entworfen und zu einem Teile schon hervorgebracht wurden.

Die Musik steht am Anfang, und sie gibt Hoffmann die Lebensbasis, aber sie steht nicht allein. Die Stelle eines Musikdirektors verdankte Hoffmann seinem kompositorischen Geschick. Der Reichsgraf Julius von Soden (1754–1831), der das Theater führte, ein gebildeter Dilettant mit nicht geringen Ansprüchen und beträchtlicher literarischer Fruchtbarkeit – er hat sogar einen mit Goethe konkurrierenden *„Faust“* geschrieben –, war mit der in fünf Wochen komponierten Probearbeit, einer Oper Sodens, *„Der Trank der Unsterblichkeit“*, so zufrieden, daß er Hoffmann engagierte. Freilich trat er seine Direktion schon vor Hoffmanns Eintreffen in Bamberg an einen dürftigen Komödianten namens Cuno ab, der Hoffmann übernahm, aber in seinem Urteil nicht bestechen konnte. *„... die Gesellschaft so wie die Theaterverhältnisse sind getreu im Wilhelm Meister geschildert“*, schrieb Hoffmann seinem Jugendfreunde Hippel am 23. 12. 1808. Die Krisen des Bamberger Theaters folgten einander, in diesen unsicheren Jahren, fast von Saison zu Saison. Hoffmann hatte zunächst als Orchesterleiter weniger Glück, als er erwartete. Erfolge erwarb er als Komponist, als Sänger und besonders als Gesangslehrer und Musikrezensent. Der Gesangsunterricht in den führenden adeligen und bürgerlichen Familien Bambergs und die Besprechungen in der *Allgemeinen Musikalischen Zeitung* des Hofrats Rochlitz in Leipzig hatte Hoffmann zwar, weil Cuno seine Gagenzahlungen schon nach einigen Monaten einstellte, des Erwerbs wegen übernommen, aber sie wurden von größter Bedeutung für seine künstlerische Existenz. Als Gesangsschülerin begegnete ihm in der jugendlichen Julia Marc die Schicksalsgestalt, die, selber ahnungslos und kaum berührt, in Hoffmann die Liebesleidenschaft entzündete, an der das Künstler-Ich seiner selbst bewußt wurde. In der rezensierenden Beschäftigung mit der Musik aber entwickelte er

Der erste erhaltene Brief Hoffmanns: Ende Oktober 1794 an Hippel

Ende Octobr 1794 geschrieben, vielleicht um vergessen zu werden.

In der grössten Misslaune von der Welt schreibe
ich dir diese Zeilen – Schuld hat mir ein
unpässlichen Grade [illegible], dass ich dich vor
deiner Abreise gar nicht mehr gesehen, dass ich
ich dir nicht noch ein herzliches Lebewohl sagen kann
Schuld [illegible] mich, dass ich in eine Sache, die
dich doch auch in gewisser Rücksicht interessiert, von dir
nicht unterrichtet [illegible] bin. Jetzt, da der
[illegible] gänzlich vorüber ist, will ich dir wenigstens zu
meiner Herzenserleichterung den ganzen Verlauf
erzählen – Du kennst doch meine beyden neuesten
Stücke, auf die ich vorzüglichen Fleiss angewandt
habe und von denen ich etwas zu hoffen pflegte,
dass ich für meinen Namen den [illegible] Ruhm
[illegible] würde – wir [illegible] aber [illegible]
dass dieser Namen dein Onkel, der Geh. R. v. [illegible]
[illegible] stellte. Gestern fühlte ich meinen Entschluss
[illegible], und schreibe für dich den Verlauf meines

[illegible]

sich nicht nur zum anerkannten Kunstrichter, dem sogar Beethoven in achtungsvoller Dankbarkeit schrieb (und er schrieb sehr ungern), sondern auch zum Literaten: von hier aus tat er den Schritt in die Dichtung.
Die Rückkehr Sodens in die Direktion fesselte Hoffmann mit der Komposition der Sodenschen Brahmanenoper *„Dirna"*, die er dann auch erfolgreich selbst dirigierte, von neuem ans Theater, und als nach Soden Franz von Holbein (1779—1855), nicht ohne Zutun Hoffmanns, für einen etwas längeren Zeitraum, nämlich von September 1810 bis Ende Februar 1812, das Theater übernahm, wurde seine Mitarbeit noch enger und vielseitiger. Er betätigte sich neben dem Musikalischen als wirkungsvoller und ideenreicher Theatermaler und Theaterarchitekt. So schuf er die Ausstattung zu Holbeins plumper Bearbeitung von Kleists *„Käthchen von Heilbronn"* (das nach den Wiener Aufführungen vom März 1810 in Bamberg die erste deutsche Inszenierung erlebte, die einzige weitere, die Kleist noch erlebte) und scheute keine technische Bühnenarbeit: *„Abends im Kätchen von Heilbronn beym Burgbrand geholfen"*, sagt das Tagebuch vom 7. Februar 1812. Ferner entwarf und malte er nicht nur die sehr gerühmten Bühnenbilder zu den drei Calderón-Inszenierungen während der Holbeinschen Direktionszeit, der *„Andacht zum Kreuz"* (13. 6. 1811), des *„Standhaften Prinzen"* (11. 8. 1811) und der *„Brücke von Mantible"* (29. 9. 1811), sondern war auch entscheidend an dieser nicht unbedeutenden Phase der Aneignung Calderóns durch das deutsche Theater der Romantik beteiligt. Seine frühere Arbeit an einer Calderón-Oper hatte den Anstoß gegeben. Die seriöse Gipfelhöhe seiner bildkünstlerischen Bemühungen und eine höchst romantische Mittlertätigkeit, ähnlich der Schlegels oder Tiecks, berühren sich hier, und zwar in der romantischen Universalkunst des Theaters. Später zeichnet Hoffmann nur noch im Dienst seiner eigenen Ironie, des biographischen oder literarischen Witzes, und die romantische Theatervermittlung trat der romantischen Theaterschöpfung ihre Rechte und Ziele ab. Die zunächst durchaus subalterne, nämlich dem Text- und Bühnenzweck untergeordnete Theaterkomposition Hoffmanns emanzipierte sich in Bamberg. Auf die Sodensche *„Dirna"* folgt die Holbeinsche *„Aurora"*. Mit dem letzten Impuls der Bamberger Jahre, noch von den Bamberger Mozart-Aufführungen mit angeregt, wenn auch erst nachher verwirklicht und vollendet, folgt die *„Undine"* als Krönung der Theaterkompositionen Hoffmanns. Nach Fouqués Erzählung und auf einen Text, den Fouqué auf Hoffmanns, über Hitzig an ihn gelangte Bitte selber geschrieben hatte, ist sie nicht mehr ein Gebrauchswerk im Sinne des Opernbetriebs im 18. Jahrhundert, Fleißertrag des Theateralltags, sondern ein erstes Hauptwerk der deutschen romantischen Oper. Wenn sie den großen Ruhm, den die Berliner Aufführung vom 3. August 1816 ihr brachte, an Webers *„Freischütz"*, an Marschner und Lortzing verlor, so lag die Hauptschuld an dem Mißgeschick, daß noch kein ganzes Jahr später, nach 23 Aufführungen, am 29. Juli 1817 alles auf einmal verlorenging; es verbrannten die Schinkelschen Bühnenbilder, die gesamte Ausstattung an Kostümen und Requisiten und schließlich auch die Noten. *„Undine"* ist als Kunstwerk ein später Ertrag Bambergs, und zwar sowohl der Bamberger Musik wie des Bamberger Theaters. Sowenig unter der Ungunst der Zeiten und der Menschen auch davon verwirklicht werden konnte, Hoffmanns Intention ging auf das Muster eines romantischen Theaters, ähnlich wie das Goethes in Weimar das eines klassischen sein wollte. Es konnte das, wie jenes, auch nur zu einem Teile sein, und zwar sowohl im Schauspiel, das Hoffmann wenigstens zu Holbeins Zeit ein wenig

Die „Aurora"-Partitur, Schlußszene des 2. Aktes

mitbeeinflussen konnte, wie in der Oper, die ihm, dem damals nur als Musiker Anerkannten, noch näher lag. Dieser Drang ist deutlich zu spüren, auch wenn das beharrungsfreudige Element das Bamberger Theater dieser Jahre in den Rahmen des späten 18. Jahrhunderts fesselte. Mit einem Ensemble von stets mehr als zwei Dutzend Kräften auf der Bühne und einem noch um einiges größeren Orchester war dieses Bamberger Theater keineswegs ein geringfügiges Unternehmen, wie man, von den Maßstäben des 19. Jahrhunderts irregeführt, sich anzunehmen gewöhnt hat. Trotz Kotzebue und der Weißenthurn, Jünger und Schröder, Beck und Iffland als Basis des Spielplans war das Repertoireniveau während des ganzen Zeitraums von Hoffmanns Anwesenheit von beträchtlichem Anspruch getragen, am stärksten zur Direktionszeit Holbeins. Schiller war mit sieben Werken, darunter allen drei Teilen des *„Wallenstein"*, Lessing mit drei vertreten. In der Oper standen nicht Benda und Winter im Vordergrund, sondern Mozart, der mit *„Figaro"* und *„Zauberflöte"*, *„Don Juan"* und *„Cosi fan tutte"*, *„Entführung"* und *„Titus"*, öfters wiederholt, auf dem Programm Bestand hatte. Die schauspielerischen Leistungen blieben nicht so gering, wie sie dem bei seinem Kommen so enttäuschten Hoffmann erschienen waren. Zudem gab es Gastspiele berühmter Mimen. Ferdinand Eßlair (1772–1840) trat 1810 zweimal in Bamberg auf, Carl Doebbelin (1763–1821), der Sohn des berühmteren Carl Theodor, der das Berliner Nationaltheater geschaffen hatte, und der leidenschaftliche Komödiant Carl Friedrich Leo

(1780—1824) spielten 1811 und 1812 wiederholt. Die Eindrücke waren groß genug, um Hoffmanns natürliches Urteilsvermögen über Schauspielkunst durch Erfahrung zu sichern. Auch auf diesem Gebiet wurde sein kunstrichterliches Urteil bald anerkannt, und die spätere Berliner Freundschaft mit dem großen Ludwig Devrient (1784—1832) war keineswegs nur eine Trinkbrüderschaft, wie die Anekdoten über die Abende und Nächte im Weinkeller von Lutter & Wegner am Gendarmenmarkt glauben machen, sondern sachlich, nämlich theatralisch, gut begründet.

Lehrjahre einer theatralischen Sendung, einer musikalischen und schließlich auch einer literarischen, in romantischer Vertauschung und Verbindung ihrer einzelnen Elemente waren die Bamberger Jahre für Hoffmann. Es waren harte und bittere, aber auch rasch fördernde Lehrjahre voller schrecklicher und voller beglückender Seinserfahrung, belohnt von der Erfüllung einer zum ersten Male geahnten inneren Sicherheit der künstlerischen Existenz. Sie machten aus Ernst Theodor Wilhelm Hoffmann, dem aus der Bahn geworfenen Juristen, den romantischen Künstler Ernst Theodor Amadeus Hoffmann. Wenn er nicht ohne ein bißchen hochstaplerische Renommisterei in den Musikerberuf und nach Bamberg gekommen war, er verließ es als echter Musiker und als Musiker hervorragenden Ranges sowohl in praktischer kompositorischer Leistung in allen Gattungen, nicht nur in der Oper, der Vokal- und der Kammermusik, wie auch in theoretischer; das beweisen allein schon die Besprechungen von Werken Beethovens in der *Allgemeinen Musikalischen Zeitung* in Leipzig. Aber wie hinter zum Beispiel Spohr oder Schubert, ohne daß man sie Epigonen heißen dürfte, Beethoven steht, so strahlt über E.T.A. Hoffmann immer das Zentralgestirn Mozart. In seinem Glanze reifte in Bamberg der Musiker. Aber zu gleicher Zeit, in weiterer Verwandlung und Enthüllung seines abgründig reichen Ich, reifte in Bamberg auch der Dichter.

Wo kam der Dichter her? Aus Wielands Dschinnistan, aus Tiecks Verkehrter Welt, aus Jean Pauls Blumenbühl oder Lilar? Zu den geselligen Künsten, in denen den jungen Hoffmann seine schematische Erziehung unterwies, gehörte die Dichtung nicht mehr. Vergessen war die Vorstellung von der Lehrbarkeit der Poesie, wie sie zuletzt das Barock praktiziert hatte, in Gebrauchsformen übergegangen die Versgeschmeidigkeit und Reimfertigkeit des Rokoko; die Lächerlichkeit solcher Scheinpoesie und ihrer Mächler hat Hoffmann im vierten Teil der Serapionsbrüder *(„Der aesthetische Thee“)* mit Hohn überschüttet. Die aufklärerisch begründeten Wirkungsantriebe pädagogischen Charakters, die den Idealismus auszeichneten, Dichtung als Ausdruck eines Existenzmodells, wie bei Goethe, oder einer Moraldoktrin, wie bei Schiller, fehlten Hoffmann. Er lehrte nur als Musiker lehrbare Fertigkeiten, und auch da mehr durch den Eindruck seiner Person als der pädagogisch zubereiteten Sache. Hoffmann kam, vielleicht dank (oder undank) seiner Kleinheit, vielleicht wegen ererbter psychischer oder erfahrener Umweltseinflüsse, nie von seinem Ich weg. Alle seine Schöpfungen gehen von ihm aus und weisen auf ihn zurück. Das Werk ist nicht ablösbar von der Person seines Schöpfers, die Person Begründung, Ziel und Rechtfertigung des Werkes. Dieses Ich entfaltete sich, als die Beamtenfesseln zerrissen waren, in der Musik. Daß über Musik zu sprechen, etwas über Musik zu sagen, sich unversehens als Sache nicht mehr oder nicht mehr allein der Musik, sondern des Sagens erwies, traf Hoffmann wie eine dichterische Selbstentdeckung. Aus erster Unsicherheit, von langsam und ruckweise wachsendem vorwärts tastendem dichterischem Selbstgefühl

Hoffmanns bedeutendstes Gemälde, die von September 1812 bis Februar 1813 gemalte Gouache des Bamberger Verlegers und Weinhändlers Carl Friedrich Kunz mit Frau, ältester Tochter und Schwägerin in der Wohnung Pfahlplätzchen 5 mit Fensterblick zur Altenburg. Das Signum rechts unten zeigt ein Buch, auf dessen linker Seite Hoffmanns Selbstporträt, auf der rechten Seite „Lichte Stunden eines wahnsinnigen Musikers"

getrieben, wovon die Tagebücher einiges spiegeln, trat Hoffmann aus den literarischen Sekundärprovinzen des Musikraisonnements in die Kernlandschaft des autonomen Wortes.
Das Künstler-Ich im Musiker, das ist die Rolle, unter der sich Hoffmann seiner dichterischen Frage nach dem Menschen bewußt wird. Das ist der fragens-

werte, fragwürdige Mensch, den ihm seine Selbstbeobachtung zeigt, und von dem aus er alles sieht. Der Selbstbeobachtung wird er als romantisches Kind der Aufklärung nicht müde, und die Ergiebigkeit seines Ich scheint unerschöpflich. Am Beginn seines zweiten Bamberger Jahres verzeichnet das Tagebuch unter dem 6. November 1809, nach einer Reihe von trockenen Sachnotizen der letzten Tage und unmittelbar vor einer langen, zwei Wochen langen Lücke, in den Aufzeichnungen:

> *„Sonderbarer Einfall auf dem*
> *Ball vom 6*
> *Ich denke mir mein Ich durch ein Vervielfältigungs Glas — alle Gestalten die sich um mich herum*
> *bewegen sind Ichs und ich ärgere mich über ihr*
> *thun und lassen ppp“*

Das ist wie das Zucken eines Erkenntnisblitzes, in dessen fahlem Licht für einen Augenblick das Wesen der vielfältigen Welt seines dichterischen Werkes der nächsten zwölfeinhalb Jahre sichtbar wird.
Aber das Ich steckt in der Welt, die es bedingt, drängt, nötigt und vergewaltigt — wie sehr, das wußte Hoffmann besser als mancher andere. Die Spannung zwischen dem Ich und allen seinen Vervielfältigungs-Ichs und der Welt, die es umgibt, ist ein mit dem Ich gesetztes Thema. Hoffmann behandelt dieses Thema, immer wieder von neuem, auf seine Art. Er widmet der Welt und ihren Gegenkräften nicht weniger Aufmerksamkeit als dem Ich, von dem seine natürlich voreingenommene Teilnahme ihn auszugehen zwingt. Vom ersten Werk an, in dem die literarische Fiktion eigenes Leben und dichterische Legitimität hat, vom *„Ritter Gluck“* an, ist die Grundposition festgelegt: das Künstler-Ich auf der einen Seite, dessen Nöte, Leiden, Bedrängnisse, Wünsche und Sehnsüchte die Treibkräfte jedes Werks und die in vielfacher Variabilität gewendeten und immer neu facettierten Inhalte bilden, und auf der andern Seite die Welt, die in gemütlicher Gehässigkeit, aimabler Feindseligkeit, cordialer Bosheit dagegen steht, gezeichnet mit einer nahezu realistisch zu nennenden zeitgenössischen Genauigkeit im abbildlichen Detail und dem sicheren Tiefblick der Notwehr gegen die amorphe Abgründigkeit ihrer Macht. Im *„Ritter Gluck“,* vielleicht in den ersten Wochen in Bamberg, vielleicht noch in den letzten Wochen oder Monaten der Not in Berlin geschrieben, ist diese Gegenwelt schon da, wenn auch nur in Tiergartenszenerie und Bürgeratmosphäre Berlins mit wenigen Strichen gezeichnet. Ihr Negatives bleibt, mit blassen Linien, nur angedeutet. Das volle Licht der Aufmerksamkeit wird auf die Titelgestalt gelenkt, das zwischen der Realität des Wahnsinnigen und der Irrealität des Revenant angesiedelte alte Musikgenie, das vor sich selbst und dem Erzähler als Ritter Gluck, als der berühmte, längst verstorbene Komponist posiert, eine Künstlergestalt, deren Fragwürdigkeit in ihr selbst, nicht im Verhältnis zur gegen sie stehenden Welt liegt. Dann, in Bamberg, begütigt zunächst eine neue Lebenswelt die pessimistische Spannung, in der das Künstler-Ich lebt.
Hoffmann tritt in einen Lebensumkreis, der ihn fasziniert. Bamberg, Franken, *„das herrliche südliche Deutschland“,* wie er am 23. Dezember 1808 an den Jugendfreund Hippel schreibt, wird ihm zum Inbegriff des Südens. Die Erleichterung darüber, daß er sein fast gescheitertes Schifflein in einem halbwegs sicheren Hafen weiß, läßt ihm zuerst alles rosig erscheinen. Das tatsäch-

lich Andere an fränkischer Landschaft und fränkischem Menschenschlag und das relativ Andere für den Blick des von Norden und Osten Enttäuschten wirken ineinander, um in Bamberg alles weich, statt, wie im Preußischen, rauh, heiter statt ernst, selbstverständlich statt absichtsvoll, mühelos statt angestrengt erscheinen zu lassen. Die Entspanntheit des Daseins in milderen Breiten mit dem extensiven Gewicht der Erscheinung, der dekorative Reiz der kleinen Hofhaltung einer herzoglichen Nebenlinie, die Bonhomie eines tonangebenden Bürgertums (*„Zum MitGliede der Gesellschaft der Honoratioren aufgenommen“*, Tagebuch vom 9. Februar 1809), schließlich die Bildkraft des Katholizismus mit Kirchen und Klöstern, Priestern und Mönchen, Glocken- und Orgelton, Chorgesang und Prozessionen, das alles als natürliches Leben des Südens ersetzte Hoffmann in Bamberg das ersehnte Italien, wohin er nie gekommen ist. Als Surrogat Roms und Italiens ist Bamberg auch in Hoffmanns dichterischem Werk wiederzuerkennen, am stärksten in den *„Elixieren des Teufels“*, seinem ersten Roman, der, geschrieben 1814 und 15, den gerade vergangenen biographischen Abschnitt Bamberg in einer kaum übersehbaren Fülle von Details ebenso spiegelt wie die inneren Entscheidungen dieser Jahre in den Variationen seines Hauptthemas, des Identitätsverlusts, hinter dem sich bei allen genealogischen, psychologischen und kriminologischen Greueln die brennende Frage des romantischen Ich nach sich selbst verbirgt.
Die natürliche Freiheit des äußeren Daseins, die sich Hoffmann am Anfang der Bamberger Zeit so verführerisch als Lebensluft und Lebenslust des Südens präsentierte, verhüllte ihm nicht allzu lange, daß auch hier Welt und Künstler einander feind waren. Wie die philiströsen Schlußschnörkel seiner ersten großen Novelle *„Don Juan“* dem enthusiastischen Aufschwung des Erzählers in abrupter Drastik ein kaltes Ende bereiten, ist noch gut als erzählerischer Effekt gerechtfertigt. Schon im nächsten Werk lassen sich die Pfeile des reisenden Enthusiasten, als den Hoffmann sich in Bamberg ansehen und bezeichnen lernt, gegen die niedere Welt nur aus aggressiver Abwehr des Witzes verstehen. Die *„Nachricht von den neuesten Schicksalen des Hundes Berganza“* ist eine skurrile Kontrafaktur zu einem novellistischen Einfall des Cervantes und, nur scheinbar verschleiert durch die Unverbindlichkeit als Hundereden, in Wirklichkeit ein unverhüllter Ausfall gegen die Bamberger Feindseligkeiten, unter denen Hoffmann litt, als Künstler und als Liebender. Denn zur Isolation des Musikers war nun auch die des liebenden, vergeblich liebenden Mannes gekommen, dem die jugendliche Gesangsschülerin Julia Marc zum Idol seelischer Exaltation wurde. Diese Liebe, die ihr äußerliches Ende nahm, als sie sich mit einem scheußlichen Skandal, nicht lange nach Julias Verlobung mit dem Hamburger Kaufmann Groepel, decouvrierte, besiegelte das künstlerische Schicksal des von der Natur benachteiligten, von der Aufklärung verbitterten, von der Romantik gespaltenen Hoffmann.
Die Idealität, ins Unerreichbare erhöht, stellt die Plattheit in ihrer ganzen Dürftigkeit bloß. So sehr die Ressentiments der Gespaltenheit ihn auch schwanken machten, in seinem Kampf gegen die platte Niedrigkeit ermüdete Hoffmann nie. Wohl zog auch ihn der gemeine Alltag manchmal in die Tiefe, und das Bamberger Tagebuch besonders der letzten Zeit gewährt peinliche und rührende Einblicke in die tragikomische Art, mit der Hoffmann des öfteren in qualfreudiger Selbsterniedrigung die Vergnügungen der flauesten Kumpanei teilte. Was ihm im Verlaufe des 19. Jahrhunderts den schlechten Ruf des Haltlosen, des Verächtlichen, des Säufers eintrug, ist nicht nur die primi-

Brief an Keller vom 24. Januar 1814

tive Rache der entlarvten Spießbürger mit den ihnen gemäßen, von ihnen beherrschten Mitteln des verleumderischen Klatsches. Aufschwünge aus der Erniedrigung des Alltags beanspruchte Hoffmann als Künstler, und Rausch ist nicht nur der seelische Normalzustand des Romantikers im Dauerkrieg gegen die Nüchternheit, er will, wo er erlahmt, gestützt werden. Hoffmann war angewiesen auf die Aufschwünge der Befreiung im Rausch der künstlerischen Phantasie, und er nahm, der darin liegenden Schwäche wohl bewußt, den Rausch des Alkohols zu Hilfe, der die Phantasie von ihren bleiernen Alltagsfesselungen lösen helfen mußte (*„Burgunder getrunken / item es hilft“*, Tagebuch vom 26. 1. 1811). Nur wer gelegentlich mit der feindlichen Gemeinwelt, wenn auch bedrückten Künstlergewissens, so zu fraternisieren verstand wie Hoffmann, konnte scharfäugig die Mängel ihrer Position, die schwachen und weichen Stellen entdecken und seine Angriffe darauf richten. Das hat Hoffmann in Bamberg gelernt, in Dresden und Leipzig fortgeführt und in Berlin, von 1814 an, vollendet. Weil er sie so gut kannte, konnte er mit skurriler Verführung die Plattheit einlullen, indem er ihr mit verhehlendem Spott schöntat und den eingeschläferten Philisterargus überlistete. Wo die Banalität porös wird, finden sich Fluchtwege und Fluglöcher für gefangene Seelen.

Das ist die Grundlinie der *„Fantasiestücke in Callots Manier"*, seiner ersten großen Erzählsammlung, in deren ersten beiden Bänden, erschienen 1814, alle Einzelstücke der Bamberger Zeit zusammengefaßt sind. Mit stilistischer Sicherheit wählte Hoffmann den manieristischen Radierer der frühen Barockzeit zum Patron, und er verstand es, wie er in der Vorrede sagt, *„alle die geheimen Andeutungen, die unter dem Schleier der Skurrilität verborgen liegen"*, aufzunehmen und auszugestalten, wie Jacques Callot. Daraus wird zum ersten Male eine in sich vollendet romantische Dichtung im Märchen *„Der goldne Topf"*, noch in Dresden 1813 begonnen, in Leipzig am 15. Februar 1814 vollendet. Kurz zuvor hatte Hoffmann, seiner Leistung sicher, dem Tagebuch als Eintragung zu seinem 38. Geburtstag (24. Januar 1814) anvertraut: *„gemüthlicher GeburtstagsAbend — sich in eigner Glorie gesonnt und was auf sich selbst gehalten"*. Ein Märchen nannte Hoffmann dieses Werk. Aber es war ein Märchen besonderer Art. Es schildert keine Vollendungs- und Idealwelt der Phantasieentrücktheit aus dem visionären Vermögen des Eingeweihten, wie die Volksmärchen des Morgen- und Abendlandes, die aus Tausendundeiner Nacht oder die Kinder- und Hausmärchen der Grimms, oder wie auch die des Novalis oder Brentanos. Hoffmann setzt in der skurrilen Realität an, stößt durch sie hindurch, wo sie in den greifbarsten Einzelheiten, z. B. geographischen und topographischen Details verbürgt ist, und findet hinter dem *„Schleier der Skurrilität"* sein Atlantis. Daß ein Fürst der Salamander als Geheimer Archivarius einem Studenten im Kaffeehause begegnen kann, war für Hoffmann so wenig verwunderlich, wie daß derselbe Student am Ende als glücklicher Gatte eines grüngoldenen Schlängleins in Atlantis lebt, wohlverstanden — und es wird zweimal gesagt, damit es auch niemand entgeht — *„auf einem Rittergute in Atlantis"*. Das sind nicht Fetzen einer zerrissenen primitiven Realität, sondern Seidenfäden vom Schleier der Skurrilität Callots, die Hoffmann dem Traumschluß anhangen läßt, absichtlich, denn die Quelle seines Handelns ist Ironie.

Was dem karg bedachten Kinde vom Anfang an als echter Urbesitz und unverlierbare Mitgift gegeben war und ihm fast bis zur letzten Lebensstunde erhalten blieb, war die Kraft des Humors. Aufklärerisch irregeleitet, als karikierender Witz, schlug er dem jungen Hoffmann sehr zum Schaden aus. Zu seinem romantischen Ich bekehrt, gebrauchte Hoffmann denselben Zeichenstift zu charmanter Huldigung wie in der Chamisso-Zeichnung, die er unterschrieb (1816) *„Schlemihl reist zum Nordpol und wird von demselben freundlich empfangen"*. Die Erschließung der irrationalen Möglichkeiten erweiterte die Register seines Witzes. Die spirituellen Brechungen romantischer Ironie bildeten sich reich aus und wurden um das Lächeln der Nachsicht im Spott, das Wohlwollen im Hänseln und Aufziehen, die Wärme in der Heiterkeit vermehrt. Von der Schärfe des *„Klein-Zaches"* (1819) und *„Meister Floh"* (1822) bis zur Güte in *„Nußknacker und Mausekönig"* (1816) spielen die Lichter dieses Humors, von den sanften Tiergrotesken des Hundes Berganza und des Affen Milo (*„Nachricht von einem gebildeten jungen Mann", Fantasiestücke* 4, 1815) bis zur kafkaesk grausigen Selbstpersiflage aus der letzten Lebensphase, von der der Freund Hitzig berichtet: *„Etwa vier Wochen vor seinem Tode wurde der entsetzliche Versuch gemacht, ob nicht durch das Brennen mit dem glühenden Eisen an beiden Seiten des Rückgrats hinunter die Lebenskraft wieder zu erwecken wäre ..." „Riechen Sie nicht noch den Bratengeruch?"* rief ihm Hoffmann entgegen ... (Julius Eduard Hitzig, E.T.A. Hoffmanns Leben und Nachlaß, ³Stuttgart 1839, II, 129). Humor versöhnt das Unvereinbare und grundiert den kaleidoskopartigen Wechsel seines Witzes. Er mildert noch die vernichtendsten Schläge gegen die Platitüde, und er bewahrt die exaltierten Entzückungen seines Idealismus vor falschem Pathos, wie in den Schlußworten des *„Goldnen Topfs"*.

Der Aufstand des Irrationalen gegen den nivellierenden Druck der späten Aufklärung, der sich in Hoffmann vollzog, steigerte den gewöhnlichen zum außergewöhnlichen Menschen, indem er seinen außergewöhnlichen Kern bloßlegte. Seine Ichbezogenheit lenkte Hoffmann notwendig auf das Phänomen des Künstler-Ich, an dem solche steigernde Enthüllung sich ihm anbot. Er beschränkte sich nicht mehr auf dieses allein, zumal nachdem er durch die wieder ins Günstige gewendeten Zeitläufte im Jahre 1814 für den Rest seines Lebens in die Beamtenexistenz nach Berlin zurückkehrte. Das Verhältnis von Ich und Welt blieb das gleiche. Aber die Modelle des Ich variierten nun. Das Außergewöhnliche im nicht mehr künstlerisch nobilitierten Menschen bot sich als Schrecken und Grauen dar, und auf dem Gebiete des Geheimnisvollen und Unheimlichen wurde Hoffmann seit seiner zweiten großen Sammlung, den *„Nachtstücken"* (1816/17), zum viel und mit Gruselgenuß gelesenen und mit unterdrücktem Unbehagen gesuchten Experten. Das tat der Qualität seines Schreibens für Taschenbücher und Almanache nicht immer gut, mit deren fetten Honoraren er sein mäßiges Gehalt als Kammergerichtsrat verbesserte. Aber es tastete seine dichterische Substanz nicht an, die seine echten Werke der Berliner Jahre trägt, wie *„Klein-Zaches"* (1819) und *„Kater Murr"* (1819/21), wie *„Prinzessin Brambilla"* (1820) und *„Meister Floh"* (1822) und schließlich die dritte große Reihe der *„Erzählungen der Serapionsbrüder"* (1819/21).

In der Nacht vom 29ten bis zum 30ten November d. J. entschlief, um zu einem bessern Dasein zu erwachen, mein theurer geliebter Zögling der Kater Murr im vierten Jahre seines hoffnungsvollen Lebens. Wer den Verewigten Jüngling kannte, wer ihn wandeln sah auf der Bahn der Tugend und des Rechts, mißt meinen Schmerz und ehrt ihn durch Schweigen.
Berlin d. 1ten Decbr: 1821. Hoffmann

Anzeige vom Tode des Katers Murr

Die Auflehnung des aufklärerisch disponierten und erzogenen Menschen Hoffmann ist nicht mit der Einkehr in den romantischen Vorstellungskreis abgetan gewesen. Der unbefriedigte Kopf rebellierte, auch aus der irrationalen Position des Künstlers heraus, weiter. Das macht den literarischen Umgang mit ihm von Zeit zu Zeit schwierig. Hoffmann bleibt unberechenbar. Er kann den so arg befehdeten Aufklärungsphilister unvermittelt voll schonungsvoller Milde in Schutz nehmen und den gefühlvollsten Traumaufstieg des irrationalen Seelentriebs erkälten. Hoffmann wollte das steife Rückgrat der aufklärerischen Selbstsicherheit brechen. Aber er mußte es immer wieder von neuem tun. Er war sich des aufklärerischen Sündenfalls der Spaltung von rational und irrational bewußt wie kaum ein zweiter. Aber er fand keine Erlösung. Dem romantischen Bedürfnis nach Wiederherstellung der Einheit und Ursprünglichkeit, wie es am dringlichsten Kleist im Essay über das Marionettentheater dargestellt hat, unterlag auch Hoffmann. Aber seine Reaktion auf den Verlust der Naivität war ein übermäßig angespannter, ein, wie er es selbst immer wieder nennt, exaltierter Trieb zum Irrationalismus. Hoffmann mißtraute der Daseinsbeherrschung, die die Aufklärung an die Stelle der Lebensbewältigung

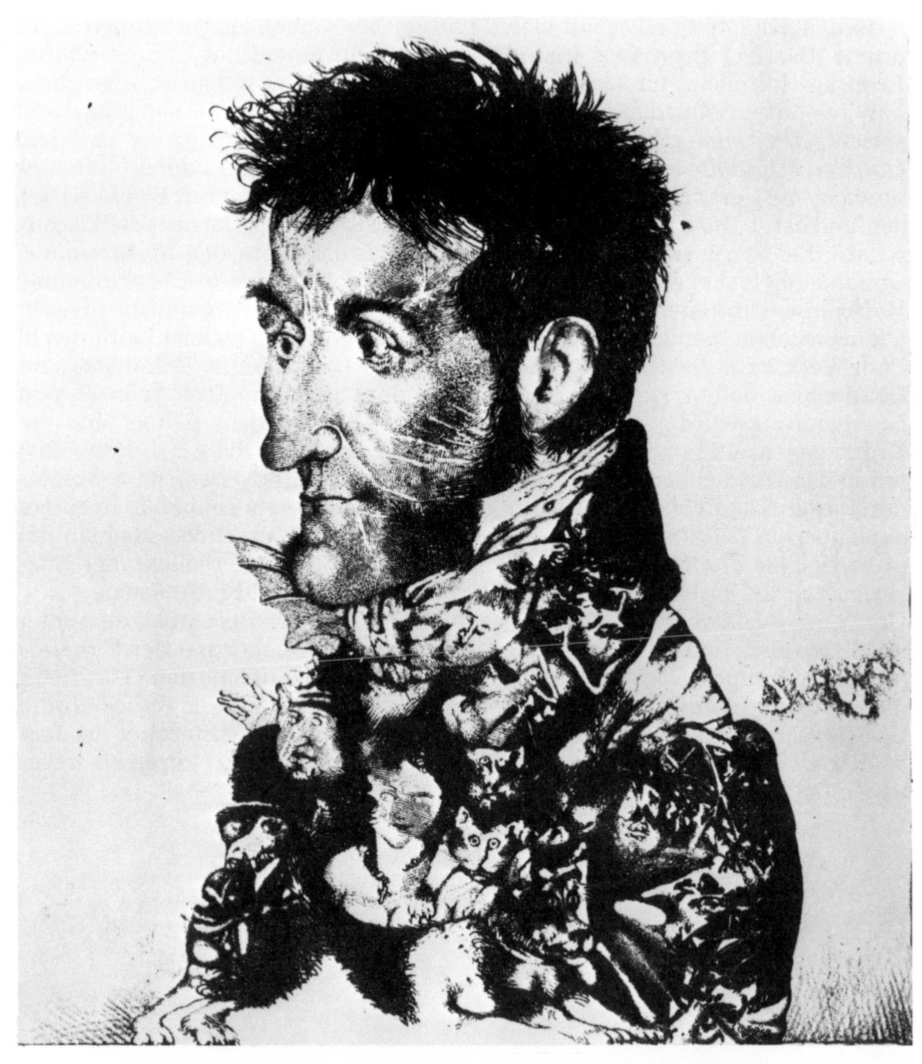

„Mutmaßliches Porträt ETA Hoffmanns" von Michael Mathias Prechtl, Lithographie als Jahresgabe des Bamberger Kunstvereins 1968

gesetzt hatte. Er fand sich unbefriedigt im Ungenügen an der als geheimnislos dürftigen Realität des Daseins. Er zog die Vernunft zur Rechenschaft, die sich mit der Geheimnisentleerung des Lebens zufriedengibt, die sogar in fragwürdigen Siegesgefühlen über die Selbstberaubung Stolz empfindet und diesen Stolz zur Schau trägt. Aber was er als irrational alledem entgegenstellte, war sonderlicher Art. Es erwuchs, ein Antirationalismus, aus Opposition. Es war nicht ursprünglich, es war sekundär, ein Reflex. Es war ein Irrationalismus zweiter Hand. Es war ein Irrationalismus, der nicht aus der Zuversicht des Glaubens oder dem Innesein der Weisheit kommt, beides wahren Möglichkeiten irrationalen Geistes. Er war ein Gebilde der Willkür, wenn auch der künst-

lerischen Schöpfung eines mit vielen und reichen Gaben ausgestatteten Ingeniums. Das traf Brentanos Instinkt, wenn er, in einem nicht abgesendeten Brief an Hoffmann, im Januar 1816, mit dem Beiklang religiöser, aber nicht naiv religiöser Selbstdistanzierung von Hoffmanns Dichten als von *„Gaukeln“* spricht. *„Ich kenne diese Lust, aber ich habe die tiefe Überzeugung, daß dem Gaukler, schüttelte er auch die Göttlichsten Gaben aus dem Zauberbecher, es dennoch mit dem Geben nicht ganz Ernst ist.“* (E.T.A. Hoffmanns Briefwechsel, ges. und erl. v. Hans von Müller (†) und Friedrich Schnapp, Darmstadt [Wissenschaftliche Buchgesellschaft] 1968, II, 83). Das ist, trotz der in Brentanos Gebundenheit liegenden Einschränkung, eine hellsichtige Umschreibung. Hoffmanns irrationale Traum- und Sehnsuchtsgebilde können nicht für sich allein bestehen, weniger als seine grotesken Spiegelungen eigener Zeitumwelt. Sein Werk kann bestehen im Ausgleich beider Gegenkräfte. Rationales und Irrationales halten sich die Waage. In einem unerschöpflich reizvoll und bewunderungswürdig wie schwerkraftlosen Gleichgewicht halten sich die Kräfte gegenseitig in der Schwebe: der Zauber im Alltag, die Entrückung mitten in der Wirklichkeit, der Schwung der entbundenen Existenz im gebundenen Dasein. Damit wuchs Hoffmann seine Rolle zu, die des Zauberers in einem entzauberten Zeitalter, eine Rolle, die er erst nach seinem Tode voll ausfüllte: er befriedigte die irrationalen Bedürfnisse eines Zeitalters realistischer Bürgerlichkeit in Deutschland und Frankreich, in Europa und in Amerika.
Der Kauz, der Zwerg, der Dämon, der Unbekannte, der Berühmte, dem man subtilsten Reiz und tiefstes Grauen verdankte, der Zwielichtige, der Unheimliche, der Kammergerichtsrat und Kapellmeister, er schliff eine neue Facette in die literarischen Formen von Märchen und Novelle, er öffnete den Blick für die Überraschungen des Ich, er schrieb ein neues Kapitel Weltliteratur, an dem seither viele, von Gogol und Edgar Allan Poe bis zu Kafka, weitergeschrieben haben.

Vignette mit der Unterschrift Procumbit humi bos (Virgilii lib: Georg:), Federzeichnung Hoffmanns, wahrscheinlich für die „Fantasiestücke in Callots Manier“ geplant

Edith Eberle-Dobiasch

FRIEDRICH GOTTLOB WETZEL

1779—1819

„Gefällst mir doch vor allen
Du ländlich freie Stadt,
Die Wein und Nachtigallen
Und schöne Frauen hat!

Du recht ein Gottesgarten,
Dem Nord' ein Cherubsschwert
Auf Berge hoher Warten
Zu Dir den Eingang wehrt."

Beim Anblick dieser Stadt war seine Erwartung, wie schon so oft in seinem Leben, groß. Wieder stand er vor einem Beginn, einem seiner vielen, getragen von der Hoffnung, Not und Misere abzuschütteln, um endlich nach all den Jahren der Mühen und Träume, der Arbeit und Sehnsüchte, des Kampfes und der Niederlagen den Durchbruch zur Anerkennung zu schaffen.
Ein Poet mit wild bewegtem Herzen und stürmischer Feder, mit einem Kopf voller Pläne und leeren Taschen stand Anno 1809 zusammen mit seiner jungen Frau und seiner kleinen Tochter vor den Toren Bambergs. Konnte jene Stadt auf den sieben Hügeln, überschwenglich als das Rom des Nordens gepriesen, dem Umhergetriebenen und Ruhelosen zur Zuflucht werden? Anfänglich gefiel sie ihm und auch ihre anmutige Umgebung, die er voll Entzücken beim Schlage der Nachtigallen erwanderte, die zu jener Zeit noch weit verbreitet waren. Wieder und wieder geriet er in den Bann des Domes, schönstes Denkmal jenes Heiligen Römischen Reiches Deutscher Nation, das in einer Zeit Napoleonischer Demütigungen zum Symbol eines geknechteten Volkes geworden war. Der Protestant berauschte sich, wie schon vor ihm Schelling, am Gepränge der katholischen Kirche, die zu Fronleichnam in den Straßen der Stadt eine wahrhaft barocke Pracht entfaltete. Und da Poesie leider meist wenig einträglich ist, lobte er *„die wohlfeilen Lebensmittel"*, voran den Wein, der damals noch an den Hängen der Regnitz gedieh. Die Schönheit von Bambergs Frauen, die er in seinem Gedicht besingt, vergleicht ein kritischer Spötter allerdings mit der von Wachsbildern, die nur der *„innig katholische Augenaufschlag ins Leben zurückruft"*.

Wetzel lebte zehn Jahre in Bamberg, bald enttäuscht, verbittert, aufgerieben im Kampf um das tägliche Brot, eine Fackel, die schon ausgebrannt war, ehe sie Flammen schlug. Er hinterließ kaum Spuren, kein Bild, kein Denkmal, nur ein verschollenes Grabmal und ein paar Bücher, die in den Regalen der Bibliothek verstauben. Die einzige Spur zu seinem Ruhm in der Nachwelt unterliegt erheblichem Zweifel, denn die *„Nachtwachen“* des Bonaventura wurden erst nach jahrzehntelangem Streit der Fachleute *ihm* zugeschrieben. Das *„Handbuch der Literatur“* widmet seiner Biographie ganze zehn Zeilen: Friedrich Gottlob Wetzel, Verfasser von vaterländischen Dramen und Lyrik, geboren am 14. September 1779 in Bautzen, gestorben am 29. Juli 1819 in Bamberg.
Friedrich Gottlob Wetzel wird als zweites von neun Kindern eines in Sachsen ansässigen Tuchmachers geboren. Seine Eltern sind sehr arm, ermöglichen ihm aber trotzdem den Besuch einer Schule, die er mit besten Zeugnissen verläßt. In Leipzig beginnt er mit dem Studium der Medizin und setzt es später in Jena fort. Er sammelt Freunde um sich, Gleichgesinnte, geistvolle Schwärmer, die wie er seismographisch auf die vielen verästelten Strömungen der Romantik reagieren. Sie darben gemeinsam, teilen in schöner Eintracht das Wenige, das sie besitzen, improvisieren überschwengliche Feste, diskutieren, träumen und revoltieren. Die Gabe zur Freundschaft war damals ihr größter Reichtum und hielt oft ein Leben lang vor. Schon in Leipzig lernt Wetzel Gotthilf Wilhelm Schubert kennen, den Getreuesten unter den Getreuen, der ihn bis zu seinem Tode anspornt; weiterhilft, vermittelt, empfiehlt. Der weiche, schwärmerische, schmiegsame Schubert wird anfangs von dem kraftvoll-genialischen, originellen und seiner *„äußeren Erscheinung nach oft wunderlichen Wetzel“* ebenso angezogen wie befremdet. Wetzel ist exzentrisch und maßlos, seine Gefühle liegen dauernd im Widerstreit mit dem Intellekt. Schubert schildert ihn später in seinen Memoiren: *„Wetzels ganzes Wesen ist auffallend und sonderbar, er lebt bloß in Extremen. Bald ist er so sehr Zweifler, daß er die bekanntesten Wahrheiten, bloß weil ihn seine Augen und übrigen Sinne nicht überzeugt haben, bezweifelt. Andere Male ist er wieder geneigt, die kühnsten, unwahrscheinlichsten Hypothesen zu verteidigen. Er überredet sich zuweilen selbst, daß er Stoiker, ein strenger, für die Welt ungenießbarer Mensch sei, ohne daß er die geringste Anlage dazu hat.“*
Die andauernde finanzielle Notlage zwingt die Freunde immer wieder, literarische Arbeiten zu veröffentlichen, eine Art schriftstellerischer Lohnarbeit, die bei ihnen für Taufen, Beerdigungen, Hochzeiten und Gazetten bestellt wird. Wetzel kann über kein einziges Werk frei verfügen, der Hunger zwingt ihn, halbfertige Strophen aus der Hand zu geben. Er gerät darüber in Zweifel und Unsicherheit, spürt schmerzlich die Kluft zwischen Empfindungen und dem Unvermögen, sie in dichterische Form zu bringen. *„Ein anderes ist's, Gegenstände der Art auszudrücken, ein anderes, sie zu fühlen; und wie schwer sich Psyches Himmelflug an den Schleier der Erdensprache schmiegt, empfindet man erst in Augenblicken der Begeisterung.“*
Oft werden eilig niedergeschriebene Werke unter Pseudonym veröffentlicht. 1805 erscheinen bei einem jener ebenso zahlreichen wie kurzlebigen und obskuren Verlagsbuchhandlungen die *„Nachtwachen“* des Bonaventura. Über die Person des Autors, die sich unter dem klangvollen Deckmantel verbirgt, herrscht Ungewißheit. Der Reihe nach werden Schelling, Caroline Schlegel, Clemens von Brentano und E.T.A. Hoffmann mit der Vaterschaft des literarischen Findlings bemüht. Dankbares Objekt zahlreicher Dissertationen, ver-

Friedrich Gottlob Wetzel auf der Altenburg bei Bamberg; das Mädchen ist Constanza, verheiratete Grünwald

sucht sich sogar die moderne Wissenschaft durch kybernetische Textvergleiche an der Enträtselung des Geheimnisses. Wie bei Werken von Rang und Namen wächst eine stattliche Sekundärliteratur um jenes schmale Bändchen, das ohne sein Geheimnis bei weitem nicht soviel Beachtung gefunden hätte. Seit 1909 wird es dank einer grundlegenden Analyse von Franz Schultz Friedrich Gottlob Wetzel mit großer Wahrscheinlichkeit zugeschrieben. 90 Jahre nach seinem Tod wird ihm das unsichere Fundament seines Ruhmes durch ein Werk gelegt, das er sich scheute unter seinem wahren Namen zu veröffentlichen. Geschah es aus Angst vor der Mit- oder Nachwelt? Er verfährt nicht gerade schonend mit seinen Zeitgenossen, schleudert ihnen in genialischkraftstrotzenden Metaphern, rüden Sentenzen, boshaftem Spott und ätzendem Skeptizismus seine Verachtung ins fein maquillierte Gesicht. Ein Nachtwächter, ein gewollt Außenstehender, der sich vor dem wohlfeilen Getümmel des Tages in die lautlose Nacht zurückzieht, um desto lauter seine sarkastischen Tiraden über die wehrlos Schlafenden zu ergießen. Mit dem großen Atem entflammter Jugend, dem Pathos des unverkennbaren Romantikers, der gewaltsamen Kraft enttäuschter Begeisterung, der grotesken Aggressivität eines gegen unsichtbare Feinde Kämpfenden und der Herausforderung des Nihilisten zieht er durch das Tollhaus seiner Phantasie zum Forum der Anklage:

„Sagt mir, mit was für einer Miene wollt ihr bei unserem Herrgott erscheinen, ihr meine Brüder, Fürsten, Zinswucherer, Krieger, Mörder, Kapitalisten, Diebe, Staatsbeamten, Juristen, Theologen, Philosophen, Narren, und welches Amtes und Gewerbes ihr sein mögt: Denn es darf heute keiner in dieser allgemeinen Nationalversammlung ausbleiben, ob ich gleich merke, daß mehrere von Euch sich gern auf die Beine machen möchten und Reißaus nehmen.
Gebt der Wahrheit die Ehre, was habt ihr vollbracht, das der Mühe wert wäre? Ihr Philosophen z. B., habt ihr bis jetzt etwas Wichtiges gesagt, als daß ihr nichts zu sagen wüßtet? — das eigentliche und am meisten einleuchtende Resultat aller bisherigen Philosophien! — Ihr Gelehrten, was hat eure Gelehrsamkeit anderes bezweckt als eine Zersetzung und Verflüchtigung menschlichen Geistes um Euch zuletzt mit Muße und einfältiger Wichtigkeit an das übriggebliebene caput mortuum zu halten. — Ihr Theologen, die ihr so gern zur göttlichen Hofhaltung gezählt werden möchtet, und in dem ihr mit dem Allerhöchsten liebäugelt und fuchsschwänzt, hier unten eine leidliche Mördergrube veranstaltet und die Menschen statt sie zu vereinigen in Sekten auseinandergeschleudert und den schönen allgemeinen Brüder- und Familienstand als boshafte Hausfreunde auf immer zerrissen habt. — Ihr Juristen, ihr Halbmenschen, die ihr eigentlich mit den Theologen nur eine Person ausmachen solltet, statt dessen euch aber in einer verwünschten Stunde von ihnen trennet, um Leiber hinzurichten, wie jene Geister. Ach, nur auf dem Rabensteine reicht ihr Brüderseelen vor dem armen Sünder auf dem Gerichtsstuhle euch noch die Hände und der geistliche und weltliche Henker erscheinen würdig nebeneinander! — Was soll ich gar von euch sagen, ihr Staatsmänner, die ihr das Menschengeschlecht auf mechanische Prinzipien reduziert? Könnt ihr mit euren Maximen vor einer himmlischen Revision bestehen, und wie wollt ihr, da wir jetzt in einen Geisterstaat überzugehen im Begriffe sind, jene ausgeplünderten Menschengestalten placieren, von denen ihr gleichsam nur den abgestreiften Balg zu benutzen wußtet, indem ihr den Geist in ihnen getötet habt?“

Ist da nicht schon der manipulierte Mensch skizziert? Richtet sich die Anklage des Nachtwächters nicht auch damals schon gegen ein gesellschaftliches Etablissement? Trotz des romantischen Beiwerks, trotz Geistern in dräuender Nacht und hungernden Poeten im Dachstübchen, trotz verstoßener Nonnen und seliger Narren reizt die Aktualität der Gedanken zum Vergleich. Romantik und Gegenwart, sind sie nicht Epochen geistiger Unruhe und unsicherer Versuche einer Neuorientierung? Tradition wird mit großer Geste abgeworfen, Tabus zerbröckeln unter Neuerungen. Mitten in diesem Umschwung verhöhnt Bonaventura mit aggressivem Pessimismus allem voran den Menschen selbst:

„Kennst Du das Wesen, dessen Antlitz tückisch lacht, wenn die vorgehaltene Larve Tränen vergießt, das Gott nennt, wenn es den Teufel denkt, das im

Innern wie der Apfel am Toten Meere giftigen Staub enthält, in des die Schale blühend rot zum Genuß einladet, das durch das künstlich gewundene Sprachrohr melodische Töne von sich gibt indem es Aufruhr hineinruft, das wie die Sphinx nur freundlich lächelt, um zu zerreißen, und wie die Schlange bloß deshalb so innig umarmt, um den tödlichen Stachel in die Brust zu drücken? —

Wer ist das Wesen, Schwarzer?

Der Mensch, krächzte das Tier, auf unangenehme Weise."

Des Dichters lyrische Kraft, seine überschwengliche Naturbegeisterung, sein alles umarmender Pantheismus leuchten in dieser düsteren Nachtmär nur an einer einzigen Stelle auf. Trunken stürzt er sich in sonnendurchflutete Visionen:

Nachtwachen.

Von

Bonaventura.

Penig 1805

bey F. Dienemann und Comp.

Das Titelblatt der Erstausgabe der „Nachtwachen"

„Da stieg über dem Fichtenwald, in tausend Strahlen widerleuchtend, wie eine entzündete Welt die ewige Sonne empor!

Ich schlug beide Hände vor die Augen, und stürzte zu Boden. Als ich wieder erwachte, da schwebte der Gott der Erde in den Lüften, und die Braut hatte alle ihre Schleier zerrissen, und enthüllte ihre höchsten Reize dem Auge Gottes.

Überall war Heiligtum — der Frühling lag wie ein süßer Traum an den Bergen und auf den Fluren — die Sterne des Himmels brannten als Blumen in dem dunklen Grase, aus tausend Quellen stürzte das Lichtmeer herab in die Schöpfung, und die Farben stiegen darin wie wunderbare Geister auf. Ein All von Liebe und Leben — rote Früchte und blühende Kränze in den Bäumen, und duftende Gewinde um Hügel und Berge — in den Trauben brennende Diamanten — die Schmetterlinge als fliegende, gaukelnde Blumen in den Lüften — Gesang aus tausend Kehlen, schmetternd, jubelnd, lobpreisend — und das Auge Gottes aus dem unendlichen Weltmeere zurückschauend und aus der Perle im Blumenkelche.

Ich wagte den Ewigen zu denken!"

In den Jahren 1803 bis 1806 verläßt Wetzel aus Geldmangel immer wieder Jena, findet Unterschlupf bei Freunden, empfängt ihre Gastfreundlichkeit mit derselben Unbekümmertheit, wie er ihre Geduld durch sein oft seltsames Gebaren strapaziert. Zu Fuß zieht er bei Wind und Wetter durch Thüringen und Sachsen, schenkt einem Darbenden seinen letzten Groschen, behandelt Kranke, wenn sie ihm unterkommen, am liebsten die ganz Armen unter ihnen, und schreibt zum Lebensunterhalt ab und an ein Gedicht. Im März 1806 hat er endlich das Geld beisammen, zum Doktor der Medizin zu promovieren. Im Herbst desselben Jahres heiratet er Johanna Heuäcker, Tochter eines sächsischen Bergwerkbesitzers. Die Mitgift seiner Frau ermöglicht ihm für kurze Zeit ein etwas sorgenfreieres Leben. Er geht nach Dresden. Seiner begeisterten Einladung in die Stadt reichhaltiger Bibliotheken, bedeutender Galerien und einer Universität mit illustren Professoren folgen nach und nach viele seiner Jenaer Freunde. Mit Feuereifer stürzen sie sich in Studien, beteiligen sich an literarischen Fehden, polemisieren, diskutieren, schreiben und dichten. Wenn's gar nicht geht, borgen sie einander Geld, auch ohne die schöne Hoffnung, es bald wieder zu erhalten. Was tut's. Dresden ist voll Anregung. Kleist liest seine Stücke im Salon adeliger Damen und schreibt Kampfartikel im *„Phoebus"*. Wetzel wird zum bewährten Mitarbeiter der Zeitschrift. Er lernt Schlegel kennen und begeistert sich gemeinsam mit Schubert an der Heillehre des John Brown, einer Verquickung von Galvanismus und tierischem Magnetismus, wobei der Organismus als Einheit von Leib und Seele aufzufassen ist und die Natur als ein lebendig beseeltes Ganzes. Schelling war damals eifrigster Verfechter dieser Modelehre, die gerade in Bamberg ihre treuesten Anhänger fand.

In das Jahr 1806 fällt die Geburt von Wetzels erster Tochter Konstanze. Mit kindlicher Freude, gefühlvollem Überschwang und einer Begeisterung, die manchmal an süßlichen Kitsch grenzt, schildert er seinen Freunden das große Ereignis. Dieser sonst so zerrissene, spöttische und skeptische Mann schwelgt in Vaterwonnen über sein *„unvergleichliches, wunderliebes Kind von himmlischer Schönheit"*, verliert sich wie ein Ertrinkender in dem Gefühl von Glück. Doch die Tage der Sonne sind kurz.

Die Literatur bringt Wetzel zwar langsam Ehre, aber immer noch wenig Geld. Auf der Suche nach Broterwerb verläßt einer nach dem anderen von den Freunden Dresden. Schubert erhält eine Stelle als Schulleiter in Nürnberg, und Wetzel folgt ihm ein paar Wochen später Hals über Kopf nach mit Frau und Kind und gesamtem Hausrat. Unangemeldet steht er plötzlich vor Schuberts Tür: *„Es war im Herbst, da hielt eines Abends ein Reisewagen vor unserer Haustür. Mit lautem Lachen kam mein alter Freund Wetzel die Treppe herauf. Mit ihm seine Frau und seine kleine Tochter. Die lieben Gäste hatten uns nichts von ihrer Ankunft wissen lassen. In der heitersten Laune der Welt erzählte er uns, wie es ihm und den Seinigen zuletzt in Dresden sehr miserabel ergangen sei. Die Freunde seien einer nach dem anderen weggezogen, seine letzten Arbeiten habe er zwar schnell im Wuchse der Blätter aufgehen sehen, bis jetzt aber noch keine eßbare Form erreicht. Die Zuschüsse aus dem Vermögen seiner Frau seien auch ins Stocken geraten und so komme er jetzt auf gute Hoffnung hierher, um sich in Baiern, in meiner Nähe ein Unterkommen zu suchen. Denn es ginge ihm wie einem alten Gaul, der nicht ziehen mag, wenn man ihn einsam und allein, ohne seinen Gespannsgenossen, anschirrt."*

Schubert gelingt es, Wetzel eine Stelle als Redakteur beim *„Fränkischen Merkur"* in Bamberg zu vermitteln. Noch im Dezember des Jahres 1809 zieht er dorthin, die Nachfolge eines berühmten Mannes anzutreten. Friedrich Hegel lebte zwei Jahre in Bamberg als Redakteur, hinterließ in der Zeitung aber kaum eine persönliche Handschrift, da es damals noch keine Leitartikel gab und die Pressefreiheit mehr theoretischer Natur war. Erleichtert verließ er daher die Bamberger *„Zeitungsgaleere“,* um als Rektor an das Egidien-Gymnasium nach Nürnberg zu gehen.

Zwischen der alten Kaiserstadt und dem Jenaer Romantiker-Kreis um Schelling bestanden zu jener Zeit enge Beziehungen. Das eben erst durch die Säkularisation aus geistlicher Bevormundung geweckte Bürgertum gewann im Hochgefühl seiner neuen Freiheit rasch an gesellschaftlicher Bedeutung und suchte Anschluß an die geistigen Strömungen in Deutschland. Dr. Markus, Direktor des hiesigen Krankenhauses, einer angesehenen und wohlhabenden Bamberger Familie entstammend, wurde zum großen Mäzen und Anreger jener kurzen Blütezeit bambergischer Romantik. Er war ein treuer Anhänger des Schellingschen Brownianismus, weshalb Schelling und sein Kreis öfter zu Gast in seinem Hause weilten. Auch so bizarre Gestalten wie die „Geisterseherin“ Gräfin Werther, die stets das Herz ihres Geliebten in goldener Kapsel um den Hals trug, zählten zur Szenerie dieser für Somnambulismus und Spiritismus anfälligen Zeit. Und noch eine große Leidenschaft pflegten die Bamberger Kunstfreunde: das Theater. Eine Zeitlang stieg es zur ersten Provinzbühne Deutschlands empor. Immer wieder übernahmen Männer von Idealismus und Vermögen seine Leitung und ließen nach kurzer Zeit schon meist beides in den Ruinen einer großen Illusion zurück – ganz sicher aber ihr Vermögen! Trotz des periodisch sich wiederholenden Fiaskos gelangten Calderón und Lessing zur Aufführung, und Heinrich von Kleists *„Käthchen von Heilbronn“* erlebte hier seine vielbeachtete Uraufführung. Der vom Intendanten von Soden engagierte Musikdirektor E. T. A. Hoffmann verhalf den Stücken Calderóns zum Durchbruch.

Während seiner Bamberger Zeit kommt Wetzel mit Hoffmann nur zögernd in Kontakt, und ihre Beziehungen reichen über gegenseitige Wertschätzung kaum hinaus. Der launenhafte, verschlossene Ernst Theodor Amadeus verbirgt seine Ideale hinter beißendem Spott, während Bonaventuras Kräfte erlahmten. Der wenig umgängliche Nachtwächter verwandelte sich in Bambergs ehrbaren Mauern zum treusorgenden Familienvater, der in rührender Naivität immer neue Vorzüge an seiner stetig wachsenden Kinderschar entdeckt. Wetzel beschränkt seinen Umgang auf einen kleinen, vertrauten Freundeskreis, während Hoffmann trunken durch Bambergs zahlreiche Kneipen zieht, einsam, doch immer von Menschen umgeben, die er mit seinem Spott keineswegs schont. Wetzels schwärmerische Naturergüsse sind ihm zuwider, und Hoffmann behauptete einmal ironisch, er habe an der Natur einen wahren Narren gefressen. Wahrscheinlich kam Wetzel diese Bemerkung zu Ohren, und der leicht Verletzbare geht Hoffmann künftig aus dem Weg. Trotzdem ist es Wetzel, der als erster sein Talent erkennt und sich für den *„glänzenden Kometen der Geisterwelt“* immer wieder einsetzt.

In den ersten Bamberger Jahren lähmt der Zeitungsdienst Wetzels literarische Schaffenskraft. Eine ermüdend eintönige Arbeit: Excerpieren deutscher und ausländischer Zeitungen, Zusammenstellen und Kommentieren der Artikel, Überwachen des Druckes und Leitung der Verwaltungsgeschäfte:

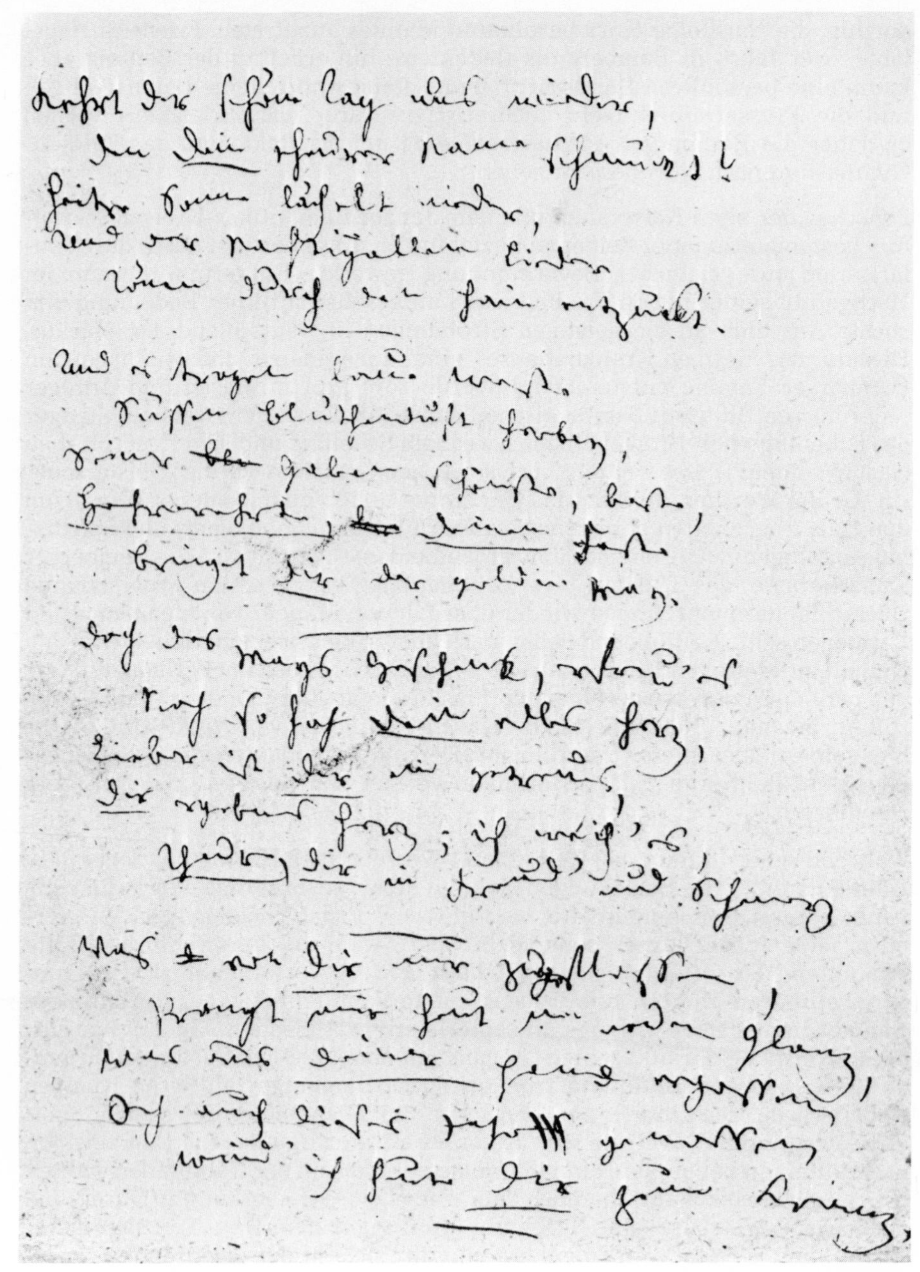

Autograph von Friedrich Gottlob Wetzel

„Den ganzen Tag und zwar vom frühesten Morgen an, kein Sonn- und Feiertag. An einer Fortsetzung von irgendeiner Arbeit ist nicht zu denken. Wir sind wildfremd in der weiten Stadt, wenn wir statt Bamberg auf den Mond gereist wären, könnten wir nicht fremder sein. Ich muß außer Haus arbeiten, die Set-

zer und Drucker sind Tag für Tag meine einzige Gesellschaft und wenn endlich nach stundenlanger Correktur das Zeitungsblatt druckfehlerfrei erscheint, so ist dies der schönste Lohn meines Strebens." Da sein geringes Gehalt an die Auflagenhöhe gebunden ist, versucht er durch attraktive Nachrichten den Leserkreis zu erweitern. Eine ausgedehnte Korrespondenz um Neuigkeiten mit seinem großen Bekanntenkreis erfordert viel Zeit. Dazu vergrößert sich seine Familie laufend, und ein Lungenleiden zwingt ihn für Monate aufs Krankenlager. In dieser finanziellen Misere versucht er verzweifelt, alte Arbeiten zu beenden oder aufzupolieren, bittet in zahllosen Briefen seine Freunde, ihm Verleger zu vermitteln, ist bei der gehetzten Arbeitsweise von Unsicherheit gequält.

Eine Wende zeichnet sich erst 1813 ab durch die Bekanntschaft mit Friedrich Kunz, einem literarisch ambitionierten Kaufmann, der sich mit Hilfe E.T.A. Hoffmanns eine große Bibliothek aufbaute und als Leihbücherei der Stadt zur Verfügung stellte. Sein schöngeistiger Ehrgeiz läßt den Bamberger Weinhändler mitunter ziemlich ungeniert die Freundschaft von Dichtern suchen. Er ist sehr hilfreich und entgegenkommend, behandelt aber auch *„diese genialischen Naturen, als wenn sie mit ihm auf gemeinsamer Stufe stünden und er sie gleichsam mit seinen Schweißfingern abtasten würde".* So das Urteil eines ihm offenbar nicht recht Wohlgesonnenen. Für Wetzel aber ist diese Freundschaft sehr wichtig. Kunz verschafft ihm Zutritt zum Hause des Dr. Markus, ist nicht ohne Einfluß auf sein Verhältnis zu Hoffmann und verlegt sogar seinen Gedichtband *„Schriftproben"*, eine Sammlung epischer, didaktischer und lyrischer Gedichte, die oft im Volksliedton an Uhland anklingen:

„Es brennen drei Flämmelein
mit seltsam grün und blauem Schein;
Johannistag um die Mittagsstund,
da thut sich auf der schwarze Schlund.

Johannistag um die zwölfte Stund,
da steht wohl auf des Berges Grund,
und wer es wagt und hat den Muth,
der findet drin viel reiches Gut ..."

Nicht nur ein Lieblingsthema der Romantik, die enge Verquickung von Liebe und Tod, sondern auch die melodische Schlichtheit der folgenden Strophen sind ein echtes Zeugnis romantischer Lieddichtung:

„Liebchen, woher so spät?
Wie lange, lange harrt' ich Dein,
Ich mein', es müßten Jahre sein,
Ich hatt' um doch wohl rechte Not,
Mir träumte gar, du wärest todt.
Liebchen, woher so spät?"

Derselbe, der in den *„Nachtwachen"* auf Kirche und Pfaffen schimpft, in seiner rebellischen Verzweiflung Gott leugnet, schreibt in Bamberg jene einfältig fromme und gerade deswegen ergreifende Ballade von der *„Trauerweide":*

„Als der Herr am Kreuz gestorben,
Finstert sich der Sonne Licht,
Trauern alle Creaturen,
Ja, das Herz den Felsen bricht.

Aber tiefbetrübt vor allen
Steht ein Baum an dunkler Flut,
Stille Weid' am stillen Bache,
Drunter oft der Herr geruht.

Ach, die arme mußt' es dulden,
Daß mit ihren Zeigen hart,
Bis aufs Blut mit Weidenruthen,
Unser Herr gegeißelt ward.

Und sie senkt seitdem die Zweige,
Bleiches Laub, zur Erd' hinab,
Wird zur stillen Trauerweide
An des lieben Heilands Grab."

Dem Zeitgeist und -geschmack allzusehr verhaftet sind Wetzels *„Kriegs- und Friedenslieder"*, die getragen sind von dem damals allerorts aufflammenden Patriotismus gegen die napoleonische Besatzung. Aber ihnen verdankt er seinen größten Ruhm. Zum ersten Jahrestag der Völkerschlacht von Leipzig 1813 veranstalten die Freunde des Dr. Markus ein großes Fest. Im Schein der Bergfeuer werden Wetzels Lieder begeistert von der Bevölkerung aufgenommen, und der anwesende Rückert ist so inspiriert, daß er auf dem Nachhauseweg sein Erlebnis in Verse faßt.
Ermutigt durch diesen Erfolg geht Wetzel die Arbeit leichter von der Hand. In acht Wochen schreibt er das Drama *„Johanna d'Arc"* mit dem er sich bewußt in Gegensatz zur Schillerschen *„Jungfrau von Orleans"* stellt. Er bemüht sich, ein historisch genaues Charakterbild wiederzugeben, und nicht, wie Schiller, ein Beispiel von Sühne als Folge einer moralischen Verfehlung. Er schickt sein Werk zu Goethe *„nicht ohne heimliches Grauen"*, bittet ihn um seine Beurteilung, da dies der einzige Weg ist, es zur Bühnenaufführung zu bringen. Dieser läßt dem Verfasser recht gönnerhaft *„freundliche, aufmunternde Worte sagen"*. Auf die Bühne gelangt es deswegen nicht.
In all den Jahren bemüht sich Wetzel immer wieder, von Bamberg wegzukommen. Das Zeitungsschreiben *„habe er herzlich satt, es sei ihm ordentlich zum Ekel geworden"*, bekennt er stöhnend einem Freund. Da versucht die bayerische Regierung auf ihre Art, seinem Wunsch entgegenzukommen. Sie verbietet seine Zeitung, verfügt seine Ausweisung aus Bamberg. Seine preußenfreundliche Haltung ist in München schon lange verdächtig gewesen. Man beschuldigt ihn der Spionage. Nur der Sturz des Ministers Montgelas rettet ihn in letzter Minute. In dieser zermürbenden Zeit findet er dennoch Kraft, ein weiteres Drama, *„Hermansfried, letzter König von Thüringen"*, zu schreiben. Der inzwischen nach Berlin gezogene E.T.A. Hoffmann versucht *„mit aller Macht"*, es auf die Bühne zu bringen. Doch vergebens. Wetzel wird Mitarbeiter mehrerer literarischer Zeitschriften. Schubert stellt ihm eine neue Stellung in Aussicht, der Entmutigte ist wieder einmal voll Hoffnung, da bricht sein altes

Lungenleiden erneut auf, dazu kommt ein Nervenfieber. Äußerlicher Anlaß ist der Besitzerwechsel des *„Merkur“*, die neuen Verleger wollen sein Gehalt um ein Drittel kürzen. Der geschwächte, innerlich gebrochene Mann stirbt am 29. Juli 1819 zu Bamberg, kaum 40 Jahre alt.
Eine Verheißung, die nicht in Erfüllung ging, ein Versprechen, das nicht eingelöst wurde, ein Talent, das keine Zinsen brachte. Schubert, sein treuester Freund, erkannte sein Verhängnis: *„Wetzel gleicht einem Gewächs aus fernem, sonnigem Lande, das die reichen, mächtigen Knospen, mit denen es bedeckt war, in der nebligen kalten Fremde, dahin man es versetzte, nicht zur Blüte entfalten, noch weniger zu Früchten zeitigen konnte.“*

Helmut Prang

FRIEDRICH RÜCKERT

1788–1866

Die Wirkungsgeschichte eines bedeutenden Menschen läßt sich sowohl an dem Einfluß ablesen, den er auf andere ausgeübt hat, als auch an dem Ansehen, das ihm bei den Zeitgenossen und der Nachwelt zuteil geworden ist. Zu erstem Ruhm gelangte der 26jährige Rückert, als 1814 seine *„Deutschen Gedichte"* erschienen, in denen die *„Geharnischten Sonette"* enthalten waren. Seitdem ist er für viele lange Zeit der vaterländische Dichter geblieben. Weitere Beachtung fanden dann zu Beginn der zwanziger Jahre des 19. Jahrhunderts die *„Östlichen Rosen"*, zumal Goethes *„Westöstlicher Divan"* das öffentliche Interesse für die poetische Welt des Orients geweckt hatte.
Durch die Doppelbegabung und zweiseitige Tätigkeit Rückerts als Dichter und Sprachforscher wurde zunächst eine Breitenwirkung eher verhindert als gefördert. Denn seine Gedichte erschienen zeitweise nicht mehr in geschlossenen Sammlungen, sondern verstreut in Zeitschriften und Almanachen, und auch seine wissenschaftlichen Arbeiten oder Nachdichtungen bzw. Übersetzungen erreichten nur einen verhältnismäßig kleinen Kreis von Interessenten und Sachkundigen. Erst in den dreißiger Jahren, als seine *„Gesammelten Gedichte"* und vor allem die *„Weisheit des Brahmanen"* zu erscheinen begannen, wuchs die öffentliche Anteilnahme an Rückerts Schaffen.
Nicht nur Autoren von Buchbesprechungen, sondern auch die Verfasser von Aufsätzen und selbständigen Schriften nahmen in Deutschland und Frankreich zu Rückerts Werken Stellung. Außerdem war man selbst in Amerika und Finnland auf diesen Sprachforscher und Dichter aufmerksam geworden. Und die ersten Komponisten wie Franz Schubert und Ludwig Hetsch hatten mit der Vertonung Rückertscher Lieder begonnen, denen bald Robert Schumann und andere folgten.
Die Vielzahl der Briefe an Rückert und die verschiedenen privaten Äußerungen über ihn machen deutlich, daß er vornehmlich während der dreißiger und vierziger Jahre des vorigen Jahrhunderts im Gespräch war, während das öffentliche Interesse um die Jahrhundertmitte merklich von ihm abzurücken schien. Erst in den sechziger Jahren, also besonders beim 75. Geburtstag 1863, vor allem aber seit dem Tode 1866, schwillt die Flut der Rückert-Literatur be-

denklich an und erreicht einen gewissen Höhepunkt 1888, als man allenthalben des 100. Geburtstages in Feiern und Abhandlungen gedachte. Die Nachrufe und Gedenkreden, Erinnerungen und ernsten Forschungen, die seit dem Hinscheiden des Dichters in Zeitungsartikeln, Zeitschriftenaufsätzen, Broschüren und Büchern im vorigen Jahrhundert gedruckt worden sind, übersteigen bei weitem die Zahl Hundert.
Und zwar gelten diese Veröffentlichungen in erster Linie dem Dichter, sehr viel weniger dem Gelehrten. Verführt durch Conrad Beyers verdienstvolle Forschungen, die jedoch ein einseitig biederes und allzu bürgerliches Rückert-Bild „für Haus und Schule" entwarfen und die vielen Verse des Poeten ziemlich unkritisch überschätzten, entstand für lange Zeit die unberechtigte Vorstellung vom größten Dichter nach Goethe, vom vielseitigsten aller Deutschen, aber auch vom gemütvollen Hausvater und Familienpoeten, vom wegweisenden Erzieher, der Eltern, Lehrern und Kindern vor allem durch die *„Weisheit des Brahmanen"* Jederzeitliches zu sagen habe. Gerade dieses Werk hat die Interpreten immer wieder zu Deutungen angeregt und die heterogensten Kräfte mobil gemacht. Philosophische Gedanken und pädagogische Winke, Weisheitslehre und Lebenshilfe wurden hier gefunden; Freimaurer und Anthroposophen suchten und fanden Bestätigung ihres Gedankengutes. So vermengten sich angemessene Erkenntnisse und hymnische Verfälschungen, die sich auch auf die Rückert-Ausgaben und Werk-Auswahlen zuweilen verhängnisvoll auswirkten.
Gewiß waren wie schon zu Lebzeiten Rückerts gelegentlich kritische Stimmen und berechtigte Bedenken gegen die Überproduktion, die raffinierte Vers- und Reimspielerei oder die oft so nichtssagende wie abgegriffene Wortgewandtheit laut geworden, und Sachkenner wie Robert Boxberger und Friedrich Reuter haben bereits vor der Jahrhundertwende Beyers Rückert-Bild begründeterweise bereichert und berichtigt. Aber allzu lange hat sich die Vorstellung vom patriotischen Sänger der *„Geharnischten Sonette"* und dem Dichter des *„Liebesfrühlings"* im Bewußtsein breiterer Bildungsschichten gehalten. Die bequeme Assoziation vom biedermeierlichen Idylliker aus Neuses, der fern von den Zeitereignissen verträumt seiner Muse lebte, der Krisen, Sorgen und Lebensstürme nicht gekannt zu haben schien, war überaus lange offenbar unausrottbar.
Zur wachsenden Popularisierung Rückerts trug weiterhin die Aufnahme einiger Gedichte in die Schullesebücher und gängigen Gedichtsammlungen bei. *„Chidher"* und das *„Abendlied"* gehören genauso dazu wie das *„Märlein vom Bäumlein, das andre Blätter hat gewollt"* oder die „Parabel" vom *„Mann im Syrerland"* und das vaterländische Gedicht *„Der alte Barbarossa"*. Nicht zuletzt haben Vertonungen wie Robert Radeckes sentimentalangemessene Komposition von Rückerts Lied *„Aus der Jugendzeit"* oder *„Er ist gekommen"* durch Robert Franz, Carl Loewes *„Kleiner Haushalt"* und Gustav Mahlers *„Kindertotenlieder"* den Dichter und seine Verse bis zu einem gewisse Grade volkstümlich gemacht.
Die kritische Auseinandersetzung mit dem Werk des Dichters blieb zunächst vorsichtig, und die ernsthaften Untersuchungen der Werke waren einstweilen recht sparsam. Erst seit Leopold Magon 1914 eine gediegene Darstellung vom *„Leben und Schaffen"* des jungen Rückert gegeben hatte, nahm die Zahl der wissenschaftlichen Arbeiten über den Dichter und sein Werk merklich zu. In den zwanziger und dreißiger Jahren unseres Jahrhunderts entstanden z. B.

Rückert im Alter von ungefähr 45 Jahren, Kreidezeichnung von Barth, die Rückert seiner Tochter Anna zur Hochzeit schenkte (verkleinerter Ausschnitt)

mehrere Dissertationen, die vornehmlich den Eigentümlichkeiten von Rückerts Dichtkunst galten. Da außerdem einst verstreut Gedrucktes und nachgelassene Werke bequem zugänglich geworden waren und vor allem durch das Verdienst von Hermann Kreyenborg auch ein Teil von Rückerts Orientalia herausgegeben wurde, gewann das sachliche Interesse an Rückert in zunehmendem Maße an Breite und Tiefe, so daß auch dem Vermittler fremden Literaturgutes endlich mehr Aufmerksamkeit gewidmet werden konnte als früher. Und gerade hier setzt nun die neue Bedeutung und Würdigung Rückerts für unsere Zeit ein.

Jene seltene und in diesem Fall wohl besonders geglückte Verbindung von Dichtersein und Gelehrtentum in der Person wie im Werk und Wirken Friedrich Rückerts weist uns darauf hin, wie hier sich Kunst und Wissenschaft nicht ausschließen, sondern gerade aufs harmonischste ergänzen. Denn das Medium des Dichters wie des Sprachwissenschaftlers ist das Wort. Der Lyriker Rückert bekundet im Sprachlichen Schöpferkraft und Meisterschaft, der Orientalist erweist sich im Forschen wie im Übersetzen oder Nachdichten als dienender und deutender Bewahrer des Wortes. Rückert war sich als Dichter wie als Gelehrter in gleicher Weise seiner Verantwortung gegenüber der Sprache bewußt und hat dieser Sprachverantwortung auch in Versen wiederholt Ausdruck gegeben, so z. B. in der Hymne *„An unsere Sprache"*, deren erste Strophe lautet:

„Reine Jungfrau, ewig schöne,
Geist'ge Mutter deiner Söhne,
Mächtige von Zauberbann
Du, in der ich leb' und brenne,
Meine Brüder kenn' und nenne,
Und dich selber preisen kann!"

Von unheimlicher Aktualität, besonders der beiden letzten Kurzstrophen, ist ein Sonett, das in der nationalen Notzeit der Freiheitskriege entstand, als die Auflösung des Deutschen Reiches ersichtlich wurde:

„Ihr Deutschen von dem Fluthenbett des Rheines,
Bis wo die Elbe sich in's Nordmeer gießet,
Die ihr vordem ein Volk, ein großes, hießet,
Was habt ihr denn, um noch zu heißen eines?

Was habt ihr denn noch großes allgemeines?
Welch Band, das euch als Volk zusammenschließet?
Seit ihr den Kaiserscepter brechen ließet,
Und euer Reich zerspalten, habt ihr keines.

Nur noch ein einziges Band ist euch geblieben,
Das ist die Sprache, die ihr sonst verachtet;
Jetzt müßt ihr sie als euer einziges lieben.

Sie ist noch eu'r, ihr selber seid verpachtet;
Sie haltet fest, wenn alles wird zerrieben,
Daß ihr doch klagen könnt, wie ihr verschmachtet."

*
*
*

Was steht auf diesem Ring? Der Bundesfreund sandt' ihn mir.
Heißt es Mihr muhri mihr? Heißt es Muhr mihri mihr?

In Perserschrift ist nicht der flüchtige Vokal
Bezeichnet; heißen kann es beides allzumal.

Was heißt Mihr muhri mihr? "Die Sonne ist das Siegel
Der Liebe." Lieblich lacht die Lieb' aus diesem Spiegel.

Was heißt Muhr mihri mihr? "Das Siegel ist die Sonne
Der Liebe." Dieser Gruß ist wonniglicher Wonne.

Den Brief des Himmels deckt des Sonnensiegels Glanz,
Das löst die Nacht und liest die Sterngeheimschrift ganz.

Das Siegel aber auf dem Brief, den Liebe schrieb,
Ist eine Sonne, die des Zweifels Nacht vertrieb.

Mit dieser Sonne siegl' ich hier das erste Blatt,
Das jenem, der dies Bild mir gab, zu danken hat.

Wer einen Gruß von mir empfängt mit diesem Stempel,
Er kommt vom Herzen aus der Liebe Sonnentempel.

Rückert

„Der Ring" in Rückerts Handschrift

Der Dichter ruft seinen damaligen wie heutigen Landsleuten ins Bewußtsein, daß die Sprache noch immer das einigende Band auch zwischen getrennten Brüdern ist und bleiben sollte, damit man wenigstens gemeinsam klagen kann, wenn einem das gemeinsame Lobpreisen versagt ist.
Immer wieder hat Rückert sich als Dichter für Wert und Würde der deutschen Sprache eingesetzt und darüberhinaus auch das Wesen und die Bedeutung jeder Sprache zu ergründen versucht. So bekennt er in der *„Weisheit des Brahmanen“* einmal:

> *„Geehret sei das Wort! es ist des Geistes Spiegel,*
> *Ist des Gedankens, der gereift, Vollendungssiegel.“*

Gerade diese Auffassung vom Wort als *„des Geistes Spiegel“* ist nicht nur zutreffend, sondern auch verpflichtend. Denn die bekannte Amerikanisierung unserer Gegenwartssprache ist zugleich ein bedrohlicher Beweis für diese Geistesspiegelung im Wort und sollte möglichst alle für die Sprache Mitverantwortlichen — vor allem die Lehrer und Journalisten, die Schriftsteller, Politiker und Geistlichen — zur Besinnung aufrufen, auf den Geist und die Form unseres Sprachgebrauchs nachdrücklich zu achten und das deutsche Wort als *„des Geistes Spiegel“* wieder mehr zur Geltung zu bringen.
In welchem Maße das Wort tatsächlich *„des Geistes Spiegel“* ist, wird übrigens u. a. besonders deutlich, wenn man sich bemüht, eine fremde Sprache zu verstehen oder mit eigenen Worten wiederzugeben. Daher kann der erfahrene Übersetzer Rückert gestehen:

> *„Wie schwankend ist das Wort, wie schillerig vieldeutig*
> *Und eben dadurch auch wie reich und vielausbeutig!“*

Ja, er kann deshalb zu der fast paradox erscheinenden Meinung kommen:

> *„Je mehr du es (das Wort) verstehst, je minder übersetzlich.“*

Denn die Sprache als Mitteilungs- und Verständigungsmittel der Menschen untereinander, also auch der verschiedenen Völker, bedarf nach Rückerts Ansicht der besonderen Aufmerksamkeit aller, die guten Willens sind. Daher kann der Dichter sagen:

> *„Sprachkunde, lieber Sohn, ist Grundlag' allem Wissen;“*

und er vermag diese Strophe zu beschließen mit den Versen:

> *„In jeder räumlichen und zeitlichen Entfernung*
> *Den Menschen zu verstehn, dient seiner Sprach' Erlernung.*
> *Nur Sprachenkunde führt zur Weltverständigung;*
> *Drum sinne spät und früh auf Sprachenbändigung!“*

Dementsprechend formuliert er kurz darauf:

> *„Mit jeder Sprache mehr, die du erlernst, befreist*
> *Du einen bis daher in dir gebundenen Geist . . .“*

Rückert selber kannte den Reichtum seiner Muttersprache, aber auch den verschiedener europäischer und orientalischer Sprachen. Als dichtender Lyriker erwies er sich wiederholt als Beherrscher und Gestalter der deutschen Wort-, Vers- und Reimfülle. Doch darüber hinaus erwarb er sich vor allem als Übersetzer und Nachdichter unvergängliche Verdienste, die erst in unserer Zeit stärker gewürdigt werden. Rückert war nämlich als Sprachforscher und Verdeutscher fremder Literaturen Philologe im ursprünglichen Sinn: Liebhaber des Wortes, ein Freund des Wortes um der Sprache willen. Die Herkunft des Wortes und die Entstehung der Sprache, die Ergründung von Wortzusammenhängen und Sprachverwandtschaften interessieren zunächst den Forscher, der dem Lautbestand und Klang, aber auch der poetischen Verwendungsmöglichkeit des Wortes im Reim und Rhythmus etwa nachfragt. Dabei kann man nicht eigenwillig mit der Sprache umgehen oder sich ihrer eigenmächtig bedienen, sondern hier muß man sich entsagungsvoll in den Dienst des Erkennens und Verstehens oder des Deutens stellen. Das gilt übrigens nicht nur für das elementare Erlernen einer Sprache, sondern in erster Linie gerade für das Übersetzen, für das Um- und Nachdichten, weil man durch deutendes Verstehen dem Original und der eigenen Muttersprache zugleich als Vermittler dienen will. Und vornehmlich in diesem Bereich ist Rückerts große Leistung als Übersetzer und Nachdichter zu suchen.

Sein unmittelbares Interesse für fremde Sprachen und Literaturen reicht weit zurück. Denn nach dem pflichtgemäßen Erlernen des Griechischen, Lateinischen und Französischen auf dem Schweinfurter Gymnasium hat der 17jährige Jurastudent bereits in seinem ersten Würzburger Semester 1805/06 außer den obligaten Fachvorlesungen Kollegs über Tacitus, Sallust und Vergil gehört. Wir wissen weiter vom Besuch einer Horaz-Vorlesung und eines Kollegs über griechische Mythologie. Im Wintersemester 1807/08 belegte er sogar eine Vorlesung über hebräische Sprache, und im Heidelberger Sommersemester 1808 besuchte er bezeichnenderweise ein Metrik-Kolleg beim jüngeren Heinrich Voß.

Als Rückert sich im Frühjahr 1811 an der Universität Jena für alte Sprachen habilitierte, legte er als Habilitationsschrift eine philologisch-philosophische Untersuchung über die Idee der Sprachwissenschaft vor, also eine zugleich sprachwissenschaftliche wie grundsätzliche Darstellung der Philologie. Die Vorlesungen des jungen Jenenser Privatdozenten galten sowohl einer allgemein vergleichenden Mythologie des Orients und der Griechen als auch griechischen Dichtern, lateinischen Schriftstellern und einer vergleichenden Betrachtung der Kunst der Metrik in den antiken und deutschen Sprachen. Das ganze wissenschaftliche Programm und die Methode des möglichst vergleichenden Betrachtens werden bereits an diesen akademischen Anfängen des jungen Gelehrten deutlich. Rückert hat zeitlebens keine Sprache nur für sich und um ihrer selbst willen studiert, sondern immer Querverbindungen angestrebt, nach Gemeinsamkeiten gesucht und Sprachverwandtschaften aufgespürt.

Im Erlernen von Sprachen war er unermüdlich, vor allem seit er 1818/19 in Wien durch den Orientalisten Josef Hammer-Purgstall auf die Welt des Orients nachdrücklich aufmerksam gemacht worden war. Zunächst bemühte er sich eindringlich um das Persische, dann um das Arabische und besonders um Sanskrit; aber auch Türkisch und Syrisch hat er neben dem Hebräischen zum Gegenstand seiner Studien gemacht. Indische Dialekte und Hawaiisch

tauchen in seinen Sprachforschungen ebenso auf wie das Koptische, Tatarische und Finnische. Daß er überdies die wichtigsten abendländischen Sprachen kannte, versteht sich bei einem solchen Sprachgenie von selber.
Aber über das rein Sprachwissenschaftliche hinaus, das er mit Grammatik und Syntax als Professor der orientalischen Sprachen in Erlangen und Berlin seinen Studenten ziemlich widerwillig vermittelte, waren es immer auch die literarischen Denkmäler der jeweiligen Sprachen, die nun vor allem den Künstler Rückert interessierten und zur dichterischen Verdeutschung anregten. Mit seinen zahlreichen Übersetzungen und Nachdichtungen stellte er sich aber nicht nur in den Dienst fremder Sprachen und Kulturen, deren Werte er den Deutschen vermitteln wollte, sondern damit trat er auch in den Dienst des deutschen Geistes, den er von seiner nationalen Enge befreien und ins Weltliterarische erweitern wollte. Die Erschließung orientalischer Sprachen und Dichtungen gehört zu den bleibenden Verdiensten Rückerts, wofür gerade unser Jahrhundert unmittelbar engagiertes Verständnis haben könnte. Denn nach zwei Weltkriegen hat sich unser nationaler Horizont erfreulicherweise so erweitert, daß wir mit einiger Toleranz und Humanität mehr und mehr endlich auch von dem Notiz nehmen, was uns zunächst fremdartig erscheint. Und das Kennenlernen orientalischer Dichtung etwa hat uns gerade Rückert seit über 100 Jahren erleichtert oder überhaupt erst ermöglicht. Dabei kam diesem Vermittler fremder Sprachen die Wortmächtigkeit des eigenen dichterischen Schaffens in einem ungewöhnlichen Maße zugute. Denn der Beherrscher der deutschen Dichtersprache und poetischen Formenwelt erwies sich im Dienst orientalischer Werke zugleich als Meister der Umsetzung von Fremdem in Eigenes, sei es in der erstaunlichen Nachahmung orientalischer Wortverbindungen, gewagter Wortspiele und eines raffinierten Wort- und Formenreichtums oder sei es in der schwierigen Bildfindung und Klanggebung, in der artistischen Reim- und Rhythmuskunst. Die natürliche wie künstliche Spielfreude des Dichters mit Worten, Formen und Klängen war gerade für den Übersetzer und Nachdichter orientalischer Literatur eine besonders günstige Grundlage bzw. ein geradezu entscheidendes künstlerisches Hilfsmittel für die sprachornamentalen Besonderheiten orientalischer Dichtungen.
Rückerts früheste Bemühungen um die Vermittlung orientalischer Literatur hängen mit seinen persischen Studien zusammen, als er schon 1819 versuchte, Mewlana Dschelaleddin Rumi und Hafis, also Dichter des 13. und 14. Jahrhunderts, nachzudichten und die orientalische Form des Ghasels ins Deutsche zu übertragen, ja schließlich auch eigene Ghaselen zu schreiben. Ebenso übertrug Rückert damals Partien aus einem persischen Alexander-Epos. Mit dem Beginn seiner arabischen Studien setzen bereits die Vorarbeiten zu einem seiner frühen Hauptwerke ein, zu den *„Verwandlungen des Abu Seid von Serug oder die Makamen des Hariri“,* die 1826 erschienen und seiner Berufung an die Universität Erlangen dienten. Das sind arabische Kurzgeschichten, die an die deutschen Eulenspiegelstreiche erinnern, in gereimter Prosa verfaßt und mit Versen durchsetzt sind.
In diese frühe Coburger Zeit des Sprachwissenschaftlers gehören auch die Versuche, den Koran zu übersetzen, von dem zunächst aber nur Proben erschienen sind. Erst aus dem Nachlaß konnten 1888 noch größere Teile veröffentlicht werden.
Seine ganz besondere Liebe jedoch galt dem Sanskrit, der heiligen Sprache der Inder, aus deren großem Epos, dem *„Mahabharata“,* er eine markante Episode

Rückerts Haus in Neuses, nach einer Zeichnung von C. Reiss

übersetzt und 1828 veröffentlicht hat, nämlich die Geschichte von *„Nal und Damajanti“,* die eine der schönsten Lobpreisungen ehelicher Liebe und Treue enthält. Schon die Wahl gerade dieser abenteuerlichen Liebes- und Ehegeschichte kennzeichnet ja auch den Nachdichter, der sich mit seiner Arbeit keineswegs nur in den Dienst einer beliebigen sprachlichen Verdeutschung stellte, sondern gewiß auch der allgemeinmenschlichen Idee von bestandenen Prüfungen und bewährter Treue eines gefährdeten Ehepaares dienen wollte. Rückerts Nachdichtung ist übrigens keine originalgetreue Übersetzung. Er läßt z. B. manche Namen von indischen Gottheiten, Personen und Orten weg bzw. ersetzt sie gelegentlich durch allgemeine Bezeichnungen, da die indische Mythologie der deutschen Leserschaft meist doch nicht vertraut ist.
So finden – durchaus im Dienst der Dichtung und ihrer Eindeutschung – mancherlei Verkürzungen, aber auch erklärende Erweiterungen gegenüber dem Urtext statt, um dem deutschen Leser verständlich zu machen, was dem indischen selbstverständlich war. Rückert bedient sich bei seiner Nacherzählung im allgemeinen ziemlich freier Reimpaare, die in keiner Weise dem Versmaß des Originals entsprechen, so daß die künstlerische Form bedenklich verändert erscheint. Andererseits weiß er besonders gewagte Wortverbindungen anzuwenden, die seine eigene sprachschöpferische Kraft verraten und zugleich dem Reichtum orientalischer Bilderpracht entsprechen. So wird z. B. die Häufung schmückender Beiworte durch zahlreiche Adjektiv- und Partizipialkompositionen wiedergegeben. Das Kunstvoll-Gewollte ist dabei keineswegs zu verkennen, kommt aber wohl dem Original bis zu einem gewissen Grade nahe und entspricht auch der spielerischen Formfreude des deutschen Nachdichters.

Während seiner Erlanger Professorenjahre übertrug Rückert weiter einige *„Sanskritische Liebesliedchen aus Amaru-Satakam oder Amarus 100 Strophen“*, ebenso übersetzte und erläuterte er *„Hebräische Propheten“*, über die er schon Vorlesungen gehalten hatte. Im Dienst fremder Sprache und Dichtung stand er auch, als er 1832 *„Die Vögel“* aus dem Griechischen übersetzte, jene berühmte Komödie des Aristophanes, mit der er sich bereits als Jenaer Privatdozent beschäftigt hatte. Diese Übersetzung, die sehr viel zu wünschen übrig läßt, vor allem, wenn man sie mit anderen Übertragungen vergleicht, ist erst nach Rückerts Tod in einem Nachlaßband 1867 veröffentlicht worden. Das Geistvolle, Witzige und Geschmeidige des Originals fehlt dieser deutschen Wiedergabe ganz, die mehr lahm und ledern als gelöst und heiter wirkt. Rückerts Bewunderung für die große Formkunst des Aristophanes war jedoch nicht gepaart mit der sprühenden Witzigkeit dieses unvergleichlichen Komödienschreibers aus Athen.
Als besonderes Wagnis des Erlanger Orientalisten, sich als Vermittler einer fremden Sprache und Dichtung verdient machen zu wollen, muß seine kühne Nachdichtung des chinesischen Liederbuches *„Schi-king“* angesehen werden, insofern nämlich, als Rückert die chinesische Sprache überhaupt nicht beherrschte. Ihm lag nur die lateinische Übertragung dieser berühmten Sammlung durch den Pater Lacharme aus dem Jahre 1733 vor, und zwar in einer 1830 erschienenen Prosaausgabe. Danach hat er es unternommen, weit über 300 Lieder in deutsche Verse zu bringen. Für einen sonst verantwortungsvollen Forscher ein geradezu vermessenes Unternehmen! Wir dürfen aber gerade in diesem Fall nicht die gute Absicht des geistigen Vermittlers verkennen, der im *„Vorspiel“* zu dieser Sammlung das ihn so sehr bezeichnende Bekenntnis ablegt: *„Weltpoesie / Allein ist Weltversöhnung.“*
Darin, und zwar vornehmlich darin liegt Rückerts Hauptverdienst um die Erschließung fremder Sprachen und Literaturen, daß er immer und immer wieder den allgemeinmenschlichen und völkerverbindenden Charakter jeder Dichtung erkannt hat; zu einer Zeit, da allenthalben in Europa geradezu nationalstaatliche Tendenzen, z. T. verhängnisvoll, spürbar wurden und da nur der alte Goethe so beziehungsreich und zukunftsgläubig von *„Weltliteratur“* zu sprechen wußte.
Also nicht das wissenschaftlich unhaltbare Ergebnis dieser Rückertschen *„Schi-king“*-Dichtung, sondern das redliche Bemühen um Verstehenwollen und Zugänglichmachung jahrtausendealter Lieder einer fernen Welt sollte in diesem Fall positiv bewertet und anerkannt werden; ein ebenso künstlerisches wie menschliches Bemühen, deutlich machen zu wollen, daß zu allen Zeiten und bei allen Völkern Liebe und Freundschaft, Sehnsucht, Natur und Tod, Enttäuschung und Erfüllung, Glück und Leid, Last und Lust urmenschlichen Charakter haben und zur Mitteilung im künstlerisch gestalteten Wort drängen. Wenn in diesem fatalen Eindeutschungsversuch natürlich Geist und Form der chinesischen Sprache in keiner Weise adäquat erfaßt sind, so bleibt doch Rückerts leidenschaftliches Bemühen, als Vermittler wirken zu wollen, auch hier unverkennbar.
Die Menge seiner sprachwissenschaftlichen Studien und literarischen Eindeutschungsversuche ließ sich damals gar nicht in Zeitschriften oder sinnvoll geordneten Büchern unterbringen. Daher stellte der zeitlebens so immens fleißige Gelehrte einige Sammlungen von Gedichten und Verserzählungen zusammen, die uns seit 1837 in drei Ausgaben zugänglich sind: *„Sieben Bücher*

Rückert im 78. Lebensjahr, Ölgemälde von Karl Hohnbaum d. J.

morgenländischer Sagen und Geschichten", *„Erbauliches und Beschauliches aus dem Morgenlande"* und *„Brahmanische Erzählungen"*, zu denen übrigens auch eine Geschichte aus dem indischen *„Mahabharata"* gehört, die als *„Savitri"* bekannt geworden ist und wie *„Nal und Damajanti"* wieder das Hohelied der Gattentreue singt! Jede dieser Sammlungen hat zwar einen eigenen Charakter, aber das sie Verbindende liegt meist im moralisch-didaktischen Unterhal-

tungston, im erzählenden Lehrcharakter, wie er nun einmal der orientalischen Dichtung eigentümlich ist und wie er vor allem dem Wesen Rückerts entsprach; denn auch in seinen eigenen Versen erweist er sich zeitlebens als einer der lehrhaftesten Dichter seines Jahrhunderts.
Zwischen diesen Sammlungen entstand noch eine selbständige Nachdichtung einer „Heldengeschichte" aus dem persischen Schah-Nameh, dem berühmten Königsbuch, und zwar die Erzählung von *„Rostem und Suhrab"*. Sie enthält die ergreifende Geschichte, *„wie der eigne Sohn, erlegt vom Vater starb!"*, also eine orientalische Version des germanischen Liedes von Hildebrand und Hadubrand. Die Rückertsche Nacherzählung, in meist paarig gereimten Jamben, ist ebenso von epischer Breite wie von dramatischer Spannung, geschickt aufgebaut mit leitmotivartigen An- und Vordeutungen, so daß man frühzeitig den schrecklichen Ausgang dieser Geschichte ahnt und doch voller Erwartung auf die Art der Begegnung, des Kampfes und des Erkennens von Vater und Sohn ist.
Es ist durchaus verständlich, daß Rückert seine Sprachkenntnisse und seine Übersetzer- oder Nachdichtergabe in den Dienst gerade dieser Heldengeschichte gestellt hat, da urmenschliche Lebenssituationen und Konfliktsmöglichkeiten, schicksalvolle Verwicklungen und Verhängnisse dadurch deutlich werden, die den Bereich der unausweichlichen Tragik berühren. Denn das kampfgespannte Verhältnis von Vater und Sohn, die sich in Liebe, Rivalität und gegenseitiger Verkennung begegnen und aneinander messen, ist ja bekanntlich ein Grundmotiv menschlichen Verhaltens und dichterischer Gestaltung — vom Hildebrandslied bis zum expressionistischen Drama, vom Alten Testament bis zur Dichtung der Gegenwart.
In seiner Berliner Zeit erschien 1843 bei Cotta Rückerts Ausgabe *„Amrilkais, der Dichter und König"*, sein *„Leben dargestellt in seinen Liedern, aus dem Arabischen"* übertragen. Es handelt sich dabei um eine Gestalt aus dem 6. Jahrhundert, die den Gelehrten bei seinen Studien seit langem beschäftigte und deren Leben wie Poesie ihn ständig anzog. In Prosa und Vers werden hier die Jugend und das weitere Leben dieses dichtenden Königssohnes, vornehmlich aus dessen *„Divan"* und *„Liedern"*, nachgestaltet. In selbstloser Weise wird somit ein längst vergangenes Dasein aus ferner Welt für unsere Zeit gerettet und die literarische Dokumentation eines arabischen Fürsten aus dem frühen Mittelalter deutschem Geist zugänglich gemacht.
Daß Rückert sich keineswegs nur in den Dienst seines engeren Fachgebietes, der Orientalistik, stellte, hörten wir schon, als von der *„Vögel"*-Übersetzung die Rede war. Der Professor der Berliner Universität bewies diese geistige und menschliche Weite erneut durch eine Prosa- und Versübersetzung aus dem Lateinischen, als er 1845 in Stuttgart erschienen ließ: *„Das Leben der Hadumod, Erster Äbtissin des Klosters Gandersheim;... beschrieben von ihrem Bruder Agius."*
Wie sonst so oft bei orientalischen Literaturwerken stellt Rückert auch hier seine erprobte Übersetzergabe und nachgestaltende Formkraft in den Dienst eines literarischen Dokuments, das Zeugnis ablegte vom Leben, Leiden und Sterben einer mittelalterlichen Klosterfrau des 9. Jahrhunderts.
Eine solche Arbeit läuft neben den Studien her, die Rückert seit etwa zwei Jahrzehnten beschäftigten und deren Ergebnisse er nun 1846 in zwei Büchern vorlegen konnte: *„Hamasa, oder die ältesten arabischen Volkslieder, gesammelt von Abu Temmam, übersetzt und erläutert"*. Es sind alte „Heldenlieder"

und „Todtenklagen“, Sprüche der feinen Sitten, Liebeslieder, Schmähgedichte, Scherz- und Spottverse, was Rückert hier in zwanzigjähriger Sammler- und Übersetzerarbeit zusammengetragen und nach wiederholten Ankündigungen endlich zum Abschluß gebracht hatte. Die von jedem Wissenschaftler geforderte Entsagung und die Freude am Nachgestalten trafen dabei wieder aufs glücklichste zusammen, so daß Opfer und Gewinn sich auch in diesem Fall die Waage halten. Diese *„Hamasa“*-Ausgabe war übrigens die letzte große selbständige wissenschaftliche Arbeit, die Rückert selber veröffentlichte.
Das bedeutete aber keinesfalls, daß der Gelehrte sich von nun an der Forschung entzog oder sich nicht mehr in den Dienst fremder Sprachen und Literaturen stellte. Denn außer seinen fleißigen Sprachstudien zur Wortkunde, Grammatik, Syntax und Metrik im Bereich vieler Sprachen bemühte er sich auch weiterhin um das deutende Verstehen und Vermitteln dichterischer Texte. Zwei Arbeiten seien hier besonders hervorgehoben: Etwa 1854/55 hat er eine Übersetzung von Kalidasas *„Sakuntala“*-Drama vorgenommen. Bereits 20 Jahre zuvor hatte sich Rückert mit dieser indischen Dichtung beschäftigt. Er gestaltete allerdings in seiner Übersetzung die besonderen sprachlichen Eigentümlichkeiten dieser Sanskrit-Dichtung nicht nach, sondern beschränkte sich mehr auf eine inhaltliche Verdeutschung als auf eine künstlerische Nachgestaltung. Diese Sakuntala-Übersetzung kam ebenfalls erst 1867 in einem Nachlaßband heraus.
Das gilt schließlich auch für Rückerts späte Übersetzung der *„20 Idyllen von Theokritos“*, die er gegen Ende des Jahres 1858 zum Abschluß gebracht hat. Wieder kennzeichnet schon die Wahl dieser Aufgabe, gerade Idyllen eines spätgriechischen Dichters aus dem Hellenismus zu verdeutschen, auch den gelehrten Übersetzer als Persönlichkeit, der ein Leben lang das so paradox erscheinende Kunstvoll-Schlichte besonders geschätzt und sich vornehmlich an der Vermittlung solcher Werte und Worte wiederholt geübt und versucht hat.
Wenn Rückert sich als Dichter auch ein Leben lang bemüht hatte, in eigenen Versen möglichst Eigenes zum Ausdruck zu bringen, so war er als Gelehrter doch jahrzehntelang davon besessen, als Erforscher vieler Sprachen und als Interpret dichterischer Worte dem Geist und der Form aller ihm zugänglichen Sprachen zu dienen. Ihn bestärkte darin die Überzeugung, daß unser Verständnis der Weltpoesie auch zur Weltversöhnung beitragen könne. Gibt es etwas Aktuelleres als den Versuch, durch gegenseitiges Verstehen — nicht nur in politischen und sozialen Fragen — Vertrauen zu gewinnen und somit zu einem versöhnten Miteinanderleben zu gelangen? Wenn wir den Mut und den Drang haben, wenigstens die Literatur fremder Völker und Zeiten respektvoll verstehen zu lernen, können wir im Geiste Rückerts durch Kenntnis der Weltpoesie am Weltverständnis und an der Weltversöhnung mitwirken! Die in Deutschland leider noch immer vernachlässigte vergleichende Literaturwissenschaft als echte Disziplin könnte dafür in der Nachfolge Rückerts solide Wege bereiten.

Kurt Wölfel

AUGUST GRAF VON PLATEN

1796—1835

Unter den Gedichten, die der junge August von Platen in der Frühzeit seines Aufenthalts in Erlangen schrieb (es ist vom 14. Dezember 1820 datiert), befindet sich das folgende Nachtlied, das Johannes Brahms später zu einer seiner schönsten Liedkompositionen anregte:

„Wie rafft' ich mich auf in der Nacht, in der Nacht,
Und fühlte mich fürder gezogen,
Die Gassen verließ ich, vom Wächter bewacht,
Durchwandelte sacht
In der Nacht, in der Nacht,
Das Thor mit dem gotischen Bogen.

Der Mühlbach rauschte durch felsigen Schacht,
Ich lehnte mich über die Brücke,
Tief unter mir nahm ich der Wogen in acht,
Die wallten so sacht
In der Nacht, in der Nacht,
Doch wallte nicht e i n e zurücke.

Es drehte sich oben, unzählig entfacht,
Melodischer Wandel der Sterne,
Mit ihnen der Mond in beruhigter Pracht,
Sie funkelten sacht
In der Nacht, in der Nacht
Durch täuschend entlegene Ferne.

Ich blickte hinauf in der Nacht, in der Nacht,
Ich blickte hinunter aufs neue:
O wehe, wie hast du die Tage verbracht!
Nun stille du sacht
In der Nacht, in der Nacht
Im pochenden Herzen die Reue!"

Es ist ein Nachtgedicht, eines der zahllosen Lieder, in der Nacht, zur Nacht gesungen, wie sie die Lyriker zu allen Zeiten angestimmt haben, mit besonderer Vorliebe aber in jenem Zeitraum, in dem wir uns mit dem Jahr 1820 befinden: dem der Romantik. Und romantisch mutet Platens Gedicht auch zweifellos beim ersten Hören an. Freilich, betrachten wir es genauer, dann treten eigentümlich unromantische Züge daran hervor. Romantisch – das ist die Hingabe des lyrischen Dichters an den Zauber der Nacht, der ihn von der Last des Tages, vom hellen Licht seiner Gewöhnlichkeit befreit; romantisch die nächtliche Verwandlung der Welt in einen Märchenraum, von Ahnung, Traum und Musik erfüllt: Tiecks *„Mondbeglänzte Zaubernacht, die den Sinn gefangen hält“*, oder Brentanos *„Abendständchen“:*

„Hör', es klagt die Flöte wieder,
Und die kühlen Brunnen rauschen.
Golden wehn die Töne nieder,
Stille, stille, laß uns lauschen!

Holdes Bitten, mild Verlangen,
Wie es süß zum Herzen spricht!
Durch die Nacht, die mich umfangen,
Blickt zu mir der Töne Licht.“

Von dieser Art romantischer Nacht weiß Platens Gedicht nichts. Zwar treibt es auch ihn nächtlich aus dem Haus, den Gassen, der Stadt: *„und fühlte mich fürder gezogen“*, das ist die romantische Bewegung „hinaus“, ohne Wohin, weg von den Schläfern, von dem, was der *„Wächter bewacht“*, ins Freie. Aber dann wird er nicht *„umfangen“* von und erfüllt mit dem dunklen und tröstlichen Zauber der Nacht. Keine Vereinigung und Einheit von Nacht-Welt und Gemütsinnigkeit kommt zustande. Der Ort, zu dem er gelangt, nimmt ihn nicht in sich hinein. Er bleibt gegenüber, ein Blickender, der *„in Acht nimmt“*, der die Bilder reflektiert, die ihm zu Symbolen werden. Die rauschenden Wogen des Mühlbachs, von denen nicht *eine* zurückwallt: unwiderrufbar verrinnende Lebenszeit. Der sich drehende, *„melodische Wandel der Sterne“:* die Harmonie der Sphären, ein Wandel des Unwandelbaren, ein Kreisen des in sich Vollendet-Ewigen. Zwischen beiden, dem *„oben“* und dem *„tief unter mir“*, hinauf- und hinunterblickend, der Dichter: die Welt ist ihm Gleichnis geworden für Zeit und Ewigkeit, in der Einsamkeit der Nacht führen ihn das Verfließen unter, das Bleibend-Strahlende über ihm zum Bedenken des eigenen Daseins und seiner Versäumnisse, dem Anspruch des Ewigen im Strom der Zeit gerecht zu werden. Was das romantische Nachtgedicht so oft zum eigentlichen Inhalt hat, das Gestillt- und Stille-Werden des Herzens, das kehrt auch bei Platen ganz am Ende des Gedichts wieder, aber nicht als Gabe und Geschenk der Nacht, sondern nur als Aufgabe, als Aufforderung des Dichters an sich selbst:

„Nun stille du sacht
In der Nacht, in der Nacht
Im pochenden Herzen die Reue!“

Nicht mehr romantischer Einklang von Seele und Welt ist Gegenstand und Inhalt des Gedichts. Brentano dichtete von den Sternen, es wehe deren *„Heili-*

ger Sinn / Leis durch die Ferne / Bis zu mir hin". *„Sind durch die Nächte die Lichter gewunden, / Alles ist ewig im Innern verwandt"*, sagt er. Platens Sterne gehören einer anderen Welt an, einer *„täuschend entlegenen":* ihre Nähe täuscht, sie gehen ihren melodischen Gang in unerreichbar-entlegener Ferne.

„Und euch Sterne berührt nimmer ein Menschengeschick;
Ihr geht über dem Haupte des Weisen oder des Toren
Euren seligen Weg ewig gelassen dahin!"

So hat Mörike, auch ein Lyriker nachromantischer Zeit, dieses Bewußtsein ausgedrückt, daß die Sterne nicht teilnehmen an dem, was *„im pochenden Herzen"* des Menschen vorgeht, daß der Mensch nicht teilhat an diesem *„seligen Weg"*, an jenem *„melodischen Wandel"*.

Und doch steht Platens ganzes Leben im Zeichen des Verlangens, an diesem *„melodischen Wandel der Sterne"* teilzuhaben. Teilzuhaben nicht so sehr als Mensch in seiner konkreten, täglichen Existenz, sondern als Dichter, als einer, der das allem Lebenswirrwarr entrückte, selig in sich selbst vollendete Kunstgebilde schafft, das wie die Sterne *„melodisch wandelt"*, wie *„der Mond in beruhigter Pracht"* leuchtet.

Als „Mensch" hat Platen wenig Ansprüche erhoben. Entsagung und ein Sich-Schicken in die Dürftigkeit der äußeren Bedingungen, in die er hineingeboren wurde, hat er frühzeitig gelernt. Sein klangvoller Name: August Graf von Platen-Hallermünde täuscht darüber hinweg, daß er zeit seines Lebens, fast darf man sagen: ein armer Schlucker gewesen ist. Sein Vater war hannoveranischer Offizier, der während eines Aufenthalts in England den letzten Markgrafen von Ansbach-Bayreuth kennenlernte und von diesem als Oberforstmeister nach Ansbach mitgenommen wurde. Eine zweimalige Heirat und eine sehr zahlreiche Kinderschar ließen dem ohnedies nicht Begüterten nur sehr karge Mittel. So steckte man den am 24. Oktober 1796 geborenen August von Platen – Ansbach war inzwischen bayerisch geworden – 1806 in das Kadettenkorps in München und bestimmte ihn zum Militärstand. Daß er eine Freistelle bekommen konnte, war das ausschlaggebende Moment. 1813 wurde er Offizier des bayerischen Königs. Der militärische Dienst widerte ihn freilich bald und dann mehr und mehr an. Endlich erlaubten ihm Urlaub und ein kgl. Stipendium den verspäteten Besuch der Universität. Platen geht 1818 nach Würzburg, ein Jahr später nach Erlangen. Dort weilt er bis 1826, dann bricht er nach Italien auf, wo er, nur noch zweimal nach Deutschland zurückkehrend,

Platen als bayerischer Kadett, Ölgemälde von Marianne Kürzinger 1807

mit dürftigen Mitteln alles andere als gräflich lebend, bis zu seinem Tod 1835 bleibt: einer aus der im Verlauf des 19. Jahrhunderts immer stärker anwachsenden Schar deutscher Künstler, die Italien für eine notwendige Bedingung ihres künstlerischen Schaffens hielten.
Wir sehen: kein Leben, das im Zeichen des Grafentitels glanzvoll geführt wird. An *„beruhigter Pracht“* hat Platen wahrhaft nur als ein nach oben, in *„täuschend entlegene Ferne“* Blickender teil: im künstlerischen Schaffen, nicht im Leben. Das Leben selbst hat er in seinen Gedichten so unermüdlich geschmäht, wie er dem Tod gehuldigt hat. Enttäuschung und Hoffnungslosigkeit der Restaurationszeit, die in den Poeten Europas jenen als „Weltschmerz“ bekannten Lebensekel und -überdruß ausbrechen ließ, prägen auch Platens Gedichte:

„Wer wußte je das Leben recht zu fassen,
Wer hat die Hälfte nicht davon verloren
Im Traum, im Fieber, im Gespräch mit Thoren,
In Liebesqual, im leeren Zeitverprassen?

Ja, der sogar, der ruhig und gelassen,
Mit dem Bewußtsein, was er soll, geboren,
Frühzeitig einen Lebensgang erkoren,
Muß vor des Lebens Widerspruch erblassen.

Denn jeder hofft doch, daß das Glück ihm lache,
Allein das Glück, wenn's wirklich kommt, ertragen,
Ist keines Menschen, wäre Gottes Sache.

Auch kommt es nie, wir wünschen bloß und wagen:
Dem Schläfer fällt es nimmermehr vom Dache,
Und auch der Läufer wird es nicht erjagen.“

Um diese an Schopenhauers Pessimismus erinnernde Lebensstimmung zu begründen, kam freilich bei Platen noch ein ganz persönliches Moment hinzu: eine Quelle immer wieder aufbrechenden Leidens, seine homoerotische Veranlagung. Erschütternd, in seinem Tagebuch zu lesen, wie er allmählich dieser Veranlagung im vollem Umfange inne wird. *„Warum, warum hat mich die Vorsehung so geschaffen! Warum ist es mir nicht möglich, Frauen zu lieben, warum muß ich Neigungen so unheilvoller Art hegen? Was für eine furchtbare Unmöglichkeit – und was für ein Schicksal erwartet mich!“* So trägt er, von einer jener Leidenschaften ergriffen, die mit wechselnder Stärke, wechselnder Not ihn wieder und wieder ergreifen, in sein Tagebuch ein. Sein fluchtartiger Universitätswechsel von Würzburg nach Erlangen ist das Resultat einer solchen, zur Katastrophe gelangenden Freundschaft. *„Ich komme mir vor wie ein Verruchter, der sich vor sich selbst fürchtet. Jede Beschäftigung ist mir eine Qual. Ich werde immer gegen das Leben kämpfen müssen.“* Gegen das Leben, gegen sein in ihm lebendiges Leben kämpfend, muß Platen existieren, zur Freundschaft zwingen, was Begehren ist. Ohne Hoffnung auf Erfüllung bleibt ihm nur, in Versen dem jeweiligen Geliebten zu huldigen und von der jeweiligen Liebe zu klagen.
Er huldigt und klagt in den Versen des Sonetts, jener Gedichtform, in der Petrarca von seiner schmerzensreichen Liebe zu Laura, Michelangelo von

seiner Leidenschaft und seiner Kunst, in der Shakespeare, wie Platen schreibt, *„stets um Freundschaft ringend"*, gesprochen haben. Es ist eine Gedichtform, die dem von Platen bevorzugten Ausdruck eines reflektierten Empfindens entgegenkommt, ja ihn geradezu nahelegt; deren ihr angemessene Diktion — ein *„kunstgeläutertes Parlando"*, wie Thomas Mann sehr treffend sagt — Platen vorzüglich beherrscht; eine Form, die er überhaupt zu einer in der deutschen Dichtung selten mehr erreichten Vollkommenheit führt — auf vollendete Weise in den *„Sonetten aus Venedig"*.
Venedig ist Platens erste Begegnung mit Italien. 1824 führt ihn eine Reise für zwei Monate in diese Stadt, die, wie keine andere, den Künstlern des 19. Jahrhunderts zu einem Mythus ihrer Kunst und ihres Künstlertums geworden ist. *„Wenn ich ein andres Wort für Musik suche, so finde ich immer nur das Wort Venedig"*, sagt Nietzsche, dem vor dieser künstlichsten aller Städte Rom *„plump und zu bunt, und Neapel eine Haufe von Häusern"* ist. Platens venezianische Sonette sind die ersten deutschen Dichtungen, die an diesem Mythus bilden, die Venedig als einen Bezirk, der sich keinen anderen Gesetzen fügt als denen der Schönheit, in jene Weltentlegenheit und Todesnachbarschaft rücken, in der es dann bis zu Thomas Mann seinen Ort haben wird.
Man hat Platen — mit Recht — einen Kunstasketen genannt; er ist wohl der erste deutsche Vertreter dieses Typus, in dem sich Lebensdürftigkeit und -verzicht und Schönheitskult vereinigen. Im Leben, in der ihn jeweils umgebenden Welt fühlt er sich eigentlich immer — und je weiter er in seinen Lebensjahren fortschreitet, desto stärker — als ein Exilierter, einer, der hier nicht zu Hause ist. Nur dieses eine Mal während seines ersten Besuches in Venedig ist das anders. Da scheint sich ein wirklicher Ort, ein wirklicher Raum den Wünschen seines Geistes nach vollkommen schöner Form anzupassen, scheint sich ein Wirkliches vor seinen Augen so zur reinen ästhetischen Gestalt zu fügen, wie sonst nur das Gedicht, das er aus sich selbst hervorbringt. Und Platen nimmt das Geschenk wie ein Wunder entgegen: *„Ich befinde mich in einem sonderbaren Zustande, den ich nicht zu definieren weiß. Venedig zieht mich an, ja, es hat mich mein ganzes früheres Leben und Treiben vergessen lassen, so daß ich mich in einer Gegenwart ohne Vergangenheit befinde"* — so trägt er in sein Tagebuch ein.
Das kannte er bisher nur im Gedicht: ein gegenwärtiges, kunst- und schönheitsgesättigtes Dasein und seinen Genuß. Er hatte in den vorausgegangenen Erlanger Jahren die bunten Bilder eines solchen Daseins gemalt: in seinen Ghaselen — jener lyrischen Form, die er den persischen Dichtern, Hafis vor allem, nachbildete, als er im Gefolge von Goethes *„West-östlichem Divan"* sich der orientalischen Poesie zuwandte.

„Der ewigen Schönheit Athem beseelt den Leib der Zeit,
Der ohne ihn ein Haufen von toten Sachen ist",

hatte er da geschrieben. Aber der von Schönheit beseelte *„Leib der Zeit"* existierte doch nur in seinen Versen:

„Wenn ich hoch den Becher schwenke, süßberauscht,
Fühl' ich erst, wie tief ich denke süßberauscht;
Mir wie Perlen runden lieblich Verse sich,
Die ich schnüreweis verschenke, süßberauscht;

Ölbild um 1830

Voll des Weines knüpf' ich kühn des Zornes Dolch
An der Liebe Wehrgehenke, süßberauscht;
Hoffen darf ich, überhoben meiner selbst,
Daß ein fremder Schritt mich lenke süßberauscht;
Staunend hören mich die Freunde, weil ich tief
In Mysterien mich senke süßberauscht;
Weil mein Ich sich ganz entfaltet, wenn ich frei
Keiner Vorsicht mehr gedenke, süßberauscht;
Wehe, wer sich hinzugeben nie vermocht,
Wer dich nie geküßt, o Schenke! süßberauscht."

Das sind Wunschgestalten, Spiele der Phantasie. Jetzt, in Venedig, scheinen sie ins Leben getreten und Wirklichkeit geworden zu sein. Hören wir noch einmal das Tagebuch: „*Ferne von allem Staub der Schule, unter einem Volke, das voll Unbefangenheit und dem Augenblick zu leben weiß, fange ich selbst erst an, das Leben zu erkennen und zu genießen.*"
In einer von Blumen übergossenen, von Rosendüften durchzogenen, orientalisch-exotischen Natur hatten die Ghaselen geschwelgt. Diese imaginierte Natur steht nun, ins Architektonische transponiert, als Stadt Venedig vor ihm:

„*Hier wuchs die Kunst wie eine Tulipane,*
Mit ihrer Farbenpracht dem Meer entstiegen,
Hier scheint auf bunten Wolken sie zu fliegen,
Gleich einer zauberischen Fee Morgane."

Als Nachklang und Erinnerung an die exotische Phantasiewelt der Ghaselen lassen sich solche Verse lesen. So auch der Anfang des folgenden Sonetts:

„*Hier seht ihr freilich keine grünen Auen,*
Und könnt euch nicht im Duft der Rosen baden;
Doch was ihr saht an blumigern Gestaden,
Vergeßt ihr hier und wünscht es kaum zu schauen."

Nun aber der Fortgang dieses Gedichts, in dem die Gegenwart Venedigs sich gegen die Abwesenheit der Naturschönheit setzt und deren Erinnerung auslöscht:

„*Die stern'ge Nacht beginnt gemach zu tauen,*
Um auf den Markus alles einzuladen:
Da sitzen unter herrlichen Arkaden,
In langen Reih'n, Venedigs schönste Frauen."

Schöne Menschen fügen sich zur schönen Architektur, zunächst noch statisch; dann aber kommt Bewegung in das Bild, und das gegenwärtig Geschaute komponiert sich zum lebendigen Kunstwerk, das — wie überaus bezeichnend! — den Dichter sofort wieder an ein anderes Kunstgebilde, ein Bild Canalettos, gemahnt:

„*Doch auf des Platzes Mitte treibt geschwinde,*
Wie Canaletto das versucht zu malen,
Sich Schar an Schar, Musik verhallt gelinde."

Freilich: Platens Erlebnis Venedigs wäre nicht vollständig, erkennte er nicht, daß der ihn so sehr beseligende Ort ein Ausnahme-Raum in der Welt der Gegenwart ist. So tritt zum Akkord Schönheit der dunkle Gegenklang Vergänglichkeit und Tod:

„Es scheint ein langes, ew'ges Ach zu wohnen
In diesen Lüften, die sich leise regen,
Aus jenen Hallen weht es mir entgegen,
Wo Scherz und Jubel sonst gepflegt zu thronen.

Venedig fiel, wiewohl's getrotzt Äonen,
Das Rad des Glücks kann nichts zurückbewegen:
Öd' ist der Hafen, wen'ge Schiffe legen
Sich an die schöne Riva der Sklavonen.

Wie hast du sonst, Venetia, geprahlet
Als stolzes Weib mit goldenen Gewändern,
So wie dich Paolo Veronese malet!

Nun steht ein Dichter an den Prachtgeländern
Der Riesentreppe staunend und bezahlet
Den Tränenzoll, der nichts vermag zu ändern!"

Das letzte Sonett des ganzen Zyklus, wohl das vollendetste, jedenfalls das innigste von allen, kehrt aus dem gegenwärtig gewordenen Traum eines vollkommen ästhetischen Lebens zurück in die Melancholie des Abschieds von diesem Traum:

„Wenn tiefe Schwermut meine Seele wieget,
Mag's um die Buden am Rialto flittern:
Um nicht den Geist im Tande zu zersplittern,
Such' ich die Stille, die den Tag besiegelt.

Dann blick' ich oft, an Brücken angeschmieget,
In öde Wellen, die nur leise zittern,
Wo über Mauern, welche halb verwittern,
Ein wilder Lorbeerbusch die Zweige bieget.

Und wann ich, stehend auf versteinerten Pfählen,
Den Blick hinaus ins dunkle Meer verliere,
Dem fürder keine Dogen sich vermählen:

Dann stört mich kaum im schweigenden Reviere,
Herschallend aus entlegenen Kanälen,
Von Zeit zu Zeit ein Ruf der Gondoliere."

Innen und Außen, die Schwermut des Herzens und das leise Sterben der Stadt, vereinigen sich in den Bildern dieser Verse. Nur selten erreicht Platen diese vollständige und intime Verinnerlichung der Welt in seiner Lyrik. Das Anschmiegen des Dichters an die Brücken: was für ein inniges Bild für das

Gefühl seiner Zugehörigkeit zu dieser Stadt! Die öden, leise zitternden Wellen, der Blick, der sich im dunklen Meer verliert, werden zu Symbolen der ausbleibenden Antwort auf die Klage über das Vergehen des Schönen, das in den vom Lorbeer überdeckten, verwitternden Mauern sich vollzieht. Und wie ein Scheidender die fernen Abschiedsrufe kaum mehr vernimmt, so dringen an das Ohr des Dichters die Rufe der Gondoliere, von deren Singen Goethe in der „Italienischen Reise" gesagt hat, es klinge *„höchst sonderbar, wie eine Klage ohne Trauer"*, und es sei *„darin etwas unglaublich, bis zu Tränen Rührendes"*: *„Gesang ist es eines Einsamen in die Ferne und Weite, damit ein anderer, Gleichgestimmter, höre und antworte."*
Nach Erlangen zurückgekehrt — es ist das Satyrspiel nach der Tragödie —, muß der noch immer nur beurlaubte Offizier Platen in Arrest. Er hatte die gewährte Urlaubszeit überschritten. Und hier im Arrest entstehen die — neben der Lesebuchballade vom *„Grab im Busento"* — berühmtesten Verse, die Platen geschrieben hat: drei fünfzeilige Strophen, in denen die jeweils letzte Zeile die erste ritornellartig wiederholt. *„Tristan"* überschreibt sie der Dichter. Das Erlebnis des konkreten Ortes Venedig setzt sich um in das zeit- und ortlose Gleichnis einer Schicksalserfahrung, für die die tödliche Liebe Tristans zu Isolde den Namen gibt. Einige Jahrzehnte später wird Richard Wagner in Venedig *„Tristan und Isolde"* komponieren.

„Wer die Schönheit angeschaut mit Augen,
Ist dem Tode schon anheimgegeben,
Wird für keinen Dienst auf Erden taugen,
Und doch wird er vor dem Tode beben,
Wer die Schönheit angeschaut mit Augen!

Ewig währt für ihn der Schmerz der Liebe,
Denn ein Tor nur kann auf Erden hoffen,
Zu genügen einem solchen Triebe:
Wen der Pfeil des Schönen je getroffen,
Ewig währt für ihn der Schmerz der Liebe!

Ach, er möchte wie ein Quell versiechen,
Jedem Hauch der Luft ein Gift entsaugen
Und den Tod aus jeder Blume riechen:
Wer die Schönheit angeschaut mit Augen,
Ach, er möchte wie ein Quell versiechen!"

Ganz und gar Musik geworden ist Platens Sprache in diesen Versen, so sehr, daß sich — bei ihm, einem Dichter, den das Bedürfnis nach Sprachreinheit manchmal bis zur Pedanterie führen kann! — dem Klanggebot sogar die Sprachkorrektheit beugen muß: *„Ach, er möchte wie ein Quell versiechen"*, schreibt er. In seltsamer Zweideutigkeit verschränken sich das Bild des versiegenden Quells und dessen, der *„dem Tode schon anheimgegeben"*, dahinsiecht. Es ist eine Musikalität, wie wir sie in dem frühen Gedicht von 1820, das wir am Anfang betrachtet haben, bereits vernahmen, nunmehr nur aufs höchste gesteigert — und zugleich ein Ende in Platens dichterischer Entwicklung.
Fast zusammen mit seiner Übersiedlung nach Italien 1826 gibt Platen die lyrischen Formen auf, in denen er bisher gedichtet hatte: Ghaselen, Sonett und Lied. Antike Formen, Ode, Hymne, Elegie und Ekloge treten an ihre Stelle.

Einladung nach Sorrent.

August 1827.

Laß, o laß, Freund, hinter dir den Staub Neapels,
Hinter dir laß jene von tausendstimmigem
Kaufgeschrei lauthallende, hochgetürmte
Straße Toledo!

Wo so furchtlos trotz des Gerolls der Wagen
Auf dem Korb, den voll sie gebracht zu Markte,
Nun er leer steht, schlummern die weingebräunten
Knaben des Landvolks.

Komm hieher, laß reinere Luft umwehn dich!
Sieh, wie farbreich, doppeltes Grün vermischend,
Hier vom Ölbaum rankt zu dem andern Ölbaum
Schlingend der Weinstock,

Dessen Traube schon rebengesprenkt herabreift;
Feige lockt, einhüllend in breites Laub sich,
Ja, bis tief, bergtief in der Schlucht gedeihst du,
Schöne Zitrone!

Schatten winkt hier, Schatten und sanfte Labung,
Die des Meers Salzwoge dem Kühnen zuhaucht,
Der an Felsvorsprüngen erlauscht bisschäumter
Brandungen Auskunft.

Platens Gedicht „Einladung nach Sorrent“ in seiner Handschrift

Zugleich verwandelt sich die Sprechweise des Dichters. Nicht mehr als Klang, eher als Körper werden die Worte gesetzt, nicht Musikalität prägt die Diktion, eher darf man von einer Architektonik der Gedichte sprechen. Ein Gedicht wird mehr und mehr etwas, das — streng nach antiken Metren — gebaut, nicht etwas, das gesungen wird. Auf Biegen und Brechen geht Platen mit dem rhythmischen Eigenwillen der deutschen Sprache um, und wie ein Diktat wird vor jedem Gedicht das metrische Schema aufgezeichnet, das Hebung und Senkung, betonte und unbetonte Silben festlegt. Platens Kunst-Evangelium, so ist man versucht zu sagen, hat sich zur Orthodoxie verhärtet: nur mehr der weiteste Abstand zwischen der Sprache des gewöhnlichen, als wesenlos verachteten Lebens und der Sprache, die der Dichter spricht, scheint die Würde, ja Heiligkeit des Dichterwortes und des Dichtens zu versichern. Die Gewaltsamkeit und die Esoterik dieses Kultes, den der Künstler mit dem eigenen Künstlertum treibt, ist evident. Platen ist, wie Eugen Gottlob Winkler sagt, zum *„Dichter an sich“* geworden. Was sich in Ghaselen- und Sonett-Dichtung bereits gelegentlich ankündigte: daß der Dichter als angemessenen Gegenstand seines Gedichts im Grunde nur mehr sein Dichten selbst empfindet, das macht sich nun immer vordringlicher geltend. *„Alles verschwand für ihn“* — noch einmal zitieren wir Winkler — *„vor dem einzigen Vorgang, durch welchen der Mensch kraft einer ihm angeborenen Fähigkeit einen Vers macht. Das Erlebnis der Welt als eine Voraussetzung und das leibhaftige Gedicht als Ergebnis verloren vor diesem Tun um des Tuns willen immer mehr Belang und Bedeutung.“*
Die weltferne und weltentfernende Geste dieser Gedichte, das Würde- und Weihevolle des Sprechens, das an priesterliches Zeremoniell nicht zufällig erinnert, sondern erinnern soll — es empfängt seine Legitimation einzig und allein aus sich selbst, d. h. daraus, daß dieses Sprechen eben das des Dichters, diese Sprache die des Gedichts ist. Man wird an jene Geschichte von Münchhausen erinnert, der sich am eigenen Zopf aus dem Sumpf zieht.
Thomas Mann hat die Verwandtschaft Platens mit noch einem anderen Helden hervorgehoben — mit Don Quijote. Der Ritter von der traurigen Gestalt tritt neben Tristan, den traurigen Ritter. In ihrer Vereinigung bezeichnen sie das adelig-absonderliche Wesen des Dichters und Menschen Platen. Wahrhaftig hat es etwas von der Komik Don Quijotes und etwas von seiner Erhabenheit, wie der alternde Platen sich in die Rolle des letzten Ritters der Kunst verrennt, für sie kämpfen zu müssen glaubt und sich in literarische Polemiken verwickelt, in denen er, am ärgsten von Heinrich Heine, den er fast grundlos angegriffen hat, schrecklich verprügelt wird. Und auch das Verhältnis des komischen Ritters zu Dulcinea aus Toboso mag an Platen erinnern: Wie die Schönheit des spanischen Landmädchens ein Produkt des ritterlichen Gedankens ist; wie Don Quijote Dulcinea nicht allein rühmt, sondern zugleich betont, daß ihre Herrlichkeit durch ihn, durch seine für sie verrichteten Taten erst richtige Herrlichkeit werde — so erscheint Platens Verhältnis zu seiner einzigen Geliebten, zur Kunst. Von ihr sprechend, sie im Gedicht hervorbringend, bringt er sich, den Dichter, immer wieder mit ins Bild. Verse machend, weist er im Vers darauf hin, daß er Verse macht. Ein anderer Dichter würde sagen: Ich fühle mich um eine Welt betrogen, / Die herrlich wie die Träume einer Nacht ist. Platen sagt:

> *„Ich fühle mich ...*
> *Um eine Welt von Herrlichkeit betrogen,*
> *Die ich den Träumen einer Nacht vergleiche.“*

Platen, nach einer Bronzebüste von Ernst Penzoldt 1925

Zusammen mit der Metapher präsentiert er sich als den, der die Metapher schafft.
So einsam ist der Dichter geworden, daß er Gemeinschaft im Grunde nur mehr mit dem hat, was er selbst hervorbrachte. Belanglos wird alles andere: *„Eigentlich nur meine poetische Existenz interessiert mich“*, schreibt er in einem Brief Ende 1828, *„Leben und Tod sind mir vollkommen gleichgültig“*. So übertreibend der Satz klingt, er trifft die Wahrheit, wenn man Dichten, Leben und Tod als Inhalte des Geistes, als Gegenstände der Reflexion versteht. Dem widersprechen auch nicht seine politischen Gedichte, die *„Polenlieder“*, die Platen 1831/32 schreibt, nicht die historischen Studien, in die er sich in Italien vertieft. Letztere gedeihen, mit einer einzigen Ausnahme, nicht weit; erstere aber – Haßgesänge gegen die Gemeinheit der Zeit, gegen die Niedrigkeit der Herrschenden, gegen den Völkermord und die Versklavung Polens durch Rußland – darf man zwar nicht übersehen: sie weisen noch einmal auf die dialektische Beziehung hin, die zwischen Platens Kunstasketismus, seiner Lebensverachtung und der geschichtlichen Epoche besteht, in der er schreibt; aber als poetische Werke haben sie unverkennbar geringen Rang. Dort erst findet Platen in seinem späten Schaffen wirklich dichterische Größe, auf die er allenthalben Anspruch erhebt, wo im poetischen Bild jene Gebärde erscheint, die seine *„poetische Existenz“* festhält und bezeichnet:

„Vergebens! Die Hand erstarrt, da voll stolzen Frosts
Nach irdischer Frucht sie greift! Es seufzt unter dir,
Schwermütige Wucht, Gedanke,
Mein Nacken tiefgebeugt!“

Wie Quader fügen sich die Wörter aneinander in den unter das strenge Joch der antiken Metren gebeugten Versen. In der Erstarrung wird aus dem Leben Kunst, wie Daphne, die sich vor dem begierigen Zugriff Apollos verwandelt, erstarrend zum Lorbeerbaum wird. Solche Verse, solches Dichten, meint Platen, wenn er an das Ende seiner Ode auf *„Die Pyramide des Cestius“* schreibt:

„Daure, Herz, ausdulde die Zeit des Schicksals,
Wenn auch einsam! Stimme geheim, o stimme
Deinen bergstromähnlichen, echoreichen,
Starken Gesang an!“

Am 5. Dezember 1835 starb Platen, vor der Cholera, die Italien überzieht, flüchtend, in Syrakus auf Sizilien.

Georg Schneider

GEORG FRIEDRICH DAUMER

1800–1875

„Wenn du nur zuweilen lächelst,
Nur zuweilen Kühle fächelst
Dieser ungemessnen Glut –

In Geduld will ich mich fassen
Und dich alles treiben lassen,
Was der Liebe wehe tut."

(Johannes Brahms, Op. 57 Nr. 2)

„Ohne das Ohr und den Sinn eines so großen Kenners wie Johannes Brahms es war", gesteht Rudolf Borchardt, *„würden dem Vorrate der deutschen Poesie die beiden erschütternden Einzelstrophen Daumers fehlen, die in der unvergleichlichsten aller Tonfolgen unsterblich geworden auf den Lippen unserer großen Sängerinnen so oft gezeigt haben, was vergöttern, was ein Herz zerreißen kann."*
Und dann fährt der Essayist doch fort: *„Aber das Suchen in dem halb wunderlichen halb widerlichen Trödel des Nürnberger Sonderlings, der fast alle seine ekeln Torheiten umständlich zu Papier gebracht und fast alle seine menschlichen Geheimnisse ins Grab genommen hat, lohnte sich für diese Seiten auch mit der reizenden namenlosen Frauenstrophe, die Charlotte von Stein gedichtet haben könnte."* – Zwei Gedichte, von Brahms gerettet, im übrigen ekler Trödel, und wir sprechen von Unsterblichkeit?
Das warten wir ab und sagen nur dies: die Geschichte der deutschen Literatur hat nicht viel Kerle wie diesen Georg Friedrich Daumer zu vergessen, diesen Erzvagabunden, diesen Kreuzfahrer im Metaphysischen, diesen Wanderer zwischen Pan und Christus. Und doch vergaßen wir ihn beinahe völlig. Es ist der Eigensinn einer Nation, die mit ihrer Armut eher umzugehen weiß als mit ihrem Reichtum. Selbst eine so spröde Nation wie die der Engländer behielt ihren Geoffrey Chaucer über sechs Jahrhunderte hinweg lebendig im Gedächtnis, und Frankreich wäre ohne Villon, Rabelais, Verlaine und Rimbaud nicht zu denken. Das moderne China noch liebt und singt das trunkene Lied Litaipes.

Ging es nicht unserem Dichter so oder doch ähnlich wie dem Schweinfurter Friedrich Rückert und dem Ansbacher August Graf von Platen? Unsterblich Vergessene auch sie.
Ganz recht: dasselbe Geschick. Man tötete sie mit ihrem eigenen Gerümpel, mit dem allzu Hausbackenen, dem Herkömmlichen, dem ewigen Liebesfrühling und tat es, weil das Philisterwesen den Gipfel der männlich liebenden Seele notwendigerweise an seiner Verlobung notiert, und überhörte dabei die leidenschaftliche Spielmannsstrophe, die aus der *„Amaryllis"*, die aus allem Bitteren noch das unendlich Süße zieht.
Und wir erinnern uns an die läppischen Kampflustspiele Platens . . . Und an seine unverwelkten Ghaselen, an die Zucht seiner Sprache, wo sie sich zum wirklichen Gedicht erhebt, und die Strenge, die unwiderlegbare Vollkommenheit seiner Reime. Und an einen vierten Franken, an den Goethe des *„West-östlichen Divan";* denn wie er hat auch Daumer sein Gedicht verfremdet, um einen modernen Kunstbegriff und Kunstgriff zu gebrauchen.
Ja, er hat es getarnt, er hat es angesiedelt in den Gärten Persiens oder in den *„weltpoetischen Gefilden Polydoras"*. Die deutsche Nation hat sich nicht darum gekümmert, daß hier ein Großer, ein Unbehauster das Haus der Träume aufsuchte mit einem fremdem Namensschild am Tor, um wenigstens irgendwo zu Hause zu sein. Immer war es die Maske, die er suchte; die Weichheit und Güte seines Gemüts wollten es so.
Und so kommt es wohl nicht von ungefähr, daß Rudolf Borchardt von der reizenden namenlosen Frauenstrophe spricht und sich bei den Liedern Daumers vorerst an die großen Sängerinnen erinnert?
Ganz gewiß nicht. Und ein anderes wurde ihm zum Verhängnis, zum deutschen Verhängnis. Ein homo ludens war er, ein Spielmann gegenüber seinen schönsten Weisen. Und das Leichte, das so oft doch nur das leicht verkannte Schwere ist, lieben besonders die Bewohner dieses Landstrichs zwischen Nordsee und Alpenrand nicht, oder es fällt ihnen zumindest schwer, im Flötenlied, im Tandaradei ihrer Sprache Schönheit und Weltsinn zu erkennen.
So bliebe Brahms eine Ausnahme? Hat er nicht gesagt, wenn er als Komponist einen hätte erreichen wollen, so wäre es Johann Strauß gewesen? Und er hat sich's nicht leicht gemacht.

Hören wir Daumer selbst, hören wir an, wie er's verstanden hat!

„Meine Verse hab ich immer
Spielend ohne Zwang gemacht,
Nimmer aber hab ich etwas
Ohne süßen Drang gemacht.

Darum ist so wohlgelitten
Schemseddin mit seinem Lied,
Darum hat ihn oft so glücklich
Traulicher Empfang gemacht.

Wurde je die Welt gebessert,
Wurde je ein Herze froh,
Hat es einzig Lenz und Liebe,
Becher und Gesang gemacht.

Lange nach dem Rat der Mystik
Harret ich auf Heil und Licht,
Aber diese trügerische
Hat es mir zu lang gemacht.

Reich belohnt studier ich jetzo
Nur der Anmut Alkoran;
Ihn studierend hab ich alles,
Was mir je gelang, gemacht."

Eine Ghasele, wenn ich nicht irre? Eine Ghasele voll heiterer Freiheit und natürlicher Anmut. Schemseddin ist Hafis, der sein Gedicht schrieb, als die Götter noch jung waren und lächelnd Wunder taten.
Eine Nachahmung? Eine Übertragung? Ein Gedicht des Hafis oder Daumers? Weder das eine noch das andere. Daumer kehrte zur Präexistenz des persischen Gedichts zurück, versetzte sich, ließ sich fallen in die Stimmlage Schemseddins und begann seine Strophen durchaus eigenständig neu zu schreiben. So haben es Goethe, Platen, Rückert auch gehalten und so der hellenischen und mittelalterlichen Atmosphäre die morgenländische hinzugewonnen.
Und das Deutsche darüber verleugnet?
Es gibt ein landläufiges Literaturgeschwätz, das an einem Dichter vorbeiredet, und es gibt ein hartnäckiges Verschweigen. Beides wurde Daumer zuteil. Vor dem — soll ich's wiederholen? — verleugneten Deutschtum flüchtete er sich in den Rat der Mystik und vom Rat der Mystik zu Hafis, dem helleren, und zu seiner mystischen Zunge, die flammte und heilige Feuer barg:

„*Aus dem Kloster geht Hafis*
In die Schenke, der alte,
Von verrücktem Frömmlerrausch
Zum Verstande gekommen."

Über unserem Gespräch haben wir vor lauter Licht die Nacht vergessen. Ein Blick durchs Fenster! Wie schön lagert sie draußen an den Bergen! Wie legt sie sich von Mal zu Mal tiefer in die Dunkelheit zurück! In eine durchscheinende Dunkelheit. Auch sie hat Daumer gekannt, wenn ihr wollt, ihr Lieben, eine „*ganz und gar deutsche Nacht*", wenn dieses Adjektivum vor euren Ohren angebracht ist.
So sähen wir auch ihn in der Nähe des Matthias Claudius oder Rilkes, der noch empfindsamer unterschied und von einer „*süddeutschen Nacht*" sprach? Am besten, wir hören ihn selbst:

„*Eine gute, gute Nacht*
Pflegst du mir zu sagen,
Über dieses eitle Wort,
O wie muß ich klagen!
Daß du meiner Seele Glut
Nicht so grausam nährtest,
Eine gute, gute Nacht,
Daß du sie gewährtest."

(Johannes Brahms, Op. 59 Nr. 6)

Claudius? Nein doch, er hat die Nacht gepriesen, verherrlicht und nicht angeklagt:

„Und laß uns ruhig schlafen
Und unsern kranken Nachbar auch!"

Richtig bemerkt, sehr richtig sogar! Dieser Daumer, dieser Unruhgeist lief anderen Erfüllungen nach. Er konnte und wollte nicht ruhig schlafen. Immer wieder verdunkelten Skrupel sein Gemüt, und noch die Geliebte stieß den armen Kaspar in Dämmerungen oder in die Schwärze der Nacht:

„Ach nur einmal deine Lippe,
Also sprach ich zur Geliebten,
Reiche mir zum Festgenuß!
Denn es bricht ja sonst mein Herze.
Gerne tät ichs, o Hafis,
Sagte sie, allein ich fürchte,
Daß dein allzu heißer Kuß
Mir die zarte Lippe schwärze."

Das ist schrecklich ... Wie alles Schöne. Erst wenn die Lustigkeit und Traurigkeit eines Herzens zugleich die des Weltalls ist, ist es in dem einzigen Paradies, das kein Paradies wäre, wenn eines von beiden fehlte. Du bist Daumer, Georg Friedrich Daumer, mag er oft zu sich gesagt haben. Bist du es? Und nur selten zwang er seine Tag- und Nachtlieder zu *einem* Lied zusammen, die vielfarbige, vielgestaltige Natur, die doch in allem Großen geeint ist:

„Ich preise Gott, der Tag und Nacht gemacht,
Den Tag, dein Antlitz, und dein Haar, die Nacht."

Nur zwei Zeilen, aber man wird mir recht geben, alle Liebesnächte dieser und jener Welt sind in ihnen.
Zwei wunderbare Zeilen. Der Zweifler hat seine Zweifel niedergerungen. Wir sollten die Doppelzeile noch einmal sprechen. Jedes wahre Gedicht verlangt nach dem da capo.

„Ich preise Gott, der Tag und Nacht gemacht,
Den Tag, dein Antlitz, und dein Haar, die Nacht."

Das hat es mit lauter schlichten Dingen zu tun: Tag/Nacht/Antlitz/Haar, die uns vom Morgen bis zum Abend immer wieder begegnen. Das Mondlicht – seht nur hinaus! – liegt jetzt auf den Hügeln: Nacht/Antlitz/Haar. Das ist nicht anders, das ist so einfach wie alle ... großen Dinge, wie die Eintragungen im Kirchenbuch: geboren/verheiratet/gestorben. Es schießt wie die Strahlen im Kristall zusammen.
So schließt sich ein Kosmos. Unser Dichter mußte ausschweifen bis in die weltpoetischen Gefilde Polydoras, bis nach Persien, um die kleinen Tagwerke zu erkennen, die doch die großen sind. Wo nähme das Leben immer wieder neues Leben her, wenn ihm nicht der Tod zu seinen Verwandlungen, seinen tausend Formen verhülfe? Geboren/verheiratet/gestorben.

„Lilien hat der Zungen zehne;
Doch es schlägt die Nachtigall,
Und da schweigt sie vor Entzücken
Und zum Dufte wird ihr Schall."

Vielleicht gibt uns sein Leben einigen Aufschluß über die dichterischen Gänge dieses merkwürdigen Manns, ein ganz gewöhnliches Leben freilich.
Ja, das biographische Interesse wächst, je älter man wird; denn dann sähe man sich gern im anderen wiedererkannt.
Nun also, sein Leben läuft neben dem Monstrum von einem Werk einher, das wir, soweit es seine philosophisch-religiös-sektiererischen Schriften angeht, diesen Trödel aus dem *„Reich des Wundersamen und Geheimnisvollen"* und seiner *„Geisterreiche"* schlechthin, getrost zu den Akten legen. Am 5. März 1800 in Nürnberg als drittes Kind unter sechsen geboren. *„... immer so alt wie das Jahrhundert ..."*, protokolliert er beruhigt lächelnd. Der Vater Peter Daumer war Kürschner und Rauchwarenhändler, die Mutter eine tiefreligiöse und intelligente Frau. Georg Friedrich Daumer trägt das Erbteil zweier Seelen in sich, den Zwiespalt im gerissenen Innern. Zum Studium der Theologie bestimmt, erlernt er bei einem blinden Mann Griechisch und schreibt in seiner Knabenzeit umfangreiche Gedichtbände. Nach dem Besuch des Egidiengymnasiums in Nürnberg (unter Hegels Leitung) 1817 die Universität Erlangen. Schüler bei Schelling und dem tiefgrabenden Mythologen Johann Arnold Kanne. Sein Studienfreund August Graf von Platen-Hallermünde. Der muffige Pietismus Erlangens stößt ihn ab. Selbstmordversuch. Sein bester Freund, der Archäologe aus der berühmten, aber seelisch brüchigen Familie Feuerbach — Wilhelm Lange-Eichbaum beschreibt sie in *„Genie — Irrsinn und Ruhm"* —, erleidet aus dem gleichen Grund schwere Verdüsterungen. Daumer übersetzt Homer ins Lateinische und Horaz ins Griechische. Beendigung des Studiums der Philologie in Leipzig. Der Theologe hat aufgegeben. 1822 nun selbst Lehrer am Nürnberger Egidiengymnasium. 23. Mai 1826: Rede zum 300. Stiftungsfesttage des Gymnasiums verboten, aber trotzig gedruckt: *„Über den Gang und die Fortschritte unserer geistigen Entwicklung seit der Reformation."* Er proklamiert einen neuen Zeitgeist *„innerhalb der christlichen Weltbildung"*. Das Thema verläßt ihn nicht mehr. Noch als Konvertit schreibt er in einem berühmten Brief an seine Nichte Helene: *„Die protestantische*

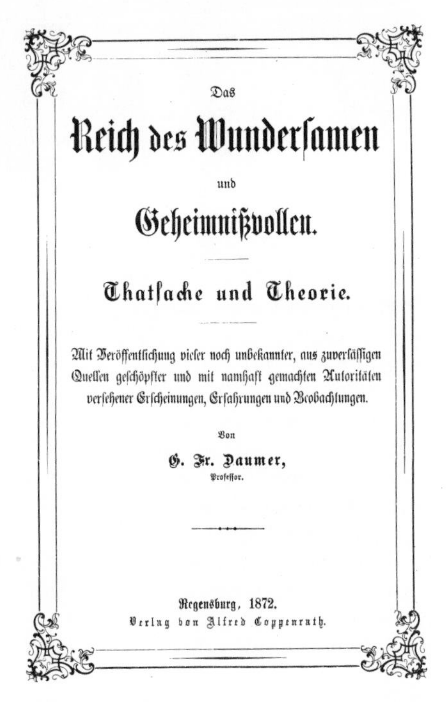
Das
Reich des Wundersamen
und
Geheimnißvollen.
Thatsache und Theorie.
Mit Veröffentlichung vieler noch unbekannter, aus zuverlässigen Quellen geschöpfter und mit namhaft gemachten Autoritäten versehener Erscheinungen, Erfahrungen und Beobachtungen.
Von
G. Fr. Daumer,
Professor.
Regensburg, 1872.
Verlag von Alfred Coppenrath.

Titelblatt der Schrift über „Das Reich des Wundersamen", die Daumer als Fortsetzung seines Buches über das „Geisterreich" ansah

Georg Friedrich Daumer, Kupferstich von Appold nach einer Zeichnung von J. Maar

Männerwelt hat mich von jeher grimmig angefeindet; nie hatte ich einen einzigen, aufrichtigen Freund; jetzt vollends hat man einen erwünschten Grund, mich zu hassen und zu verdammen, und so habe ich in männlicher Beziehung Nichts als meine ‚Pfaffen', die zum Teil wahre Engel gegen mich sind, wiewohl ich auch ihnen gegenüber ein paradoxes, fremdartiges, unverdauliches Wesen bin, was sie wohl wissen und was sie oft in arge Verlegenheit setzt."

Immer kränklich — Augenleiden —, die chronischen Brustschmerzen der späteren Freundin, der Dichterin Amara George (Mathilde Binder) gehen sympathetisch auf ihn über.

Eine Ghasele auch dies. *„Wie bist du, meine Königin ..."*

„Wie bist du, meine Königin,
Durch sanfte Güte wonnevoll!
Du lächle nur, Lenzdüfte wehn
Durch mein Gemüte, wonnevoll.

Frisch aufgeblühter Rosen Glanz,
Vergleich ich ihn dem deinigen?
Ach, über alles, was da blüht,
Ist deine Blüte wonnevoll!

Durch tote Wüsten wandle hin,
Und grüne Schatten breiten sich,
O fürchterliche Schwüle dort
Ohn Ende brüte, wonnevoll!

Laß mich vergehn in deinem Arm!
Es ist in ihm ja selbst der Tod,
Ob auch die herbste Todesqual
Die Brust durchwüte, wonnevoll!"

(Johannes Brahms, Op. 32 Nr. 9)

1826 legt er seine Gymnasialprofessur nieder. 1833 endgültig im Ruhestand. Dazwischen Lehrer und Pflegevater Kaspar Hausers im Auftrag des Nürnberger Magistrats. 1834 Heirat mit Marie Friederike Rose, Waise des Nürnberger Optikers Rose. Die Ehe ist unglücklich. *„Wo bist du, meine Königin?"* In Briefen an Helene berichtet er, bis zu seinem 34. Lebensjahr kein weibliches Wesen berührt zu haben: *„Ich soll ein ganz liederlicher Mensch sein, der schon in früher Jugend sich auf frivole Abenteuer gelegt, ein Roué, Don Juan und Casanova, der sich durch seine Ausschweifungen ein Rückenmarksleiden zugezogen, dessen wüster, unbändiger Trieb zum weiblichen Geschlecht auch der Grund seiner Frauenverehrung, seines Mariencultus und Katholizismus sei. Die Jesuiten hätten mich in das von ihnen selbst getriebene Schand- und Luderleben eingeweiht, schon als junger Lehrer sei ich mit meinem Rektor wegen einer schlechten Aufführung in Kampf geraten und dergl. Was sagst Du dazu? Sind das nicht allerliebste Leute, wahre Söhne der Zeit, Männer des ‚Fortschrittes' und der zeitgemäßen Aufklärung und Vernunft? Von London aus hatte mich die rothe Partei, Carl Marx an der Spitze, für den allerelendsten Spießbürger und Nürnberger Philister erklärt, der das Weib auf sein bürgerliches Misère beschränken wolle; zugleich wurde der ‚Pfaffendaumer' mit der modernen Maschine, d. h. mit der Guillotine bedroht."*
Der von den eigenen Geistern Gehetzte sieht Gespenster, wo nur die Schatten seiner Nacht vorübergleiten. 1840 gründet er mit seinem Schwager den Nürnberger Verein gegen Tierquälerei, den ersten Tierschutzverein. Und nun liegt er mit seinem brüchigen Segelboot, ein heutiger Odysseus, mitten auf dem Meer umstürmter Liebe. Die Stationen, die schon passierten und noch zu passierenden: Magna mater — Übergang zum Marienkult — Katholizismus — und um die Apokalypse zu erfüllen: die jüdische Kultusgemeinde am Ende seines Lebens. Er läßt sich geheim — wenn auch vielleicht nur symbolisch — beschneiden, weil er meinte, alle Stadien bis zu Christus durchlaufen zu müssen, um so aus der fernsten Ferne Christusnähe zu erreichen.
Das klingt unwahrscheinlich, Ist es verbürgt? Mir hat's ein frühverstorbener Freund, einer der letzten Mystagogen, anvertraut und versichert, ein Ausländer des Daseins auch er wie unser Dichter. Er kannte jede Zeile des von ihm verehrten Sonderlings, jedes Lebensdatum, den ganzen Wust und das ganze Licht auf einer zu allem fähigen Stirn.

Dann: Okkultismus — Magnetismus (Mesmer) — Homöopathie (Hahnemann). Erste, zweite, dritte Formel: Gott — Natur — Weib. Bruch zwischen Daumer und seinem Freund Ludwig Feuerbach, der für Daumers marianische Sehnsucht nur Spott und Hohn übrig hat. Kämpfe, Polemiken, zerrissen und gesprengt stürzt sein Leben dahin. Einen Tag der Woche will er dem vom Christentum erhobenen *„Widerdämon des Lebens"* opfern. Über den Horizont herauf kommt noch unerkannt Nietzsche, der allerchristlichste Antichrist: Ecce Homo.

Georg Friedrich Daumer: „An die Geliebte"

1860 siedelt er nach Würzburg über, um ganz unter Katholiken und Juden zu sein. Am 13. Dezember 1875 legt ihm der Tod die tiefste Dunkelheit auf die abgemühten Augen. Der Grabspruch des Herrn von Sulzburg aus Nürnberg könnte auch der seine sein: *„Er hat viel gealchemeyt und viel vertan."*

Viel Träume – und nur einer hat sich ihm ganz erfüllt. Da tritt in das ländliche Leben des Achtundzwanzigjährigen ein Ereignis, das ihn bis an sein Ende nicht mehr lassen sollte, fordernd, quälend, entzückend, neue Tore eines halben Lichts und einer undurchdringlichen Dunkelheit aufstoßend. Der Mystiker bekommt einen Ball zugespielt. Am 26. Mai 1828 taucht in Nürnberg ein Fremdling auf – es war am zweiten Pfingsttag zwischen vier und fünf auf dem Unschlittplatze – und wandert in den Gefängnisturm: Kaspar Hauser. Er kostet Georg Friedrich Daumer drei Bücher: *„Mitteilungen über Kaspar Hauser"*, 1832, die *„Enthüllungen über Kaspar Hauser"*, 1859, und *„Kaspar Hauser / Sein Wesen, seine Unschuld, seine Erduldungen und sein Ursprung"*, 1873. Die „geschichtliche Darstellung" fließt alsbald über in den erbitterten Ton des Verteidigers.

Was aber war es? Eine Schauergeschichte? War Kaspar Hauser der verkommene, der entlaufene Bauernbursche und Landstreicher aus Altbayern, der geniale Betrüger und Täuscher, der sich etwa eine Einreihung in die Armee erschleichen wollte und das Mitleid des Jahrhunderts herausgefordert und zum besten gehalten hat, oder war er der gepeinigte Prinz aus dem Badischen mit dem Thronanspruch, das Opfer einer bis zum Mord reichenden hochpolitischen Intrige?

Hat er das Messer gegen sich selbst geführt, war es Selbstmord oder nur eine gedachte Verletzung, der mißglückte Versuch, das Weltinteresse auf sich zu lenken, oder war es der wohlgezielte Dolch des großen „Unbekannten", der seit je durch die Geschichte geistert? Und war Daumer der Phantast, der das Mysterium schuf, der Meister somnambuler und magnetischer Geheimkunst, der dem Findling den Zaubermantel unter die schweren Füße gebreitet, auf dem er entschwebte?

„Er erblickte in meinem Hause zum erstenmal den Mond", notiert Daumer. Der im eigenen Kerker Eingekerkerte? So beginnt die Kaspar-Hauser-Legende. Und immer wieder zieht das ruhige Gestirn seinen Bogen über Daumers Haus, vom Juli 1828 bis zum Januar 1830, da der kränkliche Gymnasialprofessor a. D. der Pflegevater des sonderbaren Findlings war. Und nicht der mörderische Tod Kaspars (am 17. Dezember 1833), und nicht die gehässige Polemik um diesen Tod lassen das Gestirn erlöschen. Noch ein halbes Jahrhundert leuchtet es dem Dichter nach.

Prinz oder Betrüger? Es war seit je der Wunschtraum Daumers, Prinzenerzieher zu werden. Der Traum blieb Traum, und jetzt hatte er einen vom Geheimnis umwitterten Peregrin, den er bloß zum Prinzen zu erheben brauchte, um endlich Prinzenerzieher zu sein. War es so? Hat er die durchglühte Legende geschürt und die schützende Flamme um sie gelegt? In Dunst und Dunkel blieb sie bis auf den heutigen Tag, und wir können sie getrost darinnen belassen, zumal sich die Dichtung ihrer immer wieder angenommen und sie geadelt hat. In der Dichtung allein lebt sie wahrhaft fort.

Ah, Jakob Wassermann. Und Paul Verlaine. Keine schönere Deutung gibt es:

„Ich kam, als armes Waisenkind,
Mit stillen Augen ohne Trug
Zur großen Stadt, zu Welt und Wind –
Sie fanden mich nicht klug genug.

Mit zwanzig Jahren arg genarrt,
Von Liebesflammen aufgezehrt,
Hab ich die Frauen angestarrt –
Sie haben mich wohl nicht begehrt.

Zu großen Taten nicht bestellt,
Kein Haus und keines Königs Sold –
Erschlagen läg ich gern im Feld –
Es hat der Tod mich nicht gewollt.

Kam ich zu früh in diese Welt?
Was fang ich an? Kam ich zu spät?
Kam, da ich ging. Wenns euch gefällt,
Sprecht für den Armen ein Gebet!"

(Deutsch von Georg Schneider)

Da fällt mir obendrein Georg Trakls „*Kaspar Hauser Lied*" ein. Wollen wir nicht den Schluß hersagen, der in einer unendlich leisen Rührung hinstürzt:

„*Frühling und Sommer und schön der Herbst*
Des Gerechten, sein leiser Schritt
An den dunklen Zimmern Träumender hin.
Nachts blieb er mit seinem Stern allein;

Sah, daß Schnee fiel in kahles Gezweig
Und im dämmernden Hausflur den Schatten des Mörders.
Silbern sank des Ungeborenen Haupt hin."

Ja, Ungeborne, und das heißt für diese Welt, nicht Geborne waren sie allesamt, dieser Kaspar Hauser, dieser Georg Friedrich Daumer und seine Freunde, die sich seltsame Bilder und Reime erschufen, um ihre Welt in der fremden zu besitzen:

„*Da leuchtet auf den Tischen*
Die klarste Denkluzerne . . ."

„*Wie satt bin ich von meinem Vaterlande*", sagte Platen und ging. Daumer sagte dergleichen nie, aber auch er ging in den fernen Osten, in die Mystik, und ruhte sich von seinem Vaterlande aus. „*Ich bin der Welt abhanden gekommen*", frohlockte Rückert, und im südlichen Schwaben seufzte Hölderlin: „*Ich bin nichts mehr, ich lebe nicht mehr gerne.*"

„*Nicht mehr zu dir zu gehen,*
Beschloß ich und beschwor ich,
Und gehe jeden Abend . . ."

fügte Daumer hinzu.
Und einen hat dies gerührt, der sich so leicht nicht rühren ließ: Thomas Mann. In einem kleinen Essay „*Mein Lieblingsgedicht*" (1948) gesteht er es: „*Sagen möchte ich noch, daß manchmal Dinge mir am teuersten sind, die ich halb ver-*

gessen und bruchstückweise in mir herumtrage und gar nicht mehr zusammenbringe. Es gibt ein Gedicht — ich glaube, es ist von Daumer —, das anfängt:

‚Nicht mehr zu dir zu gehen,
Beschloß ich und beschwor ich,
Und gehe jeden Abend . . .‘

‚Denn‘ heißt es, ‚allen Stolz und alle Kraft verlor ich‘. Es stöhnt auf: ‚O rede, sprich ein Wort nur, ein einziges ein klares —‘ und so weiter. Ein Ausdruck hoffnungsloser Liebesverfallenheit, als solcher unübertroffen, wenn auch sonst gar kein meisterhaftes Poem. Es ist mit geschlossenen Lippen gesprochen, gestanden, geseufzt. Brahms hat es komponiert. Er hätte es nicht tun sollen.“
Rudolf Borchardt war anderer Meinung; diesen Brahms liebte er. Ihm wollen wir folgen; denn würdiger können wir unsere Betrachtung und das Jahrhundert, mit dem Daumer geboren, vergessen und wiedergeboren ist, nicht schließen.

„Nicht mehr zu dir zu gehen,
Beschloß ich und beschwor ich,
Und gehe jeden Abend,
Denn jede Kraft und jeden Halt verlor ich.

Ich möchte nicht mehr leben,
Möcht augenblicks verderben,
Und möchte doch auch leben
Für dich, mit dir, und nimmer, nimmer sterben.

Ach rede, sprich ein Wort nur,
Ein einziges, ein klares!
Gib Leben oder Tod mir,
Nur dein Gefühl enthülle mir, dein wahres!“

(Johannes Brahms, Op. 32 Nr. 2)

Wolfgang Beutin

LUDWIG FEUERBACH

1804–1872

Im Revolutionsjahr 1848 begibt sich ein Vierundvierzigjähriger von dem ländlich-abgelegenen Schloß Bruckberg bei Ansbach nach Südwestdeutschland; im Spätherbst weiter nach Heidelberg, um dort Vorlesungen über *„das Wesen der Religion"* zu halten. Die Einladung stammte von Studenten, Heidelbergs Bürgerschaft hatte den städtischen Rathaussaal zur Verfügung gestellt. Hier liest der Gast an drei Abenden in der Woche: mittwochs, freitags, samstags, vom 1. Dezember 1848 bis zum 2. März 1849. Was er vorträgt, ist wissenschaftliche Analyse, und zugleich ist es mehr: Konfession.

„Mir war es und ist es vor Allem darum zu thun, das dunkle Wesen der Religion mit der Fackel der Vernunft zu beleuchten, damit der Mensch endlich aufhöre, eine Beute, ein Spielball aller jener menschenfeindlichen Mächte zu sein, die sich von jeher, die sich noch heute des Dunkels der Religion zur Unterdrückung des Menschen bedienen. Mein Zweck war, zu beweisen, dass die Mächte, vor denen sich der Mensch in der Religion beugt und fürchtet, denen er sich nicht scheut selbst blutige Menschenopfer darzubringen, um sie sich günstig zu machen, nur Geschöpfe seines eigenen unfreien, furchtsamen Gemüthes und unwissenden, ungebildeten Verstandes sind, zu beweisen, dass überhaupt das Wesen, welches der Mensch als ein anderes von ihm unterschiedenes Wesen in der Religion und Theologie sich gegenübersetzt, sein eigenes Wesen ist, damit der Mensch, da er doch unbewusst immer nur von seinem eigenen Wesen beherrscht und bestimmt wird, in Zukunft mit Bewusstsein sein eigenes, das menschliche Wesen zum Gesetz und Bestimmungsgrund, Ziel und Maasstab seiner Moral und Politik mache."

Unter den Hörern des Gastes war der Dichter Gottfried Keller, der am 8. Februar 1849 mitteilte: *„Für die poetische Tätigkeit aber glaube ich neue Aussichten und Grundlagen gewonnen zu haben, denn erst jetzt fange ich an, Natur und Mensch so recht zu packen und zu fühlen . . . ich bin froh, endlich eine bestimmte und energische philosophische Anschauung zu haben."*

Der Philosoph, dessen Philosophie sich der Dichter sofort zu eigen gemacht hatte, hieß: Ludwig Feuerbach.

Keller war redlich genug, in demselben Brief einzugestehen: *„Komisch ist es, daß ich kurz vor meiner Abreise aus der Schweiz noch über Feuerbach den*

Stab gebrochen hatte, als ein oberflächlicher und unwissender Leser und Lümmel; so bin ich recht aus einem Saulus ein Paulus geworden."
„Eine bestimmte und energische philosophische Anschauung" — mit diesem Wort hatte Keller die Philosophie Feuerbachs besser umrissen, als es in manchen hundert Jahre jüngeren Nachschlagewerken der Fall ist, wo Feuerbach meistens kurz als *„Kritiker der Religion"* abgehandelt wird. Er teilt das Los derjenigen Autoren, deren umfangreiches Oeuvre vom Schatten einer Einzelschrift überdeckt bleibt. Feuerbachs Buch von 1841: *„Das Wesen des Christentums"* hat zusammen mit den anderen religionskritischen Arbeiten nicht nur die darstellenden Schriften wie die Monographien über Leibniz und Bayle, sondern vor allem auch die kleineren Schriften in Vergessenheit befördert, in denen seine eigene Lehre positiv dargelegt ist. Unter anderen: *„Vorläufige Thesen zur Reform der Philosophie", 1842; „Grundsätze der Philosophie der Zukunft", 1843.*
„Grundsätze", „Thesen": bereits die Titel zeigen, was ein Überblick über das Gesamtwerk bestätigt; die eigene Philosophie wurde nur in kleinen Portionen ans Licht gebracht, fragmentarisch, aphoristisch. Hier war die Besonnenheit eines Philosophen zu groß, als daß noch ein System hätte entstehen dürfen. Und hier reichte anderseits die künstlerische Begabtheit eines Philosophen nicht aus, um Aphorismen vom Rang derjenigen Schopenhauers oder Nietzsches für die Ewigkeit zu meißeln. Im Detail ausgeführt und abgeschlossen dagegen ist Feuerbachs Religionsphilosophie, deren Prinzipien allerdings nur auf der Folie von Feuerbachs Entwürfen zu einer *„Philosophie der Zukunft"* verstanden werden können.
Eine Philosophie der Zukunft beginnt, Feuerbach zufolge, für Deutschland mit Feuerbachs Philosophie. Diese aber nimmt ihren Anfang bei einer Hypothese über den Menschen, die, obgleich nicht neu, jedenfalls derjenigen aller idealistischen Philosophen entgegengesetzt war, insofern also revolutionär wirkte. Ausgangspunkt, bestimmte Feuerbach, dürfe nicht mehr ein abstraktes, nur gedachtes oder eingebildetes Wesen sein; Ausgangspunkt soll sein: *„das positivste Realprinzip", „ein wirkliches oder vielmehr das allerwirklichste Wesen, das wahre Ens realissimum"* — der Mensch. Und nicht der Mensch nur, insofern er *denkt,* nicht die Ratio des Menschen nur stellt das neue Prinzip dar, sondern der Mensch als *ganzer,* der ganze Mensch, dessen *„Grund"* die Wirklichkeit seines Leibes ist. Der Mensch als sinnliches, mit den Sinnen faßbares Ganzes, eine Einheit, hat das Prinzip der Philosophie der Zukunft zu sein, ihr Erstes, ihr hauptsächlicher Gegenstand, ihr Ziel. Die Leiblichkeit des Menschen wird nicht mehr bloß als äußere Hülle des Wesentlichen, des Kerns, der Seele, verstanden und damit abgewertet ... Sondern es heißt nun: *„Ich bin ein wirkliches, ein sinnliches Wesen; ja, der Leib in seiner Totalität ist mein Ich, mein Wesen selber."*
Die Vernunft des Denkenden, des Philosophierenden, begreift sich nun nicht mehr als losgelöst von der Sinnlichkeit, sondern die Sinne sind am Werke, wo die Vernunft am Werke ist: *„Ich bin himmelweit unterschieden von den Philosophen, welche sich die Augen aus dem Kopfe reissen, um desto besser denken zu können; ich brauche zum Denken die Sinne, vor Allem die Augen, gründe meine Gedanken auf Materialien, die wir uns stets nur vermittelst der Sinnentätigkeit aneignen können ..."*
Hiernach möchte Feuerbach seine Philosophie als *„Realismus"* oder *„Materialismus"* bezeichnet wissen.

Ludwig Feuerbach.

Sein *„Realprinzip“* bedingt sofort die entschlossene Verneinung einer paulinischen Position: des Dualismus von Geist und Fleisch oder der Aufspaltung des Menschen in zwei voneinander wesentlich unterschiedene Elemente. Allein schon solches, wie Feuerbach erklärt, *„grundverderblichen, grundirrthümlichen, grundphantastischen Dualismus“* halber sollte das Christentum aufgegeben werden, damit der Mensch nicht versäume, seine Bestimmung zu erfüllen: Mensch zu sein, ganzer Mensch. Wirkliche Wesen und Dinge, lehrt Feuerbach, dürfen fortan nicht mehr, wie in der bisherigen Theologie und idealistischen Philosophie, zu Zeichen oder Vehikeln, Symbolen und Prädikaten eines Etwas gemacht werden, das als von diesen Dingen und Wesen Unterschiedenes gedacht ist: als transzendent, als absolut. Alles und jedes ist wieder in der Bedeutung zu nehmen und zu erfassen, welche es für sich selbst hat; nicht als Fleischwerdung einer Idee. Seit Feuerbach hat es sein Schwergewicht zurück.
Heißt das nun, daß die Idee überhaupt beiseite geworfen wäre? — Nein. Während Feuerbach auf dem Gebiet der *„eigentlichen theoretischen Philosophie“* den *„Materialismus“* als Prinzip setzt, bekennt er sich gleichzeitig auf dem Gebiet der *„praktischen Philosophie“* als *„Idealist“*. Hier, aber auch nur hier habe die Idee ihren Wert. Sie stellt den Zielpunkt politischen Handelns und moralischen Tuns dar, und wer sie besitze, erklärt Feuerbach, besitze den Glauben an die geschichtliche Zukunft. Niemals nämlich seien die Schranken der Gegenwart und der Vergangenheit auch Schranken der Zukunft. Denn manches, *„was den kurzsichtigen, kleinmütigen Praktikern heute für Phantasie, für nie realisirbare Idee, ja für blosse Chimäre gilt“*, wird schon *„morgen, d. h. im nächsten Jahrhundert“ „in voller Realität dastehen“*.
Mit Hohn weist Feuerbach die Angriffe der Gegner des Atheismus zurück, die behaupten, daß der Atheismus alle Ideale stürze. Er zertrümmere allerdings den Jenseitsglauben — aber nur, weil dieser den Menschen verkümmern lasse, den Gemeingeist vertilge und sich als der wahre Vernichtungsglaube enthülle; modern gesagt als der wahre „Nihilismus“. Jedes Ideal würde von jetzt an auf das irdische Leben bezogen, als menschliches Ideal und Ziel, und während der Glaube ans ewige Leben die Abschaffung des Todes einschließt, fordert Feuerbach: *„Nicht den Tod schafft aus der Welt; die Uebel schafft weg — die Uebel, die aufhebbar sind, die Uebel, die nur in der Faulheit, Schlechtigkeit und Unwissenheit der Menschen ihren Grund haben; und gerade diese Uebel sind die schrecklichsten.“*
Hiermit erweist sich die *„praktische Philosophie“* Feuerbachs oder seine politische Philosophie als Meliorismus — das heißt: als Lehre, welche auf die Verbesserung der irdischen Zustände abzielt. Gleich den Schriftstellern des Jungen Deutschland gibt er die Devise aus: *„die Politik muss unsere Religion werden“*.
Als Prinzip, gemäß welchem er das Zusammenleben der Menschen gestaltet haben will, nennt er *„Ego“* und *„Alter Ego“*, mein Ich und das Ich des andern. Es soll auf den Dialog zwischen Ich und Du oder auf die *Liebe* gebaut werden. Denn: *„Nichts sein und nichts lieben ist identisch.“*
Die Liebe ist von nun an das Höchste. Sie ist das Verbindende. Und wenn Moral nur als Moral einer Gesellschaft von Menschen existiert, so stellt die Moral eines isoliert gedachten Individuums eine leere Fiktion dar. Der Natur verdankt der Mensch, daß er lebt. Aber der Gesellschaft eines anderen Menschen verdankt er, daß er *als Mensch* lebt. Er verdankt, daß er Mensch ist, dem Menschen. Feuerbach schreibt, daß jetzt Liebe zum Menschen um des Men-

schen willen erforderlich sei, nicht mehr Liebe um Gottes willen. Der Mensch hat dem Menschen Gott zu sein, so lautet nach Feuerbach der oberste praktische Grundsatz einer neuen Moral. Seine Verwirklichung bedeutet den *„Wendepunkt der Weltgeschichte"!*
Ludwig Feuerbach war am 28. Juli 1804, im Todesjahr Kants, geboren worden. In dem Geburtsort Landshut hatte der Vater, der Kriminalist Anselm von Feuerbach, soeben eine Professur angenommen. Doch wurde er bereits 1805 nach München versetzt, wo er sich große Verdienste um die bayerische Rechtspflege erwarb: Er unternahm unter anderm die Beseitigung der Folter und entwarf ein modernes *„Strafgesetzbuch für das Königreich Bayern".* Der älteste Sohn Anselms, gleichfalls Anselm geheißen, Ludwigs Bruder, wurde als Archäologe bekannt; der Sohn des jüngeren Anselm, wiederum Anselm mit Namen, Ludwigs Neffe, als Maler von hohem Rang. Ludwig Feuerbach studierte, nach einer Gymnasialzeit in Ansbach, Theologie in Heidelberg und Philosophie bei Hegel in Berlin. Nachdem er sich 1828 in Erlangen für Philosophie habilitiert hatte, versperrte er sich die Fortsetzung der akademischen Laufbahn durch seine 1830 in Nürnberg erschienene Abhandlung: *„Gedanken über Tod und Unsterblichkeit".* Sie enthielt Feuerbachs erste Darlegungen über die Problematik des christlichen Begriffes von Unsterblichkeit und wurde durch die Behörden beschlagnahmt.
Mehrfach bemühte sich Feuerbach um eine außerordentliche Professur, doch konnte er sie nirgendwo erhalten. Ein Symptom der, wie Friedrich Engels urteilt, *„erbärmlichen deutschen Zustände, kraft deren die Lehrstühle der Philosophie von spintisierenden eklektischen Flohknackern in Beschlag genommen wurden, während Feuerbach, der sie alle turmhoch überragte, in einem kleinen Dorf verbauern und versauern mußte".*
Feuerbach entsagte dem akademischen Leben, zog sich nach Ansbach zurück und, seit 1836, auf das nahegelegene Schloß Bruckberg, wo er mit seiner Frau Bertha, der Mitbesitzerin einer Porzellanfabrik, bis 1860 wohnte.
Mußte er aber in Bruckberg wirklich *„verbauern und versauern"*? Als Student hatte Feuerbach einmal geschrieben, es sei sein Ziel, die *Natur* ans Herz zu drücken. Rousseau folgend, bezeichnete er später die Rückkehr zur Natur als Heilmittel für die Menschheit. Wenn er auch einerseits seine Jahrzehnte in Bruckberg gelegentlich mißmutig so charakterisierte: *„Ich sitze fernab von der Welt, wie die Eule im hohlen Baum, oder noch besser gesagt: ich bin lebendig begraben!"* — so mußte er anderseits doch auch einräumen: *„Den Sand, den mir die Berliner Staatsphilosophie . . . in die Augen streute"* — gemeint ist die Hegelsche Philosophie! —, *„wasche ich mir hier an dem Quell der Natur vollends aus."*
Das fränkische Dorf Bruckberg und die Landschaft Frankens waren es, die ihm halfen, sich den Einflüssen grauer, allzu grauer Spekulation zu entziehen. Er liebte es, als Jäger und Wanderer Feld und Wald zu durchstreifen. Er liebte es, täglich im Gespräch mit einfachen Leuten zusammenzusein. Er führte eine glückliche Ehe. Vor allem hat er im fränkischen Bruckberg, im Lande der „Freien", seine freigeistigen Grundlehren entwickelt. In Bruckberg sind seine philosophischen Hauptschriften entstanden, dabei die religionskritischen Werke: *„Das Wesen des Christentums", 1841; „Das Wesen der Religion", 1845; „Vorlesungen über das Wesen der Religion"; „Theogonie", 1857.*
Die Ära vor dem Ausbruch der Revolution von 1848 war das Zeitalter der Religionskritik in Deutschland, wie es in Frankreich vor dem Ausbruch der Revo-

lution von 1789 eben solches Zeitalter gegeben hatte. So einzigartig gleich die erste und bekannteste von Feuerbachs religionskritischen Arbeiten in ihrer Beweisführung ist: *„Das Wesen des Christentums"* — sie stellt keineswegs das einzige Dokument von Religionskritik dar, das in den Jahren vor 1848 berühmt wurde. Die Religionskritik kam damals von vielen Seiten. Nicht von Philosophen nur, nicht von Dichtern nur. Sie kam auch von den Theologen. Unter diesen besonders von David Friedrich Strauß, der nach Herausgabe seines Buches *„Das Leben Jesu"*, 1835, die Lehrtätigkeit in Tübingen einstellen mußte, und von Bruno Bauer, dem wegen seiner religionskritischen Veröffentlichungen 1842 die Venia legendi entzogen wurde. Heinrich Heine konnte in dem satirischen Versepos *„Atta Troll"*, das im Spätherbst 1841 entstand, den Titelhelden Atta Troll brummend klagen lassen:

„Selbst die Deutschen, einst die Bessern,
. . .
. . .
Diese gleichfalls sind entartet.
Sind jetzt glaubenlos und gottlos,
Pred'gen gar den Atheismus —
Kind, mein Kind, nimm dich in acht
Vor dem Feuerbach und Bauer!"

Feuerbachs Religionskritik bezweckt nichts anderes, als die für notwendig gehaltene Wendung der Weltgeschichte zu ermöglichen. Der Angriff auf die christliche Religion ist als Abrechnung eines Philosophen mit der Vergangenheit gedacht, um der Menschheit eine hellere Zukunft zu eröffnen. Mit Schmerz beobachtet Feuerbach, *„wie eine grosse Anzahl unserer Zeitgenossen . . . höhnend und verletzend die Rechte und Ansprüche, welche durch tausendjährige Kämpfe sich die Vernunft erworben hat, zu dem Alten zurückkehrt"*. Es war die Epoche der Restauration, und Feuerbach muß konstatieren, daß zu seiner Zeit allein eines noch eine hochwichtige Angelegenheit geblieben ist — der *„Hader über die gemischten Ehen"*.

Dieser Zeit und den Zeitgenossen sich entgegenstemmend, wagt er, was vor ihm kein deutscher Autor gewagt hat: das Gesamtsystem der Religion aus den Angeln zu heben. Nicht einzelne Dogmen, nicht Institutionen greift er an. Er führt den Schlag gegen das Ganze. Er plant nicht, *hinter* der Religion Wahrheiten zu entdecken, sondern er nimmt die Religion in ihrer Totalität als *Wahrheit* . . . als von der menschlichen Psyche hervorgebrachte Wahrheit, die als Wahrheit denselben Wert besitzt wie jede andere Projektion der Psyche auch, wie jedes andere Gebilde menschlichen Wähnens. Er analysiert die Religion und Theologie, indem er sie als *„psychische Pathologie"* betrachtet. Er untersucht, was die Religion, ein Produkt der menschlichen Psyche, Erzeugnis des ganzen Menschen, an Menschlichem enthält. Er fragt, was sie über den Menschen auszusagen vermag, der sie schuf. Dies ist der Sinn der von ihm immer wieder verwendeten Formel: *„die Theologie ist Anthropologie"*.

Er erläutert sie zu Beginn seiner Vorlesungen 1848 folgendermaßen: *„In dem Gegenstande der Religion, den wir griechisch Theos, deutsch Gott nennen, spricht sich nichts Anderes aus als das Wesen des Menschen, oder: der Gott des Menschen ist nichts Anderes als das vergötterte Wesen des Menschen."*

Feuerbachs religionskritische Arbeit läßt sich unter vier Gesichtspunkten resümieren. Es sind diese: Was im Menschen ist es, wovon Menschliches nach außen projiziert, als Religion oberhalb des Menschen befestigt wird? Inwiefern können die Inhalte der Religion als Hervorbringungen des Menschen erkannt werden? Hat die Religion für den Menschen noch einen Wert? Was leistet die Religionskritik?

Laß den Andern glauben, was er will, aber fordere dafür auch von ihm, daß er Dich nicht glauben läßt, was Er glaubt. Diese Forderung ist gerecht u. billig. Aber ungerecht u. verwerflich, verwerflicher noch als die Intoleranz des Gläubigen, ist die Intoleranz des Aufgeklärten, welcher von den Andern ohne Unterschied verlangt, daß sie zwar nicht so glauben, aber so denken, so frei u. gescheidt sein sollen, wie Er selbst. Man muß auch gegen die Unfreiheit u. Dummheit tolerant sein.

Bruckberg den 25ten Octob. 1851. Ludwig Feuerbach.

Ungedruckter faksimilierter Ausspruch von Ludwig Feuerbach

1. Was im Menschen ist es, wovon Menschliches nach außen projiziert, als Religion oberhalb des Menschen befestigt wird? – *Nicht* die Vernunft, antwortet Feuerbach, und diese Antwort leitet ihn zur Feststellung der Macht des Außervernünftigen, läßt ihn die Macht dessen erkennen, welches wir heute als *„das Unbewußte"* bezeichnen: *„Die Vernunft ist immer beim Menschen die gehorsamste Dienerin des Herzens; was er wünscht, das stellt er sich als seiend vor."* Entscheidendes Merkmal des Glaubens ist, meint Feuerbach, daß er die zuversichtliche Gewißheit von der Realität jener Gegenstände bietet, die der Mensch sich wünscht. So erklärt Feuerbach lapidar: *„Der Wunsch ist der Ursprung, ist das Wesen selbst der Religion."*
Überblickt der Mensch nüchternen Auges die Welt, wie sie wirklich ist, so gesteht er sich seine Abhängigkeit von der Natur. Der empfindlichste Ausdruck dieser Abhängigkeit aber bleibt der Tod. Und Aufhebung des Todes, die Unsterblichkeit, so findet Feuerbach, sei der oberste Zweck der Religion. Wenn es den Tod nicht gäbe, so wäre keinerlei Religion. *Christus* nimmt er als den Garanten des Wunsches nach dem ewigen Leben, wobei ihm das Apostelwort 1. Korinther 15, 16 zum Beleg dient: *„Denn so die Toten nicht auferstehen, so ist Christus auch nicht auferstanden."* Ebenso machen die Gläubigen *Gott* zum Erfüller ihrer Wünsche. Gott verheißt das Erfülltwerden ihrer Sehnsucht nach dem Jenseits: Der Christ *„glaubt nicht an die Unsterblichkeit, weil er an Gott glaubt, sondern er glaubt an Gott, weil er an die Unsterblichkeit glaubt, weil er ohne den Gottesglauben den Unsterblichkeitsglauben nicht begründen kann"*.
Feuerbachs Philosophie enthält hier schon eine wichtige Einsicht der Tiefenpsychologie, wenn er meint, daß sich in der Religion das *„Herzensbedürfnis"*

des Menschen als *„allgebietende Notwendigkeit"* setze. Feuerbach führt aus: *„Die Religion ist der Traum des menschlichen Geistes. Aber auch im Traume befinden wir uns nicht im Nichts oder im Himmel, sondern auf der Erde ..., nur daß wir die wirklichen Dinge nicht im Lichte der Wirklichkeit ..., sondern im entzückenden Scheine der Imagination und Willkür erblicken."*

2. Inwiefern können die Inhalte der Religion als Hervorbringungen des Menschen erkannt werden? — Feuerbach legt dar, daß der Mensch durch die Einbildungskraft unwillkürlich sein inneres Wesen veranschauliche und es nach außen projiziere. Es werde nun zu etwas Außer-Menschlichem, angeblich einem Wesen höherer Art. Aber: *„Von seiner Gattung, seinem Wesen kann er nimmermehr abstrahieren; die Wesensbestimmungen, die er diesen anderen Individuen gibt"* — den Göttern! —, *„sind immer aus seinem eigenen Wesen geschöpfte Bestimmungen — Bestimmungen, in denen er in Wahrheit nur sich selbst abbildet und vergegenständlicht."*

Nach dem Bilde des Menschen schafft der Mensch seine Götter, seinen Gott, um sodann sich selber als von diesem Gott hervorgebracht zu denken. Was ihm Inbegriff der Vollkommenheit zu sein scheint, teilt er dem geschaffenen Gott zu, das Unvollkommene behält er sich selber vor. Dieser Sachverhalt, erklärt Feuerbach, bleibe dem Gläubigen stets dunkel. Gerade hierdurch charakterisiere sich die christliche Religion am prägnantesten, daß sie, weil in ihren Gott am meisten Vollkommenheit hineingelegt worden sei, den Unterschied zwischen diesem und den Menschen als besonders kraß ausmale. So etwa werde Gott als Super-Intelligenz vorgestellt, sei aber in Wahrheit nichts anderes als die sich als absolutes Wesen denkende Intelligenz des Menschen. Gott verkörpere den Christen alle moralische Vollkommenheit, sei aber in Wahrheit nur Abdruck des menschlichen Verlangens nach Vollkommenheit. Alles dies dann als ein *„physisches Wesen"* gedacht, woraus die Schöpfung mit sämtlichen anderen physischen Wesen entsprang, aber in Wahrheit eine Existenz *ohne* Existenz: Denn wenn man, wie die Theologen, die anthropomorphen Prädikate Gottes abstreiche, habe man Gott gestrichen. Wird Gott aller Prädikate einer wirklichen sinnlichen Existenz beraubt, so resultiert daraus faktisch schon der Atheismus.

3. Hat die Religion für den Menschen noch einen Wert? — Feuerbach antwortet mit einem entschiedenen Nein. Denn die Vernunft sei mündig geworden, und der Gläubige könne nur noch im Widerspruch mit seinem besseren Wissen und seinem Verstand am Inhalt der religiösen Dogmen festhalten. Das Wort Gott besage auf dieser Stufe der Entwicklung nicht mehr als das *„Verbot, die Dinge sich auf natürlichem Wege entstanden zu denken, ein Interdikt aller Physik und Naturphilosophie"*.

Diese Formulierung wird wenige Jahrzehnte später Friedrich Nietzsche aufnehmen, wenn er im *„Ecce Homo"* schreibt: *„Gott ist eine faustgrobe Antwort, eine Undelikatesse gegen uns Denker —, im Grunde sogar bloß ein faustgrobes Verbot an uns: ihr sollt nicht denken!"*

Feuerbach wurde nicht müde, seinem Publikum stets aufs neue den Satz einzuschärfen: *Dich, Mensch, berechtigt nichts, „durch die Annahme erdichteter Wesen das Unerklärliche zu erklären ... durch eine nichts erklärende Erklärung Dich und Andere zu täuschen und zu belügen ... Dein Nichtwissen natürlicher, materieller Ursachen in ein Nichtsein solcher Ursachen zu verwandeln, Deine Ignoranz zu vergöttern, zu personificiren, zu vergegenständlichen in*

einem Wesen, welches diese Ignoranz aufheben soll, und doch nichts anderes ausdrückt, als die Natur dieser Deiner Ignoranz".
4. Was leistet die Religionskritik? — Feuerbach antwortet: *„Therapie."*
Nicht denjenigen Trieb im Menschen will er ausrotten, der die Religionen hervorbringt: Herz, Gemüt, Phantasie. Auszurotten wünscht er nur die Religion in der Form des, wie er schreibt, alten Glaubens. Er will vor allem den Krieg machen *„dem feigen, charakterlosen, komfortabeln, belletristischen, koketten, epikuräischen Christentum der modernen Welt".* Heutzutage gelte, daß nur derjenige ein wahrhaft sittlicher Mensch sei, der den Mut habe, seine religiösen Bedürfnisse und Gefühle zu durchschauen. Der Philosoph Feuerbach möchte mit seiner Religionskritik das Beispiel geben, sein eigener Atheismus ist: *„der zum Bewußtsein gebrachte, ehrliche, unumwundene, ausgesprochene, unbewußte und thatsächliche Atheismus der modernen Menschheit und Wissenschaft".*
In der Religion bleibe der Mensch noch ein Kind. Die Theologie, schon wissend geworden, gibt im Grunde die Religion preis, indem sie ihre Bilder als *Bilder,* den Mythos als *Mythos* erklärt. Sie riskiert aber nicht den entscheidenden Schritt. Daher muß ihn die Philosophie unternehmen: dem Menschen die, wie Feuerbach meint, verderbliche Einbildung rauben, seine Illusion abbauen, indem sie als Illusion erkannt wird. Das Erfordernis lautet: Augen zu öffnen und die bisher *unbewußte* Negation des Christentums in eine *bewußte* verwandeln, in eine willentlich angestrebte. Es handelt sich, wie Feuerbach ausdrücklich bekennt und wie es im 20. Jahrhundert Sigmund Freud verlangen wird: *„um die Vernichtung einer Illusion".*
So mündet, was der Wissenschaftler Feuerbach als wissenschaftliche Analyse begann, am Ende in die Konfession, die er in Heidelberg 1848 vortrug: *„Mein Zweck war, zu beweisen, dass die Mächte, vor denen sich der Mensch in der Religion beugt und fürchtet, denen er sich nicht scheut selbst blutige Menschenopfer darzubringen, um sie sich günstig zu machen, nur Geschöpfe seines eigenen unfreien, furchtsamen Gemüthes und unwissenden, ungebildeten Verstandes sind, zu beweisen, dass überhaupt das Wesen, welches der Mensch als ein anderes von ihm unterschiedenes Wesen in der Religion und Theologie sich gegenübersetzt, sein eigenes Wesen ist, damit der Mensch, da er doch unbewusst immer nur von seinem eigenen Wesen beherrscht und bestimmt wird, in Zukunft mit Bewusstsein sein eigenes, das menschliche Wesen zum Gesetz und Bestimmungsgrund, Ziel und Maasstab seiner Moral und Politik mache."*
Feuerbachs Auftreten in Heidelberg beendete eine Periode des Ruhms, die erst seit 1841 gewährt hatte: dem Erscheinungsjahr der Schrift *„Das Wesen des Christentums".* Während damals, wie Friedrich Engels meldet, allgemeine Begeisterung herrschte — *„wir waren alle momentan Feuerbachianer"* —, so geriet der Philosoph nach dem unglücklichen Ausgang der Revolution langsam in Vergessenheit. Seine ökonomische Situation verschlechterte sich ebenfalls. Im Jahr 1860 mußte er Schloß Bruckberg verlassen, weil die Porzellanfabrik in Konkurs ging, deren Mitbesitzerin seine Frau war. Feuerbach verlor seine bescheidene Rente. In Armut lebte er seit 1860 auf dem Rechenberg bei Nürnberg, und es wurde ihm ein für deutsche Linksoppositionelle des 19. Jahrhunderts typisches Ende zuteil, die entweder im Exil starben: Börne, Heine, Karl Marx, Friedrich Engels und Arnold Ruge — oder in bitterer Armut: Bruno Bauer, Max Stirner und, 1872, Feuerbach selber. Noch zuletzt war er zahlendes

Mitglied bei der Nürnberger Sektion der Sozialdemokratischen Partei geworden, und mehrere tausend Arbeiter aus Nürnberg, Fürth und Umgebung haben den toten Philosophen zu Grabe geleitet.
Was blieb von seiner Philosophie? – Die Religionskritik, so könnte der eilige Betrachter meinen, sei im Deutschland des 20. Jahrhunderts in die Tat umgesetzt: bezeigen doch nach Hanns Liljes Schätzung 90 bis 95 Prozent der Getauften dem Christentum gegenüber im allgemeinen nur Gleichgültigkeit; muß doch Karl Rahner zufolge Deutschland schlicht als Missionsgebiet bezeichnet werden. Feuerbachs Angriff gegen die Religion bezweckte aber keineswegs, anstelle der Religion die *Gleichgültigkeit* an die Macht zu bringen. Er plante, eine kraftlos gewordene Religion der Liebe durch ein neues, kraftvolles Ethos der Liebe zu ersetzen. Letzten Endes ging es ihm um dies: das neue Ethos der Liebe. War, wie er feststellte, im Christentum seiner Zeit die Liebe nur noch als *„rhetorische Figur"* möglich, so versuchte er, eine neue Wirklichkeit der Liebe herbeizuzwingen, wahres Ethos. In diesem Punkt trifft sich der Atheismus Feuerbachs mit dem Theismus derjenigen Religiösen, welche bestrebt sind, die Ursachen der Gleichgültigkeit vieler zu beseitigen und wahrhafte Religiosität, eine Religion der Liebe, zu fördern. Und: so sehr auch einzelne Bestandteile der Feuerbachischen Philosophie in Vergessenheit gesunken sind – ihre Grundtendenzen wirken in der Geschichte mächtig weiter. War im 19. Jahrhundert zunächst einmal der Einfluß des Philosophen auf die Dichtung und Musik sichtbar geworden – Gottfried Keller, Heinrich Heine, Richard Wagner sind hier zu nennen –, so ist in der Folgezeit sein Einfluß auf die marxistische Philosophie von Wichtigkeit. Nicht minder erkennbar ist der Einfluß Feuerbachs auf die Philosophie Friedrich Nietzsches wie auf die Psychoanalyse Sigmund Freuds.

Ludwig Baer

MAX STIRNER

1806–1856

Max Stirner: auch einer von denen, die ganz vergessen sind und nur wegen der Diskrepanz zwischen Idee und Leben zuweilen wie ein Kuriosum erwähnt werden. Und doch einer, dessen Gedanken und Emotionen (was bei ihm das gleiche ist) weiterschwelen als etwas, das in jeder neuen Generation rumort; weniger als politische, als soziale Ideen, vielmehr als persönliches Aufbegehren gegen Überkommenes, Übernommenes, das man für überholt hält: es ist der Drang zum Anarchismus.

Von Clémenceau stammt das Wort: *„Mir tut jeder leid, der nicht mit Zwanzig Anarchist war.“* Um die Jahrhundertwende waren's die Bohèmiens; es rührten nach dem ersten Weltkrieg die Dadaisten und die Surrealisten an der „Umwertung der Werte“; und um die Jahrhundert-Mitte ist es die Beat-Generation, die – freilich meist ohne geistige Bewußtheit – viel Schrilles bekundet, was anarchistische Antriebe hat.

Und was hat das mit Stirner zu tun?

Stirner schrieb in seinem Hauptwerk, das den Titel trägt *„Der Einzige und sein Eigentum“* den Satz: *„Mir geht nichts über mich.“* Und nun hören Sie ein paar andere Sätze: *„Ich bin mir selber ein und alles gewesen. Ich habe immer nur mich selber gesehen. Ich habe zuerst an mich selber gedacht.“* Das könnte Stirner gesagt haben. Es steht aber in der *„Selbstbezichtigung“* von Peter Handke, dem jungen Kärntner, der mit seiner *„Publikumsbeschimpfung“* das beschimpfte Publikum amüsiert. In seiner *„Selbstbezichtigung“*, die er auch in den Nürnberger Kammerspielen dargeboten hat, beginnt jeder Satz mit Ich ... Ich ... Ich. (Ein einziges Kapitel weicht davon ab, da beginnt jeder Satz mit: Gegen ..., Gegen ..., Gegen.) Nach seiner Weltanschauung befragt, sagte Handke: *„Ich bin Anarchist, radikaler Anarchist.“*

Anarchismus heißt wörtlich Herrschaftslosigkeit: die Lehre von der Gesellschaft, in der jede Autorität, besonders die staatliche, verneint und die totale Autonomie und Freiheit des Individuums angestrebt wird. Die anarchistische Bewegung ist eine Erscheinung der letzten 150 Jahre, gewachsen aus dem Glauben an die fortwirkende Revolution. Der Glaube hat sich nach 1789 weiterentwickelt. Er resultierte – so schreibt James Joll in seinem Werk *„Die Anarchisten“* – aus dem Einbruch der Industrie in eine Bauern- und Hand-

werkergesellschaft. Um des religiösen, des sozialen Aufbegehrens floß dieser Bewegung manche Sympathie zu, viel davon wurde durch Terrorismus verspielt. Kollektiven Zielen wandten sich die Syndikalisten zu mit ihrer Theorie des Eingreifens der Gewerkschaften in die Wirtschafts- und Gesellschaftsordnung; sie hatten vornehmlich in Spanien Fuß gefaßt — bis Franco kam.
Seit der französischen Revolution erst sollen die Anarchisten erwacht sein? Haben nicht schon die Sophisten im alten Hellas den Menschen als das Maß aller Dinge genommen? Immerhin: als Maß. Einen Maßstab haben kann nicht Anarchismus sein. Und hat nicht die Renaissance das Individuum in die Mitte des Lebens gestellt? Hat nicht Leibniz in seiner Monadenlehre das individuelle Sein zum Wesen der Welt erklärt?
Erfüllung des individuellen Seins hat nichts Anarchistisches, wenn es „das Maß" hat. Anarchistische Systeme, anarchistische Gesellschaftsordnungen: das ist ein Widerspruch in sich selbst. Diesen kollektiven Anarchisten hat Trotzkij zugerufen: *„Ihr seid isolierte Einzelne."* Anarchisten sind im Grunde immer Individual-Anarchisten.
Wie unser Max Stirner aus Bayreuth.
Er hieß gar nicht so. Sein Name war Schmidt, Johann Caspar Schmidt, geboren am 26. Oktober 1806 in einem Haus am Marktplatz, das heute noch Stirner-Haus genannt wird. Sein Vater, aus Ansbach stammend, war ein Musiker; seine Mutter kam aus einer Familie Reinlein in Erlangen. Der Vater starb früh, die Mutter heiratete bald wieder, einen Apotheker in Culm an der Weichsel. Vom 12. bis zum 19. Lebensjahr besuchte Stirner das Humanistische Gymnasium Bayreuth, dann studierte er klassische Philosophie an der Universität Berlin, an der Niebuhr, Schelling, Schleiermacher lehrten. Bald finden wir ihn an der Universität Erlangen, er unterbrach das Studium, erst 1834 machte er die Lehramtsprüfung in Berlin. Und dann wurde er Lehrer an einem vornehmen Mädchenpensionat, ein liebenswürdiger, sanfter Lehrer, recht gepflegt, mit leicht gelocktem Haar, das blond war, ins Rötliche spielend, blond war auch sein Backen- und Schnurrbart, ein adretter Herr — aber in seinen Schriften zertrümmerte er die Menschheit.
Er schrieb als Korrespondent für Journale, besonders für die von Karl Marx gegründete *Rheinische Zeitung.* Dort galt sein erster literarischer Beitrag dem Thema: *„Das unwahre Prinzip unserer Erziehung oder der Humanismus und Realismus."* Er wollte diese beiden Aspekte vereinen und stellte die Frage: *„Sind wir Geschöpfe, die nur dressiert werden können, oder werden wir zu den Schöpfern unseres späteren Lebens herangebildet?"* Und er schließt die Betrachtung: *„Das Wissen muß sterben, um als Wille wieder aufzuerstehen, und als freie Person sich täglich neu zu erschaffen."* Später aber heißt es bei Stirner: *„Zuletzt muß man sich überhaupt alles aus dem Kopf zu schlagen wissen, schon um einschlafen zu können."* Das heißt: daß das Denken weichen müsse, wenn das eigentliche Ich leben soll. Frei werden von der Welt: ist das nicht buddhistische Mystik; in diesem Fall: anarchistische Mystik?
Solches Nebeneinander von Gegensätzen bestimmt das Bild Stirners, vor allem der Gegensatz von Denken und Tun. Er schrieb sein Buch *„Der Einzige und sein Eigentum";* es erschien 1844; die Zensur behielt es zunächst zurück, dann ließ sie es erscheinen, sie verstand es wohl nicht. Sie überlas vielleicht den Satz: *„Was ist nun mein Recht? Mein Recht ist, was Mir recht ist, wozu ich mich berechtige. So weit meine Macht geht, so weit reicht mein Recht."* Die Zensur überlas wohl auch: *„Dem Staat entziehe ich mich."* Und: *„Die Wahrheit*

hat ihren Wert nicht in sich, sondern in mir." Und: *„Ich lasse mir das Maß meiner Empfindungen nicht vorschreiben und das Ziel meiner Gefühle nicht bestimmen.*" Und: *„Mensch, es spukt in deinem Kopfe; du hast einen Sparren zuviel! Du bildest dir große Dinge ein und malst dir eine ganze Götterwelt aus, die für dich da sei, ein Ideal, das dir winkt. Du hast eine fixe Idee!*"

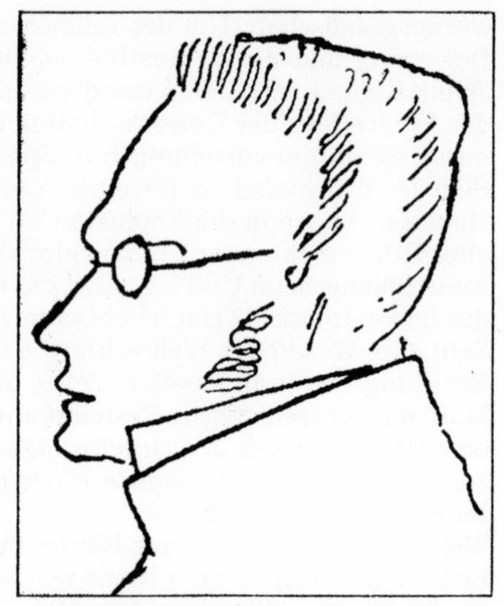

Max Stirner, nach einer Karikatur von Friedrich Engels

So zertrümmerte Stirner – der Mann mit der hohen Stirne (ein Spitzname aus der Studentenzeit, den er übernahm) – so zertrümmerte er vieles, was man als Grundpfeiler der Gesellschaft, des staatlichen, des religiösen Lebens ansah.

War er ein Vorläufer der Revolution von 1848? Friedrich Engels, der mit ihm am Stammtisch saß, schrieb ihm die Reime: *„Seht Stirner, seht ihn, den bedächtigen Schrankenhasser, / für jetzt noch trinkt er Bier, bald trinkt er Blut wie Wasser.*" Aber Stirner ging 1848 keineswegs auf die Barrikaden.

Ein Kritiker seiner Zeit meinte, seine Schriften seien *„Stoßseufzer einer schönen Seele, die sich über die Eintönigkeit des Philisterlebens ennuyiert".* Diese Doppelnatur – der anarchistische Revolutionär und der Kleinbürger der Biedermeierzeit – zeigt die Spaltung: hier Stirner, hier Schmidt ...

Er hatte, ein paar Jahre, ehe sein Buch erschien, seine filia hospitalis geheiratet, die uneheliche Tochter einer Hebamme, sie hieß Kunigunde Burtz. Sie starb bei der Geburt eines Kindes, das Kind starb auch. Er legte seine Lehrerstelle nieder und heiratete bald wieder. *„Die Hochzeit, beziehungsweise die Trauungszeremonie, war wohl das einzig Stilgemäße und Charakteristische an dieser Ehe, sie hat seinerzeit ziemlich Staub aufgewirbelt und ein offizielles Schreiben an den König zur Folge gehabt.*" Martin Kessel erzählt davon in einem – Stirner gewidmeten – Kapitel seiner *„Romantischen Liebhabereien":*

„Da eine Heirat ohne kirchliche Trauung damals nicht möglich, für Stirners aber die Kirche ein Popanz war, hatten sie den Pastor, eine noch junge Kraft, zu sich ins Haus bestellt. Ein Heimaltar war errichtet, die Freunde aus Hippels Weinstube waren geladen, sie saßen statt in Bratenröcken und Zylindern zum Zeichen ihrer Freiheit in Hemdsärmeln umher, und der Herr Pastor machte sich eben ans Werk, als plötzlich ein peinlicher Zwischenfall eintrat. Die Trauringe fehlten! An sie, an das Hauptrequisit einer christlichen Eheschließung, hatten Stirners im Traum nicht gedacht. Hier aber wurde einer der Freunde zum Retter. Indem er seine Geldbörse zog, riß er aus deren Verschluß zwei Ringe, deren jeder so groß wie ein Trauring war, und diese beiden Ersatzprodukte weihte der Pastor und steckte sie feierlich dem Paar an die Finger. Die Legende behauptete zwar sehr bald, nicht zwei Geldbörsenringe seien es gewesen, sondern zwei Ringe von der Fenstergardine, doch greift das wohl auf

die Gardinenpredigten vor, die Stirner alsbald zu hören bekam. Was er sich da nämlich angelacht hatte, war eine Frau, die keineswegs eine Göttin der Freiheit war.“
Er widmete seiner zweiten Frau sein Buch. Die Widmung lautet: *„Meinem Liebchen Maria Dähnhardt.“* Aber da war sie schon zwei Jahre sein ehelich angetrautes Weib. Die Form der Widmung klang aber flotter, im Sinne jenes Kreises der „Freien“, dem er angehörte. Er liebte die Gesellschaft und gute Weine und gute Zigarren und zechte gerne recht lange. Das war in Hippels Weinstube, und Stirners Biograph Mackay holte sich besonders aus diesem Kreis der Liberalen Aufschlüsse über Stirners Wesen und Leben. Es waren Medizinalräte und Amtsgerichtsräte und Ministerialräte – in diesem Kreis erschien auch Dr. h. c. Theodor Fontane.

Was aber tat Stirner, wenn er nicht in Hippels Weinstube saß? Er übersetzte, er schrieb Berichte für Zeitungen, er legte das Geld seiner Frau nach kapitalistischen Rendite-Prinzipien an. Er hatte sich mit nationalökonomischen Werken befaßt – und nun kam er von der Volkswirtschaft auf die Milchwirtschaft – nicht etwa auf die Milch der frommen Denkart ...

Das mit der Milchwirtschaft ist ja eine Groteske. Stirner mietete einen Keller, ging auf die Dörfer, schloß Lieferungsverträge, er wollte rational wirtschaften. Die Milch kam, die Kannen stauten sich im Keller, die Milch wurde sauer. Stirner hatte vergessen, auch den Absatz zu organisieren. Seine Frau hat da ihr ganzes Geld zugesetzt, dann ließ sie sich scheiden.

Sie ging einen seltsamen Weg: erst nach London, da traf sie mit Freiligrath zusammen; sie schrieb kleine Skizzen. Dann wanderte sie nach Australien aus, geriet in Not, wurde Waschfrau, da fiel ihr eine Erbschaft zu, sie ging wieder nach London zurück, sie wurde katholisch und starb in hohem Alter. Sie hat es abgelehnt, über ihre Erinnerungen an Stirner zu berichten. Ihr letztes Wort über Stirner, 1897, da war sie 87 Jahre alt: *„Mary Smith erklärt feierlich, daß sie in keinen weiteren Briefwechsel über diesen Gegenstand eingehen wird und bevollmächtigt den Buchhändler X, alle diesbezüglichen Schreiben an ihre Eigentümer zurückzusenden. Sie ist krank und bereitet sich auf den Tod vor.“*

Da war Stirner längst – 40 Jahre schon – tot. Wie es ihm erging nach der Scheidung? Schlecht. Sein Buch hatte nur eine einzige Auflage gehabt, es kam in Jahrzehnten nicht über 1000 Exemplare. Stirner lebte nach dem Konkurs der Milchwirtschaft als Übersetzer, als Korrespondent; er schrieb noch – das war sein letztes Werk – eine *„Geschichte der Reaction“* (er nannte 1848 das Jahr des reactionären Instinkts: weil die Reaction sich zu einer Macht ausbildete). Er lebte als möblierter Herr dahin, mühselig und beladen, nun wieder Herr Schmidt genannt, manchmal auch Herr Dr. Schmidt, obwohl er nicht promoviert hatte. Aber eine Anzeige in der *Vossischen Zeitung* war noch mit Max Stirner gezeichnet. Sie lautete: *„Ich sehe mich in die Notwendigkeit versetzt, ein Darlehen von 60 Thaler aufnehmen zu müssen ... und bitte, mir dasselbe auf fünf Jahre zu gewähren. Sub A 38 M. Stirner“*

Es meldete sich niemand und Stirner kam zweimal in Schuldgefängnis-Haft; er lebte kümmerlich dahin. Da stach ihn einmal eine giftige Fliege. Und er starb 1856, erst 49 Jahre alt, Berlin NW, Philippstraße 19. Er wurde beerdigt auf dem Sophienfriedhof. Eine Platte, auf der nur *Max Stirner* steht, deckt sein Grab. In der Nähe liegt Zelter, Goethes Freund (1832 gestorben), und Ranke, der Historiker (1886 gestorben).

Stirner wäre wohl bald völlig vergessen worden, wenn nicht etliche Männer sich mit seinem Werk auseinandergesetzt hätten, vor allem Karl Marx, der in seiner Abhandlung über die deutsche Ideologie, einem wichtigen Kapitel seiner vor 1848 erschienenen Frühschriften, gegen Stirner losgegangen war. Marx hält Stirners Bekenntnisse nur für neue Phrasen zur Interpretation der bestehenden Welt, und er meint: *„Die Revolution und die Stirnersche Empörung unterscheiden sich nicht, wie Stirner meint, dadurch, daß die Eine eine politische oder soziale Tat, die Andere eine egoistische Tat ist, sondern dadurch, daß die Eine eine Tat und die Andere keine ist."* Marx sieht in Stirner den deutschen Kleinbürger, der eine Jeremiade gegen den Staat losläßt; er hält seinen *„Einzigen"* für eine Blütenlese des Unsinns, und anspielend auf Stirners Milchwirtschaft meint er, daß dieser *„mit der geronnenen, sauer gewordenen Milch seiner Gedanken Handel"* getrieben habe ...

Stirner nach einer zeitgenössischen Zeichnung

Der Zorn des Karl Marx richtet sich vornehmlich gegen die individualistische Begrenzung des Widerstandes gegen die Gesellschaft. Sagt doch Stirner: *„Revolution und Empörung dürfen nicht für gleichbedeutend angesehen werden. Jene besteht in einer Umwälzung der Zustände, des bestehenden Zustandes oder status, des Staats oder der Gesellschaft, ist mithin eine politische oder soziale Tat; diese (nämlich die Empörung) hat zwar eine Umwandlung der Zustände zur unvermeidlichen Folge, geht aber nicht von ihr, sondern von der Unzufriedenheit der Menschen mit sich aus, ist nicht eine Schilderhebung, sondern eine Erhebung der einzelnen, ein Emporkommen ohne Rücksicht auf die Einrichtungen, welche daraus entsprießen. Die Revolution zielt auf neue Einrichtungen, die Empörung führt dahin, uns nicht mehr einrichten zu lassen, sondern uns selbst einzurichten. Verfassungslos zu werden bestrebt sich der Empörer."* Und unter diese Darlegungen stellte Stirner folgende Fußnote: *„Um mich gegen eine Kriminalklage zu sichern, bemerke ich zum Überfluß ausdrücklich, daß ich das Wort ‚Empörung' wegen seines etymo-*

logischen Sinnes (mittelhochdeutsch enboeren = erheben) wählte, also nicht in dem beschränkten Sinne gebrauche, welcher vom Strafgesetze verpönt ist.“
In seinem unlängst erschienenen Werk über *„Die Ideologie der anonymen Gesellschaft“* verweist Hans G. Helms auf den Opportunismus Stirners; er verweist darauf, daß Stirner die Menschen aufforderte *„statt politisch in die gesellschaftlichen Prozesse einzugreifen, sich unpolitisch im Bestehenden zu arrangieren und jeweils jener Fraktion ihr Votum zu geben, die ihre partikulären Interessen am besten zu fördern verspreche“.*
Helms meint dazu, daß in Stirners Werk die Haltung der heutigen Mittelklasse in Westdeutschland *„ihre früheste konsequente Formulierung ... gefunden“* habe.
Mit Stirners Impulsen lassen sich natürlich nicht Massenbewegungen aufbauen. Max Adler hingegen hat in seinen (*„Wegweiser“* betitelten) Studien zur Geistesgeschichte des Sozialismus (1931 in Wien erschienen) dem Max Stirner einen besonderen Platz im Auflösungsprozeß der deutschen bürgerlichen Ideologie eingeräumt. *„Stirner steht in der Mitte zwischen Feuerbach und Marx als ein hochbedeutsames Element in jenem epochemachenden Ringen um Selbstverständigung, das aus der sich in die Metaphysik verlierenden Spekulation Hegels zum konkreten Leben zurückführte.“* Adler spricht von der *„Vorläuferwahrheit“* Stirners, die *„durch den Marxismus erst in den richtigen sachlichen Zusammenhang gebracht wurde“.* Der als Partei organisierte Anarchismus, dessen erster Vertreter Bakunin war, entwickelte sich gegen den Marxismus.
Ludwig Feuerbach, der mit Nürnberg verbundene Philosoph, schrieb über Stirners Hauptwerk: *„Es ist ein höchst geistreiches und geniales Werk und hat die Wahrheit des Egoismus – aber exzentrisch, einseitig, unwahr fixiert.“*
Feuerbachs kritische Einwände wenden sich dagegen, daß Stirner *„den an sich richtigen Gesichtspunkt der irrationalen Einzigkeit jedes Individuums rational verabsolutierte“.* Feuerbach meinte, *„Stirner beanspruche schon für die Zeit des Erdenlebens jene Individualseligkeit, welche die Christen erst nach dem Tode im Himmel annehmen: die Verabsolutierung und Verewigung der Einzelseele ohne alle räumliche und zeitliche Begrenzung“.*
Dazu ein Wort von Jaspers: *„Aber beim Selbstsein des Einzelnen beginnt, was erst dann zur Welt sich verwirklicht.“*
Das Selbstsein Stirners, sein Widerstand gegen die bürgerliche Ordnung, in der er erfolglos geblieben war; sein Kampf gegen jede Macht, die den einzelnen Menschen sich einfügen, sich unterwerfen will; seine These, daß der Mensch in der ungehemmten Konkurrenz nur sich selber leben solle; seine Stellungnahme gegen den heraufkommenden Sozialismus, von dem er – den Stalinismus vorausahnend – meinte, es würden vor dem höchsten Befehlshaber alle gleich sein, nämlich *„gleicher Person, das heißt Null“* – und andererseits seine Auflösung des Liberalismus zum völligen Egoismus: alle diese sich überkreuzenden Züge verwischten Stirners Bild, die Zeit schob es hinweg, man wußte nichts mehr von ihm ...
... bis der Philosoph Eduard von Hartmann auf ihn stieß und auf ihn verwies, und ein Schotte, der in seinem zweiten Lebensjahr nach Deutschland kam und deutscher Schriftsteller wurde, John H. Mackay, beim Studium der sozialen Bewegungen im Britischen Museum in London auf Stirner kam. Er nahm an, hinter diesem Werk müsse ein außerordentliches Leben stehen, und war dann enttäuscht, wie bedeutungslos es war. Um so mehr nahmen ihn Stirners

Anschauungen gefangen, er wurde sein begeisterter Jünger, er gab seine Werke neu heraus und schrieb eine Biographie, die 1898 in Berlin erschien: *„Max Stirner. Sein Leben und sein Werk."* Stirners Werk hat seitdem immer wieder ein Echo gefunden. Sogar ein Mussolini hat 1919 gefragt: *„Warum kann Stirner nicht wieder in Mode kommen?"* Aber den Individualismus, der ihn damals anzog, hat er selbst mit Rutenbündeln erschlagen.
Man hat Stirner eine verstiegene Nebenausgabe Nietzsches genannt. Hat Nietzsche, der Stirner nie zitiert, aus Stirners Werk Anregungen geschöpft? Wenn wir Stirners Satz lesen: *„Ich halte mich nicht für etwas Besonderes, sondern für einzig ... Eigner bin ich meiner Gewalt und ich bin es dann, wenn ich mich als Einzigen weiß"* – und wenn wir dann folgenden Satz Nietzsches lesen: *„Im Grunde weiß jeder Mensch recht wohl, daß er nur einmal, als Unikum, auf der Welt und daß kein noch so seltsamer Zufall zum zweitenmal ein so wunderlich buntes Mancherlei zum Einerlei, wie er es ist, zusammenschütten wird; er weiß es, aber verbirgt es wie ein böses Gewissen – weshalb? Aus Furcht vor dem Nachbar, welcher die Konvention fordert und sich selbst mit ihr verhüllt ..."* Wenn wir die Sätze vergleichen, können wir Gleichklänge zwischen Stirner und Nietzsche nicht überhören.
Und wer will, kann sogar einen Gleichklang mit Heideggers etymologischer Philosophie heraushören. Bei Stirner heißt es: *„Ich bin nicht Nichts im Sinne von Leerheit, sondern das schöpferische Nichts, das Nichts, aus welchem ich selbst als Schöpfer alles schaffe."*
Aber das hat Romain Rolland im *„Brennenden Dornbusch"* schöner gesagt: *„Ich bin nicht alles, was ist. Ich bin das Leben, welches das Nichts bekämpft."*

Statt des Lehrens stellt sich somit die Wissenschaft selbst in ihrer reinen Gestalt dem Ich als Aufgabe dar und ihr Gebiet ist die Freiheit.

Aus Stirners Examenarbeit über „Schulgesetze" 1834

Hermann Gerstner

OTTO LUDWIG

1813–1865

Das Jahr 1813 ist durch die Völkerschlacht bei Leipzig in die Geschichte eingegangen. Während sich hier eine ältere Generation blutige Wunden schlug, wurden im gleichen Jahr Dichter und Musiker geboren, die dem 19. Jahrhundert neue Wegmarken setzten: Georg Büchner, Friedrich Hebbel, Richard Wagner, Otto Ludwig.

Aus dem thüringisch-ostfränkischen Grenzgebiet stammt Otto Ludwig. Gern fügte er später zum Namen seinen Geburtsort Eisfeld. Hier lernte er schon als Junge die Dramen Shakespeares und die Werke der deutschen Klassiker kennen. Frühzeitig begann er zu schreiben. Freilich hielt er zunächst seine musikalische Begabung für noch stärker. Ein Jugendfreund berichtet darüber:

„Die Zeit von Morgen bis Mittag war der Arbeit gewidmet. Ludwig saß am Flügel und komponierte an Opern. Der Nachmittag fand uns im gemeinschaftlichen Studium meist klassischer Opern im Klavierauszuge, von Partituren zur Übung im Instrumentieren, im Klavierspiel und Gesang, die Abendzeit in Gesellschaft. Einzelne Partien aus eben komponierten Opernszenen Ludwigs wurden aufgeführt und probiert."

Damals war Otto Ludwig ein junger Mann in den zwanziger Jahren. In seinen Opernversuchen bemühte er sich um romantische Themen wie *„Romeo und Julia"*, um orientalische Märchen oder geschichtliche Persönlichkeiten. Es schien seinem jugendlichen Ehrgeiz zu genügen, daß er in seinem Heimatstädtchen Theaterdichter und Kapellmeister eines Liebhabertheaters wurde. Dafür komponierte er rührende Liebesgeschichten wie *„Geschwister"* und die *„Köhlerin"*. Seine Zukunft schien eindeutig im Musikalischen zu liegen.

Ein herzogliches Stipendium machte es ihm möglich, als Sechsundzwanzigjähriger nach Leipzig zu gehen und bei Mendelssohn ernsthaft Musik zu studieren. Aber gerade in dieser Zeit, da er die Gewandhauskonzerte besuchte, angestrengt Partituren las und viele Stunden Klavier übte, hing der einsam lebende junge Mann auch immer mehr seinen dichterischen Träumen nach. Der Zwang, sich künstlerisch im Wort auszudrücken, wurde so stark, daß er als Ergebnis der Leipziger Umwandlung schrieb:

„Auf das Drama habe ich große Hoffnungen gesetzt, von allen Seiten beginnt man es zu fördern und in seine alten Rechte einzusetzen. Deshalb habe ich die

Hälfte meiner Zeit dem Studium und praktischen Versuchen in diesem Fache gewidmet. Eine Kunst, die wieder aufsteht, trägt auch ihre Priester höher und kräftiger empor. Nun soll kein Tag vergehen, ohne etwas Dramatisches zu lesen oder zu arbeiten. Mir genügt das Vage der Musik nicht mehr. Gestalten muß ich haben."
Schon viele Seiten hatte Otto Ludwig mit Noten gefüllt, als er sich zu seinem literarischen Lebensweg entschloß.
Wie war in diesen vierziger Jahren des 19. Jahrhunderts die deutsche literarische Situation? Noch war die Gruppe des „Jungen Deutschland" am Wirken. Dem Tag zugewandt, griff sie in politische und soziale Bewegungen ein — als aktiver Gegenspieler der Romantik. Es waren aber auch bereits jüngere Kräfte am Werk, die von aktuellen Tendenzen nichts wissen wollten und ihre Dichtung in gültige Bereiche hoben: Adalbert Stifter schrieb und feilte an seinen *„Studien"*, Emanuel Geibels Gedichte huldigten einem reinen Schönheitsideal, und Friedrich Hebbel schuf seine ersten großen Tragödien.

Hineingestellt in diese Richtungen zwischen Biedermeier, Tendenzliteratur und klassischen Bemühungen begann Otto Ludwig mit Novellen. Von den Jungdeutschen hielt er nichts, lieber folgte er in der Erzählung *„Das Hausgesinde"* dem Vorbild Tiecks und in der *„Wahrhaftigen Geschichte von den drei Wünschen"* dem Beispiel E. T. A. Hoffmanns. Zugleich war er einer Fülle von dramatischen Plänen zugewandt. Er erzählt aus dieser Zeit:

„Nun warf ich mich auf die Poesie allein, hab es aber noch nicht zu einem Verleger bringen können. Ich habe mit Novellen, habe in Leipzig mit Manuskripten hausiert, bin mit schamroten Wangen von Buchhändler zu Buchhändler gelaufen. Ich legte mich nun aufs Versenden — mit keinem Erfolg. Nur daß Laube eine Novelle und eine dramatische Kleinigkeit, ein Vorspiel zu einem alten Fritz, in seine Elegante aufnahm."

Tatsächlich erschienen in diesen Jahren nur zwei Novellen und das genannte Vorspiel zu einem Fridericus-Drama in der Öffentlichkeit. Dabei arbeitete der Autor seit 1843 in und bei Dresden nicht nur an einem Roman *„Aus einem Schulmeisterleben"*, sondern vollendete auch mehrere Bühnenspiele.

Ganz gegen seine Gewohnheit schloß er in relativ kurzer Zeit das Lustspiel *„Hanns Frei"* ab. Er begibt sich ins 16. Jahrhundert, eine Zeit, die auch die Romantik gern verklärte. Ein harmloser Stoff, bei dem ein junges trotziges Paar in Hans Sachsischen Versen nach vielen Irrwegen glücklich vereint wird. Das einzige Lustspiel von Otto Ludwig!
Der romantischen Zeitrichtung verdankt auch das Schauspiel *„Das Fräulein von Scuderi"* seine Entstehung. Es wurde von der bekannten Novelle aus E. T. A. Hoffmanns *„Serapionsbrüdern"* angeregt. Die Gestalt des krankhaften dämonischen Goldschmiedes Cardillac, der mordet, um sein Geschmeide wieder in die Hand zu bekommen, reizte den Dramatiker.

Zwei andere Trauerspiele dieser Zeit tragen die Titel: *„Die Rechte des Herzens"* und die *„Pfarrose"*. Das erstgenannte Stück ist aus der Polenbegeisterung gewachsen, die dem unglücklichen Polenaufstand gegen Rußland folgte. Das zweite behandelt Standesgegensätze zwischen Adel und Bürgertum. In beiden Werken wendet sich Otto Ludwig von seinen rein romantischen Dichterträumen ab, er weicht den Zeitproblemen nicht mehr aus und begibt sich auf jenen wirklichkeitsnahen Weg, der ihn zu einem der führenden Realisten gemacht hat.

Auch in dem *„Agnes Bernauer"-Stoff,* der ihn schon in seiner frühesten Zeit ergriffen hat, geht es im Kern um den Gegensatz der Stände. Seine Versuche, das tragische Schicksal der Baderstochter in den Griff zu bekommen, zeigen ebenfalls die Wandlungen des Romantikers zum Realisten. Allerdings ging es ihm bei seinen lebenslangen Bemühungen um mehr: der *„Engel von Augsburg"* sollte ein Musterbeispiel der Tragödie werden.
Seine dramatische Schublade war voll. Da durchkreuzte die Revolution 1848/49 seine Theaterhoffnungen. Die Welt dachte an andere Dinge als an Theaterspielen. Betroffen schrieb Otto Ludwig:
„Ich hatte gegründete Hoffnung, etwas auf die Dresdner Bühne zu bringen und damit meine dramatische Laufbahn glorios zu eröffnen, als das eintraf, was ich lange befürchtet hatte. Ich hatte wiederum so manchen Tag und so manche Nacht meine ganze Kraft erschöpft, um — einige Buch Makulatur zu machen. Und wie die Sachen nun stehen, möcht' es geraten sein, das Handwerk vorderhand aufzugeben."
Der Dichter zog das Fazit: er war 36 Jahre alt, publiziert hatte er nur ein paar Nebenarbeiten, und die waren unbeachtet geblieben. Es schien wirklich so, daß sogar die fertigen Dramen Makulatur wurden — gar nicht zu reden von den ungezählten Fragmenten. Dabei hatte Ludwig kein namhaftes Vermögen, und die Stipendien, die ihn durch Jahre schleppten, waren karg.
Da aber entzündete gerade die aufgeregte Revolutionszeit in ihm erneut die dramatische Flamme. Schon früher hatte er in einer *„Waldburg"* ein Wildschützenstück hingeworfen. Jetzt fand er aus diesen Anfängen für seinen *„Erbförster"* eine packende Handlung. Nach nahezu zehnjährigen Vorarbeiten gelang ihm die bekannte, endgültige Fassung. Einem Jugendfreund schrieb Otto Ludwig über das fertige Werk:
„Das beiliegende Stück ist eine Kriegserklärung gegen die Unnatur und konventionellen Manieren der jetzigen Theaterpoesie sowohl als Schauspielkunst. Ich habe alle die Kunststückchen, aus deren immer neuer Zusammenstellung man seit zwanzig Jahren Schau-, Trauer- und Lustspiele zusammengewürfelt, darin über Bord geworfen. Natur, Wahrheit, schöne Wirklichkeit sind meine Kunststücke gewesen, die ich angewandt."
Das also sind die neuen Kunstideale Otto Ludwigs: Natur, Wahrheit, Wirklichkeit!
Und diesmal hat er das Glück, daß Eduard Devrient sein Werk 1850 am Dresdner Hoftheater herausbringt. Ein Zeitgenosse berichtet über die Uraufführung:
„Ich werde ihren gewaltigen Eindruck nie vergessen. Es war das Wehen eines originalen, echt dramatischen Dichtergeistes. Ein Werk wie aus der Sturm- und Drangzeit, einem langsam heranrollenden majestätischen Gewitter gleich, plötzlich hervorbrechend, die Landschaft blitzschnell seltsam beleuchtend, alle ergreifend, erschütternd. Kein blauer Himmel nachher. Rätselhaft, geheimnisvoll. Vielen ein völlig unbegreiflicher Donnersturm der Phantasie. Ein Waldtraumbild, und doch volle Wirklichkeit, echtes Leben. Ein Dichterton so neu, so ureigen, so anheimelnd und doch auch so furchtbar und unheimlich, abstoßend und anziehend zugleich."
Mit einem Schlag war Otto Ludwig aus Eisfeld in der Literatur bekannt geworden. Zahlreiche andere Bühnen griffen zu. Laube, der das Werk in Wien aufführte, rühmte die realistische Kraft. Nach der Weimarer Aufführung sprach man von einer *„poetischen Wundererscheinung"*.

Otto Ludwig nach einer Kreidezeichnung von E. Straßner, Berlin

Aus der Eisfelder Heimat kam eine emphatische Dankadresse an den nun in Dresden wohnenden Dichter:
„Wir haben Ihren Erbförster gelesen und wieder gelesen. Diese Klänge haben das Herz gefunden, sie haben das Innere erfaßt, weil sie das Leben deuten. Wir glauben uns nicht darüber zu täuschen, daß im Erbförster manch heimelnder Ton anklingt, daß der frische Tannenwald gemalt ist, als bekränze er ein thüringisches Waldtal."
Die Fügung schien den so lange ringenden Autor gesegnet zu haben. Trotz gelegentlicher gesundheitlicher Störungen, trotz der hypochondrischen

Bedrängnisse, die in seiner Natur lagen, wurde seine Lebenslandschaft heiterer. In Emilie Winkler gewann er eine opferbereite Frau als Gattin.

Gleichzeitig wagte er sich an einen großen biblischen Stoff, an die *„Makkabäer"*. Nicht nur einzelne entscheidende Gestalten der Geschichte wollte er hier lebendig machen, es schwebte ihm vor, das Schicksal eines ganzen gotterfüllten Volkes in bezeichnenden Personen auf die Bühne zu bringen. Er bekannte, während er dem Weg der *„Makkabäer"* nachsann:
„Die Aufgabe, die ich mir in diesem Stück gestellt, ist eine sehr große, eine weit größere als die im Erbförster. Es gilt, ein Muster der idealen Tragödie aufzustellen, das das Poetische und Theatralische innigst mit dem Charakteristischen verbindet, und diese Verbindung, die nur in dem einzigen Shakespeare realisiert ist, noch in eine einheitlichere Form zu gießen; dabei der Oper mit ihren eigenen Waffen gegenüber zu treten; ferner dem Werke eine solidere Basis zu geben wie Schiller und Goethe."

Zurückweichend und sich selber zur Bescheidung mahnend fügte er allerdings hinzu: *„Versteht sich, daß ich mir nicht einbilde, dies Muster geben zu wollen; ich meine nur, es muß den Dramatikern, wenn sie ihre Kunst wirklich fördern wollen, vorschweben."*
Der Dichter hatte seine romantischen Jugendträume vergessen. Längst machte er sich auch keine Gedanken mehr über die Tendenzpoesie. Er wollte in klassische Bereiche vorstoßen und sich mit den Dramatikern der Weltliteratur messen. Drei Bearbeitungen der *„Makkabäer"* schuf er. Er machte es sich wahrhaftig nicht leicht, die Familientragödie im Hause des Priesters Mattathias zum Widerschein einer Volkstragödie zu formen. Nun nahm er auch den klassischen Jambenvers für seine Sprache, das feierliche Maß sollte der biblischen Würde des Stoffes gerecht werden.

1852/53 erschienen die *„Makkabäer"* auf mehreren Bühnen. Wien, Dresden, Berlin und andere Städte zeigten das Trauerspiel.

Emanuel Geibel, die führende Persönlichkeit des „Münchner Dichterkreises" um den bayerischen König, schrieb darüber an Otto Ludwig:
„So lang ich las, kam ich gar nicht zur Reflexion, ich hatte nur die Empfindung, daß etwas Übermächtiges mich anrührte, und mich überkam jener Schauder, welcher die Gegenwart des Genius offenbart. Seitdem habe ich das Stück vielfach wieder gelesen, und die Wirkung ist für mich und andre stets dieselbe geblieben. Die ganze Handlung ist in eine Sphäre tragischer Hoheit hinaufgehoben, wie sie selbst bei unsern ersten Meistern nur selten vorkommt, und doch sind nirgends die verknüpfenden Bande durchschnitten zwischen Himmel und Erde; es ist dieser Erhabenheit ein unvergleichliches Maß von jenem Realismus beigesellt, welchen wir an Shakespeare bewundern."

Der Zuruf eines so anerkannten Zeitgenossen wie Geibel mochte Otto Ludwig viel bedeuten. Günstig stimmte auch die Entwicklung der damaligen deutschen Literatur mit seinen eigenen Zielen überein. Die Tendenzpoesie war passé, man wollte wieder Leben und Welt in der Fülle darstellen. Um nur einige Namen zu nennen: Gustav Freytag schuf seinen Roman *„Soll und Haben"* aus der Wirklichkeit der Kaufmannswelt, Berthold Auerbach schrieb seine *„Dorfgeschichten"*, Adalbert Stifter veröffentlichte *„Granit"* und *„Bergkristall"*, Friedrich Hebbel formte seine Meisterdramen, und Richard Wagner hatte sich den *„Nibelungen"* zugewandt. Dazu waren die großen Erzähler Gottfried Keller, Theodor Storm und Wilhelm Raabe angetreten.

Hochgestimmt ging auch Otto Ludwig nach den *„Makkabäern"* an weitere dramatische Pläne mit Elan heran. Er wollte eine neue *„Maria Stuart"* verfassen und griff abermals wie schon in früheren Jahren nach dem Stoff der *„Bernauerin"*. Aber das nämliche Thema lebte schon auf der Bühne in dem Werk Hebbels und in dem Bühnenstück von Melchior Meyr *„Herzog Albrecht"*. Zum gleichen Zeitpunkt eine dritte Bernauerin auf die Bühne zu bringen, war aber nicht möglich.
In diesem Augenblick wollte Otto Ludwig, der schon bisher so oft mit Reflexionen und Studien seine schöpferischen Arbeiten unterbrochen hatte, sich ein absolut sicheres Handwerkszeug verschaffen. Er studierte den über alles geliebten Shakespeare, vertiefte sich in Lessing und die antiken Dramatiker. Von ihnen wollte er die gültigen dramatischen Gesetze erfahren. Im Besitz eines solchen Wissens glaubte er mit seiner eigenen Schöpferkraft den höchsten Lorbeer erringen zu können. Aber er erreichte das Gegenteil: Er bohrte sich in Theorien hinein, er zweifelte, er verzweifelte schließlich daran, in absehbarer Zeit ein neues Drama vollenden zu können, das seinen eigenen Ansprüchen genügte!
In dieser Situation faßte er den Entschluß, die Dramengestalten, die nach seinem Wort *„ihren Leib von ihm verlangten"*, aus der Phantasie zu verdrängen. Um auch den finanziellen Bedürfnissen der wachsenden Familie zu genügen, entschloß er sich, wie er 1853 an seinen Schauspielerfreund Devrient

Aus einem Brief Otto Ludwigs an Laube vom 11. März 1850

Die „Schwane" aus der „Heiterethei", nach dem Aquarell von Karl Eckstein, Halle a. S.

schrieb, *„das Dramatische vorderhand beiseite zu legen und im Roman oder in der Novelle künftigen dramatischen Produktionen eine Milchkuh zu erziehen".* Die erzählenden Arbeiten sollten ihm also die Grundlage geben, damit er sich später gesichert wieder den ihm am Herzen liegenden Dramen zuwenden könnte.

Gleichsam mit linker Hand schrieb er in einem Zug ohne zermürbende Reflexionen die beiden Dorfgeschichten *„Die Heiterethei"* und das Widerspiel dazu *„Aus dem Regen in die Traufe".* Die beiden Erzählungen führen in die thüringische Heimat des Dichters, wie er sie in der ersten Hälfte des 19. Jahrhunderts in vielen Einzelheiten gesehen hat. Lust am Fabulieren leitet den Erzähler, der sich plötzlich von den strengen Fesseln des Dramas befreit fühlt. Und so breitet er die Liebesgeschichte zwischen der fröhlichen Heiterethei und dem Holdersfritz lebensvoll und fesselnd aus, bis die beiden sich zur Hochzeit finden. In ähnlich glücklicher Weise schließt auch das humoristische Widerspiel.

Ludwig hatte mit beiden Arbeiten Glück: sie erlebten bald eine Buchausgabe, nachdem die *„Heiterethei"* im Feuilleton der Kölnischen Zeitung abgedruckt worden war.

Inzwischen ließ Ludwig diesen humorvollen Geschichten die tragische große Erzählung *„Zwischen Himmel und Erde"* folgen. Wieder wählte der Realist seine Zeit, seine thüringische Heimat als Milieu. Äußerlich gesehen der Roman einer Schieferdeckerfamilie, in Wahrheit aber eine Welt von Leidenschaft, von Schuld und Sühne! Eine Kleinstadtgeschichte, in der aber wie bei einer bürgerlichen Tragödie die Menschen aufeinanderprallen! Dabei war es etwas Neues,

daß ein bestimmter Berufsstand naturalistisch geschildert und der seelische Zustand der Hauptpersonen mit bohrender Genauigkeit gezeichnet waren. Ein so bedeutender Zeitgenosse wie Paul Heyse bekundete seine Zustimmung:
„Ihre Novelle war in der Stille unseres märkischen Idylls wochenlang unser Gespräch. Ich kann mich noch jetzt, wenn ich der Höhepunkte Ihres Werkes gedenke, sogar physisch auf die Erschütterung zurückbesinnen, mit der mich das wunderbare Schicksal anrührte. Wie Orgelmusik, in welche sich vom Chor herunter Posaunen mischen, durchdröhnte michs feierlich und gewaltsam und melodisch zugleich. Dergleichen ist wohl in Prosa nie erschaffen worden."
Allgemein bestätigte dieser düstere Roman den epischen Rang Otto Ludwigs. Das Buch wurde nach der deutschen Ausgabe in viele europäische Sprachen übersetzt. Mit seinen Formen, die später von den naturalistischen und russischen Erzählern weitergebildet wurden, wies es in die Zukunft.
Trotz seines Erfolges wollte sich Otto Ludwig, der inzwischen vom bayerischen König Max ein Stipendium erhalten hatte, in Zukunft ausschließlich seinen dramatischen Aufgaben zuwenden. Mit neuem Mut machte er sich abermals an sein Lieblingsthema der *„Agnes Bernauer"*, wiederum suchte er neben anderen Stoffen eine *„Genoveva"* zu gestalten. Zwischen Hoffen und Zweifeln schrieb er:
„Es scheint, mein ganzer Dichtdrang ist wieder aufgewacht. Und der ist notwendig, mich über die Kluft, die zwischen Theorie und Praxis, zwischen Kritik und Schaffen befestigt ist, wieder zurückzuflügeln und mir den Abstraktions- und Reflexionsstaub abzuwaschen, der mir fingerdick auf den Flügeln liegt."
In der Stunde, in der er dieses formulierte, erkannte er sehr wohl, wie gefährlich sein Hang, über die Dinge zu reflektieren, für seine eigene Produktion war. Mittlerweile häuften sich gesundheitliche Schwierigkeiten. Er glaubte nun, er müsse ein absolut sicheres dramatisches Rezept erwerben, um in den Pausen zwischen den Bedrohungen seine Pläne ausführen zu können. Während ihm die dramatische Art Schillers und dessen Epigonen nicht lag, vertiefte er sich desto intensiver in Sophokles, Lessing und nun mit einer Hingabe sondergleichen in den größten englischen Dramatiker, aus dem seine posthum veröffentlichten *„Shakespeare-Studien"* erwuchsen.
Monatelang und unermüdlich las er ein Shakespeare-Drama nach dem andern, und ebenso unermüdlich durchforschte er die Gesetze, nach denen diese Stücke gebaut, die Charaktere gebildet sind. Ungezählte Hefte füllte er darüber mit handschriftlichen Aufzeichnungen.
Er sah noch nicht, wie all diese theoretischen Arbeiten sein eigenes instinktives Schaffen zerstörten, und schrieb 1859 in einem Augenblick großer Hoffnung in seinen Hauskalender:
„Ich habe Grund überzeugt zu sein, daß ich nun nach gewissenhaften Studien weiß, was zu einem gesunden und tüchtigen Drama gehört, und auch des Könnens, nicht allein des Wissens sicher zu sein. Nur ein Blick auf zwei oder drei Jahre völliger Sorglosigkeit, und einige Tragödien sollten sich aufbauen, deren sich meine Nation und Zeit nicht zu schämen haben sollte. Ich sehe eine ganze Welt von Erfindung und Gestalten, die ich zwingen könnte, wenn ich von dem niederhaltenden Gewichte befreit wieder in den Flug käme."
Das niederhaltende Gewicht waren freilich nicht nur die vermehrten Krankheitsanfälle, nicht nur die Armut — die theoretischen Grübeleien drückten auf seinen Genius. Wohl drang er immer tiefer in das Genie Shakespeares ein, aber die Einsichten zwangen ihn, immer wieder die eigenen Stoffe nach dem

Vorbild umzuformen, umzuschmelzen. Die verhängnisvolle Anlage, die ihn schon früher bedrängte, den gleichen Stoff dutzendemal neu vorzunehmen, wurde so stark in ihm, daß ihm nichts Fertiges mehr gelang. Alles blieb in diesen Jahren Bruchstück, Fragment.
Sein verzweifeltes Ringen um die Höchstleistung mag man aus zwei Bänden erkennen, die von der Deutschen Akademie der Wissenschaften in unseren Jahren herausgegeben wurden und in denen die Bemühungen Ludwigs um den *„Agnes Bernauer"-Stoff* von 1837—1864, also über 27 Jahre hin, nach den Handschriften zusammengefaßt sind. Zwei gewichtige Bände mit zusammen 900 Druckseiten! Ein titanisches Bemühen um den Stoff! Keine Fassung genügte dem Dichter mehr. Ein Menschenleben hindurch rang er um die höchste Form — aber seine Bernauerin wurde nicht gesegnet. Shakespeare hatte Otto Ludwig erdrückt. Der Hang des Eisfelders, sich selbst zu beobachten und zu belauern, war übermächtig geworden, die schöpferische Kraft aber wurde gelähmt. Ludwig hatte weder den *„Othello"* noch den *„Coriolan"* erreicht, er blieb auf der Strecke! So rühmt man wohl seine Shakespeare-Studien als ein Meisterwerk der ästhetischen und literaturkritischen Bücher — aber darum war es dem Dichter ja gar nicht gegangen. Sie sollten ihm nur ein Mittel sein, nicht ein Selbstzweck.
In der Zeit, in der sich die Krankheit Otto Ludwigs in ein dauerndes Leiden verwandelte und ihn immer länger ins Zimmer und dann ans Krankenlager fesselte, war er trotzdem, wie der Kunsthistoriker Hermann Lücke berichtet, *„mit poetischen Plänen unausgesetzt beschäftigt".*
„Eine Welt von poetischen Gedanken trug er noch in sich, die ans Licht wollte. Wenn der Dämon der Krankheit ihm einige Zeit Ruhe ließ, da erhob sich seine schöpferische Kraft wohl plötzlich und staunenswert mächtig, da entquollen ihr Bilder von überraschendem Glanz und Töne von wundervoller Tiefe und Innigkeit. Manches von dem, was er in dieser letzten Zeit geschrieben hat — namentlich einige Stellen in dem dramatischen Fragment ‚Tiberius Gracchus' —, gehört zu dem Schönsten, was wir von seiner Hand besitzen. Alles aber blieb Bruchstück."
In dieser Zeit ahnte Otto Ludwig, daß er im abgelaufenen Jahrzehnt vergeblich mit der Dramatik gerungen hatte. Nichts Neues war seit seinen epischen Schöpfungen veröffentlicht worden, nichts war vollendet. Die Qual, die ihm diese Erkenntnis bereitete, wurde durch körperliche Schmerzen gesteigert. Zwischen zagen Hoffnungen und verzweifelter Stimmung verstrichen die Tage.
Noch einmal raffte er sich auf, wollte wenigstens all die Stoffe, um die er sich bemüht hatte, zusammenfassen, wollte aus seinen dramatischen Entwürfen ein Novellenbuch formen.
Zu spät! Wohl hörte er noch von Aufführungen früherer Arbeiten, und der begeisterte Schauspieler Lewinsky schrieb über eine Makkabäer-Darstellung aus Wien:
„Ich sage Ihnen, daß Ihr Werk heute das Haus bis an den Giebel füllte, und die Menschen halb in der Luft schwebend und durch das ganze Stück hindurch mit einem wahren Enthusiasmus erfüllt waren."
Zuruf aus einer vergangenen Zeit!
Wenig später bekannte Otto Ludwig:
„Es ist das tragische Schicksal meines Lebens, daß, wenn ich soweit bin und etwas werden könnte, mein ganzes Gebäude zusammenbricht. Mein Schaffen,

welches mächtig ans Licht dringen will in mannigfachen Gestalten, wird gehemmt und geknebelt durch allerlei närrisch Zeug meiner Nerven. In meiner Jugend war ein allmächtiges Feuer in mir, eine Freude, daß ich gar nicht wußte, wieviel ich in einer Nacht zusammenschreiben sollte. Ich spürte die Kälte der Stube gar nicht, mein ganzes Sein war nach innen getreten. Bei mir ist nur noch Hoffnungslosigkeit."

Mit vielen Tragödienfiguren, immer wieder der Bernauerin, dann Albrecht von Waldstein, Maria Stuart und wiederum dem Tiberius Gracchus beschäftigte sich Ludwig in der letzten Zeit seines Lebens. Im Oktober 1864 – wenige Monate vor seinem Tod im Jahr 1865 – wechselte er noch einmal die Dresdner Wohnung. Bei den Umzugsarbeiten schaute er eine Kiste mit seinen älteren Handschriften durch und gab dann Weisung, daß all dies verbrannt werden sollte. Freunde baten ihn, doch die Handschriften zu bewahren. Otto Ludwig antwortete:

„Die Seelen aus meinen Dramenplänen stehen nachts an meinem Bett und fordern ihr Leben von mir. Dem muß ich ein Ende machen. Ich bin zu krank, ich kann den Seelen ihren Leib nicht mehr schaffen."

Die Manuskripte gingen in Flammen auf.

Trotzdem besitzt das Goethe- und Schillerarchiv in Weimar im Otto-Ludwig-Nachlaß noch eine Fülle von Manuskripten. Sie geben die Grundlage für eine geplante kritische Otto-Ludwig-Ausgabe. Wenn diese einmal abgeschlossen vorliegt, wird man noch deutlicher erkennen, daß Otto Ludwig in seinem Jahrhundert das literarische Epigonentum überwinden wollte und mit seiner Kunst neue Ufer ansteuerte. Mehr und mehr hatte er sich die Natur zum Vorbild genommen. Sein Ideal war ein poetischer Realismus, mit dem er Wahrheit und Wirklichkeit in ihre Rechte einsetzen wollte.

Gewiß als vollendete Leistungen gelten nur seine Dramen *„Erbförster"* und *„Makkabäer"*, seine Erzählungen *„Heiterethei"* und *„Zwischen Himmel und Erde"* in der Literaturgeschichte des 19. Jahrhunderts. Aber auch in seinen Bruchstücken finden sich leuchtende Passagen. So die Verse in seinem *„Gracchus"*-Fragment, mit denen Tiberius Gracchus sowohl wie auch Otto Ludwig selbst Abschied nehmen:

„Noch einmal, eh ich gehe, laß das Haus,
Wo meine Wiege stand, mich grüßen, dann
Wie Kinder plaudern wir von schönern Tagen;
So gleit ich wie ein welkes Blatt vom Zweig,
Das unter Schwestern eben noch geflüstert,
Das niemand fallen sieht. Dorthin gewandt
Steht ihr, und – dahin scheid ich mit der Sonne!"

Jochen Lobe

MICHAEL GEORG CONRAD

1846–1927

Es war nicht in Princeton, sondern in Darmstadt, als ein junger Mann die etablierte Literatur der zweiten Hälfte des 19. Jahrhunderts als *„prüde, pedantisch, akademisch und ledern“* beschimpfte; er konnte nicht wie Peter Handke mit der Sensationsbereitschaft der Massenmedien rechnen, die einen Literaturskandal nur allzugern aufgreifen. Der hier sprach, redete aus Überzeugung und für die Zukunft sein Wort wider die idealistischen Epigonen, nahm es stellvertretend für eine junge Generation, die gegen das verlogene Establishment der „Afterkunst“ angetreten war.

I.

„Unsere Dahn, Heyse, Freytag, Spielhagen und tutti quanti steckten keine Köpfe in Brand, revolutionierten keine Artistenreiche, verblüfften nicht durch die Kühnheit neuer Weltbilder.“
Und kraftmeierisch, wie Conrad nun mal war, manifestierte er nicht weniger idealistisch: *„Die dumme Michelei, die sich etwas auf ihre tote Gelahrtheit... zugute tat, ist abgeschafft.“*
Nun gut: was hatte man dagegenzusetzen?
„Jede Kunst sollte vor allen Dingen nicht eine Kunst der Kunstwerke, sondern eine Kunst des Lebens sein.“
Welche Aufgabe hatte demnach der Künstler nach Conrads Vorstellungen?
„Der Künstler als Erzieher und Wegleiter, der Künstler als Lebenserkenner und Zukunftsgestalter, das ist die neue und naturalistische Auffassung von der Stellung und Bedeutung des Künstlerischen im Kulturstaate.“
Also: gegen das gezierte und die Wirklichkeit verschleiernde Bildungsgeschwätz der *„Gartenlaube“*, gegen die *„polizeifrommen Gesinnungsheuchler“*, gegen die gesellschaftliche Verlogenheit in Staat, Sitte, Erziehung und Kultur, überhaupt gegen alles, was sich künstlich in den Städten etabliert hatte.
Wofür fühlte sich der Empörer Conrad stark genug, um es besser zu machen?
Für die Freiheit von Staat und Kirche, für eine Erziehungsreform, für eine neue Kunst, die sich von den Naturwissenschaften hat umwandeln lassen, – eigentlich für alles, was neu und damals modern war. (Die Selbstüberschätzung jeder neuen Kunstbewegung ist bekannt. Man verspricht immer mehr, als man vorerst selbst zu bieten hat.)

„Wir fühlen uns lendenstark genug, aus germanischem Mutterschoße Werke in die Welt zu setzen, die den kommenden Geschlechtern ein helleuchtendes, durch keine wie immer entartete Philologie und Geschichtsfälscherei hinwegzudisputierendes Zeugnis sein sollen für die rastlos treibende unerschöpfliche Lebenkraft deutscher rasseechter Literatur und Kunst."
Solch protzenhafte Erregung wirkt heute aus gutem Grunde mehr als ärgerlich; man hat so seine Erfahrungen gemacht mit Worten wie *„lendenstark"*, *„germanischer Mutterschoß"* oder *„rasseecht"*. Was sich hier verquollen biologisch als Metapher ausgibt, wurde später zur ideologischen Weltanschauung eines Staates — auch das ist heute nicht *„hinwegzudisputieren"*.
Conrad gerät manchmal in das seichte Fahrwasser völkischer Rettungsvorstellungen, deren Realisation mitzuerleben ihm erspart blieb; er starb 1927.

„Ein Volk, ein wirkliches Volk, das kommt erst zustande durch seinen Willen zur Macht, durch den gewaltigen Zug seiner Lebensenergie ins Große . . ."

Conrad schwankt bei der Beurteilung des Volkes und seiner Rolle für Gesellschaft und Staat zwischen Schwarz-Weiß-Malerei. Wo er in die politische Analyse, besonders in die Außenpolitik, geht, da werden seine Urteile konkret und stetiger. An die Männer der wilhelminischen Epoche gerichtet, urteilt Conrad: *„Nachdem alles schon verpfuscht ist, renommieren sie mit Weltpolitik und wollen die Meere beherrschen und den Dreizack schwingen und wie im Rüpelspiel des Sommernachtstraumes alle Rollen agieren. Verpfuscht! Das ists."*

Und gegen Ende der wilhelminischen Ära bekennt er unter dem Eindruck des Krieges 1918: *„Unsere persönliche, wie unseres Volkes, unseres Staates, wie unserer Kirche Mitschuld am Weltkriege und seinen unübersehbaren Folgen."*
Was Jacob Burckhardt 1889 schon befürchtete, das gehörte nun mal nicht zum Common Sense: *„Mein Gedankenbild von den terribles simplificateurs, welche über unser altes Europa kommen werden, ist kein angenehmes; und hier und da in Phantasien sehe ich solche Kerle schon lebhaft vor mir . . ."*

Conrad sah das mit anderen Augen: *„Ich weiß und empfinde nur, daß wir im Reiche den furchtbarsten Katastrophen zutreiben, wenn uns die große Erlösernatur im Stiche läßt und uns nicht rechtzeitig Nothelfer sendet in der Gestalt genialer deutscher Männer, an denen nichts Falsches ist vom Scheitel bis zur Sohle und die an Kraft und Mut herkulisch gerüstet sind."*

Conrad als geistigen Vorfahren der nationalsozialistischen Bewegung sehen zu wollen, ist bestimmt falsch, — aber: wo immer Conrad das Feld politischer Diagnose verläßt, um zur Therapie anzusetzen, wird er in seinen Vorstellungen zu verschwommen, so daß man die Stimme seines Freundes Möhl sehr wohl hören muß, die den Verdacht dessen, der Conrad 1969 liest, nicht gerade besänftigt. *„Überhaupt, wer Conrad . . . liest, wird oft mit verblüffendem Gleichlaut nationalsozialistische Gedankengänge dargelegt finden, daneben sehr vieles, was zweifellos wert wäre, in das nationalsozialistische Gedankengut und seine Auswirkungen aufgenommen zu werden."*
Alles in allem: wo ein George, ein Benn noch nicht freigesprochen sind von politischen Fehlleitungen, kann ein Mann wie Conrad nicht unreflektiert wegkommen. Er sprach sich da, wo er als Gewissen der Nation Ratschläge verfocht, in einen Redestil hinein, der anderen zum Grab werden sollte.
„Der Stil, das ist der Mensch", sagte man früher. Heute würde man wohl formulieren: Der Stil verkommt zum Jargon und der kann als Organ einer Ideologie mißbraucht werden.

II.

Nun: ein gültiges Bild vom Schriftsteller und Menschen Michael Georg Conrad gibt es bis heute nicht. Wer sich darum kümmern sollte, wird sich um den Nachlaß in der Münchener Stadtbibliothek bemühen müssen. Hier sei das Wichtigste aus seiner Biographie rekapituliert:

Am 5. April 1846 wird Conrad in Unterfranken, das heißt in Gnodstadt bei Marktbreit, geboren. Hier besucht er bis zu seinem 16. Lebensjahr die Volksschule und widmete sich im Kantorhaus der Musik. 1864 schließt er in Altdorf bei Nürnberg das Lehrerseminar ab und geht vier Jahre in den bayerischen Schuldienst. Aber es treibt ihn hinaus. Um zu lehren und an der Orgel zu musizieren, muß er eine Stellung an einer deutsch-lutherischen Schule in Genf annehmen. Er erweitert seine Kenntnisse in der französischen Sprache und Literatur. Drei Jahre später, 1871, treibt es ihn abermals fort, diesmal nach Neapel, wo er neben der Lehrtätigkeit und dem Studium der romanischen Sprachen und Kunst erste politische Gehversuche unternimmt, unter anderem pflegt er Kontakte zu Giuseppe Garibaldi. Die Lehr- und Wanderjahre schließen ab mit einem 4jährigen Aufenthalt in Paris, das für seine Entwicklung als Schriftsteller von entscheidender Bedeutung werden sollte.

Er unterrichtet am Institut Polyglotte und hält in einer Zeit des angespannten deutsch-französischen Verhältnisses in französischer und italienischer Sprache Vorträge über deutsche Kultur. Nicht daß er vom Auswärtigen Amt dafür bezahlt würde, keine Rede kann sein von einer staatlich subventionierten Good-Will-Tour kultureller Repräsentation im Ausland: Conrad agiert auf eigene Faust, leidenschaftlich überzeugt von der Notwendigkeit seiner persönlichen Sendung. In Paris findet er auch zum Journalismus. Er vertritt das Feuilleton der *„Frankfurter Zeitung“*, arbeitet mit am *„Magazin für Literatur des In- und Auslands“* und anderen deutschen und französischen Zeitungen. Diese Tätigkeit bringt ihn zum Reisen nach Spanien, Holland und England. Gekrönt wird diese Entwicklung von der Wahl zum Präsidenten des ersten Internationalen Pressekongresses in Lissabon. Am nachhaltigsten jedoch ist die schriftstellerische und weltanschauliche Prägung durch den persönlichen Umgang mit Emile Zola und dessen naturalistischen Anschauungen. Stolz weiß einer seiner Biographen zu berichten: *„Sein ostfränkisches Bauernblut wurde keineswegs überfremdet, nicht vermischt und verwässert.“*

Kein Wunder, daß Conrad auf die Idee kommen mußte, sozusagen seinen eigenen Naturalismus nach den Erfahrungen im Ausland in Deutschland zu etablieren. 1882 siedelte er nach München und begann als erstes mit der Gründung von Vereinen und Zeitschriften. Aber erst die Zeitschrift *„Die Gesellschaft“* bringt den ersten durchschlagenden Erfolg. Allein: Den Mann des Wortes zieht es zur Verwirklichung seiner Ideen. Als Mitglied der „Demokratischen Volkspartei“ vertritt er den Wahlkreis Ansbach-Schwabach im deutschen Reichstag.

„Mit Reden und Theorien allein wird der nationale Mensch (nicht) auf feste Beine gestellt.“ Trotz dieser Erkenntnis bleibt Conrad in seiner politischen Durchschlagskraft ohne Wirkung. Und auch als Schriftsteller beginnt er seinen Namen noch zu Lebzeiten zu verlieren. Die Zeit des stärksten gesellschaftlichen Engagements ist auch die Zeit seiner besten schriftstellerischen Produktion. Was danach kommt, ist literarische Verklärung, wie etwa der Gedichtband *„Am hohen Mittag“* von 1916 den Nachkommen zeigen kann. Ein Beispiel: Abgesang auf Nietzsches Tod im Jahre 1900, betitelt: *„Zaratustra.“*

„Wie zieht in ehernen Klängen
Voll Purpurglut
Durch unserer Künste wirren Narrenchor
Und unseres Wissens bunten Mummenschanz
An des Jahrhunderts Wende
Seelenerschütternd
Weltleidbannend
Dein Hohelied des neuen Menschenwillens!
Und wie gekrallt in Adlerfängen
Blutend, gebrochen,
Und doch voll Übermenschen-Schöne
Schwebt dein unsterblich Heldenbild
Majestätisch im Sternenreigen
Durch die blaue Nacht empor,
Umrauscht von Sphärenharmonien,
Umtost von Traumeshymnen,
Umstürmt von Dithyramben,
Tief unter dir dein Golgatha!
Empor! Empor!"

Was berichten eigentlich die Zeitgenossen Conrads?

Sechs Jahre nach Conrads Tod, also 1936, trauert sein Monograph Möhl in den *„Fränkischen Lebensläufen": „Obwohl er das Beste seiner reichen Erfahrung, seines kernhaften Feuergeistes, seiner deutschen Weisheit gegeben hatte, blieb dem Dichter und Kämpfer Michael Georg Conrad das Los vergessener Meister in Deutschland nicht erspart."*

Abgesehen von der schalen Hymnik dieser Zeilen bleibt vorerst eines zu bedenken: Wie vergessen mag Conrad heute sein, 34 Jahre später? Woran liegt das? Wo konnte und wo mußte man ihn vergessen, und wo hätte man manches von ihm nicht vergessen sollen?

Schauen wir uns unseren Mann mit den Augen seines Freundes Möhl an! Auf ihn machte schon die *„germanische Hünengestalt"* den größten Eindruck. *„So, dachte ich, muß ein Mann aussehen, der uns Germanen führt. Ein Mann, eines Hauptes größer als die Mannen war Conrad. Ein Mann in seiner deutschen Vollkraft mit dichtem, blondem Haar, blauen Augen, Spitzbart und gewaltigen Händen, die weich waren, aber die Hand des anderen umspannten, wenn er sie freundschaftlich schüttelte . . ."*

Abgezogen das altdeutsche Pathos und die nationalsozialistischen Epitheta, bleibt wenig von solcher Rede für uns 1970, um uns Conrad vorstellen zu können in seiner damaligen Wirkung als Person. Aber trotzdem: die Charakterisierungen gleichen sich auffallend! 1925, zwei Jahre vor dem Tod Conrads, erscheint von Stauff von der March eine Schrift, die ihn als einen *„Deutschen von echtem Schrot und Korn"* feiert. Der Autor versucht sich etymologisch am Namen des Schriftstellers. Michael Georg Conrad wird, alles in allem, übersetzt in: *„Der Starke, das Land bebauende Rater der Sippe."*

Und in der Tat: Conrads germanischer Ahnenpaß stimmt. Er entstammt einem unterfränkischen Bauerngeschlecht, das seit fünf Jahrhunderten in Gnodstadt seßhaft war. Nimmt man Conrads Bekenntnis dazu — *„ich glaube an das Blut, ich glaube an die Scholle"* — dann scheint für uns das Bild komplett.

Eines steht fest: Conrad ist auch in seiner fränkischen Heimat ein vergessener Mann geblieben. Er wird wohl kaum noch gelesen, es sei denn von literaturverpflichteten Einzelgängern oder von Germanistikstudenten, die ihn lesen müssen, einer Seminararbeit wegen. Das Siegespathos dieses naturalistischen Literaturkämpfers, wie er von Zeitgenossen oft genannt wird, ist zwischen Buchdeckeln verblichen.

Eine Annäherung an den Schriftsteller Conrad ist meist nur historisch möglich, das heißt, ein mögliches Verständnis muß oft indirekt vermittelt werden, und kann deshalb nur selten aktuell sein. Sich mit dem zu versöhnen, was einen direkt nicht mehr angeht, wäre ahistorisch und damit verdächtig, weil es eine Ideologie von Kulturkontinuität vorspiegeln müßte, die es nicht gibt.

Damals, zu seiner Zeit, trog Conrad noch nicht das Gefühl: die junge Generation mußte in einer Zeit der Industrialisierung und Frühverstädterung der nachhöfischen Zierkunst etwa eines Geibel überlegen sein. Und im Triumph zieht Conrad Bilanz: *„Der Naturalismus hat gesiegt in der Staatskunst durch das Genie Bismarcks, der Naturalismus hat gesiegt in der Dichtung durch das Genie Balzacs und Zolas, der Naturalismus hat gesiegt in der Malerei durch das Genie Menzels, der Naturalismus hat gesiegt in Musik und Musikdrama durch das Genie Richard Wagners."*

Und doch macht einiges bei dieser brisanten Litanei bedenklich: das aufgeblasene Feldgeschrei des Sieges einer Denk- und Kunstrichtung, genannt „Naturalismus", die Idealisierung und Heroisierung der künstlerischen Spitzen zu „Genies" und schließlich das schamvolle Kokettieren mit fremden, in diesem Falle französischen Lorbeeren, da die deutschen Literaten dieser Richtung noch nichts Bedeutendes geschaffen haben. Conrad hat das ja eigentlich selbst gewußt: der Begriff des Naturalismus, wie auch seine Erscheinungsform in Deutschland, waren letzten Endes importiert. *„Neben Turgenjew und Dostojewskij und Tolstoi, neben Björnson und Ibsen, selbst neben dem alten aufrührerischen Romantiker Victor Hugo . . ., konnten wir mit keinem Prosakünstler aufwarten, der als Zertrümmerer und Neubauer, als ästhetischer Um- und Neuwerter eine überragende Rolle gespielt hätte."*

Die naturalistische Hausregel, *„nach authentischen Dokumenten in derber Prosa zu arbeiten"*, reichte eben nicht ganz hin, selbst wenn Conrad entschieden in seinen eigenen Romanen davon Gebrauch machte. Es gab nur Ansätze im angelernt Neuen, deshalb findet sich auch so viel Altes in der naturalistischen Praxis. Das können die hochgestochenen Theorien nicht verdecken. Immer wieder blitzt innerhalb der Bewegung Gedankengut des deutschen Idealismus hervor, wodurch sich Conrad blenden ließ zu einem Sturm- und Drang-Genie-Kult, der eigentlich so gar nicht zu den Prinzipien einer sozialen Kunst passen will.

III.

Daß der Naturalismus nicht nur, wie man so schön sagt, ein „Anliegen", sondern auch eine Mode war, kann man am besten in Conrads Zeitschrift *„Die Gesellschaft"* studieren. Nicht nur, daß mit dieser *„Monatszeitschrift für Literatur, Kunst und Sozialpolitik"* ein Gegenstück in München zu den von den Gebrüdern Hart in Berlin herausgegebenen *„Kritischen Waffengängen"* geschaffen wurde, es ist darin auch die Notwehr der Kräfte zu sehen, die einem Kunst- und Kulturmonopol Berlin nicht tatenlos zuschauen wollten. Eine gewisse Rivalität ist nicht zu leugnen. Conrad schreibt in seinem Kampforgan

Michael Georg Conrad nach einem Porträt von Karl Bauer

1892 einen Artikel mit der Überschrift *„Berlin, Wien, München“*, in dem folgender interessanter Satz steht: *„Verjudung und Antisemitismus sind gleichermaßen Niedergangserscheinungen der abendländischen Kultur. Und wo sich diese Erscheinungen am heftigsten und widerlichsten zeigen, da hat die*

Degeneration den tiefsten Stand erreicht, da ist die Rassenkraft des Blutes und der Scholle am tiefsten gesunken, nämlich in den deutschen Kulturzentren Berlin und Wien."
Wieder wird hier frei nach Chamberlain und Darwin argumentiert: Heilung durch Rasse heißt die Parole. Und es gibt eine ganze Anzahl von Themen, bei denen solche Gedanken auftauchen, nicht nur in den journalistischen Artikeln und Feuilletons von Conrad.
Er gab einer Menge von Schriftstellern die Möglichkeit, ihr Wort zu sagen. Da wären zu erwähnen: Otto Julius Bierbaum, Karl Bleibtreu, Max Halbe, Ernst von Wolzogen, Max Kretzer und von den berühmten etwa: Detlev von Liliencron, Gerhart Hauptmann oder Arno Holz.
Die Natur einer Zeitschrift, gefüllt zu werden, rächte sich an den radikalen Ideologien des Naturalismus, indem sie sich immer mehr aufblähten zu Grundsatzerklärungen gegenüber der alten Kunst, während die noch selbst zu leistende deutsche naturalistische Literatur unterdessen im argen liegen blieb. Das Neue, bloß propagiert, hätte so ein Embryo bleiben müssen. Aber die Zeit war reif für die ersten Früchte der neuen Kunstrichtung. Nicht immer suchte die Redaktion der *„Gesellschaft"* das Richtige aus. Hauptmanns *„Vor Sonnenaufgang"* z. B. lehnte man für den Vorabdruck ab, und ließ sich damit den spektakulärsten naturalistischen Theatererfolg entgehen. Conrad und Bleibtreu sollen sich für ihr Fehlverhalten immer taub gestellt haben, so wird berichtet. Andererseits jedoch erschien eine so wichtige naturalistische Novelle wie *„Bahnwärter Thiel"* von Hauptmann in Conrads Zeitschrift.
17 Jahre leitete er die *„Gesellschaft"*, also von 1885–1902 –, wahrlich eine lange Zeit, die ein Schriftsteller der tagespolitischen Publizität widmete als Kritiker seiner Zeit. Trotzdem blieb Conrad noch Raum für seine Romane. Seine Münchener Zeit wird ihm auch thematisch zum Vorwurf. Im Gründungsjahr der *„Gesellschaft"* 1885 erscheint ein Teil eines auf 10 Bände geplanten Romanzyklus *„Was die Isar rauscht"*, worin ein naturalistisches Bild des Münchens Ludwigs II. versucht wird. Der Roman soll die wogende Großstadtmasse zeigen zu dem Zeitpunkt, wo die Macht des Geldes in die stagnierende Kunst- und Bierstadt eindringt.
Aber die theoretischen Grundsätze zur Anfertigung eines naturalistischen Romans mußten hier zwangsläufig mit dem neuen Stoff der Großstadt kollidieren. Postuliert war: eine ungekünstelte Fabel, die psychologisch aufgeschlüsselt, Abhängigkeiten und Beziehungen zwischen dem Helden und seinem sozialen Milieu erkennen läßt. Was dann praktisch dabei herauskam, sah ganz anders aus: die Darstellung einer Großstadtmasse und ihres Milieus gerät Conrad, da er auf jeden linearen Aufbau einer Fabel verzichtet, zu einer fast beliebig angeordneten Kette von Details, die unverbunden nebeneinander stehen und sich nicht zu einem epischen Ganzen integrieren. Es fällt ihm schwer, solche Massen von Stoffmaterial sinnvoll zu gliedern. Darüber hinaus bringen eingestreute Briefe, Rückblenden, Reden und Feuilletons im Stile der *„Gesellschaft"* über München als Kunststadt, über Wagner und Ludwig II. noch mehr Unruhe in den Roman. *„Was die Isar rauscht"* schockierte damals als Zeitroman. Heute wirkt dieser Roman weitschweifig und formal mißglückt. Und was seine Aussage betrifft: der naturalistische Stoff allein blieb die einzige Innovation und Botschaft für die Literaturgeschichte; das Medium des Romans funktionierte lediglich als Stellage zur Vermittlung der neuen Sozialwirklichkeit der Großstadt.

Der Roman blieb auf eine zeitgenössische Leserschaft beschränkt und ist insofern für das historische Notat von Wichtigkeit, als er eben wegen seiner stofflichen Neuheit zum Ärgernis wurde. Wie Wilhelm II., dem bekanntlich die ganze Richtung nicht paßte, dazu Stellung nahm, war eigentlich Common Sense. *„Die Kunst soll mithelfen, erzieherisch auf das Volk einzuwirken, sie soll auch den unteren Ständen nach harter Mühe und Arbeit die Möglichkeit geben, sich an den Idealen wieder aufzurichten. Wenn nun die Kunst, wie es jetzt vielfach geschieht, weiter nichts tut, als das Elend noch scheußlicher hinzustellen, wie es schon ist, dann versündigt sie sich am deutschen Volke. Die Pflege der Ideale ist ... die größte Kulturarbeit."* Das allerdings ist nach Wilhelm II. nur möglich, *„wenn die Kunst die Hand dazu bietet, wenn sie erstrebt, statt daß sie in den Rinnstein niedersteigt".* Das eben war der Affront der naturalistischen Kunst, die ein gut Teil dessen, was von Staats wegen besser im Dunkeln blieb an sozialem Elend, zur öffentlichen Aufklärung brachte; ein Affront zu einem Staat, der die soziale Szene lieber idealistisch verklärt sehen wollte. Man erinnere sich nur der Bühnenskandale Gerhart Hauptmanns: der Kaiser verließ ostentativ seine Loge.

So hatte Conrad sich nun gar nicht einen Regenten vorgestellt. Aus Trotz gegen das reichsdeutsche Berlin und aus bayerischem Patriotismus setzt er München als neue Kunststadt für die deutsche Literatur. Aber was Conrad zu Beginn seiner Münchener Zeit 1885 naturalistisch faßte, gerät 17 Jahre später, just in jenem Jahr, als er die Redaktion der *„Gesellschaft"* abgibt, also 1902, zu einer idealistischen Metapher von Herrscherlob, wie sie für Conrad erstaunlich ist. Nicht mehr *„Was die Isar rauscht",* sondern *„Majestät"* heißt jetzt das Romanvorhaben. Er, der als Kämpfer gegen die Schönheitsapostel angetreten war, feierte nun einen Regenten, dessen ganzes Leben ein einziges Schwärmen für die Schönheit der Kunst war, der sich wirklichkeitsblind in seinen Schlössern einschloß, fern von allem Interesse für Volk und Sozialpolitik.

Was hat Conrad, den fränkischen Demokraten, veranlaßt, eine früheren Ideen so widersprechende Figur zum Gegenstand eines Romans zu machen? In einer seiner zahlreichen Schriften politisch-gesellschaftlichen Inhalts findet sich folgende erstaunliche Stelle, die vielleicht etwas von dem dialektischen Umschlag vom Volks- in den Herrscherglauben erahnen läßt: *„Das Volk! Das deutsche Volk! Gehen Sie mir doch mit dem deutschen Volke! Das kommt gleich nach dem chinesischen. Dem kann man alles bieten. Ein Volk, das großpreußisches Reich und nachgerade partikularistische Kleinstaaterei so harmonisch verbindet, das sich vorrenommieren läßt, nur Gott und sonst nichts in der Welt zu fürchten, und sich von jedem Unteroffizier bis aufs Blut schickanieren läßt, ein Volk, bei dem Bürokratismus, Kastengeist, Polizei, Titelsucht und andere Siebensachen diese ungeheure Rolle spielen, ein Volk, so dienstbeflissen und knechtselig ... nein, hören Sie mal, kommen Sie mir nicht mit dem heutigen deutschen Volke. Eigentlich gibts das ja gar nicht. Im sogenannten Deutschen Reich gibts kein Volk, sondern nur Einwohner, Untertanen, Seelen."*

Wie kann ein so decouragiertes Volk überhaupt Kultur machen? Conrad weiß die Antwort, und die führt uns ein Stückchen weiter im Verständnis, warum der Volksmann Conrad schließlich beim Elitemann Ludwig II. landet. *„Die Höhe der Kultur bemißt sich nach der Zahl und Stärke der Siege, die von den schöpferischen freien Geistern g e g e n Volk, Masse, Pöbel gewonnen werden. Es gibt im irdischen Daseinskampfe keine wertvolleren Siege."*

Also: der Künstler ist nicht mehr mit den sozial verelendeten Gesellschaftsklassen solidarisiert, sondern schafft, enttäuscht vom Volk, gegen das Volk; er findet sich sogar in einem Kampf mit dem Pöbel, um seine Kunst zu retten. Damit aber bekennt sich Conrad innerhalb der naturalistischen Bewegung zu einem elitären Bewußtsein, zu einer Art Aristokratie des Geistes, die sich mit Ideen des Vulgärdarwinismus und den Vorstellungen von Nietzsches „Übermenschen" verschwistert hat. Eine seltsame Mischung, aber der bayerische Märchenkönig gab gerade die richtige Folie ab, um die *„Gipfelwerke des Ritterlich-Phantastischen, des Zierlich-Anmutigen, des Prunkhaft-Majestätischen"* zu exemplifizieren. Conrad eifert im Hymnenton von Nietzsches *„Zarathustra"* gegen die Masse und feiert den Künstlerregenten, der gegen den Pöbel seine kulturellen Vorstellungen verwirklicht. Hatte Conrad früher den Mut zum gewöhnlichen Naturalismus, so beweist er mit diesem Roman seine Wandlungsfähigkeit, indem er einen Mann mit dem *„Mut zum Ungewöhnlichen"* verherrlicht. Er steigert sich zum Gesang außerhalb der Zeit. Die Hausregel des Naturalisten, *„in derber Prosa zu arbeiten"*, bleibt in der Schublade.

„Der Naturalismus hat gesiegt..." — das war einmal. Was jetzt kommt, ist der verklärende Abgesang eines Enttäuschten. Für das Romanschaffen Conrads nach 1900 scheint nach den faustischen Tendenzen in den Lehr- und Wanderjahren die Reduktion auf die Scholle der motiv- und stilbildende Zug geworden zu sein. *„Forsch und wacker"* — so hatte Hans von Gumppenberg seinem Freund in einigen Widmungszeilen zugerufen — *„bestell er den Acker, und such sich ein redliches Frankenbett! Dann hat er das Glück komplett."* Als der gealterte fränkische Faust diesen Ratschlag durch seine Heimkehr in die dörfliche Heimat von Gnodstadt verwirklicht, thematisiert sich sein Forschen und Fragen in dem Heimatroman *„Der Herrgott vom Grenzstein"* aus dem Jahre 1904. Man muß das im Ohr haben, was Conrad schon 1885 in dem Aufsatz *„Vom vaterländischen Roman"* eingefallen war: *„Ein deutscher Roman, der was Rechtes sein will, muß das Deutschtum aus allen Poren atmen; er muß strotzen und zucken und glühen von dem Leben, das der Verfasser mitten in seinem Volke selbst mit durchgelebt und mit durchempfunden hat."*

Es ist interessant zu beobachten, wie Conrads Rückzug auf die Scholle die direkte Antwort ist auf die ihm verhaßte Dominanz Berlins als des alleinigen Zentrums von Literatur und Kunst in Deutschland seit etwa 1900. Conrads antizentralistischer, also antiberliner Affekt kapituliert hier vor den Tatsachen einer jungen Großstadtkunst, die im Begriff ist, sich als Expressionismus durchzusetzen. München ist für Conrad seit 1902 passé, Berlin kommt für den partikularistisch denkenden Franken nicht in Frage, also bleibt die Wurzel, aus der man kam: zurück zu den Ahnen und deren Acker.

Conrad hat sich mit diesem Heimatroman an der Schwelle des 20. Jahrhunderts als junger Autor selbst überlebt. Die junge Literatur wird jetzt in Berlin gemacht, und es sind andere Themen und Gestaltungsweisen, die den Jungen auf den Nägeln brennen. Ein Heym notiert: *„Aufgestanden ist er, welcher lange schlief..."*, der Krieg nämlich. Aber Conrad interessieren *„Scholle"*, Wirtshauszwistigkeiten im Stile von *„Romeo und Julia auf dem Dorfe"*. Mit dem *„roman experimental"* Zolas und seinen soziologisch orientierten Aufbaukategorien hat dieser Heimatroman weniger zu tun als vielmehr mit Rousseaus Mißtrauen in die Kultur. Conrads „Naturalismus" ist kaum artifiziell, eher ein weltanschaulicher Ruf, der lauten könnte: *„Zurück zu Scholle, Rasse, Blut!"*

Unter solchen Aspekten muß die Frage gestellt werden: Heimatkunst an der Schwelle des 20. Jahrhunderts: eine Verspätung oder eine Vorschau auf die Blut- und Bodenliteratur des Dritten Reichs?
Nun: historisch weder das eine noch das andere. Conrad zeichnet in diesem Roman die Figur des Lokalpatrioten, den es nicht hindert, ein Weltpatriot zu werden. Charakteristisch erscheint folgende Passage, die in etwa auch den Gehalt des ganzen Romans umschreibt: *„Im großen ist Europa fertig, wir können uns nur noch im kleinen und mit kleinem groß machen. Konfessionelles, Politisches, Persönliches quirlt zu einem lächerlichen Chaos zusammen. Das ist annähernd auch das Bild der europäischen Völker und Völkerchen mit ihren aparten Herrgöttern an den nationalen Grenzsteinen. Erbfeindschaften, Racheschwüre, Zollkämpfe, Erwerbsneidigkeiten, Größenwahn und andere schöne Sachen zwingen zu gegenseitiger Bewaffnung bis an die Zähne. Ob wir daheim in unseren kleinen Nestern Grenzsteine aufrichten oder Grenzsteine zerbrechen, das wird gewiß seine symbolische Bedeutung behalten, aber auf das große Weltdrama, das am Stillen Ozean inszeniert wird, hat es sicher keinen Einfluß. Die für das nächste Jahrtausend das Schicksal der Völker auf unserem Planeten bestimmende große Revolution in Politik und Kultur hat unter unseren Augen schon begonnen, wenn auch die wenigsten noch etwas davon merken und sich noch um ihren Herrgott am nächsten Grenzstein zanken.“*
Und so agieren sie denn gegen- und miteinander: der Assessor Frischauf, der Grötschamerts-Michel, der Bürgermeister Melchior Stang, Andreas Panzer (die passive Hauptperson, wegen dessen Auswanderung nach USA die ganze Gemeinde sich in den Haaren liegt), Pfarrer Ostertag und Lehrer Reinhardt, der Bastelsbüttner, der Försters-Heiner, der Schäfer Jakob, der Schmied Albrecht, der Schneider Wohlsecker, des stolzen Bürgermeisters Töchterlein Elisabeth und Apollonia Düll und Christina Bäbi — alles fränkische Christen des Dorfes Bullendorf —, und daneben Salamon und Rosa Gelbstein, Hirsch und Ajum Aumann, Lämmlein Ascher und Moschaleb und Lazarus Straub — alles jüdische Mitglieder der fränkischen Gemeinde.
Dem Dorfestablishment und seinen Emanationen beim Gesangverein, bei der Kirchweih, am Stammtisch und in der Gemeindesitzung steht gegenüber die aufstrebende Jugend, die, wenn auch zahlenmäßig nur klein, so doch immerhin wirksam rebelliert gegen das verknöcherte Alter. Der dörfliche Scheuklappeneffekt wird wohl am besten illustriert an dem Konflikt der beiden Dörfer Bullendorf, das evangelisch lebt, und Hopferstadt, das katholisch glücklich werden will. Kilian Geyer, der Romeo aus Hopferstadt, und Elisabeth Stang, die Bullendorfer Julia, wollen zueinander und heiraten. Das gelingt ihnen nicht so schnell, dann aber doch, als nämlich Julias Vater als der uneheliche Erzeuger des von ihm öffentlich verurteilten Andreas Panzer entlarvt wird, und damit ein ganzes Stück Autorität in Bullendorf ins Wanken geraten ist. Danach ist das Happy-End unausbleiblich, auch die beiden verfeindeten Dörfer finden wieder zueinander. Damit endet der Roman ziemlich zuversichtlich mit der Moral: Jugend überzeugt Alter. Aber im Grunde sind die Leute so geblieben, wie sie von eh und je waren.
Sprachlich reicht Conrads Palette für einige Farben: da ist das blumig-geblümelte Muster. *„Des fränkischen Weines Geisterheerschau vom Oberzellerberg bis hinüber nach Escherndorf. Was die Unterirdischen durch der edelsten Reben dienstwillig Geäder heraufgeschickt zur Erdenweihe durch der Sonne*

Himmelskuß, in heiliger Verehrung trank es Reinhart in sich hinein in reichlichen Proben. Es war eine göttliche Einverleibung.“
Köstlich auch jene Stilblüte: *„Am Abend, als ganz Bullendorf der Atzung oblag . . .“.* Aber da ist das kraftgebläht derb-klotzige Sprechen, das wahren Humor zeigt: *„Diese praktischen Mistkäfer gehen am Werktag ihrer Hantierung nach, und am Sonntag, wenn sie ein Stündlein in der Kirche sitzen, bekennen sie, was man sie in der Schule zu bekennen gewöhnt hat.“* So denkt die Pfarrfrau über die Mitglieder der Gemeinde.
Aber es gibt auch neben den häufig eingestreuten feuilletonistischen Passagen einige Seiten klare Prosa. Ein Beispiel, sozusagen der Katechismus Conradscher Weltanschauung:

„Moral: verpfusche keine Entwicklung.
Größte Sünde: elenden Nachwuchs der Menschheit aufzubürden.
Kunst: ein lebendiger Löwe ist mehr wert als ein ausgestopfter.
Hausgesetz: du darfst nicht verweilen, wo du überflüssig bist.
Volksgesetz: Menschen dürfen sich nicht eher fortpflanzen, als bis sie untadelige Gesundheit erwiesen haben.
Staatsverbrechen: schlechte Ehen.
Materialismus: Rohstoff der Religion.
Religion: Verklärung der Erdentüchtigkeit.
Autorität: blinder Wahn, Musik für Taubgeborene und Unmusikalische.
Regierung: mit dem Pöbel handelseinig werden.
Gottesgnadentum: viel Geschrei und wenig Wolle.
Kirche: Winterkleidung im Sommer, Ausverkauf zu jedem Preis.
Alleinseligmachende Wahrheit: eiserner Kassenschrank, diebs- und feuersicher, außen vergoldet, inwendig leer.
Göttlichkeit: Freiheit von jedem Gelübde.“

Eine epische Ausbreitung solcher Aphorismen findet sich in dem beachtlichsten Werk Conrads, in dem utopischen Roman *„In purpurner Finsterniß“* von 1895, einer *„Romanimprovisation aus dem 30. Jahrhundert“,* wie der Untertitel lautet. In einer Zeit, wo die Utopien von gestern wieder modern werden, also etwa die Automaten Jean Pauls, die Roboter E.T.A. Hoffmanns, die Golems Hubert Meyrinks, die Raumfahrten des Jules Verne oder Hans Dominik, die gesellschaftlichen Halluzinationen eines Aldous Huxley oder George Orwell, kann dieser Roman von Conrad Anspruch erheben, zur Kenntnis genommen zu werden. Zu fragen bleibt: wie geht das, Naturalismus und Utopie in ein Bett zu bringen; die Welt einmal als Wille, das andere Mal als Vorstellung miteinander zu koppeln; wie bringt man soziale Realität und romantische Idylle auf einen Nenner? Ganz einfach: indem man diese Synthese erst gar nicht versucht, sondern die Antithesen klaffen läßt.
Seltsam: auch Gerhart Hauptmann, anfangs ein „Naturalist“, schreibt ebenfalls einen utopischen Roman, wenngleich sehr viel später als Conrad, nämlich 1924: *„Die Insel der großen Mutter.“* Ganz ohne das „Prinzip Hoffnung“ kommt offenbar auch der Naturalist nicht aus. Nur bleibt eben diese Hoffnung meist nur ein schöner Schein, eine arkadische Stilisierung.
Im Lande Teuta besteht das Gesetz, daß alle Menschen gleich sind und daß damit alle Frauen allen gehören; allerdings gibt es vom Staate festgelegte „Verkehrszeiten“. Frauen und Männer leben ansonsten voneinander getrennt

Dr. M. G. Conrad
68 Ismaninger Str.
München, 6. 3. 25.

Herrn Buchhändler R. Steurer, Linz.

Sehr geehrter Herr,

beifolgend übersende ich Ihnen die gewünschten Zeilen für Ihren [illegible].
Zum Geburtstage des Dichters würde ich ihm gern als persönliches Geschenk ein [illegible] von mir übersenden („Am hohen Mittag“) — möchten Sie, wenn ich's unter Ihrer Aufschrift absende, es ihm den 3. 4. 25 übermitteln?

Mit Gruß und Dank

Conrad.

Brief vom 6. März 1925 an den Buchhändler Steurer in Linz

in verschiedenen Städten. Dahinter stecken nicht etwa sozialistische Vorstellungen, sondern die Zerrbilder des verwalteten Menschen. Das Volk lebt nach den Zerstörungen des 20. Jahrhunderts unter der Erde, *„ein unterirdisches Geschlecht, ein naturscheues Geschlecht“.* Gleichheit wird so zur Gleichmäßigkeit, *„das Volk verblödet im Glück des Niemalsunglücklichseins und des stumpf gewordenen Willens“.* Dieser gesellschaftlich formierte Wohlfahrtsstaat wird durch eine Greisenoligarchie von fünf Mann regiert. Es sind dies der Oberpriester Ao, der Oberlehrer Minus als Hüter des heiligen Wortschatzes,

Oberrichter Kaspe, der Oberphysikus Bim, dem Wissenschaft und Forschung obliegen, und schließlich der oberste Diplomat Titschi, der für die Außenpolitik zuständig ist. Und so unterhalten sich die Regierenden über die Regierten:

„Alle satt?" fragte Ao, der dicke Oberpriester.
„Alle ruhig?" fragte Kaspe, der schmächtige Oberrichter.
„Alle satt und ruhig", antwortete Titschi mit verbindlichem Lächeln.
„Also alle glücklich", nickte Ao.
„Wie üblich", bestätigte Kaspe.

Diese nivellierte Sprache der Politiker zeigt fast schon den Charakter von Comic-Sprechblasen. Die Regierenden haben ihre Amtsstuben am tiefsten unter der Erde anlegen lassen, ähnlich wie wir das vom Unternehmen Fallex kennen. Dafür darf das Volk an der normierten Pillennahrung partizipieren. Innenarchitektonisch sind an den Amtsstuben die Requisiten aus dem Fernsehraumschiff Orion zu bewundern. *„Luft-, Licht- und Tonleitungen, Tische mit Tastwerk und Spiegel und fahrstuhlähnliche Polstersitze."* Die modernen Massenkommunikationsmedien sind hier noch privilegierte Informationsmedien der Herrschenden, vom *„Fernsprecher"* ist die Rede und vom *„Fernsehen"*, nachdem dieses realiter erst 1883 erfunden wurde. Duft- und Erholungssprays erfrischen die müden Köpfe. Aber der technischen Perfektion des Lebens in Teuta vermag *„die Antiquiertheit des Menschen"* nicht produktiv zu antworten. *„Nur das Bewährte, Alte hält uns auf der Höhe. Im Neuen liegt meist eine Gefährdung der Sicherheit."* Diese Haltung des Establishment bedeutet die Absage an eine schöpferische Wissenschaft, der von Staats wegen gerade noch mechanische Erfindungen zugestanden werden — ebenso natürlich eine Absage an jegliche Kunst. In diesem Lande, *„wo es nur Flaues, Zugerichtetes, Ausgelebtes, Mechanisches"* gibt, wächst aber auch Jugend heran. Zu ihr gehört Grege, der junge Fürst, ein Parsifaltyp, den es aus Teuta treibt zur Wanderschaft. Er will sich selbst als Subjekt finden. In Nordika, seinem Arkadien, gelingt das. Unterdessen resümiert man in gut unterrichteten Kreisen Teutas:
„Ist das nicht ein keimender Entartungstypus in unserem normalen Gemeinwesen? Ist das nicht ein stetig sich aufbauender Seuchenherd in unserem musterhaft gesunden Land?"
Aber es gibt auch Einsichtigere:
„Wir sterben — wir sterben an der Jugend der anderen. Grausame Todesart. Sie macht lächerlich."
„Warum quälen wir uns mit solchen Fragen?"
„Weil sie zeitgemäß sind."
„Aber sie stehen heute nicht auf der Tagesordnung."
„Das ist nicht ihr Fehler. Das ist unser Fehler."

Aber die Not der Regierenden soll noch größer werden. Oberlehrer Minus ist gestorben, die Leiche ist verschwunden. Dazu kommt, daß Grege, die wichtigste Stütze beim alljährlichen Zaratustra-Fest, nicht im Lande ist. Wie soll man sich gegenüber dem Volke verhalten, das seine Feste fordert? Längst Überfälliges, Jahrtausendealtes soll wieder und weiter gefeiert werden in Teuta, selbst wenn sich der letzte lebende Repräsentant dieses Systems im Ausland befindet. Daß Grege ein Automat ersetzen soll, zeigt das krampfhafte Bemühen eines Staates, der sich und seine Lebensweise künstlich konservieren muß, um

weiterbestehen zu können. *„Mechanik und Mystik"* heißt die Formel, aber für Mystik sollte es besser heißen: Manipulation, Spionage, Falschspiel, Diplomatie und Intrigen. Unterdessen findet der sich selbst entfremdete Königssohn Grege auf der Insel Nordika (einer kastalischen Provinz fast von Hermann Hesse) seine Meisterin in dem Mädchen Maikka. In ihr sieht er den Menschen, der sich innerhalb eines Staates frei entwickeln kann. In Nordika herrscht wirtschaftliche Gleichheit, das Volk ist eine große Familie, es ist lernfreudig. Für dieses Bedürfnis gibt es Volkshochschulen und Erwachsenenschulen, im Winter lebt man fast wie in den modernen skandinavischen Großfamilien einträchtig miteinander. Unbekannt sind in diesem Staat Zensur und Angst vor den Herrschenden. Es gibt ja keine. Und die Kunst?
„Das ist die Seele des Volkes."
Also erfährt sie Förderung wie auch die Wissenschaft. Da gehen dem Mann aus Teuta die Augen über, wenn er an sein Volk *„von Pedanten, Worthütern, Silbenstechern, Buchstaben- und Paragraphenfuchsern"* denkt. Maikka als Verkörperung des naturalistischen Kunstprogramms Conrads zeigt die Gegenwelt: *„Das Leben ist selbst Poesie, das volle, heiße, gegenwärtige Leben."* Und so wird Grege der Marsch geblasen: *„Nie hattet ihr Respekt vor der Jugend, vor dem eigenen Nachwuchs. Ihr habt sie geistig und körperlich gemartert, wo ihr konntet. Ihr habt sie in den Zeiten des Mittelalters durch eure blödsinnigen Gelehrten in Schule und Kirche den Altertümlern überliefert, den Römern und Griechen und Juden und ihrem blutigen Aberwitz, ihre Köpfe entnervt und ihre Seelen belastet und ihre Gemüter verdüstert, Ihr habt sie dann in Kasernen, Zuchthäusern, Fabriken gesperrt, jede heilige Individualität mit Füßen getreten, jahrhundertelang sie ausgeschunden um elender Idole willen. Ihr habt sie dem Moloch des Militarismus, des Industrialismus, des Mammonismus zu Hunderttausenden hingeworfen, wie man einem Geier Aas hinwirft, ihr habt sie gepeinigt mit jeder denkbaren Pein, mit Verfolgung, Hunger, Not und Elend in tausend Gestalten, ihr habt sie als Dünger über alle Erdteile gestreut."* Solche Vorwürfe lassen in Grege die reflektierte Frage entstehen: *„Das ganze junge Volk Teutas, wars nicht eine vaterlose Waisenbrut, im Dunkel erzeugt, im Dunkel verloren, trotz aller künstlichen Helle und Hilfe?"*
In der Tat: hier scheint Alexander Mitscherlichs *„Vaterlose Gesellschaft"* vorweggenommen. Die Mißstände der vergangenen Epochen anprangernd, belehrt Maikka den Mann aus Teuta: *„Die sozialistischen und kommunistischen Experimente zwischen einer Militärdiktatur und der anderen führten nicht zum Ziele. Die Menschen waren zu tief herabgekommen, und vom autoritären Staate konnten sie sich nicht trennen, und der Heeres- und der Gottesdienst fraßen weiter, denn alles war von der Furcht durchseucht, und in ganz Europa traute sich niemand mehr auf die Straße. Vor allen schöpferischen Phantasiemenschen hatte man eine Heidenangst. Man verfolgte sie. Revolution war der Dauerzustand Europas geworden, Revolution in der erbärmlichsten, feigsten Form. Zuchthäuser, Irrenhäuser, Spitäler bedeckten ganz Europa. Nun kam noch das Schönste: nachdem Amerika Ostasien sich unterworfen hatte, drängte sich das Chinesenvolk in Millionenhorden gegen Westen. Keine Grenzsperre half. Es war kein Kampf von Riesen, es war ein Kampf von bestialischen Zwergen, bewaffnet mit den furchtbarsten Zerstörungswerkzeugen des Maschinenweltalters. Es folgten Schlachten ohne Entscheid, ohne Ende, bis neun Zehntel aller Kämpfenden aufgerieben waren und unter den Übriggebliebenen das große Sterben, die ‚Chinesische Pest' begann."*

Diese historische Lektion kann an Grege nicht spurlos vorbeigehen, vor allem als Maikka von dem *„blöden Legendenkram“* des Zaratustra-Festes spricht und die politischen Konsequenzen solcher Dummheit formuliert: *„Ein Volk mit solcher göttlich kritiklosen Leichtgläubigkeit ist übrigens für jeden Umsturz reif — wenn der rechte Umstürzler kommt.“* Grege handelt, indem er Maikka verläßt und in sein Land zurückkehrt, gerade rechtzeitig, um noch am Zaratustra-Fest teilnehmen zu können. Angesichts der Prozession, der er sich selbst in Gestalt eines Automaten vorangehen sieht, stellt er sich die Identitätsfrage: *„Ist er selbst Grege oder ist er es nicht?“* Die Konfrontation zwischen lebendigem Menschen und seinem automatisierten Abbild endet, wie's bei Conrad wohl enden muß: das Lebendige siegt über das Mechanische, das nur zum Unheil des Menschen listig eingesetzt wurde. Der Held ist reif geworden, sich aus dem stumpfen Milieu Teutas zu sich selbst durchzuschlagen, um alles Verkehrte dieses Staates zu entlarven. Grege haut dem Automaten mit seinem Pilgerstab auf den künstlichen Kopf, der fällt; das Volk, vital angerührt von solchem freien Handeln eines Einzigen, der es wagt, gegen den Staat aufzustehen, jubelt ihm zu: „Befreier!“ Es ist noch einmal gut gegangen: es war der richtige Befreier. Und Conrad posaunt: *„Eine furchtbare Naturgewalt rüttelt und schüttelt die Massen.“* Der Erneuerer des Reiches und des Volkes hat gesiegt über das idiotische System Teutas: Natur ist stärker als Unnatur.
Bleibt zum Schluß die Frage an den symbolischen Gehalt des Romans: Ist Teuta identisch mit Deutschland, zeigt der utopische Roman *„In purpurner Finsterniß“* eine Apotheose Deutschlands im 30. Jahrhundert?

IV.

Alles in allem: Michael Georg Conrad, ein Franke in Bayern und anderswo: ein Feuerkopf, ein Kraftprotz, ein für Zeitgenossen und Nachfahren unbequemer Mann des Wortes und des Gedankens, ein Mann voller Widersprüche, über dessen Wirkung die Geschichte fast schon ihr Urteil gesprochen zu haben scheint, unerheblich als Vorbild für heutige Literatur, aber ebenso undankbar als Vorlage für Lokalpatriotismus.
Ihn der Vergessenheit entreißen zu wollen, wird schwer sein.

Karlheinz Deschner

OSKAR PANIZZA

1853—1921

Ein deutscher Dichter — ein deutscher Märtyrer ... Auf wen träfe dieses Wort mehr zu als auf Oskar Panizza? Den am 12. November 1853 in Bad Kissingen als Sohn eines Hoteliers geborenen, mit Josef Nadler zu sprechen, typisch „fränkischen Aufwiegler"? Jenen schon früh unsteten und getriebenen Geist, der so vieles begann und so wenig zu Ende führte: nicht das Gymnasium in der Residenzstadt, nicht das Hotelgewerbe in Bad Kissingen, nicht das Bankgeschäft in Nürnberg, nicht das Konservatorium in München. Und als er, nach einer Promotion summa cum laude, Assistenzarzt an einer Münchener Nervenklinik wurde, gab er auch die Medizin bald auf, um, mit unerschütterlicher Konsequenz nun und durch einen intellektuellen Amoklauf ohnegleichen, einer der meistgehaßten deutschen Schriftsteller zu werden. Man verbot mehrere seiner Werke, warnte öffentlich vor ihrem Ankauf, beschlagnahmte sie, stellte ihren Verfasser zweimal vor Gericht, warf ihn zweimal ins Gefängnis, zwang ihn zur Emigration, verfolgte ihn steckbrieflich, konfiszierte sein Vermögen, entmündigte ihn und sperrte ihn sechzehn Jahre in die Nervenheilanstalt Herzogshöhe bei Bayreuth, wo er am 28. September 1921 starb. Der Rest war Schweigen. Keine der Dutzende von Literaturgeschichten meines Bücherschrankes nennt auch nur seinen Namen. Oskar Panizza, der sein Leben stolz als ein stetes *„Schach dem König"* führte, der sich als *„ausgesprochenen Feind des Christentums"* bekannte, blieb verfemt.

Und doch ist Panizza nicht tot. Kenner zahlen heute hohe Preise für seine selten gewordenen Bücher. Jean Brejoux edierte 1960 bei dem angesehenen Pariser Verlag Pauvert Panizzas *„Liebeskonzil"*, wozu André Breton ein Vorwort schrieb. Luchterhand verlegte 1964 Hans Preschers verdienstvolle Auswahl *„Das Liebeskonzil und andere Schriften"*. Auch die 1966 erschienene Anthologie deutschsprachiger Prosa-Satire *„Scherz beiseite"* enthält einen grandiosen Text Panizzas. Ja, es gab seinetwegen unlängst in München einen Theaterskandal: der ASTA der Universität, bestehend meist aus Angehörigen der katholischen Studentengemeinde, strich der das *„Liebeskonzil"* spielenden Studiobühne die Zuschüsse.

Gleichwohl blieb Panizzas Werk selbst literarisch Interessierten weithin unbekannt. Woran liegt dies? An der Form? An zu geringer künstlerischer

Qualität? An einer manchmal unbestreitbaren ästhetischen Disziplinlosigkeit und überstürzten Konzeption? Oder liegt es daran, daß Panizza die Deutschen mit hemmungsloser Inbrunst fortwährend vor den Kopf gestoßen, daß er alles, was ihnen heilig war, wie ein Berserker attackiert und mit der exotischen Weißglut seiner Wut und einem wahrhaft phänomenalen furor satiricus unsterblichem Gelächter preisgegeben hat? Die „ehrwürdigsten" abendländischen Traditionen, das Unglück ganzer Epochen: das Papsttum und die Monarchie? Kein Zweifel, daß hieraus vor allem das infame Vergessen dieses zwar nicht bedeutenden Dichters, doch großen Satirikers und Pamphletisten resultiert.
Panizzas flammender Haß auf Katholizismus und Kaisertum wurde lebensgeschichtlich erklärt. Sein Vater, Sohn eines italienischen Immigranten, war katholisch und erzwang von seiner streng protestantischen Frau, einem Abkömmling französischer Hugenotten, das Versprechen, ihre Kinder katholisch erziehen zu lassen. Als der Vater jedoch, zwei Jahre nach Oskars Geburt, starb, stieß Frau Panizzas Versicherung, der Sterbende habe zuletzt der protestantischen Erziehung ihrer Kinder zugestimmt, trotz dreier Zeugen, auf den Unglauben der staatlichen und katholischen Instanzen. Und da die Mutter die älteren Kinder der Obhut auswärtiger Protestanten anvertraute, ohne deren Aufenthalt den Behörden zu nennen, sah sie sich bald, so sagt sie selbst, „kolossalen Anfeindungen" ausgesetzt. Es kam zu Bedrohungen und Schikanen, zu Geldstrafen, Fahndungen, einer nächtlichen Hausdurchsuchung, ja, man verurteilte Frau Panizza, weil sie Arme unterstützte (wegen „Begünstigung der Bettelei"), zu dreitägiger Festungshaft, begnügte sich dann aber mit Hausarrest.
Es ist klar, dies alles konnte an dem jungen Oskar Panizza nicht spurlos vorübergehen. Hans Prescher hat recht: *„Er muß in einer Atmosphäre häufiger Belästigungen der Mutter durch Kirche, Justiz und Polizei aufgewachsen sein. Und wenn ihm auch vielleicht nicht alle Vorgänge aus eigener Erinnerung lebendig waren, so hat das starke Naturell der Mutter ihm gewiß ihre Sicht der Dinge eingepflanzt. In den Kindheitserlebnissen und den Einflüssen der Mutter dürfte eine Wurzel für den eifernden Antikatholizismus Panizzas zu suchen sein. Seine umfassendste antikatholische Schrift (‚Der teutsche Michel und der römische Papst') widmete er seiner Mutter. Unter die Widmung setzte er den Satz des Vergil: ‚Exoriare aliquis nostris ex ossibus ultor.'"*
Trotzdem — könnte Panizza nicht auch aus freien Stücken auf seine zentrale Thematik und Tendenz gestoßen sein? Aus rein rationalen Überlegungen? Aus der Einsicht in geschichtliche Zusammenhänge und Entwicklungen? Aus seiner Kenntnis der Vergangenheit und Gegenwart? Wissen wir doch, daß Panizza, zwar als Kind scheinbar so unbegabt, daß er bei seinen Geschwistern „der Dumme" hieß, bald von stupender Belesenheit war und zahllose Texte aus der Literatur vieler Länder und Zeiten in der Originalsprache zitieren oder sofort vollendet übersetzen und kommentieren konnte. Hannes Ruch, mit Panizza 1890 bekannt geworden, rühmt dessen ungewöhnliches Gedächtnis, seine literarischen und historischen, besonders kirchen- und dogmengeschichtlichen Kenntnisse und charakterisiert ihn als *„Alleswisser"*, *„ein großes Nachschlagebuch, das man niemals vergeblich um Auskunft fragte"*.
Absurd jedenfalls ist jene wohl von Otto Julius Bierbaum stammende und seitdem mehrmals nachgeplapperte Betise, Panizza habe ein großes Vermögen schmählich vertan, nämlich an subalterne Stoffe verschwendet und damit

einen zu engen Horizont gezeigt. Bierbaum und seinen Nachbetern zufolge sollte *„ein so bedeutender Satiriker sich lieber Angriffspunkte gesucht haben“, „die es wirklich verlohnt, mit so wuchtigem Rüstzeug des Wissens und Könnens anzugreifen“.* Doch wenn Panizzas Objekte, wenn klerikale oder politische Dummheit und Verbrechen die Attacke nicht mehr lohnten, welche dann?

*

Der Autor, der in kleineren Aufsätzen und Skizzen bald die unterschiedlichsten Themen erörterte, den Selbstmord und die Todesstrafe, moderne Literatur und künstlerische Freiheit, Luther und die Ehe, Bayreuth und die Homosexualität, die Prostitution, die Heilsarmee, das Küssen, die Krankheit Heines, die Kleidung der Frau, Genie und Wahnsinn, Christus in psycho-pathologischer Beleuchtung usw., debütierte mit Gedichten. Seine drei ersten Bücher — *„Düstre Lieder“ (1886), „Londoner Lieder“ (1887)* und *„Legendäres und Fabelhaftes“ (1889)* — wurden in London geschrieben, der vierte und letzte Band *„Parisjana, deutsche Verse aus Paris“* erschien 1899. Doch bringt all dies kaum einen neuen Ton, ist im Grunde epigonal, erinnert häufig an Heine, wenn auch manches durch eine gewisse Intensität, durch die Leidenschaft des Geistes, der es formte, gezeichnet ist.
Dies gilt besonders für die *„Parisjana“,* entstanden, laut Panizza selbst, *„als Frucht zurückgezogensten Lebens und unter Verwertung der frischesten, besten und unmittelbarsten Eindrücke der französischen Hauptstadt“, „wobei Gedankenfolge und Ausdrucksform an Schärfe bis zur äußersten ästhetisch zulässigen Grenze ausgenützt wurden“.*
Ganz so radikal zwar, wie es auch den Zeitgenossen schien, wirken diese Gedichte kaum noch, obschon sie auch Prescher zu *„den schneidendsten, den prophetischsten politischen Versen“* zählt, *„die seit Heine bei uns gedruckt worden sind“.* Immerhin wurden sie mit wütender Verachtung und Vehemenz geprägt, saß Panizza doch nur wenige Jahre zuvor auf einer Bank, auf der man vor ihm Zuhälter und nach ihm Raubmörder abgeurteilt hat. *„Ein Jahr Gefängnis! Welch ein Abgrund von Bitterkeiten steckt in dem Wort. Diebe und Gauner pflegen mit milderen Strafen bedacht zu werden.“* So rief der bedeutende, 1939 im tschechischen Exil von Nazischergen am Schreibtisch erschossene Kulturphilosoph Theodor Lessing in einer kritischen Broschüre über *„Gotteslästerung und künstlerische Dinge vor Schwurgerichten“* aus, die er eigens zum „Fall Panizza“ schrieb.
Auch der *„Parisjana“*-Band, worin der Autor Kaiser Wilhelm II., seinen, wie er glaubte, persönlichen Widersacher, zum Menschheits- und Kulturfeind stempelte und ihn als *„grüner Junge“, „ein dem Pferd Verwandtes“* und *„geisteskranken Stier“* apostrophierte, wurde in Deutschland bald beschlagnahmt, der Verfasser erneut steckbrieflich verfolgt und sogar sein Vermögen konfisziert.
Bemerkenswerter indes als seine Lyrik ist Panizzas Prosa. Die ersten, 1890 erschienenen *„Dämmerungsstücke“* hat er *„Dem Andenken Edgar Poe's“* gewidmet, die drei Jahre später publizierten *„Visionen“ „Dem Andenken Ernst Theodor Amadeus Hoffmann's“.* Von beiden ist Panizza beeinflußt. Er schuf aber in seinen besten Erzählungen eine durchaus eigene, dichte, einspinnende Sphäre, eine sehr realistisch geschaute, doch oft, erstaunlich harmonisch, von grotesken, skurrilen, visionären Zügen überblendete Welt, in der er mitunter geradezu kafkaeske Sehweisen und Stimmungen antizipiert, jedoch seine sehr pittoresken Themen meist mehr kurios als makaber tingiert.

Und da er es weder an Phantasie noch an Einfühlungsgabe noch an Spannungseffekten fehlen läßt, vermag er in gleicher Weise zu fesseln wie zu amüsieren.
Häufig haben diese Geschichten einen erotischen oder religiösen Hintergrund, gelegentlich auch beides, wie in dem nun freilich durchgehend unheimlichen, zwielichtig-zweideutigen *„Wirtshaus zur Dreifaltigkeit“.* Mit dem Erzähler treffen wir hier in vorwinterlicher Abendzeit in einem uralten, weltentlegenen fränkischen Gasthaus eine seltsame Gesellschaft (fast möchte man sagen: komische Heilige): einen gebrechlichen, leicht konfus wirkenden Greis, einen schönen, mönchisch gekleideten, schwindsüchtigen Jüngling namens Christian, vom Alten *„mein lieber Sohn“* genannt, und eine junge attraktive jüdische Magd, vom Wirt als *„meine Tochter Maria“* vorgestellt. Erst allmählich, nachdem uns Panizza manchen Schauer über den Rücken gejagt, hebt sich hinter der kunstvoll verfremdeten, dabei verhalten anspielungsreichen, doch völlig realistischen Erzählung eine zweite Geschichte ab, vor allem wenn Maria, die Mutter des hübschen Burschen, sagt, sein Erzeuger *„sei kein Mann gewesen“,* und der junge Mann im weißen Habit am Morgen mit schmerzlichem Pathos dem Erzähler zum Abschied erwidert: *„Ihre Sorgen, Herr, drehen sich um ein paar Stiefel und ihren Glanz, aber mir, Herr, stecken die stacheligen Sporen eines ungesättigten Wahns im Fleische; der Schmutz der gesamten Menschheit wühlt in meinem Herzen, und das Mitleid mit der ganzen Welt will mich nicht mehr verlassen!... Nehmt mich mit euch, Herr, ich verderbe in diesem Hause; niedriger Schmutz und Eigennutz will mich ersticken; nehmt mich mit euch, Herr, in die große Welt, damit ich für sie sterbe!“*
Ganz anderen Charakters ist der gleichfalls glänzend gestaltete *„Korsetten-Fritz“,* ein Pastorensohn in der Pubertät, der sich in weibliche Schaufensterbüsten verguckt, die er für abgebalgte Menschenüberzüge irgendeiner fabelhaften mythologischen Rasse hält. Vor allem ist es ein orangener Leib, sein Orangeideal, ein entzückendes *„Überbleibsel aus einem fernen, vielleicht indischen Geschlecht“,* das Tag und Nacht seine Träume befeuert, das er mit allen Farben einer ebenso sensiblen wie exotischen Phantasie ausschmückt, bis ihm einmal, was er so oft als Hirngespinst wie in einem Nebel gesehen, lebendig, nackt und vibrierend begegnet — in einem Freudenhaus.
Alle ausgepichten Kniffe eines souveränen Erzählers zeigt auch die Geschichte *„Ein skandalöser Fall“:* die mysteriöse Liebe zweier sehr ungleicher Zöglinge eines vornehmen Mädcheninternats im Frankreich des vorigen Jahrhunderts; wobei Panizza ausgezeichnet das Kloster- und Institutsmilieu einfängt und als eine seiner unaufdringlichsten, doch großartigsten Figuren, inmitten der von unterdrückter Erotik prickelnden fünfzehn- und sechzehnjährigen Mädchen, ein in die moralischen Probleme des Liguori — Theologiae moralis, libri sex — vertiefter Prälat figuriert.
Rein satirisch abgehandelt wird der letzte Aspekt in einem nur vier Seiten umfassenden, nun auch in der schon erwähnten Satire-Anthologie *„Scherz beiseite“* stehenden *„Kapitel aus der Pastoralmedizin“,* das zu den Höhepunkten von Panizzas Kunst gehört.
Und hier betreten wir die eigentliche Domäne des Autors, der als Satiriker, als Pamphletist eine der überragenden Gestalten deutscher Literatur ist: Sein Dialog zwischen einem Fremden und Einheimischen *„Über die Stadt München“* blitzt von gleichsam Büchnerschem Esprit und birgt Partien, die an hochoriginellem, scharfsinnigem Sarkasmus kaum noch zu überbieten sind.

Sein 1893 publiziertes Buch *„Die unbefleckte Empfängnis der Päpste"*, bald beschlagnahmt und in ganz Deutschland verboten, pries Otto Julius Bierbaum als *„eine satirische Leistung größten Stiles... vielleicht das Furchtbarste, Kühnste, was jemals gegen den Katholizismus geschrieben worden ist"*. Ein Jahr darauf, 1894, erschien dann, neben dem gleichfalls beschlagnahmten Pamphlet *„Der teutsche Michel und der römische Papst"*, Panizzas berühmtestes, *„Dem Andenken Huttens"* gewidmetes und bis 1966 unaufgeführtes Werk *„Das Liebeskonzil. Eine Himmelstragödie in fünf Aufzügen"*.
Das grandiose Skandalstück erklärt das Erscheinen der Syphilis in Italien Ende des 15. Jahrhunderts als Folge des lasterhaften Treibens am päpstlichen Hof unter Alexander VI. und zeigt die prominentesten Bewohner des christlichen Himmels, wie sie mit Teufels Hilfe die sündige Menschheit zu bestrafen beschließen.
Und so sieht Panizza dabei Gottvater: *„Ein Greis im höchsten Lebensalter mit silberweißen Haaren, ebenso Bart, hellblauen Glotzaugen, tränengefüllten Augensäcken, gebeugten Hauptes, kyphosischen Rückgrats, kommt in langem, talarartigem, mißfarbig-weißem Gewande, von zwei Cherubim rechts und links gestützt, hustend und brustrasselnd, schwerfällig tappend und nach vorn geneigt, hereingeschlappt."*
Ein riesiges Gefolge begleitet ihn, alles weiblich oder geschlechtslos, ziemlich gelangweilt, nonnenartig gekleidete barmherzige Schwestern schleppen Medizinflaschen, Decken, Spucknäpfe, und nachdem man Gottvater auf den Thron gehoben und er sich, bewegungslos vor sich hinstarrend, „mit einem verzweifelnd von sich stoßenden, lebenssatt-rauhen Exspirations-Seufzer" niedergelassen hat, bringen die Engel Wärmflasche, Fußsack, Steppdecke, Schlummerrolle, Rückenwärmer, Armpolster; doch Gottvater stöhnt und jammert nur:
„‚Aeh! — Aeh! — Aeh! — Aeh! —‘
VERSCHIEDENE ENGEL ‚Wo fehlt's? — Was ist? — Helft! — Helft! — Wo fehlt's? —‘
GOTTVATER mit vorgebeugtem Kopfe weiterstöhnend: ‚Aeh! — Aeh! — Aeh! — Aeh! —‘
ALLE ENGEL sammeln sich in großer Bestürzung um den Thron; einige knien nieder und schauen ängstlich gespannt auf Gottvater: ‚Helft! — Helft! — Wo fehlt's? — Wo fehlt's? — Göttliche Majestät, wo fehlt's? — Er stirbt uns! — Holt Maria! — Holt den Mann! — Helft! — Helft! —‘
GOTTVATER weiter stöhnend; wird engobiert im Gesicht; aus den Augensäcken rollen große Tränen infolge der Anstrengung: ‚Aeh! — Aeh! — Schpu! — Schpu! — Schpu! —‘
EIN ENGEL springt auf, triumphierend, mit heller, lauter Stimme: ‚Die Spuckschale!‘
ALLE ENGEL aufspringend, in klirrendem Diskant, erlösend: ‚Die Spuckschale!‘"
Aber kaum hat er sich mühsam erleichtert, klagt er weiter. Ein geschlechtsloser, sehr schöner Engel, *„im Charakter des Antinous"*, erkundigt sich teilnahmsvoll:
„‚Was machen Deine Augen, ehrwürdiger Vater! —‘
GOTTVATER: ‚Schlecht! — Schlecht! — Gott, ich bin alt geworden! —‘
CHERUBIM feierlich: ‚Vor Dir sind tausend Jahre wie ein Tag! —‘
GOTTVATER: ‚Ja, ja; aber schließlich gehen die auch herum!‘
CHERUBIM: ‚Du wirst wieder besser werden, göttlicher Greis!‘

GOTTVATER: ‚Nein, ich werde nicht besser werden!' Ausbrechend ‚Gott, ist das schrecklich, alt zu sein! – Gott, wie ist das schrecklich, als Alter auch noch ewig leben zu müssen!'"
Auch Panizzas Christus, stets nur *„der Mann"* genannt, ist ein mattes, erschöpftes, häufig hüstelndes Wesen, das mit schwindsüchtiger Stimme und lechzendem Aug *„diese vermaledeite Rolle"* bejammert, die ihn zur Speise sündenfrei, dick und fett werdender Menschen macht, während er selbst mager und elend herumvegetiert. Dagegen erscheint Maria als ziemlich kokettes, schnippisches Geschöpf, das, nicht unzweideutig, dafür eintritt, den Menschen wenigstens die Begattung zu lassen.
Ein Jahr Gefängnis!
Nichts half. Weder Panizzas Kämpfen *„wie eine Hyäne"*, seine *„Verteidigung in Sachen Das Liebeskonzil"*, worin er, zugebend, die Farben *„stark aufgetragen"* zu haben, sich auf die großen Satiriker der Weltliteratur berief und auf die Historie, die das Treiben Alexanders VI. noch *„viel, viel schlimmer"* erscheinen lasse. Noch half das Applaudieren arrivierter Zeitgenossen.
„Kolossal! Nochmals: geradezu kolossal!", rief Detlev von Liliencron. Und Theodor Fontane feierte *„Das Liebeskonzil"* als *„ganz bedeutendes Buch"* und spöttelte im Hinblick auf eine, wie er sagte, zum unerbittlichen Dogma erhobene Legende: *„Wie's in den Wald hineinschallt, so schallt es auch wieder heraus."* Für Michael Georg Conrad war das Stück in seinem Sachverständigengutachten *„eines der stärksten und bedeutendsten Kunstwerke der modernen Dramenliteratur ... ja, an der Schwierigkeit des Themas gemessen, vielleicht das allerbedeutendste der letzten Jahre"*. Und Theodor Lessing versicherte dem Autor, er habe alle vorurteilsfreien und gerechten Geister seines Volkes, all dessen beste Herzen für sich.
Es half nichts.
Am 25. April 1896 schrieb Panizza aus dem Gefängnis Amberg an Max Halbe: *„‚Hätten S' was anderes begangen' – meinte heute der Medizinalrat der Anstalt –, ‚dann wären S' längst draußen.' In der Tat, es macht manchesmal einen eigentümlichen Eindruck; neben mir, in der nächsten Zelle, sitzt ein Mann wegen Betrugs; als er kam, war ich schon ein halbes Jahr hier, er geht, und ich bleibe immer noch hier. Unter mir, im Parterre der Zellabteilung, ist ein Neger wegen Notzucht. Als er kam, war ich über ein halbes Jahr hier. Er geht, und ich bin dann noch hier und bleibe dann immer noch hier."*
Panizza verließ das Gefängnis, nach tadelloser Führung, blaß und mager, doch scheinbar guter Dinge. Tatsächlich war er fürs Leben gezeichnet. Er ging nach Zürich. Doch man verfolgte ihn weiter. Man verbot sein Pamphlet *„Abschied von München"*, wies ihn 1898 auch aus der Schweiz aus, verbot dann seine Gedichte *„Parisjana"*, nahm ihm sein Vermögen und erklärte ihn, als er sich aus finanzieller Not in München dem Gericht stellte, für geisteskrank. Ja, ein Sachverständiger bescheinigte im Jahre 1904, daß *„Panizza seit vielen Jahren an chronischer Verrücktheit"* leide.
Aber war es ein Wunder, daß Panizza schließlich den Verfolgungswahn bekam? Und war es (nur) ein Wahn? War der (in einem psychiatrischen Gutachten 1900 als *„hauptsächlichste"* Verfolgungswahnidee genannte) Gedanke, *„daß ihn* (Panizza) *der Deutsche Kaiser oder wenigstens eine in dessen Diensten stehende politische Polizei verfolge"*, so absurd? War es so unnatürlich, unverständlich, daß Panizza, wie ein anderes Gutachten darlegt, *„infolge Wahnvorstellungen wiederholt seinen Wohnsitz änderte, seine Lebensweise zu der*

eines heimatlosen, abgehetzten Flüchtlings gestaltete, der kaum noch zu essen wagte, in jedermann seinen Feind erblickte"? War Panizza überhaupt so krank, wie man immer wieder versicherte? Und verschwanden nicht Manuskripte von ihm spurlos auf immer, nicht nur seine 1903 in Paris geschriebene umfangreiche Schmähschrift *„Imperjalja"*, die sogar noch Ende der zwanziger Jahre vorhanden war?
Eines ist klar, einem Mann wie Panizza konnte nur, mit Theodor Fontane zu sprechen, entweder *„ein Scheiterhaufen oder ein Denkmal errichtet werden"*. Den Scheiterhaufen hat er bekommen. Siebzig Jahre später ist es Zeit, ihm ein Denkmal zu bauen. Ein Denkmal für Oskar Panizza, den grundehrlichen, exorbitant mutigen und hochbedeutenden Satiriker, den Märtyrer seiner Überzeugungen und seiner Kunst, für den *„frechsten und kühnsten, den geistreichsten und revolutionärsten Propheten seines Landes"*, wie ihn auch Kurt Tucholsky gerühmt hat.

Handschriftlicher Titel zu „Laokoon" mit Satzanweisung des Verfassers

Hermann Gerstner

MAX DAUTHENDEY

1867 – 1918

„Der Flieder streut sich auf die Erde blau,
Der Weißdorn schüttet seinen warmen Schnee,
Die Ahornblüte regnet über Weg und Au,
Ich seh nur Blumen taumeln, wo ich steh:
Schneeballen, welche keinen schmerzen,
Goldregenbaum, dem helle Ketten fallen,
Und feuerblaue Iris hingestellt zum Gartensee."

Verse von Max Dauthendey! Im kaiserlichen Deutschland um 1900, da das Bürgertum emsig um Wohlstand und Besitz bemüht ist, schreibt dieser Mann tausend Gedichte, ohne an materiellen Besitz zu denken. In die Salons mit den verstaubten Plüschsofas und Pleureusen fegen die modernen Satzgefüge des jungen Dichters wie frischer Wind. Sie erregen ebenso großes Aufsehen wie seine exotischen Novellen mit Titeln wie: *„Acht Gesichter am Biwasee"* oder *„Den Nachtregen regnen hören in Karasaki"*.

Es ist die Zeit, da sich in der künstlerischen Welt Europas eine Revolution anbahnt. Der Impressionismus blüht, schon aber erkennt man expressionistische Ausdrucksmittel, man sucht nach neuen Motiven, neuen Formen. Die blauen Farbkompositionen des Norwegers Edvard Munch entfesseln bei einer Gemäldeausstellung in Berlin einen Skandal, der Maler Gauguin fährt in die Südsee, dort bannt er mit schockierenden Farben braune Malaienmädchen auf die Leinwand. Für die Dichtkunst bricht Max Dauthendey auf. Er will Neuland entdecken, und zwar auf formalem und thematischem Gebiet. Das Interessante an Dauthendey ist, daß er seine Ideen kompromißlos in die Tat umsetzt. Dabei ist der Ablauf seines seltsamen Lebens ebenso faszinierend wie sein Werk.

Max Dauthendey ist in Würzburg am 25. Juli 1867 geboren, er kam als Sohn eines gebildeten Bürgers zur Welt. Die zarte Mutter, zu der sich Max besonders hingezogen fühlt, stirbt schon früh an Tuberkulose. Der strenge Vater hat ein vornehmes fotografisches Atelier in der Stadtmitte. Er möchte seinen Sohn, der gerade die Realschule absolviert hat, zu seinem Nachfolger ausbilden in dieser neuen, so hoffnungsvollen Branche. Aber Max ist nicht begeistert, er hängt seinen Phantasien nach und würde am liebsten nur Bilder malen oder

Verse schmieden. Von solchen unbestimmten künstlerischen Plänen hält aber der Vater nichts; er zwingt den Sohn in sein Atelier. Erst nach Feierabend kann Max in sein Zimmer flüchten, dort füllen sich die Bogen mit seinen ersten Versen. Über diesen Beginn berichtet er:

„Seit ich in den stillen Nachtstunden über dem Schreiben so glücklich gewesen, während ich mit den Gestalten meiner Dichtung Frühling und Liebe feierte, obgleich es noch Winter war und obgleich ich auch die Liebe nur vom Hörensagen kannte, seitdem ahnte ich jetzt, wo mein Beruf lag. Ich wollte ein Dichter werden!"

Die Jahre 1890/91, in denen Dauthendey mit befreundeten Medizinstudenten über seine Zukunft rätselt, bringen die Entscheidung. Es kommt zu heftigen Zusammenstößen mit dem Vater, Max erleidet einen Nervenzusammenbruch. Er muß auf einem Gutshof oberhalb der Stadt Würzburg bei der verständnisvollen Familie Rostosky Hilfe und Genesung suchen. Nachdem die Krise überstanden ist, hat Max den festen Entschluß gefaßt: Sein Leben soll einzig und allein der Dichtung gehören!

Er liest viel. Die großen Erzähler Gottfried Keller, Theodor Fontane, Conrad Ferdinand Meyer und Wilhelm Raabe wirken noch fort. Daneben beginnen aber auch schon die Naturalisten: Gerhart Hauptmann bringt seine Dramen *„Vor Sonnenaufgang"* und wenig später *„Die Weber"* auf die Bühne. Gleichzeitig treten jene Autoren hervor, die sich weder zum Realismus noch zum Naturalismus bekennen, sondern auf eigenen Wegen das Dichterische suchen, darunter Stefan George und Richard Dehmel. Zu diesen Poeten, die eine neue unverbrauchte und doch poetische Sprache erstreben, gehört auch Max Dauthendey.

Der aufkommende Naturalismus bleibt ihm fremd. Er sieht den Schmutz in den Hinterhöfen gar nicht, vielmehr sucht er auf allen Wegen die Schönheit. Er beseelt dabei die unscheinbarsten Dinge. Allem Leid zum Trotz ist die Welt für ihn etwas Feierliches und Rühmenswertes; das Dasein, die ganze Schöpfung wird für ihn zu einem Fest. Gefühlsbetont formt er seinen Roman *„Josa Gerth"*. Hören wir, wie er in diesem empfindsamen Erstling eine Abendstimmung über dem Main wiedergibt und wie er dabei alle Farbschattierungen malt:

„So hatte Josa Gerth das Wasser noch nie gesehen, so bunt, so wechselnd. Der Himmel badete all sein Leuchten darin. Ein weiches Silberblau und rauchdüstres Violett und matte, bleierne Wolkennebel, durchglommen von lüsternem Weinrot. Aber dann plötzlich blank wie Metallspiegel und nun wieder schillernde, stechende Irisfarben, giftig und tückisch, das ruhige Licht mit wirren Spiegelungen ätzend. Die Sonne sank. Gelbbraune und graue Töne glitten kühl über die Stadt, über den Höhen am Horizont schlang der Abendschein flackernde Rotglut. Zwischen den Bergeinschnitten quollen Lichtströme von Westen nach Osten und füllten die Täler mit goldenem Dunst und sich müde dehnendem Schattenblau."

Schon in diesem ersten Roman findet Max Dauthendey einen eigenen Ton. Er verläßt nun im Vertrauen auf seine dichterische Kraft das Vaterhaus und fährt nach Berlin, einem Zentrum der damaligen deutschen Literatur. Auf Jahre ist er dann unterwegs zwischen Deutschland, Schweden und England. Die einsame nordische Landschaft mit ihren Wäldern und großartigen Küsten bestätigt seinen Glauben, daß unsere Welt voll des festlichen Glanzes ist. In die Städte zurückgekehrt, lernt er Richard Dehmel, Stefan George, Frank Wedekind und viele andere gastliche Freunde kennen. Unstet und ruhlos wandert er

Max Dauthendey

Max Dauthendey: Selbstbildnis

von einem Ort zum anderen, erfährt Not und Armut, verzweifelt wegen seiner Erfolglosigkeit, aber gleich darauf vergißt er diese quälenden Anwandlungen, wenn ihm neue Verse einfallen:

„Als ich glücklich war,
Konnte ich nicht singen,
Schmückte tagelang
Haar und Hals und Brust
Mit Korallenrot und mit goldnen Ringen.
Nun ich arm, arm bin,
Sing ich tausend Lieder,
Schlinge rote Töne
Über Haar, Hals, Glieder,
Keiner soll es sehen,
Daß ich glücknackt bin.“

Glücknackt – glücklich und nackt –, das ist die Lebenssituation des Poeten in seinen Wanderjahren. Er ist nackt, arm und unbehaust, hat nichts, was ihm gehört. Aber gleichzeitig spürt er den Reichtum seiner Begabung. Darauf bauend, geht er in die Stadt der Künstler, Maler und Dichter – nach Paris! Arm wie eine Kirchenmaus, aber erfüllt vom Hochgefühl seiner 29 Jahre heiratet er eine junge Schwedin, die er seit langem verehrt. Mit ihr, seiner geliebten und in Hunderten von Liedern besungenen Annie, hungert er in den bescheidenen Hotels des Quartier Latin. Mit ihr fährt er, nachdem sein Vater gestorben ist und ihm ein ansehnliches Vermögen hinterlassen hat, kurzerhand nach Mexiko, um sich dort eine Existenz zu gründen. Da der Neue Erdteil seine dichterische Kraft zu lähmen droht, reist er mit Annie ebensoschnell wieder in das alte Europa zurück. Immer voller Pläne, sucht er bald in Griechenland, bald in Franken eine Heimstätte – es dauert nicht lange, da hat der unruhige Mann, der in Gelddingen völlig unbekümmert ist, das ererbte Vermögen vertan. Alle anderen Versuche, zu einem regelmäßigen Einkommen zu gelangen, schlagen fehl. Schließlich bleibt nichts anderes übrig, als daß Max Dauthendey bei seinen Würzburger Freunden auf dem Gutshof Zuflucht sucht, während seine Frau nach Schweden zu ihren Verwandten reist, um dort neue Geldquellen zu finden. Dauthendey könnte seine Bemühungen als gescheitert ansehen, brächte er nicht in seinem Gepäck eine ganze Reihe von Büchern und Manuskripten mit. Neben dramatischen Szenen kann er auf den Tisch seiner Freunde fünf Gedichtsammlungen legen: *„Ultraviolett“*, *„Reliquien“*, *„Die ewige Hochzeit“*, *„Singsangbuch“* und *„Der brennende Kalender“*. Die Arbeiten haben in der literarischen Welt Aufsehen erregt.
Zwei Themen vor allem beherrschen diese Gedichtbücher: Natur und Liebe! Das Lebensgefühl Dauthendeys sucht in den Erscheinungen der Natur überall das Schöne. Selbst im Grau des Alltages entdeckt er noch etwas Glänzendes. In Steinen und Kristallen, in Wellen und Winden, Blumen und Bäumen wie in jeglichem Getier findet er die Größe des Geschaffenen. Was immer der Dichter auf seinen Streifzügen sieht, bietet ihm Motive für seine Strophen. Als Wortmaler bemüht er sich, das impressionistische Schillern der Atmosphäre einzufangen. Auch das Einfache, das Schlichte verwandelt sich unter seinen Händen in etwas Kostbares. Von der herkömmlichen Dichtersprache will er nichts wissen, kühn sucht er nach neuen Bildern. Um die rechten Zwischentöne zu fin-

den, vertauscht er bedenkenlos die Sinne, es ist so, als könnten die Augen sprechen und als vermöchten die Ohren Farben zu schauen. *„Gelbe Augen singen“, „rote Augen zischen“, „Donner blutet schwarzrot durch eisige Klüfte“, „bleich von Phosphor grünt die Stille“.* Die Sätze dieser Sprache klingen natürlich anders als die der wirklichkeitsnahen Naturalisten.
Rings um den Dichter jubilierendes Leben, so daß er überschwenglich mitjubelt:

„Die Amseln haben Sonne getrunken,
Aus allen Gärten strahlen die Lieder,
In allen Herzen nisten die Amseln,
Und alle Herzen werden zu Gärten
Und blühen wieder.
Nun wachsen der Erde die großen Flügel
Und allen Träumen neues Gefieder ...
Nun sprechen die Bäume in grünem Gedränge,
Und rauschen Gesänge zur hohen Sonne.“

Wie er sich hier mit der Natur so einig weiß, daß selbst die Bäume beredt werden, so fühlt er sich erst recht im Einklang mit der Welt, wenn seine blonde Frau ihn begleitet. Die Liebe ist für ihn das Band, das die Welt zusammenhält. Wenn er von ihr erfüllt ist, spürt er gleichsam die Seele der ganzen Schöpfung. Immer neue Variationen findet er für seine leidenschaftlichen Erklärungen, immer neue Bilder drängen sich in seine Verse. *„Du blühst wie Julirosen“,* sagt er zur Geliebten, *„du bist vornehm wie die grauen Nachtigallen“,* oder *„deine Schönheit ist meine Harfe“.*
Wenn Max Dauthendey den Freunden auf dem Würzburger Gutshof seine Verse vorliest, dann bestätigen sie ihm begeistert, daß er mit den fünf Bänden der Natur- und Liebesgedichte seine Jahre nicht vertan hat. Das mag den Lyriker eine Zeitlang trösten. Aber er weist darauf hin, daß seine Frau Annie immer noch auf den Bittgängen bei den schwedischen Verwandten unterwegs ist, um das nötigste Geld zum Weiterexistieren beizuschaffen. Und melancholisch beschließt er ein Gedicht: *„Die Tage sind nur noch wie Sagen, und ich muß gestorben drin gehen.“* Als allerdings seine Frau Annie eine größere Summe Geld flüssig macht, verscheucht Max Dauthendey sofort solche dunklen Anwandlungen. Für ihn ist das Geld nur Mittel zum Zweck, ein gelungenes Gedicht bedeutet ihm mehr als ein voller Beutel. Nun endlich kann er mit Hilfe der beschafften Summe seine alten Träume wahr machen. Er kann auf Reisen gehen. Mit seinem Werk wird er dann die Geldgeber reich belohnen!
Im Jahre 1906 ersteht er die Fahrkarte für seine erste Weltreise. Es soll natürlich keine Vergnügungs-, sondern eine Erlebnisreise werden! Die Fahrt um unseren Planeten soll nach der Heimkehr in neuen Dichtungen festgehalten werden. Ägypten, Indien, China, Japan, Honolulu und Amerika sind die Stationen. Es ist wirklich wie ein Wunder. Der arme Poet kann seine Sehnsucht erfüllen, es gelingt ihm, all die Länder zu schauen, für die er von Jugend an geschwärmt hat.
In seinem weißen Tropenanzug steht der klein gewachsene Mann an der Reling. Mit der schwarzen Haarwelle über der Stirn und dem schwarzen Schnurrbart, mit seinem sonnengebräunten Gesicht sieht er fast aus wie ein indischer Fürst – ein exotischer Zug zeichnet ihn seltsamerweise. Vor Jahren

hat sein fränkischer Landsmann Friedrich Rückert die östliche Literaturwelt erschlossen — aus Büchern. Dauthendey aber ist aufgebrochen, um die für die europäische Literatur noch weithin unentdeckten Gefilde durch eigenen Augenschein zu erschließen.
Nach der Rückkehr von dieser erlebnisreichen Ausfahrt lebt Max Dauthendey mit seiner Frau, unterbrochen von kleineren Reisen, auf Jahre in seiner Geburtsstadt Würzburg. Er mietet eine Wohnung nahe der Löwenbrücke, von der aus man über den Main hinweg eine wunderbare Aussicht auf Festung und das Käppele hat. Auch in diesen Jahren sind finanzielle Sorgen ständige Begleiter des Ehepaares. Dauthendey kommt von der *„Geldfolter"*, wie er es nennt, nicht los, obwohl ihm Freunde mehrfach unter die Arme greifen und obwohl nun der Langen-Verlag sein Werk großzügig betreut. Es fehlt ihm einfach das Organ, mit Geld sorgsam umzugehen. Nun, trotz der Not des Tages sind gerade diese Würzburger Jahre zwischen 1907 und 1913 die fruchtbarsten Jahre Dauthendeys. Wenn er nicht in seiner Wohnung am Schreibtisch sitzt, wandert er gern zum Gutshof der Freunde hinauf. Dort oben auf der Terrasse, wo man das Maintal weithin überschauen kann, bringt er seine Arbeiten am liebsten zu Papier.
Da rundet sich zuerst sein lyrisches Schaffen mit den Bänden *„Lusamgärtlein"*, *„Insichversunkene Lieder im Laub"*, *„Der weiße Schlaf"* und *„Weltspuk"*. Es sind wieder Hunderte von Gedichten, die Dauthendey neben anderen Arbeiten in zwei Jahren verfaßt. Gedichte, die zusammen mit den früheren Zyklen dem Lyriker Bedeutung und literarischen Rang sichern. Bald heißt es elegisch wie in einem Volkslied:

„O Grille sing,
Die Nacht ist lang.
Ich weiß nicht, ob ich leben darf,
Bis an das End' von deinem Sang."

Gleich darauf zeigt er sich wieder überschwenglich, die Natur wird zur stimmungsvollen Szenerie, wo er die Geliebte empfängt. Er ruft ihr zu:

„Komm heim, komm heim, ich kann's nicht erwarten,
Schon schließt der Abend die Blumen im Garten,
Schon wird der Boden zu Füßen mir rot,
Die letzte Flamme der Sonne verloht.
Die Bäume erschrecken, der Wind geht nach Haus,
Meine Gedanken strecken sich nach dir aus."

Gleichzeitig arbeitet Dauthendey an einem großen Epos, in dem er all das, was er auf seiner Weltreise geschaut hat, festhält. Er nennt sein Buch *„Die geflügelte Erde"* und gibt ihm den Untertitel *„Lied der Liebe und der Wunder der sieben Meere"*. In diesem gewichtigen Opus bewahrt er mit Tausenden von Versen die Eindrücke seiner Fahrt rings um die Erde. Der Dichter der Landschaft besingt auch hier Meer und Feuer, Erde und Wolken. In gedrängter Fülle reihen sich Naturbilder und Sehenswürdigkeiten, Begegnungen mit Tieren und Menschen aneinander. Mit einem ungewöhnlichen Einfühlungsvermögen in fremdartige Kulturen gelingt es dabei dem Dichter, wie eine Fata Morgana die ferne Welt zu beschwören.

respectabler Abschluß des Ganzen
„meine Familie“ u. der Herr Papa!
Wie figura zeigt:

die Ähnlichkeit wird nicht garantiert!

Lieber Papa sieht das Auge des verehrten
Beschauers oder Beschauerin einen win
zig, kleinen, schwarzen Punkt, dieser Punkt
heißt „Puffel“! Ich erlaube mir Dir
Puffel als unser jüngstes
Familienglied vorzustellen;

Aus einem Brief aus Würzburg vom 21. Juni 1888

Wem anders sollte Dauthendey dieses ausschweifende Epos zueignen als der Geliebten:

„Sieben Meere lassen sich, Geliebte, am Abend an deinem Fenster nieder und bringen dir über die ganze Erde, mit geflügelter Gebärde, huldigend ihre Lieder.

Dem Haus sind die Türen dann vor Lust herausgenommen, wenn im Abend die Länder an unsre Brust, geflügelt, kommen.

Zur Stunde, wenn die Abendglocken den Wein im Becher anrühren und alle Dächer in der Runde die Glocken wie Pulsschläge spüren,
Dann eilen die Lieder herbei über der Erde gehügelte Ränder, dann eilen zu dir, wie Vögel, der Erde geflügelte Länder."

Nicht nur in diesem Epos, auch in zahlreichen Novellen findet die erste Weltreise Dauthendeys ihren Niederschlag. Das Bunte, Fremdartige, Exotische wird lebendig in seinen Erzählungen *„Lingam"*, *„Die acht Gesichter am Biwasee"* und *„Geschichten aus den vier Winden"*, die schon in ihrem Titel zeigen, daß der Autor in alle Himmelsrichtungen zog, um Bilder aus der weiten Welt nach Europa heimzubringen. Namentlich seine Begegnung mit Indien und dem Fernen Osten wird ihm zur Offenbarung. Weltmann und Weltenwanderer zugleich, fühlt er sich magisch von jenen Kulturen angezogen, in denen Kaiser selber Verse schrieben! Nun wird er zum sensiblen Erzähler fremdartiger Schicksale und vermag dabei die zartesten Empfindungen wie die leidenschaftlichsten Geständnisse zu gestalten. Die Landschaftsbilder dieser Novellen erinnern an hingetupfte japanische Aquarelle, die bunten Ereignisse an den Handlungsreichtum asiatischer Märchen und Sagen. Als wäre er selbst dort groß geworden, so selbstverständlich und treffsicher stellt Dauthendey die exotische Umwelt und die dort lebenden Menschen vor seine Leser hin. Seine blühende Phantasie, der Reichtum seiner Erfindung und seine intuitive Einfühlung in die außereuropäische Welt bringen Geschichten zustande, die den ganzen Reiz des Fremdartigen besitzen. Ja, in diesen interessanten und spannenden Novellen hat Dauthendey den Geist der Ferne so gut gespiegelt, daß gerade diese Werke immer wieder aufgelegt worden sind.

Die Würzburger Jahre nach der ersten Weltreise schenken dem Dichter weiterhin noch einen Roman *„Raubmenschen"* als Nachhall der früheren mexikanischen Reise. Außerdem entwirft er eine Reihe von dramatischen Szenen. Am meisten Erfolg hat er mit dem Bühnenstück *„Die Spielereien einer Kaiserin"*, einem heißblütigen Drama um die russische Kaiserin Katharina I. Es wird mit Tilla Durieux in der Hauptrolle in Berlin aufgeführt und erringt einen großen Erfolg. Später geht es auch über andere Bühnen und wird verfilmt.

Nachdem sich Dauthendey all die Lieder, Szenen und fernöstlichen Geschichten von der Seele geschrieben hat, scheint ihm nun die rechte Zeit gekommen, um der eigenen Herkunft nachzusinnen. In wenigen Wochen vollendet er das Werk *„Der Geist meines Vaters"*, und in siebzig Tagen legt er das *„Gedankengut aus meinen Wanderjahren"* nieder. Gewiß bleibt er in den philosophischen Erkenntnissen dieser Bücher ein Kind seiner Zeit, aber Substanz und Form zeugen für das leidenschaftliche Ringen des Dichters um eine eigene Weltschau. Zuerst versucht er dem Wesen und der Art des Vaters gerecht zu werden und dessen persönlichen Werdegang zu erhellen. Mit folgenden Worten charakterisiert er selbst sein künstlerisches und menschliches Vorhaben:

„Die uralten Glocken aus den uralten Türmen meiner Heimatstadt Würzburg berauschen mich, wenn sie in großem Schwarm die Stadt umkreisen. Ich kann jetzt mit Muße und Andacht die Vergangenheit, die einmal lebendig war, wie es mein Fleisch und Blut ist, betrachten. Und ich will den Schemen, die mich locken, nachgehen und sie anreden. Sie sollen die Gespräche wiederholen, die schönen, die ernsten, die jugendbetörten, die einsam traurigen und weltumarmenden meiner Jünglingsjahre."

Seiner Absicht getreu, führt Dauthendey mit diesen beiden autobiographischen Werken die Leser auf über achthundert Seiten in die letzten Jahrzehnte des 19. Jahrhunderts. Seine Memoirenwerke zeugen noch heute von der technischen Entfaltung und der Ideenauseinandersetzung der damaligen Zeit. Sie bewahren im Wort nicht nur das alte Würzburg, sondern viele Schauplätze, die der Biograph in seinen Wanderjahren besucht hat. Wer dem Dichter bei seiner inneren Entwicklung und auf seinen Wanderfahrten kreuz und quer durch Europa folgen will, wer sich für die damalige bürgerliche und künstlerische Welt interessiert, findet kaum eine bessere Lektüre als die beiden Memoirenbücher.

Mit der Niederschrift dieser Werke ist Max Dauthendey wahrhaftig aus der Ferne nach Franken zurückgekommen. Folgerichtig will er – wir schreiben das Jahr 1912 – nun auch hier, wo die vertraute Umwelt seinem Schaffen so günstig ist, seine ständige Heimstätte gründen. Im Guggelesgraben, weit vor den Toren Würzburgs, sieht er eines Tages – auf einem Frühlingsspaziergang mit seiner Frau – einen Grashang, der mit Obstbäumen bestanden ist. Von hier aus hat man einen herrlichen Blick auf den Guttenberger Wald. Dauthendey verwahrt gerade ein paar Hundertmarkscheine, die er als Honorar bekommen hat, in seiner Brieftasche. Er schwärmt laut von einem eigenen Haus hier auf der Höhe. Seine Lobreden hört der Besitzer des Grundstücks, der hinter den Büschen gearbeitet hat. „Das kann ich Ihnen schon verkaufen", meint der Bauer, als er unversehens vor dem verliebten Paar erscheint. Max zieht seine Hunderter heraus, und im Handumdrehen ist man sich einig. Der Weltenfahrer Dauthendey, der sich gegenüber den Realitäten dieser Erde wie ein Kind benimmt, fragt nicht, ob es denn auch Wasser und in der Nähe eine Straße gibt. Das wird schon irgendwie gehen, sagt er. Jede Bütte Wasser mußte denn auch später auf dem Rücken heraufgetragen werden. Aber Dauthendey läßt sich trotz aller Schwierigkeiten in dieser idyllischen Landschaft ein Haus bauen, das mit seinem japanischen Dach unter dem fränkischen Himmel wie ein fremdartiges Gebilde erscheint.

Mit diesem kostspieligen Bau bürdet sich der Dichter eine drückende Schuldenlast auf. Da sollen ihm die fernen Länder wieder zu neuen Eindrücken und damit zu neuen Büchern verhelfen. Zuversichtlich meint er, daß er mit diesen Büchern genug verdienen werde, um alle Forderungen befriedigen zu können. In seinem Landhaus, das er im Frühjahr 1913 einweiht und wo er von einem zukünftigen Rosengarten träumt, kann er darum nur kurze Zeit verbringen. Wenige Monate vor Beginn des ersten Weltkrieges ist er unterwegs, um die *„geflügelte Erde in ihrer Weltfestlichkeit"* erneut zu erleben. Sein Verlag und eine Schiffahrtsgesellschaft haben ihm diesmal die Mittel zur Verfügung gestellt.

In der Südsee zwischen Neu-Guinea und Java überrascht ihn der Ausbruch des Krieges. Die Heimkehr ist ihm wegen der Blockade verwehrt. So sucht er im holländischen Kolonialbereich Zuflucht. Dort unter dem glühenden Tropen-

Das Haus im Guggelesgraben nach einer Zeichnung Max Dauthendeys

himmel verzehrt sich die Kraft seines Körpers, der von Malaria und Heimweh geschüttelt wird. Aber trotzdem schreibt Dauthendey auch in diesen Jahren unermüdlich. Der Lyriker dichtet viele Strophen über *„Des großen Krieges Not“*, der Erzähler beginnt das *„Märchenbriefbuch der heiligen Nächte im Javanerlande“*, der Philosoph bekennt sich trotz Krankheit und Verbannung noch einmal in einem *„Lied der Weltfestlichkeit“* zu seinem ursprünglichen Glauben. *„Heilig ist das geringste Leben“*, ruft er aus und findet das Dasein in jedem Stein, in jedem Lufthauch, in Tier und Pflanze und in jedem Menschenbruder rühmenswert. Es ist dies kein leichtfertiger Hymnus auf das Leben: Dauthendey leidet, während er sich zu seinem letzten Lobgesang aufrafft, an den furchtbaren Kriegsereignissen. Er schreibe sein Werk am *„Kummerberg“*, er schreibe es als Gefangener – und trotzdem liebe er das Leben, das sich in jeder Kreatur offenbare.
Diese Liebe, die Dauthendey zu allem Kreatürlichen empfindet, sehen wir auch auf einem anderen Gebiet seines Schaffens, das wir nicht vergessen dürfen, wenn wir das ganze Werk dieses Mannes überschauen. Dauthendey hat schon früher wiederholt den Zeichenstift oder Farben zur Hand genommen, um auch als Maler die Bilder, die ihn bedrängen, zu formen. Jetzt in der Einsamkeit auf Java vertauscht er oft die Feder mit dem Pinsel. In etwa hun-

dert Aquarellen gibt er die Volksbilder wieder, die ihn umgeben, und malt die leuchtende Tropenlandschaft mit bunten Stiften und Wasserfarbe. Auch in diesen überraschend expressiven Gemälden zeigt sich der Maler-Dichter als ein Mann, der sich an der glanzvollen Schöpfung nicht satt sehen kann.

Allerdings legt sich die Schwermut in der letzten Zeit seiner tropischen Verbannung immer stärker auf sein Gemüt. Das beweisen seine Tagebücher, die später in dem Werk über seine *„Letzte Reise"* erscheinen, und die Briefe in die Heimat. Gleich seinen früheren Briefen gehören auch diese Blätter als bedeutsame Dokumente zum Schaffensbild Dauthendeys, sie sind in die posthum erschienenen Bände *„Ein Herz im Lärm der Welt"* und *„Mich ruft dein Bild"* eingegangen.

Wie sehr der Dichter unter seiner Verbannung litt, bezeugen die Verse:

„Um einen Büschel deutsches Gras zu sehen,
Möcht ich mir beide Füße wundrot gehen."

Tag und Nacht grübelt der unglückliche Gefangene der Tropeninsel über den Sinn des Daseins nach. Schließlich findet der Pantheist in einer überraschenden Stunde den Glauben an einen persönlichen Gott. Der forschende Gottsucher, der zeit seines Lebens in jeder Krume, in jedem Grashalm etwas Beseeltes gesehen hat, bekennt: *„Gott ist eine Persönlichkeit, ein Vater, ein Meister, er ist das ‚Ich' des Weltalls."*

In den darauf folgenden Monaten verläßt das Leid den kranken Dichter nicht mehr. Im Oktober 1917 schreibt er resigniert in sein Tagebuch:

„Heute gehen keine Schiffe mehr nach Europa. Keine Post kommt mehr, und nun steht auch noch der Telegraf still und redet nicht mehr vom Mutterland zu uns armen Gefangenen hier. Ich bin so müde von allem. Müde vom Sehnen, müde vom Warten, müde von Heimweh, müde vom Gram. Annies Bild auf der Bibel – in einem javanischen Rahmen, aus weißem Leder gearbeitet – steht auf meinem runden Tischchen am Bett. Immer, wenn ich in der Bibel lese, nehme ich es ..."

Krankheit, Kriegsnot, Sehnsucht überwältigen ihn. Er fühlt sich mitten in der tropischen Fülle verlassen und preisgegeben und klagt: *„Im Bergland geht Morgenseligkeit um – nur mir bleibt mein Heimweh, drückend und stumm."*

Noch immer wachsen, in der einsamen Zwiesprache mit sich selbst, seine Tagebücher. Im März 1918 beschließt er den 26. Band. Im Juli des gleichen Jahres schreibt er zum letztenmal an seine Frau heim in das kriegsumtobte Europa:

„Ich denke jeden Tag morgens, mittags, abends und auch noch im Schlaf an Dich. Ich bin Dir immer treu geblieben. Mein Herz ist so einsam ohne Dich! Ist es nicht das größte Unglück, dieser Krieg, der alle Verbindung unterbricht? Meine Geduld war immer groß. Aber jetzt tut mir mein Herz oft weh. Der Schmerz wird von Zeit zu Zeit so gewaltig. Und dann fühle ich mich fast wie gestorben."

Wenige Wochen später, am 29. August 1918, steht dieses liebende Herz in Malang auf Java still. Zunächst findet der Dichter in der tropischen Erde seine Ruhestätte. Im Jahr 1930 holt die Stadt Würzburg ihren toten Sohn heim und begräbt ihn im Lusamgärtlein, jenem romanischen Kreuzgang, in dem einst

Walther von der Vogelweide die Stunden des Alters erfahren hat. Der zweite Weltkrieg zerstört Würzburg und bedroht auch das Lusamgärtlein. Man baut den Kreuzgang an anderer Stelle wieder auf. Unseren Dichter aber bettet man in das Familiengrab der Dauthendeys auf dem Würzburger Friedhof.
Dort stehen seine Verse:

> *„Bin ein gestorben Herze, das tot noch liebt und schlägt."*

Mädchen auf Bali; nach einem Aquarell Dauthendeys

Dominik Jost

LUDWIG DERLETH

1870–1948

Als das Christentum noch nicht durch Gewöhnung und staatlichen Schutz um seinen heroischen Charakter gebracht worden war, vermochte es die Besten in seinen Bann zu schlagen. Es stellte unbequeme Forderungen. Es war gänzlich unsentimental. Sein Bekenner stand in den Jahrhunderten des Aufgangs schutzlos in einer feindlichen Welt. Was der Christ war und was er tat, war der Welt ein Ärgernis. An die Stelle dieses Gegensatzes rückte später die Bereitschaft zur Anbiederung an die Gewalten dieser Welt.

Kierkegaard hatte empört die Frage gestellt: Was hat die Botschaft Christi zu schaffen mit Erdenglück, mit Seelentrost, mit Besoldung und Ruhegehalt ihrer Verwalter?

Friedrich Nietzsche hatte das späte Christentum als Herdenchristentum verhöhnt. Wenn Friedrich Nietzsche die Forderung erhob, man müsse alles Christliche durch ein Überchristliches überwinden: Wie kann man diese Kritik am Christentum gegenstandslos machen, ihr den Boden entziehen? Indem man das Wort, das in den Evangelien Lehre geworden war, in die Tat zurückverwandelt, ohne Zugeständnisse, mit Inbrunst, mit einer alles Entgegenstehende verachtenden Entschiedenheit. Der Abgrund zwischen den radikalen Forderungen des Evangeliums und den Gewohnheiten einer lauen Weltlichkeit soll wieder aufgerissen werden, das Christentum soll die frühzeitliche Energie zurückgewinnen.

Diese Erneuerung des Christentums war der Richtpunkt des fränkischen Dichters Ludwig Derleth.

Wer um die Jahrhundertwende in München in den Bannkreis von Ludwig Derleth trat, fieberte bald in der Stimmung einer großen Erneuerung. Der junge Derleth, geboren 1870 im unterfränkischen Gerolzhofen, glühte nach einem *„Heroismus der Taten“*. Er wollte durch ein intensives seelenführerisches Wirken die Voraussetzung für eine umfassende Restauratio magna hominis schaffen. Er tauchte immer wieder in den großen Städten auf, in Paris, in Rom. In Paris sah er 1898 erstmals Stefan George, dem er bis 1910 in München immer wieder begegnen wird. Er ließ seine wenigen frühen Gedichte fast nur in Georges *„Blättern für die Kunst“* erscheinen. Stefan George hat in zwei verehrenden Gedichten im *„Siebenten Ring“* und im *„Stern des Bundes“* sein Wort über Ludwig Derleth ausgesprochen:

An Derleth

Du fälltest um dich her mit tapfrem hiebe
Und stehst nun unerbittlicher verlanger.
Wann aber führt dich heim vom totenanger
die täglich wirksame gewalt der liebe?..

In unsrer runde macht uns dies zum paare:
Wir los von jedem band von gut und haus:
Wir einzig können stets beim ersten saus
Wo grad wir stehn nachfolgen der fanfare.

Du hast des adlers blick der froh zur sonne
Sich wendet — abwärts nur zu schlag und biss.
Du kommst von derer zunft die strick und geissel
Erfanden für das allzu feile fleisch
Den matten sinn mit zorn und strenge frischten.
So ging Franziskus arm und keusch durchs land
Den unrat färbend mit seraphischem licht
So spornte Bernhard an den kreuzes-taumel..
Dir wehrte raum ein enggewordner schooss
Dir müder kirche spät-gebornem kämpen —
Erdströme bargst du die sie nicht mehr fing.

Eine Porträt-Plastik Ludwig Derleths in Bronze, die Georg Kolbe 1904 geschaffen hat, zeigt ein schmales Asketenantlitz mit streng gefügten Lippen, glühend großen Augen, glatt angeschmiegtem Haar. So war die physiognomische Prägung des Mannes beschaffen, der sich den Luxus leistete, keine Rücksicht auf die geistige Unbotmäßigkeit des Zeitalters zu nehmen und den Groll der murrenden Plebejer gegen alles Außerordentliche zu verachten. Derleth stellte an jeden einzelnen seines Umgangs Forderungen, welche diesen zur Verwirklichung seiner höchsten Möglichkeiten führen konnten. Wo Derleth auf glaubensloses Dasein stieß, verstand er zu wecken, zu zünden. Die Unterredungen an der Destouchesstraße 1 in München-Schwabing und später in der Wohnung Marienplatz 2 strahlten eine schöpferisch-formende Kraft aus. In der Karwoche des Jahres 1904 wurde einem Kreis Geladener eine pathetisch-aufrüttelnde Kampfschrift für ein revolutionäres Christentum vorgelesen: *„Die Proklamationen“.* Da stehen die Sätze: *„Wir verkünden das Christentum in der Christenheit. Das Reich, um welches auf jeder Menschenerde gerungen wird, ist Christi Königreich.*
Gedenke, daß einmal der Tod ein Fest war, als man sterbend für ein großes Reich zu fallen schien unter den Augen des Christus Imperator Maximus.“
Der Insel-Verlag brachte 1904 *„Die Proklamationen“* in einer kleinen Auflage heraus. Fünfzehn Jahre später, als die Heere des ersten Weltkriegs heimwärts zogen, ließ Derleth seine *„Proklamationen“* nochmals drucken. Dachte er jetzt die Zeit reif für eine umfassende Änderung? Auch die neue Ausgabe blieb unbeachtet. In diesen Wochen hat der nun Fünfzigjährige die Wendung vom Willen zur Tat auf den Willen zum dichterischen Wort hin vollzogen und jenen

schmerzlichen Verzicht geleistet, von dem das Eingangsgedicht seines Hauptwerks *„Der Fränkische Koran“* redet:

> *Denn keiner weiß, wie mir geschah,*
> *als sich vor Gram die Seele mir versteinte.*
> *Doch was zur Tat des Schicksals Spruch verneinte,*
> *steht mächtig hier im Wortgebäude da.*

Die seelisch-geistigen Energien, bisher von Begegnung, Unterredung, Anweisung, von Belehrung, Lenkung und Befehl verzehrt, wurden jetzt gänzlich dem neuen Ziel zugeführt: der Dichtung. Derleth verließ München, zog nach Rom und brach fast alle Brücken hinter sich ab. Er ging 1924 die Ehe ein und diktierte Tag für Tag am *„Fränkischen Koran“.* Die Überschrift *„Der Fränkische Koran“* wird der Titel des ganzen jetzt entstehenden dichterischen Werkes sein.

Der Mann, der einst in den *„Proklamationen“* in apokalyptischen Bildern die Heraufkunft eines sakralen Terrors und einer neuen sakralen Ordnung verkündet hatte, der substantiell urchristliches Fühlen und Denken nachvollziehen konnte – dieser Ludwig Derleth erfuhr zeit seines Lebens, was ein Biograph über den Mythenforscher Ernst von Lasaulx aufgezeichnet hat: *„Die einen verzweifelten oft ebensosehr an seinem Christentum, wie er den andern seiner kirchlichen Orthodoxie wegen verhaßt war.“* Zwar hat Derleth im *„Fränkischen Koran“* an die Stirn des Abschnitts *„Anrufungen und Gebete“* das Glaubensbekenntnis gesetzt; ein späterer Abschnitt aber brandet als aufgereg-

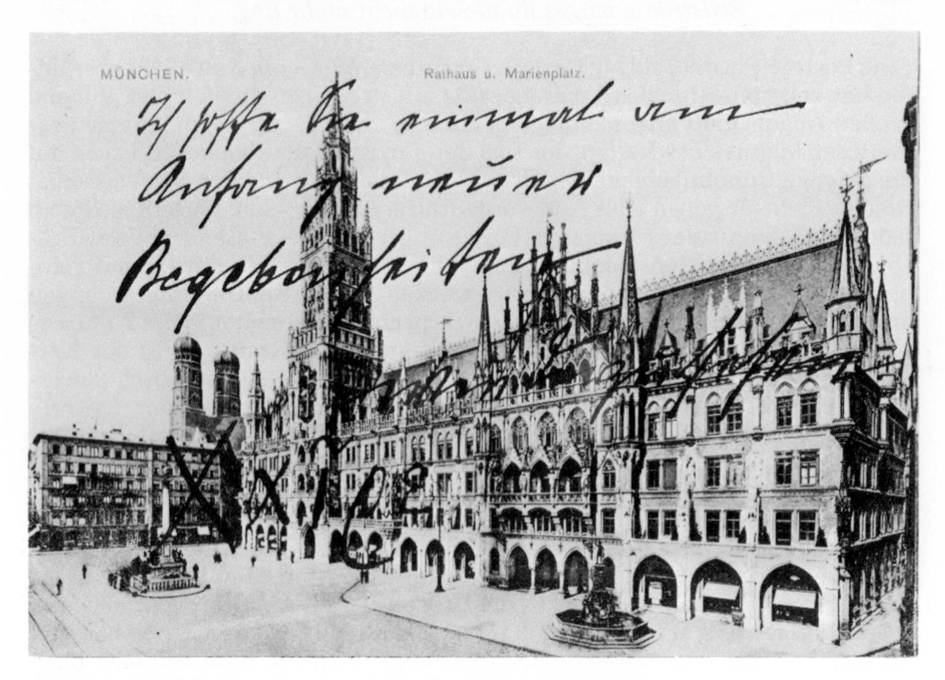

Postkarte aus München, Marienplatz, mit einem Text Derleths: „Ich hoffe Sie einmal am Anfang neuer Begebenheiten wiederzusehen“

tes Meer beizender Anklagen gegen die heutige Christenheit und das heutige Christentum.

Im Gegensatz zu Stefan George, der nie utopisch war, dessen Wort stets auf das Maß des Menschen bezogen blieb, dem es immer um die Mitte, um das Menschliche ging, umgab Ludwig Derleth in seiner Münchner Zeit ein Hauch aus lebensfeindlichen Zonen. Derleths Verständnis des Christentums war antihumanistisch. Die Einsamkeit, die ein Lebensalter später den greisen Derleth in seinem letzten Haus im Tessin ummauern wird, wirkt wie ein Abtrag an eine verletzte Pflicht; als Derleth später abgeschieden in San Pietro di Stabio lebte – ein Bergkönig in seiner Halle –, hatte ihn die Idee seines Lebens gefangen gesetzt.

Um sein Opus magnum, sein Lebenswerk, zu schreiben, den *„Fränkischen Koran"*, standen Derleth fast dreißig Jahre zur Verfügung. Als er 1948 abberufen wurde, überschaute sein Scheideblick ein im Palaststil aufgeführtes Werk, in dessen Überschrift *„Der Fränkische Koran"* zwei Mächte vereinigt sind, denen er zeit seines Lebens im Herzen zugetan war: sein heimatliches Franken und der islamische Orient. Wie der Koran ein Gesetzbuch und eine Dichtung, eine Sammlung von Gebeten und ein Buch der Weisungen ist, sollte auch *„Der Fränkische Koran"* dies alles in sich schließen und darüber hinaus Abendland und Morgenland überspannen. Ludwig Derleths dynamische Antithetik wird in Untertiteln wie *„Seraphinische Hochzeit"* oder *„Der Tod des Thanatos"* weiteren sprachlichen Ausdruck gewinnen.

Erst 1932 – Derleth war in das siebente Jahrzehnt eingetreten – beschloß der Dichter, den ersten Teil des bis zu seinem Tod in vollem Wachstum befindlichen Werkes drucken zu lassen; *„Der Fränkische Koran. Des Werkes erster Teil"* ist ein Band von 507 Seiten. Ein *„Proömion"* leitet den ganzen *„Fränkischen Koran"* ein. Die wesentlichen Motive, die in den späteren Teilen aufs vielfältigste abgewandelt werden, erklingen kurz in diesem Vorspiel. Es deutet auch den Sinn und die Entstehung des ganzen Werkes an, nicht in Begriffen, sondern in Bildern.

Zur frühen Urlichthelle ward ich zurückgeführt,
da Auge, Sinn, Gedanke
sich an Visionen des Götterfrühlings weidete,
der Zögling des heiligen Gartens
von den ersten Früchten der Erkenntnis aß,
und noch die Nacht der uranfänglichen Gefühle
sich von der Macht des ersten Worts besternte.
Noch einmal ward in mir die Glut lebendig,
an welcher des Glaubens Himmelslichter sich entzündeten.

Auf ein *„Buch der Anrufungen und Gebete"* folgt die *„Ausfahrt der Argonauten"*, eine Evokation versunkener Meerfahrerzeiten. Die unberührten Eilande, an denen die Derlethischen Argonauten auf der Suche nach dem Paradies vorüberfahren und die sie betreten, sind nicht der Garten Eden.

Die aber das Paradies suchten, fanden den Eingang nicht.
Es war, als hätte ihn der Wächter des Paradieses
mit dem Schutte eines gefallenen Sterns bedeckt.

Auf des Glückes goldenen Galionen
an der Goldküste des Lebens vorübersegelnd,
wo abgetürmt am Horizonte sich das heilige Babel hob,
wurden sie von brüllenden Katarakten abgetrieben
in die große Trübsal, die den Pulsschlag der Welt anhält.
Da verdunkelte sich ihnen der Tag der Heimkehr
in der toten Öde der kosmischen Wüste,
die erloschene Sterne statt Sandkörner zählt.
Nicht Licht noch Odem,
nicht Grund noch Strand,
nicht Land noch Wasser,
nicht Wald noch Rohr,
nicht Moor noch Kraut,
weite Gähnung,
dunkel und ununterscheidbar,
wüst und leer.
Ist das noch Meer, was wie geschliffener Achat
sich in endlose Dämmerung verliert?
Hat sich zum Göttersarge die Arche dort verwandelt?
Ein Schiff starrt mit versteinerten Masten
in die von Himmelslichtern entvölkerte Leere
und hat die Leiche des kosmischen Gottes an Bord.

Die drei nächsten Abschnitte, *„Frühlingsfeier"*, *„Weinlieder"* und *„Liebeslieder"*, wiederholen gläubig das Ja des letzten Schöpfungstages und rufen selbst ein kleines Stück irdischer Vollkommenheit ins Dasein. Derleths barocke Freude an Kostbarkeiten, an Edelsteinen und seltenen Blumen, an erlesenen Stoffen und köstlichen Hölzern, an edlen Metallen, Düften, Geräten lebt sich hier ausladend und üppig aus: lauter vitale, gegenständliche, unmystische Themen. Des Dichters Kennerschaft im Dinglichen gehörte auch zu seiner Individualität.

Ihr Leib war weiß wie Wachs
und ganz aus Honigzellen gebaut,
als sie nach dem Bade,
in ein einziges Stück roter Seide gehüllt,
auf die beblümte Tapete mit zierlichem Fuße trat.
Das aufknisternde Scheit des Kamins
entzündete einen Frühling von Edelsteinen
in ihren nachtschwarzen Haaren,
und süß wie Harfenklang in Moschuswolke
war ihre Stimme, als sie sprach:
„Ich komme nicht allein zu dir,
in mir sind alle, die dich lieben."

Das Prinzip Apate ist das bittere Thema der Abschnitte *„Enttäuschung"*, *„Kritik der Wissenschaft"* und *„Kritik der Geschichte"*. Alle Werte lösen sich jetzt in tödliche Illusion auf. Apate ist das Prinzip, das der Freiheit der Kreatur widerstrebt, das sich der Bestimmung des Menschen entgegenstellt, das ihn zum Verrat an seinem eigentümlichen Besten treibt und die Seele verfinstert.

Apate ist theologisch das Gesetz der Erbsünde. In den gewaltigen proletarischen Massen meint Derleth das radikale Böse verkörpert, das früher in neronischen Individualitäten in Erscheinung getreten ist. Alle Erfahrungen des Tages werden in ein Zeitgesicht zusammengeschoben; dieses Zeitgesicht lehnte Derleth als Ganzes ab, ohne zu nuancieren. Mancher Pfeil ist hier aus Nietzsches Köcher genommen.

> *Götter und Feen haben uns verlassen,*
> *und von den schicksalleeren Taten unsrer Tage*
> *spricht zu den fernen Enkeln nicht mehr die Legende.*
> *Und ich sehe das Bild des letzten Menschen,*
> *so armselig und ausgeschöpft,*
> *daß es zum Menschen kaum mehr reicht,*
> *ein Zwerggeschöpf von einem Ungeheuer,*
> *verwaschen und verschwemmt,*
> *in grau auf eine graue Wand gemalt.*

Der Abschnitt *„Der neue Auszug"* schließt den ersten Teil des *„Fränkischen Korans"*. Diese neue Paradieses-Suche wird als Bergbesteigung geschaut. Verse des Gottesfriedens, des Einklangs des eigenen Willens mit dem Schöpfungs-All, des seligen Glücks dazusein reden von der neuerblühten Paradieses-Hoffnung des Dichters. Durch seine Träume zieht das heimatliche Eden, der nicht endgültig verlorene Garten der Menschheitsfrühe.

> *In der dritten Nacht kam ich mir vor wie der verlorene Sohn,*
> *aber alles Widrige war von mir genommen.*
> *Um mich weideten die goldenen Schafe des Olymp,*
> *und über mir wandelten die Sterne.*
> *Da wußte ich, wo meine Heimat ist.*
> ...
> *O mystisch himmlische Musik!*
> *Süßer hebt hier das Lied seinen duftenden Kelch,*
> *und mich umfängt des Glückes summender Bienenton,*
> *ein Ahnen hold erfüllter Fernen,*
> *wie es durch Adams Träume ging.*

Ordensgründung, Jüngerschaft, umwälzende Tat waren vor allem um die Jahrhundertwende die Achse von Derleths utopischem Denken und Planen gewesen. Was *„des Schicksals Spruch verneinte"*, wird im Teil *„Das Buch vom Orden"* im Wort verwirklicht. Nach der Abgrenzung des Ordens gegen andere Gemeinschaftsideen und nach dem Aufriß der Architektur des Ordenshauses bestimmt Derleth die Bedingungen seiner Restauratio magna hominis. Die neuen Tafeln beziehen sich auf den ganzen Menschen. Da steht zu lesen: *„Diese Erziehung zügelt alle Äußerungen einer falschen Ehrbegierde, braucht selbst keine Auszeichnungen, macht stolz ohne Überhebung, bescheiden ohne Erniedrigung und gibt die Kraft, warten zu können ... Alles, was sie an Liebe empfangen haben, sollen sie dereinst weitergeben an die Trostlosen in der Welt. Allen Schutz, den sie in des Ordenshauses Einfriedung genossen haben, sollen sie dereinst verleihen den schutzlosen Kindern der Welt ... Die verehrende Liebe schafft einen Typus, so daß man die Jünger an der Geste, am*

Ludwig Derleth im Jahre 1913

Lächeln, an den Bewegungen des Kopfes, am gehrechten Gang und an dem unbewegten Sterne des Auges errät ... Dem Heroischen und Großen geben sie den Vorzug vor dem Lieblichen ... Dank einer Geisteserziehung und Willensertüchtigung erhebt sich ein neues männliches Musterbild noch über die klassische Darstellung der griechischen Skulptur."

Dann ein gellender Fanfarenstoß: Es folgt der Abschnitt *„Die Posaune des Kriegs“.* Die Kämpfe, die im Werk von Ludwig Derleth eine vorgeschobene Stelle einnehmen, meinen aber nie die rohe Gewalt. In ihnen wird vielmehr gezeigt, daß sich das Höhere ständig gegen das Niedere behaupten und durchsetzen muß. Leben heißt: sich zwischen Satz und Gegensatz entscheiden. Im Bilde eines das Blickfeld sprengenden Kriegszugs wird dieses Memento errichtet: Schmerz bereiten, Schmerz erleiden ist über die Kreatur verhängt.

„Des Schmerzes Nachtigallen“ geleiten mit Klageliedern die Gefallenen in das erhöhte Dasein im Totenland, wo sie nicht mehr *„das Hungerbrot aus der weißen Hand des Winters essen“.* Aber die über den Abgeschiedenen, die keine *„hirschherzfeigen Fluchtläufer“* waren und sich *„ohne Murren in die Umarmung des keuschen Todes gelegt haben“,* das Totenmal türmen, wissen:

Nicht uns wurde beschieden, den Staub des Paradieses zu küssen!
Uns dunkelt die Sonne des Glücks.
Der Todeswürfel klirrt aus der Urne Erz.
Keine bleibende Stätte finden wir wie die Blase von Schaum,
die in saphirenem Blau und morgenrötlichem Purpur schimmert,
wie der Schatten der Falkenschwinge,
vergehn wie Schnee, der auf die brennende Wüste fällt.
Wir schwinden dahin. Ein Schatten nur ist unsre Pilgerfahrt.

Den Streitern *„auf den schwarzmähnigen Rossen des Thanatos“* bleibt die Erinnerung an das, was sie verloren haben, die Ehre, wenn den *„Päan dichtet die Geschichte“,* und diese Hoffnung:

Für alles Leid, das heute noch geschieht,
lohnt euch der heilige Abend der Geschichte.

Im Abschnitt *„Das Paradies“* werden Derleths weissagende Gesichte messianisch gesteigert. *„Die Larvenhüllen verschwinden.“ „Gekrönt ist jeder Wunsch.“*

Einlaß ins Paradies haben gefunden *„alle Heroinen, die man ob ihrer Liebesstärke die heiligen Löwinnen nannte“.* Goldzweiggebüsch und Weidensilber, duftende Myrtenzelte, Sirenengärten, Liebesgrotten in Fluten von Korallen, Türkisen, Smaragden, Saphiren erwarten die Erlösten. Ein Paradies der Kinder breitet sich aus. Die klugen Jungfrauen ziehen mit den Sibyllen Michelangelos *„nach dem himmlischen Parthenon zum Gastgebote der Liebe“. „Aus einem vollschwellenden Traubenberg tritt Iakchos und stellt sich als Mundschenk dem Götterkönig Jesus Christus zur Seite.“ „Auch den Moslemskindern wird an goldenen Tischen unter Palmen und lampenhellen Zelten, zwischen Weinlaub und Pantherwagen die Schale des heiligen Weines gereicht.“* Wenn aber der erste Stern des Abends blinkt, sind die schimmernden Tische gedeckt.

Die Posaunen laden zum Symposion, die himmlische Bewirtung hebt an. Auch das Volk Israel hat endlich heimgefunden:

Und nicht sollen sie *hungern und dürsten,*
von ambrosischer Speise genährt,
berauscht von unvermischter Wonnen Lautertrank,
die nahe der wohlduftenden Flamme wohnen,

Haro Op het Veld: Bleistiftzeichnung, Ludwig Derleth, 1947

Edle, deren vorzeitig Geschlecht
sich rühmt des reichsten Ahnherrn,
denen die Mutter als Knospe
am Reis uralten Segensbaumes aufblüht.
Geheimes Grauen atmet im Blute.
Ein Reichtum bleibt die Geburt auch noch im Tode.

Die Templer, *„gekleidet in ein lichthell übersonnig Weiß“*, schreiten dem Berg der Verklärung entgegen. *„Die Klänge des Tedeum mischen sich in delphische Flötenmusik.“* Alle Uhrenzeiger stehen still, göttergleiche Gestalten wogen auf und ab, *„jede an Glanz dem strahlenden Orion gleich“*.
Vom Walten der Apate im Ablauf der Geschichte, vom tragischen Scheitern der historischen Möglichkeiten handelt *„Das Buch der Geschichte“*. Mißlingen ist über die historischen Entscheidungen verhängt:
„Hekatomben wurden für eine Zukunft geschlachtet, die nie erschien. Was ausgerichtet wurde, besaß am Ende nur die Geschlossenheit eines Sarges. Immer, so weit der Menschen Gedächtnis reicht, waren die Situationen größer als der Mensch, der niemals auf der Höhe der Umstände stand.“
Auch das Christentum wird von der Apate bedrängt, die in der Verfälschung der Evangelien ihr finsteres Werk verrichtet. Mit dem Werk-Teil *„Der Tod des Thanatos“* setzt Ludwig Derleth die Linie der großen Metanoeite-Rufer Pascal, Kierkegaard, Bloy, Bernanos fort. Er teilt mit ihnen den zehrenden Schmerz über das Skandalon: den Abgrund zwischen Christentum und Christenheit. *„Was ist von einem Reich Gottes auf Erden zu halten, wenn mit dessen Ausbreitung sich die Zahl der wahrhaft Frommen mindert, der Sinn für die Heiligung des Einzellebens verlorengeht?“* Doch weiß Derleth, daß jetzt der Kirche Raupenzeit ist, daß nach der Entpuppung sich die *„Chrysaliden des ewigen Gottesfrühlings“* aus der Larvengestalt erheben.
Diese Endzeit rüstet sich; sie ist kein verblasener Wunschtraum, sondern Derleths zentraler Mythos, der mit standhaltender Augenkraft im Blick behalten wird. Aber noch ist *„Advent“*; so ist der nächste Werk-Teil überschrieben. Erst muß der Mensch, *„ein abgebrochen Werk, ein erdgeborener, in seiner Herrlichkeit verfinsterter Gott, der Geächtete des Paradieses ... dem Götterbilde weichen“*. Die messianische Erwartung der geistlichen Fülle des Paraklet verbindet sich mit dem Glauben, daß eine neue Offenbarung hervortreten werde. *„Völker verlieren ihr nationales Gewissen, um zur wirklichen Einheit des Menschengeschlechts zu streben.“ „Der Weltheiland schließt die Wunde des großen Pan“*, und Prometheus, dem der Adler des Zeus die Blitze vorträgt, kehrt wieder. Die Liebe wird *„von allem erdhaften Dunkel und den Grundtrieben der dumpfen Geschlechtlichkeit erlöst“*. Die letzte Wahrheit über die geschichtlichen Religionen wird entschleiert:

Ein Gott nur lebt, und viele Götter scheinen
in seines Lebens Allnatur zu sein.

Im Abschnitt *„Poem der magischen Natur“* wird die Wiederkehr des *„Urlichts alter vergessener Tage“* gefeiert. Die Aufschließung der geheimen Schatzkammern der Erde und die kluge Lenkung ihrer unerschöpflichen Produktionskraft werden *„unter phantasievoller Anwendung der Gesetze der Natur“* das Zauberreich schaffen. Der Poeta vates Ludwig Derleth sieht aus dem Schoße der kosmischen Urmutter *„neue, völkergesegnete Kontinente, die noch* *kein Name nennt, mit anderen tellurischen Zuständen und Lebensbedingungen"* sich erheben; Wüsten sollen Gärten werden. Wenn einst *„der im Arme der Maja schlafende Erdgeist erwacht und der Engel des Herrn, ganz in saturnisches Grün gekleidet, das dürstende Erdreich aus den Eimern der Wolke tränkt, erwachen die Berge aus ihrem steinernen Schlafe und beleben sich aus ihrer trägen, schwerlastenden Ruhe". „Ein letzter allgewaltiger Akt"* bringt alle zeitlosen Dinge zurück.

Faksimile eines großen Blattes von 1902/3

Der umfangreichste und zugleich maßvollste und abgeklärteste Teil ist überschrieben mit *„Der Heilige“;* er ist zwischen 1930 und 1940 entstanden. Die Gestalt des Heiligen ist aus dem Urgrund aller Heiligkeit emporgestiegen, sie vereinigt Zarathustra und Buddha mit Christus und Franz von Assisi. Der Heilige hält Mahnreden, Weltklagen und Betrachtungen über Gelassenheit und Widerstand, Gehorsam und Abfall, Opfer und Innerlichkeit, Schweigen, Wissen und Wohltun, Vergänglichkeit und Unsterblichkeit. Die paradiesische Landschaft wird belebt von vielen Jüngern, *„denen das Leben nach den flüchtigen Berauschungen ihrer Jugend und den furchtbaren Erkenntnissen der Lasterschule nur Trest und Treber zurückließ“* oder *„denen ihr eigenes Unglück die Augen vor dem Leidwesen der Welt öffnete“* oder *„die um edleren Gewinnes willen das schöne Lebensfrühjahr ungenossen an sich vorüberließen“.*

„Langsam versickerte das Öl, und die Lampe erlosch. Und der Heilige trat mit seinen Jüngern in die von warmen Lüften durchwürzte Sommernacht, erhob seine Augen gegen das heilige Weiß der Milchstraße und sprach von der Keuschheit der Erkenntnis: Auch zum Denken ist Reinheit des Herzens nötig. Ohne eine Reinigung des Willens von aller Trübung der Begierde kann sich der Geist nicht zu freier Aussicht erheben.

Für die wahren Freunde der Weisheit gibt es keine andere Hölle, als die mit dem Verluste der reinen Anschauung identisch ist.

Es gibt eine nur den reinen Geistern vorstellbare Welt, zu der nur vordringt, wer eine makarische Seele hat. Nur die von dem, was unerlaubt zu tun ist, auch in Gedanken und Worten sich rein erhalten, den Garten der Erkenntnis um eine jungfräuliche Seele bauen, rühren an diese intelligible Welt, wo noch im goldnen Keime die Essenz der Dinge verschlossen liegt, nicht aus sich heraustretend, nur für sich allein daseiend in ungekränkter Wesenheit.“

Wie haben Zeitgenossen des späten Derleth den Dichter des *„Fränkischen Korans“* gesehen, als er von 1928 bis 1935 in Perchtoldsdorf bei Wien und nachher im Tessin lebte? Otto Benesch, damals Direktor der Wiener *„Albertina“,* hat seine Eindrücke mit diesen Worten festgehalten: *„Ludwig Derleth bewahrte im Umgang mit Menschen eine gewisse Getragenheit und Feierlichkeit der Form, die auf Fernstehende den Eindruck der Förmlichkeit machte, die aber der Schätzung seines Gegenübers entsprang und seiner Herzenswärme nicht Eintrag tat, so daß man sie dankbar als Auszeichnung entgegennahm ... Breite und Fülle des Geistigen war bestimmend für das Wesen der würdigen und eindrucksvollen Gestalt Derleths. Die Fragen, die er gerne stellte, wurden auch an mich gerichtet: ‚Nennen Sie etwas, das Sie schön finden — etwas, das Sie lieben.‘ Nachdem sie mit den Namen Rembrandt und Bach beantwortet waren, war der Kontakt gefunden. Das Gespräch wanderte aber bald in alle Breiten der Geisteswelt — ich muß wohl sagen, meist der Vergangenheit. Ich staunte über sein Wissen, seine Belesenheit, sein Gedächtnis. Der Derleth, den ich im Leben kannte, war der reife, gütige Mensch und Geist, von dem sich eine Brücke zu Jean Paul spannte und weiter der Ausblick auf eine doppelte Ahnenreihe eröffnete: die guten Menschen und tiefen Christen: Matthias Claudius, Bach, Comenius — die ahnungsvollen Deuter der kreatürlichen Welt: Böhme, Paracelsus, Cusanus. In seiner im wahrsten Sinne des Wortes katholischen, allumfassenden Seele hat Ludwig Derleth diese beiden Ahnenreihen in sich vereinigt ... Die Nacht, die 1938 über Österreich hereinbrach, hat uns dann*

beide aus dem schönen Land vertrieben. Ich sah Derleth nie wieder. Als ich einst mit Alfred Kubin über Derleth sprach, zitierte er sofort aus den ‚Proklamationen', so sehr war dieses Prosagedicht ihm im Gedächtnis geblieben."
Der Basler Historiker Wolfram von den Steinen hat den Dichter kurz vor dessen Tod im Jahre 1948 in San Pietro di Stabio im Tessin besucht: *„Kein Gebirge oder See, keine Sehenswürdigkeit. Kein Verkehr und kein Gasthaus. Am Rande des Dorfes auf einem Hügel die Kirche, unfern ein größeres Haus mit breiter Freitreppe. Oben von der Loggia führt dann eine Tür in einen dämmrigen Saal; alte Bilder, Bücher, mancherlei Hausrat. Ganz hinten leuchtet der Kamin, ein paar Kerzen brennen. Da sitzt ein Greis und blickt stumm ins Feuer ... Er ist nicht groß, der alte Mann, von untersetztem Bau; ein gewaltiger Kopf, noch immer gebieterisch in jeder Miene; Augen voller Stille, und doch noch immer prüfend und gefährlich ... Man spürt es: aus diesem festen Mund sind manche großen, scharf umrissenen Worte gekommen; aber in drei Vierteljahrhunderten nie ein Wort, das müßig war ... Den wenigen Menschen, die ihn kennen, ist Derleth im besondern der unvergleichliche Rückeroberer des Christentums. Aus den müde verglimmenden Aschen einer bald zweitausendjährigen Religion hat er noch einmal ... einen Brand von jener Flamme entfacht, die der Stifter dazumal in die Herzen warf ... Man kann ihn nicht deuten, nicht vergleichen. Man muß ihn nehmen, wie er ist, und von ihm nehmen, was man tragen kann. Er wird manchem kommenden Tag mehr zu denken geben als dem, der heute ist."*

Fred Otmar Neger

JAKOB WASSERMANN

1873—1934

Jakob Wassermann, Redakteur und Schriftsteller, wurde geboren am 10. März 1873 in Fürth in Bayern, er starb am 1. Januar 1934 in Alt-Aussee in Österreich. Das sind die lexikalischen Angaben über einen Autor, dessen Lebenszeit ziemlich genau je zur Hälfte im vergangenen und im gegenwärtigen Jahrhundert verlief, und dessen Leben ein deutsches Erzählerschicksal war.
Jakob Wassermann — bei wem (von Experten abgesehen) verbindet sich mit diesem Namen eine Vorstellung davon, wer er war und was er geschaffen hat? Vielleicht horchen die Älteren unter uns auf, wenn man „Jakob Wassermann" sagt. Und sie erinnern sich. An eines seiner Bücher, an die Romane *„Das Gänsemännchen"* oder *„Caspar Hauser"*. Den Jüngeren könnte *„Der Fall Maurizius"* bekannt sein, denn dieser Roman wurde in den letzten Jahren neu aufgelegt in einer Taschenbuch-Ausgabe; er ging in einer Fernsehfassung über den Bildschirm und wurde als Hörspiel bearbeitet.
Der Appell an das Erinnerungsvermögen mag da und dort Widerhall finden, dennoch müssen wir es gleich und deutlich sagen: Wassermanns Weltruhm, der Ende der zwanziger Jahre seinen Höhepunkt erreicht hatte, ist heute fast in Vergessenheit umgeschlagen. Jakob Wassermann gehört nicht zu den Schriftstellern, deren Werk sich aus der Scheiterhaufen-Asche der Barbarei zu neuem Wirken erhob. Man könnte beinahe jenem Verleger recht geben, der vor langen Jahren in skeptischer Prophetie sagte: „Sein Ruhm wird mit seinem Leben vergehen."
Dabei hat es nicht an Bemühungen gefehlt, Wassermanns Erzählwerk in den Jahren nach 1945 neu vorzulegen. Immerhin haben sich fünf Verlage daran beteiligt. Woran aber liegt es, daß Wassermann, dessen literarischer Name sich einmal mit dem von Thomas Mann messen konnte, ja ihn zeitweilig sogar überstieg, heute so gut wie vergessen ist?
Vor dem Versuch, dies zu ergründen, soll sein Leben betrachtet werden, da es in ganz besonderem Maße mit dem verbunden und verflochten war, was er schuf. Ich meine die Konflikte, die aus seiner Herkunft und seiner Heimat erwuchsen.

Jakob Wassermann kam im letzten Drittel des vergangenen Jahrhunderts in Fürth zur Welt. Das wurde bereits erwähnt. Er war der Sohn eines kleinen jüdischen Gewerbetreibenden, der sein Leben lang vom Unglück verfolgt wurde und für seine Familie kaum das Nötigste zum Leben hatte. Der Vater entstammte einer Handwerkerfamilie, die um die Mitte des 16. Jahrhunderts aus Spanien, wo sie wegen ihres Glaubens verfolgt wurde, ins Fränkische kam. Wassermanns Großvater war Seilermeister in Zirndorf. Die Mutter, eine blonde Schönheit von sanfter Wesensart, starb früh. Die Stiefmutter erwies sich als hartherzig und ungerecht.

Zur Armut und Lieblosigkeit im Elternhaus kam das Milieu. Fürth, durch Industrie und Gewerbe etwa ab 1860 rasch und stillos vergrößert, muß zu dieser Zeit wenig erfreulich gewesen sein. Wassermann selbst schildert es so: *„Erstickend in ihrer Enge und Öde die gartenlose Stadt, Stadt des Rußes, der tausend Schlöte, des Maschinen- und Hammergestampfes, der Bierwirtschaften, der verbissenen Betriebs- und Erwerbsgier, des Dichtbeieinander kleiner und kleinlicher Leute."*

Dennoch fühlte sich Wassermann mit seiner Heimat eng verbunden, und gerade das war es, worunter er litt: er war der Geburt nach Jude, geboren in Deutschland. Daß das nicht zusammengehen sollte, wollte und konnte er nicht verstehen.

Dieses Dilemma zwischen der Abstammung und dem Vaterland – hier darf wohl einmal so gesagt werden – erhielt seinen besonderen Akzent dadurch, daß Wassermann von früher Jugend an wenig Kontakt mit dem Glauben seiner Väter hatte. Die ghettohafte Enge der jüdischen Gemeinde in Fürth, die orthodoxe Strenge der Gebetsübungen, das Fehlen geistiger Leitung und menschlicher Wärme, der Mangel an gütiger Erziehung in Elternhaus und Schule, das alles hat nach Wassermanns eigener Aussage eine gewisse Indifferenz entstehen lassen.

Er sagt Näheres darüber in seiner biographischen Schrift *„Mein Weg als Deutscher und Jude"*: *„Man bekannte sich noch zu den Religionsformen, obwohl von der Genossenschaft wie von der Religion kaum noch Spuren geblieben waren. Genau betrachtet, war man Jude nur dem Namen nach und durch die Feindseligkeit, Fremdheit und Ablehnung der christlichen Umwelt, die sich hierzu auch nur auf ein Wort, eine Phrase, auf falschen Tatbestand stützte. Wo also war man Jude und was war der Sinn davon? Diese Frage wurde immer abweisbarer für mich und niemand konnte sie beantworten."*

Im Verlauf seines Lebens wurde Wassermann mit vielen Hindernissen und Belastungen fertig. Er überwand die Gespensterfurcht und Traumangst der Kindheit, die Unsicherheit und das Tasten der Jugendzeit, die geistfeindliche Atmosphäre der Familie und die bornierte Voreingenommenheit der Außenwelt. Die Erkenntnisse seines Geistes erhoben ihn über die Enge und Bedrückung der ersten beiden Lebensjahrzehnte. Der Konflikt „Deutscher und Jude" verlagerte sich in geistige Bereiche.

Wassermann fand einen Standpunkt über den bedrohlichen Zeitläuften, und von diesem Standpunkt aus sagte er am Ende der autobiographischen Schrift: *„Ich stehe, am Abstieg des fünften Jahrzehnts meines Lebens, in einem Ringen von Gestalten, und sie wollen mich versichern, daß das Getane nicht umsonst sei. Ich bin Deutscher und bin Jude, eines so sehr und so völlig wie das andere, keines ist vom anderen zu lösen. Ich spüre, daß dies in gewissem Sinn, wahr-*

scheinlich durch das vollkommene Bewußtsein davon und die vollkommene Durchdringung mit den beiden Sphären, orientalischer und abendländischer, ahnenhafter und wahlhafter Einflüsse, ein neuer Vorgang ist.“
So kann man also feststellen, daß er den Zwiespalt dadurch schließlich überwand, daß er sich nicht für ein bequemes Entweder-Oder entschied, sondern sich zu einem Sowohl-Als-auch bekannte. Wie ihm dies gelang, dazu sagt er selbst:
„Das Bestreben meiner Natur war gerade darauf gerichtet, nicht Gast zu sein, nicht als Gast betrachtet zu werden. Als gerufener nicht, als aus Mitleid und Gutmütigkeit geduldeter noch weniger. Als einer, der aufgenommen wird, weil man seine Art und Herkunft zu ignorieren sich entschließt, erst recht nicht. Angeboren war mir das Verlangen, in einer gewissen Fülle des mich umgebenden Menschlichen aufzugehen. Da aber dies Verlangen nicht nur nicht gestillt, sondern mit zunehmenden Jahren der Riß immer klaffender wurde zwischen meiner ungestümen Forderung und ihrer Gewährung, so hätte ich mich verlieren, schließlich mich selbst aufgeben müssen, wenn nicht zwei Phänomene rettend in mein Leben eingetreten wären: die Landschaft und das Wort.“
Das ist von größter Wichtigkeit für das Verstehen seines Wesens und Wirkens. Wenn er bewußt ein deutscher Erzähler war, dann war seine fränkische Heimat dazu der geistige Zentralpunkt, zu dem er ja auch tatsächlich immer wieder zurückkehrt. Mag ihn die Vaterstadt in ihrer damaligen Enge bedrückt haben, schon die nächste Umgebung ließ ihn aufatmen. Der Weg nach Zirndorf zu den Großeltern, der den Fluß entlang führte, vorbei an Weiden und alten Wasserrädern, der Wald um die Alte Veste, waren seine ersten Naturerlebnisse. Der Blick weitete sich und der junge, unverstandene und gedemütigte Mensch empfing Eindrücke, die ihm niemand nehmen konnte. Bei den Verwandten in Gunzenhausen lernte er die stille Melodie des Altmühltals kennen, und das heimische Land beglückte und bildete den Knaben.
Als Mann schrieb er über diese Begegnungen: *„Die Landschaft von zarter Linienführung, mit Wäldern, die das gehegte Bild nicht beschämten, Blumengärten, Obstgärten, Weihern, verlassenen Schlössern, umsponnenen Ruinen, dörflichen Kirchweihen, einfachen Menschen. Es ergab sich freie Wechselbeziehung zu Tier und Pflanze, Wasser, Gras und Baum wurden mir wesenhaft vertraut; und so der Bauer, der Händler, der Wirt, der Landstreicher, der Jäger, der Amtmann, der Türmer, der Soldat. Hier sah ich sie in reinen Verhältnissen zu ihrer Welt, die auch die meine war, wenigstens nie mich ausstieß. Ich lebte so gewissermaßen in zwei abgetrennten Kontinenten, mit der Gabe, im lichteren zu vergessen, was mich der finstere hatte erfahren lassen.“*
Kein Zweifel, die Begegnung mit der fränkischen Landschaft, von der er einmal verklärend sagte: *„Franken ist das Land der wunderbaren Sonnenuntergänge“*, wird Wassermann zu einer Lebenshilfe, gibt ihm Halt in der Bedrängnis.
Als die andere Kraft hat er *„das Wort“* bezeichnet. Die deutsche Sprache ist ihm zunächst bewundertes Mittel des Dranges, sich mitzuteilen, sie beherrscht ihn mehr und mehr, und schließlich wird ihm das Wort zum Schicksal.
Dazu noch einmal seine eigene Äußerung: *„Mein Verhältnis zum Wort ist aus Not und Notwendigkeit zu erklären. Und wie sehr das Wort Surrogat und Behelf ist, erweist sich in meinem Fall nicht minder offensichtlich, da doch das Ding und Sein, worauf es sich bezog, unbekannt geworden ist und hinter nicht*

zu entriegelnder Pforte lag. Ich glaube, daß alle Schöpfung von Bild und Form auf einen solchen Prozeß zurückzuführen ist. Ich glaube, daß alle Produktion im Grunde der Versuch einer Re-Produktion ist, Annäherung an Geschautes, Gehörtes, Gefühltes, das durch einen jenseitigen Trakt des Bewußtseins gezogen ist und in Stücken, Trümmern und Fragmenten ausgegraben werden muß. Ich wenigstens habe mein Geschaffenes zeitlebens nie als etwas anderes betrachtet, das sogenannte Schaffen selbst nie anders als das ununterbrochene schmerzliche Bemühen eines manischen Schatzgräbers. Doch: Kunde zu geben, davon hing für mich alles ab, schon im frühesten Alter."

Wer mehr von Jakob Wassermann weiß, als in seinen Büchern steht, der muß sagen: er war ein Fabulierer aus Leidenschaft. Das nahm seinen Anfang schon in der Kinderstube, wo er seinem jüngeren Bruder heimlich endlose Geschichten erzählte, die er selbst erfand. *„Das Verfahren der Scheherezade"* nannte er diesen Zwang zum Erzählen, der ihn nicht mehr los ließ und von dem er auch sagte: *„Es liegt mir ein orientalischer Trieb im Blut."*
Wie sehr die Landschaft, vornehmlich die fränkische Heimat, ihn erfaßte und bewegte, das zeigt schon der erste Roman, *„Die Juden von Zirndorf"*. Im *„Caspar Hauser"* und später im *„Gänsemännchen"* ist neben Ansbach Nürnberg der Handlungsort. Nürnberg übt auf den jungen Mann aus der Nachbarstadt eine besondere Anziehung und Strahlkraft aus. Er schreibt darüber: *„Nürnberg, Denkmal großer Geschichte. Mit uralten Häusern, Höfen, Gassen, Domen, Brücken, Brunnen und Mauern. Für mich dennoch nie Kulisse oder Gepränge, oder leerer, romantischer Schau-Platz, sondern durch vielfache Beziehung in das persönliche Schicksal verflochten, in der Kindheit schon und später gewichtiger noch."*
So verband sich das Erbe mit der Herkunft, die Lust am Fabulieren mit den Impressionen und Impulsen, die aus dem Land seiner Kindheit und Jugend kamen. Daß aus dieser Zweiheit eine schöpferische Einheit wurde, darf bestritten werden. Aber immer war sie Anreiz und antreibende Kraft, vielleicht gerade deshalb, weil sie stets Probleme schuf und Fragen stellte.
Wassermanns Verhältnis zur Natur ist in seinen reiferen Jahren pantheistisch bestimmt. Er begnügt sich nicht damit, die Menschen in die Natur zu stellen, was er übrigens meisterhaft versteht, sondern er bringt seine Gestalten in einen unabdingbaren Zusammenhang mit der Umwelt. Dabei geht er zwar von der romantischen Tradition aus, doch er spricht vom *„Wunder des Natürlichen, in dem sich das Feuer des Ewigen verkündet"*. Mensch und Tier, Pflanze und Erde werden als untrennbares Ganzes verstanden, der Mensch ist geborgen, wenn er sich in das All einordnet.
Vom pantheistischen Gefühl aus findet Wassermann zur alles verbindenden und umfassenden franziskanischen Liebe. Dem Zweifel, dem vom Intellekt bestimmten Unglauben, dem absoluten Nihilismus in den Gestalten der Romane, steht überwindend und erlösend der liebende und nach Wahrheit strebende Mensch gegenüber. Im letzten Stadium beherrscht Wassermanns Werk die „Cortesia" des Bruders von Assisi, mit der sich eine erneuerte Humanität und die Mystik des nach innen gerichteten Buddhismus verbinden.
Das Streben nach Wahrheit wurde bei Wassermann von zunehmender Bedeutung. Es ist das Zentralthema in seinem zweifellos bedeutendsten Werk, der Roman-Trilogie *„Der Fall Maurizius"*, *„Etzel Andergast"* und *„Joseph Kerkhovens dritte Existenz"*.
Damit ist das Stichwort gegeben zur Betrachtung dessen, was Jakob Wassermann im Laufe von etwa vier Jahrzehnten geschaffen hat, zur Betrachtung des Wichtigsten und für ein Bild aus unserem Standpunkt Nötigen. Mit dem Aufzählen von rund 40 Romanen und Erzählungen würde dieses Bild eher verwischt und unscharf als klar und deutlich. Dies um so mehr, als von den meisten der Arbeiten des Autors heute nur noch wenige Bestand haben.
Auch wenn man dies berücksichtigt, muß das schon erwähnte „Opus 1", der Roman *„Die Juden von Zirndorf"*, ins Licht gerückt werden. Geschrieben im Alter von 22 Jahren, steht das Buch ganz im Bann der Problematik des Deutschen und Jüdischen. Es taucht bereits jenes aus der Realität ins Symbolische

Titel von Erstausgaben, gezeichnet von Thomas Theodor Heine

erhobene, typische Wassermann-Wesen auf, das er selbst den *„Juden-Christ"* nennt. Thematisch freilich wurzeln die *„Juden von Zirndorf"* im jüdischen Gemeinde- und Familienleben. Sie sind zugleich Hinwendung und Abschied von der Welt der Vorfahren, und in ihrem Finale weht schon der Geist des Neuen Testaments in die uralte und in sich verharrende Welt einer kultischen und soziologischen Tradition hinein.
Neben der Prägnanz der Darstellung seelischer Vorgänge, neben einer erstaunlichen Menschenkenntnis und neben der Fähigkeit der daraus resultierenden Charakterzeichnung tauchen hier bereits jene Mängel auf, die heute der literarischen Gültigkeit des Erzählers im Wege sind. Da ist die bis zur Katastrophe getriebene Übersteigerung der Handlung, ist die verwirrende Vielzahl der Figuren, ist das Durcheinander von Handlungsfäden. Es kommen dazu das hektische Tempo der Geschehnisse, die allzu gewollte Sinnbildlichkeit unbedeutender Vorfälle. All das mag zuerst anreizen und erregen, auf die Dauer aber wird der erzählerische Überdruck schwer erträglich.
Dennoch bleiben *„Die Juden von Zirndorf"* eine hochbegabte Ouvertüre, in der bereits Themen aufklingen, die später mehrfach abgewandelt und durchgeführt werden. Das gilt von jenem Roman, der sich vor historischem Hintergrund mit dem Schicksal des unglücklichen Findelkindes *„Caspar Hauser"* beschäftigt. Wassermann hat ihm den Untertitel *„Die Trägheit des Herzens"* gegeben, und was er damit ausdrücken wollte, sagte er mit folgenden Worten:
„Die Idee war, zu zeigen, wie Menschen aller Grade der Entwicklung des Gemüts und des Geistes, vom rohesten bis zum verfeinertsten Typus, vollkommen stumpf und vollkommen hilflos dem Phänomen der Unschuld gegenüberstehen, wie sie nicht zu fassen vermögen, daß etwas dergleichen überhaupt auf Erden wandelt, wie sie ihm ihre unreinen oder durch den Willen getrübten Absichten unterschieben, es zum Werkzeug ihrer Ränke und Prinzipien machen, dieses oder jenes Gesetz mit ihm erhärten, dies oder jenes Geschehnis an ihm darlegen wollen, aber nie das Bild der Gottheit selbst gewahren."
Sagen wir es so: Wassermann hat in einer für ihn charakteristischen Überhöhung der historischen Gestalt mit Caspar Hauser keineswegs nur eine dynastische Legende zerstören und eine geschichtliche Wahrheit finden wollen. Es ging ihm vor allem darum, zu zeigen, wie ein Mensch an der Lieblosigkeit seiner Umgebung zugrunde gehen muß, wenn diese Umwelt verrannt ist in äußere Ziele und materielle Ideen. Das war eine Mahnung, die in den Jahren vor dem ersten Weltkrieg nur taube Ohren fand. In der Wilhelminischen Ära, die der Fortschrittsglaube und das äußere Machtstreben beherrschte, mußte Wassermanns Appell an die menschliche Güte ungehört verhallen. Dennoch ist gegen den *„Caspar Hauser"* einzuwenden, daß er befrachtet ist mit idealistischer Schwärmerei und pathetischer Schwere. Aber er ist — und das erscheint wesentlich — ein frühes Beispiel des deutschen Romans, der deutlich „engagiert" ist, der seine Gegenwart kritisch, um nicht zu sagen diagnostizierend betrachtet und für eine bessere und gerechtere Zukunft wirken will.
Damals, vor fast 60 Jahren, war das in Deutschland ein mutiges Unterfangen, und die Bestürzung wie die Flut von Protesten und Beschimpfungen — natürlich auch antisemitischer Spielart — erklärt sich daraus.
Da war ein Romanschreiber, der nicht nur unterhalten und entrücken wollte, der sich nicht begnügte mit einer handfesten erotischen oder kriminellen Geschichte, der also nicht nur Romanromantik und schöne Illusion bot, son-

dern die Menschen seelisch durchleuchtete und gleichsam ihr Seelenleben, ihre geheimsten Gedanken und Wünsche freilegte. Dieses Verfahren, frühe Anwendung der Erkenntnisse von Siegmund Freud, zugleich unverkennbar beeinflußt von Dostojewskijs Seelengrübeleien, war neu, war aufregend und — mußte Mißtrauen erwecken.
Mit der *„Geschichte der Renate Fuchs“* findet Wassermann bei der jungen Generation begeisterte Zustimmung. *„Das Buch von der Erlösung der Frauen“,* wie es Maximilian Harden nannte, fordert die völlige Emanzipation der Frau. Wir würden heute von „Gleichberechtigung“ sprechen. Daß damit nicht nur freudige Zustimmung, sondern auch empörte Ablehnung hervorgerufen wird, ist selbstverständlich.
Die Wirkung dieses Romans, der, einmal von Stilfragen und Problemen der Form abgesehen, durch die von ihm geforderte und inzwischen verwirklichte Entwicklung nur noch historisches Interesse finden kann, muß ungewöhnlich gewesen sein. Wir müssen uns vergegenwärtigen, daß in einer Epoche des ungeschmälerten und unangefochtenen männlichen Vorrechts im öffentlichen und familiären Leben, in einer Epoche, in der die Eltern zumeist noch die Ehepartner ihrer Töchter diktatorisch bestimmten, die Frau noch immer „drinnen züchtig waltend“ war, ganz dem Haushalt, den Mutterpflichten und Ehesorgen verhaftet.
Das Einfühlen in die weibliche Psyche und ihre differenzierte Schilderung waren die Waffen, mit denen Wassermann seinen Kampf für die Befreiung der Frau führte, ein Kampf, den er niemals aufgegeben hat, auch wenn im späteren Verlauf die soziologischen und geistigen Probleme des Mannes wie ein Thema mit Variationen abgewandelt wurden. Hier müssen *„Die Masken des Erwin Reiners“* genannt werden, ein rundum unerfreuliches Buch, in der Form nur Fünffingerübung für spätere Arbeiten, im Inhalt eine gewagte Auseinandersetzung mit der Dekadenz der Jahrhundertwende. Wassermann will die Zeit entlarven, die den Schein bedenkenlos über das Sein stellte, in der Oberflächlichkeit und Repräsentation dominieren (wie sich doch die Bilder gleichen!) und in der Majestät wie Untertan gleich ahnungslos in die Katastrophe hineintaumeln. Doch — das große Thema wird keineswegs bezwungen. Der Autor bleibt weit hinter dem Flug seiner Gedanken zurück.
Nach dem autobiographisch gefärbten *„Mann mit vierzig Jahren“* — schon der Titel verrät die Nähe zu Balzac — der Geschichte eines Ehepaares, das sich auseinandergelebt hat, erscheint dann *„Das Gänsemännchen“.* In diesem Roman geht es zunächst um ein Künstlerschicksal, um den Zwiespalt zwischen dem Genie und der Alltagswelt. Vor der Kulisse der Stadt Nürnberg um die Mitte des 19. Jahrhunderts entwickelt sich das Schicksal des Musikers Daniel Nothafft, der durch seltsame Verstrickung nicht zum künstlerischen Durchbruck kommt.
Im *„Gänsemännchen“* vermischen sich fränkische Hintersinnigkeit mit dem, was Wassermann *„die Gesichte des Ostens“* nannte, und damit ist auf keinen Fall das Judentum gemeint. Vielmehr ist dieser östliche Einschlag intuitiv. Der Wassermannbiograph Walter Goldstein spricht vom *„Lied der Russen, transponiert für deutsche Kehlen“.*
Während also Wassermann leidenschaftlich für die Freiheit eines Künstlermenschen eintritt, fordert er im philosophisch-geistigen Sinn die Sühne der Schuld. Diese Schuld erwächst aus dem selbstgewählten Tod einer von zwei Schwestern, die beide einer unüberwindbaren Zuneigung zu Nothafft verfal-

len sind. Wassermann hat diese Verstrickung dreier Menschen mit souveräner Klarheit und menschlicher Reife geformt. Aber es ist ein seltsamer Bruch in diesem Roman, der in den zwanziger Jahren ein Bestseller war. Dieser Bruch ist so scharf, so unübersehbar, daß er den ganzen Roman in Frage stellt. Während fast 600 Seiten lang mit Ehrlichkeit und Überzeugung das Recht des Individuums auf Selbstbestimmung seines Lebens verfochten wird, widerrufen die letzten zwanzig Seiten alles Vorhergehende. Die fiktive Moralpredigt des Gänsemännchens — die bekannte Brunnenfigur wird zum Symbol der Gewissenserforschung — bezeichnet Nothaffts Leben als *„Irrtum und Sünde"*. Das macht den insgesamt eindrucksvollen Roman mit seinen eindringlich geschilderten, lebensprallen Gestalten unklar und wertet das bei seinem Erscheinen doch wohl überschätzte *„Gänsemännchen"* merklich ab.

Übergehen wir die weiteren Arbeiten einschließlich des in mancher Hinsicht bedeutsamen *„Christian Wahnschaffe"*, um zum reifsten, gelungensten und gültigsten Werk zu kommen, zu jener Trilogie, die im ersten Roman, dem *„Fall Maurizius"*, selbst wieder einen Gipfel hat.

„Der Fall Maurizius" ist in seinem Handlungsgefüge ein ungewöhnlicher Kriminalroman, gebaut nach einem ausgeklügelten System von Spannungsreizen, verzögerten Enthüllungen und originellen Menschentypen. Folgendes geschieht: Ein Mord bleibt ohne nachweisbaren Täter. Der Verdacht richtet sich auf Leonhart Maurizius, den Mann der Ermordeten. Da es keinen Tatbeweis gibt, erfolgt die Verurteilung aufgrund von Indizien, und die treibende Kraft in diesem Verfahren ist der Staatsanwalt von Andergast. Nach 18 Jahren muß er erleben, daß sein 16jähriger Sohn Etzel sich heimlich um eine Aufklärung des Falles bemüht, der sich als ein Justizmord, als ein Fehlurteil, erweist. Die Aufklärung, in die sich bald auch der unruhig und unsicher gewordene Staatsanwalt selbst einschaltet, endet zunächst erfolgreich. Der unschuldig verurteilte Maurizius findet sich jedoch in der Freiheit nicht mehr zurecht und beendet nun sein Leben selbst, während der Staatsanwalt den Verstand verliert.

Die ideelle Tendenz dieses Romans, der heute noch so fasziniert wie bei seinem Erscheinen, ist Wassermanns Forderung nach Wahrheit und Gerechtigkeit. Außerdem beherrscht ihn der Mythos der jungen Generation nach dem 1. Weltkrieg, der geistige Aufstand gegen die Vaterwelt, die versagt hat. Etzel Andergast, der im zweiten Band der Trilogie zur Hauptfigur wird, hat mit der Klarheit seiner Lebenshaltung und seinem hellen, wachen Geist die schwärmerisch-utopische Pathetik des Expressionismus bereits überwunden. Er ist der *„neue Mensch"* der nach dem Blutbad des Krieges erstehenden anderen Welt. Er verkörpert das Verlangen nach Gerechtigkeit aus moralischer, humanitärer Verantwortung heraus.

So weit, so gut. *„Der Fall Maurizius"* ist ein deutscher Kriminal- oder Justizroman von literarischem Rang, und er ist es noch heute. Seine Gestalten sind scharf gesehen und klar gezeichnet, das Führen des Geschehens in mehreren, ineinander übergehenden Ebenen ist bestechend, die psychologische Folgerichtigkeit ist unbestreitbar. Aber schon das Bemühen, aus dem erstaunlichen Einzelfall eine Art von Generalanalyse der Epoche zu entwickeln, erfordert Einwände. Davon abgesehen kredenzt Wassermann nach dem ersten Band der Trilogie im zweiten und dritten nur noch verdünnte Aufgüsse des gleichen Stoffes, und er behilft sich mit Episodentricks und anekdotischen Füllern.

JAKOB WASSERMANN
ALTAUSSEE (STEIERMARK)

Karte Wassermanns aus Venedig vom 23. 9. 1926

Wieder einmal wird auch hier seine nach Idealen strebende Moralphilosophie gefährdet durch überhitzte Theatralik und durch das ach so deutsche mystische Tieftauchen.

Man hat Wassermann *„einen deutschen Erzähler von europäischem Rang"* genannt und hat davon gesprochen, daß er die Tradition Dostojewskijs, Balzacs und Charles Dickens' weiterführe. Was seinen Rang betrifft, so hat das zu dem Zeitpunkt, zu dem es gesagt wurde, Berechtigung gehabt. In einer Zeit aber, in der die stärksten literarischen, will heißen geistigen Impulse von Alfred Döblin und Joseph Roth, von Kafka und Musil, von Hemingway und Faulkner, von Mauriac und Bernanos, von Malraux, Camus, Sartre und Grass ausgehen, hat Jakob Wassermann wenig Chancen.

In der Tat ist der Fall Wassermann ein deutsches Erzählerschicksal der Gegenwart. Trotz aller Einschränkungen ist sein heißes Bemühen um sein Land und dessen Menschen, die er beide um so mehr liebte, als er an ihnen litt und um sie rang, hoch zu werten. Und es darf nicht vergessen sein, daß dieser Romancier von hohem Geistesflug und großem Talent dem deutschen Roman Jahrzehnte Geltung verschaffte. Viele seiner Bücher sind in viele Sprachen übersetzt worden. Wenn von ihnen allen nur dieser eine Roman Bestand haben sollte, dem Henry Miller seinen glänzenden Essay *„Maurizius forever"* widmete, dann wäre dieses Leben und Wirken nicht ohne Sinn gewesen.

Es erhebt sich die Frage, ob Wassermann diese Entwicklung vorausgeahnt hat, als er 1933, in seinem letzten Lebensjahr, wohl unter dem Eindruck des Sieges der Gewalt und des Unrechts in Deutschland, im Domizil in der Steiermark schrieb: *„Künstlerisch genommen, vom Prinzip des Schöpferischen aus betrachtet, ist die einzige Genugtuung die, daß man die große Galerie der Menschenbilder um einige vermehrt hat (vielleicht — auch das weiß man nicht mit Sicherheit); ethisch angesehen, ist das Ergebnis zum Verzweifeln. Nicht, als ob es nicht da und dort Ergriffene gäbe, Reuige und der Verwandlung Fähige, aber am Lauf der Welt ändert sich nichts, am Haß, an der Lüge, am Mißverständnis, am Wahn und der Ungerechtigkeit nichts."*
Kann der Schriftsteller, der Dichter, überhaupt etwas ändern am Lauf der Welt? Ist das etwa der tragische Irrtum des Jakob Wassermann, dem ein gütiges Geschick die Apokalypse ersparte, die über sein Volk und sein Land kam? Geben wir ihm das letzte Wort als ein Vermächtnis: *„Es ist etwas im Menschen, etwas Wunderbares: eine unauslöschliche Sehnsucht, daß dem Guten in ihm Vertrauen geschenkt wird, auch wenn von dem Guten nur ein winziges Korn da ist."*

Gedicht 1895

Georg Bergler

WILHELM VERSHOFEN

1878–1960

Wilhelm Vershofen hat es vor seinem Tode noch einmal wiederholt, daß er am liebsten in Nürnberg wohnen würde. Er war ein sehr aktives Mitglied des damaligen Wiederaufbau-Kuratoriums und ist in Wort und Schrift für die zerstörte Stadt eingetreten. Als erster wurde er mit dem Nürnberger Kulturpreis ausgezeichnet. Von Jena herkommend, wo er als Oberlehrer für neuere Sprachen am Gymnasium tätig war, zog er als Handelskammer-Syndikus nach Sonneberg. Dort hat er die Glasindustrie organisiert. Von da führte ihn sein Weg nach Bamberg, wo er lange Zeit in dem schönen Haus am Karolinenplatz wohnte. Er übernahm dort die Leitung der Keramischen Verbände. In diese Zeit fällt seine Gründung des Porzellan-Archivs im Jahre 1919, aus dem er dann später das „Institut für Wirtschaftsbeobachtung der deutschen Fertigware" entwickelte. In Bamberg hat er sein schönes Büchlein *„Reben Glockengeläut"* geschrieben. Es war seine Huldigung an die Stadt der sieben Hügel. Dort hat er auch seine Eltern begraben. In der bittersüßen Geschichte findet sich sein Lobgesang auf Bamberg:

„Und gestern bin ich mit Dir, Du, in Bamberg gewesen!
—. Dom: Türme sinken aus silbernem Himmel
und stehen in federnder Schwere am Berge —
erste Frostnacht, mondklar über schattentiefen Gassen.
Eingeschmiegt in Deinen Arm —
Unsere Schritte hallen einsam zwischen mondbleichen Mauern,
drüber dunkler Efeu kriecht.
Ölbergrelief an Liebfrauen:
Immer schon war Ausdruck der Seele und leidender Inbrunst
Wesen der Kunst. —
Michelsberg: Tafeln von Wohlgemuth;
in steil gotischem Ton kniet vorm Altar,
überwältigt vom brausenden Raum, St. Klara.

Die Farben sind grau, tiefrot und schwarz,
die Perlen im Rosenkranz
blaßrote kranke Korallen.
Das war gestern erst.
Doch es war, es blieb nicht, ist vergangen.
Doch Deine Seele nahm Bamberg zum Kleid
und schreitet vor mir groß und heiter,
eingestrahlt in die ewige Inbrunst kühner
Jahrhunderte."

„Reben, Glockengeläut und Bamberg, das ist Franken." So hat er es ausgesprochen, und es war für ihn ein friedvolles Bekenntnis. Und er gedenkt der vielen Abende, *„an denen über seinen Wein der Abendsegen von hohen Türmen geläutet hatte".* Seinem Freunde Joe in den Staaten sagte er: *„Die schönsten Städte der Welt sind New York, Venedig und Bamberg."*

Vignette aus „Reben Glockengeläut" mit dem Bamberger Dom im Hintergrund, gezeichnet von Otto Adolf Brasse

Schon 1919/1920 Lehrbeauftragter an der damaligen Nürnberger Handelshochschule, wurde er 1923 als Ordinarius auf deren Lehrstuhl für Wirtschaftswissenschaften berufen. Da wurde wahr, was man ihm während des Krieges auf dem Lauenstein gesagt hatte: Sie müssen Professor werden. Als er 1919 in die Weimarer Nationalversammlung gewählt worden war, gratulierte ihm Theodor Heuss, sein Freund, der sich ebenfalls um einen Sitz in Weimar beworben hatte, aber in seinem Stimmbezirk nicht die notwendige Zahl von Stimmen erhalten hatte. Vershofen war der „einzige Dichter unter den Parlamentariern". Aber er wandte sich bald von der Politik ab.
Als sich die Herrschaft der Nationalsozialisten unverkennbar ankündigte, erhob er mutig seine warnende Stimme im Nürnberger Luitpoldhain. Kurze Zeit danach regierte in Nürnberg Julius Streicher. Bei einer akademischen Feier kanzelte er „die hohen Herren Professoren" ab. *„Aber einer unter euch ist ein Mensch!"* Er ging auf Vershofen zu und gab ihm die Hand. Seinen Freund Karl Bröger hatte er vorher ins KZ Dachau geworfen.
Bald nach seiner Berufung machte er sich in Unterasbach ansässig. Dort hat er fruchtbare Jahre seines Lebens verbracht. Aber in den dreißiger Jahren zog er

sich ins Allgäu zurück, in das kleine Dorf Tiefenbach. Nahe seinem „Bachtelhaus“ rauschte die Breitach zu Tal.
Wer war dieser Mann, der am 25. Mai 1878 in Bonn geboren wurde und nach langen Jahren der Wanderschaft in Tiefenbach am 30. April 1960 im 82. Jahr seines Lebens der ewigen Geheimnisse klar wurde, die er so lange zu entschleiern versuchte, als Dichter, Philosoph und Gelehrter, einer der wenigen umfassenden Geister in einer Welt, die sich auf recht primitive Lebensregeln eingerichtet hat und des Geistes, der allein lebendig macht, kaum bedarf.
Er selbst hat höchst ungern über seinen Lebensgang berichtet. In einem Brief von 1959 schreibt er über seinen *„Tyll Eulenspiegel“*, ein Spiel von Not und Torheit, erschienen 1919 in seiner Bamberger Zeit: *„Ich glaube, man muß sich selbst ein wenig als Eulenspiegel fühlen, bevor man sich für diese interessante Figur unserer alten Volksliteratur so erwärmen kann, daß man versucht, den Helden in Fleisch und Blut darzustellen. Mir wenigstens ist es so gegangen. Ich bin einmal aktiver Politiker gewesen (Nationalversammlung), so schwer angeschlagen worden, daß ich den Tyll Eulenspiegel schreiben mußte. – Es gibt eben Situationen der Verzweiflung, die man durch nur jene besondere Art des Humors überwinden kann, die offenbar Eulenspiegel eigen gewesen ist, und die eine tiefe Weisheit in unserer ursprünglichen poetischen Erlebensmöglichkeit zeigt.“*

Vignette aus dem Bamberg-Büchlein „Reben Glockengeläut“, gezeichnet von Otto Adolf Brasse

Wer ihn lange kannte, weiß genau, daß er Proben eines solchen Humors immer wieder abgelegt hat. In seiner dichterischen Ernte findet sich das Buch *„Rhein und Hudson“*, 13 Grotesken, in denen er seine Erlebnisse mit seinem Freunde Joe O'Donnel schildert. Der Eulenspiegel-Humor hat ihm dabei die Feder geführt. Aus manchen scheint schon sein sehnsüchtig schwermütiger Ernst, der in seinen Altersjahren immer stärker zum Ausdruck kommt. Natürlich hat er die 13 Grotesken noch vermehrt. Sie liegen unveröffentlicht in seinem Nachlaß. Wer versteht heute noch den hintersinnigen Humor? In seinem Buch *„Das silberne Nixchen oder Tünnes und Schäl“* (1951) leuchtet er zum letzten Mal auf, bevor leise die Schwermut des Alters über ihn kommt. Er hat die Geschichten dieser beiden Weltbekannten geschrieben, um damit der toten Stadt Köln den Grabgesang zu singen.
Der Schluß schildert die letzte Tat des Schäl, aber auch sie ist nur noch ein Sterbelied: *„Von den Feuerbrünsten, die in ihrem eigenen Sturmwind über die*

Stadt brüllten, fiel kein Schein durch die Verdunklung des Fensters. Als er die Entwarnung vernahm, lachte er höhnisch auf –. Die Stadt starb allmählich dahin, so wie seine Frau durch Monate hindurch gestorben war. Als er im Morgengrauen die Vorhänge abnahm, lag eine dunkle Wolke dicht über der Stadt. – Die verbrannte Stadt sank in ihren eigenen Schoß zurück. Als er so hinausblickte in die wüste Trostlosigkeit des neuen Morgens, da sprach es mit einem mal zu ihm, und sein Mund formte Worte, um es todmüde und dennoch trotzig auszusprechen: ‚Jetzt is alles ejal! Julche is dud un Kölle is ooch dud'. – Am Abend nach dem Begräbnis 3. Klasse seiner Frau faßte er den Entschluß, ‚ein Wörtchen zu sagen, das ganz Köln hören sollte'. Er bestellt seinen Freund für den nächsten Tag in die Aachener Straße. – Als Tünnes wieder einmal den Kopf nach rechts drehte, also nach der Stadtseite zu, da sah er an der Kante des Gehsteiges eine in ein langes, weißes Gewand gehüllte, barhäuptige Gestalt langsamen Schrittes herannahen, die in den gefalteten Händen eine Kerze trug. In dem Augenblick, in dem ihm dieser Anblick gewahr wurde, verlöschte der Luftzug das flackernde Licht und zugleich wurde Tünnes sich bewußt, daß dort mit offenen Augen und in einem langen Nachthemd sein Freund Schäl herankam und verursachte, daß der Verkehr sofort stockte. – ‚Schäl, Schäl!' rief er voller Angst wegen der immer größer werdenden Menschenmenge, ‚Schäl, wat häste vür?' Doch Schäl schritt unbeirrt feierlichen Schritts weiter, bis Tünnes ihn am Arm faßte und anhielt. Da ertönte eine grausig tiefe Stimme: ‚Laß mich in Ruh, Tünnes! Ich bin dud und werde vierte Klasse bejrawe. Do muß mer zu Fuß goon.' Das brausende Gelächter der andrängenden Neugierigen rief sogleich einen Schutzmann herbei. Schäl wird vernommen. Es zeigte sich, ‚daß an einer gewissen Stelle schon ein Akt Hubert Kalt vorhanden war. So wurde er denn getreu den damals üblichen Methoden, die man aber 2000 Jahre lang in Köln nicht gekannt hatte, vor Tagesanbruch aus seiner Wohnung geholt, um jener Stätte überliefert zu werden, in der Name und Eigentum vernichtet wurden, von der nur wenige zurückgekehrt sind. Zu ihnen hat Schäl nicht gehört.' Tünnes ‚wurde eingezogen', als die Not zu groß geworden war, daß noch irgend etwas hätte helfen können. Auch Tünnes ist bis zum heutigen Tage nicht zurückgekehrt. Was jetzt von den beiden noch erzählt wird, das stammt aus der Erinnerung, der Vergangenheit ihrer Stadt. Ob das silberne Nixchen, das Symbol für das Nichts und die Ratlosigkeit, noch im Dom aufgehängt wird, wer vermöchte das vorauszusagen?" So endet die Geschichte von Tünnes und Schäl in der Trostlosigkeit.

Vershofen hat Köln sehr geliebt. Da sollte er die Kaufmannschaft lernen. In einer kurzen Autobiographie, die ihm 1949 abgerungen wurde, beschrieb er sich als *„einen nicht ernst zu nehmenden Kaufmann". Die Firma stellte mit als erste Acetylenlampen her, und ich wurde mit der Prüfung dieser Fabrikate beauftragt. Das geschah folgendermaßen: Eine vorschriftsmäßig mit Karbid und Wasser gefüllte Lampe wurde in Funktion gesetzt und dann vor das offene Bürofenster gestellt. Mit einem an einem langen Lineal befestigten Wachsfaden wurde das dem Brenner entweichende Gas angezündet, und wenn die Lampe eine halbe Stunde geprüft war, wurde sie mit Hilfe des Lineals vom äußeren Fenstersims in den Vorgarten hinuntergestoßen. Meist verlöschte sie auf diesem Wege. Eine andere Methode, sie abzustellen, gab es nur, wenn man sich die Finger schwer verbrennen wollte. In dem Werbeprospekt, einer geradezu überwältigenden Dichtung (die ich allerdings nicht verfaßt habe), wurde u. a. behauptet, daß jedes Stück geprüft sei. (Ich bin heute noch überzeugt, daß* *die Lampe, wenn man sie länger als eine halbe Stunde hätte brennen lassen, unter heftiger Detonation in die Luft gegangen wäre.) Kein Wunder, daß ich schließlich meinem Vater schrieb, ich könne nicht länger mithelfen, die Leute zu betrügen. Diesen Brief zeigte mein Vater einem Bruder meiner Mutter, der Leiter eines bedeutenden Fabrikunternehmens war. Der gab meinem Vater den bündigen Rat: „Laß den Kerl studieren. Zu was Besserem taugt er doch nicht.“*

So geschah es denn auch. Er studierte in Bonn, München und Jena zunächst Germanistik und englische Literatur (sein Büchlein aus späten Lebensjahren *„William, der Landedelmann“* zeugt noch heute davon), sodann Kunstgeschichte und Literatur. *„Ich promovierte rechtzeitig und ließ mich dann als Jurist neu einschreiben. Aber anstatt BGB und HGB zu betreiben, machte ich die Gotik zu meinem wesentlichen geistigen Anliegen. Ich hatte es gerade in Trier mit der Liebfrauenkirche zu tun, als ich mit einem kurzen Brief den letzten Wechsel des alten Herrn empfing. Das war sehr plötzlich.“*

Dann wurde er Lehrer. Sein Vater hatte ihn in den Beruf lanciert, in den er gehörte (*„denn ich habe meinen Beruf verschiedentlich gewechselt“*). *„Im Kern bin ich immer Lehrer gewesen und geblieben. Daß ich wirklich zum Lehrer berufen war, das haben mir die einzig dazu Legitimierten, meine damaligen Schüler nämlich, immer wieder in Formen bestätigt, für die ich nicht genug dankbar sein kann.“*

Das Studium in Bonn führte ihn zu Josef Winckler, dem angehenden Zahnmediziner, seinen späteren Schwager. Er ist bekannt geworden als der Dichter des *„Tollen Bomberg“*, *„Der alte Fritz spukt in Westfalen“*, *„Pumpernickel“*, *„König Lustik von Westfalen“*. Jakob Kneip, der Dichter aus der Eifel, wurde sein Freund. Die drei begründeten den „Dichterbund der Werkleute auf Haus Nyland“. Sie nahmen sich vor, ihren Beruf beizubehalten und ihre Dichtungen anonym erscheinen zu lassen. Gerade dieses gelang ihnen aber nicht. Der Werkleute wurden es bald mehr. Richard Dehmel ist zu nennen, Max Barthel, Albert Talhoff, Alfons Paquet, Walter von Molo, Joseph Ponten, Karl Bröger, Heinrich Lersch und Gerrit Engelke. Theodor Heuss gehörte zum Kreis der Freunde. Es muß für sie eine hohe und fruchtbare Zeit gewesen sein.

„Werkleute auf Haus Nyland“ nannte sich der Bund nach dem „geliebten Haus Nyland“, in dem Josef Winckler seine Jugend verbrachte. Dort holte sich Vershofen seine Lebensgefährtin, die Schwester Josef Wincklers. Das Haus wurde seine Heimat, und viele meinen bis zum heutigen Tage, er sei Westfale. Das wurde er durch freie Wahl. So vereinigte er in sich, als er älter wurde, den Rheinländer mit dem Westfalen und dem Franken. Vielleicht hatte er auch ein Stück Allgäuer in sich aufgenommen.

Die drei Werkleute machten sich auf die Suche *„nach einer künstlerischen Bewältigung von Herrschaft und Kultur, von Industrie und Kunst, von Wirtschaft und Freiheit“* (Nadler). 1904 brachten sie ein gemeinsames Versbuch *„Wir drei“* heraus und 1915 im Krieg *„Das brennende Volk“*. Wilhelm Vershofen wurde zum Dichter der Wirtschaft. Die Zeit der „Werkleute“ ist für ihn eine große Zeit des Schaffens. Er sagte von sich selber, *„daß ich zunächst instinktiv und dann bewußt erlebt habe, daß in wirtschaftlicher Hinsicht die Menschen seit etwa 100 bis 150 Jahren überhaupt erst in die zweite Epoche ihrer Geschichte eingetreten sind, ohne es zu wissen, daß sie diesen Weg bisher gestolpert sind wie Blinde, und daß die Gefahr dieser Blinden mir das Herz*

stocken lassen und mich immer wieder in jeder Form zur Gestaltung zwingen: durch Vorlesungen, Vortrag und schließlich auch in dichterischer Form.“
In jener frühen Zeit schrieb er das Buch, das ihm mit einem Schlag seinen Platz im deutschen Schrifttum sicherte: *„Der Fenriswolf. Ein Epos aus dem Leben des Kapitals.“* Dabei bediente er sich einer Form, die nach ihm nieman-

Titel des „Fenriswolf“ der 2. Auflage, Jena 1917

dem mehr gelungen ist, aus Geschäftsbriefen, Niederschriften von Telefonaten und Telegrammen, aus Akten und Sitzungsprotokollen, blutvoll aufregendes Leben der Wirtschaft, ihre Organisationen und Methoden entstehen zu lassen. Das Buch hat die Menschen am Vorabend des ersten Krieges so beschäftigt, daß es viele Auflagen erlebte, in zahlreiche Fremdsprachen übersetzt wurde und auch in einer Volksausgabe erschien. Viele waren überzeugt, daß die Monopolisierung der Wasserkraft in Norwegen Wirklichkeit war. Dies Buch bahnte ihm den Weg in die Praxis der Wirtschaftswelt.
Im Jahre 1917 wiederholte er die gleiche Darstellungsweise in einem Buch *„Das Weltreich und sein Kanzler“*. Es schildert den Kampf um ein amerikanisches Kupfermonopol. Nach seiner Meinung aber sei ihm die Wiederholung nicht mehr gelungen, weil er sich selbst imitierte.
In der Schrift *„die den Krieg als Mittel des Kapitals darstellt, wollte er den typischen, mechanisiert-schöpferischen Menschen der Gegenwart, den*

unheimlichen Exponenten des Finanzkapitals gestalten unter dem starken Erlebnis des Verhaltens der Vereinigten Staaten im Weltkrieg". In den Akten finden sich immer wieder Briefe des entscheidenden Mannes als Stimme seines Herzens an eine Frau. Sie hatten keinen Raum in der Eiseskühle des *„Fenriswolf".* Und darin ist der Stilbruch im zweiten Versuch zu finden. Zum 80. Geburtstag des Verfassers ist eine letzte Auflage des *„Fenriswolf"* erschienen. Sie war sofort vergriffen. Keines seiner Bücher ist mehr zu haben.
Zwischen dem *„Fenriswolf"* und dem *„Weltreich und sein Kanzler"* entstand sein Büchlein *„Amerika. Drei Kapitel der Rechtfertigung",* das er als eine seiner letzten Arbeiten angesehen hat, *„zumal für meine Stellung gegenüber dem wichtigsten Problem der Zeit für bedeutsam. Sie können sich denken, mit welch großem Interesse ich im ersten Halbjahr dieses Jahres in den Vereinigten Staaten gewissermaßen selbst auf den Spuren meiner Darstellung gewandelt bin und wie frappiert, ja erschüttert ich war, als ich in Ford den Mann erlebte, den darzustellen ich mich bis jetzt vergebens bemüht habe. Ich fand in dem Schluß von Fords Buch ‚Mein Leben und mein Werk' seltsamerweise fast wörtlich Übereinstimmung zu den Schlußbetrachtungen des dritten Kapitels meines Büchleins ‚Amerika' und hatte dadurch den Trost zu wissen, daß ich – im Jahre 1913 – schon recht scharf und gut gesehen habe, oder wie ich lieber sagen möchte, daß meine Anschauung damals schon eine sehr vollkommene gewesen ist."* Dieses Thema wurde von dem Manne der Wissenschaft in seiner Nürnberger Rektoratsrede von 1925 *„Über das Verhältnis von technischer Vernunft und wirtschaftlicher Vernunft. Ein Beitrag zum Problem des Fordismus"* noch einmal abgehandelt. So nahe stand der Dichter beim Gelehrten.
In Jena kam Vershofen in Verbindung mit dem Verleger Eugen Diederichs. Der übernahm nicht nur den *„Fenriswolf",* sondern auch die schnell aufeinanderfolgenden Schriften in seine Obhut. Dazu übernahm er die Zeitschrift der Werkleute *„Nyland"* die zuvor als *„Quadriga"* erschienen war. Mit ihm gehörte er zum Lauensteiner Kreis, der vom Frühjahr 1917 an auf der Burg Lauenstein regelmäßig zusammenkam. Wohl selten sind so viele geistige Kreise zur Überschneidung gebracht worden wie auf dieser Burg. Heuss war da, Max Weber auch, aber auch Neurath, der Österreicher, und Ernst Toller, Sombart und Tönnis, die Hauptvertreter der Jugendbewegung, und auch der politische Romantiker Max Maurenbrecher. Es fehlen weder Meinecke, der Historiker, noch Jaffé, weder Dehmel noch Paul Ernst noch Karl Bröger und Winckler. Dort ist ihm von Max Weber der Weg in Politik und Wissenschaft gewiesen worden. Da wird dann zum ersten Male jene Wesenheit Dichter-Politiker-Wirtschaftler erkennbar, mit der er begnadet und belastet zugleich war. In seinen *„Briefen aus der Nationalversammlung"* kommt es eindringlich zum Ausdruck, wie schwer dies für ihn sein mußte, wie verpflichtend ihm die Verantwortung war. Mit aller Kraft hat er sich gegen die unheimlichen Mächte der Zeit gestemmt, die dann später so schauerliche Gegenwart wurden. Da wandte er sich in einem Flugblatt *„Erlösung",* welches von Eugen Diederichs weit verbreitet wurde, an die Öffentlichkeit. Dort hat er den Grundton seines Denkens und Dichtens angeschlagen, der ihm niemals mehr verlorenging. Er hat die Frage nach dem Sinn gestellt. Seine Antwort ist einfach und groß: *„Wir sind auf Erden, um Gott zu erkennen – es gibt die Gottesidee, seitdem ein Mensch sie zuerst dachte und glaubte – Darum will die Art sich erhalten, daß Gott werde. Es ist kein anderer Trost geblieben. Es ist kein besserer denkbar. Das ist die fluchbeladene Betriebsamkeit unserer Zeit, daß sie der Menschen Dasein lebenswürdig*

machen will, ohne sagen zu können, was menschenwürdig ist – Jene höchste Form des Gemeinschaftslebens, worin der einzig lebenserhaltende Wille des schöpferischen Bewußtseins jene Symbole findet, die den einfachsten Geist wie die begnadetste Erlösernatur in Stunden der Not oder heiligster Sammlung an den wahren Zweck des Daseins erinnern, den wir verloren haben und den wiederzufinden der Sinn unseres lebenswerten Schicksals ist."

1920 begann er sein Werk *„Der hohe Dienst"*. Ein Jahr später erschien der erste Teil in der Zeitschrift *„Nyland"*, 1924 zwei Teile als Buch. Ein geplanter dritter Teil ist offenbar nie geschrieben worden. Der Dichter sagte über sein Werk: *„Ich wüßte nicht, was aus mir geworden wäre, wenn ich ihn nicht wenigstens so weit hätte gestalten können, wie ich ihn bisher gestaltet habe. Ich glaube ganz sicher, ich lebte nicht mehr."* Und im Nachwort ist zu lesen: *„Mehr fast noch als die Abkehr von der Ausstattung des Theaters ist die Abkehr von seinem Publikum gewollt. ‚Der hohe Dienst' kann kein Publikum gebrauchen – durch das Verhalten dieser Menge während der Vorstellung und in den Pausen. In großer Häßlichkeit zeigt sich fast stets, daß nicht die geringste Fähigkeit zum Gemeinschaftserlebnis mehr vorhanden ist, sei es vor Kaisers ‚Gas', Hauptmanns ‚Weber' oder Shakespeares ‚Hamlet', von handlungsärmeren Stücken ganz zu schweigen." – „Wer versuchen sollte, den ‚Hohen Dienst' auf der Bühne eines Theaters zur Darstellung zu bringen, würde sich einer barbarischen und verächtlichen Tat schuldig machen. Diesen Satz darf man auf alles beziehen, was heute Theater heißt, nur nicht auf die Schauspieler, die zu ehren Pflicht und Glück ist. Sie gehören zu denen, die ihr Bestes um geringen Lohn geben. Daß je ein Haus des Hohen Dienstes gebaut wird, ist wenig wahrscheinlich, daß es trotzdem entworfen wurde, möge dem vergeben werden, für den Bauen ‚Dichten in Raumformen' ist. Was der Hohe Dienst bei seiner Darstellung braucht, sei es, wo es auch immer sein möge, ist eine Gemeinde, d. h. Menschen, die Geistiges gemeinsam haben."*

Das Stück hatte keinen Erfolg. Auch ist es kaum in einer Würdigung seines Werkes genannt worden. Für ihn selbst bedeutet es eine Überhöhung seines bisherigen Schaffens. Damit war zugleich die erste Periode seines dichterischen Werkes vorbei. Zwischen Dichtung und Wissenschaft war es entstanden. Und doch erwies er sich als reinblütiger Dichter, der nun auch zum Theater gegriffen hatte. Es ist kein Stück mehr veröffentlicht worden. Wohl aber fanden sich in seinem Nachlaß zahlreiche Schauspiele, die er ohne Unterlaß bis zuletzt geschrieben hat. Genannt sollen nur einige wenige werden: *„Schach dem Zufall"*, *„Notwehr"*, *„Bruchlandung"*, *„Nach Mitternacht"*. Immer spiegelt sich in ihnen tatsächliches Geschehen. Albert Schweitzer läßt ihn nicht los und auch nicht der dämonische Josef Goebbels. Er sieht schon das Atomzentrum Kap Kennedy, bevor es der Welt bekannt wird. Die Inflation beschäftigt ihn. Aber da ist auch *„Das Schwert von Fierbois"*, ein Spiel um die Jeanne d'Arc. Mühselig hat er ihre Geschichte und die Akten ihrer Prozesse studiert. Das Schwert ist ihm das Gleichnis für ihre Berufung. Wenn sie es verliert, fallen Kraft und Sendung von ihr ab. Eckart von Naso wollte das Schauspiel in Berlin aufführen, aber die Zeitläufe waren stärker als er. Später haben sich auch andere Bühnen, darunter Nürnberg, dafür interessiert. Es blieb überall nur beim guten Willen. Und gerade dieses Stück war so wichtig für ihn, daß er unter dem Mißerfolg schmerzlich litt. Danach hat er aus einem schier unerschöpflichen Reichtum bis zuletzt weitergeschrieben, aber er rührte keinen Finger mehr, um einmal aufgeführt zu werden.

Bereits in seine Nürnberger Tätigkeit fällt seine zweite Schaffensperiode. Das uralte Haus „Nyland“ war ihm seit seiner Heirat zur zweiten Heimat geworden, tiefer als das Bonner Elternhaus, wo der Vater sein Geschäft zu einer großen Möbelschreinerei ausgebaut hatte. So schrieb er 1924 *„Swennenbrügge“*, das Schicksal einer Landschaft, 1934 *„Poggeburg“*, die Geschichte eines Hauses, und 1937 *„Heiliges Feuer, ein Fahrtenbuch“*. Mehr denn tausend Jahre erlebt die Poggeburg, eine von quakenden Poggen umgebene Wasserburg . . .
Der darauf sitzende Bauer nennt sich Pogge. Um sie herum entstand das Dorf Hopsten, und beide lagen in der Landschaft Swennenbrügge. Als das Maschinen-Zeitalter heraufdämmerte, erwarb Werner Nieland das Haus und betrieb dort ein Kaufmannsgeschäft. Seitdem heißt die Poggeburg „Haus Nyland“.
In diesem Haus hat Vershofen fast jeden Sommer zugebracht, lesend, denkend, schreibend und am Abend in der Schenke seinen Korn trinkend. Dort haben sie ihm die vielen alten Geschichten erzählt, denen er Gestalt und Leben gab. Dort hat er in einem Dachzimmer die *„Poggeburg“* geschrieben, umgeben von ihr, aus dem Knistern des Gebälks die lange, lange Geschichte hörend. An ihren Schluß setzt er die Summe seiner Erzählung: *„In den schweren Zeiten aber besinnt sich der Mensch und sieht, wie unvollkommen alles ist, was er zu schaffen und zu besorgen vermag. Und dann erfaßt er auf einmal in tiefster Seele, daß ihm nur eine Aufgabe gestellt ist auf der Erde, die dadurch, daß sie unerfüllbar ist, um so größer und heroischer wird. Dafür ist er Mensch und kein Termit und keine Maschine, daß er sich immer wieder, von seinen Wunden kaum genesen, an dem Unerfüllbaren versuchen muß. Dadurch wird sein Schicksal tragisch. Das aber heißt, sein Wollen ist größer als sein Vollbringen, seine Einsicht tiefer als sein Können. Ohne seine Schuld! Er kann seinem Schicksal nur gerecht werden, wenn er ohne Unterlaß versucht, in allen seinen Wegen zu Gott zu leben, in dessen Antlitz sich die Spur seiner Erdentage tief und unverwischbar eingräbt. In dem alten Hause in Westfalen, das so viel Schicksal getragen hat, daß es wie ein glänzendes Kleinod auf der Stirn der Erde ist, aber wohnen heute die Fragenden, die da suchen: ‚Was ist der Sinn‘, und es wohnen dort die Betenden, die da flehen: ‚Es komme Dein Reich, es komme wenigstens die Morgenröte seines ewig fernen Tages.‘“* Und auch *„Swennenbrügge“ klingt nachdenklich aus: „Überall stehen die Heutigen und die Künftigen gegeneinander, die unsicher Erfüllten und die unruhig Hoffenden. Aber die Erfüllten sind wie mit Blindheit geschlagen, die wagen unbekümmert das Spiel um Reichtum und Frauen und alles was Glanz und Ehre gibt. Ein Spiel, sooft es sich gewinnen läßt, das schließlich doch verlorengeht. Und es ist grausig schön, wenn sie fallen, krachend und donnernd wie die Eichen – Aber die Menschen von ‚Swennenbrügge‘ und allerorts meinen, was ihnen die Gegenwart schenkt, das bliebe ewig. Und danach handeln sie. Um so tragischer wird dadurch ihr Schicksal und um so heißer brennt die Frage: ‚Warum verdunkeln sich unsere Augen immer dann, wenn helle Fernsicht Rettung wäre?‘“*
Hopsten – im Roman Swennenbrügge – war ein Töddendorf. Die Tödden waren reisende Kaufleute, die alljährlich nur wenige Monate in ihrem Heimatdorf lebten. Die meiste Zeit des Jahres waren sie mit Pferd und Wagen auf allen Straßen und in allen Städten Nordeuropas unterwegs, um das derbe Leinen aus den Hauswebereien des Münsterlandes zu verkaufen. Später nahmen sie dazu das Feingewebe „Schlesisch Klar“, die Messerwaren aus Hopsten, Spitzen aus Valenciennes. Großabnehmer war die britische Marine. Zu größe-

ren Unternehmungen schlossen sich die Tödden zu Handelskompagnien zusammen, einige haben Schiffe unterhalten, die von Holland nach England segelten. Heute noch stehen in Hopsten die behäbig vornehmen Fachwerkhäuser der Töddenfamilien, die reich geworden waren. Ein Drittel aller Hopsten-Männer waren Tödden.

Für Landschaft und Dorf, in dem der Flachs angebaut, Leinen gewebt und Bauern zu Tödden und in der Welt draußen zu reichen Leuten wurden, mußte sich Vershofen interessieren. So hat er die Wirtschaftsgeschichte von Hopsten und darüber hinaus der Tödden geschrieben. In Nürnberg hat er Dissertationen schreiben lassen, in Hopsten hat er zusammen mit den großen Töddennachkommen Brenningkmeyer und Kümpers ein Töddendenkmal gestiftet. Daraus erwuchs 1954 seine letzte Dichtung in gebundener Sprache: *„Der große Webstuhl“.* Er meinte, daß er diese Form der rhythmischen Sprache nicht gesucht, sondern daß sie sich vom Stoff her aufgedrängt hat. Er schreibt die Geschichte der Baumwolle und gleichzeitig der Industrialisierung. Die Erzählung beginnt in den Hopstener Spinnstuben, und das Poggehaus ist das Haus der Heimkehr. Der mechanische Webstuhl dringt in die Ordnung des Dorfes ein. Er sprengt sie. Das reiche Töddendorf wird wieder arm und unbeachtet. Mit den Sklavenschiffen fährt er von Afrika zu den Baumwollfeldern der Südstaaten, mit der Baumwolle nach England. Die Sklaven verschwinden, an ihre Stelle tritt die Pflückmaschine, wie in England der mechanische Webstuhl viele Male mehr leistet als der Handweber. In Münster und Köln wird aus dem Industrieherrn der Kaufmann, der durch Deutschland reist bis nach Wien. Da erhebt sich seine Stimme zum Lobgesang:

> *— „daß der Glanz des Ruhms und der Dank Europas*
> *wie eine goldene Krone,*
> *die unvergänglich leuchtet, über Wien am Himmel*
> *schwebt.*
> *Wie im September reif die milde Sonne Trauben*
> *süßt und Nüsse,*
> *so segnet diese Krone das Gefild zu jeder Zeit*
> *des Jahres.“*

Der ausgezogen war in die Welt und ein großer Mann geworden war, weil er die neue Zeit der Maschine verstand, kehrte aus der großen Stadt Wien heim in sein stilles Dorf — seines Friedens wegen: *„Mehr als die Hälfte aller Männer war in meiner Jugend stets auf Fahrt*

> *mit Waren, die wir selbst gemacht oder im fernen*
> *Ausland eingekauft.*
> *Die Tödden zogen durch das Land, von Valenciennes*
> *in Frankreich*
> *bis hinaus nach Riga, und auf eigenen Schiffen*
> *fuhren sie durchs Meer*
> *und kamen durch die Newa bis nach Nowgorod, das*
> *man das Reiche nennt.“*

Mitleid und Erbarmen ziehen sich durch das *„Epos der Baumwolle“.* Wenn das Buch den gleichen Ton anklingen läßt wie in seiner Schrift *„Erlösung“,* so ist er nur seiner Berufung treu geblieben. Freilich kommt in diesem Alterswerk der Philosoph stark zu Wort:

„Nur was wir schaffen über jeden Zweck hinaus,
zu seiner Ehre, der die Sterne lenkt am Himmel,
und das Leben uns geschenkt hat — dir die Sicher-
heit und mir
das Suchen — was ich schaffe, daß es ihm gehört,
das hat Sinn und Segen"

Der Mann der Wissenschaft sagt kurz und knapp *„Wesen aller Wissenschaft ist der ehrfürchtige Versuch, den Sinn zu finden"*, und: *„Der Mut zu einem tragischen Versuch allein vermag dem objektiven Geist zu dienen."* Der Philosoph wendet sich gegen den *„rechenhaften Denkstil der Wissenschaften"*. Er setzt ihm die spekulative Schau entgegen. *„Der Schau erschließt sich das innerste Wesen in seiner Ganzheit. Das rechenhafte Denken dringt nicht zu dem inneren Wesen vor, hat die Teile in der Hand, um damit aber gerade das verbindende Ganze zu verlieren."* Und wenig später sagt er: *„Wenn das Glück im Verbrauch von Sachen gesucht wird, als Sinn des Lebens also Wirtschaft gilt, dann ist es gefährlich, die Spekulation zu bemühen, denn sie könnte uns nahebringen, daß der Sinn des Lebens in Wirklichkeit ein völlig anderer ist."* Mit dem Intellektualismus hat er nichts gemein. Er denkt gestalthaft, schöpferisch. Der Sinn wird ihm zum Wert, zum zwingenden Erlebnis.
Der Gelehrte schreibt in seinem Laienbrevier (1950) *„Wirtschaft als Schicksal und Aufgabe"*: *„Wie der Mensch durch Mittelbereitung, am wesentlichsten auf dem Gebiet der Werkzeuge, seiner Umwelt Herr werden und damit seinen Willen zum Leben verwirklichen kann, so kann er auch nur existieren, wenn er diesem Leben einen Sinn zu geben vermag, der es ihm ermöglicht, trotz seines Wissens vom Tode und seiner Phantasien über die Chimären des Nichts nicht zu verzagen, solange er lebt."*
In seinem allerletzten Buch *„Es ist merkwürdig ..."* sagt der Philosoph: *„Der letzte Wert ist Gott. Wenn der Mensch an den Schöpfer zu glauben vermag, dann gewinnt er Gewißheit, und aus ihr heraus Sicherheit für alle seine Entscheidungen ... Mögen Wissenschaft und Philosophie noch so tief graben, der Säule, auf die das Sinnbild gestellt werden muß, können sie nicht das Fundament nehmen. Dorthin reichen ihre Schaufeln und Bagger nicht."* Seine letzten Gedanken kreisen um Liebe, Gnade und Glauben. Aus der Schau wächst er zum höchsten Wert. Er nennt ihn Gott.
Aus seinem philosophischen Werk sind besonders interessant drei Arbeiten, weil sie ohne Ausnahme gegen das braune Regiment gerichtet sind. Die Machthaber erkannten die Chiffren nicht: *„Licht im Spiegel"* ist deshalb mehr als eine Auseinandersetzung mit Oswald Sprengler (Der Mensch ist kein Raubtier!) und Ludwig Klages (Die Welt geht nicht am Geist zugrunde!). Er wendet sich gegen die neue Rassenlehre vom unvermischten Blut. *„Das Jahr eines Ungläubigen"* gehört zu den reifsten Werken Vershofens. Es wurde von Hand zu Hand gegeben, aber es konnte nicht neu gedruckt werden.
Das letzte Buch *„Erlebnis und Verklärung"* erschien nach dem Krieg, aber zu früh (1949), um die geistige Lähmung jener Nachkriegsjahre durchbrechen zu können. Es ist im Andenken an einen seiner liebsten Schüler geschrieben, der vom Krieg verschlungen wurde. Danach erschien nur noch sein Buch: *„Es ist*

merkwürdig . . .“ Dann hat er geschwiegen. Nur noch etwas mehr als zwei Jahre waren ihm gegeben. Zum letzten Male erhob er seine Stimme: *„Wer zu sich selbst kommt, muß nach dem Sinn des Lebens fragen und wer lange genug fragt, der findet Gott.“*
Neben dem philosophischen Werk steht sein umfangreiches wissenschaftliches. Seinem dichterischen Werk fügte er noch ein Stück nach dem anderen hinzu. *„Der große Webstuhl“* wird bereits vom Alter und von der Resignation verklärt:

> *„Dein altes Leben ist so voller Angst! Und es ist*
> *so voller Güte*
> *und hat die Weisheit, die aus der Reife kommt und*
> *großem Leid.*
> *Wie stark ist er in seiner Demut, die tief in sei-*
> *nem Glauben*
> *an den Sinn des zu Gott gewandten Lebens ruht.*
> *Wie schwach ist er im Kampfe für sich selbst, weil*
> *auch im Kleinsten*
> *er sich selbst verleugnen will und sich versagen,*
> *was ihm nützt.*
> *Er kennt die Ausflucht nicht, die der Jugend, die*
> *noch sucht,*
> *die Umkehr und den neuen Weg so leicht macht. Das*
> *alte soll man ehren, das ist die weise Lehre aller*
> *Zeiten,*
> *weil es reif und leicht verletzlich ist, wie die*
> *Frucht, die sich vom Baume trennen will.“*

Das ist schon ein Abschiednehmen. Und diese leise Traurigkeit liegt über allem,was er noch geschrieben hat. So fand sich in seinem Nachlaß ein Roman *„Hinter Masken“*, in drei Fassungen. So kritisch betrachtete er seine eigene Arbeit. Die Handlung geht aus vom Feuerland, wo die Goldsucher zu Schafzüchtern werden und darin das Gold finden, bis sie in die unüberschaubaren Einflüsse der Weltwirtschaft geraten und nicht mehr verstehen, was der gerechte Preis ist. Da nimmt einer den Kampf dann auf und verliert ihn immer wieder. Vershofen sieht im *„gerechten Preis“* jene Frage, die noch nicht gelöst ist, von der aber unser materielles und geistiges Dasein abhängig ist.
Von Argentinien zieht der Held über die Staaten nach Europa, nach Rußland und Asien. Er erlebt das Aufblühen der Weltwirtschaft, Krieg und Inflation! Damit schreibt Vershofen sein Buch *„Wirtschaft als Schicksal und Aufgabe“* diesmal in dichterischer Sprache, und es wird daraus auch, wie Meridies sagt, *„die menschliche Komödie der mechanistisch zweckhaften, europäischen und amerikanischen Zivilisationsepoche — bis hin zu der drohenden Züchtung der Termitenmenschen und der Selbstvernichtung der Menschheit durch die Hybris des Geistes. Aber er zeigt zugleich auch die Gegenkräfte auf, durch die allein sich die Menschen aus ihrer epidemischen geistigen Erkrankung retten könnten.“*
Wenn Bamberg auch nicht genannt ist, so läßt sich doch leicht erkennen, daß eine hitzige Unterhaltung mit einem Merkwürdigen, der etwas ähnliches wie ein Alchimist ist, in einer Bamberger Weinstube geführt wurde. Leise kehrt

Vershofen sein Gesicht nach Franken. Diesem Manne ist er selber verwandt, weil er selber Porzellan brannte und in den Scherben Kristallbilder zaubern konnte.
Mitten in sein gedankentiefes Romanwerk hat er mit sechzig Jahren sein Bändchen *„Heiliges Feuer"* gestellt. Er zog aus, das *„alte Feuer"* zu suchen, das *„offene Feuer des Herdes". „Früher hat die Frau das Herdfeuer nicht ausgehen lassen, sondern vor dem Schlafengehen die Glut nur zusammengescharrt, und am andern Morgen hat die Magd das Feuer mit dem Püster wieder angefacht."* Ging es doch einmal aus, so mußte der Nachbar Feuer hergeben, und man durfte nicht danke sagen. *„Wir sind ausgezogen, um das alte, heilige Feuer zu suchen, und haben auf jeder Fahrt, wie auf jeder andern, die wir je gemacht haben, unsere eigene Zeit und ihre Menschen gefunden. In der Kirche zu Gersten aber brennt noch das alte Feuer, von jedem Zweck gesundet."* Da war er noch sehr glücklich.
Als sich die Schatten des Alters auf ihn senkten, schrieb Vershofen den Roman *„Zwischen Herbst und Winter"*. Er erschien 1938, als er 60 Jahre alt geworden war. Wieder ist Westfalen der Hintergrund. Dirk Brüggemann, der Architekt, in dem wir unschwer Vershofen erkennen, erlebt eine späte Liebe. Die Fragen, die ihn zeitlebens bewegt haben, stehen wieder vor ihm. Leben und Liebe und Tod. Der Grübler führt ohne Schonung Gespräche mit sich selbst und seinem Freund. Aber er findet keine Möglichkeit, mit der geliebten Frau zu leben. Ist er doch ein verheirateter Mann. Je tiefer er über seine Liebe nachdenkt, desto mehr Reflexionen werden in ihm wach. Die Geschichte dieser Liebe ist wie ein wilder Strom, voll Zartheit und Süße, Verhaltenheit und stürmischem Verlangen, voll Glück und Erfülltheit. Zuletzt schreibt er einen Brief an Wynn, auf den er keine Antwort erhalten hat: *„Es gibt keine Form, in der wir miteinander leben könnten, und ohne Form gibt es keine Wirklichkeit. Seit Deinem Abschied von Süderkappeln im letzten Sommer habe ich nach dieser Form gesucht wie ein Irrer, und sie nicht gefunden, weil es sie nicht gibt. Das Leben hat viel mehr Inhalt, als je Erscheinung werden kann. Was nicht in eine Form geboren werden kann, muß verderben, wie die Kraft von Millionen Samenkörnern verdirbt, die der Sommer ausstreut."* Dieser Roman ist eine Konfession. Seine Freunde haben ihn mit Erschütterung gelesen und nur ganz zart und leise darüber gesprochen.
Danach hat er noch seine *„Seltsamen Geschichten"* (1938) geschrieben. Da konnte er der Lust des Erzählens nachgeben. Über die *„Spökenkieker"* wußte er viel zu sagen. Zahlreiche Geschichten hat er hinterlassen. Er leitet sie ein mit der Erzählung seiner Herkunft. Den Eltern, besonders der Mutter, die beide in Bamberg ihre letzten Lebensjahre verbrachten, hat er ein schönes Denkmal gesetzt. Von seiner Mutter sagt er: *„Das beste, was ihr ältester Sohn erlebt hat, der schönste Erfolg, der seiner Arbeit zuteil geworden ist, die immer unruhig und suchend gewesen ist, wie beim Vater und vielleicht auch bei jenem Urgroßvater aus der Lausitz, war der Wunsch der Mutter, daß der Vater ihr immer wieder das Buch ‚Swennenbrügge' vorlese. Sie hörte es zum dritten Male, als der Tod sie hinwegführte. Dieses Buch ist auch vom Vater, der es sonst gewiß nicht vorgelesen hätte, anerkannt worden. Diese Anerkennung war die einzige, die er je dem Tun seines Sohnes gezollt hat."* Aus den hinterlassenen Erzählungen sind fünfzehn Stücke als Privat-Drucke herausgebracht worden. Unter ihnen findet sich das große Gedicht *„Die Klage der Tiere"*. Sie ist auch eine Klage des barmherzigen Menschen. In der Geschichte seiner beiden

Hunde, die er sehr liebte, findet sich wieder der Altgewordene: *„Sein altes Leben war voller Angst. Vielleicht ist das immer die Vorbereitung dazu, daß dem Leben der Abschied von der zeitlichen Form, die es hat, leichter fällt.“*
Die Geschichten gehen durch sein ganzes Leben, von dem Bonner Schüler, der die Uhr dreizehn Mal schlagen läßt, bis zum Wiedersehen mit seinem Freund Joe aus den Staaten nach dem Krieg und weiter bis zu der seltsam angreifenden Geschichte *„Ablösung“* um den Polarhund Mara.
Einmal hat er ausgesagt, welche Freude ihm das Reden machte, der ein Redner von seltener Eindringlichkeit war. Wie oft wurde aus dem gesprochenen Wort Dichtung: *„William, heute abend gehört Dir die Welt, und Dein ist die Macht, so lange Du redest. Nur los! Jenem Dickkopf mußt Du noch ein Beifallslächeln abgewinnen. Warum schaut Dich der mit der großen Brille so fragend an? Wiederhol', bring Vergleiche, überraschende, aus dem Leben des Kapitals und der Maschine, die sie verstehen. – So war's recht! – Nun leise –, daß ihnen die Ohren schmerzen bei der Anstrengung des Lauschens, und wenn das Mädel dort das erste Zeichen von Abspannung auf dem blonden Gesichtchen merken läßt, dann mußt Du, höre, Du mußt mit Deinen Worten so weit sein, daß sie in aller Plötzlichkeit donnerndes Pathos vertragen. –“* Aber er hat über sich ausgesagt: *„Wilhelm Vershofen hat nichts übermäßig Bemerkenswertes ausgerichtet in seinem Leben; er ist immer ein Lernender, daneben oft auch ein Lehrer gewesen. – Aber lernen, lehren und dichten gehören nicht in verschiedene säuberlich abgegrenzte Bezirke, sondern sind unzertrennlich und machen in ihrer völligen Durchdringung die Besonderheit seines Wesens aus.“*
Über seinen weiteren Lebensgang bleibt nicht viel mehr zu berichten. Mit dem verehrungswürdigen Karl Goerdeler blieb er in Verbindung. Als wir uns in Salzburg treffen wollten, fehlten Alfons Paquet, der während eines Luftangriffes am Herzschlag starb, und Wilhelm Vershofen, weil ein abgeschossenes Flugzeug die Eisenbahnstrecke blockiert hatte. Danach verließ er kaum mehr sein Alpenhaus.
Nach dem Kriege, mit 68 Jahren, nahm er noch einmal die Lehrtätigkeit auf. Denkschriften über eine *„Neue Hochschule“* zeigten frühzeitig Wege, die bis heute noch nicht gegangen werden. So konnte er auch eine Fusion der Nürnberger Hochschule mit der Universität Erlangen nicht begrüßen.
Noch einmal erlebte er Liebe und Verehrung seiner Studenten. Als er sich dann endgültig zurückzog, war er bis zuletzt auf Vortragsreisen. Daheim schrieb er Dichtungen und wissenschaftliche Arbeiten. Dann nahm er von seinem großen Bachtelhaus Abschied. Weil seine Lebensgefährtin vor ihm hingegangen war, ging er in der ersten Nacht unter dem Dach seines neuen kleineren Hauses still in die Klarheit der wirklichen Welt hinüber.
Hier könnte der Bericht über diesen ungewöhnlichen Mann am Ende sein. Aber es darf noch nicht sein. Als er begraben werden sollte, haben sie sein letztes irdisches Gehäuse feierlich langsam in die Grube versenkt – im Angesicht des schneebedeckten Gebirges und des ewigen Lichtes im Chor des Kirchleins –, da riß ein Traggurt; und siehe da, der Sarg stand aufrecht. Da hätte der Till Eulenspiegel in ihm noch einmal Gelegenheit zu einem hintersinnigen Lächeln gehabt.
So ist auch sein Hingang zu einem großen Bild geworden.

Claus Henneberg

BERNHARD KELLERMANN

1879–1951

Motto:

Zwischen Erlang' und Forchheim da is a Tunéll,
wemmer neifährt, wirds finster,
wemmer nausfährt, wirds hell.

Ägyptische Finsternis herrscht in einem für die Zeit vor dem 1. Weltkrieg vielleicht weniger repräsentativen, als vielmehr symptomatischen Buch, das bei seinem Erscheinen das Stigma des Welterfolges auf dem Titelblatt trug – ich meine Bernhard Kellermanns 1913 veröffentlichten Roman *„Der Tunnel"*, der 373 Auflagen erlebte, in 25 Sprachen übersetzt und zweimal verfilmt wurde, auszugsweise sogar in russischen Schullesebüchern Aufnahme fand und seinem 1879 in Fürth geborenen Autor bereits in den ersten zehn Jahren nach der Veröffentlichung eine Million Goldmark brachte.
Es fällt aber aus einem noch anderen Grund schwer, von diesem Bestseller nicht in Superlativen zu sprechen, beschreibt er doch nicht weniger als den Plan, die Finanzierung und Ausführung des kühnsten utopischen Projektes, das sich ein Romancier in der windstillen Zeit zwischen dem Abschluß der Epoche der Erderforschung und dem Anbruch des Atom- und Raketenzeitalters mit der nahe bevorstehenden Inbesitznahme eines anderen Planeten – des Mondes – hat ersinnen können, um es von einem Romanhelden namens Mac Allan verwirklichen zu lassen. Von ihm heißt es in Bernhard Kellermanns *„Tunnel"*:
„Dieser Mann versprach keine Claims im Himmel, er behauptete nicht, daß die menschliche Seele sieben Etagen habe. Dieser Mann trieb keinen Humbug mit endgültig vergangenen und unkontrollierbaren Dingen, dieser Mann war die Gegenwart. Er versprach etwas Handgreifliches, das jeder verstehen konnte: er wollte ein Loch durch die Erde graben, das war alles!"
Dem so kühnen und einfachen Plan eines Tunnels von der amerikanischen zur europäischen Atlantikküste, der in 15jähriger Bauzeit, also etwa im Jahr des Atlantikfluges von Charles Lindbergh, fertiggestellt werden und die beiden Kontinente wirtschaftlich, politisch und verkehrstechnisch zusammenschlie-

Bernhard Kellermann, dargestellt von Emil Stumpp 1926

ßen sollte, diesem von der geschichtlichen Entwicklung auf andere Weise längst eingeholten utopischen und doch so simplen Plan entsprach aber leider auch die monolithische Einfachheit der Psyche und des Charakters seines Verwirklichers Mac Allan, von dem eigentlich nur gesagt werden kann, daß er so hart und unverwüstlich wie der von ihm erfundene Allanit-Stahl seiner Bohrmaschinen gewesen sei, die übrigens auch Gegenstand eines recht bezeichnenden kleinen Streites zwischen Mac Allans alter ego und Mac Allans Frauchen sind:

„Du wirst mir doch nicht auf ein paar Bohrer eifersüchtig werden, girlie?"
„Ich hasse sie ganz einfach!" antwortete Maud.

Mehr also läßt sich – auf eine kurze Formel gebracht – von dem kühnen Ingenieur, Manager und Erfinder Mac Allan nicht sagen, als daß er allan-itisch war und unverwüstliche Bohrer besaß, die ihn mit Stolz erfüllten. Anstatt uns aber damit zufriedenzugeben, macht es uns nur neugierig, und wir fragen uns, was wohl hinter einer so allanitischen Erscheinung stecken mag. Immer kann der Held doch auch nicht so gewesen sein, er war doch sicher einmal jung, zart und verletzlich, es gab doch bestimmt eine Kindheit, die freilich nicht die gewesen zu sein braucht, die er selbst im Roman für seine Kindheit ausgibt, denn dieser Erzählung vom harten Los eines Pferdejungen im Bergwerk „Uncle Tom", die heute nicht nur den Tierschutzverein auf den Plan riefe, sondern auch die Gewerkschaft, ist nicht zu trauen, weil sie ganz offensichtlich dem Image unseres Helden dienen soll. Weil also im Roman selbst, der wie eine geschlossene Auster ist, keine glaubwürdigen Auskünfte zu erhalten sind, schlagen wir Bernhard Kellermanns Erstlingswerk auf, in der Hoffnung, darin vielleicht einem Vorläufer Mac Allans zu begegnen, der auf einer früheren Entwicklungsstufe steht und uns verraten könnte, wie unser Held in seiner Jugend wirklich gewesen war. In dem 1904 erschienenen Buch *„Yester und Li"*, das auch schon 175 Auflagen erreichte und von der damaligen Kritik als Schöpfung eines deutschen Knut Hamsun gefeiert wurde, sagt der 25jährige Autor folgendes von der Hauptfigur Henri Ginstermann: *„Er war entstanden aus Mann und Weib und deshalb zerklüftet. Er hatte das empfindsame, lebensfrohe Gemüt seiner Mutter geerbt und den hochmütigen Verstand seines Vaters. Diese beiden, Gemüt und Verstand, lebten in ungleicher Ehe. Im Grunde seiner Natur aber lebte das Bestreben, alle Dinge wiederum zu verklären und mit einem Schmucke zu versehen, wie ihn seine Seele liebte."*

Vor allem ist es natürlich die Frau – oder in der Ausdrucksweise jener Zeit: das Weib –, das Henri Ginstermann zu verklären und mit einem Schmucke zu versehen wünscht, soweit ihm das seine beklagenswerte Zerklüftung von Vater und Mutter her erlaubt. Das unverklärte Weib schien ihm nämlich *„erst auf einer Durchgangsstufe zum Menschen angelangt zu sein. Das Unklare, Vorurteilsvolle, das Spekulierende, das wenig Schöpferische, seine Freude an glitzernden Dingen ließen es ihm als ein Wesen erscheinen, das um tausend Jahre hinter dem Mann zurück war und sich nicht die Mühe gab, diesen Vorsprung einzuholen. Es lebte von den Erkenntnissen des Mannes, ohne dies einzugestehen und ihm Dank zu wissen, es lebte von seiner Seele, ohne ihm etwas dagegen zu geben."*

Man wundert sich deshalb nicht, daß Henri Ginstermann, *„der die dünkelhafte Flachheit und das halbtierische Wesen des Weibes in Aphorismen gegeißelt hatte"*, zögert, das Mädchen Bianca näher kennenzulernen, denn *„wenn auch* *diese junge Dame hundertmal besser war als ihre Schwestern, lauerte nicht das Weib in ihr?"*

Weil aber Henri Ginstermann bestrebt ist, alle Dinge zu verklären: *„In seinem Herzen wohnte nämlich die Sehnsucht nach einem Weibe hinter den Sternen"* — wehrt er sich vergebens gegen Bianca. Wie schutzbedürftig ist doch die von hinter den Sternen Herabgestiegene! *„Er ging unter den Säulen des Monopteros umher und las Namen und Monogramme, die von Herzen eingeschlossen waren. Erinnerungen an verliebte Leute. Er bemerkte ein häßliches Wort und rieb es mit einem Steinchen weg, damit nicht ihre Augen zufällig darauf fallen konnten."* Und wie anbetungswürdig! *„Was er, der Gottlose, nie kannte, das lernte er jetzt kennen in seiner ganzen Süße: Andacht, himmlische, inbrünstige Andacht."*

Zuweilen freilich beschleichen den Helden, der entstanden war aus Mann und Weib und deshalb zerklüftet, schwere Zweifel an Biancas sternengleicher Kühle und Keuschheit, und es fällt ihm dieses ein:

„Einer kommt zu einem Weibe und sagt: ‚Siehe, du Herrlichste, was du verlangtest, ist geschehen. Ich habe mir die linke Hand abgeschlagen.' Das Weib lacht: ‚Es war ja nur Scherz, mein Freund.'

Ein anderer kommt und spricht: ‚Du bist häßlich wie eine Unke. Nun werde ich dich schlagen! Ja, schlagen werde ich dich!' Das Weib lächelt: ‚Schlage mich, schlage mich doch, Liebster!'"

Während einer solchen Anwandlung, die übrigens recht gut in ein Werk Sacher-Masochs passen würde, kann es dann geschehen, daß Henri Ginstermann tabula rasa mit seinen Erinnerungen an geliebte Frauen macht, zärtliche Billets kaltblütig verbrennen läßt und sich sagt: *„Weshalb war er so verblendet gewesen, abermals an einen Menschen zu glauben? Sein Herz einem jungen Mädchen zu Füßen zu legen, das achtlos und blind darüber hinwegschritt? Noch immer war er jener Tor, der sein Herz auf den Händen durch die Straßen trug und die Leute fragte, ob sie es nicht haben wollten. Er hatte es als Kind seinen Eltern schenken wollen, sie hatten es nicht angenommen, er hatte es später Frauen und Freunden schenken wollen, sie hatten es verspottet und mißhandelt."*

Was bleibt dem also Enttäuschten, Zurückgestoßenen und in seiner überströmenden Liebessehnsucht Verkannten anderes übrig, als bis an die Grenze des strafgesetzlich Erlaubten zu gehen: *„Camilla wohnte in seinem Hause, das war gut. Er schmeichelte sich mit Süßigkeiten und Märchen ein bei dem Kinde, so daß es schließlich von selbst auf sein Zimmer kam. Sie nannte ihn Onkel Ginster. ‚Ich heißte Henri', sagte er zu ihr. ‚Du sollst Henri sagen. Du sollst auch du zu mir sagen, ganz als ob ich ein kleiner Bub wäre.'*

‚Ari', sagte sie.

‚So sage Heiner. Ich heiße auch Heiner.'

‚Heiner, ach ja, Heiner!'

Stundenlang hielt er die Kleine auf dem Schoß und drückte dieses zarte, warme Körperchen an sich. Er erzählte immerzu Geschichten. Das waren ganz einfache, drollige Kindergeschichten, aber für einen, der sie verstand, waren sie weit mehr. Er küßte die Kleine.

Du bist ein Dieb! rief es in ihm.

Aber er küßte sie doch. Da wurde er sich der Worte bewußt, er sprang auf und stellte Camilla auf den Boden.

‚Bist du böse, Heiner?‘
‚Nein Süße, Heiner ist nicht böse — Heiner ist — oh, geh heute, Schätzlein — morgen, gelt. Heiner ist heute . . .‘“

Der ein wenig aus der Fasson geratene Onkel Heiner reißt sich also sozusagen am Riemen, streut der von hinter den Sternen herabgestiegenen, zur Kräftigung ihrer Gesundheit per Eisenbahn nach Nizza enteilenden geliebten Bianca Rosen auf die Schienen, wobei er sein Haupt entblößt, und zieht das Fazit: *„Nie sollte er ein Weib haben. Nach Bianca würde er kein Weib mehr lieben können. Und wie sollte er ein Kind haben? Wie sollte er seine Seele mit der eines Weibes vermischen können, nachdem ihm das Schicksal Bianca gezeigt? Ach, da war ja noch die Erinnerung — und die Arbeit!“*

Fast hätte ich gesagt: Am Tunnel, jenem gewaltigen Projekt Mac Allans, der wie ein Vogel Rock aus dem papierenen Erstlingsei *„Yester und Li“* geschlüpft war, einem Frühwerk, in dem allerdings auch das Mac Allan-Motiv mit dem Märchen vom sagenhaften König Habuck — das heißt: der Gestorbene — bereits anklingt: *„Er war bleich, weiß wie Zucker sein Gesicht, seine Hände. Seine Augen waren dunkel wie Kohlen, seine Lippen schmal, von bläulicher Farbe. Sah er Kinder an, so begannen sie zu schreien, blickte er junge lachende Mädchen an, so weinten sie und trauerten ihr ganzes Leben lang. Habuck war ein Tyrann. Habuck wollte die Menschen knechten, wahnsinnige Herrschsucht raste in seinem Gehirn.“*

Aus Henri Ginstermann, dem widerspruchsvoll Zerklüfteten, wurde nun auf dem Weg über einen russischen Fürsten, der in Liebe zur Tochter eines Holzfällers entbrennt und nach ihrem Tod sein Schloß verschenkt, um in einer Taigahütte sein Leben zu beschließen — so berichtet in *„Ingeborg“* (128 Auflagen) —, über einen armen Vikar, der eine Doppelliebe zu einem verkrüppelten Proletariermädchen und einer luxusverwöhnten Baronesse erlebt und nach dem Tod der einen und dem Verzicht auf die andere an der Schwindsucht stirbt — so berichtet in *„Der Tor“* (54 Auflagen) — und über einen Landstreicher, der — lange vor Wiechert — auf einer bretonischen Insel das einfache Leben entdeckt — so berichtet in *„Das Meer“* (96 Auflagen) —, Mac Allan, der Tunnelbauer, der — Carlyle übertrumpfend — ein Superevangelium der Arbeit verkündet: *„Ich selbst bin ein Arbeiter, Tunnelmen!“, tutete Allan. „Ein Arbeiter wie ihr. Die Arbeit ist nicht ein bloßes Mittel satt zu werden! Die Arbeit ist ein Ideal. Die Arbeit ist die Religion unserer Zeit!“*

Und siehe: der Apostel dieser neuen Religion wird prompt zum Menschenschinder, *„denn Allan peitschte unaufhörlich zur größten Kraftanspannung an, täglich, stündlich. Rücksichtslos verabschiedete er Ingenieure, die ihre geforderten Kubikmeter nicht bewältigen konnten, rücksichtslos entließ er Arbeiter, die den Atem verloren.“*

Ja, es geht in Allans Tunnel tief unter dem Atlantik fast ein bißchen so zu wie in Dantes *„Inferno“* oder, um den literarischen Maßstab nicht zu verlieren und den *„Tunnel“* in eine zeitliche Beziehung zur jüngsten Vergangenheit zu bringen, wie in einem von Bernhard Kellermann vorausgeahnten KZ: *„Dann kamen sie in die ‚Hölle‘. Mitten in den heulenden Staubwirbeln stand ein kleiner, erdfahler Japaner, bewegungslos wie eine Statue, und gab die optischen Befehle. Bald rot, bald weiß blendete der Lichtkegel seines Reflektors und zuweilen schoß er einen grasgrünen Lichtstrahl in eine Rotte wühlender Menschen hinein, so daß sie wie Leichen, die noch schufteten, aussahen.“*

Der Tunnel

Roman

von

BERNHARD KELLERMANN

SFV

S. Fischer Verlag Berlin

Nach den Auschwitz-Prozessen ist man deshalb kaum noch über die lakonische Mitteilung des Tunnel-Autors schockiert: *„Das kleine Krematorium abseits von Mac City arbeitete Tag und Nacht."*
Das alles aber ist Mac Allans Werk, und das ist aus unserem Helden geworden, der einst ein empfindsamer Heiner Ginstermann, ein weltflüchtiger Fürst, ein frommer Vikar und ein naturverbundener Landstreicher gewesen war — ein Mann, so hart wie der von ihm erfundene, nach ihm benannte Allanit-Stahl seiner Bohrer, die sein kleines Frauchen so gar nicht mochte.
Und wir verstehen sie gut, die arme Maud, denn wie schrecklich mußte es doch sein, einen personifizierten Allanit-Bohrer geheiratet zu haben. Kein Wunder also, daß es auch mit der Ehe nicht klappt, obwohl das gefühlvolle Frauchen dem eisenharten Bohrer sogar noch ein Kind gebar, keinen Jungen, ein Mädchen zwar nur. Aber schließlich, was macht man mit einer Frau, die doch zu nichts nütze ist? Man läßt sie verschwinden, wie ja auch schon Bianca, Ingeborg, das verkrüppelte Mädchen verschwand, oder noch besser, man läßt sie sich für das monströse Werk ihres Mannes opfern, und zwar zusammen mit dem Kind: *„Die kleine Edith schrie nicht. Nur ihre kleine Hand zuckte in Mauds Hand und sie sah erschrocken zur Mutter empor, mit verwunderten Augen. ‚O Gott, was tut ihr?' schrie Maud und kauerte sich nieder und umschlang Edith. Und die Tränen stürzten ihr vor Angst und Verzweiflung aus den Augen.*
‚Mac soll bezahlen! Mac soll wissen, wie es tut!'
Wäre Maud feige gewesen, hätte sie sich in die Knie geworfen und die Hände ausgestreckt, vielleicht hätte sie im letzten Augenblick noch in diesen rasenden Menschen ein menschliches Gefühl entfachen können. Aber Maud, die kleine sentimentale Maud, wurde plötzlich mutig! Sie sah, daß Edith aus dem Mund blutete und totenbleich geworden war, die Steine hagelten, aber sie flehte nicht um Gnade. Sie richtete sich plötzlich rasend auf, ihr Kind an sich gezogen, und schrie mit funkelnden Augen in all diese haßerfüllten Gesichter hinein: ‚Ihr seid Tiere! Gesindel seid ihr, schmutziges Gesindel! Wenn ich einen Revolver hätte — niederschießen würde ich euch, wie Hunde!' Da traf Maud ein mit großer Wucht geschleuderter Stein an die Schläfe und sie stürzte, mit den Händen ausgreifend, ohne Laut über Edith hinweg zu Boden. Maud war klein und leicht, aber es klang, als sei ein Pfahl niedergestürzt und das Wasser spritzte empor. Ein wirres Triumphgeheul erscholl: ‚Mac soll bezahlen! Ja, bezahlen soll er, am eigenen Leibe soll er fühlen — in der Falle fing er sie — Tausende —.'"
Wie sagt Bernhard Kellermann doch so schön: *„Es gibt Menschen, die einen Stoß in die Herzgrube ohne besondere Erschütterung ertragen, sie sind sehr selten, andere, die lamentieren und ein großes Geschrei machen, und wieder andere, die einfach eine Flasche aufziehen, sich räuspern und eine Zigarre anzünden ..."*
Aus unserem Helden ist nämlich — nach der Vollendung des Tunnels und dem Erlebnis des Krieges — im Jahre 1923 unversehens der satte Spießbürger und Inflationsgewinnler Schwedenklee geworden, den die Oberkellner „Oberbaurat" titulieren und dem *„die Anstrengungen seines Berufes fast sämtliche Haare gekostet hatten — nur im Nacken, der sich feist über den weißen Kragen*

Erstausgabe des „Tunnel"

In [illegible] lebte der [illegible], der verwitwet war, mit seiner Tochter Marion, [illegible] einer älteren [illegible] [illegible] Selma als einzigen Dienstboten. Selma war aus der [illegible] von [illegible]. Sie hatte Marion von Kindheit an wie eine Mutter erzogen [illegible] Marinschka genannt.

Als Sebian nach kurzer Autofahrt in [illegible] ankam, vernahm er vom Garten her ein helles, fröhliches Lachen, an dem er sofort die [illegible] Kinderstimme Marions erkannte. Im gleichen Augenblick erblickte er auch Marion, die [illegible] auf einem [illegible] saß und mit einem kleinen [illegible] weißen Kätzchen spielte, das auf ihrem schwarzen lockigen Haarschopf herumkletterte. Marion reichte das Kätzchen mit einem kleinen Zweig, nach dem das weiße Kätzchen [illegible] haschte. Es war aber [illegible] abgerutscht und über seine [illegible] Anstrengungen wieder auf den [illegible] Haarschopf hinaufzuklettern [illegible] Marion [illegible] [illegible] vor Lachen. Als sie die Gartentür gehen hörte und Sebian erblickte, sprang sie sofort auf, ohne sich um das Kätzchen [illegible] zu kümmern, und kam ihm, noch [illegible] Lachen auf den Lippen, [illegible] entgegen.

„[illegible], dass du kommst, Sebian", rief sie ihm zu und [illegible] ihm die Hand. Das Kätzchen [illegible] über ihre Schulter auf [illegible] [illegible] und sprang [illegible] über den Rasen.

Marion war ein [illegible] Mädchen von [illegible] Schönheit. Sie machte den Eindruck einer [illegible] Italienerin mit schwarzen Haarlocken und [illegible], [illegible] Augen, die aus schwarzen [illegible] [illegible] mit [illegible] [illegible] leuchteten. Sie war etwa zwanzig Jahre alt und [illegible] [illegible]. Sie galt als eine der [illegible] [illegible] der Stadt und [illegible] vor zwei Jahren den großen [illegible]. Ihr [illegible] fröhliches Lachen war überall bekannt, und [illegible]

schob, stand noch ein dünner fahlblonder Saum. Seine Wangen waren rund und leuchtend rot wie die eines Prälaten. Das Kinn fett und glänzend."
War dies noch jenes edle Gesicht, von dem einst Henri Ginstermann geträumt hatte: *„Ein originelles, stolzes Antlitz, in dem ein intensiver Denkprozeß, ein tiefes Seelenleben so lange gearbeitet hatten, bis Vater und Mutter darin zurücktraten und ein neuer Mensch hervorkam, ein Adam sozusagen."*
Freilich, noch beschäftigt sich der Herr Oberbaurat gelegentlich mit kolossalen Projekten, die zwar nicht ganz an das Tunnelprojekt heranreichen, aber doch auch nicht zu verachten sind: *„Schwedenklee plante einen Riesenbahnhof, der gegenüber dem Reichstagsgebäude, mitten im Tiergarten, gelegen war und, über und unter der Erde, im Zusammenhang stand mit sämtlichen bereits vorhandenen Bahnhöfen Berlins."*
Seine Hauptenergie verwendete der Herr Oberbaurat aber – vom Speisen und vom Spielen abgesehen – auf die Frauen, die er während seiner anstrengenden Tiefbohrzeit so vernachlässigt hatte. Die Liste seiner Lieben reicht schließlich von Lissi im beschneiten Pelz zu Martha, die nach frisch gemolkener Milch roch, von Otti mit den harten, glatten Elfenbein-Beinen zu Berta mit der silberhellen Blinddarmnarbe, und von Hanny im Schlafwagen zu Ellen, deren Hals und Schultern zart erröten konnten, und ab und zu hauchte ihm sogar eine Nelly *„in einer Sekunde zehn kleine verliebte Küsse auf die Glatze"*.
Auf dem Weg durch den Tunnel war also aus Henri Ginstermann alias Mac Allan eine George Groszsche Karikatur namens Schwedenklee geworden, der schließlich – von zermürbender Arbeit und erotischen Sensationen abgestumpft – nur noch einmal das erregende Onkelspiel spielen möchte, diesmal allerdings nicht mit einer kleinen Camilla, sondern mit seiner präsumtiven Tochter Ellen, deren Namen man nur ein „it" anzuhängen braucht, um Mac Allans Bohrerstahl phonetisch richtig auszusprechen: *„‚Wie albern die Menschen doch sind!', dachte er befreit und leicht. ‚Es ist ja schließlich höchst einerlei, ob sie nun mein Kind ist oder nicht. Das Wesentliche ist ja doch, daß sie bei mir ist! Sie ist mein, sie wird mein sein, sie wird meine Geliebte, meine Frau sein – ja, selbst wenn ich wüßte, daß sie mein Kind ist! Ich werde glücklich sein. Was kümmert mich schließlich alles andere? Vielleicht aber –?' Schwedenklee ging hastig weiter, über ein gemähtes Kleefeld; im silbernen Licht der Sternennacht. ‚Vielleicht aber werde ich Kinder haben? Nun weshalb nicht? Man wird sie baden, pudern, pflegen – sie werden schreien –, aber was schadet es, laß sie nur schreien' – (die kleine Edith schrie nicht. Nur ihre kleine Hand zuckte in Mauds Hand) – ‚sie werden süß sein. Und Ellen – dieses süße Wesen, selbst noch ein Kind – Mutter!' Schwedenklee blieb erschüttert stehen. Sternschnuppen fegten über ihn hin. ‚Eins, zwei, drei –', zählte Schwedenklee. ‚Also drei Kinder! Gut! Sie, die selbst noch so zart ist, ein Kind noch fast –': (Heiner, ach ja, Heiner! –)"* Und doch – zu unterdrücken war das Gigantomanische und Utopische in Bernhard Kellermann, dem Autor eines Romanes wie *„Der Tunnel"*, nicht für lange und für immer, denn noch im selben Jahr, in dem seine Erzählung *„Schwedenklees Erlebnis"* veröffentlicht wurde, machte sich Kellermann einige sozusagen allan-itische Gedanken zur Rettung des Vaterlandes aus seiner verzweifelten wirtschaftlichen Lage nach dem verlorenen

Aus der Handschrift des „Totentanz"

Krieg und verkündet in der als Beilage zum *„Berliner Tageblatt"* erschienenen Flugschrift *„Der Wiederaufbau Deutschlands": „Das deutsche Volk ist ohne Arbeit, ohne Brot, ohne Hoffnung! Man gebe ihm Arbeit, Brot und vor allem: Hoffnung und ein Ziel – und das Problem ist gelöst. Und in der Tat: dieses Problem ist lösbar. Man schlage den ganzen Wald nieder in den nächsten zehn Jahren, wenn die Not es fordert – und beginne sofort wieder aufzuforsten! Vor allem mögen jene Wälder verschwinden, die nur kümmerlich gedeihen. Die Fachleute werden sagen: Sie wollen also lauter Kleinsiedlungen anlegen, die sich nie rentieren werden? Ich werde antworten: Ich denke gar nicht daran. Je nach Bodenbeschaffenheit werden große, modern geleitete Betriebe entstehen: mit maschinellen Einrichtungen."*
Man wundert sich nicht, daß diese unrealistischen, ja kindlich-naiven Vorschläge undiskutiert blieben und auch des Autors Ruf nach einem *„Kongreß von zwanzig bis dreißig der schöpferischsten Köpfe des Landes"*, die den Karren wieder aus dem Dreck ziehen sollten, ungehört verhallte. 22 Jahre mußten vergehen, ehe sich für die Verwirklichung dieser Idee eine Chance bot. Inzwischen aber hatte der Nationalsozialismus seine Herrschaft über Deutschland angetreten, war Bernhard Kellermann im *„Stürmer"* fälschlich als Jude angeprangert worden und schien der Autor des verbotenen und verbrannten Romanes *„Der neunte November"* in seinem 1941 erschienenen Buch *„Georg Wendlandts Umkehr"* aller Politik resigniert abgeschworen zu haben, wenn er von seinem Romanhelden sagt: *„Er liebte die Politik nicht. Es war seit der Revolution immer das nämliche Schauspiel, die gleichen oder fast die gleichen Männer erschienen auf den Ministersesseln, unter anderen Vorzeichen, manchmal in veränderten Kostümen, aber mit den gleichen alten Phrasen. Sie waren ängstlich bemüht, weder links noch rechts anzustoßen, um keine einzige Stimme zu verlieren, schlichen in Gummischuhen durch das heillos wirre Gestrüpp der Politik und überboten sich in dem Bemühen, zu waschen, ohne naß zu machen. Nein, für diese Art von Politik konnte er sich wahrhaftig nicht mehr begeistern. In dieser Flut von Phrasen und Lügen mußte das erschöpfte deutsche Volk ersticken, er wartete auf den Politiker, dessen Grundsatz es war, daß deutsch sein ‚wahr sein' hieße. Auf diesen Fanatiker der Wahrheit wartete er, und bis dahin wollte er nichts mehr mit Politik zu tun haben."*
Der Augenblick, seine politische Abstinenz aufzugeben, kam für Bernhard Kellermann am 23. Mai 1945, als er sich entschloß, dem *„Herrn Generaloberst Bersarin, Militärkommandant der Stadt Berlin"*, folgende Zeilen zu schreiben: *„Als einer der ersten deutschen Männer beeile ich mich, Ihnen zu Ihrer aufopfernden Tätigkeit meinen Dienst zur Mitarbeit anzubieten. Ein Menschenalter mit dem Studium der Mentalität des deutschen Volkes beschäftigt, glaube ich besonders in der Propaganda und im Rundfunk ersprießliche Arbeit leisten zu können in der Neuerziehung des deutschen Volkes, das durch die Arroganz eines Kaisers und seiner habgierigen Clique und durch die Ignoranz einer Handvoll politischer Abenteurer in zwei unseligen Kriegen an den Rand des Untergangs gebracht wurde."*
Dieses Anerbieten scheint von der Besatzungsmacht mit Wohlwollen aufgenommen worden zu sein, denn schon zwei Monate später hielt Bernhard Kellermann, dessen Bücher auch in Rußland gelesen wurden, als Mitgründer des *„Kulturbundes zur demokratischen Erneuerung Deutschlands"* eine Ansprache, die den Gedanken eines *„Kongresses von zwanzig bis dreißig der schöpferischsten Köpfe des Landes"* wieder aufgreift: *„Der ‚Kulturbund', des-*

sen Keimzelle wir hier darstellen, soll in Bälde nicht weniger oder mehr werden als ein geistiges und kulturelles Parlament unseres Landes! Diesem Parlament ist die erhabene Aufgabe anvertraut, die geistigen und kulturellen Schätze Deutschlands zu verwalten. Es wird die lebendige Quelle sein, die dem Volk ständig neue Kräfte zuführt. Dieses Parlament hat aber auch die Verpflichtung, die Rechte des Volkes: Freiheit in Schrift und Wort, Freiheit der Künste und Wissenschaften als unverletzlich bis aufs Messer zu verteidigen!"
Eine Utopie dieses so anpassungsfähigen Schriftstellers war scheinbar Wirklichkeit geworden, und die politischen Führer der neuen Republik zögerten nicht, ihren Herold und Sänger großartig zu belohnen, indem sie ihn zum ersten Präsidenten der Gesellschaft für deutsch-sowjetische Freundschaft, Abgeordneten der Volkskammer, Mitglied der Akademie der Künste, Präsidenten des Kulturbunds, Mitglied des Komitees für die Zuerkennung der Stalin-Preise und schließlich zum Träger des National-Preises machen. Bernhard Kellermann revanchierte sich für solche Ehrungen unter anderem mit einer Eloge auf den siebzigjährigen Josef Stalin, den er zwar nicht als den von ihm erwarteten *„Fanatiker der Wahrheit"*, sondern immerhin nur als genialen, gütigen und weisen Meister der Völkerpsychologie feiert.
Trotz solcher politischen Pflichtübungen aber findet der fleißige Franke noch die Zeit, sich seinem Beruf zu widmen und die Serie seiner erfolgreichen Reisebücher und Romane fortzusetzen. Seine letzte Arbeit jedoch sollte der Aufruf *„An meine Kollegen im Westen"* bleiben, in dem er mit gewaltiger Anstrengung noch einmal den Geist und Stil der zündenden Reden des Tunnel-Erbauers Mac Allan zu treffen versuchte: *„Es gibt für Deutschland nur eine Rettung: Das ganze Volk, Ost und West, muß einen einzigen Block bilden, eine Einheit aus Granit — das ganze Volk muß von einem einzigen Friedenswillen durchglüht sein, der wie eine Feuersbrunst über die Erde leuchtet — nur eine Einheit aus Granit und dieser glühende Friedenswille werden die Millionen wahrer und edler Friedensfreunde in Amerika und der Welt überzeugen und entflammen, uns zu Hilfe zu eilen und dem wahnwitzigen Vernichtungswillen von Wallstreet und den Rüstungskonzernen in die Zügel zu fallen."*
Zwei Wochen nach der Veröffentlichung dieser Tirade erlag der empfindsame Träumer und megalomanische Utopist Bernhard Kellermann in Klein-Glienicke bei Potsdam einem Herzleiden.

B. Kellermann

Reinhold Grimm

LEONHARD FRANK

1882–1961

Es gibt Bilder, die scheinbar ganz nebensächlich sind und doch das gesamte Wesen und Werk eines Menschen in sich vereinigen. So auch bei Leonhard Frank, dem fränkischen Dichter mit dem fränkischen Namen. In seiner Erzählung *„Karl und Anna"* schildert er eine Szene, die auf dem Hinterhof eines ärmlichen Mietshauses spielt. Folgendes geschieht:
„In der Hofecke entstand eine Ansammlung: halbnackte Kinder, skrofulös und blaß, Frauen in Fetzen, hemdärmelige Männer, fahle Gesichter. Sie hatten einen hungerschwachen Alten, dem schlecht geworden war, an die Luft getragen.
Genau in der Mitte des Hofes stand ein kräftiger junger Arbeiter in der Ausfallstellung eines Bogenschützen, den Oberkörper fast zum Halbkreis nach hinten geworfen. Er zog den Bogen, einen Stab aus Flachstahl, anderthalb Meter lang und fast gerade, wenn er nicht gespannt war, mit seiner ganzen Kraft zum Halbkreis: der lange Pfeil aus vernickeltem, schilfdünnem Stahlrohr schwirrte hinauf, senkrecht empor in die Freiheit des Sonnenhimmels, drehte sich funkelnd und langsam einmal um sich selbst und sauste wieder herab in die düstere Enge des Hofes ... Er schoß noch einmal und noch einmal. Alle blickten empor, in die Ecke zusammengedrängt: eine graue, düstere Gruppe."
Diese Szene enthält die Formel für Leonhard Franks Existenz. Sie bildet zugleich ein Modell für die Möglichkeiten seines Schaffens. Nicht nur die ganz unbändige Sehnsucht nach Freiheit und Glück, die den Arbeitersohn verzehrte, schwingt in den wenigen Sätzen, sondern auch der doppelte Impuls, dem Franks Dichtung entsprang: Kraft zur genauen Vergegenwärtigung der Wirklichkeit und Mut zum beschwörenden Aufruf. Im Bild des Pfeils, der aus der Düsternis des Hinterhofs in die Sonne steigt, gehen Kunst und Leben Leonhard Franks ineinander über, ja ineinander auf.
Frank wurde am 4. September 1882 in Würzburg geboren. Die Verhältnisse, unter denen er aufwuchs, waren sehr dürftig:
„Sein Vater, ein Schreinergeselle, der Parkettböden legte und glatthobelte — zehn Stunden am Tag auf den Knien, die Stirn nahe am Boden, denn er hobelte hartes Buchenholz —, verdiente achtzehn Mark in der Woche. Am Eßtisch gab

es große Augen und kleine Bissen. Acht Monate im Jahr liefen die vier Kinder, zwei Buben und zwei Mädchen, keine Schuhsohlen durch. Aber im Winter, wenn Schnee lag und der Main zugefroren war, konnten sie nicht mehr barfüßig in die Schule gehen . . .“
Nur der Mutter mit ihrer Unermüdlichkeit und heiteren List war es zu verdanken, wenn sich die Familie trotz allem einigermaßen über Wasser zu halten vermochte. Daß diese tüchtige, gescheite Frau ihrem Mann zeitlebens „himmelhoch überlegen“ blieb, glaubt man dem Dichter aufs Wort, hat Marie Frank doch sogar — unter dem Pseudonym Marie Wegrainer — eine richtiggehende Autobiographie veröffentlicht. Das 1914 erschienene Buch trägt den Titel: *„Der Lebensroman einer Arbeiterfrau. Von ihr selbst geschrieben.“*
Auch Leonhard Frank hatte die „Lust zu fabulieren“ von seiner Mutter; und wenn Marie Wegrainer befugt war, von ihrem „Lebensroman“ zu sprechen, so war Michael oder Michael Vierkant (wie Frank sich in seinen Büchern nannte) dies erst recht. Romanhaft genug ging es in seinem Leben jedenfalls zu. Der schmale, wortkarge Junge, der nach dem Besuch der Volksschule das Schlosserhandwerk erlernt hatte, arbeitete anschließend bald als Klinikdiener, bald als Anstreicher oder als Chauffeur . . . bis er im Jahre 1904 meinte, er habe nun endlich das Geld beisammen, um in München ein Kunststudium beginnen zu können. Leonhard Frank wollte nämlich ursprünglich Maler werden: *„und zweifellos der berühmteste von allen.“*
Dieser bescheidene Wunsch ist leider nicht in Erfüllung gegangen, obwohl sich Frank in den sechs Jahren, die er in München verbrachte, redliche Mühe gab. Das einzige, was davon blieb, war eine Mappe mit farbigen Lichtdrucktafeln, die unter dem Titel *„Fremde Mädchen am Meer und eine Kreuzigung“* 1913 in einem Münchner Verlag erschien. Sie birgt zwar keine Meisterwerke, doch sie zeigt, daß der Arbeitersohn aus Würzburg sehr wohl die Begabung besaß, seinem schöpferischen Drang auch mit den Mitteln der bildenden Kunst Ausdruck zu verleihen. Sein eigentliches Studium freilich war — zunächst unbewußt, dann immer bewußter — die Sprache. Im dichterischen Wort alles so zu gestalten, daß man es sieht, hört, riecht und fühlt und darum glauben muß, wurde die Lebensaufgabe, die Leonhard Frank sich stellte. Er hat sie nicht immer gelöst, aber in seinen besten Büchern dafür um so überzeugender.
Als die Lichtdruckmappe veröffentlicht wurde, befand sich Frank schon längst in Berlin. Er hatte München 1910 verlassen. Große Veränderungen brachte dieser Umzug jedoch schwerlich. Es war, so könnte man ohne viel Übertreibung sagen, einfach ein Wechsel vom Münchner Café Stefanie zum Berliner Café des Westens. Hier wie dort trafen Tag für Tag die jungen Maler und Dichter zusammen, rauchten, tranken, pumpten einander an und hoben in ihren Debatten die Welt aus den Angeln; — und hier wie dort saß Leonhard Frank dabei und lernte. Für ihn, den ungeheuer Ehrgeizigen und Wißbegierigen, wurde das Künstlercafé, in dem andere verbummelten, zur „Universität“. Er hat dies selber bezeugt.
Expressionistische Zeitschriften und Almanache druckten Franks erste Erzählungen. Liest man sie heute, wirken sie teils blaß, teils überhitzt. Noch tastete Leonhard Frank; aber diese Unsicherheit war mit einem Schlage zu Ende, als ihm, mitten in der brodelnden Riesenstadt Berlin, das Bild seiner fränkischen Heimat vor Augen trat. Die verborgenen Seligkeiten, aber auch die vielen Bitternisse seiner Kindheit in Würzburg stiegen auf und forderten dichterische Gestalt. Schweigsam, wie er es gewohnt war, machte sich Frank an die Arbeit.

Leonhard Frank 1958

Was entstand und 1914 von Georg Müller verlegt wurde, war das erste und zugleich bedeutendste Werk des Dichters: der Roman *„Die Räuberbande"*. Das Buch, das rasch eine hohe Auflagenziffer erreichte, erhielt den Fontanepreis; es wurde in verschiedene Sprachen übersetzt und später sogar verfilmt. Wer fortan von moderner deutscher Literatur sprach, nannte auch den Namen Leonhard Frank.
Dieser Erfolg war dem Dichter allerdings nicht leicht geworden. Frank erfuhr, was es bedeutet, im Sinne Nietzsches an einer Seite Prosa „wie an einer Bild-

säule“ zu arbeiten. Drei Monate meißelte er an den ersten fünf Sätzen seines Romans. Als sie ihm schließlich genügten, lauteten sie so:
„Plötzlich rollten die Fuhrwerke unhörbar auf dem holprigen Pflaster, die Bürger gestikulierten, ihre Lippen bewegten sich — man hörte keinen Laut, Luft und Häuser zitterten, denn die dreißig Kirchturmglocken von Würzburg läuteten dröhnend zusammen zum Samstagabendgottesdienst. Und aus allen heraus tönte gewaltig und weittragend die große Glocke des Doms, behauptete sich bis zuletzt und verklang.
Die Unterhaltungen der Bürger und die Tritte einer Abteilung verstaubter Infanteristen, die über die alte Brücke marschierte, wurden wieder hörbar.
Über der Stadt lag Abendsonnenschein.
Ein roter Wolkenballen hing über der grauen Festung auf dem Gipfel, und im steil abfallenden königlichen Weinberg blitzten die weißen Kopftücher der Winzerinnen — die Weinernte hatte begonnen.
Es roch nach Wasser, Teer und Weihrauch.“
In ihrer Eindringlichkeit und gesättigten Sinnenfülle bietet diese Schilderung ein Musterbeispiel für Leonhard Franks Realismus. Hier sieht, hört, riecht und fühlt der Leser in der Tat, was er liest. Würzburg, die Stadt des Weins und der Kirchen (wie es bei Frank einmal heißt), ist fast bedrängend nah und gegenwärtig. Der Dreißigjährige durfte zufrieden sein: mit den sparsamsten Mitteln war es ihm gelungen, ein Stück Wirklichkeit zum unvergeßlichen Bild zu verdichten.
Solche Bilder sind es, in denen Frank die Abenteuer seiner Räuberbande vor uns entfaltet. Freilich, diese Räuberbande ist eine Bubenschar; doch ihre Rebellion steht als Gleichnis für die Auflehnung gegen die Schranken der bürgerlichen Gesellschaft. Aus der Koppelung von Indianerromantik und untergründig schwelender Sozialkritik erwächst die widerspruchsvolle Einheit des Buches. Bezeichnend ist ja schon seine Topographie. Oben, auf dem nächtlichen Festungsberg, lodert das Lagerfeuer, an dem man sich in eine Welt schrankenloser Freiheit träumen kann; unten, in den ärmlichen Stuben und grauen, freudlosen Schulsälen herrschen Armut und Enge, Bigotterie und die Prügelfaust des sadistischen Lehrers Mager, der die Feindseligkeit der Gesellschaft repräsentiert. Was ist stärker, fragt Leonhard Frank: die Macht der Verhältnisse oder die Sehnsucht der Jugend? Seine Antwort verbindet Resignation mit Trauer und Hoffnung. Ja, das Werk besitzt sogar eine humoristische Pointe, die darin besteht, daß sich fast alle Räuber zuletzt in biedere Spießer verwandeln, während ausgerechnet der „Duckmäuser“, der erklärte Feigling, wagemutig hinauszieht und als Matrose die tropischen Ozeane befährt. Aber das Dumpfe, Bedrückende des Buches wird dadurch nicht aufgehoben: Michael, genannt Old Shatterhand, der feinnervige, künstlerisch hochbegabte Arbeitersohn, zerbricht unter der Last der Verhältnisse. Nur sein Doppelgänger und härteres Ich, der geheimnisvolle Fremde, hat die Kraft, diese quälende Last von sich abzuschütteln.
Das Buch *„Die Räuberbande“* ist beides: romantische Knabengeschichte und anklägerischer Entwicklungsroman. Ausgeführt oder im Keim enthält es bereits die wichtigsten Themen, Formen und Motive seines Dichters. Sie werden, soweit sie Gestaltung finden, ebenso lebendig wie leidenschaftlich erzählt und obendrein mit einem derben Schuß heimischer Mundart gewürzt. Daß Frank dabei zu verklären weiß, ohne zu beschönigen, und anzuprangern, ohne zu verzerren, macht die besondere poetische Leistung dieses erstaunlichen

Federzeichnung von Ursula Wendt zur „Räuberbande“

Erstlingswerkes aus. In Franks zweitem Buch, der Erzählung *„Die Ursache“* von 1915, fehlt solche Ausgewogenheit. Zwar geht es auch hier um das autobiographische Problem des aufstrebenden Arbeiterkindes; aber was in der *„Räuberbande“* noch dunkel glomm, schlägt nun zu heller Empörung auf. Das Werk soll nicht mehr Gleichnis, sondern direkter Protest sein.
Hauptfigur ist der Dichter Anton Seiler, Sohn eines Schreinergesellen aus einer kleinen Provinzstadt. Er könnte genausogut Michael Vierkant heißen. Ihm gegenüber steht wiederum der Schultyrann Mager, von dem Seiler zitternd sagt: *„Dieses böse Tier hat mir die Seele krank gemacht.“* Das unheilbare Trauma, das falsche Erziehung und feindliche Umwelt einem Menschen zufügen können, ist die *„Ursache“*, die Leonhard Frank meint und bloßlegen will. Schuld trägt für ihn die Gesellschaft, nicht der einzelne. Diesen Beweis sucht die Erzählung, die deutlich in zwei Teile zerfällt, zu führen. Sie schildert zunächst, wie Seiler, von unwiderstehlichem Zwange getrieben, in die Heimat zurückkehrt, einen vergeblichen Versuch unternimmt, sich mit Mager auszusöhnen, und, als er Zeuge einer weiteren Brutalität wird, den Lehrer erwürgt ... dann folgen Verhaftung, Vernehmungen, Verhandlung und Verurteilung, das qualvolle Warten in der Todeszelle und endlich die Hinrichtung. Jeder dieser Teile ist ein Aufschrei: der eine gegen seelische Verkrüppelung, der andere gegen die sinnlose Todesstrafe.
Mit seiner Erzählung *„Die Ursache“* war Leonhard Frank bereits weit in den Bereich des aktivistischen Expressionismus vorgestoßen. Die fünf Geschichten der Sammlung *„Der Mensch ist gut“*, 1916/17 entstanden und zum Teil in René Schickeles *„Weißen Blättern“* erstmals gedruckt, nahmen diesen Bereich vollends in Besitz. Es sind glühende Aufrufe zur Menschenliebe, in denen das soziale Anliegen aus der *„Räuberbande“* und der *„Ursache“* mit einem radikal pazifistischen verschmilzt. Frank schrieb sie in Zürich, wohin er als überzeugter Kriegsgegner 1914 emigriert war. Die Sammlung entwirft ein erschütterndes Fresko der Not; sie gipfelt in einem riesigen Leidenszug, der unmittelbar in die Revolution mündet:
„Blinde, die Hand auf den Schultern der Armlosen. Irre, die ernst und schweigend, aufgeregt sprechend, gläubig lächelnd mitgehen. Beinlose in Selbstfahrern. Zwischen Krücken rhythmisch baumelnde Soldatenkörper. Hinkende Invaliden. Ein grauer Zug, stiller Zug, langsam durch die Straßen!
Sie sprechen nicht, beratschlagen sich nicht. Das verlorene Augenlicht, die Gliederstümpfe, der entschwundene Verstand, das losgebrochene Leid des ganzen Volkes spricht ...“
Diese Sätze stammen nicht aus der ursprünglichen Fassung, sondern aus einer späteren, vom Dichter gemilderten und geglätteten. Trotzdem ist noch immer die ungeheure Erregung spürbar, die sich in ihnen staute. Härte und Glut prägen Franks expressiven Realismus, dessen Sprache man mit Recht „kaltheiß“ genannt hat.
Für diese Sammlung — es ist Franks drittes Buch — erhielt der Dichter 1920 den Kleistpreis. Mit ihr begann auch im Ausland die Geltung Leonhard Franks, der zwischen 1918 und 1933 den Zenit seines Ruhms erreichte. Weithin sichtbares Zeichen war die Wahl in die Preußische Dichterakademie. Der Arbeitersohn aus Würzburg stand nun neben den Nobelpreisträgern Gerhart Hauptmann und Thomas Mann.
Die zwanziger Jahre sind jedoch nicht nur die Zeit von Franks größtem Erfolg; sie bilden zugleich die fruchtbarste Periode seines Schaffens. In kurzen

Abständen kamen nicht weniger als vier Romane heraus, dazu Bühnenstücke und ein ganzes Bündel Erzählungen. Die bekannteste unter ihnen ist die eingangs erwähnte Novelle *„Karl und Anna"*, ein Werk, das der Dichter 1927 veröffentlichte und zwei Jahre später auch erfolgreich dramatisierte. Man rechnet es gern zur Heimkehrerliteratur; aber in Wahrheit sind Krieg und Gefangenschaft hier bloß die Mittel, um eine unerhörte Liebesbegebenheit zu gestalten.
Diese kühne Novelle kann sich durchaus mit dem früheren Schaffen des Dichters messen. Auf die Romane hingegen, die Leonhard Frank damals schrieb, trifft dies nicht immer zu. Zwei von ihnen fallen ab. Den Reigen eröffnet ein Buch mit dem Titel *„Der Bürger"* und der Jahreszahl 1924. Es stellt den Versuch dar, am Schicksal eines jungen Menschen, der zwischen den Klassen schwankt, die gesellschaftliche Situation der Zeit zu enthüllen. Dieser bemühte Roman, der allzu schwer mit psychologischen und soziologischen Erkenntnissen befrachtet ist, gehört zweifellos zu den schwächsten Leistungen des Dichters. Noch schwächer wirkt der ganz anders geartete Roman *„Bruder und Schwester"*, der im modernen Gewand und vermeintlich „hohen" Stil das alte Motiv des Inzests behandelt. Er erschien 1929.
Leonhard Frank war wesentlich besser beraten, als er dazwischen – 1927 – und noch einmal im Jahre 1932 auf seine Räuberbande zurückgriff. Die beiden Romane, die daraus erwuchsen, sind *„Das Ochsenfurter Männerquartett"* und *„Von drei Millionen drei"*. Sie schildern, in lockerer Form an Franks Erstlingswerk anknüpfend, wie ein paar jener Würzburger Buben (die mittlerweile Familienväter geworden sind) vom Mahlstrom der Inflation und der Weltwirtschaftskrise erfaßt werden. Im Gegensatz zum schwülen Pathos oder thesenhaft Konstruierten der zwei anderen Romane gewinnt das Erzählte hier, wo der Dichter aus eigener Anschauung schöpfen konnte, rasch wieder seine alte Rundung, Fülle und gediegene Kraft.
Das Jahr 1933 unterbrach diese Entwicklung jäh. Leonhard Frank mußte, wie so viele mit ihm, in die Emigration gehen, die in seinem Fall volle siebzehn Jahre dauern sollte. Sie führte den Dichter zunächst über Zürich und London nach Paris, später – nach einer abenteuerlichen Flucht vor den anrückenden deutschen Truppen – über Marseille und Lissabon nach Amerika.
Es war ein entscheidender Einschnitt. Die Trennung von Muttersprache und geistiger Heimat bereitete Frank tiefe Qual, die er nie ganz zu überwinden vermochte. Zweifellos steht das plötzliche Nachlassen seiner schöpferischen Kräfte damit in Zusammenhang. Zwar erschien 1936 noch der (wiederum recht problematische) Roman *„Traumgefährten"*, der die Pathologie der Liebe gestaltet; doch er war bereits vor 1933 konzipiert und auch begonnen worden. In den folgenden Jahren beschränkte Frank sich darauf, an seinem Frauenroman *„Mathilde"* zu arbeiten, der 1945 abgeschlossen wurde und zuerst in englischer Sprache herauskam. Unmittelbar vorher war die in Rothenburg spielende *„Deutsche Novelle"* entstanden, in der das Schicksal der Heldin – persönlicher Ruin durch einen brutal-begehrlichen Diener – zum Sinnbild für die Verführung des deutschen Volkes durch Hitler wird.
Nach Kriegsende, als der Dichter seiner Rückkehr nach Deutschland entgegensah, lebte sein Schaffen noch einmal auf. In schneller Folge schrieb Leonhard Frank damals eine Reihe von Kurzgeschichten sowie den Roman *„Die Jünger Jesu"*, den Rechenschaftsbericht *„Links wo das Herz ist"* und die Erzählung *„Michaels Rückkehr"*. Sie setzen sich fast alle auf irgendeine Weise mit

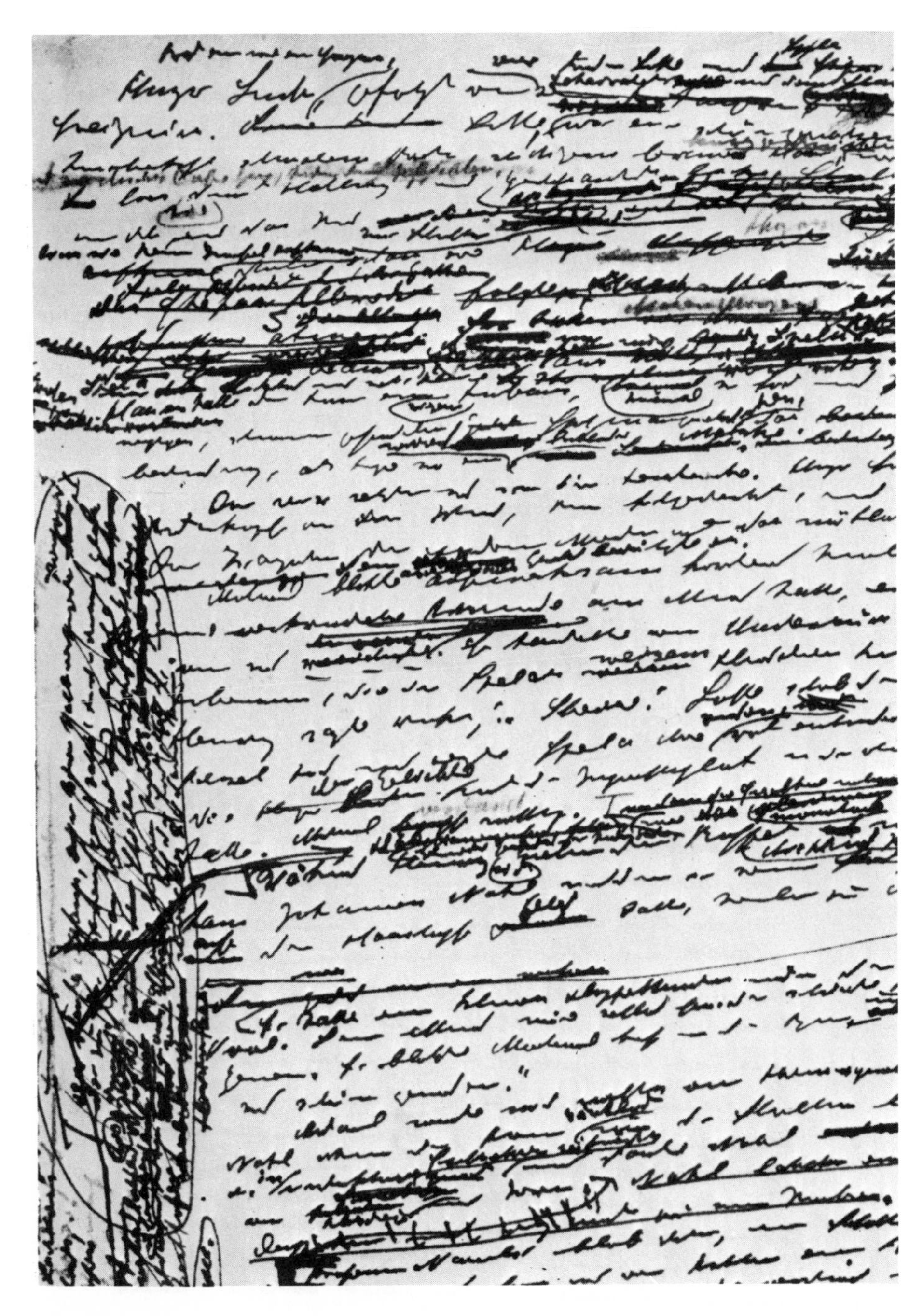

Ausschnitt aus einer Manuskriptseite zu „Links, wo das Herz ist". Auf Seite 666: Der Beginn eines Briefes von Frank an Maxim Gorki: „Vor einigen Tagen sagte mein Freund Bronski zu mir: ‚Gorki ist neben Lenin der geliebteste Mensch in Rußland'"

dem Problem des Nazismus und der Nachkriegszeit auseinander. Neben dem nicht nur als Selbstzeugnis wichtigen Rechenschaftsbericht von 1952 ragt unter ihnen besonders der drei Jahre früher gedruckte Roman hervor, der wiederum Würzburg zum Schauplatz und das Motiv der Knabenbande zum Mittelpunkt hat.

Das letzte Jahrzehnt in Franks Leben war eine Zeit des Ordnens, Sichtens und Feilens, kaum noch des Schaffens. Dafür häuften sich nun die Ehrungen. Westdeutschland wie Ostdeutschland, in seltener Einmütigkeit, zeichneten den Dichter aus: nicht nur *„um der Bedeutung seines Werkes willen"*, sondern auch in Anerkenntnis seiner *„männlichen, geraden Haltung"*, wie es in einer der Urkunden heißt. Der Arbeitersohn aus Würzburg, der eine natürliche Anlage zum Grandseigneur besaß, war für solche Ehrungen durchaus empfänglich; doch die tiefste Befriedigung gewährte es ihm, daß hüben wie drüben seine Bücher erscheinen und von menschlicher Freiheit und menschlichem Glück künden durften. Denn Freiheit und Glück in einem ganz elementaren Sinn, nicht so sehr eine bestimmte Gesellschaftslehre, verfocht der Dichter und Humanist Leonhard Frank. Er starb am 18. August 1961 – einer der wenigen Überlebenden jenes großen Aufbruchs in der deutschen Literatur, der mit seinen ersten Versuchen begonnen hatte.

An Maxim Gorki!

Vor einigen Tagen sagte mein Freund Bronski zu mir: „Gorki ist neben Lenin der geliebteste Mensch in Russland."

In dem Schweigen, das daraufhin folgte, glaubte ich Ihren ganzen lebenslangen Kampf und auch Ihr Glück zu fühlen. Denn von einem Volke, das seine Revolution gemacht hat, geliebt zu werden und dabei das Bewusstsein haben zu dürfen, an der Herbeiführung dieser grossen Revolution entscheidend mitbeteiligt gewesen zu sein und zwar mit Hilfe der sublimen und in diesem Falle ganz besonders schwierigen Mittels wahrer echter Kunst, bedeutet eine Erfüllung, wie sie in gleich hohem Masse nur ganz selten einem Menschen beschieden sein dürfte.

Friedrich Bröger

KARL BRÖGER

1886—1944

Karl Bröger starb am 4. Mai 1944, als der zweite Weltkrieg sich seinem Ende zuneigte. Es läßt sich, zurückschauend, in dem Zeitpunkt seines Todes etwas Schicksalbestimmtes sehen. Sein persönliches Schicksal verlief parallel zu dem seiner Vaterstadt. In dem mächtig aufstrebenden Nürnberg des ausgehenden 19. Jahrhunderts, als sich innerhalb weniger Jahrzehnte die Reichsstadt mit großer Vergangenheit in eine Industrie- und Großstadt verwandelte, wurde er geboren. Seine glücklichste und fruchtbarste Zeit erlebte er in der Weimarer Republik, in der kurzen Spanne eines relativen Friedens. Der Niedergang der Stadt, der einige Jahre durch eine glänzende äußere Fassade maskiert war, hat auch Brögers Leben und Schaffen tief beeinflußt. Den Anfang der Zerstörung Nürnbergs erlebte er noch; den Untergang der Stadt hat er nicht mehr gesehen. Die Parallelität im Schicksal Karl Brögers und seiner Vaterstadt darf jedoch nicht dazu verführen, in ihm ausschließlich einen Lokaldichter zu sehen. Er hat sich über die Frage Heimat und Kunst einmal in einem Aufsatz geäußert: *„Wie es keinen Menschen ohne Haut gibt, so gibt es auch keinen ohne Heimat. Nur scheint mir, daß die Meinung, eines Menschen Heimat gäbe seiner Kunst allein das Gesicht, reichlich übertrieben ist. Zum mindesten ist die Heimat niemals mehr Schöpfer des Menschen, als sie selbst von Menschen geschaffen wird. Sonst lebten wir heute noch im Hercynischen Wald und nicht in Deutschland."* Obwohl Karl Bröger im epischen Teil seines Werkes oft historische Stoffe gestaltet hat, war er kein Romantiker der Vergangenheit. Er war sich durchaus bewußt, ein Mensch der Industriegesellschaft des 20. Jahrhunderts zu sein. Daß die Stadt, in der er lebte, ein Doppelgesicht hat, nicht nur ein der Vergangenheit, auch ein der Gegenwart und der Zukunft zugewandtes Gesicht, dafür mag sein Gedicht *„Der Steinerne Psalm"* ein Zeugnis sein.

„Unsre Straßen klingen
von Stimmen alter und neuer Zeit.
Edle Kirchen und Häuser singen
schönstes Lied der Vergangenheit.
Über Firste und Giebel, traulich im Winkel verschmiegt,
noch ein später Glanz verblaßter Tage sich wiegt.

Aber Kamine und Essen, trotzig gereckt in den Wind,
heulen herrisch: Heute ist heute! Wir sind!

Jeder Stein erklingt unter deinem Fuß,
schickt ein Haus dem andern Haus seinen Englischen Gruß.
Jauchzt die Esse steil aus rauchgeschwängerter Luft,
tönt der Kirchturm Antwort aus seinem marienseligen Himmelsduft.
Dome, Kapellen, für Beter gewölbtes Schiff,
Bahnhofshallen, Fabriken, von Arbeit durchstampft,
durchgellt von Sirenenpfiff,
ihre Gesänge münden aus Duft und Weihrauch,
aus Dunst und beißendem Qualm
alle in einen riesenstimmigen Lebenspsalm.

‚Wir sind gebaut auf schwankenden Erdengrund.
Wir sind gebaut von einem schaffenden Menschenbund.
Stehn wir auch längst von allen Gerüsten entschält,
bleibt doch des Werkes Ruhm in Ewigkeit ungeschmält.
Schlafen auch Maurer und Steinmetz in der kühlen Gruft,
recken wir doch ihr Werk in hellste Himmelsluft,
künden wir jedem Auge, das uns liebend schaut:
Wir sind gebaut!
Wir sind von einem schaffenden Bund gebaut!‘

Wo die Stadt sich verliert im blauen Himmelsrand,
reicht das letzte Haus dem ersten Baum die Hand,
klingt noch ins Rauschen der Wälder von diesem Psalm ein Klang,
Unsere Stadt ist ein mächtiger steinerner Lobgesang.“

Karl Bröger wurde im Nürnberger Vorort Wöhrd geboren. Sein Vater, ein Dorfhandwerker, war auf der Arbeitssuche nach Nürnberg verschlagen worden und arbeitete in der Klettschen Maschinenfabrik. Der Dichter war das älteste von neun Kindern; nur drei von ihnen überlebten die Jahre der Kindheit. In dem autobiographischen Roman *„Der Held im Schatten“* hat Karl Bröger diesen Teil seines Lebens erzählt. Die Schilderung ist ohne Zorn, sachlich, und nicht ohne Ironie und Selbstironie. Sie verzichtet auf ein nachträgliches sozialrevolutionäres Pathos ebenso wie auf eine andere Art von Romantik, nämlich auf die Romantisierung der Armut. Armut, das war für ihn, der sie kannte, kein *„großer Glanz von innen“*. Die Armut gehörte damals ebenso wie eine kleine Lebenserwartung und eine große Kindersterblichkeit zum Schicksal einer Arbeiterfamilie. Der Roman *„Der Held im Schatten“* erschien 1919.

Karl Bröger hat also bereits mit 33 Jahren seine Selbstbiographie verfaßt. Sie umfaßt den Zeitraum seines Lebens, in dem er zum selbstbewußten und selbstverantwortlichen Menschen wurde. Dieser Prozeß dauerte fast ein Jahrzehnt. Ein Jugendgedicht aus dem Roman gibt etwas von der Stimmung jener Jahre.

„Ich tapp' in meinem finstern Haus
die Winkel alle ein und aus.

Ich suche was, bald da, bald dort,
ich suchte schon an jedem Ort
und immerfort!

Vernunft, das karge Dreierlicht,
blakt immer nur und leuchtet nicht.
Mit dieser Funzel, jammervoll,
find ich nicht, was ich suchen soll.
Das macht mich toll!

Drum, wird's nicht bald im Hause hell,
dann greif ich nach dem Zunder schnell
und stecke mit der eigenen Hand
die ganze Herrlichkeit in Brand.
Mit eigener Hand!

Das eine wüßt' ich gerne nur:
Liegt's wohl im Ratschluß der Natur,
daß lichterloh der Giebel brennt,
damit man nur im Haus erkennt,
wohin man rennt?"

Die Begabung des jungen Karl Bröger war schon in der Volksschule erkannt worden. Er erhielt eine Freistelle an einer höheren Schule und war ohne große Anstrengung der beste Schüler der Klasse. Aber der trotzige und selbstbewußte Arbeiterjunge konnte sich nicht mit seiner Stellung als geduldeter Stipendiat abfinden, verstieß wiederholt gegen die Schuldisziplin und wurde von der Schule verwiesen. Damit war der Traum der Eltern ausgeträumt, ihr Sohn könnte vielleicht einmal Lehrer werden. Der junge Mensch sah sich wieder in die Welt verwiesen, aus der er stammte. Wie für den russischen Dichter Gorki wurden nun Baustellen und Fabriken, Obdachlosenasyle und selbst das Gefängnis zu „Universitäten" im Leben Karl Brögers. Aber bei aller äußeren und inneren Wirrnis dieser Jahre blieb für ihn doch ein Ziel bestehen, so unerreichbar es auch schien: Er wollte ein Dichter werden. Der radikale Individualist und Außenseiter der Gesellschaft hatte selbst gegen die Kaserne nichts einzuwenden, als er eingezogen wurde, weil sie ihm neben und nach dem Dienst Zeit zum Lesen, Schreiben und Studieren gab.
Über seine Entwicklung zum Dichter hat Karl Bröger in *„Der Held im Schatten"* viele Seiten geschrieben, über seine Entdeckung nur wenige Zeilen. *„Ernst war sein eigener und einziger Hörer, klatschte sich selbst Beifall, weil sonst niemand es tat, und empfand diese Einheit als Schöpfer und Genießer als einen natürlichen Zustand. Die Zeit war aber reif, ihn aus seiner freiwilligen Verbannung zu holen. Seine Schwester — ihr Leben spielte sich fast ganz gesondert von seinem Leben ab — fand eines Tages Verse von ihm. Sie brachte sie zu einem Lehrer, der Ernst zu sich bat."*
Dieser Lehrer, der spätere Schulrat Emil Grimm, erinnerte sich noch Jahrzehnte später gut an diese erste Begegnung, die 1909 stattfand. *„Es waren 150 Gedichte, ein Essay über Hebbel und die Exposition zu einem Drama ‚Spartacus'. Ich war einfach erschüttert von dieser dichterischen Kraft und Eigenart des jungen Mannes. Doch Karl Bröger hat mich schön warten lassen, bis er*

Hans Werthner: Karl Bröger, Öl 1917

dann eines Tages vor mir stand: ein kleiner, dürrer Mensch mit eingefallenen Wangen, einer spitzen Nase, aber einem edelgeformten Schädel. Er war direkt von der Baustelle gekommen und noch voller Schmutz. Ich erzählte vorsichtig vom Besuch seiner Schwester und wagte schließlich zu sagen: ‚Ja, Sie sind ein Dichter!' Und was antwortete Karl Bröger mit seiner stockheiseren Stimme? — ‚Daß ich ein Dichter bin, das weiß ich selber!'“

Die ersten Gedichte erschienen, ausgewählt und eingeleitet von dem Münchner Literaturhistoriker Professor Dr. Franz Muncker, 1910 in den *„Süddeutschen Monatsheften“*. Die ersten Versbände, *„Gedichte“* und *„Die singende Stadt“*, kamen 1912 und 1913 heraus. Unter diesen frühen Gedichten war bereits das *„Lied der Arbeit“*, das unterdessen unzählige Male zitiert, rezitiert und komponiert wurde.

Karl Bröger //
Die singende Stadt.

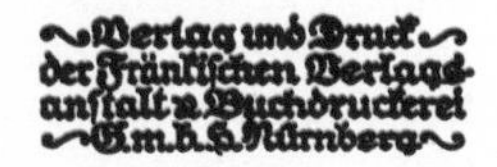

Titel der „Singenden Stadt“

„Ungezählte Hände sind bereit,
stützen, heben, tragen unsre Zeit.
Jeder Arm, der einen Amboß schlägt,
ist ein Atlas, der die Erde trägt.

Was da surrt und schnurrt und klirrt und stampft,
aus den Essen glühend loht und dampft,
Räderrasseln und Maschinenklang,
ist der Arbeit mächtiger Gesang.

Tausend Räder müssen sausend gehn,
tausend Spindeln sich im Kreise drehn,
Hämmer dröhnend fallen, Schlag um Schlag,
daß die Welt nur erst bestehen mag.

Tausend Schläfen müssen fiebernd glühn,
abertausend Hirne Funken sprühn,
daß die ewige Flamme sich erhellt,
Licht und Wärme spendend aller Welt.“

In diesem Gedicht, wenn es auch noch von Stilmerkmalen überkommener Modelle geprägt ist, wird doch etwas Neues sichtbar: das Selbstbewußtsein der jungen Arbeiterbewegung, die sich nicht mehr als Opfer einer alten Gesellschaftsordnung, sondern als Gestalter einer neuen fühlt.

Man könnte annehmen, der Weg des jungen Karl Bröger zu den Organisationen der Arbeiterbewegung wäre selbstverständlich und leicht gewesen. Er war es nicht. Der radikale Individualist, entschlossen, selbst seinen Weg zu suchen und zu finden, hielt jede Art von Organisation für überflüssig. Erst das Erlebnis einer Streikversammlung, bei der die Entlassung eines älteren Arbeitskollegen verhindert wurde, änderte seine Ansicht in dieser Frage radikal. Er wurde Gewerkschaftsmitglied und Sozialist nicht aus dem Zwang seiner sozialen Lage heraus, sondern aus Überzeugung. Die Konsequenz aus dieser Überzeugung war, daß er nicht mehr allein in einer selbstgeschaffenen Welt leben konnte, daß er als Mensch wie als Dichter nicht mehr nur unter, sondern mit den Menschen leben mußte und wollte. Die Selbstbezogenheit vieler seiner früheren Gedichte wich immer mehr einer Stimmung des *„Wir“*. Im Jahre 1910 begann er eine neue Berufslaufbahn als Journalist, 1912 gründete er eine Familie. Die Laufbahn des *„Held im Schatten“* war abgeschlossen.

Karl Bröger war 23 Jahre lang, bis 1933, als er aus seiner Stellung entfernt wurde, Journalist und Redakteur. Dieser Beruf hat ihn nie an seiner Berufung zum Dichter gehindert. Er liebte das *„starke Gefälle“* und die fortwährende Anspannung der Zeitungsarbeit und nahm eine Theaterkritik oder einen politisch-satirischen Aufsatz genauso ernst wie sein Schaffen als Dichter. Das Handwerk und die Kunst des Schreibens waren für ihn nie getrennte oder gar gegensätzliche Gebiete. Die Zeit, in der sich im Leben Karl Brögers die ersten Erfolge im Beruf, die Freude an Familie und Vaterschaft und das Fortschreiten in der Ausformung seiner künstlerischen Persönlichkeit glücklich vereinigten, dauerte nicht lange. Sie wurde durch den ersten Weltkrieg unterbrochen.

Durch das Gedicht *„Bekenntnis“* wurde er weithin bekannt. Es erschien im *„Simplizissimus“*, und zwar unter dem Pseudonym *„Von einem Arbeiter“*.

„Immer schon haben wir eine Liebe zu dir gekannt,
bloß wir haben sie nie mit einem Namen genannt.
Als man uns rief, da zogen wir schweigend fort,
auf den Lippen nicht, aber im Herzen das Wort
Deutschland.

Unsre Liebe war schweigsam; sie brütete tiefversteckt.
Nun ihre Zeit gekommen, hat sie sich hochgereckt.
Schon seit Monden schirmt sie in Ost und West dein Haus
und sie schreitet gelassen durch Sturm und Wettergraus,
Deutschland.

Daß kein fremder Fuß betrete den heimischen Grund,
stirbt ein Bruder in Polen, liegt einer in Flandern wund.
Alle hüten wir deiner Grenze heiligen Saum.
Unser blühendstes Leben für deinen dürrsten Baum,
Deutschland.

Immer schon haben wir eine Liebe zu dir gekannt,
bloß wir haben sie nie bei ihrem Namen genannt.
Herrlich zeigte es aber deine größte Gefahr,
daß dein ärmster Sohn auch dein getreuester war.
Denk es, o Deutschland."

Dieses Gedicht ist keine nationalistische Fanfare, wie sie damals der Hurra-Patriotismus in Massen produzierte. Es ist mehr nach innen als nach außen gewendet, eher ein Geständnis als eine Proklamation. In keinem der Kriegsgedichte Karl Brögers gibt es eine aggressive Haltung oder einen angreiferischen Ton gegen ein anderes Volk. Was in diesen Gedichten und in den späteren epischen Werken über den Krieg, zum Beispiel in *„Bunker 17"*, zum Ausdruck kommt, sind die Gedanken und Gefühle des „kleinen Mannes", der die Katastrophe weder gewollt noch gesucht hat, in die er geworfen wurde. Das Thema *„Bekenntnis zu Deutschland"* hat der Dichter auch nach dem ersten Weltkrieg noch einige Male lyrisch gestaltet. Diese Gedichte, darunter auch das bekannte *„Nichts kann uns rauben"*, entstanden alle in der Anfangszeit der Weimarer Republik, als das Land zugleich Bürgerkriege, die Inflation und die Teilbesetzung durch fremde Staaten zu ertragen hatte. Es sind Gedichte, die nicht Haß oder Rache gegen einen äußeren Feind proklamieren, sondern Liebe und Vertrauen zu dem jungen demokratischen Staat Deutschland.

„Noch bist du ganz zerrissen.
Aus hundert Wunden strömt dein Blut.
Du keuchst in Finsternissen
Und schwelst in einer trüben Glut.

Verworrner Streit der Stimmen
Erstickt den Ton, der alles eint.
Sollst du in Nacht verglimmen?
Ist dir kein neuer Tag vermeint?

Ich spähe nach den Zeichen,
Und schon zerbricht der harte Bann.
Der Wahn muß einmal weichen,
Daß dich die Welt entbehren kann.

Uns aber ist geboten,
Mit dir durch Nacht ins Licht zu gehn,
Darin einst deine Toten
Verklärt und herrlich auferstehn."

Mit diesen Gedichten, die in einer Abteilung des Lyrikbandes *„Deutschland"*, erschienen im Jahre 1923, gesammelt sind, hat Karl Bröger den Themenkreis *„Bekenntnis zu Deutschland"* abgeschlossen. Zehn Jahre später wurden diese Strophen zitiert, als wären sie eben erst zu Ehren des Dritten Reiches entstanden. Sie waren zwar an Deutschland gerichtet, aber an ein anderes Deutschland.
Die tiefe Sehnsucht nach Frieden und nach einer menschlicheren Welt, die das Ende des ersten Weltkrieges begleitete, spiegelt sich in *„Flamme"* wider, einem

Der Vater

Er gab in einem jähen Überwallen
das Leben weiter wie er es bekam,
und sah es in ein neues Dasein fallen,
als er des Kindes ersten Schrei vernahm.

Seit er in eine zweite Schale fließen
den großen Quell ließ, den er in sich schloß,
darf er in einem weitern Selbst genießen,
was er sonst nur im Eigensten genoß.

Jetzt gleicht sein Dasein ganz dem Wasserstrahle,
der aus dem Quell sich in die Lüfte schwingt,
und von der obern in die untere Schale
in frohem Spiele unaufhörlich springt.

Oft beugt er sich in innerstem Genügen
auf seines Kindes Brust herab und lauscht,
wie klingend hell in seinen Atemzügen
der heitere Katarakt des Lebens rauscht.

Karl Bröger

Das Gedicht „Der Vater“, um 1920

Gedichtband, der im Jahr 1920 erschien. Auch die Form der Lyrik Karl Brögers veränderte sich. War sie vorher volksliedhaft schlicht und manchmal an dem geliebten Vorbild Friedrich Hebbel gebildet, so wuchs sie nun zu hymnischen Formen auf. Aber diese hymnische Form war keine expressionistische Steigerung der Sprache. Sie bleibt auch da zuchtvoll und klar, wo sie auf das Element des Reims verzichtet und nur noch den Rhythmus der Sprache als Stilmittel verwendet.

Psalm der Gemeinsamkeit

Mein und Dein
habt ihr zu Pfeilern gemacht
ruhlos schwankender Welt,
darin mehr Zäune wuchsen
als Gärten,
hütenswert.

Sturm
hat die Welt überfallen,
wühlt sie grundum
und spielt hohnlachend Ball
mit Trümmern.

Schmerz
krümmt sich in Millionen Betten.
Den Fieberschweiß
tupft von seiner wunden Stirn
weißdienende Liebe.

Schau, Seele, hin!
Jedes Fleisch,
zerhauen und zerschossen,
gibt Blut,
und Blut schwemmt alle Zäune fort.
Willst du sie stützen?

Ein Blut,
maßlos verschüttet,
rinnt durch den Leib der Welt.

Ein Geist
wird vergossnem Blut entwachsen.

Schon richtet er,
kein Zäunebauer,
die Säulen auf des Tors,
hoch und weit genug für alle,
einzugehn ins Land,
da der Mensch Freude ist dem Menschen.

In dem Gedichtband *„Flamme"* sind drei lyrische Spiele enthalten: *„Kreuzabnahme"*, *„Kanaan"* und *„Der junge Baum"*. Diese Stücke waren nicht in erster Linie für das Berufstheater geschrieben, dafür waren sie zu kurz und zu lyrisch, sondern für die Laienspielgruppen, die nach dem Krieg mit und aus der Jugendbewegung überall entstanden. Innerhalb von zwei Jahren hatte sich der Dichter, der als Lyriker begonnen hatte, außer der epischen auch der dramatischen Form bemächtigt.
Unterdessen war von Julius Bab der Ausdruck *„Arbeiterdichtung"* geprägt worden. Er bezog sich auf eine Gruppe von Dichtern, die das gemeinsame Merkmal hatten, einmal Arbeiter gewesen zu sein. Zu dieser Gruppe wurden gerechnet: Gerrit Engelke, Heinrich Lersch, Otto Barthel, Alfons Petzold und Karl Bröger. Aber diese Gruppe, deren Mitglieder miteinander bekannt, oft auch befreundet waren, hatte weder eine gemeinsame Organisation noch ein gemeinsames Programm. Sie hatte nur – eine Zeitlang – in Eugen Diederichs einen gemeinsamen Verleger. Eine Gruppe, der sich Karl Bröger um diese Zeit bewußt anschloß, waren die *„Werkleute auf Haus Nyland"*. Mit dem Leiter dieser Gruppe, dem Dichter und Volkswirtschaftsprofessor Wilhelm Vershofen, verband ihn eine lebenslange Freundschaft.
Die Jahre der Weimarer Republik waren die glücklichste und erfolgreichste Schaffenszeit im Leben Karl Brögers. Er war unterdessen vierfacher Vater geworden. Aber als ob er sich für die weltabgespaltene Ichbezogenheit seiner Jugend entschädigen wollte, übernahm er in reichem Maß Aufgaben und Aktivitäten, die ihm für die Allgemeinheit von Nutzen schienen. Er wurde einer der Gründer der Jungsozialisten und sprach vor und mit jungen Menschen. Unter Hunderten von Erstlingsarbeiten junger Arbeiter wählte er die besten aus und gab sie in einem Sammelband – *„Jüngste Arbeiterdichtung"* – heraus. Weil er selbst mit der Schulerziehung schlechte Erfahrungen gemacht hatte – oder die Schulerziehung mit ihm –, schrieb er für den „Bund entschiedener Schulreform" die Schrift *„Phantasie und Erziehung"*. Seine Interessen waren ebenso weit gespannt, wie sein Arbeitstag angespannt war.
Aber neben dieser Arbeit für den Tag und für die Gelegenheit erschien in der ersten Hälfte der zwanziger Jahre spätestens alle zwei Jahre ein neues Buch. Die nächsten Werke waren wieder Lyrik. Nach den hymnischen Aufschwüngen in *„Flamme"* wandte sich Karl Bröger wieder einfacheren Themen und Formen zu. *„Die vierzehn Nothelfer"* sind ein Legendenbuch. Die alten Legendenstoffe werden ganz undogmatisch mit den Augen eines modernen, weltfrommen Dichters gesehen, der die Heiligenfiguren wieder in Menschen zurückverwandelt. Die Gedichte sind in einer kräftigen, bildhaften Sprache in einfachen Knittelreimen geschrieben.
Der folgende Lyrikband *„Der Vierkindermann"* ist eine Idylle über eine Zeit, die der Vater Karl Bröger mit seinen vier Kindern allein verbrachte. Diese zugleich heitere und nachdenkliche lyrische Erzählung, in der von nichts weiter die Rede ist als von einem Vater, der abwesenden Mutter, den Kindern und einem schönen Sommer, gehört zu seinen zartesten und liebenswürdigsten Schöpfungen. Auch bei den nächsten lyrischen Werken, *„Deutschland"* und *„Der blühende Hammer"*, wurde die Form des lyrischen Traktats beibehalten, einer Sammlung von Gedichten um ein Thema oder um einen Themenkreis. Der Band *„Unsere Straßen klingen"* war nach demselben Grundsatz gegliedert. Er unterschied sich von den früheren lyrischen Werken darin, daß die Formen wieder stärker variiert waren:

Hölderlin

Im zerfallenen Tempel Apolls
– Efeu umbuscht seine Trümmer,
und die dunklere Pinie
reckt edle Trauer über den Schutt –
bist du entsprungen, klingender Quell,
und geronnen hügelab
ins Land der grauen Nebel.

Wie rauscht melodisch dein Fall
von Abhang zu Abhang
dem schwarzen Strome zu,
jauchzt über Sternen,
klagt unter Klüften,
trägt auf jeder Welle selige Geister,
Dryaden und Nymphen,
und spiegelt immer die eine Sonne:
Diotima!

Bück dich, Jugend,
zu schöpfen in hohle Hand
den lautersten Trank,
letzte Träne Apolls,
die der Gott weinte in seinem Sänger.
Dann aber steht auf,
berauscht von Dionysos,
und wißt, daß ihr seid
Söhne der Sonne und Brüder dem großen Pan.

Etwa gleichzeitig mit diesen Lyrikbänden erschienen zwei Werke für Sprechchor: *„Tod an der Wolga“* hat die russische Hungersnot von 1922 zum Thema und ist Fridjof Nansen gewidmet, der die Hilfsaktion für die Hungernden leitete. Mit den sechs Bänden Lyrik, die zwischen 1920 und 1925 erschienen, war das lyrische Werk Karl Brögers geformt. Sammlungen neuer Gedichte erschienen später nicht mehr.
Vom Jahre 1925 an wandte sich der Dichter wieder der epischen Form zu. Nach einem Band Kurzgeschichten *„Jakob auf der Himmelsleiter“,* gleichsam als Fingerübung voraus, schrieb er das *„Buch vom Eppele“,* einen Roman über eine halb sagenhafte, halb reale Raubritterfigur aus dem mittelalterlichen Franken. Er hatte schon längere Zeit die Schwänke und Geschichten gesammelt, die über den Ritter Eppelein im Volk umliefen. Der Freund und Redaktionskollege Georg Gärtner unterstützte ihn bei den historischen Vorarbeiten und stellte sein großes Archiv zur Verfügung. Der Roman ist in Chronikform geschrieben, so, als wäre der Dichter selbst Zeuge der Schelmenstreiche und Abenteuer des Ritters gewesen. Nach diesem Roman arbeitete Bröger langsamer und bedächtiger. Die epische Form erschloß sich ihm nicht so leicht wie die lyrische. Es dauerte vier Jahre, bis das nächste Werk, *„Bunker 17“,* erschien. Der erste Plan zu diesem Roman, der das Schicksal eines Kriegskameraden erzählt, stammte aus dem Jahre 1922. Er wurde ins Englische, Französische und Schwedische

übersetzt. *„Der Held im Schatten"* war schon vorher übersetzt worden. Der nächste Roman war als Fortsetzung von *„Held im Schatten"* gedacht. Er war als Zeitsatire angelegt, hatte den Titel *„Die Wolkenschieber"* und enthielt scharfe Angriffe auf den Nationalsozialismus. Als er im Vorfrühling 1933 fertig war, wagte kein Verlag, ihn zu drucken. Dazu war es zu spät.

Im März 1933 übernahm Karl Bröger zum erstenmal in seinem Leben ein politisches Mandat. Er war sich über die Chancen der politischen Kräfte nicht im unklaren, aber trotzdem kandidierte er als Stadtrat für die SPD und wurde gewählt. In der ersten Ältestenratssitzung des neuen Stadtrats forderte ihn der Gauleiter Streicher zum Übertritt in seine Fraktion auf. Karl Bröger weigerte sich und lehnte es auch ab, für den nationalsozialistischen Bürgermeisterkandidaten zu stimmen. Nach der Sitzung wurde er, noch im Rathaus, von SA-Leuten überfallen und niedergeschlagen. Einige Wochen später folgten Verhaftung und Einlieferung in das Konzentrationslager Dachau. Einem Zufall hatte er es zu verdanken, daß er im September 1933 aus dem Konzentrationslager entlassen wurde: dem Besuch einiger Abgeordneter der Labour Party im Lager. Nach seiner Entlassung stellte man ihn unter Polizeiüberwachung.

Karl Bröger ist nicht emigriert. Mit seinen Freunden, die das Los der Emigration wählen mußten, stand er in Verbindung, so lange noch Wege offen waren. Für sich selbst sah er nur die Lösung, da zu bleiben, wo er war. Er hätte es sich leichter machen können. In den zehn Jahren bis zu seinem frühen Tod lebte Karl Bröger als freier Schriftsteller. Die Bücher, die fortan von ihm erschienen, waren ausschließlich Prosawerke, darunter drei Kinderbücher. Der Lyriker Bröger war fast völlig verstummt. Den Hauptteil seines Werkes in der letzten Schaffensperiode bildeten drei Romane, die — und das ist bezeichnend — alle historische Stoffe behandelten. *„Guldenschuh"* ist, wie das *„Buch vom Eppele"*, ein Roman aus dem Umkreis des mittelalterlichen Nürnberg, *„Nürnberg"* die in Romanform gebrachte Geschichte der Heimatstadt. Sie wurde zusammen mit dem Freund Gärtner konzipiert. Es war ursprünglich mit dem Verlag vereinbart, daß der Roman mit dem Ende des historischen Nürnberg, also etwa mit dem Jahr 1870, abgeschlossen werden sollte. Aber auf politischen Einspruch hin mußte auch das Nürnberg der Reichsparteitage geschildert werden. Die Rahmenerzählung, in der das — nachträglich — geschehen sollte, wurde von dem Dichter nicht nur erpreßt, sie wurde auch noch verändert. Aber er hatte den Verlagsvertrag unterschrieben und mußte seinen Namen für das Werk hergeben. *„Licht auf Lindenfeld"* ist ein Roman über die Anfänge der technischen Entwicklung im 19. Jahrhundert. Er schildert also den Beginn jener technischen Arbeitswelt, aus der Karl Bröger stammte. Mit diesem Roman, der 1937 erschien, verstummte auch der Epiker Bröger. Was jetzt noch erschien, waren nur Neuausgaben früher geschriebener Werke oder Sammlungen kleinerer Arbeiten.

Als der zweite Weltkrieg begann, lebte der Dichter sehr zurückgezogen. Er hatte drei Söhne, die Soldaten waren, aber für diesen Krieg gab es kein *„Bekenntnis"*. Noch immer hielt er die Verbindung zu den Freunden, zu dem früheren Reichstagsabgeordneten Simon, mit dem zusammen er im Konzentrationslager war und den er oft sah, und mit Wilhelm Vershofen, den er selten traf, weil der Professor sich emeritiert und grollend ins Allgäu zurückgezogen hatte. In seinem Hause, allerdings wohlversteckt, lag das Manuskript *„Die*

Wolkenschieber"; die ersten Pläne für einen dritten Band des *„Held im Schatten"*, der im Dritten Reich spielen sollte, waren schon vorhanden.
Karl Bröger gehörte nicht zu denen, die das Dritte Reich überleben sollten. Das Ende kam langsam und qualvoll. Es begann 1942 mit dem Verlust eines Sohnes, der vermißt wurde und vermißt blieb. Ein Jahr später wurde sein Haus durch Bomben zerstört. Er hatte es immer abgelehnt, etwas von seinem Besitz zu verlagern. Während er selbst mit Frau und Tochter aus dem rauchgefüllten

·Mit Bildern von Rudolf Schiestl·

Titelblatt der „Vierzehn Nothelfer"

Keller entkommen konnte, verbrannten in kurzer Zeit alle Manuskripte, auch die ungedruckten, fast alle Briefe und der größte Teil der Bibliothek, die zugleich Werkzeug und Ergebnis seiner Lebensarbeit als Schriftsteller war. Schon vorher hatten sich die ersten Anzeichen eines Halsleidens bemerkbar gemacht, das zu spät als Krebs erkannt wurde. In einem Gasthauszimmer des Dorfes Kalchreuth fand Karl Bröger eine Unterkunft, als seine Wohnung zerstört war. Die ihn damals sahen, schilderten sein letztes Gesicht: Er war immer schon mager gewesen. Aber nun war das Gesicht geradezu ausgehöhlt, mit tief gefurchten Wangen und eingefallenen, schlaffhäutigen Greisenschläfen. Der Eindruck eines Hiobsgesichts wurde noch gesteigert durch einen wirren, weichen, grauen Bart, der nicht entfernt werden konnte, denn die Haut war durch Strahlenbehandlung gereizt und verbrannt. Er beklagte sich nicht über Schmerzen, er sehnte sich nur nach Schlaf. Am 4. Mai 1944 starb er in der Universitätsklinik Erlangen.

Die letzte Arbeit, mit der er sich noch in Kalchreuth beschäftigte, war die Herausgabe seiner *„Gesammelten Gedichte"*. Der größte Teil der ausgedruckten Auflage verbrannte bei einem Fliegerangriff in Leipzig.
Sollte diese Hinwendung zu der Kunstform, in der er einst angefangen hatte, ein Abschluß sein oder die Hoffnung auf einen neuen Beginn?

„Dunkler Bruder, den ich suchen muß,
klingt dein Schreiten nicht vor meinem Fuß,
löst sich eben nicht mit der Gebärde
meiner Hand dein Umriß von der Erde,
bist du nicht in jedem Mienenspiel,
in dem Lächeln nicht, das mir vom Munde fiel?

Ja, ich taste immer dein Gesicht,
kann es aber nie erreichen.
Schwere Schatten lagern um das Licht,
lassen Deine Züge matt erbleichen.
Doch gewisser aus der Dämmerung bricht
nur ein Glanz: Du mußt mir gleichen,
dunkler Bruder, der mir bald als Sohn
jung entgegenstürmt, mich zu umfangen,
und im nächsten Augenblicke schon
bist du wiederum in Dunst zergangen.
Keine Zeit kann deinem Zutritt wehren,
und kein Raum der harte Riegel sein.
Drängt es dich erst, bei mir einzukehren,
bin ich dein
wie mein.

Denn du bist vor mir gewesen
und wirst noch an meinem Sarge stehn,
sinnend meinen Namen abzulesen
und dann wieder froh ins Licht zu gehn.
Immer spür ich deine Nähe
und den Hauch von deinem Mund.
Wenn ich fiebernd nach den Zeichen spähe
wird mir Welt und Himmel herrlich rund.
Heißt nicht Gottes andrer Name: Du?
Jeder Weg führt auf ihn zu,
mündet still in seine tiefe Ruh.
Du,
dunkler Bruder!"

Friedrich Schnack

VERSUCH, EIN SELBSTPORTRÄT ZU ZEICHNEN

geb. 1888

In einer zu Goethes Geburtstag vom Goethe-Institut in München im Cuvilliés-Theater veranstalteten Gedenkfeier wurde ich mit dem bekannten Schauspieler, Vortragskünstler und Autor Werner Fink bekannt gemacht: über das unerwartete Zusammentreffen schien er zu erstaunen, denn er fragte mich zweimal hintereinander: „Sind Sie der Friedrich Schnack?" Ich bejahte mit einem Scherz, und er sagte, seine zweimalige Frage begründend: „Ich verehre Sie sehr!" Das war schmeichelhaft – er ist bekannter als ich –, die Frage aber nach meiner Identität machte mich nachdenklich. Werner Fink hatte vermutlich eine andere Vorstellung von mir, so daß mir die Frage nahelag: Wer bin ich eigentlich? Der im Spiegelein an der Wand war ich wohl nicht oder nur in oberflächlicher Wiedergabe, weil ohne Innenbild reflektiert. Die schwierigste Forschung ist nicht die Selbstbespiegelung, sondern das Suchen in der eigenen Brust. Würde es etwa die Psychoanalyse schaffen? Wo die zu Ende ist, fängt es, meine ich, doch erst richtig an. Und die eigenen Werke? Was besagen sie? Es sind Reflexe oder Versuche der Selbstverwirklichung – vieles habe ich noch nicht gehoben, ich habe noch einige Möglichkeiten. Die Frage an das eigene Ich ist nichts Neues. Auch andere haben sich mit ihr schon abgemüht und gequält. Hebbel schrieb den bittern Satz: *„Der ich bin, grüßt traurig den, der ich könnte sein."* Hat er sich etwa selber verfehlt? Ist er ein ganz anderer als der, den wir kennen? Hebbel trieb, unbewußt wahrscheinlich, „Existenzanalyse". Sie scheint tiefere Einsichten zu gewähren als die Psychoanalyse, denn sie ist ein moralischer Akt. Wenn die Psychoanalyse will, daß der Mensch mit seinem Unterbewußten ins reine komme, so strebt die Existenzanalyse vor allem danach, daß der Mensch zu sich, zu seinem eigenen Ich komme: das scheint mir wichtiger zu sein als das Umherplanschen im Unbewußten.
Wahrscheinlich ist jede echte Kunstleistung ein Trittstein zum Ich des Leistenden, während eine falsche Kunstbewerkstelligung ein Rückfall ist in das Triebhafte und Chaotische, das im Tode endet, aber nicht wider das Tödliche kämpft.
Mit dem Versuch der dichterischen Selbstverwirklichung werde ich kaum jemals fertig werden, und so muß ich Fragment bleiben wie jeder Produzierende. Die Zeit ist knapp, das Leben begrenzt, und indem *„das Maultier im*

Nebel seinen Weg sucht" – im Nebel dieser Zeit –, verliert es an Zeit. Werner Finks Frage möchte ich am liebsten scherzhaft beantworten: Der, für den man mich hält, bin ich nicht. Was andere über mich schrieben – vieles gut, einiges mindernd –, trifft mit Bestimmtheit auf einen andern zu. Der andere, nicht ich, ist der Gemeinte.
Auf der Schule habe ich mich bemüht, den Rat eines der sieben Weisen aus Delphi zu befolgen: „Erkenne dich selbst!" Später merkte ich, daß sich in diesen Imperativ Schwachsinn mischt. Ein ganzes Leben reicht nicht dazu aus, sich selbst zu erkennen. Die meisten lassen es auch lieber gleich bleiben. Dennoch versuche ich hier, ein Selbstporträt zu entwerfen.
Von Natur bin ich ein solarer, kein lunarer Mensch: in meinem Horoskop – das ich sonst aber unbeachtet lasse – steht die Sonne im ersten Hause, dem des Ichs. Ich bin demnach keine Nachteule. Bei Tage arbeite, nachts schlafe ich. Gegen sechs Uhr erwache ich, überdenke mein Tagesprogramm und beginne um neun meinen Arbeitstag. Mit der aufsteigenden Sonne bin ich am vitalsten, im Spätnachmittag lasse ich nach. Kommt es hoch, so sind es sieben Stunden gewesen. Nicht alles schreibe ich mit der Hand, aber das meiste; ich stenographiere auch nicht wie manche „Jünger Apolls", ich möchte das Handschriftbild vor Augen haben, die Tal- und Bergfahrt der Worte. Ich bin kein linearer „Steppenwolf", sondern eine Mittelgebirgsnatur. Ich diktiere auch nicht, die Gegenwart eines andern würde mich hemmen, benütze auch kein Bandaufnahmegerät, wie mancher Schreiber, der nicht schreibt, es würde mich von mir selber aussperren.
An Eingebungen aus einer imaginären Dimension glaube ich nicht. Ist man begabt, so hat man auch Einfälle. Nietzsches Aussage über seine Zarathustra-Eingebung halte ich für übertrieben, für literarischen Stuck. *„Des Dichters Aug in schönem Wahnsinn rollend"* gehört in den *„Sommernachtstraum"* oder zum Augenarzt. Ich schreibe, weil ich schreiben kann – und wenn ich dichte, dann dichte ich eben. Beides ist aber nicht identisch. So viele „Dichter", wie es bei uns gibt, gibt es gar nicht. Schreiben ist Hand-Werk, Dichten ist Kunst-Werk. Schreiben können viele. Wer schriebe heutzutage nicht, und wer würde nicht gedruckt? Der Geburtsschein genügt. Aber Schreiben ist jedenfalls Schwerarbeit. Es gibt talentierte, geschickte, gewitzte Schreiber, weniger talentierte und eine Unzahl banale. Ein nicht ganz untalentierter junger Mann oder auch eine Hausfrau, ein literarisches Heimchen am Herde, im Besitz von Wort-Garn und einer Schreibmaschine, ist fähig, einen Roman zu stricken. Unter diesem Rudel hat es schon immer sehr befähigte Hausfrauen gegeben: da die Romanerzeugung überflutet, kann es auch gar nicht anders sein. Ich denke, diese Leute schreiben aus Langeweile, wie denn auch der Roman, Erfindung des 19. Jahrhunderts, erst richtig aufkam, als sich die Menschen zu langweilen begannen, also mit der Industrialisierung. Und der Roman ist ein industrielles Produkt. Mit Können hat das gewiß allerlei, mit Kunst aber im allgemeinen sehr wenig zu tun, es sei denn, der Urheber wäre ein wirklicher Sprachschöpfer. Die übrigen sind mehr oder weniger Problemschmiede – sie schmieden, solange das Eisen warm ist. Die Zeit bläst es dann schon wieder kalt. Bei jungen Schreibern, die sich auch Autoren nennen, schreiben die Jugend und das allgemeine Bildungsgut mit. *„Das Verführerische für junge Leute"*, sagte Goethe zu Eckermann, *„ist dieses: Wir leben in einer Zeit, wo so viele Kultur verbreitet ist, daß sie sich gleichsam der Atmosphäre mitgeteilt hat, worin ein junger Mensch atmet. Poetische und philosophische Gedanken*

regen sich in ihm, mit der Luft seiner Umgebung hat er sie eingesogen, aber er denkt, sie wären sein Eigentum, und so spricht er sie als das Seinige aus. Nachdem er aber der Zeit wiedergegeben hat, was er von ihr empfangen, ist er arm. Er gleicht einer Quelle, die von zugetragenem Wasser eine Weile gesprudelt hat, und die aufhört zu rieseln, sobald der erborgte Vorrat erschöpft ist."
Was Goethe sagte, gilt auch heute. Man soll deshalb niemals einen jungen Menschen, der an lyrischen Pocken leidet, zum Dichten ermuntern: man könnte mitschuld sein, wenn er später versagt oder sich zu spät einer nützlichen Beschäftigung zuwendet. In der Jugend dichtet sich's leicht. *„Der Lenz, er sang für ihn"* steht in den „Meistersingern", und Sainte-Beuve äußerte: *„In jedem jungen Menschen steckt ein Dichter, der mit zwanzig Jahren gestorben ist."* Mancher merkt es nur nicht und dichtet posthum weiter. Um ein ganzes Leben lang künstlerisch durchhalten zu können, braucht man Substanz und Potenz – und auch eine eigene Welt, nicht eine angeliehene, angebildete und anschmarotzte. Eine eigene Welt setzt eine eigene Sprache voraus. Welt wird durch Wort. Gedichte enthüllen: sie offenbaren das Vermögen oder das Unvermögen. Sie zeigen, ob einer eine eigene Sprache am Leibe hat und in seinem Innern eine Einheit von Form und Ausdruckswillen. Wer kein Sprachschöpfer ist, kann kein Weltschöpfer sein – er ist bestenfalls ein Verwerter. Ich kannte einen Verleger der frühern Schule: der fragte zuerst nach Gedichten, wenn ihm ein junger Autor – und es hätte selbst ein Thomas Mann sein können – ein Prosamanuskript vorlegte. Hatte er keine Gedichte geschrieben, so wurde der Editeur schon schwankend. Brachte der Verfasser epigonische oder nachempfundene Gedichte zum Vorschein, so wurde er verabschiedet. Er hatte keine eigene Sprache, er war keine Figur. Er war ein Bildungsdichter, keine Natur.
Das erste Buch ist nicht entscheidend, schon eher das zweite, sicherlich aber das dritte. Manche schreiben ihr Leben lang nur immer das erste, was sie auch schreiben. Was wenige wirklich und eigentümlich und unverwechselbar in Melos und Ausdruck hervorbringen, kann Kunst sein. Was viele können, und selbst wenn es gut gemacht ist, ist Hand-Werk oder literarische Industrieware. (Viele Maler treiben es nicht anders.) Wir haben viele Kunstindustrielle, die sich als „Künstler" an die Rampe schieben. Wer darstellt, was seinem eigenen Wesen nicht entspricht, gilt – gerechterweise – als „Macher". Der Dichter gestaltet, das „Wie" ist wichtig. Bei ihm ist es der unwillkürliche, absichtslos wirkende Ausdruck. Beim Schriftsteller erfolgt die Darstellung mit Rücksicht auf gewisse Abnehmer, auf die gewirkt werden soll: politisch, sozialkritisch, pornographisch, fachlich oder wissenschaftlich. Das leuchtet ohne weiteres ein. Das handwerkliche Können dominiert. Beim Dichter, der ja dichten kann, ist die Naturbegabung souverän. Goethe war eine Naturbegabung. Ein Schriftsteller kann nicht ohne weiteres dichten, ein Dichter aber kann fast immer schriftstellern; Schiller und Goethe taten es häufig. Niemand wird behaupten, daß Schillers *„Abfall der Niederlande"* oder Goethes *„Schädellehre"* dichterische Werke seien!
Oft wird einem ohrenbläserisch eingepustet: der Dichter solle oder müsse sich engagieren, sein dichterisches Ingenium einem zeitlichen Bedarfsartikel aufkleben. Die Herren verweisen auf Grabbe, Kleist, Büchner. Diese Dichter sind niemals recht populär geworden. Was für den einen gilt, trifft auch auf den andern zu. Von Büchner weiß man nur deshalb, weil er Poet war, nicht weil er sich politisch engagiert hatte. Andere zu seiner Zeit waren auch politisch

engagiert, und man weiß nichts von ihnen, sie waren keine Poeten. Das Historische an Büchner ist kaum noch interessant, das Historische ist immer von gestern, das Poetische aber immer von heute, von morgen, von immer. Es wächst einfach über das Historische hinaus. Die Forderung nach dem sogenannten Engagement ist eine taktische, keine dichterische Anregung, meistens sind es auch bloß journalistische Losungen. Der Dichter hat zu gestalten, der Journalist hat mitzuteilen. Wer das nicht begreift, ist Journalist oder unbefugt. Man muß nicht mit grobem Pinsel auftragen: hat einer eine Witterung für die Zeit, wird er auch ihr Bild auf seine lichtempfindliche Platte bannen können. Er saugt es auf, lebt es aber auch rascher als die andern zu Ende und eilt danach weiter, seiner Zeit voraus. Man muß sich eben davor hüten, den Geist der Zeiten mit der Herren eigenem Geist zu verwechseln, man wäre verloren. Ob Eugène Ionesco ein bedeutender Bühnendichter für jedermann ist, weiß ich nicht. Aber für alle Dichter gilt, was er gelegentlich äußerte:

„Alle engagierten Autoren wollen uns vergewaltigen, das heißt: überzeugen, anwerben.“ Was mich angeht, so bin ich so neugierig, daß ich an allen politischen und gesellschaftspolitischen Vorgängen auf der Weltbühne größten Anteil nehme: ich höre wahrhaftig mehr von Politik als von belletristischer Literatur, die sich so wichtig nimmt. Aber auch ein Uhrmacher, der in das Räderwerk blickt, kann so denken und so gerichtet sein, ohne daß ihm jemand für seinen Beruf ein politisches Engagement abverlangte. Es gibt Uhrmacher, die sehr gut schreiben können und auch veröffentlichen, und auch die Chemiker, Physiker, Kunsthistoriker und andere Veröffentlicher, besser schreibend sogar als manch einer der Nur-Schreiber, die läßt man in Ruhe. Es ist eben eine fixe Idee von Leuten außerhalb der Dichtung, die Dichtung kommandieren zu wollen.

Man spinnt seine Puppe. Selbst der Zweifel an der eigenen Fähigkeit zwingt einen dazu. Was ich mache, kann kein andrer machen. Wenn ich es nicht tue, ein anderer tut es nicht. Ich habe nie gewünscht, an der Stelle eines andern zu stehen. Womöglich wäre ich dann in seiner Reihe der zehnte oder zwanzigste, während ich doch lieber in meiner der einzige bin. Für ein großes Manko halte ich es, wenn ein Schreibender nichts anderes gelernt hat als das Schreiben von Aufsätzen, Essays, Kritiken, Stilproben und Büchern. Ein reflektierendes Leben ist niemals ein volles. Ein Dichter vor allem sollte alles können und alles verstehen. Auch wie ein Nagel gehalten wird, den man in eine Wand oder ein Brett einschlägt. So viele der Kollegen klopfen sich dabei auf die Finger, statt daß man ihnen auf die Finger geklopft hätte, damit sie es lernten. Aber was soll man denn mit den vielen Büchern, die jährlich neu erscheinen, in den kleinen Wohnungen? Ich muß noch einmal zitieren, und zwar aus der *„Ärztlichen Seelsorge“* des gescheiten und tiefblickenden Dr. Viktor E. Frankl in Wien: *„Der Roman“*, sagt er, *„den einer gelebt hat, ist noch immer eine größere schöpferische Leistung als der, den jemand geschrieben hat.“*

Zu Anfang war es keineswegs meine Absicht, von literarischen Erzeugnissen zu leben – ich habe auch niemals für Kollegen geschrieben. Nach meiner Schulzeit, wegen des frühen Todes meines Vaters möglichst schnell beendet, habe ich eine dreijährige Lehre im Wirtschaftswesen absolviert. Das Lehrzeugnis ist mir wichtiger als einer der literarischen Preise, die ich bekam, namentlich in jener Zeit, als es noch eine Auszeichnung war. Heutzutage könnte man den alten Witz wiederholen: „Je preiser, desto durchgefallener.“

Ich hätte ein Geschäft eröffnen, eine Firma gründen, ein Unternehmen leiten können. Vielleicht hätte ich es zum Chef gebracht – und ich war hin und wieder auch einer. Fast zehn Jahre habe ich in wirtschaftlichen und industriellen Unternehmungen gearbeitet. Einen Verleger hätte ich wahrscheinlich auch abgeben können: Herstellen, Kalkulieren, Satz, Druck und Vertrieb habe ich gelernt. Ich halte mich überhaupt für brauchbar: ich kann gründlich gärtnern, Waren verkaufen, Bankkassierer sein, kann Bäume pfropfen, Rosen okulieren, düngen, anstreichen, tischlern, ich kann Kranke pflegen, Säuglinge baden, wickeln und füttern, kann kochen, kann eine Frau glücklich machen. Eines aber kann ich nicht: in einem Café oder Hotelzimmer schreiben und dichten, weil da fremde Spurenelemente und Seelensporen umhergeistern. Ich brauche eine ruhige Arbeitszelle wie der heilige Hieronymus im Gehäus bei Dürer, wenn nicht gerade mit einem Löwen, so doch mit einer Katze zu Füßen. Anregungsmittel habe ich nicht nötig, ich bin selber eines, und ich brauche keinen Kaffee, keinen Tabak, keinen Whisky, kein Bier, keinen Tee – ich brauche nur mich und Schreibpapier. *„Durch Papier bestehen wir, Menschenherrschaft ist Papier!“* reimte Hoffmann von Fallersleben einst für seinen Verleger Cotta.
Ich habe nach dem ersten Weltkrieg mit Veröffentlichungen begonnen. Ich war wie jeder gesunde und jeder ungesunde Mann eingezogen, der Krieg verschlug mich in die Türkei, in Konstantinopel entstand mein erstes Gedichtbuch *„Das kommende Reich“*, nämlich das meiner eigenen Geisteserlebnisse und meiner Sprache. Nach Ende des Krieges wurde ich auf einer Insel im Marmarameer interniert, eine reizvollere hätte sich ein junger Poet nicht träumen lassen können. Im April 1919 wurde ich mit den andern durch die Dardanellen, das Mittelmeer, den Atlantik und Kanal nach Wilhelmshaven transportiert. Ich kam gerade nach Franken, als der Dichter Ernst Toller in München erfuhr, wie schwer es ist, Politiker zu sein. Die Eisenbahn ging nur bis Bamberg. Mit einer Kutsche fuhr ich nach Haßfurt, wo meine Schwester lebte: dort machte ich vier Urlaubswochen, überarbeitete mein Gedichtmanuskript, das ich auf der Fahrt in einen wasserdichten Stoff eingenäht hatte, wimmelten doch die Meere von Treibminen. Der Verlag Jakob Hegner brachte das Buch heraus, ich hatte sogleich die Qualität der Leser auf meiner Seite. Der Satz dauerte lange. Der Handsetzerei war die Type „ü“ ausgegangen, neue mußten erst geschnitten werden. Ich hatte viele Worte mit „ü“ geschrieben, es kam von meinen türkischen Sprachstudien; die türkische Sprache ist sehr reich an Worten mit „ü“, das hatte auf mein Sprachgefühl phonetisch abgefärbt, und es bestätigte sich auch hierbei, daß mein Welterlebnis primär ein Spracherlebnis war und ist. Nach dem fränkischen Intermezzo nahm ich meinen alten Beruf wieder auf, ich leitete ein statistisches Büro in einem großen Genossenschaftswesen. Ich hatte mein Auskommen, es wäre mir nicht eingefallen, Gedichte zu verhökern. Drei Jahre später saß ich in Dresden an einer großen Tageszeitung auf dem Redaktionsstuhl als Chef der Kulturschriftleitung, und ich hatte den Mut, Theaterreferate und eine Unzahl von Berichten und Reportagen zu schreiben. Eine gute Übung für mein Handgelenk, sie kam mir zustatten, als ich in gleicher Eigenschaft an eine noch umfangreichere, auch zweimal täglich erscheinende Zeitung nach Mannheim geholt wurde.
In meiner Redaktionszeit habe ich viele junge Autoren, die sich ihre ersten Sporen verdienten, darunter spätere prominente Namen, durch Abdruck ihrer

Beiträge unterstützt – es wurde bald vergessen. Einige Jahre machte ich mit, dann sagte ich der Zeitung Valet und machte mich als „freier Schriftsteller", der natürlich ein unfreier ist, in Hellerau bei Dresden, wo ich meine Frau, die Dalcroze-Schülerin Edmée Denso, kennengelernt hatte, selbständig. Es ist mir unbegreiflich, wie mancher, der über meine Bücher referierte, auf den Einfall kommen konnte, ich sei Hauslehrer gewesen. Ich habe nie Schwachköpfe unterrichtet. Im Zeitungswesen mochte ich nicht länger Stellung nehmen zu Vorgängen und Leuten, die mir im Grunde gleichgültig waren. Ich sollte sie für wichtig halten. Wozu? Für die Dauer war es nicht meine Sache. Lieber nahm ich ein wirtschaftliches Wagnis auf mich.

Der Verleger meiner ersten Bücher war übrigens beständig mit der Hetzpeitsche hinter mir her: es gab wenig Autoren, die in seine Richtung paßten. Ich schrieb jährlich zwei Prosabücher, die sogleich in die Setzerei gingen. Am liebsten hätte er drei genommen. Er war im Kommen, aber auch ich. Stoffe brauchte ich nicht zu suchen, sie suchten mich. Außerdem machte mich der Zwang produktiv und fleißig.

An meinen Prosabüchern *„Sebastian im Wald", „Beatus und Sabine"* und andern wurde in der Druckerei Hegner der sogenannte „Hegner-Stil" entwikkelt, der später allgemein in das Buchgewerbe einging: schlankes Format, eckiger oder halbrunder Rücken, schlanker Satzspiegel. Der Erfinder war der Druckereifaktor Malte Müller, selber ein strenger „Satzspiegel", von der Insel Rügen, der nicht duldete, daß ein Kapitelschluß nicht voll ausging – ich mußte immer Zeilen füllen.

Es war ein Lieblingsgedanke des Verlegers, eine Schrifttype schneiden zu lassen, die unserm damaligen Lebens- und Lesegefühl entsprechen sollte. Der Graphiker Paul Renner wurde damit beauftragt. Er schuf die heute unter dem Namen „Futura" überall bekannte Schrift, die zu einem der größten Erfolge im Druckgewerbe wurde. Hegner lehnte sie ab, sie hatte sich an griechischen Urformen orientiert. Hätte er die Rechte erworben, wäre er ein reicher Mann geworden. Statt dessen schlug der Hellerauer Messingschmied und Emaillekünstler Mendelsohn eine intellektuell erklügelte Type, eine etwas groteske Schrift von gebrochener Struktur: die Welt nach dem Weltkrieg war ja zerbrochen – sie setzte sich nicht durch. Melchior

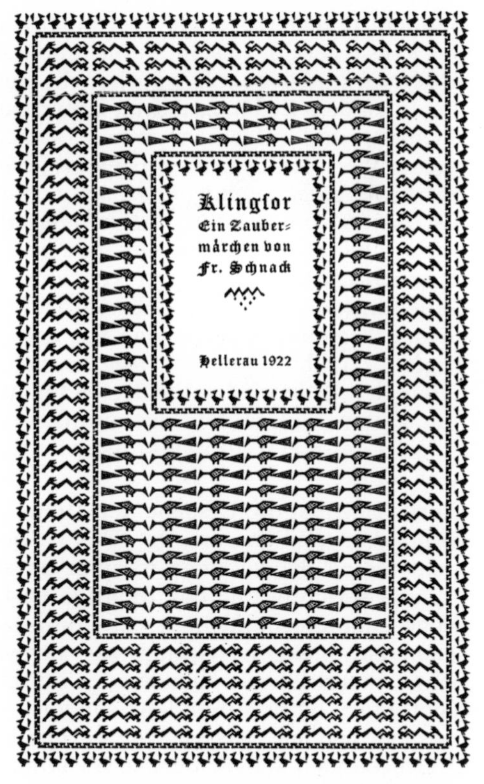

Einband zu Friedrich Schnacks Zaubermärchen „Klingsor", erschienen 1922 bei Jakob Hegner in Hellerau

Vischers *„Teemeister"* wurde mit dieser gebrochenen Schrift gedruckt, auch kein Erfolg. Mein erstes Prosabuch *„Klingsor"*, ein Märchen, zeigt auf dem Einband die Stempel der Tiersymbole dieser Versuchsschrift, die nachexpressionistisch anmutete. Der Inhalt des Buches wurde aber mit einer alten, schönen Type gedruckt. Altes ist oft besser als Neues.

Eines Morgens trat mein Zwingherr in mein Zimmer, wo ich gerade in einem alten Schmetterlingsbuch blätterte. Ich entdeckte dabei die Maria Sibylla Merian, die nach mir — es war 1928 — dann auch von andern „entdeckt" wurde. Wenn einer einen guten Einfall oder Fund hat, haben ihn die andern auch sogleich. Kaum hatte der Verleger den Titel gesehen, rief er: „Schreiben Sie mir eine Dichtung über Schmetterlinge! Sie können das. Ich werde das Buch schön herausbringen. In einem halben Jahr müssen Sie mit dem Manuskript fertig sein!"

Was blieb mir übrig: ich wurde termingemäß fertig, das Buch wurde herrlich gesetzt und erschien noch im gleichen Jahre 1928 mit dem Titel *„Das Leben der Schmetterlinge"*. Es kam auch in fremden Sprachen heraus, und noch eben bewarb sich ein Londoner Verlag um die Übersetzungsrechte. Hätte ich damals ein Zeitbuch geschrieben, würde sich keine Seele mehr darum kümmern. Schmetterlinge scheinen doch dauerhafter zu sein als Engagements.

Seitdem sind vierzig Jahre vergangen: das Buch scheint mit dem Chlorophyll der Poesie gesalbt zu sein. Naturkundlich ist alles richtig daran, versteht sich!, das Naturkundliche war jedoch nicht mein Ziel. Die Poesie war es. Ich schickte das Buch dem Zeichner Alfred Kubin nach Zwickledt, weil ich mich an einen Schmetterling auf einem seiner Blätter erinnerte. In seiner unregelmäßig flackernden Handschrift schrieb er: *„Lieber Herr Schnack, 1000 Dank für Ihr herrliches Buch, eine wunderbare Schöpfung — die Welt der Schmetterlinge als Dichter zu bearbeiten, ist wundervoll... Mir waren die Falter in Jungen- und Jünglingsjahren bis heute eine holde Schar geheimnisvoller Geister, welchen ich zahllose Erlebnisse verdanke..."* Auch mich, den Autor, hatte das Geheimnisvolle an ihrem Leben ergriffen. Ich machte den Schmetterling zum Grundriß meines Buches, das aus drei Teilen besteht: linke Flügelseite die Tagfalter, rechte Flügelseite die Nachtfalter, der dreifach gekerbte Insektenleib in der Mitte wird durch drei Schmetterlingslegenden aus drei verschiedenen Zeiten angedeutet; Zueignung und Abgesang bilden die Ränder der Flügel — also eine formal kunstvolle Komposition —, gemerkt hat es bisher noch keiner.

Dieses Buch ist die Ursache der Meinung einiger Referenten, ich sei „naturverbunden" und „naturselig". Das ist oberflächlich, schematisch, aber es ist nicht meine Sache, lange darüber zu streiten, zumal da auch das Falsche irgendwie richtig und das Richtige bestimmt irgendwie falsch ist. Der Ausdruck „naturverbunden" ist ein billiges Klischee, und „naturselig" bin ich schon gar nicht, das klingt wie Schwärmerei und ist nichtssagend. Alle Schwärmerei ist mir zuwider. Im übrigen fühle ich mich „sehr verbunden", nicht etwa naturverbunden, sondern menschverbunden, kunstverbunden, poesieverbunden, wissenschaftverbunden, stadtverbunden, frauverbunden, kindverbunden — bloß nicht so verbunden wie im Sinne meiner Verbinder. Ich weiß nicht, was Natur ist. Habe sie noch nie gesehen. Ich kenne nur Naturgegenstände. Die ganze Erde, mit Ausnahme der Kulturstellen, scheint ein einziger botanischer Garten und Zoo zu sein und eine kompakte Mineralsammlung.

Und sonst Wasser und Luft. Wenn ich schon den Begriff „Natur“ hier aufnehme, so weiß ich nicht, wovon ich spreche. Es ist anzunehmen, daß auch die Mondfahrer die Natur nicht entdecken werden, sondern wieder eine Gesteinssammlung. Ich bin mißtrauisch gegen die „Natur“, sie ist dämonisch. Und eines Tages werde ich nichts Gutes von ihr zu erwarten haben. Sie wird mich auslöschen. Kein Grund, „naturverbunden“ und „naturselig“ zu sein. Ihren Bestand kenne ich so ziemlich auswendig. Man muß doch wissen, mit wem und womit man es zu tun hat. Meine Hausbewohner kenne ich ja auch. Brauche ich etwas aus der „Natur“, so ziehe ich Register. Es steht mir zur Verfügung. Und brauche ich etwas aus der Technik, der Chemie oder der Physik, so ziehe ich auch. Das Manual ist geräumig. Die Orgel dahinter ist die Wirklichkeit unserer Welt. Das ist viel, aber doch auch nichts Besonderes, außer für den, der einen Fink nicht von einer Lerche unterscheiden kann. *„Es ist die Lerche nicht, es ist die Nachtigall...“* Shakespeare wußte Bescheid. War er „naturselig“ oder „naturverbunden“? Er war wie Goethe eine Natur! Und er hatte wie dieser einen Garten. Die Blumen daraus soll es heute noch geben, wenn Nicholson nicht irrte. Ich habe keinen Garten. Ich lebe in der Großstadt München. Woher sollte ich da naturverbunden sein? Da gibt's nur „Grünstellen“. Manchmal ziehe ich auch ein völker- oder kunstgeschichtliches Register, und es entsteht ein poetisches „Sachbuch“ über die Gartenkunst, betitelt *„Traum vom Paradies“*, seit 5000 Jahren, angefangen bei den Sumerern, oder es kommt *„Die Welt der Arbeit in der Kunst“* zustande – interessant, was und wie die Menschen seit antiken Zeiten gehandwerkert, gehandelt, gearbeitet, geschachert, bis heute gewirkt und gewürgt haben, und wie die großen Maler sie dabei sahen und darstellten. Oder ich tauche ein in die erste Hälfte des 17. Jahrhunderts und zeichne die Lebensgeschichte des Matthäus Merian auf: *„Durch viele Tore ging sein Schritt“* – ein Zeitgenosse aus vielen Zeiten. Bin ich aber gerade wieder einmal kindverbunden, so schreibe ich die in der Großstadt spielenden Jugendgeschichten *„Klick aus dem Spielzeugladen“*, *„Klick und der Goldschatz“* und *„Das Mädchen mit dem Diamanten“*, die bereits von hunderttausend Eltern und Jugendfreunden gekauft worden sind. Sei's wie es sei: bei uns in Deutschland herrscht eben gern der Schubkastengeist, und das Klischee ist sowieso klebrig.
Mit meinen Schriften und Dichtungen, mehr als hundert Titeln, habe ich hervorzubringen versucht, was meinem Wesen und meiner Begabung gemäß ist, das mir aber oft selber mehr Vergnügen bereitet hat als tunlich ist. Und so setzte ich mir zu viele Register. Mein Fehler. Ich hätte meine Begabung und meinen Fleiß schärfer organisieren sollen. Wenn ich die breite Wirkung so mancher Autoren, die nur einen einzigen Gaul in ihrem Stall haben und immer nur denselben reiten, mit dem Ergebnis jener vergleiche, die ihre Begabung über zu viele Felder verstreuen, so muß ich sagen, die mit dem einen Gaul sind lebensklüger. Sie können oft weniger und erreichen mehr.
Ich bin wohl gegen mich zu kritisch und darum nicht salopp. Mir fällt ein, daß ich mein erstes Gedichtbuch-Manuskript, das bereits vom Verlag angenommen war, verbrannte – es hieß: *„Die fröhlichen Landschaften“*. Der Hegner-Verlag wollte es unbedingt veröffentlichen. Da ich aber inzwischen *„Das kommende Reich“* geschrieben hatte, das reicher orchestriert war, wollte ich auf die *„Landschaften“* verzichten. Der Verleger jedoch wollte beide herausbringen. Da warf ich das umstrittene Manuskript in das Ofenfeuer meiner Mutter. Ich wollte einleuchtend erscheinen.

Jasminen

Grün ist der Jasminenstrauch
Abends eingeschlafen.
Als ihn mit des Morgens Hauch
Sonnenlichter trafen,

Ist er schneeweiß aufgewacht.
"Wie geschah mir in der Nacht?"
Seht, so geht es Bäumen,
Die im Frühling träumen!

Friedrich Rückert

Jasmin

Ungeweiht sank der Jasmin
Abends in den Schlaf.
Als der Frühwind weckend ihn
Und das Licht ihn traf,
Stand er heilig schneeweiss da. –

Sag mir, was ihm nachts geschah,
Ihm und allen Sträuchern,
Die mit Wohlduft räuchern
Ihrem eigenen Altar,
Der noch gestern heidnisch war?

Umgeformt von
Friedrich Schnack

X

1.) Schwach bei Rückert die Personifizierung des Jasminbusches mit der Frage: „Wie geschah mir in der Nacht?"

2.) {Präzeptorial: / Lehrhaft: „Seht, so geht es Bäumen, Die im Frühling träumen!"

3.) Botanisch falsch: Der Jasmin ist ein Strauch (ħ), gehört nicht zu den Bäumen.

Mangel der Neufassung: Relativsatz am Ende; zwei Verszeilen mehr als bei Rückert.

Friedrich Schnack: Umformung des Jasmin-Gedichtes von Friedrich Rückert

Nie hatte ich ein ästhetisches Verhältnis zur Welt, ich hatte ein anschauendes, forschendes, dechiffrierendes. Ich stand im dichterischen Geheimdienst. Neu benannt wurden die Dinge neu. Das Ziel des wahren Dichters ist noch immer das Wunderbare. Es kann ungemein vielfältig sein, doch müssen neue Schichten aufgebrochen, neue Länder ergründet werden. Deshalb ging ich auch als erster deutscher Autor für einen längeren Studienaufenthalt nach Madagaskar, wo ich in Dschungeln, Steppen und Grashütten lebte, weit vom „goldenen Schuß“. Ich entzifferte. Und brachte nebenbei mit das Gedichtbuch *„Palisander“*, Gedichte aus den Tropen, und das „geopoetische“ Reisebuch *„Große Insel Madagaskar“*. Aber ich suchte im Grunde meines Seins nie die sogenannte Realität, an die so viele Gehirne glauben und die mir der Richtungspunkt der modernen Naivität zu sein scheint, des einäugigen Sehens. Ich suchte vielmehr die Wirklichkeit, das Ineinanderwirkende, das Zusammenwirkende der zahllosen Wirklichkeiten, aus denen unsere Welt besteht. Das ist ein großes Feld, und meine Zeit ist kurz. Man sieht und erlebt eben immer so viel als man selber ist.

Blicke ich zurück auf meine Herkunft und meine Jugend, so weiß ich mich am Zaune einer berühmten Schreibstube geboren. Mein Geburtsort ist Rieneck an der Sinn bei Gemünden am Main. Die Schreibstube ist das ehemalige „Fuldaische Ländchen“ Buchonien, das Buchenwaldland, von dem der Buchstabe und das Buch hergenommen sind. In Fulda lag die Urzelle der deutschen Schreib- und Dichtkunst, eine illustre Geistes-, Übersetzer-, Schreib- und Buchmalschule, aus der das Abendland tief schöpfte. Ihr Landgut reichte im Süden über Saale und Sinn hinweg bis Rieneck, Hammelburg und Gemünden. Und dort lief auch die frühe Weltstraße, die karolingische, von Westen nach Osten und zweigte ab ins „Ländchen“. Aus Hammelburg, dem fränkischen Hamulo Castell, stammte der große Drucker der Humanisten, Johann Froben — oder Frobenius. Er gründete in Basel eine Druckerei, die zahlreiche Schriften des Erasmus verlegte, und er druckte auch die erste lateinische Bibel, die Luther für seine Verdeutschung benützte. Froben, der Hammelburger, war auch mit Holbein d. J. befreundet, Paracelsus war sein Hausarzt.

Das Ländchen war Geistesflur, sein Nachruhm ist noch im Saale-Wein lebendig, der von den Fuldaern angepflanzt wurde — ihr besonderes Verdienst ist die Entdeckung der verfeinernden „Edelfäule“ der Weintraube. Wahrscheinlich ist es eben doch nicht einerlei, wo einer geboren ist: in einem gesättigten Landstrich oder in einer beliebigen Großstadtgasse. Mein Bezug ist allerdings ein nur assoziativer, kein historischer: der Türpfosten meiner Knabentür, die später in die Welt aufging, war von der fränkisch-fuldischen Weinrebe umrankt. Und von diesem dionysischen Blatt mag es wohl kommen, daß ich zu Klosterbrot gern Klosterwein trinke: beides ist hochwertig. Aber auch Buchstabe, Buch und Buchenwald liebe ich, solang ich leben werde. Und so hätten am Ende doch die recht, die mich schematisch „naturverbunden“ nennen, wenngleich ich nicht ihre Natur meine.

So also ist das kleine Wesensbild und Porträt, zu denen mich der kritische Werner Fink in der Münchner Residenz anregte. Es ist sicherlich nicht viel daran. Es ist eine Strichätzung mit „aqua forte“, mehr Umriß als Figur, mehr Linie als Bild. Vielleicht ist es aber auch bloß ein Vexierbild: irgendwo werde ich wohl im Gestrüpp der Zeichnung stecken. Wer mich sucht, wird mich finden.

Werner Weismantel

LEO WEISMANTEL

1888–1964

Leo Weismantel, im Herbst 1964 gestorben, war ein zarter Mensch. Seine Erscheinung deutete darauf hin, daß sich seine Zeit am Schreibtisch erfüllen sollte, und es gab keine Anzeichen dafür, daß er ein kämpferisches Leben führen würde, ein Leben, das ihn jenen Kräften gegenüberstellen sollte, die die Macht in Staat und Kirche verkörpern.
Es war in der Zeit kurz nach dem ersten Weltkrieg. In München hatte Karl Muth Leo Weismantels Erstling *„Mari Madlen"* herausgebracht, der den noch jungen Mann in die Reihen einer avantgardistischen Schriftstellergeneration stellte, und über verschiedene Bühnen war mit großem Erfolg der *„Totentanz 1921"* gelaufen, der den Namen des Autors bis nach Japan trug. Da erreichte Leo Weismantel eines Tages der Hilferuf eines kaum bekannten jungen kommunistischen Revolutionärs, der zu Gefängnishaft verurteilt war. „Meine letzte Hoffnung ist Mari Madlen", hatte er verschlüsselt an einen gemeinsamen Freund geschrieben. Was kann ein einzelner hier tun? – Leo Weismantel berichtet:
„Nun, wenn ich Christ war, mußte ich Christi Stimme hören, die mir befahl, den Kranken zu besuchen und den Gefangenen zu erlösen! War er – trotz allem – nicht mein Bruder? So schrieb ich in die Stadt, in der das Gefängnis lag – schrieb an den Direktor des Gefängnisses und bat, den Gefangenen besuchen zu dürfen.
Ich bekam eine Absage: nein, das ginge denn doch nicht! Warum ging das nicht? Das schrieb ich fragend in einem zweiten Brief und adressierte ihn an den Justizminister des Landes!
Er schrieb mir: nein, das ginge wirklich nicht!
Es klang fast etwas wie Mitleid mit mir in seiner Antwort an! Wie kann man als studierter Mann so unvernünftig sein, so etwas zu wollen! Freunde, Bekannte, mit denen ich darüber sprach, sahen mich mitleidig an! Wie kann man nur!
Ich hielt damals zuweilen Vorträge über die Nöte der Zeit und sprach dabei einmal in Stuttgart. Im Anschluß an diesen Vortrag, als ich der Einladung eines Kreises von Großindustriellen folgte, hörte ich, wie bei meinem Erscheinen ein Raunen durch den Raum ging: Wie kommt dieser Mann hierher? Ist er nicht ein Kommunist? – Nein, antwortete einer der befragten Industriekapitäne – Nein! Viel schlimmer noch! Viel radikaler! – Er ist ein Christ!"

Schließlich gelang es Weismantel, die Befreiung des ihm kaum bekannten jungen Kommunisten zu erwirken. Sein *„Offener Brief eines Katholiken an einen gefangenen Revolutionär"*, den er in einer angesehenen Zeitung des Auslandes veröffentlichen konnte, bewirkte die Wiederaufnahme des Verfahrens, bei dem der Freispruch des Gefangenen erfolgte.

Für Leo Weismantel gab es keine Unterschiede zwischen den Menschen. Er nahm jeden ernst und begegnete ihm so, als stünde er einem Gleichwertigen gegenüber. An einem Sonntagmorgen, im letzten Lebensjahr meines Vaters, sollte er unbedingt ein Manuskript fertigstellen, das noch am gleichen Nachmittag aus dem Hause gehen sollte. Da die Arbeit drängte, hatte er mich gebeten, ihm bei den letzten Griffen zu helfen. Ich kam — aber es war mir nicht möglich, in sein Arbeitszimmer vorzudringen, weil er nach Aussage der Hausgehilfin ein „sehr wichtiges" Gespräch zu führen hatte. So wartete ich eine Stunde, zwei Stunden. Nach zweieinhalb Stunden endlich verließen drei fremde Herren, sichtlich zufrieden, das Haus. Es waren drei „Zeugen Jehovas" gewesen, mit denen sich mein Vater über drei Stunden unterhalten hatte. Sie hatten in ihm einen eifrigen Diskussionspartner und Zuhörer gefunden. Das Manuskript aber lag immer noch unvollendet auf dem Schreibtisch.

Ganz anders allerdings lernten ihn jene kennen, bei denen er Arroganz und Hochmut erspürte. Hier ein kleines, aber doch recht bezeichnendes Beispiel. Leo Weismantel hatte als Leiter des Pädagogischen Institutes in Fulda, im Herbst 1949, einen „Kunstpädagogischen Kongreß" einberufen. Studentinnen und Studenten halfen freiwillig und ohne Vergütung. Sie bauten Ausstellungen auf, schrieben Schilder, wiesen Quartiere an, waren Garderobemädchen und Platzanweiser. Ohne ihre Hilfe wäre der Kongreß, der zu einem bedeutenden pädagogischen Ereignis wurde, weder zustande gekommen, noch hätte er durchgeführt werden können. Es strömte viel Prominenz herbei: Regierungs- und Ministerialbeamte, Professoren — Ausbildungsleiter. Aber diese Prominenz hatte zum Teil den jungen Leuten gegenüber ein jämmerliches Benehmen. „Fräulein, bekomme ich nun bald meinen Mantel?" — „Junger Mann, Sie haben wohl keine Ahnung, mit wem Sie es zu tun haben? Ich setze mich dahin, wo ich will . . ." „Noch heute sehe ich", so berichtet einer der beteiligten Studenten, „den Professor mit wütender Energie zum Rednerpult steuern: ‚Meine Damen und Herren, die jungen Leute in der Garderobe sind nicht Ihre Stiefelputzer! Das sind Studenten, und ich bitte mir aus, daß Sie sich ihnen gegenüber wie gut erzogene Menschen betragen! Es ist bedauerlich, daß ich Ihnen, gebildeten Menschen, das sagen muß!'"

Leo Weismantel hatte ein außergewöhnliches Verhältnis zur bildenden Kunst. In einem unveröffentlichten Manuskript *„Die Bilder und ich"* schreibt er, er messe der Malerei eine höhere Bedeutung zu als der Dichtung; denn alles Denken vollziehe sich zuerst in Bildern, dann erst im Wort. So umgab er sich — der übrigens selbst ein guter Zeichner war —, wo dies nur möglich, mit Bildern aller Art. Viele Stunden konnte er damit zubringen, seine Sammelmappen durchzusehen und sie immer wieder neu zu ordnen. Unermüdlich ließ er dabei Blatt um Blatt durch seine Hände gehen. In der Art, wie er ein Blatt aufnahm, wie er es dann wieder zur Seite legte, äußerte sich seine Verbundenheit, ja, Zärtlichkeit zu diesen Bildern — und die Familie, die dies beobachtete, meinte oft spöttelnd, es fehle nur noch, daß der Vater die Bilder streichle. Dabei waren die Bilder dieser Sammlung keineswegs wertvolle Originale und Erstdrucke.

Leo Weismantel im Arbeitszimmer seines Hauses in Jugenheim an der Bergstraße

Es waren Fotos, Kunstdrucke, Kalenderblätter, Postkarten, ja, selbst Zeitungsausschnitte finden sich in den Mappen, die er angelegt hat. Noch ziemlich am Beginn seiner Laufbahn als Autor — in der ersten Hälfte der zwanziger Jahre — war das Ehepaar Weismantel in das Haus Herder zu Freiburg eingeladen, wo man einen höchst distinguierten, ja, fast höfischen Lebensstil pflegte. Bei Tisch entdeckte die alte Frau Geheimrat Herder das umfassende Kunstwissen des Gastes. Liebenswürdig fragte sie ihn angesichts ihrer eigenen Sammlung: „Sammeln Sie auch Gemälde, Herr Doktor?" Offenbar war ihr nicht vorstellbar, daß die finanziellen Verhältnisse eines jungen Schreibers selbst dann, wenn er Erfolg hat, die Anschaffung von Originalen im allgemeinen kaum erlauben. Aber der junge Dichter ließ sich nicht beeindrucken: „Ja, gewiß", sagte er, „Drucke, Postkarten und dergleichen!"
Jahrzehnte später durfte Leo Weismantel allerdings auch noch Originale sein eigen nennen: Wer ihn in seinem Jugenheimer Heim besuchte und dort in sein Arbeitszimmer geführt wurde, kam in einen Raum, der wenig von dem Charakter eines Arbeitszimmers im landläufigen Sinne an sich hatte. Ein einziger schmaler Bücherschrank, der einen Teil des Quellenmaterials zum Dürer-Roman barg, an dem Leo Weismantel in seinen letzten Lebensjahren

arbeitete, stand neben dem Schreibtisch in einer Wandnische. Nicht Bücher bestimmten also den Arbeitsraum des Schriftstellers. Statt ihrer fand der Besucher mittelalterliche Plastiken und Bilder, darunter als besondere Kostbarkeit eine fast lebensgroße Madonna — so dem Schreibtisch gegenüber aufgebaut, daß der Arbeitende unmittelbar auf sie schauen mußte, wenn er den Blick hob. An Bildern birgt der Raum den seltenen Druck eines umstrittenen Grünewald-Selbstbildnisses, ein Geschenk des Verlegers Eugen Diederichs, und ein expressionistisches Gemälde, das eine Wand des Zimmers fast in voller Höhe beansprucht: ein Altarbild des Mannheimer Kirchenmalers Willy Oeser „Die heilige Elisabeth küßt einen Aussätzigen".
In einem Nebenraum stoßen wir auf zwei Schränke, die Weismantels größte Sammlung enthalten, eine Sammlung, die nur aus Originalen besteht und die ihm besonders ans Herz gewachsen war. Es ist eine Sammlung von Kinderzeichnungen und Kinderplastiken. Sie zeugt für Weismantels pädagogischer Tätigkeit als Privatgelehrter in Marktbreit am Main, wo er 1928 ein pädagogisches Forschungsinstitut eingerichtet hatte, das ihm nach 1933 von den Nationalsozialisten geschlossen wurde, und von seiner Tätigkeit als Schulrat und Direktor einer Lehrerbildungsinstitution nach dem zweiten Weltkrieg. Die wertvollsten Stücke dieser Sammlung sind rund 200 Kleinplastiken aus Gips, Holz, Speckstein und Elfenbein, gearbeitet von 13—17jährigen Schülern der Elfenbeinschnitzschule in Erbach im Odenwald. Sie entstanden aufgrund eines von Weismantel wissenschaftlich betreuten Lehrversuchs zu Beginn der dreißiger Jahre und sind heute im Elfenbeinmuseum der Stadt Erbach zu sehen, wohin sie die Familie als Leihgabe gegeben hat.
Kehren wir noch einmal in das Arbeitszimmer zurück. Dort steht an einer Wandseite ein breiter Schrank, der sämtliche Veröffentlichungen birgt. In sechs Abteilungen finden wir Bücher und Aufsätze aufgereiht: die Rhönromane, die religiösen Werke, die Künstlerromane, die Bühnendichtungen, das pädagogische und politische Schrifttum.
Keines dieser Bücher hat Weismantel im Manuskript selbst niedergeschrieben. Er sprach seine Schriften stets frei ins Diktat. Einige Zettel mit knappen Notizen genügten als Unterlage. Diese Arbeitsform wählte er, weil er stets ein Gegenüber brauchte, zu dem er sprach. Dies Gegenüber brauchte kein *bestimmter* Mensch zu sein, sondern es mußte jemand sein, der ihm möglichst neutral war. Daher war es ihm in späteren Jahren, als es die entsprechenden Hilfsmittel gab, auch möglich, die Diktiermaschine zu benutzen. Hier fand er die Neutralität, die er brauchte, um in sich die Vorstellung des ihm unbekannten Lesers zu bilden, an den sich sein Werk richtete.
Weismantels so vielfältig erscheinendes Werk ist in sich durch *ein* Grundanliegen aneinandergebunden. Ihn hat nur ein einziges beschäftigt: *„Das Gesicht der heranrollenden Katastrophe der Menschheit in allen Phasen."* Dies zeichnete er auf in der langen Reihe der Romane, in denen er den Untergang der Institutionen des christlichen Abendlandes im Raum des Volkslebens, der Kunst und der Religion aufwies — *„und das verzweifelte Bemühen, mich in die Schar der Kämpfer einzureihen, die der tödlichen Avantgarde des Todes sich — wenn auch ohne Hoffnung — entgegenstellt!"*
Hier wurzelt das politische und pädagogische Werk Weismantels. Seine *politische* Wirksamkeit ist zu verstehen als das Bemühen eines Menschen, in der Auseinandersetzung des Tages in das Geschehen einzugreifen, das sich hier und gerade jetzt vor seinen Augen abspielt. Die *pädagogische* Arbeit dagegen

ist zukunftgerichtet. Sie dient der Vorbereitung eines Kommenden — mit Weismantels Worten *„der Geburt und dem Aufstieg eines neuen Saeculums"*. Dichtung, politische Tätigkeit und pädagogisches Wirken werden aus dieser Sicht zu drei verschiedenen Formen der Auseinandersetzung mit den Kräften der Menschheitsentwicklung.

Als Politiker wird Leo Weismantel erstmals in den Jahren 1924—28 öffentlich sichtbar, wo er als „Parteiloser" Mitglied des Bayerischen Landtags war. Nach 1945 erscheint er dann wieder an jenen Stellen, wo es darum ging, das Wort zu erheben *gegen* eine im politischen Leben sich immer deutlicher abzeichnende Restauration, *gegen* atomare Aufrüstung und *für* die Verständigung mit dem kommunistischen Osten. Wenig bekannt ist aber, daß Leo Weismantel auch dort stand, wo sich in den Jahren 1930—33 eine politische Abwehrfront gegen den Nationalsozialismus bildete.

Damals baute Weismantel — gemeinsam mit dem ihm befreundeten Reichskanzler und späteren Reichsinnenminister Dr. Josef Wirth und dem Publizisten und Sekretär von Papens, Edgar Jung — in Berlin ein Büro auf, zur Untersuchung der Reichsgeschichte ab 1918, aber insbesondere der Vorgänge, welche die Nationalsozialisten und die „Nationale Rechte" zum Ausgang ihrer Demagogie gegen die Weimarer Parteien benutzten.

Weismantel hatte von einem geheimen Protokoll erfahren. In diesem hatte sich die „Nationale Rechte" verpflichtet, zu keinem Zeitpunkt die Unterzeichnung des Versailler Vertrages zum Anlaß zu nehmen, gegen jene Männer, die diesen Vertrag unterschrieben hatten und gegen deren Parteien, um dieser Unterschrift willen, in irgendeiner Form vorzugehen. Wo war dieses Dokument zu finden?

Nach Weismantels Wissen gab es nur noch einen Überlebenden jener Vorgänge: den ehemaligen Reichsjustizminister Hans Bell. Weismantel suchte ihn auf. Bell erinnerte sich zwar, aber wo das Dokument zu finden sei, wußte er nicht zu sagen. Leo Weismantel wollte sich schon verabschieden, da erlaubte ihm sein Gastgeber, sich doch noch einmal in seinem Arbeitszimmer umzusehen. Vielleicht fände er noch etwas, was ihm nützen könnte. Während Weismantel suchen sollte, begab sich Bell zu einer kurzen Sitzung. Leo Weismantel suchte — und fand. Plötzlich hielt er das Dokument in seinen Händen. Was jetzt? Ohne Genehmigung Bells konnte er das Schriftstück nicht entführen, aber würde Bell es ihm überlassen? In dieser Situation beschloß er, die Entscheidung dem Schicksal zu überlassen. Er griff einen Stapel alter Zeitungen und Manuskripte, schob das gesuchte Dokument dazwischen und gab dem zurückgekommenen Gastgeber das ganze Bündel mit der Bitte in die Hand, es durchzusehen, da er diese Papiere gerne mitnähme. Bell sah den Packen flüchtig durch, gab alles seinem Gast zurück, und dieser verließ — glücklich über seinen Fund — das Haus. Im darauffolgenden März — es war der März 1933, der Deutschland die entscheidenden Wahlen brachte — erschienen in einer Nacht in verschiedenen großen Städten Deutschlands Plakate mit der Überschrift: *„Achtung! Hier sprechen die Urkunden des Reiches!"* Hier hatte Leo Weismantel unter einem Pseudonym sein Material veröffentlicht. Die Polizei entdeckte die Plakate und ließ sie überkleben. Man suchte lange nach dem Verfasser, doch der Verdacht fiel erst viele Jahre später auf Leo Weismantel.

In den Jahren 1930—32 hatte Josef Wirth Leo Weismantel auch beauftragt, die deutschen Notstandsgebiete zu bereisen, um die soziale Lage der Arbeiterschaft zu studieren. Mit Hilfe von Freunden erarbeitete er ein Programm zur

Beseitigung der Arbeitslosigkeit, und Wirth schickte ihn mit diesem Programm zu Adam Stegerwald, dem damaligen Reichsarbeitsminister. Stegerwald hörte sich Weismantel an, aber als der von der Notwendigkeit eines ersten Einsatzes von zwei Milliarden Reichsmark sprach, herrschte er den „Phantasten" an: „Weismantel, Sie sind ein Dichter — Sie sind verrückt! Wo soll ich die zwei Milliarden hernehmen?" Es antwortete darauf der Dichter dem Minister: „Herr Stegerwald, wenn Sie das nicht tun, kommt Hitler! Der wird nicht fragen, woher er zwei Milliarden nehmen soll! Sie können sich darauf verlassen, er hat sie!" Daraufhin wies Stegerwald dem Manne, der von Realpolitik ja doch nichts verstand, die Türe!
Jahre später trafen sich die beiden Männer wieder in der Zelle eines Strafgefangenenlagers in Würzburg. Es war nach dem 20. Juli 1944, und mitten in der Nacht war Stegerwald noch eingeliefert worden. Er lag auf der Pritsche unter Leo Weismantel. Der beugte sich herab und fragte:
„Herr Minister, kennen Sie mich noch?"
Der Minister schwieg.
„Herr Minister, wissen Sie noch, wann wir uns zum letzten Male gesehen haben?"
„Ich weiß es."
„Herr Minister, glauben Sie nicht, daß wir heute bequemer lägen, wenn Sie damals die von mir geforderten zwei Milliarden freigemacht hätten?"
„Ja, Weismantel — ich glaube es!"
Die gleiche Aktivität, die Leo Weismantel im politischen Raum zeigte, entfaltete er auch als Schulmann und Beamter: Sofort nach dem Zusammenbruch 1945 hatte ihn die amerikanische Militärregierung mit dem Amt eines kommissarischen Schulrats im Landkreis Gemünden am Main betreut. Als er die Schulen des Kreises im Herbst eröffnen sollte, standen ihm für 27 Schulen insgesamt zwei ausgebildete Lehrer zur Verfügung, alle anderen waren reine Laienkräfte. Was tut ein Schulrat in dieser Situation? Gewiß nicht das, was damals im Landkreis Gemünden geschah.
Leo Weismantel begann mit einer systematischen Ausbildung seiner Lehrer. Er entschied, daß in jeder Woche an einem bestimmten Tage kein Unterricht sei. An diesem Tage sollten sich alle Lehrer des Kreises im Ort des Schulamtes zur Ausbildung treffen. Dort hatte Weismantel für seine Zwecke einen Saal beschlagnahmen lassen, den er einfach möblieren ließ: Tische — Hocker — Schaukästen. Die Gastwirte des Dorfes hatten sich bereit erklärt, für die Lehrerschaft eine markenfreie Suppe bereitzuhalten, und die Bahn stellte einen Sonderzug zur Verfügung, der die Lehrer morgens zur Ausbildung brachte und sie abends wieder nach Hause fuhr. In seinem Schulamt richtete Leo Weismantel dann aus den nicht beschlagnahmten Resten der früheren Schüler- und Lehrerbüchereien eine zentrale Bibliothek ein — vier aus eigener Tasche bezahlte Kräfte halfen ihm bei all diesen Arbeiten —, und so verfügte der kleine und sehr arme Landkreis Gemünden am Main im Jahre 1946 über eine Bildungseinrichtung, wie sie gewiß damals kaum noch einmal anzutreffen war
Es wäre dies auch alles gut gegangen, hätte sich Weismantel nur besser auf die Denkweise der ihm vorgesetzten Behördenstellen einstellen können. Da er dies nicht vermochte — oder nicht wollte? —, überschritt er bald die ihm von den deutschen Verwaltungsstellen gezogenen Grenzen. Er kritisierte die inzwischen wieder neu eingesetzte Bayerische Lehrordnung aus dem Jahre

Die große Frage:

Leo Weismantel:

Erinnerungen an Begegnungen

mit

Atheisten und Kommunisten, –

Deutschen, – Sowjetrussen – Chinesen, –

über die Hitlerjahre

mit katholischen und evangelischen Christen und Juden

mit Amerikanern

in den Jahren vom Ende des ersten Weltkriegs

bis zum Jahre 1964.

Was sollen wir tun, Herr? –

– was sollen wir tun?

Deckblatt zu einer Auftragsarbeit, die Leo Weismantel in den beiden letzten Wochen vor seinem Tode entwarf

1926, polemisierte gegen die damals neu erscheinenden Lesebücher, äußerte sich gegen die Konfessionsschule und machte schließlich den Vorschlag, all diese Fragen auf einem pädagogischen Kongreß zu behandeln, auf dem sich das Bayerische Kultusministerium der Öffentlichkeit stellen sollte. Wer die Schulentwicklung der letzten Jahre beobachtet hat, weiß, daß viele dieser Probleme noch heute Anlaß zu lebhaften Debatten geben. Weismantels Kritik setzte aber schon 1946 ein, und dies war offenbar zu früh. Das Bayerische Kultusministerium entschied, daß er zu entlassen sei. „Ein möglichst baldiges Ausscheiden aus der Tätigkeit des Bezirksschulrates und Lehrerbildners ist ins Auge zu fassen, da sich der Mangel an Fähigkeit des Weismantel, sich Behörden unterzuordnen, als störend auswirkt."

Um Leo Weismantel ist es still geworden. Wenn ich ihn in den letzten Jahren seines Lebens zu Tagungen und Vorträgen begleitete, konnte ich oft feststellen, daß seine Person vom Nimbus des Legendären umfangen war. Das wird verständlich, wenn wir in einer ausländischen Zeitung lesen, daß Leo Weismantel in der Zeit nach dem ersten Weltkriege zu den maßgebendsten Kräften gehörte, „die in der Sprache des Volkes und wenn möglich auch mit den Mitteln des Volkes auf eine Erneuerung vom Geiste her einzuwirken versuchten". Gemäß seinem Wort: *„Wir stehen als Dichter in der Welt, nicht nur um Literatur zu erzeugen, sondern um diese Welt zu bessern und zu ändern. Als Treuhänder müssen wir uns fühlen, mit einer Verpflichtung zur letzten Wahrheit."*

Die auf sich genommene Treuhänderschaft hat dem Manne, von dem hier die Rede ist, harte Gegner eingebracht. Gegner waren ihm alle, die sich von ihm und seinem Streben nach einer Erneuerung des Lebens aus dem Geiste in ihrem Lebensnerv angegriffen fühlten. Da waren die Nationalsozialisten: Sie diffamierten Weismantel als „Juden" und „Systemblüte". Da waren die Demokraten der fünfziger und der sechziger Jahre: Sie prangerten ihn als Kommunisten an.

Erinnern wir uns nun noch einmal jener Episode, die wir zu Beginn erzählten, der Frage des Stuttgarter Großindustriellen: „Ist dieser Mann nicht ein Kommunist?" — erinnern wir uns aber auch der Antwort, die der Befragte gab: „Nein — er ist ein Christ!" Welche Antwort hat Leo Weismantel selbst gegeben?

„Es war in den Jahren der Hitlerdiktatur. Ich wurde von der Gestapo in ein Gefängnis eingeliefert und in eine Zelle geworfen, mitten in der Nacht. Die Zelle war voller Gefangener und da ich als letzter kam, flog ich neben den Kotkübel. Was wissen die Menschen, die nie hinter jenen Türen lagen, von dem, was sich dort begibt? Und vielleicht ist es auch unmöglich, das Grauen jener Wände Menschen zeigen zu wollen, die es nie sahen. Als der Morgen dämmerte, sah ich eine der Gestalten um die andere. Wir waren unser neun in der Zelle — acht Kommunisten und ein Katholik. Was war das vor der Lage, in der wir uns alle befanden? Sie waren zum Teil schon Jahre in Haft — für mich war es die erste furchtbare Nacht, der erste Tag des Grauens. Wie sie sich meiner annahmen! Nun — nicht der Levit erbarmte sich meiner —, es war der arme Samariter, der mich aufhob, der mir zeigte, wie man gegen die dunklen Geister der Nacht ankämpft an diesem Ort, wie man alles teilt — nicht wahr? — Wie käme ich dazu, jene Schicksalsgemeinschaft zu verraten, die damals sichtbar wurde? Versteht man mich, wenn ich das sage? Hat man so bald alles vergessen? Man ist ja nie dort gewesen! Wer dort gewesen ist, hat es nie vergessen!"

Und in einem Kommentar zur Weihnachtsbotschaft Pius XII. im Jahre 1956: *„Wenn Papst Pius XII. die persönliche Aufnahme und Pflege von Kontakten zwischen Westen und Osten behandelt und uns empfiehlt, es darin bei dem zu belassen, was unsere Staatsmänner tun, so empfiehlt uns unser Gewissen, mehr zu tun als diese zur Überwindung der wachsenden Entfremdung und der sich immer mehr verhärtenden Lieblosigkeit zwischen Mensch und Mensch, zwischen Christ und Christ oder Nichtchrist, zwischen Deutschen und Angehörigen anderer Völker. Wir müssen aus dieser inneren Verantwortung heraus unendlich viel mehr tun als unsere Politiker, weil wir zu ihnen nicht das Vertrauen haben, es geschehe in diesen und anderen Lebensfragen wirklich alles, was geschehen könne und solle. Wir wollen und dürfen nicht versäumen, uns unserer Brüder geistig anzunehmen, selbst wenn sie von uns durch eine politische Grenze getrennt sind – denn wir fürchten uns, sonst mit der Frage angerufen zu werden:*
‚Kain, wo ist Dein Bruder Abel!'
Aus Verantwortungsbewußtsein für meine deutschen Brüder und Schwestern heraus und zur Rettung unseres Volkes und Vaterlandes arbeiten wir, meine Freunde und ich, daran, zu allen Völkern ein gutes und, wenn möglich, freundschaftliches Verhältnis zu schaffen. Und unter Berufung auf unser christliches Gewissen glauben wir, die unveräußerlichen Grundsätze unserer Religion höher stellen zu müssen als politische Konzeption und Thesen."
Vor einiger Zeit fand auf Burg Rothenfels am Main eine Begegnung statt, von der man in der Tagespresse kaum etwas las, die aber in ihrer Themenstellung in der jüngsten Geschichte des katholischen Lebens der Bundesrepublik Deutschland von beachtlicher Bedeutung war. Es trafen sich Katholiken und Kommunisten, um über die „Voraussetzungen und Möglichkeiten gemeinsamer Aktivität von Christen und Kommunisten" zu beraten. Als man auseinanderging, war das Ergebnis dieser Begegnung eine Resolution, mit der man sich für die Wiederzulassung der verbotenen KPD einsetzte. Diese Resolution schloß mit den Worten: „Wir fordern dies deshalb, da das Eintreten für eine unterdrückte Minderheit und Solidarität mit ihr in besonderer Weise Sache der Christen ist."
Um Leo Weismantel ist es still geworden. Während ein Teil seines überaus reichen Werkes im anderen Teil Deutschlands weiteste Verbreitung findet, ist es hier in der Bundesrepublik in Vergessenheit geraten. Der Boykott, den man gegen Leo Weismantel ausgesprochen hatte, hat seine Wirkung gehabt.
Doch eines bleibt uns zu fragen – und wir stellen diese Frage bewußt angesichts sich deutlich abzeichnender Entwicklungstendenzen, für die die Begegnung auf Burg Rothenfels ein Symptom ist: Hat Friedrich Nietzsche eine immer gültige Wahrheit ausgesprochen mit diesem Wort „Die Ersten werden geopfert!"
So spricht der Dichter – am Ende seines Lebens: *„Reißt auf den Vorhang einer neuen Welt..."*

Günther Penzoldt

ERNST PENZOLDT

1892—1955

Im Januar 1955, nur ein paar Tage vor seinem Tode, als ihm nach langer Krankheit etwas besser war, verlangte es Ernst Penzoldt wieder zu schreiben. *„Es geht wieder“*, teilte er heiter mit, wenn man ihn besuchte. Er hatte gute Hoffnung, seine Herzkrise zu überwinden. Was er schrieb, waren drei Szenen zu seinem Drama *„Die Portugalesische Schlacht“*, einst, nach der Uraufführung im Jahre 1931, ein vielgespieltes Stück. Nun war das Werk wieder in Berlin angekündigt. Die Figur der Königin Katharina sollte für diese Aufführung erweitert werden. Es ist eine herrische alte Witwe, die ihrem Enkel, dem knabenhaften König Sebastian, und noch mehr seinen romantischen Vorstellungen von der Welt mißtraut, obwohl sie ihn liebt und seinen heldisch-lächerlichen Tod vorausahnt.
Der Untertitel des Dramas, des ersten, das Ernst Penzoldt schrieb, lautet *„Komödie der Unsterblichkeit“*.
Fast ist es, als sollten schon diese Worte nicht nur das Stück, von dem die Rede ist, sondern das ganze Werk Penzoldts charakterisieren. Denn sie beinhalten die genaue Beschäftigung mit dem Sterben, wie es zur Unsterblichkeit gehört, also mit einem gewöhnlich feierlich und ernst dargestellten Gegenstand. Ihm ist nun nach Penzoldts Willen das Wort „Komödie“ vorangeschickt, fast so als wollte man ihm die tragische Maske abreißen. Sicher nicht, um den Tod der Lächerlichkeit preiszugeben, wohl aber dem Lächeln, einer heiter ironischen Gebärde, die zwar jene, dem Menschen unüberwindliche Grenze akzeptiert, aber dennoch nicht allzuviel Aufhebens davon machen möchte.
Dennoch, das *„Drüben“* übt, gerade weil Penzoldt im Tode kein nur böse drohendes anonymes Schrecknis anerkennen will, eine ununterdrückbare Faszination auf den Autor aus. In dem frühen Gedichte vom Todesengel, einer Figur, die auch in seinem bildhauerischen Werk wiederkehrt, kann man das nachlesen:

Mit beschneiten Schwingen nahst du dich.
Schrie mein Jammer dich herab zur Erden,
dunkler Engel, was verlockst du mich?
Glaubst du, daß wir drüben froher werden?

Ach, ich habe dich schon lang gesehen
hinter einem Baum im Garten
regungslos im Finstern stehen
und auf meine Seele warten.

Willst du, daß ich meine Qual verkürze,
schweigsamer Geselle, wartest du,
daß ich mich in deine Arme stürze?
Und du lächelst, und du nickst mir zu.

„Glaubst du, daß wir drüben froher werden?" Der Gedanke an diese Möglichkeit quält ihn früh, und der erste Weltkrieg, den er als Infanterist, Sanitäter und Operationsgehilfe mitmacht, war nicht dazu angetan, ihn zur Ruhe kommen zu lassen.
„Die vier Jahre Kriegsdienst in Frankreich beim Feldlazarett und beim Infanterieregiment 16 führten einen gewaltigen Umsturz in meinem Herzen herbei", notiert er später.
Er hat viele Männer unter seinen Händen sterben sehen. Von einem jungen Engländer mit einem hoffnungslosen Bauchschuß hat er oft erzählt. Während man den Verwundeten versorgte, bat er um eine Zigarette. Man zündete sie an, steckte sie ihm zwischen die Lippen, der Soldat machte einen Zug, lächelte dankbar und verschied. Es mag etwas Tröstliches, fast Hoffnungsvolles in diesem einfachen, lächelnden Lebensabschied gelegen haben.
Es ist also zunächst der Augenblick des Abschieds, die Wende vom Diesseits zum Jenseits, um die es Penzoldt zu tun ist. Dieses letzte Lächeln, das vielleicht wie der Schimmer aus dem noch verschlossenen Weihnachtszimmer überirdischen Glanz verheißt, vielleicht auch die Quintessenz eines für Augenblicke glücklichen Diesseits bedeutet.
Bei Thornton Wilder, in seinem Stück *„Unsere kleine Stadt",* kommentiert die kleine Emely vom Friedhof, von ihrem Totenreich aus, die Lebenden und schilt sie der Herzlosigkeit: *„Sie haben ja nicht einmal Zeit, einander anzusehen."* Und dann, langsam, beginnt das Interesse an den Lebenden zu erlöschen, sie gehen unachtsam und oberflächlich ihrem Tagewerk nach, und die Toten kommen endlich zur Ruhe. James Saunders, der junge englische Dramatiker, spinnt diesen Gedanken auf der Bühne weiter. Er läßt ebenfalls ein Mädchen sterben. Es begeht Selbstmord. Aber solange bleibt es noch sichtbar und diesseitig, als die Gedanken ihrer Familie und Freunde sie noch lebendig in Erinnerung haben. Rasch, sehr rasch verblaßt diese Erinnerung, und nun steigt das Mädchen endgültig in sein Grab. Es ist eine Mahnung an das Diesseits.
Diese Mahnung gibt es bei Penzoldt auch. Der lockende Todesengel tritt immer weiter zurück. Die Frage *„Glaubst du, daß wir drüben froher werden"* wird nun deutlich mit Nein beantwortet. Aber bei Penzoldt kommt die Mahnung nicht aus dem Totenreich. Es gibt bei ihm keine Verstorbenen, die als Rolle oder Figur von drüben herüberwinken. Penzoldt macht nie den Versuch, die Todesgrenze zu verwischen oder aufzuweichen. Seine Vorstellung von der Unsterblichkeit, die er so oft gestaltet hat, ist von anderer Dimension. Ganz aus einem heiteren Diesseitsverständnis erwachsen, stellt sie doch kraft der Phantasie alle Ansprüche, die das Wort Unsterblichkeit nur zu erfüllen vermag.
„Die Komödie der Unsterblichkeit", wie sie in der *„Portugalesischen Schlacht"* hervortritt, reicht, so schreibt er im Nachwort zu dem Stück, in den frühesten,

natürlich noch anonymen Ideen bis in die Knabenzeit zurück. Dann, im Felde in Frankreich, schrieb Penzoldt, *„... als ich ernstlich Geschichten und Gedichte zu schreiben begann, erregte mich immer wieder aufs neue leidenschaftlich dieses uralte Problem, bis es endlich und augenblicklich sichtbar wurde in einer unsterblichen Gestalt, von der Michel de Montaigne folgendermaßen erzählt: ‚Muley Molukko, König von Fez, befand sich äußerst krank, als die Portugiesen mit bewaffneter Hand in seinen Staat fielen. Sein Körper lag darnieder, sein Geist aber und sein Mut standen noch fest auf den Füßen bis zu seinem letzten Hauche und gewissermaßen noch nachher. In der Schlacht, welche durch die Tapferkeit des jungen angreifenden Königs Sebastian von Portugal sehr blutig war, ließ er sich sterbend allenthalben hintragen und -schleppen, wo seine Gegenwart nötig war: endlich, seines nahen Endes gewiß, befahl er, man solle seinen Tod verschweigen, um durch diese Nachricht bei den Seinen keine Verzweiflung zu veranlassen. Er starb mit auf den Mund gelegtem Finger. Wer hat jemals so lange und so weit hinein in den Tod gelebt? Wer starb jemals so im Stehen?‘“*
Diese Geschichte Montaignes mußte Penzoldt faszinieren. Vielleicht — die Skizzen, die er von dem schwarzen König machte, deuten darauf hin — auch vom Standpunkt des Bildhauers aus, eines Berufes übrigens, der ja quasi schon von Haus aus die Hoffnung hegt, der Vergänglichkeit Unvergängliches abzutrotzen. So schreibt Penzoldt weiter: *„Die unvergeßliche Geste des Fingers am Munde war es, die mich bewegte, den näheren Umständen jener Schlacht nachzuforschen. Vor allem durch ein deutsches Flugblatt noch aus dem gleichen Jahre (1578) lernte ich des Sultans jugendlichen Gegenspieler, den kleinen hinkenden Soldatenkönig Sebastian kennen. Mein Schauspiel schildert das Weiterleben einer unsterblichen Idee und die Transfiguration des toten, echten Sebastian in die Gestalt eines falschen, der sich bereit fand, den Geist des andern zu empfangen.“*
Und so bleibt es nicht bei der Figur des schwarzen Feldherrn-Monumentes mit dem Finger an dem Mund; im Gegenteil, das Thema erfährt seine Ausweitung und Umkehrung. Sebastian, der als militärischer Dilettant unterliegt und, von einem Toten besiegt, mit seiner Armee untergeht — ihm wird eine Wiederauferstehung zuteil. Das Demetrius-Thema, durch die Fragmente von Schiller und Hebbel auch in der deutschen Literatur heimisch, ist übrigens ohnehin auf der Pyrenäenhalbinsel zu Hause, denn von Lope de Vega stammt die erste Dramatisierung. Penzoldt allerdings kam es auf alles andere an, als ein politisches Intrigenstück zu schreiben: *„Der Konflikt zwischen Phantasie und Realität, zwischen Zauber und Vernunft, zwischen Poesie und Politik ist hier behandelt, ein Thema, das auch meinen anderen literarischen Arbeiten zugrunde liegt.“*
Man kann hinzufügen, der Konflikt zwischen Unsterblichkeit und Sterblichkeit, wenn man in der Unsterblichkeit einer Seele (oder einer Idee) mehr sieht als das bloße Produkt von Phantasie, Zauber und Poesie, wie es Penzoldt bescheiden ausdrückt.
Er hat das Thema oft umkreist und mehrmals und sehr verschieden gestaltet. *„Idolino“* zeugt dafür, der Roman des täppisch ungelenken Bildhauers, der nächtlich einem jungen Selbstmörder die Totenmaske abzunehmen gerufen ist, und in dem Gesicht des Toten dem Widerschein seiner Seele zu begegnen scheint, so daß er, nicht mehr losgelassen von seiner Aufgabe, erst die bildliche Wiedergeburt des Toten anhand von Skizzen und Plastiken versucht, dann aber der Geschichte des Mannes nachgeht, so als könnte er, indem er Verlore-

Farbige Tuschzeichnung „Sebastian“ zu Ernst Penzoldts Stück „Die portugalesische Schlacht – Komödie der Unsterblichkeit“; signiert mit „Fritz Fliege“, dem Pseudonym für den Maler und Zeichner Penzoldt

nes und Vergessenes aufspürt, zusammenfindet und zu einer Lebensbeschreibung zusammenreimt, etwas von einem todgeweihten Dasein in der Spur seiner Erdentage wieder — zumindest für sich — lebendig machen.
Penzoldts *„Idolino"*, eine Huldigung an die Schönheit und an die Kunst zugleich, die es vermag, Schönheit habhaft zu machen, ist eine weich dahinfließende Erzählung mit fast legendenhaften Partien. Nur der erste Teil, die Exposition, ist knapp und streng geformt. Locker, wie es der Penzoldtschen Fabulierlust häufig entsprach, schließt sich der zweite an. Penzoldt liebte diese offene Form, worin sich scheinbar absichtslos ein Teil zum anderen fügt und sich der geheime Grundriß nicht sofort zu erkennen gibt. Er hat sie denn auch oft gestaltet.
Diesem erzählerischen Teil des Werkes stehen nicht nur die Dramen und Gedichte gegenüber, sondern auch die Novellen, wobei dann der strengen Kunstform überraschend genau entsprochen wird. In der Novelle *„Korporal Mombour"* ist die „unerhörte Begebenheit" durch eine Rahmenhandlung (die im zweiten Weltkrieg, für den die Novelle insgeheim gedacht ist, spielt) in die Befreiungskriege verlegt. Genesende Soldaten erzählen sich allabendlich Geschichten, um sich zu unterhalten, und in der Geschichte dieser Nacht — sie scheint einem alten Kalender entnommen, hat aber offenbar Gleichnischarakter — trifft ein deutscher Korporal auf den Feind. Seine hugenottische Abstammung gab ihm den französischen Namen Mombour. Bei einem Gefecht um einen Friedhof steht ihm ein junger Offizier gegenüber. Todfeinde im Augenblick des Todes.
Genau diese Situation ist von Penzoldt schon früher festgehalten worden. Im *„Idolino"*, in dem der Weltkrieg sonst nur am Rande Erwähnung findet, heißt es lapidar in zwei Sätzen: *„Sie kannten einander nicht, keiner wußte vom Schicksal des anderen. Sie begegneten einander nur im Tode in der Schlacht."*
Dies ist der Angelpunkt der Novelle, denn Korporal Mombour erschießt seinen französischen Namensvetter, dem er von Ansehen und Wesen gleicht, in dessen Haus er nach der Schlacht Quartier findet und dessen kranke Mutter er in einem frommen Betrug in der Paradeuniform des getöteten Feindes über den Tod des durch seine Hand gefallenen Sohnes hinwegtäuscht.
Das Thema kehrt wieder. Das Thema vom Weiterleben, von der Transfiguration, der Unsterblichkeit. Das Thema vom Tode. Hier indessen ist der heitere Gegenpol fast völlig verschwunden, der im *„Idolino"* in der Gesamtanlage wie im Detail so lebendig ist. Nur eine leise Unterströmung zeugt davon. Und der Schluß.
Denn dort wird, in aller Höflichkeit sozusagen, die Frage des Todesengels noch einmal energisch zurückgewiesen. Korporal Mombour trägt noch die französische Uniform, als ihn ein Überfall nach draußen ruft. Sein Oberst sieht ihn in der fremden Montur, schießt und trifft ihn zu Tode. Dann schweigt der Erzähler der *„Kalendergeschichte"*. Der Brudermord jeder Kriegshandlung ist in der „merkwürdigen Begebenheit" längst offenbar geworden. Dann heißt es: *„Die Frage bleibt offen, ob Graf Schedy, der Einäugige, ihn erkannt und für einen Verräter gehalten hat, offen die Frage, was mit Madeleine geschieht, ob ihr das Herz bricht, als sie dem Freund den Lorbeer um die weiße Stirn windet, ob sie nicht unschuldig seinen Tod beschworen, aber auch, ob wir alle nicht zu wenig lieben für das kurze Leben und den langen Tod, vielleicht auch, ob wir nicht alle den Tod überschätzen, ihm zuviel Ehre antun? — Geburt, die wir mit Freuden feiern, Tod, den wir beweinen, gehören nicht beide ganz dem Diesseits an?"*

Ernst Penzoldt, aufgenommen von Tita Binz

Bei alledem nimmt es nicht wunder, daß Penzoldt sich mit der Figur des Lazarus beschäftigt – eher daß es nicht schon früher geschah als in den letzten beiden Lebensjahren. Denn das Thema ist ja längst angelegt. Sein eigner Tod unterbricht ihn und, das hätte er sicher als Schicksals-Ironie heiter quittiert, zwingt ihn, sich mitten in einer großen Erzählung mit dem Wiederauferste-

hungsthema – die übrigens, nach dem ersten Drittel zu schließen, eine sehr realistische, in unseren Tagen spielende Handlung bekommen hätte – von dieser Erde verabschieden zu müssen. Denn wenn es etwas gibt, was Penzoldts Schaffen noch stärker bestimmte als die Themen von Tod und Unsterblichkeit, so ist es sein Sinn für den Humor auf dieser Welt. *„Gott muß Humor gehabt haben, denn er hat den Menschen erschaffen"*, sagte er oft und wies auch gerne darauf hin, daß der Humor, in der Dichtung zum Beispiel, zur echten Tragödie gehöre, wie umgekehrt in der wirklichen Komödie – das sei bei Shakespeare schlagend nachzuweisen – die tragische Unterströmung nie fehlen dürfe. Bei Penzoldt war diese Verschlungenheit von tragödien- und komödienhaften Elementen im Wesen vorhanden und im Werk sichtbar, oft fest verschmolzen, dann wieder wie die Pole eines Magnetfeldes gegeneinandergesetzt.
Sein Humor ist von nachsichtiger, verständnisvoller Art, obwohl er aus einer scharfen Beobachtungsgabe entspringt und – sein berühmtestes Buch, *„Die Powenzbande"*, beweist es – sich bis zur bitteren Satire hin erstreckt. Das hat ihm im Jahre 1929 einen bösen Prozeß eingebracht. Angeregt durch eine Zeitungsnotiz über ein deutsches Mädchen, das einen französischen Kriegsgefangenen über Jahre hinweg bei sich verborgen gehalten hatte, schrieb Penzoldt die Liebesnovelle *„Etienne und Luise"*. Als Nebenfigur kommt darin der Turnlehrer Loch vor, Luises Vater, und Luise hat allen Grund, ihre Gefühle zu dem jungen Franzosen vor dem patriotischen Vater geheimzuhalten.
Ernst Penzoldt schilderte Luises Vater so, wie er befürchten mußte, daß sich ein beschränkter, nationalbewußter Kleinstadtturnlehrer verhalten würde. Leider gab es in Erlangen, Penzoldts Geburtsstadt, einen Turnlehrer namens Loch. Leider empfand er genauso wie jener in der Novelle geschilderte Phantasiekollege, obwohl er gar nicht persönlich gemeint sein konnte. Und er soll eine Tochter haben, die einen Franzosen liebt! Eine Erzschande! Loch fühlte sich beschimpft und verächtlich gemacht. Er prozessierte. Drei Jahre dauerte der Prozeß. Rasch geriet er aus der literarischen Sphäre in die politische. Die Rechtsparteien klopften Loch, der den tapferen Frontkämpfer hervorkehrte, auf die Schulter für seine mutige Tat. So ging der Prozeß in zwei Instanzen verloren. Das Buch, schon drei Wochen nach dem Erscheinen aus dem Handel gezogen, mußte umgeschrieben werden. In der neuen Fassung wechselt der Lehrer Namen und Fach und ist nun der Schönschreiblehrer Achatius. Zwanzig Jahre später weist eine gelehrte Untersuchung nach, daß das Urteil von 1932 ein Fehlurteil gewesen sei, zustande gekommen unter dem Druck der politischen Verhältnisse.
Eines aber ist bestimmt richtig. Jenes *„Mössel an der Maar"*, das hier mit ein paar Seitenhieben bedacht wird, ist nichts anderes als das spießige Universitätsstädtchen Erlangen aus der Zeit um den ersten Weltkrieg. Vielleicht gab der Prozeß, der in vielen Zeugenaussagen die ganze Beschränktheit dort ansässiger Kleinbürger nach oben spülte, den eigentlichen Anstoß dazu, *„Mössel an der Maar"* noch einmal zum Schauplatz einer Geschichte zu wählen. Ein paar Personen, Nebenfiguren in *„Etienne und Luise"*, schienen nur darauf zu warten, in Aktion zu treten. So die spionierenden drei Fräulein Geist, die kugelrunde Witwe Quiebus und vor allem Vater Powenz. Um sie herum gruppieren sich bald die vielen anderen Figuren des schnell bekannt gewordenen Schelmenromans *„Die Powenzbande"*.
„Heiter-besinnlich", wie man das etwa von dem ersten Roman *„Die Leute aus der Mohrenapotheke"* gesagt hatte, oder „romantisch-skurril", wie man die

Ernst Penzoldts Gedicht „An Christiane“, von ihm selbst geschrieben

Erzählung vom *„Armen Chatterton“*, jenem englischen Dichterwunderkind, oberflächlich empfand – das alles war die Powenzbande nun nicht. Der feste Zugriff, mit dem hier die deutsche Spießerschaft aufs Korn genommen wurde, und der ungeniert saftige Humor machten diese Schemavorstellungen zunichte.

Penzoldt hat es immer Spaß gemacht, wenn man ihn auf diese vermeintliche Diskrepanz in seinem Werk ansprach. Kurz vor seiner letzten Krankheit, gebeten zu einer Sonderausgabe der Powenzbande ein spezielles Vorwort zu schreiben, läßt er den Literarhistoriker Dr. Karl Butter über sich sagen: *„Es ist in der Tat ein literar-psychologisches Rätsel, wie dieser lyrisch romantische Mensch urplötzlich und in wenig Wochen, man darf es so ausdrücken, diesen stellenweise ziemlich derbkomischen Roman von sich gibt, um sich darnach, als wäre nichts geschehen, wieder wesentlich zahmeren Themen zu widmen. Es ist nicht uninteressant, daß das Buch keineswegs in einer Zeit des Übermutes, sondern im Gegenteil einer clownischen Melancholie entstanden ist. Der Verfasser behauptet, daß es ihm später bestimmt nicht mehr gelungen wäre, diesen Stoff zu gestalten. Ungläubig stehen wir vor diesen Tatsachen und fragen uns, wie es geschehen konnte, daß ein von Natur aus anscheinend für sein Unterfangen völlig ungeeigneter Autor eine so merkwürdige, urwüchsige*

Figur wie Baltus Powenz erfand, die heute ein Begriff ist, daß man sagt: der oder jener sei ein Powenz. Und doch, wer sich, wie ich, eingehender mit dem Verfasser beschäftigt, bemerkt nicht wenig erstaunt, daß die Bausteine, deren das Buch bedurfte, in ihm bereitlagen wie die Backsteine, aus denen Baltus Powenz und die Seinen ihr Haus bauten." Nicht erst seit der Powenzbande, aber von da ab verstärkt, versuchte man Penzoldt im Vergleich in die deutsche Literaturgeschichte einzuordnen. Auf einer Gedenkfeier des PEN-Clubs registriert Peter Suhrkamp: *„Ich sehe kein Werk eines anderen zeitgenössischen Schriftstellers bei uns seit Gerhart Hauptmann — und das sage ich sehr überlegt — mit soviel einzigartigen, neugeschaffenen Gestalten. Gestalten, die reine Erfindungen, Schöpfungen des Dichters und nicht nach Modellen aus dem Leben oder aus der Literatur geschaffen sind. Für die Powenze — besonders für Baltus —, für Idolino, für Olifant und Charis, für Emilio und Amaryllis, für König Sebastian, für Doktor Jokim und für Squirrel, um nur einige aus ihrer großen Familie zu nennen, gibt es keine lebenden Modelle ... Es sind Monumente, unsterbliche Figuren."*

Unsterbliche Figuren — ja, man muß den Umkreis weiterziehen, um die richtigen Verwandten für die Familie der Penzoldt-Gestalten zu finden. In England findet man sie unter anderem bei Dickens, den Penzoldt auch entsprechend liebte und hochschätzte — und in Deutschland muß man sich schon bis zu Jean Paul bequemen. Dort allerdings gibt es dann mehr als eine Übereinstimmung. Sie liegt nicht nur in der Erfindung der Figuren, im Humor der Situationen, in der Ironie des Kommentars, sondern auch im Glauben daran, sich kraft der Phantasie weit über die Wirklichkeit hinaus, wenn nötig bis zur Unendlichkeit, zu erheben. Die beiden fränkischen Dichter treffen sich auch in der ausschwingenden Sprachvirtuosität und, das ist nicht weniger wichtig, in der Zuneigung zu Laurence Sterne.

Und was der verehrte Ludwig Börne in seiner berühmten Denkrede auf Jean Paul rühmt — vieles davon könnte auch für Penzoldt stehen: *„Kraft und Milde, und Glaube, und heiteren Scherz, und entfesselte Rede. Sein Humor. Keine Gabe des Geistes, eine Gabe des Herzens: es ist die Tugend selbst."*

Die Tugend, weil beider Humor, der Jean Pauls wie der Penzoldts, den Menschen nie ausschließt, sondern zentral einbezieht in sein Universum der Phantasie, dabei engelsgleiche Geduld mit ihm hat und zudem das Zutrauen, eine Welt, in der nichts beschönigt wird, zu heilen.

Das kann man nachprüfen an der Erzählung aus dem Polenlazarett, die den Titel *„Zugänge"* trägt und die man in der Gewissenhaftigkeit, mit der die an Ort und Stelle während des Polenfeldzugs erfahrene Wirklichkeit geschildert wird, fast eine „Dokumentation" nennen könnte. Oder auch an dem Buch *„Der dankbare Patient"*, eine Art Krankheitsmeditation oder Weltbetrachtung aus der Bettperspektive, ein melancholisch-heiterer Bericht und *„Beitrag zur Ästhetik der Heilkunst"*, wie der Autor in Anführungszeichen sagte.

Heilen — und noch mehr. Verwandeln. Durch den Humor, durch den Eros, durch den Charme, den er als *„Widerschein der Anmut der Seele"* definiert hat. Manchen seiner Figuren hat er so aufgetragen, kraft ihrer Schönheit und Liebe die Umwelt in ihren Bann zu ziehen und märchenhaft zu verändern. Idolino tut es. Der König Sebastian, Olifant, die Hauptfigur der Hölderlinnovelle. Jokim, der Arzt. Vor allem aber der letzte in dieser Reihe, Squirrel, jener glücksbringende Nichtstuer, ein Elfen- oder Koboldgeschöpf, das kommt und geht, wie es

will, nicht arbeitet, niemals dankt, zu nichts nütze ist und doch die Liebe aller auf sich zieht und seine Umwelt beglückt einfach durch sein Dasein.
„Squirrel ist englisch und heißt zu deutsch Eichhörnchen. Sein Nutzen ist gering. Keiner weiß, wozu es da ist. In meiner Erzählung ist aber nicht das anmutige kurzweilige Tier gemeint, sondern ein Mensch. Kein verwunschener Prinz übrigens, kein Engel, auch kein Gott." In seinem Nachruf auf Penzoldt geht Thomas Mann Anfang 1955 besonders auf diese Figur ein. Er sagt: *„Beiträge zur Humanität — in diese Kategorie gehört alles, was er tat, gehört vor allem noch das Höchste, Liebenswerteste, das ihm kurz vor dem Ende gelang: ‚Squirrel', ein Stück ursprünglich, das ich nicht kannte, ein schmaler Roman sodann, von unbeschreiblichem Zauber, der mich tagelang glücklich machte. In einer Welt der Schwere und Plackerei, deren Bürger mühselig im Morast der Materie stapfen — die Erscheinung von etwas ganz Leichtem, Sorg- und Nutzlosem. Es war um die Zeit, als eben meine Krull-Memoiren erschienen waren und aus den und den Gründen viel gelesen und belobt wurden. Penzoldts Geschichte schien ein kleines dagegen, aber ich fand sie besser. ‚Ich lasse mir nichts vormachen', schrieb ich ihm, ‚ihr Squirrel ist eine poetischere Konzeption als der ganze Krull. Das ist eine Epiphanie.' ‚Sie sind eben ein guter Mensch', antwortete er mir."*
Eine Novelle Penzoldts, die später einem Erzählungsband den Namen gab, trägt den Titel *„Süße Bitternis"*. Darin heißt es: *„Denn schreiben, heißt das nicht überhaupt etwas zuliebe tun? Ist es nicht die vornehmste Pflicht des Schriftstellers und Künstlers, wiedergutzumachen, wenn irgendwo auf Erden ein Unrecht geschieht? Es liegt in seiner Macht, er kann es. Er kann, was menschenunmöglich scheint, wahrscheinlich werden lassen."*
Darum ging es Penzoldt immer.

Einband-Vignetten zu Penzoldts „Idyllen", von ihm selbst gezeichnet 1923/24

Hermann Kesten

MIT MENSCHEN LEBEN

geb. 1900

Wunderlichstes Buch der Bücher
Ist das Buch der Liebe . . .

Goethe

J'en suis confus.

Molière

Ich lebe gern. Wenn ich aufwache, bin ich fast immer in bester Laune und freue mich auf den Tag. Manchmal beginne ich zu singen. Ich lache. Ich führe ein Gespräch mit mir. Ich trinke Kaffee. Ich gehe auf die Straße und sehe mit Spannung und Vergnügen den Menschen zu. Wo ich einen Tisch und Stuhl finde, lasse ich mich nieder und schreibe. Ich treffe Freunde oder eine Freundin. Ich lese. Ich gehe mit meiner Frau spazieren, lausche einem Konzert, besuche ein Theater, ein Museum oder gehe zu einem Vortrag, laufe durch einen Park oder einen Fluß entlang. Wir essen, allein oder mit Freunden. Ich lese. Ich denke nach. Ich schreibe. Ich war zeitlebens in der besten Gesellschaft, allein mit mir, oder mit meinen Freunden, und habe mich nie gelangweilt.
Ich unterhalte mich mit mir, führe Selbstgespräche und Dialoge, analysiere mich und die andern, spreche mit den Figuren, deren Romane oder Biographien oder Dramen ich gerade schreibe, und notiere, was mir oder meinen Figuren einfällt.
Kein Tag vergeht, an dem ich nicht überraschende Empfindungen habe, einige Gedanken denke, geheime Schmerzen fühle, hundert Entzückungen spüre. Alles entzückt mich, das Antlitz eines Menschen, das Lächeln eines Kindes, Musik, ein Grashalm, ein Wind, der Sternenhimmel, Mond und Sonne. Zu leben ist mir eine täglich wiederholte, täglich neue Freude. Seit ich mich erinnere, war es mir eine Wonne, mit Menschen zu leben. Alles entzückt mich, ein Buch, ein Mensch, ein Gemälde, ein Gebäude, eine Straßenszene, die Umarmungen meiner Geliebten, von Anfang bis Ende, wieder und wieder; denn für die Wollust sind wir gemacht, wir leben durch sie, und selbst der Schmerz wird Wonne, wenn wir zeugen und empfangen. Alles entzückt mich, eine Speise, ein Trunk Wasser, der Anruf meiner Schwester, ein zärtliches Wort meiner Frau, die Stimme einer Freundin, der Brief eines Freundes, ein kluges Gespräch, die

höfliche Geste eines Unbekannten, ein Wort, das mir einfällt, ein witziger Satz, der mir oder andern gelingt, Verse, die ich aufsage, eine gute Tat, der ich begegne, die ich empfange, oder — ach, wie selten! — vollbringe.
Vieles schmerzt mich, ein Unrecht, eine Unwahrheit, Ungerechtigkeit, Tyrannei, der Verlust der Freiheit; die Leiden, die Menschen einander zufügen; das soziale Unrecht, die Zensur, die Verletzung der Würde von Menschen, Untreue, Verrat, meine eigenen Schmerzen, die Schmerzen meiner Freunde, und daß es überhaupt auf Erden so viele Schmerzen, so viele Krankheiten, so viel Elend gibt, das meist so überflüssig scheint.
Ich habe in aller Welt gute Freunde gehabt, die ich liebe, ohne mit ihnen abzurechnen, ohne sie gegen ihren Wunsch verbessern zu wollen. Ich liebe Freunde, wie sie sind, mit ihren Fehlern, mit ihren Vorzügen. Ich spreche mit ihnen offen und so höflich, wie ich mit mir selber spreche. Ich habe selten Freunde anders als durch den Tod verloren.
Ich bin von Natur ein Republikaner und habe, seit ich zurückdenke, Selbstgefühl. Ich habe Respekt vor anderen Menschen, Ehrfurcht vor guten, Bewunderung für bedeutende Menschen, aber ich bin nie einem Menschen begegnet, vor dem ich mich nicht von gleich zu gleich fühlte, und wenn mir morgen der liebe Gott in den Weg tritt, so werde ich nicht vor ihm in den Staub fallen und ihn anbeten, sondern ihm von gleich zu gleich entgegentreten; wenn es einen Gott gibt, etwa jenen, von dem man sagt, daß er unsere Welt geschaffen habe, so bin ich sein Geschöpf und also seinesgleichen, und trage seinen Atem in mir, wie meine Figuren, die ich geschaffen habe, meinen Lebenshauch atmen, und meinesgleichen, und mir ebenbürtig sind.
Ich lache gern und die menschliche Gesellschaft bietet Stoff fürs Gelächter. Freilich habe ich oft auch aus Verzweiflung gelacht, aus Melancholie, aus Opposition gegen die Situation des Menschen.
Kaum war ich zur Welt gekommen und hatte mich in ihr umgeblickt, begriff ich schon, daß ich zum Tod verurteilt war.
Ich war nicht das einzige unschuldige Opfer einer falschen Weltordnung. Auch meine Eltern mußten sterben, wahrscheinlich sogar vor mir. Die Sonne würde endgültig untergehen, und unsere Erde mit Meer und Mond aufhören. Die Menschen, die kürzlich erst gelernt haben, auf zwei Beinen zu gehn, und gelegentlich ihre Vernunft zu gebrauchen, würden enden wie du und ich. Die Götter Griechenlands, von deren Gelächter die halbe Antike widerhallte, waren schon lange tot. Der Sohn Gottes, den wir Geschöpfe Gottes ans Kreuz geschlagen hatten, war, wie man sagte, wieder auferstanden, aber die christliche Gesellschaft lieferte wenige Beweise dafür.
Frühzeitig sah ich also dem Tod in die leeren Augen. Ich sah das Nichts hinter der ganzen Welt, den Staub in der Schönheit, den Wurm im Fleisch, das Narrentum der Menschen. Aus lauter Lebenslust entsetzte ich mich vor dem Nichtmehrsein. Je mehr mir das Leben gefiel, um so mehr erschreckte mich der Gedanke ans Nichts. Ich riß mich an den Haaren, ich schrie, ich redete, ich schrieb Bücher und umarmte Menschen, um dem horror vacui zu entgehn, dem abgrundsüchtigen Schauder vor der absoluten Leere.
Damals hatte ich die Wahl, ein Melancholiker, ein Menschenfeind, gar ein Selbstmörder zu werden, oder dem Universum zum Trotz an mir festzuhalten, solange ich währte, an Menschen zu glauben, und Menschen zu helfen, damit mir Hilfe zuteil würde, aus der schlechten Gesellschaft die beste zu machen, zu lachen, jeden lebendigen Moment zu genießen, und mich an nichts Vergängli-

ches zu hängen, nicht an Geld oder Besitz, nicht an Macht, nicht an Ruhm, nicht einmal an einzelne Menschen.
Zitternd hielt ich mich ans Leben. Das Leben war ich, das warst du, das waren alle Menschen, das war das Universum, soweit ich es erfaßte, das war mein Gelächter und meine Wollust. Also wurde ich ein ungeduldiger Optimist, ein fröhlicher Skeptiker, ein desillusionierter Humanist, ein lachender Moralist. Ich wurde ein satirischer Dichter.
Neugierig sah ich alle Menschen an. Wie leben sie? Sehn sie nicht den Tod? Sehn sie nicht die Gebrechlichkeit der Welt, die Närrischkeit aller Menschen? Wie halten sie es aus?
Schon in jungen Jahren erfuhr ich, daß ich zu allen Minoritäten gehörte, und daß ich seit meiner Geburt im Exil lebte: Ich war ein Intellektueller. Ich war sterblich und lebte danach. Ich war ein Jude. Ich war ein Pazifist. Ich war ein Zuschauer.
Ich war ein Dichter, noch bevor ich es war.
Ich wuchs in Nürnberg auf, einer Stadt mit einer großen Vergangenheit. In den Vorstädten rauchten die Fabrikschlöte, und hämmerten die modernen Maschinen. Aber jeder Gang durch die Altstadt war für uns Kinder ein Weg in verschollene Jahrhunderte. Du gingst durch ein Tor und warst im Mittelalter. In diesem Haus malte Albrecht Dürer. Drüben saß Hans Sachs, ein Schuster und ein Poet. Über den Hauptmarkt gingen Martin Behaim oder Peter Henlein, Adam Kraft oder Peter Vischer. In dieser Stadt bewahrte man die Reichskleinodien für die Krönung der deutschen Kaiser.
In vielen Vollmondnächten stand ich mit Schulfreunden auf der Freiung der Burg und sah ein Jahrtausend in Stein, tief unten die Lorenzkirche, St. Sebald, die Frauenkirche, die Türme und Schieferdächer und nahe den Heidenturm und die Burg mit den Kaisergemächern, der Folterkammer mit der Eisernen Jungfrau, dem Nürnberger Trichter und dem Tiefen Brunnen, und auf der anderen Seite die Stelle der Mauer, wo der Raubritter Eppelein von Gailingen durch List und Mut auf seinem Gaul den Nürnbergern entsprungen war; denn die Nürnberger hängen keinen, sie hätten ihn denn zuvor.
Jeder Blick, jeder Schritt unterrichtete in dieser ehemals Freien Reichsstadt, daß nur ein Schritt, nur ein Blick den Lebenden von seinen Vätern von ehegestern und vor tausend Jahren trennt, daß die Welt nicht mit uns begonnen hat, nicht mit uns enden wird, daß wir Kinder der Tradition sind, und immer neu beginnen müssen, Zeugen einer Revolution.
Als ich ein Kind war, glaubte ich, daß die Städte und die meisten Institutionen der Welt mich überleben würden, wie die Sterne über mir, und ich hoffte, daß viele Schrecken voriger Jahrhunderte für ewig vergangen seien.
Meine Epoche lehrte mich anders. Die Kaiser, Könige und Prinzregenten, unter denen ich als kleiner Junge lebte, fielen wie Spielkarten um. Die Stadt Nürnberg, die so dauerhaft schien, zerbröckelte wie ein Lebkuchen.
1949 sah ich die hochberühmte Stadt als einen Schutthaufen. Ich sah lebende Leichen und tote Ruinen. Die Folterkammer auf dem Burgplatz, das dubiose historische Zeugnis einer unmenschlichen Justiz, hatte ihre Schrecken verloren neben den Nürnberger Gesetzen und der geschalteten deutschen Justiz im zwanzigsten Jahrhundert.
Erst hatte diese stolze Stadt ihre Freiheit, dann ihren guten Namen verloren. Der Nürnberger Trichter war ein Exportartikel geworden, Symbol der Staatszensur in allzu vielen Ländern der Welt.

Michael Mathias Prechtl:
Hermann Kesten beim Schreiben, kolorierte Federzeichnung 1969

Meine ersten Erinnerungen? Ich bin etwa drei Jahre alt. Ich renne über die Straße zu meinem Großvater. Sein zweigeteilter weißer Bart verdeckt nicht sein gescheites Lächeln. Ich strecke meine winzige Hand zu ihm empor. Er reicht mir eine Münze. Ich laufe zum Krämerladen am Ende einer strahlenden, vom Sommer blauen Straße, renne mit einer Lakritzstange zum Großvater zurück, falle, sehe den Huf eines Pferdes über mir, Wagenräder vor mir, der Kutscher schreit und stemmt das Pferd, das sich aufbäumt. Mein Großvater

trägt mich weg, mit der einen Hand halte ich mich an seinem Bart, mit der andern die Lakritzstange fest. Liebe ich so entschlossen die Süßigkeit des Lebens?
Eine zweite Erinnerung? Ich trage meinen neuen blauen Samtanzug. Ich bin etwa vier Jahre alt. Es ist Sommer. Meine Eltern gehen mit meinen beiden Schwestern und mir in die Pension Ärmenreuther, wo wir vor dem Umzug in eine neue Wohnung für einige Tage bleiben. Mitten in einem großen Wohnzimmer, das voll von Sonnenkringeln und dem grünen Widerschein der Blätter einer Kastanie ist, die im Vorgarten sich erhebt, setzt sich mein Vater auf einen grünbezogenen Lehnsessel, der wie eine Art Thron dasteht. Mein Vater sitzt wie ein König da.
Plötzlich erinnere ich mich, daß er uns Kindern, die er aus Prinzip wie ebenbürtige Erwachsene behandelt, vor Zeiten erzählt hat, wie er als kleiner Junge mit gleichaltrigen Freunden gewettet habe, wer als erster eine steile Mauer erklettern könne, der solle der König sein. Mein Vater kam als erster auf die Mauer, wurde zum König ausgerufen, rutschte aber aus, als er herabkletterte, und brach sein Bein. So teuer hat mein Vater bezahlt, daß er im Spiel der König sein wollte. Damals wurde ich vielleicht ein Republikaner?
Mein Vater und meine Mutter liebten und behandelten einander mit einem Respekt, der nicht nur Zärtlichkeit, sondern auch ein echtes Entzücken des einen am andern verriet, was mich sehr rührte und ansteckte, noch ehe ich begriffen hatte, wie selten so glückliche Ehen in unserer Gesellschaft sind. Da lernte ich, daß es kein größeres Vergnügen gibt als zu lieben, und daß einen Menschen achten, ihn lieben, und ihn lieben auch ihn achten heißen kann, und daß die Liebe das sicherste Verhältnis eines Menschen zu sich selber und zu anderen Menschen sei.
Ich liebe, wie ein anderer atmet. Also wurde ich geliebt. Wo ich ging, fand ich Freunde und Freundinnen. Auch der Wind war mein Freund, und die Nacht meine Freundin. Ich fühlte mich also in aller Welt zu Hause.
Mein Vater liebte Bücher, weil er Menschen liebte. Mit einem Buch, sagte er, spreche ich. Lesen heißt Zwiegespräche führen. Mit drei Büchern in der Stube habe ich drei Freunde, und mit hundert Büchern im Haus beherberge ich hundert Menschen in meiner Wohnung, oder fünftausend, wenn ich alle Figuren in den Romanen und Historien mitzähle.
An vielen Abenden las der Vater uns Kindern vor, er lag auf dem Sofa, und meine beiden Schwestern und ich saßen um ihn herum, oder halb auf ihm, oder zu seinen Füßen, und unsere liebe Mutter saß ihm zu Häupten, sie kam mir so jung und hübsch vor, und ihre Augen funkelten vor Vergnügen, sie freute sich ganz offen an ihrem blitzgescheiten Mann und seinen menschenfreundlichen Autoren; er las aus der Bibel vor, aus Spinoza, Lessing und Heine, aus Rousseau, Voltaire und Molière, und Tolstoi, aus Beckers Weltgeschichte und Alexander von Humboldt.
Noch ehe ich alle Vokabeln nachsagen, noch ehe ich selber auf die Straße gehen konnte, lauschte ich den Werken der großen Autoren, die alle mit der Stimme meines Vaters sprachen.
Lauschend begann ich zu erzählen. Figuren zu schaffen wurde mein Hauptgeschäft. Ich lebte mit den Menschen, die ich kannte, und die ich auf der Straße sah, ich nahm sie alle in meine Spielwelt, und schuf sie um, ich machte alle zu meinen eigenen Figuren, die Nachbarskinder, den Hauswirt, unsere Dienstmädchen, meine Lehrer, und jeden Menschen, von dem ich in den Zeitungen

Familie Kesten, Nürnberg 1910

oder in Büchern las. Kurz, ich machte die halbe Welt zu meiner Schöpfung, ich verfuhr mit ihr nach Gutdünken, und mit Gerechtigkeit. Ich war ein wahrer Demiurg, vor lauter Schöpfungsseligkeit.

Indes ich schon in meiner Kindheit hundert Figuren erfand, und in einem Phantasieeisenbahnzug durch die ganze Welt führte, begann ich hundert Leben zu leben, mit hundert Stimmen zu sprechen; denn natürlich war ich jede der hundert Figuren. Ich drehte den Zauberring, und schon war ich ein anderer, schon führte ich Dialoge mit Gott, mit dem Teufel, mit jedem Menschen, der mir in den Sinn kam. Und ich verwandelte mich, in einen Pharao, in einen Zeitgenossen Shakespeares, in einen Kalifen von Damaskus, in den Mann im Mond, in einen Toten, in ein ungeborenes Kind. Ich spielte, ich sei ein alter Mann, fünfzig oder hundert Jahre alt, oder ein junges Mädchen, am Abend vor der Hochzeit, ich war Benjamin Franklin in Paris, ich war Alexander der Große, der zögert, seinen Freund Klitos zu töten, ich war Alkestis, im Begriff, für ihren Gemahl Admetos zu sterben, ich war Moses Mendelssohn, und lauschte meinem Freund Gotthold Ephraim Lessing, oder ich war das jüngste von Jakobs Kindern, Benjamin, und sein Bruder Josef zugleich, und auch Jakob, Isaak und Abraham.

Ich hatte die Flügel des Ikarus. Ich stürzte und wurde gerettet. Ich rettete tausend. Manchmal war ich ein Findling. Obgleich ich die liebevollsten Eltern hatte, träumte ich, in zwanzig Jahren kämen die Karawanen des Königs, meines wahren Vaters, und brachten mir Krone und Zepter für ein Weltreich. Ich lehnte alles ab, ich wollte weder Macht noch Gold, noch eine der Lieblingsfrauen des Königs.

Was wollte ich?

Noch ehe ich meine erfundenen Figuren aufschreiben konnte, hatten sie sich selbständig gemacht. Einige benahmen sich, als wären sie Kreuzungen zwischen mir und dem lieben Gott, und wollten Experimente mit mir anstellen.

Viele Kinder erzählen Geschichten und erfinden Figuren. Nur hören sie bald damit auf. Die meisten jungen Menschen sind neugierig auf Menschen und die Gesetze des Lebens, nur verlieren sie ihre Neugier. Ich verlor meine Neugier nicht, wie ich nicht aufhörte, Geschichten und Figuren zu erfinden. Von Anfang an hatten mich Worte berauscht. Wenn es nicht schon Vokabeln und eine Sprache gegeben hätte, ich hätte sie erfunden.

Von Anfang an machte ich keinen Unterschied zwischen der realen Welt und der Poesie, zwischen dem physischen und dem geistigen Leben.

Die Wirklichkeit war reinste Poesie. Poesie war die Wahrheit. Von ungefähr in eine ungefähre Welt geraten, wollte ich vernünftig leben, das heißt nach meiner Vernunft. Ich wollte jene Ekstasen genießen, die mir human erschienen, vielleicht weil ich für sie gemacht war, nämlich Vernunft, Liebe, Kunst und Freundschaft, lauter Ekstasen, die freilich erst im Maß vollkommen werden.

Schon früh beschloß ich, aus Reiselust, die Welt zu sehn und ein Weltbürger zu werden. Ich wollte keine der künstlichen Grenzen anerkennen, die halbzivilisierte Völker schufen, die Grenzen der Länder, der Sprachen, der Religionen, der Sitten, der Rassen, diese infamen Zollschranken des Fanatismus, des Chauvinismus, des orthodoxen Glaubens und orthodoxen Aberglaubens, der lokalen Götter und heimischen Zensur, der Vorurteile der Sippen und der Geschmäcker der Magen, der heimischen Irrlehren ewiger Provinzler, des Klassenhochmuts und Rassenwahnsinns.

Hermann Kesten über seinen Freund Joseph Roth, von dem er an dieser Stelle sagt: „... er ist ein hurtiger, ja entschlossener Schreiber, er wägt jedes Wort, jede Empfindung, jeden Einfall mit der Präzision einer Goldwaage und der prägnanten Geschwindigkeit eines Fußball-Mittelstürmers“

Über alles liebte ich die Freiheit. Ich hielt die Würde des Menschen und die Humanität für die schönsten Früchte der Zivilisation. Ich war ein Individuum, und ließ Individuen gelten. Wie ich glaubte, daß man Kinder erziehen könnte, so glaubte ich auch an die Erziehung der Menschheit. Nicht nur der Haß, sondern auch die Liebe wirkt ansteckend, ja in der Entwicklung der Menschheit war sie stets um einen Schritt voraus.
Schiller spricht davon, daß man ein Zeitbürger sei, und er hätte in keinem andern Jahrhundert als dem seinen leben wollen. Ich habe damit gespielt, auch in meinen historischen Romanen und Biographien ein Zeitbürger in vielen Epochen zu sein. Aber wenn auch ich nicht in einem andern Jahrhundert hätte leben wollen, so hätte ich mir doch unsere Zeit minder aufregend und barbarisch gewünscht. Molière sagt:
Par mon chef, c'est un siècle étrange que le nôtre.
Auch wir hatten bislang ein seltsames, ja tolles Jahrhundert. Ich bin so alt wie das Jahrhundert, und ich könnte wie Mascarille fragen, den Molière selber gespielt hat: Et Mascarille est-il ennemi de nature? Bin ich ein Feind der Natur? Ein Gegner Gottes? Eine Figur eines deutschen Volkslieds sagt: *„Da muß ich armer Schwartenhals meins selber lachen ...“*
Ich dachte anfangs, ich habe nur meine Träume, nur meine Sinne, nur mein Bewußtsein, nur meine Welt, nur mich. Aber durfte ich ein Zuschauer bleiben, im Theater meines Lebens? Ich lernte rasch, daß man nichts wird, wenn einem andere nichts bedeuten, ja, daß man unversehens vom Zuschauer zum Opfer wird, wenn man nicht der Macht der Bösen entgegentritt. Ich glaube immer noch, daß es mehr gute als böse Menschen auf Erden gibt. Ich selber hatte nie Geschmack am Bösen. Ich haßte Menschen nicht, ich haßte das Böse, den großen Widersinn des Lebens, den Tod, und die überflüssigen Foltern des Lebens, gewisse Schmerzen, und die sozialen Ungerechtigkeiten.
Da ich selber nicht überflüssige Schmerzen leiden wollte, wollte ich auch keine zufügen. Mir widerstrebt alle Präpotenz, zum Beispiel von Staaten, von Kirchen, einer unvollkommenen Justiz. Darum verabscheue ich alle Gewalt und jede bewußte Schmälerung des Lebens von andern oder des eigenen Lebens. Ich verabscheue die Todesstrafe und die millionenfache Todesstrafe gegen Unschuldige, den Krieg.
Als ich zur Schule ging, hatte ich jedes Jahr am 27. Januar, am Tag vor meinem Geburtstag, schulfrei, es war Kaisers Geburtstag. Ich hatte Wilhelm II. auf einem Schimmel am Egidienberg an mir vorüberreiten sehen, anläßlich einer Denkmalsenthüllung für Wilhelm I., der auf einem Pferd aus Erz ritt, und ich fand beide Kaiser samt ihren Gäulen urkomisch, als wir Gymnasiasten vor dem Melanchthongymnasium Spalier standen. Darum feierte ich für mich Mozarts Geburtstag am 27. Januar; seine Musik entzückte mich damals wie heute. Meine Mutter sang fast alle Tage muntere und schwermütige Lieder, und ich liebte ihren Gesang. Als ich meine erste Oper hörte, im Nürnberger Stadttheater, *„Aida“* von Verdi, nahm ich mir vor, eines Tages selber eine Oper zu schreiben.
Das Leben eines Dichters beginnt und endet mit seinen Werken. Prägt aber das Leben eines Autors seine Werke oder verändern seine Werke sein Leben?
Alles verrät einen Menschen, sein Gesicht, seine Gewohnheiten, seine Ticks, sein Stil. Und seine Bücher sollten den Autor nicht verraten?
Ich wollte nie ein Autor werden, da ich nie etwas erst werden wollte. Ich wollte ich selber bleiben, so lange und so vollkommen wie möglich. Ich war ein Autor.

Hermann und Toni Kesten vor der Nürnberger Meistersingerhalle während des „Nürnberger Gesprächs 1966“

Ich verfaßte Gedichte, Sätze, Dramenszenen, Dialoge und Geschichten, ohne sie aufzuschreiben. Als ich sie, mit zwölf oder dreizehn Jahren, endlich aufzuschreiben begann, war ich zum ersten Male mit mir unzufrieden. Ich hatte Selbstkritik genug, um zu merken, daß ich es weder dem lieben Gott in seinem Buch der Bücher, der Bibel, gleichtun konnte, noch dem Shakespeare oder Goethe, Aristophanes oder Heine, oder dem Wedekind (den ich als Schuljunge im Nürnberger „Intimen Theater“ in seinem Stück *„Erdgeist“* auftreten sah) oder Oscar Wilde (dessentwegen ich eine Stunde im Karzer saß, weil ich ohne Erlaubnis des Rektorats im selben „Intimen Theater“ *„The Importance of Being Earnest“* gesehen hatte).
Noch auf dem Gymnasium schrieb ich drei Dramen, *„Moses“*, *„Die Tochter des Jephta“* und *„Alexander und Klitos“*.
Meine erste Erzählung, die ich zu Ende schrieb, hieß *„Cintra“* und erhielt gegen meinen Willen beim Vorabdruck in der *„Frankfurter Zeitung“* vom Theaterkritiker Bernhard Diebold den Titel *„Die vergebliche Flucht“*. Sie ist die erste meiner *„Dreißig Erzählungen“* und eine Parodie auf die tödliche Todesfurcht eines jungen portugiesischen Halbjuden Garrett. Man verliert sein Leben, wenn man ein Abkommen mit dem Tod trifft. Die Novelle, 1926 publiziert, ward von meiner ersten Reise nach Portugal 1923 angeregt.
Ich schrieb in jenen Jahren sechs Theaterstücke, das erste *„Admet“*, um zu zeigen, was aus einem Menschen wird, den Todesfurcht oder Lebensgier dahin bringt, daß er jedes Opfer verlangt und annimmt, sogar das Opfer des Lebens

seiner jungen Frau Alkestis, und um zu zeigen, was aus der Liebe dessen wird, der solch ein Opfer bringt.
Ich war 27 Jahre alt, als ich im Sommer im Nürnberger Gartenrestaurant am Dutzendteich meinen ersten Roman schrieb, *„Josef sucht die Freiheit“*. Ich brauchte nicht viel mehr als eine Woche dafür. Es sollte der erste Band einer Trilogie sein, *„Das Leben eines großen Mannes“*.
„Josef sucht die Freiheit“ ist ein Tag aus dem Leben des dreizehnjährigen Josef Bar, der versucht, sich unabhängig zu machen, von der Familie, von der Gesellschaft, von jeder Tradition.
1929 erschien der zweite Band, *„Ein ausschweifender Mensch“*. Josef Bar mit zwanzig Jahren versucht zum zweiten Male, sich zu befreien. Er kommt darüber ins Exil, ins Gefängnis, in die nackte Armut, zum Vorgeschmack der Freiheit.
Statt des dritten Bandes schrieb ich eine Reihe von Zeitromanen, wie *„Glückliche Menschen“*, *„Der Scharlatan“*, *„Die Zwillinge von Nürnberg“*, *„Der Gerechte“*, *„Die Zeit der Narren“*, *„Die Kinder von Gernika“*, *„Die Abenteuer eines Moralisten“* und *„Ein Sohn des Glücks“*.
„Ich bereue nichts“, sagte Casanova, nach einem Leben von siebzig Jahren, und schrieb sein Leben auf. So heiter kann man also am Ende seines Lebens sein, so unbedenklich, so zufrieden mit allen Irrtümern seines Lebens?
Ich habe bisher an die vierzehn Romane, fünfunddreißig Erzählungen, zwei Biographien, über Copernicus und Casanova, fünf essayistische Bände und einen Band mit *„Briefen aus dem Exil“* von mir und an mich sowie sechs Dramen, Gedichte und zahlreiche Artikel veröffentlicht, und sie liefern sicherlich ein Porträt von mir, und ein mehr oder minder heiteres Spottlied auf unsere Epoche.
Was alles war das zwanzigste Jahrhundert! So viele Niederlagen der Menschheit! So viele Triumphe! Wir sind mitten in der Weltrevolution, in einer politischen, sozialen, wissenschaftlichen, technischen Umwälzung. 1900 gab es anderthalb, 1999 wird es vielleicht sechs Milliarden Menschen geben. Alte Weltreiche wie das British Empire und Frankreichs Kolonialreich gehn unter. Neue Weltreiche, Amerika, Rußland, China, kommen herauf. Kaiser und Könige stürzten. Die russische Revolution, die chinesische Revolution, die afrikanische Revolution sind nur Fußstapfen einer Kolonne von Riesen. Die Menschheit erwacht, sie rüstet sich aufs Atomalter, auf interplanetarische Abenteuer, auf eine gesündere Lebenszeit von hundert oder hundertfünfzig Jahren, ein Leben voller Muße und freier Liebe, ohne Krankheit und Furcht.
Ungläubig und ergrausend haben wir gesehen, wie die Menschheit mitten im tollkühnen Fortschritt in Abgründe der Unmenschlichkeit zurückgetaumelt ist, in einem Blutrausch Millionen verschlingend, in einem Zeugungsrausch Milliarden zeugend. Die Menschheit hinkt zwischen Himmel und Hölle.
Die Menschen werden einander immer ähnlicher, und doch bleibt in der milliardenfachen Häufung das Individuum unverwechselbar und unersetzlich.
Georg Christoph Lichtenberg schrieb: *„Ich habe wenige Menschen in der Welt gekannt, deren Schwachheiten ich nicht nach einem Umgang von drei Wochen ... ausgefunden hätte, und ich bin überzeugt worden, daß alle Verstellung nichts hilft ...“*
Der Romancier geht gewöhnlich mit seinen Figuren länger um, und wenn er nur ihre Schatten, nur ihre Kleider, nur ihre Umgebung beschreibt, lebt er mit ihnen in derselben Intimität wie mit sich selber, aber mir scheint, Lichtenberg

war sehr gründlich, daß er drei Wochen Umgang brauchte, um einige Schwächen zu finden, einige Verstellung zu durchschauen, und ich hoffe, auch einige Vorzüge zu entdecken. Oder liegen gerade diese nur auf der Oberfläche, und sind beim ersten Blick sichtbar?

Es gibt so viele Motive für die Werke der Autoren, als es Autoren gibt. Was will ich mit meinen Büchern? Mit jedem Satz, den ich niederschreibe?

Ein Heide kam zum Rabbi Hillel und wollte von ihm die ganze Lehre des Judentums hören, in der Zeit, da er auf einem Fuß stehen konnte. Der Rabbi, der offenbar auch mit Narren Geduld hatte, die Provokateure waren, erwiderte ihm: *„Liebe deinen Nächsten wie dich selbst. Das ist der Inhalt der ganzen Lehre."*

Ein Autor lebt in seinen Büchern. Und seine Leser leben darin. Für einen Autor ist jeder Mensch eine Figur aus den gesammelten Werken dieses Autors, zumindest eine Figur aus den noch ungeschriebenen Werken.

Ein ganzes Leben sieht freilich auf einem Grabstein wie ein einziger Satz aus. Indes erfaßt ein Augenblick ein Universum. Jeder Mensch ist eine Art Universalgenie, er kann eine ganze Welt anschaun, erleben, denken, träumen, er kann Gott erkennen und winzige Details, er kann tausend Empfindungen haben. Welcher Mensch weiß in der Tat, wer er ist, und wieviel er wert ist, wer kennt sich? Und welcher Autor schätzt seinen Rang annähernd richtig?

„Tändelei", Holzschnitt von Emil Nolde aus „Josef sucht die Freiheit"

Georg Schneider

ERNST HEIMERAN

1902—1955

Heimeran ...
... das ist ein Begriff ...
... geworden, mein lieber Freund; denn wenn dieser Ernst Heimeran und das Schicksal nicht mit Heiterkeit Ernst gemacht hätten, wäre der Name wohl ein gerngesehenes Etikett für Buntwebereien ...
... Buntwebereien?
Gewiß. Sein Vater besaß eine Buntweberei hoch oben im Frankenwald, in Helmbrechts. Am 19. Juni 1902 ist dort Ernst Heimeran geboren, der Buchmacher und Poet dazu.
Ein Franke also.
Wenn du willst. Recht eigentlich ein Altbayer aber von den Urahnen her. Eine Münchner Straße ist nach einem Vorfahren Ernst Heimerans benannt. Das widerfährt einem Franken nicht so leicht; selbst einem Jean Paul blieb bisher die Walhalla verwehrt.
Er wird es in seinem himmlischen Maiental erträglich finden ...
... und sich weit eher der Nachbarschaft Ernst Heimerans erfreuen.
Vielleicht sitzt er dort mit ihm in einem neuen *„stillvergnügten Streichquartett“*, da der Bratschist das Irdische verlassen hat, zu früh, viel zu früh ganz gewiß.
Am 31. Mai 1955 in Starnberg am See. Dort kannst du sein Jean-Paul-Zimmer noch immer besuchen. Er hat sich's eingerichtet, dem Meister und Geburtsnachbarn zu Ehren. Dort war sein Kuhschnappel und sein Auenthal, seine Residenz und Eremitage, dort verwandelte er sich bald in Vult, bald in Walt, in den Träumer und Realisten aus den *„Flegeljahren“*.
Ein Doppelgestirn also: Walt und Vult, Buchmacher und Poet dazu, Bratschist und heimlicher Pädagoge, Franke und Bayer ...
Chef und sein eigener Angestellter, Vater und immerwährendes Kind. Hat er doch ein *„Spielbuch für Erwachsene“* geschrieben, und gefragt, welches sein liebstes Buch sei, *„Christiane und Till“* genannt, die Geschichte seiner Kinder, als sie noch nicht zur Schule gingen.
Das kommt von fern her auf einen Menschen zu, aus einer großen, weit zurückliegenden Kindheit, von einer Morgensonne, die so leicht nicht untergeht.

Kehren wir noch einmal zu seinem Namen zurück! Heimeran. Heim, Heimat, Heimbert, Heimeram, Heimeran. Das klingt wie Geborgenheit.
Ich erinnere mich. Uralte Namen sind es. Schon in der Sage heißt einer der Recken Dietrichs Heime. Das schwört den Süden herauf: Bern, Verona.
Und die Heimat unter den hohen Tannen des Frankenwalds nicht minder, das Licht und die Dunkelheit, den Tag und die Nacht, Gefährten vielfarbig und vielgestaltig, dem Dichter aber in allem Großen geeint.
Dichter sein, das heißt, ein Gefühl für den Gang der Sprache haben.
Denk an die Buntweberei, an die uralten Rhythmen der Webstühle, an Penelope!
Ah, Tuskulum, Tuskulanum in Tuskulum, der behagliche Landsitz Ciceros.
„Tuskulum"? Heißt nicht so eine Buchreihe bei ihm?
Ganz recht, eine zweisprachige, die ihn und seinen Verlag berühmt gemacht hat – weit über Berg und Tale, weit über blaches Feld, griechisch und deutsch, lateinisch und immer wieder sein geliebtes Deutsch. Ja, man könnte einen Dankchoral anstimmen.
Da muß ich mich einschalten und ein wenig im Verlagskatalog blättern. *„Mit Tomaten und Parmesan"*, *„Homerische Hymnen"*, *„Die bewanderte Fischköchin"*, *„Anthologia Graeca"*, *„Das stillvergnügte Streichquartett"*, *„Horaz und Catull"*, *„Die Kunst, Pfeife zu rauchen"*, *„Herodot und Ovid"*, *„Schnäpse und klare Wässer"*. Das geht ein wenig durcheinander, wie mir scheint. Nun gar der Schüttelreim:

„Und willst du einen Reimer han,
Geh zum Verleger Heimeran!"

Chaotisch ganz gewiß, aber vor dem zweiten Tag war eben schon immer der erste. Und im Quartett Heimerans war es so: Ernst hat sich stets mit der Bratsche begnügt und vergnügt, mit dem zweiten Platz. Und er hat doch den ersten eingenommen. Nicht anders im Verlag. Er mußte die Gebrauchsbücher im Querformat erfinden, die sicheren Bestseller um der *„Tuskulum"*-Reihe willen, die vorerst keinen Gewinn versprach, die dennoch der zweite, leuchtende Tag seines Verlags wurde und blieb. Ein Jean Paulscher Einfall in der Tat, der nur einem königlichen Kauz kommen konnte. Kauz, Künstler und Kaufmann.
Ein Kabinettstück an Witz.
Kabale und Liebe zum Buch, zum Schriftsteller, zum Dichter und zum Leser nicht zuletzt.
Zu einer großen Leserschar. Ernst Heimeran war ein Stifter. Immer zeichnete er sich ein ins Bild, das er schuf, klein, wie es die alten Maler taten, einen Steinwurf weit weg in die Ecke verkniet. Ein Stifter von Freundschaften, von vielen Freundschaften. Man braucht nur durch sein Haus in der Dietlindenstraße 14 zu gehen, durch dieses schmalbrüstige Haus mit dem vergitterten Tor und der altmodischen Zugglocke.
Man tritt ein und ist im Biedermeier.
Man tritt ein und ist in Athen, attisch beheimatet, beheimerant tausend Jahre v. Chr., man ist im Rokoko und, richtig, im Biedermeier einer sehr modernen Art, in Hamsuns *„Kinder dieser Zeit"*, die doch eben Kinder vieler Zeiten sind. Seidenbezogene Stühle, eine Stehlampe, ein stiller Winkel und ein Blick hinaus auf den guterzogenen, verwilderten, charmanten Garten.
Gartenlaube.

Auch das, aber mit einem zwinkernden Blick im Augenwinkel, der erkennt, wieviel Gartenlaube in jeder Modernität und Originalitätssucht steckt.
Wenn ein Kunde kam, einer der seltenen vorerst, rief ein anderer unentwegt aus dem Nebenzimmer bei Ernst Heimeran an, ein anderer Ernst, ein angestammtes Glied der Powenzbande, um den stets gelungenen Eindruck zu erwecken, der junge Verlag sei überbelastet.
Großartig. Ernst Penzoldt, der Schwager.
„Schwager ritt auf seiner Bahn / Stiller jetzt und trüber“, wie der alte Lenau notierte. Nicht immer gelang der Kunstgriff.
Ernst Penzoldt, auch er ein allzufrüh Verstorbener, ist noch immer anwesend in diesem schönen Haus. Seine Plastiken und Bilder, seine Scherenschnitte und Schalkereien bestimmen noch wie eh und je die Atmosphäre des sehr atmosphärischen Verlagsgebäudes, einer virgilischen Hütte hoher Geistigkeit.
Seltsame mathematische Formel: Ernst plus Ernst, das ergibt eine Heiterkeit bukolischer Art. Zwei blasen die Pansflöte, und ein Quartett spielt dazu.
Plastiken Ernst Penzoldts, Chorknaben zumeist mit choralgeöffnetem Mund, mit einer Kantate des großen Johann Sebastian auf den Lippen, Bachs, dessen Quelle schon ein meerhinstürmender Strom war. So ist viel Musik geblieben in diesem Haus, Musik und Muse.
Musik, Muse und Malerei. Wir sind ja mitten im alten Schwabing, und die Atelierfenster leuchten von den Dächern herab noch spät durch die Nacht. Und die Gaslaternen darunter haben sich einen fast Shakespeareschen Witz erlaubt: sie glimmen seit Jahr und Tag elektrisch, romantische Reminiszenz wie vieles in unserer Zeit, elektrische Gaslaternen. Ist das nicht ein wenig wie ein Gedicht, das einen Baum schildert, genau und unbestechlich, bis zuletzt doch mehr als ein Baum aus den Strophen steigt? Unter Bäumen und Gaslaternen wuchs Ernst Heimeran zum Verleger heran.
Mehr noch. Hier ging er mit Wilhelm Dieß, dem Generaldirektor der Bayerischen Staatstheater, spazieren, und Dieß, der sich weigerte, eine literarische Zeile niederzuschreiben und doch als glänzender Novellist rundum bekannt war, erzählte ihm seine Stegreifgeschichten. Da geschah es. Überm Englischen Garten hing plötzlich eine dicke Wolke, und ihr Rand berührte schon das Heimeranhaus. Hinein also und eine Flasche Randersackerer Pfülben her! Hier im „kleinen Stall“ erzählt es sich noch besser. Die Sekretärin war längst instruiert, listig und heimlicherweise. Sie stenographierte mit hinter dem Rücken des verhinderten Literaten gleichsam. Die ersten Stegreifgeschichten waren so zu Papier gebracht, Geschichten aus dem bayrischen Land, vollblutig und saftig wie eine Frucht vom „singenden Apfelbaum“. Dieß war überrumpelt und erstaunt, wie gut sich das las, und von nun an begann er selber zu schreiben, Geschichten voller tiefsinnigem Humor, Geschichten aus einer bestimmten Landschaft heraus, die vom kurbairischen Füsilier oder die von der Madeleine Winkelholzerin, die so schließt: *„Einen tiefen Atemzug nur dauert das Glück, dann beginnt es milde am fernen Himmel zu verlöschen.“* So hat Ernst Heimeran der deutschen Literatur einen Meister der kleinen Geschichte zugewonnen.
Ein Zugewinn, wo doch soviel Gewinn schon aus diesem *„Tusculum“* kam! Aber kehren wir zu den Anfängen zurück! Ein Knirps betritt das Alte Realgymnasium an der Siegfriedstraße und bleibt dort bis zum Abitur. 1917 wird der fünfzehnjährige Verleger geboren; er gründet die Schülerzeitschrift *„Der Zwiestrolch“*. Forsch läßt er sich 1922 handelsgerichtlich eintragen als Besitzer und

Leiter eines Liebhaberverlags in der Dietlindenstraße eben. Tusculum in Schwabing. So begann es. Burger, der Lehrerfreund, übernahm das verpönte Geschäft. Taschenbücher sollten es sein, links antik, rechts deutsch, Ovids *„Liebeskunst“*, stets greifbar in der Rocktasche zu tragen. Heute gibt es hundert Tusculumbände, die viel Ruhm einbrachten und wenig Reichtum. Ernst entdeckt Ernst Penzoldt. Zwölf Gedichte aus *„Der Gefährte“* aus der Feder des Erlangers sind das erste Verlagsentzücken. 1924 zum Dr. phil. promoviert: *„Michelangelo und das Portrait.“* Von 1928–1933 Schriftleiter bei den *„Münch-*

ner Neuesten Nachrichten". Dann die braune Botschaft: der Rausschmiß. Die Ratten hatten das Staatsschiff übernommen und machten auf ihre Weise Staat damit. Einige erinnern sich noch.
Und nun war Ernst Heimeran das, was er sein sollte ohne Nebenamt: Verleger und Dichter zugleich; denn Geld, Autoren anzuheuern, hatte er nicht. So mußte er die ersten Bücher seines nun auch unzeitgemäß-zeitgenössischen Verlags selber schreiben und die Gebiete abstecken, auf die man sich vorerst noch unbedroht begeben konnte: Haus und Humor, Kulturgeschichte und Antike, Bücher, die gehen, damit die anderen, die geliebteren, die nicht gingen, doch auf die Wanderung, auf die Reise mit vielen Horizonten geschickt werden konnten. Sie waren lang unterwegs und erreichten zu guter Letzt ihr Ziel. Tief — das bezeugen sie noch heute — ist der Brunnen der Vergangenheit. Das Wagnis gelang.
Aber wie? Unter welchen Mühen! Heimeran zog im Land umher von Buchhandlung zu Buchhandlung und warb für die eigene Sache, die er auf nichts gestellt hatte. Er las zu hundert Malen aus seinen Werken überall, wo sich eine deutsche Stadt aus dem Boden hob, las da und dort, las in der Schweiz, in Zürich und Sankt Gallen, woher ihm seine Frau kam. Die Zuhörerschaft wuchs wie die Familie auch. Christiane, Till und Nele waren da. Seine Bücher verraten's auf die charmanteste Weise; in der Kinderstube wurden sie geboren, Kinder eines immerwährend gütigen Humors. Die *„Sonntagsgespräche mit Nele"* ließen den oft bitteren Alltag vergessen, ihn und seine Leser auch, vergessen ohne leichtfertige Vergeßlichkeit.

Eine Blume, die zum Licht sich wendet
Götterknabe, der die Pfeile sendet
Eine farbentreue Pflanze
Heiligtum im höchsten Glanze
Ein verrückter Sprachenplunder
Ein grandioses Wasserwunder
Das, dem laut in unsrer Zeit
Der das Ende prophezeit

```
H eliotro P
E rosknab E
I mmergrü N
M onstran Z
E sperant O
R heinfal L
A bendlan D
N ekroman T
```

ANAGRAMM

Anagramm aus dem Büchlein „Für den Freundeskreis Heimeran-Penzoldt"

Die Feindschaft wuchs in der Welt, aber die Freunde blieben treu, die *„Argonauten"*. *„Kuhhaut"* nannten sie ihre Faschingszeitschrift, und Walter Foitzick jubelte in einem Bestseller-Bändchen: *„Ich grüß Euch, Ihr Lieben."* Ernst Penzoldt lud unverdrossen die Bücher auf seinen Handwagen und zog sie zweihändig zur Post, der schon berühmte Dichter.
Nun wird es aber Zeit, daß wir vom Verleger Heimeran fortkommen zum Dichter Ernst Heimeran; denn auch sein Ruhm war inzwischen angewachsen, und auf einem stattlichen Hügel stand bereits sein Monopteros, ein Tempelchen voller Grazie, ein lebendiges Wesen mit dem Schalk im Herzen und der *„lächelnden Träne im Wappen"*, wie es Jean Paul ehedem wollte.

Ernst Heimeran und Bruno Aulich

ein Lern- Lese- und Nachschlage-Buch für Freunde häuslicher Musik

Im 60. Tausend bei Heimeran

Die Titelzeichnung stammt von Ernst Penzoldt

Ein Causeur besonderer Art. Wir können gleich beginnen, wenn wir nur seinen Tonfall treffen. So leitet er sein *„Stillvergnügtes Streichquartett"* ein: *„Dieses Buch gehört den Freunden gestrichener Musik. Vor allen denen, die selber streichen. Unter diesen vorzüglich jenen, die es zu Hause aus Liebhaberei tun und am liebsten zu viert."* Aber auch der freundliche Hörer soll Nutzen daraus ziehen. Auch der Klavierspieler, soweit er Lust hat, sich im geselligen Verband der Instrumente zu betätigen. Vielleicht vermag er sogar Leuten vom Fach ein Lächeln abzunötigen und ein gelegentliches: „Sieh mal an!" Aus Begeisterung geboren, in Unschuld aufgewachsen, durch Erfahrungen in die Schranken gewiesen, will dies Buch, aneifernd, anleitend, Zeugnis ablegen von der großen, fröhlichen Seligkeit gemeinsamen häuslichen Musizierens.

Da haben wir ihn schon ganz, diesen Boccherini des Buchs, wir, seine freundlichen Hörer. Ein stillvergnügtes Lächeln und eine fröhliche Seligkeit sind mehr in der Welt und nieder auf die Erde gekommen. Ist das nichts?
Es ist alles; denn wo so vieles ist, was ein Herz traurig macht, gilt das um so mehr, was es fröhlich zu machen versteht. Dem Adagio folgt das Rondo Mozarts oder Haydns Ländler. Die Kunst will hin und wieder tanzen wie Gottfried Kellers Musa, die Tänzerin unter den Heiligen, der Engel im *„Tanzlegendchen"*.
Schön gesagt und gerecht zugleich. Eine Legende ist mehr in der Welt und hat ihre Heimat gefunden. Dank, Ernst Heimeran!
Oder aus dem reizenden, verschmitzt-fachmännischen und männlichen Bändchen *„Büchermachen von und bei Ernst Heimeran"*, in dem er aus der Schule plaudert: *„Mit Papier fing es bei mir an. Sollte nicht alle Leidenschaft zum Buch mit Papier beginnen? Sagt man etwa: schade um das Manuskript, schade um den Druck, schade um den Einband, wenn ein Buch mißriet? Schade ums Papier, so sagt man."*
„Mein erstes Buch war zweifellos vom Papier inspiriert. Es ist ein steifgebundenes Schuldoppelheft, mit marmoriertem Überzug und glänzend weißen Seiten. Welch zärtliche Lust, die glatten Blätter zu befühlen und ihr heller Spiegel dem Geiste, der sich darin erblickt, welch ein Wohlgefallen! Ich besitze es noch. Ich weiß sogar noch, wo ich es gekauft habe: bei Frau Wiesboeck in der Siegfriedstraße und könnte heute noch das Schubfach zeigen, dem es ent-

stammt. Ich habe aus diesem bevorzugten Fach gekauft, bis es ausverkauft war. Denn es kam Krieg, und Krieg ist qualitätspapierfeindlich. Das spricht sehr für Papier.

Auf der ersten Seite meines ersten Buches stehen, wie es sich gehört, Titel und Verfasser. Der Titel lautet schlicht: Gesammelte Werke, erster Band. Damit man sich darunter etwas vorstellen könne, folgt auf der nächsten Seite ein Verzeichnis: Am Klavier, Novelle. Das grinsende Glück, Roman. Seltsame Familie, Lustspiel. Aphrodite, Gedicht. Die Köchin, Skizze. Ränkevolles Hin und Her, Operette. Zu meiner Verwunderung ist keiner dieser Titel in dem Buch ausgeführt. Der Verfasser dieser (unterlassenen) gesammelten Werke bin ich also. Auf daß man mich noch genauer kenne, fügte ich hinzu: Realgymnasiast. Klasse 2 a. München-Schwabing. Dietlindenstraße 14. Telefon 3 34 17. Besonders die Telefonnummer halte ich für sehr charakteristisch. Denn sie ist heute noch die Nummer meines Verlags. So kann ich gewissermaßen mit meiner eigenen Vergangenheit telefonieren."

Und dann der *„Zwiestrolch"*, die Schülerzeitschrift mit dem Gründungskapital von dreißig Mark: *„Um dreißig Mark erklärte sich Herr Bernstorff, der angenehm nach Spiritus roch, in der Lage, fünfzig Exemplare, zwölf Seiten in Großformat, mit vierseitigem grünen Umschlag, gefalzt, lose eingelegt und beschnitten, zu liefern, sofern ich ihm die endgültigen Vorlagen fertige, mit besonderer Tinte auf besonderem Papier. Die gab er mir."*

Und so der Titel: *„Der Zwiestrolch"*, eine Zeitschrift mit dem grandiosen Untertitel *„Zeitlos-Tendenzlos"* November 1917.

Das beglückende Vorrecht der Jugend, nach den Sternen zu langen, die droben hangen unveräußerlich. Unveräußerlich. Was tut's? Ein wenig Glanz bleibt immer an den Fingern hängen. Es war jedenfalls ein weiter Weg vom *„Zwiestrolch"* bis zur *„Anthologia Graeca"*, ein Umweg oft, ein Ausweg oder keiner.

„Kein Ausweg ist auch einer", hat Hans Krailsheimer notiert, der Aphoristiker des Verlags.

Oder Kammermusik mit vielen Nebengeräuschen, mit Kriegen und Bombennächten, mit Führergebrüll und Allerweltslärm. *„Lebensbilanz: Das, was er immer nur für lästige Nebengeräusche gehalten hatte – das also war das Konzert"*, so noch mal Hans Krailsheimer.

Und doch hat Ernst Heimerans weltmännischer Humor die Nebengeräusche in unendlich leiser Rührung übertönt.

Das erste Verlagswerk: Umschlagseite des ersten Heftes der Zeitschrift „Zwiestrolch" mit dem Untertitel „Zeitlos – Tendenzlos", November 1917

Nehmen wir noch eine seiner schönsten Erzählungen her, die den Äther oft und oft durchflogen und die Hörsäle gefüllt hat: die *„Frühlingssonate"*, Beethovens bezauberndes Opus. Sie könnte auch „Erste Liebe" heißen. Aber *„Frühlingssonate"*, welch feines Synonym für „Erste Liebe"! Und so beginnt sie: *„Jene immergleiche, immersüße Liebesgeschichte zwischen Nachbarskindern, wie sie, meine ich, Ottilie Wildermuth erzählte, oder in welchen lavendelblauen Jugendgärten sie uns sonst begegnet sein mag: wie hat sie uns einst gerührt! Erst sind die beiden Kinder viele Jahre vereint im unschuldigen Spiel, dann trennt sie das rauhe Leben, bis der Jüngling wettergebräunt aus der Fremde nach Hause zurückkehrt. Die Gespielin, unterdessen zur Jungfrau erblüht, scheint den Gefährten zu fliehen, was ihm großes Herzeleid verursacht. Endlich aber, wir dürfen dessen gewiß sein, werden sich die beiden wiederfinden und schließlich heiraten. Zwischen Marzella und mir spielte sich alles so anders ab. Wir haben uns infolgedessen, um es vorwegzunehmen, auch nicht geheiratet. Dabei hätten wir es doch so bequem gehabt, von Wand zu Wand. Daß ich Marzella liebte, entdeckte ich recht plötzlich."*

Und so endet sie: *„Als der wirkliche Frühling kam, überraschte mich Marzella eines Freitags mit einer erwachsenen Frisur. Sie hatte die Zöpfe zu einem Knoten aufgesteckt, und der schlichte Scheitel war locker übergangen von Haareswellen. Ich erschrak. Wenn man ein Mädchen mit Zöpfen liebt und es wird daraus plötzlich eine junge Dame mit Frisur, so fühlt man sich ins Unerwachsene zurückgestoßen. War sie noch die alte Marzella oder war sie es nicht? Ich fühlte mich ihrer jedenfalls nicht mehr so sicher, ihr nicht mehr so wundervoll überlegen als einer der Geduld haben muß, sondern überflügelt und zurückgewiesen in ein Verhältnis bloßer Nachbarsbekanntschaft.*

Zuletzt kam ein Mann zu Marzella ins Haus, ein Ingenieur, der nicht musizierte und keine Geduld hatte, er heiratete Marzella. Ich schenkte ihr zum Abschied ins Leben eine gebundene Neuausgabe von Beethovens Klavier-Violin-Sonaten, aber ich hörte später, daß Marzella gar nicht mehr zur Musik käme.

So oft ich heute die Frühlingssonate höre — jetzt kann ich sie wieder hören —, muß ich daran denken, daß man Musik und Liebe nicht vermischen darf, wenn etwas daraus werden soll. Doch hat mir unser Flügel den Widerschein jener Tage aufbewahrt. Wenn ich das anschlage, um meine Geige zu stimmen, sehe ich in der blanken Politur Marzellas scheues, blasses Gesicht aufleuchten und freue mich der Erinnerung."

Das ist Anfang und Ende einer der zartesten Liebesgeschichten im deutschen Schrifttum, die ich kenne. Zwischen ihrem A und O waltet Frau Musica mit allem, was sie stiftet, Schwermut, ein unermeßliches Glück und eine unermeßliche Verwirrung. Alles ist in ihr, der Tau einer Morgenstunde und ihre Unschuld, die ganze Sommernachtstraumeselei und die Seligkeit einer Sonate, das Gespräch zwischen Violine und Klavier, das Duett zweier Herzen, die jung genug sind, um das Äußerste an Kunstdarbietung zu wagen, das uralte Wagnis der Frau Musica und der Liebe, die allein den Dilettantismus adelt, und überwindet.

„Auch Marzella beugte sich auf das Notenblatt, so daß wir Kopf an Kopf die schwere Stelle beäugten. Die geliebten Haare kitzelten mir am Ohr; da faßte ich mir ein Herz und küßte Marzella. Ich machte eine rasche Wendung nach ihrem Munde; es tat weh. ‚Hast du dich gestoßen? Entschuldige!' sagte Mar-

zella. Das entwaffnete mich. Ein Mädchen, das sich entschuldigt, weil man es hat küssen wollen, liegt gänzlich außerhalb liebender Berechnungen. Man muß da Geduld haben."

Jugend ist das. So hat er denn auch viele Jugendliche, Achtzehn- und Achtzigjährige, unter seinen Lesern.

Ja, noch immer gibt es am Alten Realgymnasium eine Schülerzeitschrift, die ihm ein Sonderheft gewidmet hat. Sie heißt nun der *„Schmierfink"*. Ob das ein Fortschritt ist? Memento, mi amice, quae a legibus provideantur! Gedenke, mein Freund, der Bestimmungen der Gesetze, die auch für eine Schülerzeitschrift gelten! Es muß nicht alles faustdick und direkt hinausgeplärrt sein, die Andeutung genügt. Erst wenn der Bildhauer die Splitter betrachtet, die er vom Stein geschlagen hat, weiß er um den Rest, um seine Figur Bescheid. Das Meisterwerk ist immer das Übriggebliebene. *„Zwiestrolch"* — das ist Dunkel und Helligkeit zugleich, Geheimnis und Offenbarung, fruchtbringendes Zwielicht eben, Ahnung und Gegenwart.

Und Ernst Heimerans Freunde wissen, wieviel er aus seiner Prosa herausgestrichen hat, damit sich das Geheimnis zwischen den Zeilen offenbare. Schön zeigt es, vor allem schön die *„Frühlingssonate"*, ihre zärtliche Geometrie.

Ja, viel Geheimnis war um ihn, um sein Leben und seinen Tod, und die Geschenke seiner Heiterkeit waren oft teuer erworben. Spät noch kam er zum Militär. Bei einem Frühlauf auf nackten Sohlen drangen Graspilze in seinen Fuß und quälten ihn durch die Jahre hindurch, bis ihn — Folge oder nicht — eine Embolie aus seiner Bücherstube wegnahm, hinauf zu den Kindern des Olymps, da ihm die Kinder schon auf Erden eine himmlische Freude waren. Dort steht er wohl hinter einem anderen Bücherkarren; denn von den Büchern und der Freundschaft wird er auch drüben nicht lassen wollen. Das Unscheinbare hat den großen Mann gefällt. Mag ihm der Tod ein Freund gewesen sein! Er war ein Genie der Freundschaft.

Es war der Freund und Schwager Ernst Penzoldt, auch er schon vom frühen Leid gezeichnet und vertraut mit dem Kommenden, der einem anderen Freunde das *„Requiem"* schrieb, schlicht ergreifende Strophen, Trost und Anfechtung, Schmerz und Überwindung des Schmerzes zugleich, in mystischer Tiefe empfangen, vorausahnend den eigenen Tod, nicht aber den, der Ernst Heimeran alsdann auch ein halbes Jahr später bereits einholte, um sich atemlos dem größeren Atem hinzugeben:

„... Denke nicht, daß wir es dir nicht gönnen,
Dieses Endlich-nicht-mehr-da-zu-sein,
Das Von-niemand-aufgehalten-werden-können ...
O, ich kann dich nur zu gut verstehn:
Nur zu dürfen und nichts mehr zu müssen,
Selbst dein Abschiedslos-von-hinnen-gehn ..."

Noch liegt Sommer über Ernst Heimerans Buchmacherwerkstatt, noch tönt ihr wohlbekannter Schall nicht geringer, noch ist sein Hin- und Herweg eine Reise wert vom dankbaren Autor zum dankbaren Leser, noch ist es ein Tusculum und mitten in ihm das Tusculaneum an der Dietlindenstraße unter dem sich stets verjüngenden Mond, bukolisch und urban in einem. Und das ist er geblieben: der Bratschist im Kammerorchester der Verleger.

Ja, kommt mit in den verregneten Garten hinter dem Haus! Dort treffen wir ihn an, den Hausgeist, schattenlos und wie von fern her lächelnd.

> *„Weiten Schrittes geht er durch das Haus,*
> *Sitzt am Herd und hält die Glut zusammen.*
> *Seine Haare wehen dann wie Flammen,*
> *Und sein Antlitz wandert welthinaus.*
> *Morgens tritt er fröstelnd auf die Schwelle*
> *Und versinkt in einem Tropfen Tau.*
> *Schweift er durch die Nacht, ist er die Helle*
> *Und am Tag die Dunkelheit im Blau."*

Ein unendliches Gespräch. Wir müssen schließen. Lebt alle recht wohl! Und grüßt mir Ernst Heimeran!

Dem Abschied ist dies Album bestimmt
dem Danken und frohen Gedanken
der eine sich selber beim Worte nimmt
der Freund sein Sprüchlein zu schenken
der andre beidemal mit [illegible] [illegible]
ein [illegible] gedenken, und ebenso trifft
die Schrift ob verschieden gewesen
nicht ob die anderen lesen.

die Heimeran's

Friedrich Hagen

ZWISCHEN WIEGE UND WELT

geb. 1903

Berichte von deinem Leben, so sagte man mir, erzähle uns von dir selbst!
Soll ich also einen Blick nach rückwärts werfen, als läge die wirre Landschaft schon friedlich hinter mir? Nun, dazu bin ich wahrlich noch zu jung.
Ich bitte Sie, mir die Koketterie dieses Ausspruchs nachsehen zu wollen, und ich frage mich, worüber ich wohl berichten könnte.
Ergehe ich mich ausgiebig in der Aufzählung *äußerer* Einzelheiten, so nehme ich den Verfassern biographischer Notizen die Lust, mein Leben in eine Legende zu verwandeln. Wage ich mich daran, *innere* Vorgänge auszubreiten, so laufe ich selbst Gefahr, mein Dasein hinter den Wandstickereien der Legende zu verbergen.
Wie Sie sehen, fällt es mir schwer, es mir leicht zu machen. Ein Selbstbericht ist so selten Selbstberichtigung und zu oft Selbstrechtfertigung.
Mein Nachfolger auf der Ehrenliste des Nürnberger Kulturpreises, Hans Magnus Enzensberger, sagt in einem seiner Gedichte: *„Sogar ihren Geburtstag feiern manche noch, schamlos."*
So will ich denn mein Vorhandensein nicht dadurch unterstreichen, daß ich ein seelisches Striptease vor Ihnen vollziehe.
Mein Dasein war — teils zu meinem Glück, teils zu meinem Leid — an äußeren Ereignissen reich genug, um die Handlung für eine persönliche Tragikomödie abzugeben. Nenne ich als ihren ersten Schauplatz die Wiegenstadt Nürnberg, so muß ich ja wohl auch die Personen des 1. Aktes aufzählen.
Mein Großvater väterlicherseits war Müllergehilfe an der Ostsee, und wehten die Winde nicht, so hütete er Kühe und strickte Strümpfe. Mütterlicherseits stamme ich von südfranzösischen Hugenotten ab, die mir ihr Temperament und ihre Neigung zu hitzigem Protest vererbten. Nord und Süd in meinem Wesen zu versöhnen, fällt mir auch heute noch nicht leicht.
Meine Mutter besaß die schönsten Augen, die ich je zu sehen bekam, und eine unerschütterliche Lebensfreude. Mein Vater war ein ambulantes Lexikon und ein Ausbund von gewissenhafter geistiger Ordnung. Von der Mutter habe ich den Sinn für Poesie, Musik und Malerei, vom Vater den Hang zu Wissenschaft, prüfender Skepsis und sozialer Kritik.
Die dritte Person bin ich selbst, aber wovon könnte ich berichten?

Etwa davon, daß es mir wahrscheinlich viel häufiger glückte, vor mir davonzulaufen als mit mir übereinzustimmen? Stimmte ich überhaupt je mit mir überein? Gelang es mir dann und wann, der Übereinstimmung nahezukommen?

Befürchten Sie keinen moralphilosophischen Exkurs! Ich will mir redliche Mühe geben, auf einfache Weise zu antworten.

Ich wurde in der Paradiesstraße geboren, an der Grenze, so glaube ich, zwischen Steinbühl und Galgenhof. Ich habe es nie darauf angelegt, darin eine Vorbedeutung zu sehen. Mein Leben verlief nicht auf einer Straße zum Paradies, wohl aber oft auf einem steinigen Bühl und zuweilen nahe am Galgen, wenn man den Galgen hier als Sinnbild für allerlei widrige Bedrohungen gelten läßt.

Zwischen Hasen, Hunden und Katzen wuchs ich auf in einem hübschen, heute verschwundenen Haus der Bogenstraße, im Hof rauschte eine Linde, der Hausherr bracht mir bei, wie man mit Stift und Pinsel festhält, was das Auge ergötzt, seine Frau sang mit schöner Altstimme die deutschen Volkslieder, ein Nachbar, der Schuster Reichel, erzählte mir die deutschen Märchen — kurz, das Leben ließ sich romantisch an, aber als ich gegen sieben Jahre zählte, war die Romantik ein für allemal zu Ende.

Vielleicht stimmte ich, damals freilich unbewußt, beinahe mit mir überein, als eine nichterkannte Blinddarmentzündung zu solchen Verwicklungen führte, daß die Ärzte mich nach dem fünften oder sechsten Eingriff kurzerhand für tot erklärten. Wie Sie sich überzeugen können, fing das Herz sich wieder zu regen an. Es schlägt heute noch recht munter seine Trommel, brauchte auch nie ausgewechselt zu werden, obwohl ich es seither vielemale verschenkte.

Nun, jene erste angenäherte Übereinstimmung mit mir selbst geschah als fast geglückte Identität eines Lebens mit dem Geheimnis seines Todes. Ich glaube, daß jene voreilige Abschweifung zum Strand des Nichts mein Leben — fast hätte ich „mein zweites Leben“ gesagt — bis heute mitbestimmte, denn künftig mischte sich in jedes Vollgefühl des Daseins unabwendbar die Erwägung seiner Vergänglichkeit.

So wurde auch das Leben zum Geheimnis, das sich rückwärts überdenken ließ von Mutter zu Mutter, bis zu unvorstellbaren Ursprüngen jenseits aller Begriffe von Rasse und Klasse, jenseits aller parteiischen Doktrinen, aller historischen Fesseln.

Beginnt nicht in solchen Überlegungen der Weg zur Übereinstimmung mit sich selbst? Nein, diesmal brauchen Sie keinen metaphysischen Exkurs zu befürchten.

Ich will lieber davon sprechen, daß ich frühzeitig zu malen, zu musizieren, zu schreiben begann. Eine ansehnliche Reihe von Krankheiten gaben mir dazu nicht nur die Muße. Sie waren der damals noch unbewußte Antrieb, das Leben zu gestalten, um es zu verteidigen.

Die kindlichen Malereien, auch das Marionettentheater, das ich mir baute, und die Stücke, die ich dafür erfand, wurden von der Mutter lange aufbewahrt, bis alles endgültig zugrunde ging, als Nürnberg in Schutt und Asche sank.

Der Widerspruch zwischen der Krankheit, die den eigenen Leib in einen uns fremden verwandelt, und dem lebensgierigen Anspruch, unangefochten Herr seiner selbst zu sein, brachte es mit sich, daß ich als Zwölfjähriger die üblichen religiösen Strittigkeiten auszufechten hatte. Das hitzige Turnier hielt an, solange Gefühl und Vernunft nicht miteinander übereinstimmten. Es endete

schließlich mit der Absage an alle dogmatischen Bindungen, und ich frage mich, ob ich damals das Gefühl haben konnte, von nun an mit mir selbst in Übereinstimmung zu sein.
Es wäre ein trügerisches Gefühl gewesen, denn alsbald stellte es sich heraus, daß noch mancherlei Strittigkeiten anderer Art darauf warteten, mir den Kopf, das Herz und die Hölle heiß zu machen.
Damals war Krieg, mein Vater kam aus dem Feld zurück und antwortete auf meine jugendlich stürmische Frage nach heroischen Taten nur mit einem stummen Blick. Ich habe diesen Blick nie vergessen. Ich hatte, elf Jahre alt, ein Kriegstagebuch zu schreiben und zu illustrieren begonnen, eine Reportage der blinden Kriegsbegeisterung. Ich war der epidemischen Geisteskrankheit des Nationalismus erlegen, und zweifellos hatte ich nie weniger mit mir selbst übereingestimmt.
Aber mit jenem stummen Blick des Vaters begann damals das quälerische Nachgrübeln über den Sinn, was sage ich: über den Unsinn, über die Sinnlosigkeit bestimmter gesellschaftlicher Vorgänge, die nur im Mund von Vereinsrednern und auf den Seiten der Geschichtsbücher ein wenig von ihrer falschen mythologischen Größe bewahren.
Es verging die unerträglich schleichende Zeit, der es bedarf, bis eine durcheinandergeschüttelte Emulsion sich absetzt und klärt. Vielleicht darf ich sagen, daß wieder einmal die Stunde der versuchten Übereinstimmung mit mir selbst geschlagen hatte, als ich begann, jeden Krieg als ein Verbrechen zu verabscheuen. Auch setzte ich mir später in den Kopf, den Kapitalismus als ein System der raffinierten Ungerechtigkeit, ja der Unmenschlichkeit zu durchschauen und seine Gesellschaftsmoral als eine zwischen Illusion und Polizeiknüppel oszillierende Nützlichkeitsmoral einzuschätzen. So machte ich mich nach einer Weile daran, allmählich alle hingenommenen Meinungen, alle Tabus, alle „ewigen Werte“ gründlich anzuzweifeln, in der Hoffnung, daß ich eines Tages über den verwirrenden Zweifel hinaus zu jener gelassenen Kritik gelangen würde, die uns freier atmen läßt, unser Bewußtsein reinigt und uns den ruhigen Blick auf die Welt gewährt.
Ich muß freilich gestehen, daß die erste Folge eine gründliche Verwirrung war, aus der ich in eine ziellose Betriebsamkeit zu flüchten versuchte. Ich trieb Sport, wanderte viel, maß die Gefälle aller Wasserläufe rings um Nürnberg, legte eine Steinsammlung an, die mir die Berufsgeologen ausplünderten. Ich verschlang jedes Buch, das mir von ungefähr in die Hand geriet, die russischen Schriftsteller aus meines Vaters Bibliothek, die Reden Buddhas und die japanischen Dichter, Goethe und Kipling, Büchner und Keller, die alten Griechen und Novalis, die Klassiker, die Romantiker, die Naturalisten. In diese Wirrnis brachten dann später die Franzosen ein wenig Ordnung und Klarheit: Rousseau, Balzac, Flaubert, Jacques Rivière, Huysmans, Guérin.
Ich rettete mich in die Poesie, in Musik, Malerei und Theaterspiel, um zu mir selbst zu finden durch die Eindeutigkeit des zeichnerischen Strichs, die Vieldeutigkeit der malerischen Fläche, die Improvisation auf dem Piano, die raumschaffende Geste, die geistige Ordnung der Sprache. Ich sah mich vor einem Anschein der Übereinstimmung von gänzlich anderer, berauschender Art, die den Weltlauf zu überwinden schien. Aus dieser verlockenden Illusion erwachte ich bald, als ich erkannte, daß sich weitab von den Weltereignissen, in einem Wolkenkuckucksheim, einem selbstverfertigten künstlichen Paradies kein schöpferisches Tun vollbringen läßt.

Friedrich Hagen, fotografiert von dem Maler Leo Maillet

Ehe ich diese Wahrheit in mir selbst erfuhr, erlernte ich sie aus geliebten Werken des Engagements, vom „Hyperion" des Hölderlin bis zum „Johann Christoph" des Romain Rolland, von Ludwig Feuerbach bis zu den Gesellschaftskritikern unserer Zeit. Ich begann zu ahnen, daß es kein politisches Engagement

ohne menschliches Engagement geben kann. Mir schien, daß die Übereinstimmung mit uns selbst dort beginnt, wo wir uns bemühen, Mensch unter Menschen zu sein. Das klang freilich zu großartig, als daß ich mich nicht eines Tages, durch mancherlei Fehlschläge gewitzt, zu fragen begann: „Was für ein Mensch unter was für Menschen?"
Ich sah mich vor dem Imperativ einer zweifachen Übereinstimmung: hier die Übereinstimmung mit dem allgemeinmenschlichen Grund in uns, mit dem einfachen Menschsein, das noch durch keine parteiische Willensrichtung entstellt ist, und dort die Übereinstimmung mit jener Schar von Menschen, die zuweilen ihr Leben daran setzen, eine ungerechte Gesellschaft, wenn nicht zu verbessern, so doch zu verwandeln. Ich sah, daß es darauf ankam, diese zweifache Übereinstimmung zu erzielen, wenn die Übereinstimmung mit mir selbst nicht eine romantische Illusion bleiben sollte. Ich erkannte auch die Fallstricke, Hindernisse und Verbote, die sich stündlich einer solchen Vereinigung der beiden Übereinstimmungen widersetzen. Warum sollte ich nicht gestehen, daß ich gelegentlich versuchte, mich in den Privatgarten meines Ichs zurückzuziehen, hinter die hohen Hecken der selbstgefälligen Resignation? Ich gestehe freilich auch, daß derlei Ausflüchte stets fruchtlos verliefen.
Unterdessen hatte ich das Studium der Malerei und der Musik und ein bißchen Lehrtätigkeit hinter mir gelassen und war zum Theater gegangen, war bald Spielleiter für Schauspiel und Oper geworden und lebte in jener Welt, die nicht Romantik ist, sondern viel Müh und Arbeit. Nachdem ich also den Sprung über den Stadtgraben gewagt und Nürnberg verlassen hatte, fragte ich mich, was mir die Wiegenstadt mit auf den Weg gegeben habe.
Soll ich zuerst das Negative nennen? Der kleinbürgerliche Ungeist, der sich auf Nürnbergs großer Vergangenheit ausruht und in provinzieller Enge allen politischen Torheiten verfällt, wurde mir zum ersten Anlaß, mich in der zornigen Auflehnung zu üben. Aber eben diese Vergangenheit war das Positive, wenn man sie wirklich zu kennen versuchte und einsah, was ihr einst zur Größe verholfen hatte: die Weltoffenheit. So hatte mir jeder aufmerksame Gang durch die alte Stadt und durch das Germanische Museum ein erstes Bild der Welt jenseits der Wehrgänge, jenseits der Stadtmauern geschenkt. Zu meinem Glück hatte ich frühzeitig erkannt, daß man den Perspektiven der Geschichte nicht nach rückwärts in das Einst zu folgen hat, sondern vom Einst her zur Gegenwart und womöglich in die Zukunft.
Offenbar kam es mir darauf an, nicht nur kraft animalischer Funktionen, sondern auch durch den Inhalt des Bewußtseins ein Mensch meiner unmittelbaren Gegenwart zu sein. Ist es mir geglückt? In meiner Jugend Übermut unterschied ich zwischen lebendigen Menschen, die dem Gang der Zeit folgen, und ambulanten Mumien, die auf den Grabsteinen der Vergangenheit hocken. Ich unterschied, in jugendlicher Unerbittlichkeit, zwischen Zweifüßlern und menschlich Bemühten und sagte mir, Menschsein sei nicht ein angeborener Zustand, sondern ein Ziel, ein historisch sich wandelndes Ziel, dem wir uns durch immerwährende Hinverwandlung nähern — oder nähern sollten.
In dieser Stadt hier habe ich im Jahr 1923 angefangen, vor aller Ohren, auch in den Naziversammlungen gegen den Hitlerismus zu sprechen. Sagen Sie nicht, ich hätte einen verteufelten Mut an den Tag gelegt. Dazu gehörte kein Übermaß an Mut, denn damals war die Unmenschlichkeit noch nicht zum Staatssystem geworden. Dazu gehörte ganz einfach der Wille, klar zu überlegen, und die Selbstverständlichkeit, nach dieser Überlegung menschlich zu handeln.

Im Gefängnis der Sielstraße, in der „Schutzhaft", hatte ich dann 1933 die aufgezwungene Muße, über Deutschlands Untergang nachzudenken. Im selben Gefängnis saß 12 Jahre später ein anderer, dem ich als Todfeind gegolten hatte: Julius Streicher. Würde ich an Mythen glauben, könnte ich das abgeschmackte Wort von der „universalen Gerechtigkeit" aussprechen. Aber ich glaube nicht an Mythen.

Mit der Hilfe meiner tapferen Frau kam ich heil aus der Schutzhaft heraus. Wir flüchteten nach einem Frankreich, das damals nicht an Mythen glaubte. In den Straßen von Paris habe ich mich niemals vereinsamt, niemals verloren gefühlt. Dort konnte ich wählen zwischen einem gestrigen Frankreich, einem nationalistischen, fremdenfeindlichen, ungastlichen, überheblichen Frankreich, und dem anderen, dem geistigen Frankreich, das mit selbstverständlicher Zivilcourage sagt, was es denkt, und das sich nicht scheut, Kritik zu üben und sie offen auszusprechen, und das seinen Geist brüderlich der Welt aufschließt. Dort konnte ich Weltbürger unter Weltbürgern sein, dort fand ich zu mir selbst.

Erlauben Sie mir, daß ich von den Schreckenstagen des Krieges und der Besetzung schweige, von den vier Jahren stündlicher Todesdrohung bei Tag und bei Nacht. Um mich von diesen Erinnerungen zu erlösen, schrieb ich den Roman *„Die Kelter des Zorns"*. Um mich davon zu befreien, beschloß ich nach dem Krieg, einer der Mittler zwischen Frankreich und Deutschland zu sein. Ich glaube nicht irre zu gehen, wenn ich sage, daß ich damit der Übereinstimmung mit mir selbst und mit meiner Zeit wieder einen Schritt nähergekommen bin.

Ein wenig von dem, was bei dieser Art von Vermittlerberuf zustandekam, wurde hier in den Schauladen zusammengetragen. Ich sage „Schauladen", als spräche ich von einem Lebensmittelgeschäft. Aber sehen Sie: Diese Papierseiten, die da geschwärzt wurden, um zu unserer Erhellung beizutragen, um uns wechselseitig kennen, begreifen und ergänzen zu lernen, diese Gedankensaat auf den Papierseiten ist geistige Nahrung, und ich hoffe nur, daß sie genügend Vitamine enthält, daß meine Küche ordentlich ist und daß meine Gäste sagen: „Es hat uns geschmeckt! Gib uns mehr davon!"

Darf ich verraten, daß es mir einfach nicht glücken will, ein gesetzter Mann zu sein? Wie ich bei jeder Einkehr in Nürnberg ein wenig Elixier aus dem Brunnen der erinnerten Jugend schöpfe, so finde ich mich in jener Jugend wieder, die im Pariser Mai auf die Barrikaden stieg. Nicht mit einer vergreisten Welt von gestern, sondern mit sich selbst will diese Jugend übereinstimmen, ich höre ihr zu, ich erneuere mein historisches, politisches, menschliches Wissen, ich lerne von ihr, Mensch einer neuen Zeit zu sein.

Ich wäre kein Schriftsteller, hätte ich nicht vor einer guten Weile angefangen, den herkömmlichen Begriffen auf den hohlen Zahn zu fühlen. Wieviele Worte, die wir gedankenlos im Munde führen, verloren längst den Sinn, den sie gestern noch besaßen! Es ist an der Zeit, die Wörter einem Pfingstputz zu unterziehen, unser Bewußtsein auszufegen und es mit neuen Erkenntnissen zu füllen, damit ein neuer Mensch in uns beginnen kann.

Gegen das urzeitliche Gemütsbrodeln, das sich noch immer in nationalistischen Lügen, im barbarischen Rassenwahn, in gegenseitiger Lebensbedrohung ergeht, gegen den Ungeist haben erkennende Menschen ein neues Denken entwickelt und damit in unserer Nacht ein Licht entzündet, das zu hüten nicht nur dem Schriftsteller zukommt, sondern auch denen, an die er sich richtet.

Man hat mir oft die Frage gestellt, so wie man einem die Pistole auf die Brust setzt: „Warum schreiben Sie?“ Es ist nicht leicht, darauf ohne Emphase zu antworten. Nun, ich schreibe, um nicht allein zu sein. Ich schreibe, um zu wissen, daß andere den gleichen Weg gehen, und um ihnen zu sagen, daß auch sie nicht allein sind auf dem Weg nach morgen.

Ich könnte hinzufügen, daß ich auch schreibe, um falsche Illusionen zu zerstören, ohne freilich zu wissen, welche anderen Illusionen ich dafür eintausche. Und ginge mir nicht jeder Sinn für das martialische Vokabular ab, würde ich vielleicht etwas von einem „gemeinsamen Kampf“ verlauten lassen. Im übrigen gebe ich zerknirscht zu, daß auch ich manchmal lieber Heckenrosen pflücken ginge statt gefährlich zu leben, aber dann würde ich eben nicht mehr mit mir übereinstimmen. Denn sehen Sie: Schreiben, künstlerisch schaffen ist eine Art zu leben, eine Art, in der unmittelbaren Gegenwart und mit ihren Menschen zu leben, eine Art, mitverantwortlich zu sein.

Nun ist es aber an der Zeit, Sie inständig um Nachsicht dafür zu bitten, daß meine Rede so oft das Wörtchen „ich“ enthielt. Ich sehe auch, daß ich vielzuviele Worte gesagt habe, die vom harten Glanz des Rebellentums umgeben sind. Nein, ich bereue es nicht, da ich nun einmal ein verstockter Sünder bin. Aber dennoch möchte ich nicht schließen, ohne dem Halali eine sanftere Tanzmusik nachzusenden.

Durch all die Besorgnis, die mich packt und manchmal würgt, wenn ich an meine Geburtsstadt denke, durch all die Befürchtung, die mich anfällt, wenn ich mich ihr nähere, durch all diese trübe Verwölkung bricht doch immer wieder das heitere Licht der Freundschaft und die Abendsonne der Erinnerung.

Hier war ich ein Kind und ihm bleibe ich verbunden.

Aber verstehen wir uns recht: Ich sehne mich nicht in jene Zeit zurück. Der trüben Gaslaternenromantik ziehe ich die farbige Poesie der modernen Städte vor, ich liebe die Schönheit der Maschinen, der Flugzeuge, der Atomwerke. Ich begrüße die Vervielfältigungsmöglichkeiten von heute, nicht das einmalige Kunstwerk, sondern die multiple Einmaligkeit, die uns erlaubt, zu vielen zu sprechen, durch die Zeitung, über den Rundfunk.

Auch ist mir jenes Kind, das ich war, und jener junge Mensch nur ein alter, lang aus dem Blick verlorener Bekannter, dem ich auf einem Bahnsteig wiederbegegne und der längst angekommen ist, während mein Zug zur Weiterfahrt bereitsteht.

Nein, ich bin nicht so mutlos, daß ich mir dasselbe Leben noch einmal wünschen würde, nur weil ich weiß, daß ich aus seinen Schiffbrüchen gerettet werde.

Ich sehe manchmal in meine Jugend zurück, wie in einen Spiegel, hinter dem sich noch immer das Unbekannte verbirgt und an den ich hin und wieder die Frage richte: Wer bin ich?

Die Frage bleibt ohne Antwort, ich weiß es, und dennoch wäre wohl vieles umsonst oder vergeudet gewesen, zöge ich nicht zuweilen ein wenig Honig aus den Waben der Erinnerung.

Ich sehe den kleinen Fritz nach dem Dutzendteich laufen, wo sein Garten liegt und wo er auf dem Sandplatz kleine Welten aus Hügeln und Tälern formt, mit Straßen durchzieht, um dann die Wege und ihre Ziele mit erfundenen Namen zu nennen — in jenem geliebten Garten, den die Nazis zerstörten.

Friedrich Hagen nach einer Zeichnung von Jean Cocteau aus dem Jahre 1956

Mit ihm gehe ich wieder – noch immer lernbegierig, das darf ich wohl sagen – auf dem Weg zur Schule, die der Krieg vernichtet hat.
Noch mit einem Kopfverband nach einer Operation ist er, sieben Jahre alt, mit der Mutter in der Fränkischen Schweiz, und dort geschieht's, daß er, allein am abendlichen Waldrand, die Erschütterung erlebt, die er nie vergessen wird, die aus Erschauern und Ekstase gemischte Erschütterung angesichts des bestirnten Himmels und der universalen Indifferenz.
Ja, es gab in jenen Tagen auch viele schattenlose Beglückungen, es gab die reine Übereinstimmung des inneren Lebens mit der unmittelbaren Gegenwart, mit der vertrauten Stadt, mit der nahen Umwelt, über die nur die Träume des Knaben hinausreichten.
Sehen Sie ihn allwöchentlich im „Kaiser-Panorama" sitzen, gebannt von der weiten Welt, die hinter den Gucklöchern mit lockenden Klingelzeichen vorüberzieht, und wie er die Steinmetzzeichen der Stadtmauer kopiert und die alten Winkel Nürnbergs malt, die es nicht mehr gibt.
Sehen Sie den jungen Burschen Hand in Hand mit der Schwester am Langwasser dahinwandern, das einmal durch Wälder floß. Sehen Sie, wie er nach vielem Kranksein sich gewissenhaft abhärtet, bis er es fertigbringt, im Winter die Eisdecke des Langwassers aufzubrechen und im Bach zu baden – dort, wo heute das schöne Werk moderner Städtebauer den Zurückkehrenden begrüßt.
Sehen Sie ihn, wie er im alten Baumeisterhaus lange Dialoge mit dem bronzenen Regiomontanus führt, auf dem Egidienplatz mit Hegel, auf dem Rechenberg mit Feuerbach. Er hat bewunderungswürdige Professoren, die ihm das Studium zur Freude machen und denen er sein Leben lang dankbar bleibt.
Was seinen Gedanken die erste Form verleiht, ist nicht das romantische Nürnberg, nicht die verträumte Noris, sondern das Nürnberg, das man „das heimliche" nennt, das geistige Nürnberg, das zuweilen aus der Stille heraustritt und den Weg fortsetzt, den einst die weltaufgeschlossenen Geister dieser Stadt beschritten.
Ich sehe ihn Hans Sachs spielen und daran erlernen, wie man sich in der Kritik seiner Gesellschaft übt. Ich sehe ihn in alle Konzerte, in die Ausstellungen, ins Theater laufen, beglückt und dennoch voll unerklärlicher Unruhe, die sich auf die Frage nach ihrem Weg eine Antwort erhofft, aber noch nicht weiß, wie man die Frage stellt.
Mir ist, als spürte ich noch sein Erstaunen vor der zeitgenössischen Kunst und als legte ich noch wie er das Ohr an eine Tür und vernähme dahinter das Leben sprechen in einer Sprache, die den Tonfall der Verheißungen besitzt.
Mit ihm wandere ich noch einmal durchs Frankenland, glücklich über jede Schönheit aus vergangenen Tagen und ebenso begeistert von allen Zeichen der modernen Zeit.
Gewiß, er verzweifelt zuweilen, wenn er der urzeitlichen Torheit vieler Zeitgenossen begegnet und schwankt zwischen der zornigen Lust, sie zu verdammen, und dem Drang, ihnen zu helfen. So sehen Sie ihn denn immer wieder einmal tabula rasa machen und alles vom Tisch fegen, um sich danach nur dessen zu bedienen, was dabei nicht auf dem Boden zerbrach.
Sehen Sie ihn vor sich in jener Zeit, als er zu erkennen beginnt, daß eine Heimat nur lebendig ist, wenn der Atem der Welt sie durchströmt, und daß man den Stadtgraben überspringen und sich der Welt öffnen muß, damit man *freien Geistes* seiner Wiegenstadt dienen kann.

An all das denke ich oft, wenn ich im Süden bin, wo der Mistralwind sich mit dem Duft der Lavendelfelder belädt und wo der alte Pan noch unter den silbernen Ölbäumen schläft.
Dort bin ich zu Hause, wie ich hier in dieser Stadt und wie ich überall zu Hause bin, wo man mir nicht verwehrt, mit mir selbst und mit meiner Zeit übereinzustimmen und, den Blick nach morgen gerichtet, ein Mensch unter Menschen zu sein.

Die Freiheit verbraucht sich nur durch Nichtgebrauch.

L. Hagen

Anhang

Autoren · Quellen · Register

DIE AUTOREN

Aschka, Fritz 1934 in Augsburg; Studium der deutschen Sprache und Literatur in Erlangen, 1959 Promotion, anschließend Zeitungsvolontariat, seit 1962 Redakteur in Nürnberg.

Aufseß, Hans Max Freiherr von und zu 1906 — lebt in Aufseß, Fränkische Schweiz, wo die Familie seit dem 11. Jahrhundert ansässig ist. Er ist Jurist, Forst- und Landwirt. Neben der Verwaltung des heimatlichen Gutes übt er den Beruf eines Generaldirektors der Herzoglich Sachsen Coburg und Gotha'schen Hauptverwaltung aus. Er ist bekannt durch zahlreiche Rundfunkvorträge und Veröffentlichungen. Letzte Bücher: „Fränkische Impressionen", 1966, „Die Wendeltreppe", 1968.

Baer, Ludwig 1902 in München; Gymnasium Rosenheim, Universitäten München, Frankfurt am Main, Erlangen; Promotion 1924. Journalistische Tätigkeit (Theater, Literatur, Bildende Kunst) in Berlin und Nürnberg; bis 1969 Leiter des Feuilletons der „Nürnberger Nachrichten".

Baumgart, Wolfgang 1910 in Berlin; o. Professor der Freien Universität Berlin. 1928—1933 Studium der Klassischen und Deutschen Philologie in Berlin, Freiburg i. B. und Heidelberg, dort 1934 Dr. phil.; 1939 Assistent am Deutschen Institut der Universität Breslau, 1944 Dozent für Deutsche Philologie, 1946 Kommissarischer Vertreter in Erlangen, 1950 apl. Professor in Erlangen, 1958 auf den Lehrstuhl für Theaterwissenschaft der Freien Universität Berlin berufen. Arbeiten vor allem über Goethe, Shakespeare, Barock und Romantik sowie über verschiedene Gebiete des Theaters.

Bebber, Hendrik 1943 in Wuppertal, in Franken aufgewachsen. Studiert Germanistik, Geschichte und Soziologie in Erlangen. Mitarbeiter in der Feuilletonredaktion der „Nürnberger Nachrichten".

Bergler, Georg 1900 in Lohr/Main; em. o. Professor an der Friedrich-Alexander-Universität Erlangen-Nürnberg, Wirtschafts- und Sozialwissenschaftliche Fakultät. Von 1915—1921 Kaufmannslehrling und Kaufmannsgehilfe, unterbrochen durch Kriegsdienst. Studium an der Handelshochschule Nürnberg und an der Universität Tübingen, 1931 Dr. rer. pol. 1936—1938 Mitglied der geschäftsführenden Leitung des Instituts für Wirtschaftsbeobachtung der deutschen Fertigware, 1938—1945 geschäftsführendes Vorstandsmitglied der Gesellschaft für Konsum-, Markt- und Absatzforschung Nürnberg. 1945—1955 Wiederaufbau dieser Gesellschaft, zusammen mit Prof. Vershofen. Errichtung des Instituts für Absatz- und Verbrauchsforschung an der Universität. Seit 1955 Vorsitzender des Vorstands der GfK-Nürnberg, seit 1960 alleiniger Leiter des Instituts. 1962 Gründung der „Nürnberger Akademie für Absatzwirtschaft". Prof. Bergler war maßgeblich an der Wiedereröffnung der Nürnberger Hochschule beteiligt und in den Jahren 1948/49 und 1958/60 ihr Prorektor. Wissenschaftliche Betätigung: 14 wissenschaftliche und 6 schriftstellerische Buchveröffentlichungen; darunter eine zweibändige Geschichte der Nürnberger Hochschule, ca. 350 Aufsätze in in- und ausländischen Zeitschriften, in Festschriften, Handbüchern und Sammelwerken, ca. 400 Vorträge im In- und Ausland. Zu seinem 60. Geburtstag wurde ihm eine Festschrift „Der Mensch im Markt" gewidmet, eine kleinere zu seinem 50. Geburtstag. Für Wilhelm Vershofen hat er zwei Festschriften herausgegeben; er ist Herausgeber und Mitherausgeber dreier Schriftenreihen, Herausgeber der Zeitschrift „Jahrbuch der Absatz- und Verbrauchsforschung" (14. Jahrgang, begründet mit Wilhelm Vershofen).

Beutin, Wolfgang 1934 in Bremen; Studium der Germanistik, Geschichte und Philosophie in Hamburg und Saarbrücken; 1963 Dr. phil. Verfaßte Gedichte, Kurzgeschichten (Teil des Tucholsky-Preises 1956), Hörspiele (sieben gesendet, darunter „Die Mäuse", 1962, „Der Fall Jean Calas", 1966), Stücke, ein Fernsehspiel („Jubipenser"), polemische Prosa („Invektiven"), essayistische Prosa (dabei die Aufsätze über G. Mann und F. Fischer in dem von Karlheinz Deschner herausgegebenen Sammelband „Wer lehrt an deutschen Universitäten?"; die Artikel über Heinrich Heine, Ludwig Feuerbach, Nietzsche, Tucholsky und Brecht in „Das Christentum im Urteil seiner Gegner"). Abhandlung: „Königtum und Adel in den historischen Romanen von Willibald Alexis", Berlin 1966.

Beyschlag, Siegfried 1905 in Fürth/Bayern; Dr. phil., o. ö. Professor für Germanische und Deutsche Philologie (einschließlich Skandinavischer Philologie) an der Universität Erlangen-Nürnberg. Neben zeitweiligem Schuldienst als Studienassessor und Studienrat hauptamtlicher Mitarbeiter am Deutschen Wörterbuch der Brüder Grimm an der Preußischen Akademie der Wissenschaften zu Berlin (1934—40), Lehrbeauftragter für Volksdichtung an der Universität Innsbruck (1940—41), deutscher Lektor an der Universität Kopenhagen (1942—49), ab 1949 Dozent und Professor an der Universität in Erlangen, seit 1957 wissenschaftlicher Leiter des Ostfränkischen Wörterbuchs. Hauptarbeitsgebiete sind mittelalterliche deutsche und nordische Philologie und Literaturgeschichte sowie Volksdichtung. Selbständige Veröffentlichungen sind u. a. „Die Wiener Genesis. Idee, Stoff und Form", Wien 1942; „Konungasögur. Die altnordische Königssaga bis Snorri", Kopenhagen 1950; „Altdeutsche Verskunst", Nürnberg 1969.

Bock, Hans Bertram 1933 in Oberhausen; Gymnasium, Studium Folkwanghochschule Essen (Schauspiel), Schauspieler, Lektorat (Fernsehen). Seit 1961 Journalist, Theaterkritiker („Abendzeitung" Nürnberg und München), Mitarbeiter „Theater heute", Bearbeitung Schillers „Die Räuber" 1968 (zusammen mit Günther Büch). Seit Oktober 1969 Leiter des Feuilletons der „Nürnberger Nachrichten".

Bröger, Friedrich 1912 in Nürnberg als ältestes von vier Kindern des Schriftstellers Karl Bröger. Seine Schulausbildung erhielt er in der Vaterstadt, wo er auch das Abitur und sein Anfangsstudium absolvierte. 1933 wurde er aus politischen Gründen vom Weiterstudium ausgeschlossen. Bis 1940 war er freier Schriftsteller, von 1940 bis 1947 in Kriegsdienst und Kriegsgefangenschaft. Von 1948 bis 1967 Chefdramaturg der Städtischen Bühnen Nürnberg-Fürth; seit September 1967 stellvertretender Leiter des Instituts für fränkische Literatur der Stadtbibliothek Nürnberg.

Brunner, Horst 1940; Studium der Germanistik, Musikwissenschaft und lateinischer Philologie, Promotion 1966; zur Zeit wissenschaftlicher Assistent am Deutschen Seminar der Universität Erlangen-Nürnberg. Veröffentlichungen: „Die poetische Insel. Inseln und Inselvorstellungen in der deutschen Literatur", Stuttgart 1967; Aufsätze.

Buhl, Wolfgang 1925 in Reinsdorf/Sachsen. Studium der Germanistik, Theaterwissenschaft, Geschichte und Philosophie in Erlangen, 1950 Promotion. 1953 bis 1963 Feuilletonredakteur in den „Nürnberger Nachrichten", seitdem Leiter der Abteilung Wort im Studio Nürnberg des Bayerischen Rundfunks. Bibl.: „Äpfel des Pegasus", 1953; Beiträge in Zeitschriften und Anthologien, u. a. „Ad absurdum", 1965 und 1968; „Scharf geschossen", 1968. Herausgabe von Sendereihen des Bayerischen Rundfunks: „Barock in Franken", 1969; „Fränkische Städte", 1970.

Dallhammer, Hermann 1925 in Ansbach; Oberstudienrat. Bibl.: „Von Straßen und Wegen", 1959; „Caroline von Großbritannien", 1964; „August Graf von Platen", 1966; Mitarbeit: „Ostfränkisches Wörterbuch"; „Historische Stätten Deutschlands", Bd. Bayern.

Deschner, Karlheinz 1924 in Bamberg. Promotion 1951. Seitdem freier Schriftsteller. Mitglied des P.E.N.-Clubs. Lebt in Haßfurt/Main. Schrieb die Romane: „Die Nacht steht um mein Haus", 1956. „Florenz ohne Sonne", 1958. „Stimmen aus Staub", 1969. — Literaturkritik: „Kitsch, Konvention und Kunst", 1957. „Talente, Dichter, Dilettanten", 1964. — Kirchengeschichte: „Abermals krähte der Hahn", 1962. „Mit Gott und den Faschisten", 1965. — Herausgeber von: „Was halten Sie vom Christentum?", 1958. „Jesusbilder in theologischer Sicht", 1966. „Das Jahrhundert der Barbarei", 1966. „Wer lehrt an deutschen Universitäten?", 1968. — Er bereitet gegenwärtig ein literaturkritisches und ein kirchengeschichtliches Buch vor sowie die Herausgabe von sechs die Kirchengeschichte betreffenden Sammelwerken. — Mitarbeiter zahlreicher belletristischer, zeitgeschichtlicher und wissenschaftlicher Anthologien.

Diterich, Helmut 1917 in Eger; Studium der Germanistik und Geschichte an der Deutschen Karls-Universität Prag; Abschluß 1941 mit Dissertation „Die tschechische öffentliche Meinung zum 30. Januar 1933“. Redakteur bei der „Egerer Zeitung“ in Eger 1944; 1948 Absolvierung der Süddeutschen Büchereischule Stuttgart und Bibliothekar in Bayreuth, seit 1950 Redakteur der „Fränkischen Landeszeitung“ in Rothenburg und Ansbach (Feuilleton). Zahlreiche Zeitungsartikel vornehmlich literarischen Inhalts in der deutschen Presse — 1955 „Tauber- und Altmühltal“ (Neubearbeitung Grieben-Reiseführer).

Eberle-Dobiasch, Edith 1937 in München, ging nach dem Abitur ins Ausland, studierte in Paris und Madrid und machte anschließend die Dolmetscher-Prüfung in Französisch und Spanisch. Sie ist seit einigen Jahren freie Mitarbeiterin des Bayerischen Rundfunks, speziell für die Sendereihen „Diese, unsere Welt“ und „Bayern — Land und Leute“. Seit ihrer Verheiratung lebt sie in Nürnberg und arbeitet für das Studio Nürnberg und die Nürnberger Zeitung.

Gerstner, Hermann 1903 in Würzburg; Studium in München: Germanistik, Geschichte, Geographie; Promotion. Mehrere Jahre Gymnasiallehrer und Theaterkritiker in Berlin. Dann im wissenschaftlichen Bibliotheksdienst. 1939—45 Soldat. Über 50 Buchveröffentlichungen: Romane („Camille Desmoulins“, „Vor Anker“), erzählende Bände („Das Auge des Herrn“, „Gondelfahrt“), Jugendbücher („Lorenzo entdeckt die Etrusker“, „Überfall auf Mallorca“), Gedichtwerke („Du fragst mich, was ich liebe“) und Biographien über die Brüder Grimm, Dauthendey, Uhland, Nansen, Franz v. Assisi.

Glaser, Hermann 1928 in Nürnberg; studierte Germanistik, Anglistik, Geschichte und Philosophie in Erlangen und Bristol; Promotion 1952. Im Schuldienst und als Publizist tätig. Seit 1964 Schul- und Kulturdezernent der Stadt Nürnberg. Mitarbeit an Zeitungen, Zeitschriften, Rundfunk; neben pädagogischen Veröffentlichungen Autor zahlreicher Bücher, u. a. „Weltliteratur der Gegenwart“, 1956; „Das Dritte Reich“, 1961; „Wege der deutschen Literatur“ (Mitautor), 1961; „Spießer-Ideologie“, 1964; „Eros in der Politik“, 1965; „Kleinstadt-Ideologie“, 1969; „Radikalität und Scheinradikalität“, 1970.

Goldmann, Karlheinz 1910 in Liegnitz/Schlesien. Studium der Geschichte, Philosophie, Theologie, Volkskunde und Volkswirtschaft, Theologisches Examen 1932/33. Promotion 1936, Bibl.-Assessor-Examen 1939, Assistent an der Universität Berlin 1936/39, dann wissenschaftlicher Bibliothekar, nebenamtlich an der Bibl. des Vereins Deutscher Ingenieure Berlin und der Bibl. des Instituts für Soziale und Gerichtliche Medizin der Universität Berlin. Kriegsdienst, in der Kriegsgefangenschaft Bibliothekar der Lagerhochschule des deutschen Hauptquartiers Bellaria, seit 1952 zuerst kommissarischer Leiter, dann Direktor der Stadtbibliothek Nürnberg, in dieser Tätigkeit u. a. auch Aufbau des Instituts für Fränkische Literatur, 1969 Silbermedaille für Verdienste für die fränkische Literatur der Max-Dauthendey-Gesellschaft. Publikationen: Zahlreiche selbständige Werke und Aufsätze in Zeitungen, Zeitschriften etc. aus dem Gebiete der Bibliotheks- und Buchgeschichte, Hochschulgeschichte, Kulturgeschichte und Heimatgeschichte Schlesiens, Mitteldeutschlands und Frankens. U. a. „Geschichte des Schul- und Bildungswesens des Eichsfeldes von den Anfängen bis 1648“, 1937; „Geschichte der Univ.-Bibliothek Duisburg“, 1941; „Geschichte der Stadtbibliothek Nürnberg“, 1957; „Verzeichnis der Hochschulen und hochschulartigen Gebilde sowie ihre Vorläufer und Planungen in deutsch- und gemischtsprachigen Gebieten“, 1967.

Grimm, Reinhold 1931 in Nürnberg; Studium und Promotion in Erlangen, nach Tätigkeit an den Universitäten Erlangen-Nürnberg und Frankfurt und nach Gastprofessuren an der Columbia University und der New York University seit 1967 Alexander Hohlfeld Professor of German an der University of Wisconsin (Madison, Wis.), USA. 1964 Förderungspreis der Stadt Nürnberg. Zahlreiche Buch- und Zeitschriftenveröffentlichungen zur deutschen und vergleichenden Literaturgeschichte, vornehmlich des 20. Jahrhunderts; ferner Tätigkeit als Herausgeber, Übersetzer und Kritiker.

Hagen, Friedrich 1903 in Nürnberg. Mittelschule, Seminar, Kunstakademie. Oberspielleiter für Schauspiel und Oper. Seit 1933 in Frankreich. Verheiratet, zwei Kinder. Nach dem Krieg ist er entschlossen, im europäischen Geist für deutsch-französische Verständigung zu wirken. Chefredakteur am französischen Rundfunk, dann freier Schriftsteller. Zahlreiche Übersetzungen, Vorträge, Aufsätze, Rundfunksendungen. Hauptsächliche eigene Werke: „Paul Eluard“ (Essay), „Weinberg der Zeit“ (Lyrik), „Paroles à face humaine“ (Lyrik), „Cocteau als Zeichner“ (Essay), „Leben und Werk des Jean Cocteau“ (Biographie), „Die Kelter des Zorns“ (Roman); weitere Angaben unter der Rubrik „Quellen“. Mitglied des P.E.N.; Kulturpreis der Stadt Nürnberg 1965.

Henneberg, Claus 1928 in Hof/Saale. Jura-Studium in München. 1952/53 Herausgeber der literarischen Zeitung „Ophir" und Mitbegründer der Galerie für junge Kunst „Ophir". Seit 1966 Veranstalter der Tage für „neue literatur in hof". 1970 Gründer des „verlages für neue literatur". Bibliographisches: „Texte und Notizen", Luchterhand-Verlag, 1962; „Monologe", ebenda, 1963; „Christ ist erschienen, uns zu versühnen" - ein Lebensbild Heinrich Holzschuhers aus Wunsiedel, 1968; „Während einer Flut" (Fortsetzungsroman) seit 1966 in den Heften für „neue literatur in hof", „Wörterbuch zu Homer" (verlag für neue literatur). Veröffentlichungen in Anthologien wie „Expeditionen", „Ny tysk Prosa", „Lyrik aus dieser Zeit", „Außerdem", „Muster möglicher Welten" sowie in Zeitschriften wie „Spirale", „Augenblick", „Blätter + Bilder", „Streit-Zeit-Schrift" und „Manuskripte". Hörspiele, Essays und Hörbilder wurden u. a. gesendet vom Hessischen Rundfunk, Deutschlandfunk, Norddeutschen Rundfunk, von Radio Bremen, dem Saarländischen und Bayerischen Rundfunk.

Hetzelein, Georg 1903 in Hofstetten, Landkreis Schwabach, aufgewachsen in Nürnberg. Lehrerbildungsanstalt Schwabach und Schule für angewandte Kunst in Nürnberg, seit 1934 ansässig in Regelsbach. Bibl.: „Das Jahr im Garten", 1961; „Goethe reist durch Franken", 1968; Veröffentlichungen in Tageszeitungen und Zeitschriften.

Hofmann, Hanns Hubert 1922 in Nürnberg; Professor für Neuere, Sozial- und Landesgeschichte an der Universität Würzburg. Nach fünf Jahren Wehrdienst Studium der Geschichte, Germanistik, Geographie und der Rechte in Erlangen, seit Promotion 1948 dort Assistent, 1953 wiss. Mitarbeiter der Bayerischen Akademie der Wissenschaften. 1961 Habilitation. Arbeiten zur süddeutschen Landesgeschichte und zur deutschen Verfassungs-, Sozial- und Wirtschaftsgeschichte.

Jost, Dominik 1922 in Luzern (Schweiz). Professor für deutsche Sprache und Literatur an der Hochschule St. Gallen für Wirtschafts- und Sozialwissenschaften. Publikationen: „Stefan George und seine Elite. Eine Studie zur Geschichte der Eliten", Zürich 1949; „Ludwig Derleth. Gestalt und Leistung", Stuttgart 1965; „Literarischer Jugendstil", Stuttgart 1969. Herausgeber des Werks von Ludwig Derleth.

Kern, Peter Christoph 1937, studierte in München und Erlangen Geschichte, Deutsch und Theologie, promovierte in Erlangen mit einer Dissertation über Hugo von Hofmannsthal, derzeit Akademischer Rat am Germanistischen Seminar der Universität Freiburg. Arbeitsgebiete: Literaturwissenschaft, Linguistik. Veröffentlichungen: „Zur Gedankenwelt des späten Hofmannsthal. Die Idee einer schöpferischen Restauration", Heidelberg 1969.

Kesten, Hermann 1900; 1906—1910 Volksschule/Bismarckschule Nürnberg. 1910—1919 Altes Gymnasium Nürnberg, Melanchthon-Gymnasium. 1919—1923 Universitäten Erlangen und Frankfurt am Main. 1927 bis März 1933 literarischer Leiter des Verlages Gustav Kiepenheuer, Berlin. Ab 17. März 1933 bis Mai 1949 im Exil, erst in Paris 1933—1940, ab 27. Mai 1940 in New York; half im Mai 1933 den ersten Anti-Hitler-Verlag gründen, Allert de Lange, Amsterdam, dessen literarische Leitung Kesten vom Mai 1933 bis Mai 1940 hatte. In New York freier Schriftsteller. Im Juni 1949 erste Heimkehr nach Deutschland. Anderthalb Jahre Reisen in Europa, Rückkehr nach New York. Von 1952 bis 1962 in Rom. Seitdem abwechselnd ein halbes Jahr in Europa, ein halbes Jahr in New York. P.E.N.-Mitglied, 1954 Kulturpreis der Stadt Nürnberg. Gesammelte Werke in Einzelausgaben im Verlag Kurt Desch, München (siehe unter „Quellen").

Kröll, Joachim 1911 in Meinsdorf; Studium der Germanistik, Geschichte, Philosophie und Volkskunde, 1937 Dr. phil. Er war Verlagslektor, Industriekaufmann, Revisor bei der früheren Reichsrundfunkgesellschaft, dann Volksschullehrer, Lehrer am Markgräfin-Wilhelm-Gymnasium Bayreuth und ist heute als Studiendirektor Dozent an der Pädagogischen Hochschule Bayreuth. Bibl.: „Geschichte der Stadt Creußen", 1958; „Geschichte des Marktes Weidenberg", 1967; zahlreiche Aufsätze und Beiträge zur oberfränkischen Geschichte, Landeskunde.

Lobe, Jochen 1937 in Ratibor, seit 1945 in Franken. Studium in Erlangen und Frankfurt/M. Gymnasiallehrer in Bayreuth. Initiator und Leiter des „Literarischen Forums Bayreuth". Mitredakteur einer literarischen Zeitschrift. Essays für den Rundfunk; 1964 Förderungspreis der Sudermann-Gesellschaft. Veröffentlichungen seit 1960 in Zeitschriften und Anthologien des In- und Auslands, u. a.: „Kursbuch", „Aussichten", „Gnu soup" (Fredericton, Neubraunschweig/Kanada), „The tamarack Review" (Toronto), „Antipiugiu" (Turin), „Radar" (Warschau). Erste Buchveröffentlichung im Juni 1970: „Textaufgaben vorgestellt von Mutter Montage & ihren Kindern", Hof/Saale, verlag für neue literatur.

Meidinger-Geise, Inge 1923 in Berlin; Studium der Germanistik und Geschichte in Berlin und Erlangen; Promotion 1945. Lebt in Erlangen als freie Schriftstellerin. 1956 ausgezeichnet mit der Willibald-

Pirkheimer-Medaille. Seit 1967 Vorsitzende der Westeuropäischen Autorenvereinigung „Die Kogge“. Veröffentlichte u. a. 1956 „Welterlebnis der deutschen Gegenwartsdichtung“ (2 Bde. Literaturgeschichte der Nachkriegszeit). In Ergänzung seit 1957 bis heute die literarkritischen Jahrbücher „Perspektiven deutscher Dichtung“, ferner Lyrik, Romane, Erzählungen. 1968 gab sie die Anthologie „Texte aus Franken“ (Lyrik und Prosa) heraus, 1970 folgte „Ohne Denkmalschutz“, ein umfassender Sammelband fränkischer Dichtung.

Müller, Bruno 1910 in Bamberg; Medizin-Studium in München, Erlangen und Würzburg, Staatsexamen und Promotion 1935 in Würzburg. Assistenzarzt am Krankenhaus in Coburg (1936—39), als Kriegschirurg tätig in Würzburg, Polen und Rußland von 1939—44 und an sowjetischen Kriegsgefangenen-Lazaretten von 1944—49. Niederlassung 1950 in Bamberg als praktischer Arzt. Von 1961 an 1. Vorsitzender des Historischen Vereins in Bamberg. Veröffentlichungen: Zahlreiche Aufsätze über oberfränkische Vorgeschichte und Kunstgeschichte in den „Bamberger Blättern“ und in den Berichten des Historischen Vereins in Bamberg und in Bayreuth seit 1950. Umfangreichere Veröffentlichungen: „Die Lesefunde vom jungsteinzeitlichen Wohnplatz in Hohenellern“, 1955; „Der Kreuzgang des Karmelitenklosters in Bamberg“, 1961; „Ein Scheibenzyklus Hans Schäufeleins“, 1963; „Theatrum Stultorum. Carl Stilps plastische Illustrationen zum ‚Narrenschiff‘ in der Stiftsbibliothek in Waldsassen“, 1965; „Die Titelbilder der illustrierten Renner-Handschriften“, 1966; „Hugo von Trimberg und das Bocciaspiel“, 1969.

Naumann, Bernd 1938 in Hirschfeld bei Meißen. Studium von 1958/59 bis 1963 an den Universitäten Erlangen, Heidelberg und Bristol. Staatsexamen Herbst 1963 in den Fächern Germanistik und Anglistik. 1967 Promotion mit der Arbeit „Dichter und Publikum in deutscher und lateinischer Bibelepik des frühen 12. Jahrhunderts“ bei Prof. Dr. S. Beyschlag, Erlangen (erschienen 1968 im Carl-Verlag, Nürnberg). 1969 Akademischer Rat am Deutschen Seminar der Universität Tübingen, seit Oktober 1969 College Lecturer in Dublin.

Naumann-Petry, *Ursula* 1945 in Görlitz. Beginn des Studiums der Germanistik und Kunstgeschichte, 1964/65 in München, dann Erlangen, Berlin und wieder Erlangen. Ab 1969 in Tübingen. Seit 1968 verheiratet. Erste Veröffentlichung: „Die Entstehung einer Landschaft. Zur Dialektik des Drinnen und Draußen bei Adalbert Stifter“, Jahrbuch der Jean-Paul-Gesellschaft 1967. Zur Zeit Arbeit an einer Dissertation über die „Wunschrede“ bei Jean Paul (bei Prof. Dr. K. Wölfel, Erlangen).

Neger, Fred Otmar 1911 in Fürth/Bayern; Studium der Zeitungs- und Theaterwissenschaft in Berlin und München, bis Kriegsbeginn Redakteur, nach längerer Gefangenschaft ab 1950 Kulturkritiker verschiedener Zeitungen und Autor von Hörbildern; seit 1960 ständiger Mitarbeiter im Studio Nürnberg des Bayerischen Rundfunks.

Penzoldt, Günther 1923 in München; dort studierte er nach dem Kriege und promovierte 1951 mit einer Arbeit über die „Deutsche Theaterkritik in der 1. Hälfte des 19. Jahrhunderts“, die sich vornehmlich mit den Kritiken Börnes, Laubes, Tiecks und Grabbes beschäftigte. Nebenbei und anschließend Verlagstätigkeit und Theaterkritik in München. 1952 wurde Penzoldt als Dramaturg an das von Gustaf Gründgens geleitete Düsseldorfer Schauspielhaus engagiert. Von dort nahm ihn Gründgens 1955 als Chefdramaturgen an das Deutsche Schauspielhaus in Hamburg mit. Diesem Theater blieb er — auch als Regisseur — bis 1968 verbunden. Gleichzeitig arbeitete er für die Redaktionen verschiedener Zeitschriften, Funkanstalten und Tageszeitungen. 1965 erschien von ihm ein Buch über Georg Büchner. Seit August 1968 leitet er das Theater der Stadt Baden-Baden.

Pillokat, Udo 1943; nach dem Abitur Studium der Germanistik, Philosophie und Pädagogik; 1968 Dr. phil. Lebt in Hamburg, arbeitet im Buchhandel. Daneben journalistisch und als Regisseur tätig. Veröffentlichungen: „Verskunstprobleme bei Eduard Mörike“, Hamburg 1969; Mitarbeit an verschiedenen literarischen Zeitschriften und Anthologien.

Ploss, Emil Ernst 1925 in Wernersreuth bei Asch/Böhmen, wo er das Gymnasium besuchte. Nach Kriegsdienst und russischer Kriegsgefangenschaft begann er 1948 das Studium, das er 1952 mit Promotion und Staatsexamen in Deutsch, Geschichte und Latein in München abschloß. Von 1953 an war er als Studienrat am Neuen Gymnasium Bamberg tätig. 1957/58 war er Schriftleiter in der Badischen Anilin- und Sodafabrik, Ludwigshafen. Anschließend arbeitete er als Lehrbeauftragter und Tutor an der Universität München. Nach der Habilitation lehrte er als Privatdozent und wurde 1966 auf den Lehrstuhl für Deutsche und Germanische Philologie an der Universität Erlangen-Nürnberg berufen. Eine Gastprofessur führte ihn an australische und neuseeländische Universitäten. Zu seinen Interessengebieten gehören auch Volks- und Altertumskunde.

Prang, Helmut 1910 in Berlin. Studium der Germanistik, Kunstgeschichte, Philosophie und Geschichte in Heidelberg und Berlin; hier 1937 Dr. phil. Seit 1944 an der Universität Erlangen (Dr. phil. habil. Privatdozent, apl. Prof.) 1968 Rückert-Preis der Stadt Schweinfurt und Gastprofessor in den USA. Letzte Buchveröffentlichungen: „Geschichte des Lustspiels" und „Formgeschichte der Dichtkunst", beide 1968.

Pröll, Franz Xaver 1908 in Nürnberg. Stellvertreter des Direktors der Stadtbibliothek Nürnberg. Volks- und Oberschule in Nürnberg. Studium an der Universität Würzburg: Deutsch, Geschichte, Erdkunde, Kunstgeschichte und Vorgeschichte; Promotion 1933. Bis 1939 Journalist in Nürnberg. Nach 1945 Deutschlehrer an der Oberrealschule an der Löbleinstraße (jetzt Hans-Sachs-Gymnasium), Nürnberg. 1948 Redakteur in Schweinfurt, 1949 in Ansbach. Seit 1955 in der Stadtbibliothek Nürnberg. Bibl.: „Kirchenbauten Balthasar Neumanns", Diss. phil. Wzbg. 1933. „Christian Friedrich Daniel Schubart in Nürnberg", in: Nürnberger Schau, H. 7, Juli 1939. „Nürnberg und die deutsche Dichtung" (bis 1800), in: Mitt. a. d. Stadtbibl. Nürnberg, Jg. 6, H. 2, 1957. Das „Tagebuch reisender Künstler im August 1810" und das „Skizzenbuch Johann Christoph Wilders von seiner Reise nach Bamberg", in: Norica, Beiträge zur Nürnberger Geschichte, Nbg. 1961. „Nürnberg und Leipzig. Pläne zur Gründung einer Buchhändlermesse in Nürnberg", in: Mitt. a. d. Stadtbibl. Nürnberg, Jg. 10, H. 6, 1961; Aufsätze in Zeitungen und Zeitschriften.

Recknagel, Hans 1938 in Altdorf; Studium der Literaturwissenschaft, Geschichte, Erdkunde und Theaterwissenschaft; von 1964 bis 1968 Dramaturg, dann Schuldienst; freier Mitarbeiter des Bayerischen Rundfunks. Veröffentlichungen: Aufsätze in den Mitteilungen des Vereins für Geschichte der Stadt Nürnberg. Nachwort zur Faksimileausgabe des „Pegnesischen Schäfergedichts" der Fränkischen Bibliophilengesellschaft. Mitübersetzer von John Ardens „Der glückliche Hafen" und eines Jugendstückes.

Schlauch, Rudolf 1909 in Esslingen, Studium der Theologie, daneben Geschichte und Kunstgeschichte in Tübingen, Berlin und Marburg; Pfarrer in Bächlingen/Hohenlohe. Bücher: „Hohenlohe", 1956; „Hohenlohe Franken", 1964; „Wttbg. Unterland", 1966; „Burgenstraße", 1966; „Unversiegter Brunnen", 3. Aufl. 1968; „Andacht und Einkehr", 1965; „Weinsberger Geschichten", 1967; Text für die drei Swiridoff-Bildbände: „Hohenlohe", „Hall" und „Hie gut Württemberg allewege". Taschenbücher: „Romantische Straße", 2. Aufl. 1968; „Burgenstraße", 1964; „Schwäbische Albstraße", 1963; „Langenburger Heimatbuch", 4. Aufl. 1967. Ständige Mitarbeit bei „Merian", Mitarbeit bei „Lebensbilder aus Schwaben und Franken", „Baden-Württemberg" und „Schwäbische Heimat".

Schnack, Friedrich 1888 in Rieneck, Unterfranken. Seit 1926 im freien Beruf. War Kulturschriftleiter der Tagespresse, ist Mitarbeiter des Rundfunks, von Zeitungen und Zeitschriften, ordentl. Mitglied der Bayerischen Akademie der Schönen Künste, München, und der Akademie der Wissenschaften und der Literatur in Mainz. Ehrenmitglied des „Schutzverbandes deutscher Wald", Mitglied der Humboldt-Gesellschaft, Heidelberg-Köln, des Vereins der Freunde Madagaskars, Saarbrücken, und anderer Vereinigungen, Ehrengast der Academie tedesca Villa Massimo, Rom. Literarische Auszeichnungen: Lessingpreis des Sächsischen Staates 1929, Großer Preis der Preuß. Akademie, Sektion Dichtkunst, Berlin 1930. Erster Kulturpreis der Stadt Würzburg 1965. Bayerischer Verdienstorden 1965, Bayerischer Poetentaler, München, 1968. Bürgermedaille der Stadt Hammelburg, Ehrenplakette des Landkreises Hammelburg 1968. — Literarisches Gebiet: Lyrik, Erzählung, Reisedichtung, Naturdarstellungen, Kinderbücher. Neueste Werke: „Durch viele Tore ging sein Schritt", Leben und Bilder des Matthäus Merian, 1968; „Blumen, die man liebt und schenkt", mit 32 Aquarellen der Blumenmaler des 17. und 18. Jahrhunderts, 1968; „Petronella im Bauerngarten und andere Erzählungen", 1970 (weitere Angaben siehe unter „Quellen"). — Ist verheiratet seit 1925, Sohn: Sebastian, Werbefachmann in München.

Schneider, Georg 1902 in Coburg; pädagogisches Seminar, viele Reisen, Soldat, Gefangenschaft in den USA (Oklahoma), Mitglied der Verfassunggebenden Landesversammlung in München und des ersten Bayerischen Landtags, zuletzt Rektor in München. Lesungen auch im Ausland. Inhaber der Max-Dauthendey-Plakette. Mitglied des P. E. N.-Clubs. Gedichte: (u. a.) „Nur wer in Flammen steht", München 1946; „Atem der Jahre", München 1960; „Am Grenzstein" mit einem Vorwort von Emil Staiger, München 1965; „Nach verschollenen Noten", München 1968. Prosa: (u. a.) „Mirabell Prünelle", Roman, Stuttgart 1966; „Einladung nach Südtirol", Reisebilder, München 1969. Übersetzungen: (u. a.) Tristan Corbière „Die gelben Liebschaften", Hamburg 1948; Jean Cocteau „Gedichte", Wiesbaden 1955; „Staub von einer Bambusblüte" (1955) und „Maulbeerblatt und Seidenfalter" (1961), beide München, ebenso William Shakespeare „Lieder aus den Dramen". Herausgaben: (u. a.) „Friedrich Rückert" und „Georg Friedrich Daumer", beide bei der „Fränkischen Bibliophilen-Gesellschaft". Außerdem Mitarbeit an Rundfunk und Zeitschriften.

Schramm, Godehard 1943 in Konstanz, Abitur in Münnerstadt/Ufr. Student der Slawistik, Germanistik und Geschichte Osteuropas in Erlangen. 1964 erster Lyrikband „Im Schein des Augenblicks"; 1966 Lyrikband „schneewege", 1970 „Nürnberger Bilderbuch" mit Illustrationen von Michael Mathias Prechtl. Seit 1963 Mitarbeit an Anthologien — u. a. „Texte aus Franken" —, Zeitungen und Zeitschriften.

Spechtler, Franz Viktor 1938 in Gröding bei Salzburg. Gymnasialstudien in Salzburg mit Studien an der Musikakademie Mozarteum. 1958 Reifeprüfung. 1958—1964 Studium an der Universität Innsbruck (Deutsche und Englische Philologie, Philosophie). Promotion, Hauptfach Germanistik, 1963. 1964/65 wissenschaftlicher Mitarbeiter der Deutschen Forschungsgemeinschaft unter Prof. Dr. Karl Stackmann, Göttingen. Arbeitsschwerpunkte: Edition mhd. Texte, spätmittelhochdeutsche Lyrik und Epik. Darüber Veröffentlichungen in Fachzeitschriften. Im Druck: Ausgabe der geistlichen Lieder des Mönchs von Salzburg (2. Hälfte des 14. Jh.), 500 Seiten Manuskript. Seit Oktober 1965 Universitätsassistent bei Prof. Dr. Ingo Reiffenstein am Institut für Deutsche Sprache und Literatur der Universität Salzburg.

Staudacher, Wilhelm 1928 in Rothenburg ob der Tauber, hier Besuch der Volks- und Berufsschule, Teilnahme an Kursen der Volkshochschule über Malerei, Literatur und Musik. Beruf: Verwaltungsbeamter (Stadtamtmann). Mitarbeit an Zeitungen, Zeitschriften, Anthologien sowie im Bayerischen und Süddeutschen Rundfunk (Hörfunk und Fernsehen). 1968 Förderungspreis der Stadt Nürnberg. Veröffentlichungen: „Märchen", eine Märchenauswahl, 1961; „Bänkelsang der Zigeuner", Gedichte, 1960; „Des is aa deitsch", Mundartgedichte, 1961; „Im Metall der blanken Worte", Gedichte, 1962; „Liebe Menschen", Verse und Prosa, 1965; „Eckstaa und Pfennbutze", Mundartgedichte, 1967.

Steger, Hugo 1929 in Stein bei Nürnberg; o. Prof. an der Universität Freiburg, Direktor am Deutschen Seminar der Universität Freiburg und Leiter der Arbeitsstelle für die Erforschung der gesprochenen Sprache, Forschungsstelle Freiburg des Instituts für deutsche Sprache, Mannheim. 1939—48 Besuch der Dürer-Ober(real)schule Nürnberg. 1941 ff. Musikstudium Landesmusikschule (nach 1945 Konservatorium) Nürnberg; Klavier und Musiktheorie. 1948—53 Studium der Germanistik, Geschichte, Volkswirtschaftslehre, Kunstgeschichte in Erlangen und Würzburg. 1953 Staatsexamen. 1958 Promotion, größere Auslandsreisen, 1956 ff. wiss. Assistent in Erlangen. 1964 Habilitation für das Fach Deutsche und germanische Philologie an der Universität Erlangen-Nürnberg. 1964 Rufe auf Ordinariate in Kiel und Marburg (Kiel angenommen). 1967 Rufe nach Regensburg und Freiburg/Breisgau (Freiburg angenommen). Träger des Förderungspreises der Stadt Nürnberg 1962. Mitglied des Arbeitskreises für Namenforschung. Ord. Mitglied des Kuratoriums des Instituts für deutsche Sprache, Mannheim. Mitglied der Réunion d'Experts: Recherches Portant sur la Langue Parlée beim Europarat, Straßburg. Vertreter der Bundesrepublik Deutschland im Internationalen Commitee of Onomastic Sciences. 4 Bücher, zahlreiche Aufsätze und Rezensionen, Rundfunkvorträge: zum literarisch-musikalischen Leben des Mittelalters, zur deutschen Sprachwissenschaft, zu den Beziehungen zwischen Literatur und Sprache, zur geschichtlichen Landeskunde.

Sterzl, Helmut 1926 in Bamberg; Studium der Germanistik an der Universität Erlangen, 1951 Dr. phil., Gymnasiallehrer. Autor von Rundfunksendungen, u. a. „Hans Christian Andersen in Franken", „Wilhelm Raabe und Franken", „Die Handschriften des Minnesangs", „Minnesang am Oberrhein". Mitarbeiter an Heimatzeitschriften, Herausgabe von Märchensammlungen.

Stöckl, Rudolf 1920 in Nürnberg; Studium der Musikwissenschaft, Germanistik und Geschichte in Erlangen; 1949 Promotion mit einer Arbeit über Franz Schubert; seit 1950 Musikkritiker der „Nürnberger Nachrichten", seit 1963 Leiter der Redaktion des „Erlanger Tagblatts". Bibl.: Veröffentlichungen in verschiedenen Zeitschriften und im Rundfunk insbesondere über fränkische Musikgeschichte und über zeitgenössische Musik.

Straßner, Erich 1933 in Treuchtlingen; Promotion 1962, Oberkonservator am Deutschen Seminar der Universität Erlangen-Nürnberg. Fachgebiete: Deutsche Sprachgeschichte und Mundartforschung, Literatur des Mittelalters, Volkskunde. Veröffentlichungen: „Historisches Ortsnamenbuch von Bayern, Land- und Stadtkreis Weißenburg i. Bay.", München 1966 — „Schwank", Stuttgart 1968. — Zahlreiche Aufsätze zur Sprachgeschichte, Mundartforschung und Volkskunde in germanistischen und volkskundlichen Zeitschriften.

Volpert, Anneliese 1917 in Fürth/Bayern; Studium an der Universität Erlangen. Ausbildung und Tätigkeit als medizinisch-technische Assistentin, Autorin von Lyrik, Prosa und Hörbildern; seit 1960 ständige Mitarbeiterin des Bayerischen Rundfunks, Studio Nürnberg.

Weinacht, Helmut 1942 in Salzburg, Studium in München, Zürich und Erlangen (einschließlich mehrmonatiger Studienaufenthalte in England, Frankreich, Italien und Österreich), 1967 Staatsexamen in Geographie, Deutsch und Geschichte; seit 1968 wiss. Assistent am Deutschen Seminar in Erlangen, Arbeit an einer sprachwissenschaftlichen Dissertation über das Ambraser Heldenbuch.

Weismantel, Werner 1920 in Marktbreit am Main; Besuch der Volksschule und des Landeserziehungsheimes (Hermann-Lietz-Schule) in Marquartstein/Obb. Abgang nach Abschluß der mittleren Reife. 1939—1941 buchhändlerische Ausbildung in Würzburg und Freiburg im Breisgau. 1941—1945 Soldat. Nach kurzer Gefangenschaft 1945 Heimkehr in den Geburtsort des Vaters: Obersinn/Unterfranken. Hier Aufbau einer eigenen Versandbuchhandlung. 1958 Übertritt in den von Leo Weismantel mitbegründeten Weltkreis-Verlag. Dort redaktionelle Betreuung der von L. W. herausgegebenen Schriftenreihe „Das werdende Zeitalter". Werner Weismantel, der nach dem Tode seines Vaters in die Geschäftsleitung des Verlages eintrat, lebt in Jugenheim an der Bergstraße.

Wiedemann, Conrad 1937 in Karlsbad, 1956 Abitur in Ansbach/Mfr. Studium der Germanistik in Erlangen und Frankfurt a. M., 1960 Staatsexamen, 1965 Promotion mit einer Arbeit über den Nürnberger Barockdichter Johann Klaj. Seit 1961 wissenschaftlicher Assistent, seit 1967 Lehrbeauftragter für Neuere deutsche Philologie an der J.-W.-Goethe-Universität Frankfurt/M. Publikationen: „Johann Klaj und seine Redeoratorien", Nürnberg 1966; (Hrsg.) „Johann Klaj, Redeoratorien und ‚Lobrede der Teutschen Poeterey'", Tübingen 1965; (Hrsg.) „Johann Klaj, Friedensdichtungen und kleinere poetische Schriften", Tübingen 1968; (Hrsg., gemeinsam mit Reinhold Grimm) „Literatur und Geistesgeschichte", Festgabe für Heinz Otto Burger, Berlin 1968. — Aufsätze über G. E. Lessing, über deutsche Barockliteratur; zahlreiche Rezensionen für Zeitschriften, Zeitungen und Rundfunk.

Wölfel, Kurt 1927 in Würzburg; dort Studium 1946 bis 1951, Promotion mit einer Arbeit über August von Platen, drei Jahre Dozent in England, dann Assistent am Deutschen Seminar der Universität Göttingen, seit 1964 Ordinarius für Neuere deutsche Literaturgeschichte an der Universität Erlangen-Nürnberg, seit 1966 Präsident der Jean-Paul-Gesellschaft.

Zirnbauer, Heinz 1902 zu Obernzell a. d. Donau; nach Studium von Kunst- und Musikgeschichte Promotion 1927, Bibliothekar. Staatsexamen 1929, Bibliothekar in München, Speyer, Salzburg und Nürnberg; seit 1968 als freier wissenschaftlicher Schriftsteller in Wolfratshausen bei München. Veröffentlichungen bis 1954 zusammengefaßt in Kürschners Deutscher Musiker-Kalender 1954; seitdem: „Schulwerk-Kantaten ‚Summergewinn' und ‚Canticum Sacrum' nach Carl Orff" 1955/56 (Mskr.). — „Der Notenbestand der Reichsstädt. Nürnbergischen Ratsmusik" (Veröff. der Stadtbibl. Nbg. 1), Nürnberg 1959. — „G. Ph. Telemann, Triosonate in C-Dur und J. H. Franz Biber, Sonata pro Tabula à 10"; Wolfenbüttel und Zürich 1960. — „Bibliographie der Werke G. Ph. Harsdörffers", in Philobiblon V, 1, Hamburg 1961. — „Musik in der alten Reichsstadt Nürnberg — Ikonographie zur Nbg. Musikgeschichte" (Beiträge z. Gesch. u. Kultur d. Stadt Nbg., Bd. 9), Nürnberg 1965. — „Johann von Morsheim: Spigel des Regiments ... von 1516", Faks. Ausgabe mit Versnachdichtung u. Kommentar, Speyer 1966. — „Johannes de Turrecremata: Meditationes, 1467", Faks. Ausgabe, Wiesbaden 1968. Mitarbeit an: „Handbuch der Musikerziehung", Bd. II, Berlin 1958 — „Das Hausbuch der Mendelschen Zwölfbrüderstiftung", München 1965 — „Archive und Geschichtsforschung" (Solleder-Festschrift), Neustadt (Aisch) 1966 — „Quellen zur Gesch. u. Kultur der Stadt Nürnberg", Bd. 6, Nürnberg 1966 — „Fränkische Lebensbilder" (II, Delsenbach), Würzburg 1968. Beiträge zu „Neue Deutsche Biographie" (VII), „Musik in Gesch. u. Gegenwart" (MGG), „Jahrb. d. Coburger Landesstiftung" (1959), „Mittlgn. d. Ver. f. Gesch. d. Stadt Nbg." (MVGN); Rundfunksendungen u. Vorträge aus s. Fachgebieten; außerdem aktive Konzerttätigkeit, Theater- und Konzertkritik.

QUELLEN

Bedingt durch den Umfang des Buches kann nur die wichtigste der benutzten Literatur, jeweils zum entsprechenden Titel, genannt werden. Die Angaben unter I. beziehen sich auf die verwendeten Werke, unter II. wird die Sekundärliteratur genannt, unter III. sind die fotografischen Quellen und Vorlagen angegeben. Wo der Name des Fotografen nicht angeführt ist, wurde die Aufnahme im Verlag vorgenommen.

Franken und die Literatur

Für I. sei auf die bei den jeweiligen Autoren genannten Titel verwiesen.

II.
Barthel, Ludwig Friedrich: Literaturgeschichte des fränkischen Raumes; in: Franken - Land, Volk, Geschichte und Wirtschaft, hrsg. von Conrad Scherzer, Bd. II, Nürnberg 1959. – *Prang, Helmut:* Nüchterner Verstand und sehr viel Phantasie, Fränkische Literatur in den wichtigsten Wesenszügen; in: Nürnberger Zeitung Nr. 118/1969. – *Pröll, Franz Xaver:* Nürnberg und die deutsche Dichtung, Teil I, 1800; in: Mitteilungen der Stadtbibliothek Nürnberg Jahrgang 6/1957, Heft 2. – *Thiel, Hermann Otto:* Streifzüge durch die fränkische Literatur; in: Mitteilungen der Stadtbibliothek Nürnberg Jahrgang 8/1959, Heft 1.

III.
Die Nachbildung des Originals zu Sachsens „Kampfgesprech“ wurde entnommen: „Hans Sachs' Werke“, 1. Teil; herausgegeben von Dr. Arnold; Berlin o. J. Die Vorlagen für die Ansicht des „Poeten-Waeldleins“ und den „Abriß des Kaysserlichen Fewerwercks Schlosses“ befinden sich im Besitz der Nürnberger Stadtbibliothek, dort auch das Original zu Uzens abgebildetem Titel über die „Kunst stets fröhlich zu sein“. Hanns von Gumppenbergs Rückert-Parodie wurde zitiert nach dem „Teutschen Dichterroß“, 13. und 14. erweiterte Aufl.; München 1929. Die Zeichnung des Heimeran-Hauses ist enthalten in Ernst Heimeran „Büchermachen, Geschichte eines Verlegers von ihm selbst erzählt“, 3. Aufl.; München 1959. Das Porträt Hans Max von Aufseß von Brigitta Heyduck befindet sich im Privatbesitz. Die Abbildung des Titels von Hermann Glasers „Kleinstadt-Ideologie“ erfolgte nach der Erstauflage, Freiburg i. Br. 1969, die Wiedergabe der Schlußseite von Birkens „Norischem Parnaß“ nach dem Exemplar der Nürnberger Stadtbibliothek.

Ezzo

I.
Text nach *Braune-Helm:* Althochdeutsches Lesebuch, 13. Aufl.; Tübingen 1958, S. 136 ff. Die Schreibung von u und v wurde der modernen Regelung angenähert, Eigennamen wurden stets groß geschrieben.

II.
Kuhn, Hugo: Gestalten und Lebenskräfte der frühmittelhochdeutschen Dichtung; in: Dichtung und Welt im Mittelalter, Stuttgart 1959, S. 112 ff. — *Maurer, Friedrich:* Salische Geistlichendichtung; Der Deutschunterricht; 1953, Heft 2, S. 5 ff. — Die religiösen Dichtungen des 11. und 12. Jahrhunderts. Nach ihren Formen besprochen und hrsg. von Friedrich Maurer; Tübingen 1964, Bd. I, S. 269 ff. — *Ploss, Emil:* Bamberg und die deutsche Literatur des 11. und 12. Jahrhunderts; Jahrbuch für fränkische Landesforschung 19 (1959), S. 275 ff. — *Ploss, Emil:* Bischof Gunther von Bamberg, Neue Deutsche Biographie VII; Berlin 1966, S. 323 f. — *Rupp, Heinz:* Deutsche religiöse Dichtungen des 11. und 12. Jahrhunderts; Freiburg i. Br. 1958, S. 27 ff. — *Schneider, Hermann:* Ezzos Gesang; Zeitschrift für deutsches Altertum 68 (1931), S. 1 ff.

III.
Quelle des Text-Faksimiles: „Die deutschen Gedichte der Vorauer Handschrift" Kodex 276, II. Teil; Faksimile-Ausgabe des Chorherrenstiftes Vorau unter Mitwirkung von Karl Konrad Polheim, Akademische Druck- und Verlagsanstalt, Graz 1958. Für die Ausschnitte aus dem Totenbuch des Benediktinerklosters Michelsberg und dem Bamberger Domkalendarium: Staatliche Bibliothek Bamberg, Handschrift des 12. Jahrhunderts, Signatur Msc. Lit. 144, Blatt 85 verso bzw. Msc. Lit. 161, Blatt 23 verso (Foto: Lichtbildstelle der Staatlichen Bibliothek, Bamberg).

Wolfram von Eschenbach

I.

a) Bibliographie

Ulrich Pretzel und *Wolfgang Bachofer:* Bibliographie zu Wolfram von Eschenbach; Berlin ^{2}1968 (= Bibliographien zur deutschen Literatur des Mittelalters, Heft 2).

b) Ausgaben und Übersetzungen

Wolfram von Eschenbach, 6. Ausgabe von *Karl Lachmann;* Berlin und Leipzig ^{6}1926, Nachdruck Berlin 1965. — Wolfram von Eschenbach; hrsg. von *Albert Leitzmann,* 5 Hefte (Altdeutsche Textbibliothek Nr. 12-16). 1. Heft: Parzival, Buch I-VI; Tübingen ^{7}1961. — 2. Heft: Parzival, Buch VII-XI; Tübingen ^{6}1963. — 3. Heft: Parzival, Buch XII-XVI; Tübingen ^{6}1965 — 4. Heft: Willehalm, Buch I-V; Tübingen ^{5}1963. — 5. Heft: Willehalm, Buch VI-IX; Titurel; Lieder; Tübingen ^{5}1963. — *Gottfried Weber:* Wolfram von Eschenbach. Parzival. Text (nach der Ausgabe von *Karl Lachmann*), Nacherzählung, Worterklärungen (von *Werner Hoffmann*); Darmstadt ^{2}1967. — Wolfram von Eschenbach: Willehalm. Text der 6. Ausgabe von *Karl Lachmann,* Übersetzung und Anmerkungen von *Dieter Kartschoke;* Berlin 1968. — Wolfram von Eschenbach: Willehalm. Titurel. Texte, Nacherzählungen, Anmerkungen und Worterklärungen, hrsg., dargestellt und erläutert von *Walter Johannes Schröder* und *Gisela Hollandt;* Darmstadt (in Vorbereitung). — Wolfram von Eschenbach: Parzival. Übertragen von *Wilhelm Stapel;* München 1950 (Nachdruck der 3. Auflage).

II.
Brogsitter, Karl Otto: Artusepik; Stuttgart 1965 (= Sammlung Metzler 38). — *Bumke,* Wolframs Willehalm. Studien zur Epenstruktur und zum Heiligkeitsbegriff der ausgehenden Blütezeit; Heidelberg 1959 (= Germanische Bibliothek. 3. Reihe. Untersuchungen und Einzeldarstellungen). — *Ders.:* Wolfram von Eschenbach; Stuttgart ^{2}1966 (= Sammlung Metzler 36). — *Deinert, Wilhelm:* Ritter und Kosmos im Parzival. Eine Untersuchung der Sternkunde Wolframs von Eschenbach; München 1960 (= Münchener Texte und Untersuchungen zur deutschen Literatur des Mittelalters 2). — *Emmel, Hildegard:* Formprobleme des Artusromans und der Graldichtung. Die Bedeutung des Artuskreises für das Gefüge des Romans im 12. und 13. Jh. in Frankreich, Deutschland und den Niederlanden; Bern 1951. — *Gerhard, Melitta:* Der deutsche Entwicklungsroman bis zu Goethes Wilhelm Meister; Halle 1926 (= Deutsche Vierteljahrsschrift für Literaturwissenschaft und Geistesgeschichte, Buchreihe 9). — *Haas, Alois:* Parzivals tumpheit bei Wolfram von Eschenbach; Berlin 1964 (= Philologische Studien und Quellen 21). — *Hartl, Eduard:* Wolfram von Eschenbach; in: Die deutsche Literatur des Mittelalters. Verfasserlexikon. Bd. 4; Berlin 1953, Sp. 1058-1098. (Nachtrag dazu von *Walter Johannes Schröder* und *Werner Wolf* in Bd. 5; Berlin 1955. Sp. 1135-1138.) — *Kolb, Herbert:* Munsalvaesche. Studien zum Kyotproblem; München 1963. — *Kurz, Johann Baptist:* Heimat und Geschlecht Wolframs von Eschenbach. Phil. Diss. Erlangen 1916; Ansbach 1916, 2. Aufl. unter dem Titel: Wolfram von Eschenbach. Ein Buch vom größten Dichter des deutschen Mittelalters; Ansbach 1930. — *Maurer, Friedrich:* Wolfram und die zeitgenössischen Dichter; in: Typologia litterarum. Festschrift für Max Wehrli, Zürich und Freiburg 1969, S. 197-204. — *Ders.:* Leid. Studien zur Bedeutungs- und Problemgeschichte, besonders in den großen Epen der staufischen Zeit; (Bern 1951) Bern und München ^{3}1964. — *Ders.:* Das Grundanliegen Wolframs von Eschenbach, in: Der Deutschunterricht 8 (1956) Heft 1, S. 46-61. Jetzt auch in: *Friedrich Maurer:* Dichtung und Sprache des Mittelalters. Gesammelte Aufsätze; Bern und München 1963 (= Bibliotheca Germanica 10), S. 38-52. — *Meissburger, Gerhard:* Gyburg; in: Zeitschrift für

deutsche Philologie 83 (1964) S. 64-99. — *Mergell, Bodo:* Wolfram von Eschenbach und seine französischen Quellen. 2. Teil: Wolframs Parzival; Münster i. Westf. 1943 (= Forschungen zur deutschen Sprache und Dichtung 11). — *Neumann, Friedrich:* Wolfram von Eschenbach, in: Die großen Deutschen; 2. Aufl., Bd. 1, Berlin 1956, S. 101-113. — *Ohly, Friedrich:* Die Suche in Dichtungen des Mittelalters; in: Zeitschrift für deutsches Altertum und deutsche Literatur 94 (1965) S. 171-184. — *Pörksen, Uwe:* Der Erzähler im mittelhochdeutschen Epos. Formen seines Hervortretens bei Lamprecht, Konrad, Hartmann, Wolfram (Willehalm) und in den „Spielmannsepen"; Berlin 1970 (= Philologische Studien und Quellen). — *Rupp, Heinz* (Hrsg.): Wolfram von Eschenbach; Darmstadt 1966 (= Wege der Forschung 57). Dieser Sammelband enthält 22 wichtige Aufsätze zu Wolfram. — *Schreiber, Albert:* Neue Bausteine zu einer Lebensgeschichte Wolframs von Eschenbach; Frankfurt a. M. 1922 (= Deutsche Forschungen 7). — *Schröder, Werner:* Süeziu Gyburc; in: Euphorion 54 (1960), S. 39-69. — *Wapnewski, Peter:* Wolframs Parzival. Studien zur Religiosität und Form; Heidelberg 1955 (= Germanische Bibliothek, 3. Reihe. Untersuchungen und Einzeldarstellungen).

III.

Das Bild aus der Manessischen Liederhandschrift, die sich im Besitz der Heidelberger Universitätsbibliothek befindet, wurde aufgenommen von Lossen KG, Heidelberg, die Vorlage zur Miniatur aus der Münchner „Parzival"-Handschrift Könneckes „Bilderatlas zur Geschichte der deutschen Nationallitteratur", Marburg 1912, entnommen. Der Beginn des „Parzival"-Drucks von J. Mentelin wurde nach dem im Besitz der Nürnberger Stadtbibliothek befindlichen Exemplar abgebildet (Foto: Armin Schmidt).

Walther von der Vogelweide

I.

Die Gedichte Walthers von der Vogelweide. Urtext mit Prosaübertragung von *Hans Böhm;* 3., unveränd. Aufl., Berlin 1964. — Die Gedichte Walthers von der Vogelweide; hrsg. von *Karl Lachmann,* mit Bezeichnung der Abweichungen von Lachmann und mit seinen Anmerkungen hrsg. von *Carl von Kraus,* Berlin [13]1965. — Die Lieder Walthers von der Vogelweide. Unter Beifügung erhaltener und erschlossener Melodien neu hrsg. von *Friedrich Maurer,* Bd. 1: Die religiösen und politischen Lieder; Tübingen [2]1960; Bd. 2: Die Liebeslieder; Tübingen [3]1969, Altdeutsche Textbibliothek 43 und 47. — Die Gedichte Walthers von der Vogelweide; hrsg. von *Hermann Paul,* 10. Aufl., besorgt von *Hugo Kuhn,* Tübingen 1965, Altdeutsche Textbibliothek 1 (mit Abriß von Walthers Leben). — Walther von der Vogelweide. Gedichte. Mittelhochdeutscher Text und Übertragung; ausgew., übers. und mit einem Kommentar versehen von *Peter Wapnewski,* Frankfurt a. M. und Hamburg [4]1966, Fischer-Bücherei 732. — Walther von der Vogelweide; hrsg. und erklärt von *Wilhelm Wilmanns,* Bd. 1: Leben und Dichten, Bd. 2: Lieder und Sprüche, Halle [4]1916/24, vollst. umgearb., besorgt von *Victor Michels.*

II.

Walther von der Vogelweide: Wege der Forschung CXII; hrsg. von *Siegfried Beyschlag,* Wissenschaftliche Buchgesellschaft, Darmstadt (in Vorbereitung). — *de Boor, Helmut:* Walther von der Vogelweide; in: Die großen Deutschen, 2. Aufl., hrsg. von *H. Heimpel, Th. Heuss* und *B. Reifenberg,* Bd. 1, Berlin 1956, S. 114-129. — *Ders.:* in *de Boor, Helmut* und *Newald, Richard,* Geschichte der deutschen Literatur, Bd. 2: Die höfische Literatur. Vorbereitung, Blüte, Ausklang (1170-1250); München [3]1969, S. 292 ff. — *Bosl, Karl:* Die Reichsministerialität der Salier und Staufer; 1950/51. — *Ders.:* Feuchtwangen und Walther von der Vogelweide; Zeitschrift für bayerische Landesgeschichte 32, 1969, S. 832 ff. — *Halbach, Kurt Herbert:* Walther von der Vogelweide; Stuttgart [2]1968, Sammlung Metzler. — *Kraus, Carl von:* Walther von der Vogelweide, Untersuchungen; Berlin und Leipzig 1935, [2]1966. — *Kuhn, Hugo:* in Geschichte der deutschen Literatur, von den Anfängen bis zum Ende des Spätmittelalters (1490); Stuttgart 1962, S. 137 ff., 158 ff., 172 ff.

III.

Seite 16 aus der ältesten Liederhandschrift, der Kleineren Heidelberger (Nr. 357 der deutschen Handschriften) wurde Gustav Könneckes „Bilderatlas zur Geschichte der deutschen Nationallitteratur"; Marburg 1912, entnommen. Das „Münstersche Bruchstück" besitzt das Staatsarchiv Münster und wurde dort faksimiliert. Für das Foto aus der Manesse: Lossen KG, Heidelberg.

Wirnt von Gravenberc

I.

J. M. N. Kapteyn: Wigalois, der Ritter mit dem Rade; Bonn 1926.

II.

Saran, F: Über Wirnt von Gravenberc und den Wigalois; PBB 21 (1896). — *Ehrismann, G.:* Geschichte der deutschen Literatur bis zum Ausgang des Mittelalters; Bd. 3, München 1922. — *Schreiber, A.:* Über Wirnt von Gräfenberg und den Wigalois; ZfdPh 58 (1933). — *Wildt, H.:* Das Menschen- und Gottesbild im Wigalois des Wirnt von Gravenberc; Freiburg 1953 (Diss. masch.). — *Mitgau, W.:* Bauformen des Erzählens im „Wigalois" des Wirnt von Gravenberc; Göttingen 1959 (Diss. masch.).

III.

Quelle der Illustration: Wirnt von Gravenberc Wigalois — der Ritter mit dem Rade; illustrierte Pergament-Handschrift, geschrieben 1372 für Herzog Albrecht II. von Braunschweig von Jan von Brunswik, Mönch im Zisterzienserkloster Amelunxborn; Leiden, Universitätsbibliothek (Foto: Bruno Müller).

Otto von Botenlauben

I.

Bechstein, L.: Geschichte und Gedichte des Minnesängers Otto von Botenlauben; Leipzig 1845. — *Eisner, F.:* Otto von Botenlaubens Dichten und literarische Stellung; Jahresbericht des K. K. Gymnasiums in Cilli, 1912. — *Krenig, E. G.:* Otto von Botenlauben; Fränkische Lebensbilder, hrsg. von G. Pfeiffer, Würzburg 1967. — *Kröll, J.:* Otto von Botenlauben; Archiv für Geschichte von Oberfranken, Bayreuth 1960. — *Leitschuh, F.:* Otto von Botenlauben in seinen Liedern; Kissingen 1872. — *Leußer, J.:* Minnelieder Ottos von Botenlauben; Meiningen 1897. — *Schuchardt, O.:* Otto von Botenlauben; Diss. Philadelphia 1940. — *Vogl, S.:* Botenlaubens Gedichte; Jahresbericht d. Priv. Gymnasiums d. Gesellschaft Jesu in Karlsburg 1897.

II.

Borberger, K.: Geschichte des Schlosses und Amtes Botenlauben und seiner Besitzer; Archiv d. Hist. Vereins Unterfranken u. Aschaffenburg, XIX, 1868. — *Brinkmann, H.:* Zur geistesgeschichtlichen Stellung des deutschen Minnesangs; Dt. Vierteljahrsschrift f. Literaturwissenschaft u. Geistesgeschichte, III, 1935. — *Büttner, D.:* Von der alten Burg Botenlauben; in: Franconia Bd. 1, Ansbach 1813. — *Gottschalk, O.:* Der deutsche Minneleich und sein Verhältnis zu Lai und Descort; Diss. Marburg 1908. — *Grabmann, M.:* Mittelalterliches Geistesleben; München 1926. — *Jäger* (ohne Vornamen): Geschichte des Klosters Frauenrode; Archiv d. Hist. Vereins Unterfranken und Aschaffenburg, V, 2, Würzburg 1859. — *Kuhn, H.:* Minnesangs Wende; Tübingen 1952. — *Ders.:* Dichtung und Welt im Mittelalter; Stuttgart 1959. — *Runciman, St.:* Geschichte der Kreuzzüge; II, München 1958. — *Simon, G.:* Ludwig IV. und seine Gemahlin, die heilige Elisabeth von Ungarn; Frankfurt 1854. — *Voigt, J.:* Graf Otto von Henneberg und die Botenlaube bei Kissingen; Neue Beiträge zur Geschichte des deutschen Altertums I, Meiningen 1859. — *Wegele, Fr. X.:* Graf Otto von Henneberg-Botenlauben und sein Geschlecht; Würzburg 1875. — *Wentzlaff-Eggebert, F. W.:* Deutsche Mystik zwischen Mittelalter und Neuzeit; Tübingen 1947. — *Zinckgraf, E.:* Die gefürstete Grafschaft Henneberg-Schleusingen, Geschichte des Territoriums und seiner Organisation; Marburg 1944.

III.

Das Farbbild wurde direkt von der im Besitz der Heidelberger Universitätsbibliothek befindlichen Manessischen Liederhandschrift genommen (Foto: Lossen KG, Heidelberg). Die wahrscheinliche Unterschrift ist enthalten in Ludwig Bechstein „Geschichte und Gedichte des Minnesängers Otto von Botenlauben Grafen von Henneberg"; Leipzig 1845. Für das Foto des Grabmals: Bayerisches Landesamt für Denkmalpflege.

Winsbecke und Winsbeckin

I.

Winsbeckische Gedichte nebst Tirol und Fridebrant. Hrsg. von *Albert Leitzmann.* 3., neubearb. Aufl. von *Ingo Reiffenstein;* Tübingen 1962 (Altdeutsche Textbibliothek 9).

II.

Zu Überlieferung siehe die Einleitung S. VI ff. von Ingo Reiffenstein in der oben zitierten Ausgabe! Dort S. XIX - XX auch weitere Literatur. — *de Boor, Helmut:* Geschichte der deutschen Literatur, Bd. 2, 7. Aufl., München 1966, S. 408-409. — *Kuhn, Hugo:* Artikel „Winsbecke", „Winsbecken-Parodie", „Winsbeckin"; in: Die deutsche Literatur des Mittelalters. Verfasserlexikon, Bd. 4. Berlin 1953, Sp. 1011-1016. — *Mundhenk, Alfred:* Der Winsbecke oder Die Erziehung des Ritters; in: Interpretationen mittelhochdeutscher Lyrik, hrsg. von Günther Jungbluth. Bad Homburg-Berlin-Zürich 1969, S. 269-286.

III.

Die Ektachrome aus der Manessischen Liederhandschrift stammen von der Fa. Lossen KG, Heidelberg. Die Faksimiles wurden Gustav Könneckes „Bilderatlas zur Geschichte der deutschen Nationallitteratur"; Marburg 1912, entnommen. Für die Bildlegenden zur Manesse siehe auch Ewald Jammers

„Das königliche Liederbuch des deutschen Minnesangs. Eine Einführung in die sogenannte Manessische Handschrift"; Heidelberg 1965.

Tannhäuser

I.

Heinrich Heine: Elementargeister; hrsg. von Hermann Friedemann, Berlin-Leipzig-Wien-Stuttgart, o. J. — *Johannes Siebert:* Der Dichter Tannhäuser - Leben, Gedichte, Sage; Halle 1934.

II.

Amman, Adolf N.: Tannhäuser im Venusberg; Zürich 1964. — *Barto, Philip Stephan:* Tannhäuser and the Mountain of Venus; New York 1916. — *Lang, Margarete:* Tannhäuser; Leipzig 1936. — *Mohr, Wolfgang:* Tanhusers Kreuzlied; in: Dtsch. Vierteljahrsschrift für Literaturwissenschaft und Geistesgeschichte, 34. Jg., Stuttgart 1960. — *Naumann, Hans:* Die Minnesänger in Bildern der Manessischen Handschrift; Leipzig 1933.

III.

Für das Porträt aus der Manessischen, im Besitz der Heidelberger Universitätsbibliothek befindlichen Liederhandschrift: Lossen KG, Heidelberg. Das Titelbild des Flugblatts aus der Sammlung Ludwig Bechstein wurde wiedergegeben nach der Abbildung in Philip Stephan Barto „Tannhäuser and the Mountain of Venus"; New York 1916 (Reproduktion: Rudi Stümpel). Für das Faksimile mit dem Beginn des Kreuzliedes: Universitäts-Bibliothek Erlangen.

Konrad von Würzburg

I.

Konrad von Würzburg: Engelhard; hrsg. von *Paul Gereke*, 2. Aufl. von *Ingo Reiffenstein*, Tübingen 1963 (Altdeutsche Textbibliothek 17). — Konrads von Würzburg Partonopier und Meliur. Turnei von Nantheiz - Sant Nicolaus - Lieder und Sprüche; hrsg. von *Karl Bartsch*, Wien 1871. — Der Trojanische Krieg von Konrad von Würzburg; hrsg. von *Adalbert von Keller*, Stuttgart 1858. — Kleinere Dichtungen Konrads von Würzburg; hrsg. von *Edward Schröder:* I. Der Welt Lohn - Das Herzmaere - Heinrich von Kempten; Berlin [3]1959. — II. Der Schwanritter - Das Turnier von Nantes; Berlin [3]1959. — III. Die Klage der Kunst - Leiche - Lieder und Sprüche; Berlin [3]1959. — *Konrad von Würzburg:* Heinrich von Kempten. Der Welt Lohn. Das Herzmaere; hrsg. und übers. von *Heinz Rölleke*, Stuttgart 1968. — *Konrad von Würzburg*, Die Legenden; hrsg. von *Paul Gereke*, Halle 1925—1927 (Altdeutsche Textbibliothek 19-21). — *Konrad von Würzburg*, Die goldene Schmiede, hrsg. von *Edward Schröder*, Göttingen 1926.

II.

Basler, Karl: Konrads von Würzburg Trojanischer Krieg und Benoîts de Ste. Maure „Roman de Troie"; Leipzig 1910. — *Blamires, David M.:* Konrad von Würzburg's verse Novellen; in: Medieval Miscellany. Festschrift Eugène Vinaver, Manchester 1965. — *de Boor, Helmut:* Die deutsche Literatur im späten Mittelalter (Geschichte der deutschen Literatur III, 1); München [3]1967, S. 27-52, 320-322, 363, 463. — *de Boor, Helmut:* Die Chronologie der Werke Konrads von Würzburg, insbesondere die Stellung des Turniers von Nantes; Beiträge zur Geschichte der deutschen Sprache und Literatur, Tübingen 1967, S. 210-269. — *Butzmann, Hans:* Studien zum Sprachstil Konrads von Würzburg; Diss. Göttingen 1930. — *Essen, Erika:* Die Lyrik Konrads von Würzburg; Marburg 1938. — *Gernentz, Hans J.:* Konrad von Würzburg. Charakter und Bedeutung seiner Dichtung; Weimarer Beiträge 7, 1961, S. 27-45. — *Green, Dennis H.:* Konrads „Trojanerkrieg" und Gottfrieds „Tristan"; Vorstudien zum gotischen Stil in der Dichtung, Diss. Basel 1949. — *Halbach, Kurt H.:* Gottfried von Straßburg und Konrad von Würzburg. „Klassik" und „Barock" im 13. Jahrhundert; Stuttgart 1930. — *Hartl, Eduard:* Konrad von Würzburg; in: Verfasserlexikon Bd. II, Berlin und Leipzig 1936, Sp. 913-928. — *Janson, Gustav O.:* Studien über die Legendendichtungen Konrads von Würzburg; Diss. Marburg 1902. — *Kluxen, Werner:* Studien über die Nachwirkung Konrads von Würzburg; Diss. (masch.) Köln 1948. — *Könneker, Barbara:* Erzähltypus und epische Struktur des „Engelhard". Ein Beitrag zur literarhistorischen Stellung Konrads von Würzburg; Euphorion 62, 1968, S. 239-277. — *Monecke, Wolfgang:* Studien zur epischen Technik Konrads von Würzburg. Das Erzählprinzip der wildekeit; Stuttgart 1968. — *Rast, Elisabeth:* Vergleich, Gleichnis, Metapher und Allegorie bei Konrad von Würzburg; Diss. Heidelberg 1936. — *Rupp, Heinz:* Rudolf von Ems und Konrad von Würzburg. Das Problem des Epigonentums; Der Deutschunterricht 17, 1965, H. 2, S. 5-17. — *Wackernagel, Wilhelm:* Konrad von Würzburg aus Würzburg oder aus Basel; Germania 3, 1858, S. 257-266.

III.

Das Bild aus der Manessischen Handschrift wurde fotografiert von Lossen KG, Heidelberg, die Abbildung aus dem „Trojanerkrieg" Gero von Wilperts „Deutsche Literatur in Bildern", Kröner-Verlag, Stuttgart 1957 (2., erweiterte Auflage 1965), entnommen. Das Blatt aus „Der Welt Lohn" stammt aus „Die deutsche Dichtung des Mittelalters" von Julius Schwietering, Potsdam o. J.

Johann und Ruprecht von Würzburg

I.

Johanns von Würzburg „Wilhelm von Österreich" aus der Gothaer Handschrift; hrsg. von *Ernst Regel,* Berlin 1906 (DTM Bd. III).

II.

Frenzel, Eckart: Studien zur Persönlichkeit Johanns von Würzburg; Berlin 1930 (Germanische Studien Heft 84). — *Gutknecht, Christoph:* Die mittelhochdeutsche Versnovelle „Von zwein Koufmannen" des Ruprecht von Würzburg; Diss. Hamburg 1966. — *Hahn, Günther:* Ruprecht von Würzburg; Diss. Leipzig 1931. — *Mayser, Eugen:* Studien zur Dichtung Johanns von Würzburg; Berlin 1931 (Germanische Studien Heft 101). — *Rupp, Heinz:* Schwank und Schwankdichtung in der deutschen Literatur des Mittelalters; Der Deutschunterricht 14 (1962), Heft 2, S. 29-48. — *Wentzlaff-Eggebert, Friedrich-Wilhelm:* Kreuzzugsdichtung des Mittelalters; Berlin 1960, S. 290 ff.

III.

Für die Vorlage des Siegels der Stadt Würzburg: Foto Silvio Galvagni; für die Abbildungen aus dem „Wilhelm von Österreich" und dem Gedicht „Von zwein kaufmann": Forschungsbibliothek Gotha, Schloß Friedenstein (ehem. Landesbibliothek Gotha).

Hugo von Trimberg

I.

Brief des J. U. Dr. und Censor H. L. Hoffmann aus Hamburg an den Bibliothekar H. J. Jaeck in Bamberg vom 3. Dezember 1833. Acten des Historischen Vereins in Bamberg 1833/34, Ms. 379. (Enthält Beschreibung der Renner-Papier-Handschrift, geschrieben im Jahre 1309 von Johann Teinhart in Bamberg, aus dem Besitz des Professor Dr. Ebeling in Hamburg.)

II.

Bischoff, Bernhard: Das rhythmische Nachwort Hugo von Trimbergs zum Solsequium; Zeitschrift für deutsche Philologie, 70. Bd. 1947/48, Heft 1, S. 36 ff. — *Bührer, Wolfgang:* Der Kleine Renner. Studien zur mittelalterlichen Ständesatire; 105. Bericht des Historischen Vereins in Bamberg, Bamberg 1969, S. 1-201. — *Ehrismann, Gustav:* Der Renner von Hugo von Trimberg, Bd. I-IV, Bibliothek des litterar. Vereins zu Stuttgart (Tübingen), Bd. 247, 248, 252, 256; Tübingen 1909-12. Eine Neuauflage dieses Tübinger Renner-Druckes mit Ergänzungen wird erfreulicherweise zur Zeit vom Verlag de Gruyter in Berlin vorbereitet. — *Fechter, Werner:* Das Publikum der mittelhochdeutschen Dichtung; Deutsche Forschungen, Bd. 28, Frankfurt a. M. 1935. — *Götting, Franz:* Hugo von Trimberg. Der Renner. Studien zur mittelalterlichen Ethik in nachhöfischer Zeit; Forschungen zur deutschen Sprache und Dichtung, hrsg. von J. Schwietering, Heft 1, Münster i. Westf. 1932. — *Jaecklein, A.:* Hugo von Trimberg, Verfasser einer „Vita Mariae rhythmica"; Programm des K. Neuen Gymnasiums in Bamberg 1901. — *Keyser, Peter:* Michael de Leone (gest. 1355) und seine literarische Sammlung; Würzburg 1966. Veröffentlichungen der Gesellschaft für fränkische Geschichte, Reihe IX, Darstellungen aus der fränkischen Geschichte, 21. Bd. — *Langosch, Karl:* Das Registrum multorum auctorum des Hugo von Trimberg; Berlin 1942. Germanische Studien, hrsg. von Walter Hofstaetter. — *Leibnitz, Godfrid. Quilelm.:* Scriptorum Brunsvicensia illustrantium . . . Tom. II; Hannover 1711, Pag. 977, 1121, 1013, 1107, 1110 (Chronica Theodorici Engelhusii). — *Müller, Bruno:* Die Titelbilder der illustrierten Renner-Handschriften; 102. Bericht des Historischen Vereins in Bamberg, Bamberg 1966, S. 271-306. — *Ders.:* Hugo von Trimberg und das Bocciaspiel; 105. Bericht des Historischen Vereins in Bamberg, Bamberg 1969, S. 201-211. — *Rowan, Rosalind:* Hugo von Trimberg. Der Renner; Morgan Ms. No. 763 (Pierpont Morgan Library in New York). Magister-Thesis in Maschinenschrift, ungedruckt, New York 1943. — *Rupp, Heinz:* Zum „Renner" Hugos von Trimberg; in: Typologia Litterarum, Festschrift für Max Wehrli, Zürich 1969. — *Schemmel, Bernhard:* Hugo von Trimberg. Der Renner; Bayerische Literaturgeschichte. Hrsg. von Eberhard Düninger und Dorothee Kieselbach, München 1965, S. 276-291. — *Schoenhut, Ottmar F. H.:* Hugo's von Trimberg auserlesene Fabeln, Erzählungen und Schwänke nebst Sprüchen aus dem Ende des dreyzehnten Jahrhunderts; Tübingen 1827. — *Stammler, Wolfgang:* Wort und Bild; Berlin 1962, S. 152 ff. — *Warlies, Paul:* Der Frankfurter Druck des Renner; Dissertation Greifswald 1912. — *Wölfel, Egon Julius:* Untersuchungen über Hugo von Trimberg und seinen Renner; Dissertation Leipzig 1884.

III.
Das Bild Hugos von Trimberg im Gespräch mit fränkischen Bauern und sein Porträt im Doktorhabit stammen aus der Renner-Pergament-Prachthandschrift mit 84 Illustrationen eines Miniators aus der Wenzelwerkstätte in Prag, in bayerischer Mundart geschrieben, im Jahre 1402 von Michael Althaymer aus Augsburg (Leiden, Universitäts-Bibliothek, Cod. Voss. germ. F. 4, Folio 25 recto). - „Frau Gierigkeit" wurde der Renner-Papierhandschrift aus dem Jahre 1400 entnommen, geschrieben von Michael Althaymer, öffentlicher Notar aus Augsburg (Stockholm, Kunigl. Bibliothek, Cod. Holm. V. u. 74, Fol. 59 verso). - Die bayerische Papier-Handschrift aus dem Jahre 1422, welcher der Schluß des „Renner" entnommen wurde, befindet sich in der Staats- und Stadtbibliothek in Augsburg (Cod. 171), ehemals im Besitz des Nürnberger Patriziers Wolfgang Müntzer, später im Besitz der Bibliothek des Collegium Evangelicum in Augsburg (Fotos: Bruno Müller).

Christina Ebner

I.
Georg Wolfgang Lochner: Leben und Gesichte der Christina Ebnerin; Nürnberg 1872. — *Wilhelm Oehl:* Das Büchlein von der Gnaden Überlast; Paderborn 1924.

II.
Kunisch, Hermann: Ein Textbuch aus der altdeutschen Mystik; Hamburg 1958. — *Meckes, Albert:* Katholische Kirchengeschichte; München 1967. — *Clark, James Midgley:* The Great German Mystics; Oxford 1949. — *Wilms, Pater Hieronymus:* Geschichte der deutschen Dominikanerinnen; Dülmen i. Westf. 1920.

III.
Für den Ausschnitt aus dem „Epitaph der Christina Ebnerin" mit der Figur der fränkischen Mystikerin: Hochbauamt der Stadt Nürnberg, Bildstelle. Die große Waldkarte von Jörg Nöttelein mit der Abbildung des Klosters Engelthal befindet sich im Besitz der Nürnberger Stadtbibliothek, ebenso die Radierung von J. A. Boener (Graphische Norica-Sammlung).

Konrad von Megenberg

I.
Konrad von Megenberg: Buch der Natur; herausgegeben von Franz Pfeiffer; Stuttgart 1861-Hildesheim 1962. — „Deutsche Sphära"; Deutsche Texte des Mittelalters, XXIII, 1912.

II.
Eis, Gerhard: Mittelalterliche Fachliteratur; Abt. Literaturgeschichte, Sammlung Metzler 1962. — *Kraft, Wilhelm:* Die Heimat des Konrad von Megenberg; Fränkischer Kurier, 1939. — Die erste deutsche Naturgeschichte; Frankenspiegel, 1951. — *Krüger, Sabine:* Konrad von Megenberg; Fränkische Lebensbilder, 2. Bd., 1968. — *Hetzelein, Georg:* Konrad von Megenberg: das erste deutsche Realienbuch; Pädagogische Welt, 1967, Heft 3 und 4. — Kunstdenkmäler von Bayern: Regensburg III; 1933 *(Felix Mader).* — *Marsch, Edgar:* Konrad von Megenberg: Buch der Natur; Bayerische Literaturgeschichte, 1965. — *Riezler, Sigmund von:* Allgemeine Deutsche Biographie XVI. — *Stammler-Langosch:* Verfasserlexikon; 1949. — *Steger, Hugo:* Die Sprache des Schwabacher Landes in einer mittelalterlichen Quelle; 100 Jahre Landkreis Schwabach, 1962. — Die Sprache des Nürnberger Raumes; Zeitschrift für deutsche Philologie, 1963.

III.
Abbildung und Faksimile aus dem „Buch der Natur" wurden der Augsburger Ausgabe bei Johann Bäumler 1475 entnommen, die sich im Besitz des Germanischen Nationalmuseums Nürnberg befindet (Fotos: Bildstelle des GNM).

Albrecht von Eyb

I.
Max Herrmann: Deutsche Schriften des Albrecht von Eyb; 2 Bde., Berlin 1890.

II.
Fey, Julius: Albrecht von Eyb als Übersetzer; Diss. Halle 1888. — *Gailhofer, G.:* Der Humanist Albrecht von Eyb; in: Sammelblatt des Histor. Vereins Eichstätt, XLII. Jg. (1927), Eichstätt 1928, S. 28-71. — *Günther, Otto:* Plautuserneuerungen in der deutschen Literatur des XV.-XVII. Jahrhunderts und ihre Verfasser; Diss. Leipzig 1886. — *Herrmann, Max:* Albrecht von Eyb und die Frühzeit des deutschen Humanismus; Berlin 1893. — *Hofmann, Michel:* Albrecht von Eyb; in: Gehört - gelesen 6 (1959),

S. 268-278. – *Weber, Gerlinde:* Albrecht von Eyb - Ehebüchlein; in: Bayerische Literaturgeschichte in ausgewählten Beispielen; Mittelalter; hrsg. E. Dünninger und D. Kiesselbach, München 1965, S. 384-396.

III.

Der Holzschnitt mit dem Bild Albrecht von Eybs stammt aus dem „Spiegel der Sitten" 1511, abgebildet nach Könneckes „Bilderatlas zur Geschichte der deutschen Nationallitteratur"; Marburg 1912; die Seite aus der „Margarita" wurde dem im Besitz der Staatsbibliothek Eichstätt befindlichen Exemplar entnommen (Foto: Armin Schmidt). Das abschließende Porträt Eybs befindet sich im Besitz der Familie v. Eyb in Neuendettelsau; Daten sind leider nicht bekannt.

Hans Rosenplüt und Hans Folz

I.

Hans Rosenplüt: Der Spruch von Nürnberg; Stadtbibliothek Nürnberg (Amb 584/4°). – Der Spruch von Bamberg; Stadtbibliothek Nürnberg. – Von der Hussenflucht; Stadtbibliothek Nürnberg. – Nicht veröffentlichte Werke; Stadtbibliothek Nürnberg (Amb 1665/8°). – Poetische Beschreibung des Gefechts bey Hampach 1456; Stadtbibliothek Nürnberg (Amb 1335/8°). – Von der Nürnberger Rayss; Stadtbibliothek Nürnberg (Amb 567/4°). – Carmine; Stadtbibliothek Nürnberg (an Nor. H. 1387). – *Hans Folz:* Das Bäderbüchlein; Straßburg, 1896. – Auswahl; bearbeitet von Ingeborg Spriewald, Berlin 1960. – Die Reimpaarsprüche; hrsg. von Hanns Fischer, München 1961 (Münchner Texte und Untersuchungen zur deutschen Literatur des Mittelalters, Band 1). – Die Meisterlieder; hrsg. von August L. Mayer, Berlin 1908 (Deutsche Texte des Mittelalters, Band 12).

II.

Catholy, Eckehard: Das Fastnachtspiel des Spätmittelalters, Gestalt und Funktion; Tübingen 1961. – *Demme, J.:* Studien über Hans Rosenplüt; Inaugural-Dissertation, Münster 1906. – *Euling, Karl:* Das Priamel bis Hans Rosenplüt; Studien zur Volkspoesie, Breslau 1905. – *Goedecke, Karl:* Grundriß zur Geschichte der deutschen Dichtung; Bd. 1: das Mittelalter, Dresden 1894. – *Hellmann, U.:* Die naturwissenschaftlichen Lehrgedichte des Hans Folz, Dissertation, Berlin 1921. – *Henß, Rudolf:* Studien zu Hans Folz; Germanistische Studien, Heft 156, Berlin 1934. – *Herder, Gottfried:* Gesammelte Schriften; Reinbek b. Hamburg 1968. – *Herrmann, Max:* Hans Folz in Würzburg, Anzeiger für deutsche Altertümer und deutsche Literatur, Nr. 15, 1889. – *Hofmann, Wr.:* Stilgeschichtliche Untersuchungen zu den Meisterliedern des Hans Folz; Germanistische Studien, Heft 132, Berlin 1933. – *Lenk, Werner:* Das nürnberger Fastnachtspiel des 15. Jahrhunderts; Berlin 1966 (Akademie-Verlag). – *Lochner, G. W. C.:* Urkunden Hans Folz betreffend; Archiv für Literaturgeschichte; Nr. 3, 1874. – *Müller, Ad. W.:* Hans Folz, ein arzneikundiger Meistersänger; Apothekerzeitung Nr. 42, 1927. – *Sontag, Susan:* Kunst und Antikunst, Reinbek b. Hamburg 1968. – *Wuttke, D.:* Die Druckfassung des Fastnachtspiels „Vom König Salomon und Markolf" (Stadtbibliothek Nürnberg, Nor. 7058).

III.

Rosenplüts „Gedicht vonn der Reichstat Nürmberg", Hs. 16. Jh. 7 Bl., befindet sich im Besitz der Stadtbibliothek Nürnberg (Foto: Armin Schmidt). Das Porträt von Hans Folz aus dem Berliner Kupferstichkabinett, der Titel des „Bösen Rauchs" und das Autograph wurden nach Könneckes „Bilderatlas zur Geschichte der deutschen Nationallitteratur"; Marburg 1912, reproduziert.

Conrad Celtis

I.

Originalausgaben der Schriften des C. C. bis 1500 im Gesamtkatalog der Wiegendrucke, Bd. VI, Nr. 6460 ff. – Handschrift des „De origine ... Norimbergae libellus", mit der deutschen Übersetzung von Georg Alt. Stadtbibliothek Nürnberg, Cent. IV, 89. – **Wissenschaftliche Neuausgaben** - Herausgeber in ( ): Fünf Bücher Epigramme *(Karl Hartfelder);* Hildesheim 1881. – De Origine ... Norimbergae libellus *(Albert Werminghoff);* Freiburg i. Br. 1921. – Der Briefwechsel des K. C. *(Hans Rupprich);* München 1934. – Quatuor libri amorum *(Felicitas Pindter);* Leipzig 1934. – Libri Odarum *(Felicitas Pindter);* Leipzig 1937.

II.

Klüpfel, Engelbert: De vita et scriptis Conradi Celtis Protucii ...; opus posthumum, curante Joann. Casp. Ruef und Cardus Zell; Freiburg i. Br. 1805/1837. – *Aschbach, Joh. von:* Roswitha und C. C.; Wien 1868. – *Ders.:* Die frühen Wanderjahre des C. C.; Wien 1869. – *Huemer, Johannes:* K. C.; in ADB, S. 82-88. – *Aschbach, Joh. von:* Die Wiener Universität und ihre Humanisten im Zeitalter Kaiser Maximilians I.; Wien 1877. – *Ders.:* Geschichte der Univ. Wien; Bd. II; Wien 1877. – *Hunfaly, Paul:* Die gelehrte Donaugesellschaft des C. C. in Ungarn; in: Literar. Berichte aus Ungarn, Jg. IV; Budapest 1880. – *Abel, Eugen:* Die gelehrte Donaugesellschaft des C. C.; Budapest 1880. – *Hartmann,*

Bernhard: K. C. in Nürnberg; aus MVGN IX; Nürnberg 1889. — *Geiger, Theodor:* C. C. in seinen Beziehungen zur Geographie; München 1896. — *Matz, Martin:* K. C. und die rheinische Gelehrtengesellschaft; Ludwigshafen 1903. — *Bezold, Friedrich von:* Aus Mittelalter und Renaissance; München-Berlin 1918. — *Werminghoff, Albert:* C. C. und sein Buch über Nürnberg; Freiburg i. Br. 1921. — *Rupprich, Hans:* Humanismus und Renaissance in den deutschen Städten und an den Universitäten; Leipzig 1935 (mit Werkverzeichnis). — *Ders.:* Der Briefwechsel des K. C.; München 1934. — *Sponagel, Ludwig:* K. C. und das deutsche Nationalbewußtsein; Bühl 1939. — *Rupprich, Hans:* C. C.; in: Neue Deutsche Biographie; Bd. III, S. 181-183, Berlin (1957). — *Spitz, Lewis:* C. C., The German archhumanist; Cambridge 1957. — *Bezold, Friedrich von:* K. C., der deutsche Erzhumanist; Darmstadt 1959.

III.

Hans Burgkmairs Holzschnitt von Celtis befindet sich im Besitz der Stadtbibliothek Nürnberg, Graphische Norica-Sammlung, ebenfalls das Porträt mit der Teilstudie über Nürnberg. Hier liegt auch das Original des Briefes vom 11. 7. 1497 (Foto: Armin Schmidt). Der Holzschnitt Burgkmairs von den Insignien der gekrönten Dichter wurde Gustav Könneckes „Bilderatlas zur Geschichte der deutschen Nationallitteratur“; Marburg 1912, entnommen.

Johann von Schwarzenberg

I.

Johann von Schwarzenberg: Der teutsch Cicero; Augsburg 1534. (Im Anhang dieser Ausgabe sind die poetischen Schriften Schwarzenbergs von unbekannter Hand mitherausgegeben.) — Das Büchlein vom Zutrinken; hrsg. von Willy Scheel, Halle 1900. — Trostspruch für abgestorbene Freunde; hrsg. von Willy Scheel, Halle 1907. (Beide in Neudrucke deutscher Literaturwerke des 16. und 17. Jh. Nr. 176 und 215.) — Ain Schöner Sendbryeff . . .; Nürnberg 1523. — Beschwerung der alten Teufelischen Schlangen mit dem Göttlichen Wort; Nürnberg 1925. — Diß Büchleyn Kuttenschlang genant Die Teuffels lerer mach bekannt; o. O., o. J. (Nürnberg 1525).

II.

Rößler, Helmut: J. v. S.; in: Fränkischer Geist - deutsches Schicksal, 1953. — *Scheel, Willy:* Johann von Schwarzenberg; Berlin 1905. — *Wolf, Erik:* J. v. S.; in: Große Rechtsdenker, Tübingen 1963.

III.

Das Bildnis Schwarzenbergs wurde Könneckes „Bilderatlas zur Geschichte der deutschen Nationallitteratur“; Marburg 1912, entnommen. Die drei Textillustrationen stammen aus der Augsburger Ausgabe des „Teutsch Cicero“ von 1535, sind im Besitz der Staatsbibliothek München und wurden von der dortigen Bildstelle fotografiert.

Willibald Pirkheimer

I.

Willibald Pirkheimer: Briefwechsel I. und II. Band; bearbeitet von *E. Reicke,* München 1940-56.

II.

Burckhardt, Carl Jakob: Gestalten und Mächte; Zürich 1941. — *Reicke, Emil:* Willibald Pirckheimers Leben, Familie und Persönlichkeit; Jena 1930. — *Reimann, Arnold:* Die älteren Pirkheimer; Leipzig 1944.

III.

Dürers Porträts und das Exlibris wurden abgebildet nach „Zeichnungen von Albrecht Dürer in Nachbildungen“, hrsg. von Friedrich Lippmann; Berlin 1896. Das Original von Pirkheimers Brief aus Padua befindet sich ebenso wie das Exemplar der Tragödie „Lucianus“ im Besitz der Nürnberger Stadtbibliothek und wurde dort fotografiert.

Ulrich von Hutten

II.

Joachimsen, Paul: Ulrich von Hutten; in: Historische Zeitschrift, Bd. 125, München 1922 und Bd. 136, 1927. — *Kalkoff, Karl:* Ulrich von Hutten und die Reformation; Leipzig 1920. — *Strauss, David Friedrich:* Ulrich von Hutten; 1. Aufl. Leipzig 1860, 2. Aufl. Bonn 1871.

III.

Aus Könneckes „Bilderatlas zur Geschichte der deutschen Nationallitteratur“; Marburg 1912, wurden folgende Vorlagen entnommen: Die Holzschnitte von Erhard Schön und Hans Burgkmair, die Augsburger Urkunde und der deutsche Titel des „Gesprächbüchleins“. Titel und erste Seite des „Febris“ in der lateinischen Fassung wurden abgebildet nach dem in der Stadtbibliothek Nürnberg befindlichen Exemplar.

Das Nürnberg der Meistersinger

II.

Für das Bild Nürnbergs

Endres, R.: Zur wirtschaftlichen und sozialen Lage in Franken; in: Jahrbuch für fränkische Landesforschung 28/1968, Erlangen. — *Franz, E.:* Nürnberg, Kaiser und Reich; v. a. 113 ff., München 1930. — *Hofmann, H. H.:* Nobiles Norimbergenses; in: Untersuchungen zur ges. Struktur der mittelalterlichen Städte in Europa, Vorträge und Forschungen des Konstanzer Arbeitskreises XI, Konstanz/Lindau 1966.

Für die Meistersinger und Hans Sachs

A. Fr. Barkradt: Hans Sachs im Andenken der Nachwelt; Halle 1906. — *Bröger, K:* Hans Sachs und sein Volksspiel; Jena 1923. — *Eichler, F.:* Das Nachleben des Hans Sachs vom XVI. bis zum XIX. Jahrhundert. Eine Untersuchung zur Geschichte der deutschen Literatur; Leipzig 1904. — *Genée, R.:* Hans Sachs und seine Zeit; Leipzig 1894. — *Goldmann, K. H.:* Hans Sachs und der Meistergesang; Katalog einer Ausstellung der Stadtbibliothek Nürnberg 1955. — *Grimm, J.:* Über den altdeutschen Meistergesang; Göttingen 1811. — *Hampe, Th.:* Die Meistersinger; in: Anzeiger des Germanischen Nationalmuseums 2, Nürnberg 1894. — *Hilsenbeck, F.:* Hans Sachs; in: Nürnberger Gestalten aus 9 Jahrhunderten, hrsg. vom Stadtrat zu Nürnberg 1950, 94 ff. — *Kooznetzoff, C.:* Das Theaterspielen der Nürnberger Meistersinger; in: Mitteilungen des Vereins für Geschichte der Stadt Nürnberg 55/1968. — *Mummenhoff, E.:* Hans Sachs; Nürnberg 1894. — *Pannier, K.:* Ausgewählte poetische und dramatische Werke des Hans Sachs; Leipzig 1879.

Wesentlich neue Forschungen siehe in der von G. Pfeiffer herausgegebenen, zweibändigen Stadtgeschichte „Nürnberg — Geschichte einer europäischen Stadt“; München 1971.

Die Zitate zum Nachruhm von Hans Sachs

Gressel, J. G.: Vergnügter poetischer Zeitvertreib; Augspurg, 1717. — *Goethe, J. W.:* Erklärung eines alten Holzschnitts, darstellend Hans Sachsens poetische Sendung; in: Der deutsche Merkur v. J. 1776, Nr. 4. — *Müller, A.:* Vorlesungen über deutsche Wissenschaft und Literatur, [2]1807; hrsg. von A. Sulz, München 1920. — *Schlegel, A. W.:* Vorlesungen . . ., Teil III, hrsg. von J. Minor, Heilbronn 1884. — *Schlegel, Fr.:* Sämtliche Werke; 2. Orig.-Ausg. Wien 1846.

Zu Richard Wagner

Chop, M.: Erläuterungen zur Richard Wagners „Meistersingern“; Reclam 4846. — *Deinhardstein, J.-L.:* Gesammelte dramatische Werke; VI., Leipzig 1853. — *Gervinus, G. G.:* Geschichte der poetischen National-Literatur der Deutschen; II, 458 ff., Leipzig 1840. — *Grote, L.:* Die romantische Entdeckung Nürnbergs; München 1967.

III.

Wagenseils Porträt wurde entnommen aus Joh. Christiophori Wagenseilii „De Sacri Rom, Imperii Libera Civitate Norimbergensi Commentatdo“; Altdorf 1611, im Besitz der Stadtbibliothek Nürnberg, desgleichen „Von der Meister-Singer Holdseliger Kunst“. Das Nürnberger Ölgemälde um 1630 ist Eigentum des Germanischen Nationalmuseums (Foto: Fratelli Fabbri Editori S. R. L. Mailand). Die Handschrift eines der letzten Meistersinger befindet sich im Besitz der Stadtbibliothek (Foto: Armin Schmidt). Die Ansichten der Katharinen-, Prediger- und Marthakirche und die Einladung zur Meistersinger-Veranstaltung stammen aus der Graphischen Norica-Sammlung der Stadtbibliothek Nürnberg. Die abgebildete Weise Behaims kommt aus der Münchner Handschrift (15. Jahrhundert) und wurde ebenso wie das Porträt Puschmanns — es wurde nach einer Zeichnung in seinem Meistergesangbuch (Breslau, Stadtbibliothek) umgezeichnet — Gero von Wilperts „Deutsche Literatur in Bildern“, Kröner-Verlag; Stuttgart 1957 (2., erweiterte Auflage 1965), entnommen.

Hans Sachs

I.

Hans Sachs; hrsg. von *A. von Keller* und *E. Goetze.* 26 Bde.; Stuttgart-Tübingen 1870-1908 (Bibliothek des litterarischen Vereins Stuttgart).

II.

Bauch, Alfred: Barbara Harscherin. Hans Sachsens zweite Frau; Nürnberg 1896. — *Böckmann, Paul:* Formgeschichte der deutschen Dichtung; 1. Bd., Hamburg 1949. — *Eichler, Ferdinand:* Das Nachleben des Hans Sachs vom 16. bis ins 19. Jahrhundert; Leipzig 1904. — *Geiger, Eugen:* Der Meistergesang des Hans Sachs; Bern 1956. — *Genée, Rudolf:* Hans Sachs und seine Zeit; 2. Aufl. Leipzig 1902. — *Hampe, Theodor:* Die Entwicklung des Theaterwesens in Nürnberg, Nürnberg 1900. — *Kooznetzoff, Constantin:* Das Theaterspielen der Meistersinger; in: Der deutsche Meistersang, hrsg. von Bert Nagel. Wege der Forschung 148. Darmstadt 1967, S. 442-497.

III.
Das Gemälde von Andreas Herneysen befindet sich im Besitz des Germanischen Nationalmuseums Nürnberg und wurde auch dort fotografiert. Besitzer des Holzschnittes von Michael Ostendorfer ist ebenfalls das Germanische Nationalmuseum; er wurde, wie das Flugblatt, das Autograph und die Radierung von J. F. Klein, Könneckes „Bilderatlas zur Geschichte der deutschen Nationallitteratur"; Marburg 1912, entnommen. Der Titelholzschnitt der „Wittenbergisch Nachtigall" und die Schlußvignette des „Lobspruchs der Stadt Nürnberg" (daraus auch das Titelblatt auf Seite 7) wurden nach den im Besitz der Stadtbibliothek-Nürnberg befindlichen Exemplaren abgebildet.

Jakob Ayrer

I.
Ayrers Dramen in 5 Bänden; hrsg. von *A. von Keller;* Stuttgart 1864 (Bibliothek des Litterarischen Vereins Stuttgart).

II.
Dünninger, Eberhard und *Kiesselbach, Dorothee* (Hrsg.): Bayerische Literaturgeschichte; Bd. 2, München 1967. — *Höfer, G.:* Die Bildung J. Ayrers; Leipzig 1929. — *Mander, G.:* Shakespeares Zeitgenossen; Friedrichs Dramatiker des Welttheaters, (Bd. 20) 1966. — *Probst, H.:* Jakob Ayrer und Bamberg. Neues über sein Leben und seine Werke; Historischer Verein für die Pflege der Geschichte des ehemaligen Fürstbistums Bamberg, 1937. — *Wilpert, Gero von:* Deutsches Dichterlexikon; Stuttgart 1963. — *Wodick, W.:* Jakob Ayrers Dramen in ihrem Verhältnis zur einheimischen Literatur und zum Schauspiel der englischen Komödianten; Halle 1912.

III.
Die Henkelmedaille mit dem Bild Jakob Ayrers ist im Besitz des Germanischen Nationalmuseums Nürnberg und wurde dort fotografiert. Titelblatt, Einzeltitel und Schlußvignette des „Opus Theatricum" wurden nach dem der Nürnberger Stadtbibliothek gehörenden Exemplar abgebildet.

Johann Michael Dilherr

I.
Bibliographie der Werke von J. M. D. in: *Georg Andreas Will* und *Christian Nopitsch:* Nürnbergisches Gelehrtenlexikon; Nürnberg 1755/1808, Bd. 1, S. 264 ff. und Bd. 5, S. 220 ff. — *J. M. Dilherr:* Gründlicher bericht wie es mit meiner hiesigen vocations Profession und Pastorat=Stelle bewandt; 1663, Hs. Stadtbibliothek. — *Ders.:* Bericht über den Besuch Kaiser Leopolds I. in der Nürnberger Stadtbibliothek und seine Gespräche mit dem Kaiser; 1658, Hs. Staatsarchiv Nbg. Nürnberger Krönungsakten Nr. 31. Memorialbuch über seine Tätigkeit als Rektor der Universität Jena; 1635, Hs. Stadtbibliothek. Eigenhändige Nachricht des seel. Predigers D's von seinem mit dem Kaiser Leopold i. d. hiesigen Stadtbibliothek am 17. Aug. i. J. 1658 gehaltenen Gespräch; in: Wöchentliches Allerley zum Nutzen u. Vergnügen. Stück 24. 1782, S. 369 ff.

II.
Bibliographie der Werke über Dilherr in: *Schröttel, Gerhard:* J. M. D. und die vorpietistische Kirchenreform in Nürnberg; Nürnberg 1962.

Artikel über J. M. D. in Lexikas:
Brückner, N. N.; in: ADB Bd. 5. 1877, S. 225. — *Elschenbroich, Adalbert;* in: NDB Bd. 3. 1957, S. 719 f. — *Lorenzen, Käte;* in: MGG Bd. 3. 1954, S. 475 f. — *Schmid, K. A.;* in: Geschichte der Erziehung von Anfang an bis in unsere Zeit. Bd. 4, Abt. 1, 1896, S. 111 ff. — *Simon, Matthias;* in: RGG Bd. 2. 1958, S. 195.

Sonstige Schriften über Dilherr, die hier benützt wurden:
Barock in Franken; hrsg. von *Wolfgang Buhl,* Würzburg 1969. — *[Birken, Sigmund von]:* Himmel-Klingendes Schäferspiel dem Nachruhme . . . Herrn Johann Michael D's . . . gewidmet v. d. Blumen-Genossenschaft an der Pegnitz; Würzburg 1669. — *Clemen, Otto:* Das Programm zu einem Musikfest in Nürnberg im Mai 1643; in: Otto Glauming zum 60. Geburtstag. Festgabe . . . 1936, S. 18 ff. — *Dörfler, Heinz:* Erbauliches Erzählgut in den Predigten und Schriften J. M. D's; Staatsexamensarbeit in Germanistik und Theologie, Erlangen 1968. — Festschrift zur 250jährigen Jubelfeier des Pegnesischen

Blumenordens . . .; hrsg. i. A. . . . von Th. Bischoff und Aug. Schmidt; Nürnberg 1894. — *Goldmann, Karlheinz:* Geschichte der Stadtbibliothek Nürnberg; 1957. — 100jähriges Gedächtniß des 1666 in Nürnberg angelegten Seminarii canditorum; in: Nova Acta historico - ecclesiastica. T. 50, 1767, S. 258 ff. — *Klaj, Johann:* Redeoratorien . . .; hrsg. von Conrad Wiedemann, Tübingen 1965. — *Mai, Richard:* Das geistige Lied Sigmund von Birkens; Diss. phil., München 1968. — Unschuldige Nachrichten von alten und neuen theologischen Sachen . . .; a. d. J. 1708, S. 712 ff. — Ordines Dilherriani leges; in: *Waldau, Georg Ernst:* Beyträge zur Geschichte der Stadt Nürnberg, Bd. 2. 1787, S. 85 ff. — *Pilz, Kurt:* Johann Amos Comenius. Die Ausgaben des Orbis Sensualium Pictus; in: Mitt. d. Stadtbibliothek Nürnberg. Jg. 7, Heft 2. 1958, S. 9 ff. — *Saubert, Adolf:* Taubenrast der Christenmenschen . . . Leichenpredigt auf J. M. D.; Nürnberg 1669. — *Steiger, Hugo:* Das Melanchthon-Gymnasium in Nürnberg 1526-1926; 1926. — *Schwarzenberg, Adolf:* Das Leben und Wirken J. M. D's; 1892. — *Tholuck, Johann August:* Lebenszeugen der lutherischen Kirche . . .; 1859. — *Wiedemann, Conrad:* Johann Klaj und seine Redeoratorien . . .; Nürnberg 1966.

III.

Dilherrs Porträt aus dem Jahr 1656, J. Strauch del. J. Sandrart sculpsit, und das Original des „Gründlichen Berichts", 1663, 5 Bl., befinden sich im Besitz der Stadtbibliothek Nürnberg (Fotos: Armin Schmidt); dort auch Dilherrs „Christliche Welt- Feld- und Gartenbetrachtungen", Endter 1651, deren Titelblatt mit der Passionsblume abgebildet wurde.

Georg Philipp Harsdörffer

I.

Gg. Ph. Harsdörffers Gesamtwerk hat der Verfasser ausführlich bibliographiert in „Philobiblon, Eine Vierteljahrsschrift für Buch- und Graphik-Sammler", Hamburg, Jg. V/I, März 1961. In vorliegender Studie wurden besonders verwertet: — Frauenzimmer-Gesprächspiele in acht Teilen; Nürnberg 1641 -1649. — Pegnesisches Schäfergedicht / in den Berinorgischen Gefilden / angestimmet von Strefon und Clajus; Nürnberg 1644, Neudruck von Klaus Garber, Tübingen 1966, in Deutsche Neudrucke, Reihe Barock. — Schutzschrift für die Teutsche Spracharbeit und derselben Beflissene . . .; Nürnberg 1644 (= Zugabe zu Frauenzimmer-Gesprächspiele Teil I, 2. Aufl.). — Poetischer Trichter / Die Teutsche Dicht- und Reimkunst / ohne Behuf der Lat. Sprache / in VI Stunden einzugiessen . . .; Nürnberg 1647, Neudruck von Reginald Marquier, Berlin (1939) in Die Kunst des Wortes, Bd. 17/18. — Das gegen Ende der Studie mitgeteilte „Herbstlied" steht unter Nr. 348 in Johannes Sauberts Nürnbergischem Gesangbuch. „. . . Darinnen 1160 außerlesene so wol alt als neue Geist-Lehr- und Trostreiche Lieder . . . mit Voraussetzung der Autorum Namen . . ."; Nürnberg 1677.

II.

Doppelmayr, Joh. Gabriel: Historische Nachrichten von den Nürnbergischen Mathematicis und Künstlern; Nürnberg 1730. — *Herdegen, Joh.:* Histor. Nachricht von deß löbl. Hirten- und Blumenorden an der Pegnitz . . . verfasset von Amarantes; Nürnberg 1744. — *Will, G. A.:* Nürnbergisches Gelehrtenlexikon; Nürnberg 1755. — *Müller, Wilh.:* Bibl. dt. Dichter; Bd. IX, Leipzig 1826. — *Cléder, Ed.:* Notice sur l'Academie ital. des Intronati; Brüssel 1864. — *Mazzi:* La Congrega dei Rozzi di Siena del sec. 16; Florenz 1882. — *Goedecke, Karl:* Grundriß zur Geschichte der deutschen Dichtung; Bd. III. 2. Aufl. 1887. — *Bischoff, Theodor:* G. Ph. Harsdörffer; in: Festschrift zur 250. Jubelfeier des Pegnesischen Blumenordens in Nürnberg, 1894. — *Schmitz, Eugen:* Zur mus. gesch. Bedeutung der Harsdörffer'schen Frauenzimmer-Gesprächspiele; in: Liliencron-Festschrift, 1910. — *Crane, T. F.:* Italian Social Customs of the XVI. Cent.; New Haven 1920. — *Narciß, G. A.:* Studien zu den Frauenzimmer-Gesprächspielen; Leipzig 1928. — *Faber du Faur, Curt:* German Baroque Literature; New Haven 1958. — *Zirnbauer, Heinz:* Bibliographie der Werke G. Ph. Harsdörffers; in: Philobiblon V 1961, Heft 1. — *Haar, James:* The Tugendsterne of Harsdörffer and Staden; Rom 1965 (= Musicological Studies and Documents, Bd. 14).

III.

Die Zeichnung von Georg Strauch befindet sich im Besitz der Stadtbibliothek Nürnberg, desgleichen das Stammbuch des Jakob Schnerrer und die wiedergegebenen Titel des „Poetischen Trichters" und der „Frauenzimmer-Gesprächspiele" (Fotos: Armin Schmidt und Stadtbibliothek Nürnberg).

Johann Klaj

I.

Johann Klaj: Redeoratorien und Lobrede der Teutschen Poeterey; hrsg. von Conrad Wiedemann, Tübingen 1965. — Friedensdichtungen und kleinere poetische Schriften; hrsg. von Conrad Wiedemann, Tübingen 1968. — *Georg Philipp Harsdörffer, Sigmund von Birken, Johann Klaj:* Pegnesisches

Schäfergedicht; hrsg. von Klaus Garber, Tübingen 1966. Die Pegnitz-Schäfer, Nürnberger Barockdichtung; hrsg. von Eberhard Mannack, Stuttgart 1968.

II.

Tittmann, Julius: Die Nürnberger Dichterschule; Göttingen 1847. — *Franz, Albin:* Johann Klaj; Marburg 1908. — *Wiedemann, Conrad:* Johann Klaj und seine Redeoratorien; Nürnberg 1966.

III.

Titelblatt des „Pegnesischen Schäfergedichts", Frontispiz zu „Geburtstag des Friedens" und Titel „Deß zu Nürnberg geschlossenen Friedens" wurden nach den in der Nürnberger Stadtbibliothek befindlichen Exemplaren abgebildet. Das Titelblatt zu den Weihnachtsgedichten wurde nach dem Exemplar des Landeskirchlichen Archivs Nürnberg reproduziert.

Sigmund von Birken

I.

Zitiert wurde aus folgenden Werken von *S. von Birken:* Fortsetzung Der Pegnitz=Schäferey; 1645 (Neudruck: Tübingen 1966, ed. K. Garber). Pegnesis: oder der Pegnitz Blumengenoß=Schäfere Feld-Gedichte; 1673-79. Guelfis oder NiderSächsischer Lorbeerhayn; 1669. Eine Werkbibliographie findet sich bei K. Goedeke: Grundriß zur Geschichte der deutschen Dichtung; Band III, S. 113-16.

II.

Amarantes (J. Herdegen): Historische Nachricht von des löblichen Hirten- und Blumenordens an der Pegnitz Anfang und Fortgang, Nürnberg 1744; *Schmidt, A.:* Sigmund von Birken; Festschrift zur 250jährigen Jubelfeier des Pegnesischen Blumenordens, Nürnberg 1894. — *Tittmann, Julius:* Die Nürnberger Dichterschule. Harsdörfer, Klaj, Birken; Göttingen 1847. Für wichtige Hinweise dankt der Verfasser besonders Frau Oberlehrerin i. R. Maria Milner in Nürnberg.

III.

Sandrarts Kupferstich befindet sich im Besitz der Stadtbibliothek Nürnberg (Foto: Armin Schmidt). Die Vignette und die abgebildeten Titel, ebenfalls Kilians Stich um 1703 wurden nach den Exemplaren desselben Hauses reproduziert. Das Stammbuch des „Floridan" befindet sich im Germanischen Nationalmuseum Nürnberg, die abgebildete Seite wurde von der dortigen Bildstelle aufgenommen.

Erasmus Francisci

I.

Erasmus Francisci: Der Höllische Proteus oder Tausendkünstige Versteller; Nürnberg 1690, 2. Aufl. 1695, 3. Aufl. 1708, 4. Aufl. 1726, letzte Auflage 1753. — Ost- und West-Indischer wie auch Sinesischer Lust- und Staats-Garten; Nürnberg 1668. — Neu-polirter Geschicht-Kunst- und Sitten-Spiegel ausländischer Völker; Nürnberg 1670. — Die lustige Schau-Bühne von allerhand Curiositäten, 3 Bde.; Nürnberg 1669, 1671, 1684.

II.

Flemming, Willi: Deutsche Kultur im Zeitalter des Barock; Potsdam 1937, in: Handbuch der Kulturgeschichte. — *Fricke, Gerhard:* Die Bildlichkeit in der Dichtung des Andreas Gryphius; Berlin 1933. — *Goethe, Wolfgang:* Sämtliche Werke; Stuttgart, Cotta 1902-07. — *Grillparzer, Franz:* Sämtliche Werke in 16 Teilen; Berlin 1911. — *Kahle, Maria:* Harsdörffers Kurzgeschichtssammlungen; Diss. Breslau 1936. — *Pfeiffer-Belli, Wolfgang:* Die asiatische Banise; Berlin 1940. — *Roskoff, Georg Gustav:* Geschichte des Teufels; Leipzig 1869. — *Schubert, Gotthilf Heinrich (von):* Die Symbolik des Traumes; Bamberg 1814. — *Sterzl, Helmut:* Leben und Werk des Erasmus Francisci (1627-94); Diss. Erlangen 1951 (Maschinenschrift).

III.

Das Porträt von Erasmus Francisci wurde entnommen aus Matthias Simon „Evangelische Kirchengeschichte Bayerns", 2. Bd.; München 1942. Zur Reproduktion des „Höllischen Proteus" diente das Exemplar des Germanischen Nationalmuseums als Vorlage.

Catharina Regina von Greiffenberg

I.

Catharina Regina von Greiffenberg: Geistliche Sonette, Lieder und Gedichte. Mit einem Nachwort zum Neudruck von Heinz-Otto Burger; Darmstadt Wiss. Buchgesellschaft 1967. — *Dies.:* Gedichte; ausgewählt und mit einem Nachwort, hrsg. von Hubert Gersch, Berlin 1964.

II.
Uhde-Bernays, Hermann: Catharina Regina von Greiffenberg (1633-94); ein Beitrag zur Geschichte deutschen Lebens und Dichtens im 17. Jahrhundert; Berlin 1903. — *Frank, Horst-Joachim:* Catharina Regina von Greiffenberg, Leben und Welt; Schriften zur Literatur, hrsg. von R. Grimm, Bd. 8, Göttingen 1967. — *Villiger, Leo:* Catharina Regina von Greiffenberg. Zur Sprache und Welt der barocken Dichterin; Zürcher Beiträge z. dt. Sprach- u. Stilgeschichte, hrsg. von Rudolf Hotzenköcherle und Emil Staiger, Nr. 5, Zürich 1952. — *Daly, Peter Maurice:* Die Metaphorik in den „Sonetten" der Catharina Regina von Greiffenberg; Diss. Zürich 1964.

III.
Das Porträt der Greiffenberg wurde der im Besitz der Stadtbibliothek Nürnberg befindlichen Ausgabe von „Des Glaubens Geheime Süßigkeit", Nürnberg 1694, entnommen, ebenso die Schlußvignette des Buches. Für die Wiedergabe des Briefes an Birken diente als Quelle Horst-Joachim Frank „Catharina Regina von Greiffenberg, Leben und Welt"; Schriften zur Literatur, hrsg. von Reinhold Grimm, Bd. 8, Sachse & Pohl-Verlag; Göttingen 1967.

Johann Peter Uz

I.
Johann Peter Uz: Lyrische Gedichte; 1749. — Lyrische und andere Gedichte; 1755. — Sämtliche Poetische Werke; zwei Bde. 1766 (neu hrsg. von August Sauer, Deutsche Literaturdenkmale Bd. 33, Stuttgart 1890.

II.
Muncker, Franz (Hrsg.): Anakreontiker und preußisch-patriotische Lyriker; DNL 45, Stuttgart o. J. — *Sauer, August:* a. a. O. — *Schüddekopf, Carl* (Hrsg.): Briefwechsel zwischen Gleim und Uz; Bibliothek des literarischen Vereins in Stuttgart CCXVIII, Tübingen 1899.

III.
Johann Michael Schwabedas Gemälde von 1780 ist im Besitz des Ansbacher Museums; es wurde reproduziert aus Martin Krieger „Die Ansbacher Hofmaler des 17. und 18. Jahrhunderts", Jahrbuch des Historischen Vereins für Mittelfranken, 83. Bd.; Ansbach 1966. Der Kupferstich von J. F. Brause wurde Könneckes „Bilderatlas zur Geschichte der deutschen Nationallitteratur"; Marburg 1912, entnommen, die Titelseiten des ersten Bandes der Gesammelten Werke nach der Ausgabe der Nürnberger Stadtbibliothek abgebildet, ebenso das Frontispiz der Wiener Ausgabe.

Johann Friedrich von Cronegk

I.
Des Freyherrn Johann Friederich von Cronegk Schriften; 2 Bde., Leipzig 1760/61 (1765/66; 1771 und 1773). — Des Freyherrn Johann Friederich von Cronegk sämtliche Schriften; Reutlingen 1777.

II.
Feuerbach, H.: Uz und Cronegk, zwei fränkische Dichter aus dem vorigen Jahrhundert; Leipzig 1866. — *Gensel, W.:* Johann Friedrich von Cronegk, sein Leben und seine Schriften; Leipzig 1894. — *Meyer, J./Bayer, A.:* Brügels Onoldina; Heft II, Ansbach 1955. — *Minor, J.:* Lessings Jugendfreunde; (= 72. Bd. Kürschners Deutsche National-Litteratur), Berlin und Stuttgart o. J. — *Potter, H.:* Johann Friedrich von Cronegk; Zürich 1950. — *Stettner, Th.:* Johann Friedrich von Cronegk. Zu seinem 200. Geburtstag; (= Heimatblätter für Ansbach und Umgebung, 7. Jg. Nr. 8/1931). — *Vocke, J. A.:* Geburts- und Todten-Almanach Ansbachischer Gelehrten, Schriftsteller und Künstler . . .; Augsburg 1797.

III.
Der Kupferstich von Bernigerroth, von dem wir einen Ausschnitt wiedergeben, wurde reproduziert nach Könneckes „Bilderatlas zur Geschichte der deutschen Nationallitteratur"; Marburg 1912; der Titel der „Codrus"-Ausgaben von 1764 und 1777 nach dem Exemplar im Besitz des Germanischen Nationalmuseums Nürnberg.

Der Ansbacher Kreis

I. und II.
Fidelis, Isidor (Pseud. Markgraf Johann Friedrich): Der Boulognesische Hund oder Der getreue Liebhaber; Onolzbach 1678. — *Veh, Otto:* Markgraf Johann Friedrich von Ansbach; Fürth 1956. — *Falckenstein, J. A. von:* Nordgauische Alterthümer; 3. Teil, Neustadt a. d. A. - Leipzig 1788. — *Schwarzbeck, Gr.*

W.: Ansbacher Theatergeschichte bis zum Tode des Markgrafen Johann Friedrich; Emstetten 1939. — *Meyer, Julius:* Ansbach - eine Heimstätte der Dichtkunst; Ansbach, Brügel 1885.

*

Knebel, K. L. von: Lukrez; Leipzig 1821, Göschen. — *Ders.:* Gedichte; in: Die Horen. 1796 (I., III., IX., XI. Stück). — Knebels litterarischer Nachlass und Briefwechsel; hrsg. von K. A. Varnhagen von Ense und M. Mundt, Leipzig 1840. — Briefwechsel zwischen Goethe und Knebel (1774-1832); hrsg. von Guhrauer. 2 Teile, Leipzig 1857. — *Düntzer:* Freundesbilder aus Goethes Leben; Leipzig o. J. — *Schlegel, A. W.:* Sämtliche Werke; Bd. IX. — *Schnorr:* Archiv für Litteraturgeschichte; Bd. VIII. — *v. d. Lith:* Licht der Wahrheit. Mit vorausgeschicktem Lebenslauf von der Hand Knebels. — *Knebel-Döberitz, Hugo von:* Karl Ludwig von Knebel. Ein Lebensbild; Weimar 1890. — *Salzer, Anton:* Karl Ludwig von Knebel. — *Kreiner, Arthur:* Karl Ludwig von Knebel. Unbekanntes Bayern, Bd. 7. — *Stettner, Thomas:* Karl Ludwig von Knebel: Goethes Urfreund; Ansbach 1924.

*

Seckendorf, Karl Ludwig von: Das Rad des Schicksals oder die Geschichte Tschoangsis, 2 Bde.; Dessau 1785. — *Ders.:* Die Lusiaden und Fragmente aus der Geschichte Granadas; in Bertuchs Magazin der Span. und Portug. Literatur; 1780, Bd. 1. — Volks- und andere Lieder. — Kalliste; Weimar 1782. *Seckendorf, Curt von:* Karl Siegmund von Seckendorf am Weimarschen Hofe in den Jahren 1776-1785; Leipzig 1885, Brockhaus. — *Meusel:* Lexikon verstorbener Schriftsteller; Bd. XIII. — *Baader:* Lexikon verstorbener baier. Schriftsteller; Bd. I.

*

Soden, Julius von: Entwurf zu einer Sparcasse; 1820. — Merkwürdige Criminalfälle; 1825. — Der Maximiliankanal; 1822. — Die Franzosen in Franken; 1797. — Psyche, über Dasein, Unsterblichkeit und Wiedersehen; 1794. — Über Nürnbergs Finanzen. — Doktor Faust; Ph. W. C. Schmidt, Neustadt a. d. Aisch 1931. — Schauspiele; Berlin, Maurer, 1788-91. — *Hachtmann, Otto:* Graf J. H. von Soden als Dramatiker; Diss. Göttingen 1902. — *Salzer, Anselm:* Illustrierte Geschichte der deutschen Literatur; o. J. — *Wurzbach:* Biografisches Lexikon; Bd. 17. — Allgemeine Deutsche Biografie. — *Kürschner:* Deutsche Nationalliteratur; Bd. 137 (1885). — *Wachler:* Handbuch der Literatur; 1833.

Meyern, Wilhelm, Friedrich: Dya-na-Sore; 1787. — Die Regentschaft; Züllichau 1795. — Hinterlassene kleine Schriften; hrsg. mit einem Vorwort und Biografie Meyerns von Ernst von Feuchtersleben, 3 Teile, Wien 1842. — *Schmidt, Arno:* Dya-na-Sore (Radio-Essay-Manuskript 1951).

III.

Der zeitgenössische Stich des Markgrafen Johann Friedrich befindet sich im Staatsarchiv Nürnberg (Ansbacher Historica Nr. 240). Das Bildnis Knebels, dessen Original das Goethe-Haus in Weimar besitzt, wurde dem Lebensbild „Karl Ludwig von Knebel" von Hugo von Knebel-Döberitz, Weimar 1890, entnommen. Das Porträt Seckendorfs stammt aus Franz Neubert „Goethe und sein Kreis"; Leipzig 1919. Die Quelle für Sodens Bild ist der Neudruck der Originalausgabe seines „Doctor Faust" von 1797, hrsg. von Dr. Christoph Beck; Neustadt a. d. Aisch 1931. Meyerns Porträt wurde reproduziert nach Thomas Stettner „Aus Ansbachs und Frankens vergangenen Tagen"; Ansbach 1928. Der Bamberger Brief Sodens ist im Besitz der Nürnberger Stadtbibliothek, ebenso die Ausgabe seines „Doctor Faust" von 1797. Die Stammbücher mit den Eintragungen Knebels und Seckendorfs gehören dem „Historischen Verein für Mittelfranken" (Foto: Dittmar Dirks).

Johann Konrad Grübel

I.

Grübels Gedichte in Nürnberger Mundart; Nürnberg, Selbstverlag 1798 ff. — Grübels Sämtliche Werke; neu herausgegeben von G. K. Frommann; Nürnberg 1857.

II.

Bock, Friedrich: Johann Konrad Grübel, ein Nürnberger Volksdichter; Nürnberg 1936.

III.

Das Ölbild von Eberhard Ihle (1727-1814) befindet sich im Besitz der Städtischen Kunstsammlungen Nürnberg (Foto: Städtisches Hochbauamt, Bildstelle). Der Stich von Fr. Fleischmann wurde entnommen: „Grübels Gedichte in Nürnberger Mundart", 1. Bändchen, 3. Aufl.; Nürnberg 1823. Das Original der „Käfer"-Handschrift befindet sich im Germanischen Nationalmuseum, es wurde reproduziert aus „Johann Konrad Grübel - ein Nürnberger Volksdichter", Festschrift zur Feier der 200. Wiederkehr seines Geburtstages von Friedrich Bock; Nürnberg 1936. Die Titel der beiden Grübel-Ausgaben von 1798 und 1806 wurden nach den Originalen in der Nürnberger Stadtbibliothek wiedergegeben (ohne Verleger- und Druckervermerk). Die Radierung von Ambrosius Gabler zum Gedicht „Das Kränzlein" wurde später zum Titelkupfer der 3. Auflage des ersten Bandes der Grübelschen Gedichte erhoben, Nürnberg 1823 bei Friedrich Campe, und nach diesem Titel (Stadtbibliothek Nürnberg) abgebildet.

Moritz August von Thümmel:

I.

Thümmel, Moritz August von: Sämtliche Werke; Leipzig 1811-19. — Sämtliche Werke; Bd. 1-8; Leipzig 1856. — Die Inoculation der Liebe. Eine Erzählung; Leipzig 1771. — Der heilige Kilian und das Liebes-Paar; hrsg. von Friedrich Ferdinand Hempel. Mit 4 Kupfern; Leipzig 1818. — Reise in die mittäglichen Provinzen von Frankreich im Jahr 1785 bis 1786; Leipzig 1810. — Reise in die mittäglichen Provinzen von Frankreich. Mit Kupfern und Vignetten von Pentzel, Schnorr von Carolsfeld und Ranberg; Bd. 1-3. München und Leipzig 1918. — Wilhelmine, ein prosaisch komisches Gedicht; Leipzig 1766, 68, 69, o. J. — Wilhelmine. Ein prosaisch-komisches Gedicht. Mit den Kupfern und Vignetten des Adam Friedrich Oeser, Christian Gottlieb Geyser und Johann Michael Stock; neu hrsg. von Paul Menge; Weimar 1917. — Wilhelmine; hrsg. von Conrad Höfer. Mit 7 Kupfern und 13 Vignetten nach Friedrich Oeser von Stock und Geyser (Nachdr. nach der 3. Aufl. von 1768); München 1919. — Wilhelmine. Mit Erläuterungen und einem Nachwort; hrsg. von Alfred Anger; Stuttgart 1964. — Wilhelmine. Ein prosaisch-komisches Gedicht; Berlin 1966.

II.

Doering, H.: Moritz August von Thümmels Biographie; Jena 1854. — *Gruner, Johann Ernst von:* Leben M. A. von Thümmels; Leipzig 1819.— *Heldmann, Horst:* Moritz August von Thümmels Verhältnis zu Goethe und Schiller; Nordfränkische Monatsblätter, Oktober 1954. — *Heldmann, Horst:* Moritz August von Thümmel, sein Leben, sein Werk, seine Zeit; Neustadt a. d. Aisch 1964. — *Heldmann, Horst:* Briefe von Friedrich Heinrich Jacobi, Christian Felix Weiße und Friedrich Maximilian Klinger an Moritz August von Thümmel; in: Jahrbuch f. fränk. Landesforschung, Bd. 22/1962. — *Kyrieleis, Richard:* Thümmels Roman Reise in die mittäglichen Provinzen von Frankreich; Marburg 1908. — *Thümmel, Moritz August von:* Ein Dichterleben zwischen Aufklärung und Empfindsamkeit. Zum Gedenken seines 150. Todestages 1817-1967. Ausstellungskatalog der Stadtbibliothek Nürnberg. 54/1967.

III.

Das Porträt Thümmels wurde reproduziert nach Könneckes „Bilderatlas zur Geschichte der deutschen Nationallitteratur", das Titelblatt der „Reise in die mittäglichen Provinzen von Frankreich" nach dem im Besitz der Stadtbibliothek Nürnberg befindlichen Exemplar. Eigentümer des Briefes an Felix Weiße ist das Germanische Nationalmuseum (Fotos: Armin Schmidt).

Christian Friedrich Daniel Schubart

I.

Schubarts Leben und Gesinnungen. Von ihm selbst im Kerker aufgesetzt; Erster Theil, Stuttgart 1791. — Schubarts Leben und Gesinnungen. Von ihm selbst im Kerker aufgesetzt; Zweiter Theil; hrsg. von seinem Sohne Ludwig Schubart, Stuttgart 1793.

II.

Chr. F. D. Schubarts Leben und Charakter. Von einem Freunde desselben; Mannheim 1778. — *Gaiser, Konrad:* Chr. F. D. Schubart als Studiosus in Erlangen; in: Sonntags-Beilage zum Schwäbischen Merkur vom 10. und 11. 12. 1927, Nr. 578. — *Gaiser, Konrad:* Christian Friedrich Daniel Schubart. Schicksal, Zeitbild; Ausgewählte Schriften, Stuttgart 1929. — *Gaiser, Konrad:* Christian Friedrich Daniel Schubart. Musiker, Dichter und Publizist. 1739-1791; in: Schwäbische Lebensbilder, Bd. 1, S. 492-509. — *Goedeke, Karl:* Grundriß zur Geschichte der deutschen Dichtung; aus den Quellen ...; 2. Aufl. ... fortgeführt von Edmund Goetze. Bd. 4, 1. Abtlg. Dresden 1891. S. 332-340 (enthält Bibliographie Schubarts und ein umfangreiches Verzeichnis der Veröffentlichungen über ihn). — *Hauff, Gustav:* Historisch-kritische Ausgabe der Gedichte; 1884. — *Hauff, Gustav:* Christian Friedrich Daniel Schubart in seinem Leben und seinen Werken; Stuttgart 1885. — *Klob, Karl Maria:* Schubart. Ein deutsches Dichter- und Kulturbild; Ulm 1908. — *Pröll, Franz Xaver:* Christian Friedrich Daniel Schubart in Nürnberg; in: Nürnberger Schau, Nürnberg, Heft 7, Juli 1939, S. 258-261. — Schubart. Dokumente seines Lebens; hrsg. von *Hermann Hesse* und *Karl Isenberg,* Berlin 1926. — Schubarts Charakter von seinem Sohne Ludwig Schubart; Erlangen 1798. — *Strauß, David Friedrich:* Christian Friedrich Daniel Schubart's Leben in seinen Briefen; 2 Bde., Berlin 1849. — *Wohlwill, Adolf:* Chr. F. D. Schubart; in: Allgemeine deutsche Bibliographie, Bd. 32, 1891. — *Wohlwill, Adolf:* Neue kleine Beiträge zur Kenntniß Chr. F. D. Schubarts; in: Archiv f. Litteraturgeschichte, 1887, S. 21-36 und 126. — *Wohlwill, Adolf:* Beiträge zur Kenntniß Schubarts; in: Archiv f. Litteraturgeschichte, Bd. 61, Stuttgart 1877, S. 343-391.

III.

Der Kupferstich von E. Morace wurde reproduziert nach Könneckes „Bilderatlas zur Geschichte der deutschen Nationallitteratur"; Marburg 1912. Der abgebildete Brief befindet sich im Besitz der Landesbibliothek Stuttgart und wurde entnommen: „Christian Friedrich Daniel Schubart - Schicksal/ Zeitbild", Ausgewählte Schriften von Konrad Gaiser; Stuttgart 1929.

Jean Paul

I.

Jean Pauls Sämtliche Werke; hrsg. von *Eduard Berend;* Weimar 1927 ff. (Hist.-krit. Ausgabe d. Preuß. Akad. d. Wiss.).

II.

Berend, Eduard: Jean Pauls Persönlichkeit; München 1913. — *Meyer, Anneliese:* Die höfische Lebensform in der Welt Jean Pauls; Berlin 1933. — *Nerrlich, Paul:* Jean Paul und seine Zeitgenossen; Berlin 1876. — *Schneider, Ferdinand Josef:* Jean Pauls Altersdichtung; Berlin 1901.

III.

Das Gemälde von Lorenz Kreul befindet sich im Besitz der Stadt Bayreuth (Foto: Julius Steeger & Co.). Würzburgers Zeichnung und der Stich H. Pfenningers wurden aus Richard Sattelmairs Echter-Bildbuch „Jean Paul Friedrich Richter - Leben, Werk und Deutung"; Würzburg 1963, entnommen. Das Autograph wurde von der Stadtbibliothek Nürnberg zur Verfügung gestellt. Der Stich von der Rollwenzelei, im Besitz der Stadtbücherei Bayreuth, wurde den Blättern der Jean-Paul-Gesellschaft „Hesperus", 10/1955, entnommen, aus 14/1957 der gleichen Zeitschrift stammt der Scherenschnitt von Luise Duttenhofer, das Original befindet sich im Schiller-Nationalmuseum in Marbach a. Neckar.

Karl Heinrich (Ritter von) Lang

I.

Karl Heinrich Lang: Beiträge zur Kenntnis . . . des Öttingschen Vaterlands . . .; 1786. — Neuere Geschichte des Fürstenthums Bayreuth 1798 (bis 1811). — Annalen des Fürstenthums Ansbach unter der preußischen Regierung von 1792 bis 1806. — Historische und statistische Beschreibung des Rezatkreises; 1809/10. — Der Minister Graf von Montgelas unter der Regierung König Maximilians von Baiern; 1814. — Adelsbuch des Königreichs Baiern; 1815. — Bairische Jahrbücher von 1179 bis 1294; 1816. — Hammelburger Reisen; 1817-33. — Regesta sive rerum Boicarum autographa ad annum usque 1300; 4 Bde., 1822-28. — Regesta circuli Rezatensis; 1837. — Memoiren . . .; 1. Aufl. 1842, 2. Aufl. 1882.

II.

Hofmann, Hanns Hubert: Der Ritter v. Lang. Gedanken zu seinem 200. Geburtstag; in: 82. Jahrbuch des Hist. Vereins Mittelfranken, 1965, dort alle Belege und weiterführenden Angaben. Zur Zeitsituation: H. H. Hofmann, Adelige Herrschaft und souveräner Staat; 1962. — *Raumer, A. v.:* Der Ritter v. Lang und seine Memoiren; 1923.

III.

Porträt und Brief (Empfänger unbekannt) Langs befinden sich im Besitz der Stadtbibliothek Nürnberg (Fotos: Armin Schmidt).

Karl Julius Weber

I.

Karl Julius Weber: Demokritos oder hinterlassene Papiere eines lachenden Philosophen, 6., sorgfältig erläuterte Originalausgabe; Stuttgart 1858. — Demokritos . . . usw. 9., sorgfältig erläuterte Original-Stereotyp-Ausgabe; Leipzig, Verlag von Hempels Klassikerausgaben (ohne Angabe des Verlagsjahrs, wahrscheinlich um die Jahrhundertwende). — Deutschland oder Briefe eines in Deutschland reisenden Deutschen von Carl Julius Weber; 3. Aufl., Stuttgart 1855. — Das Papsttum und die Päpste. Ein Nachlaß des Verfassers der „Müncherei", Carl Julius Weber; Stuttgart 1834.

II.

Weber, Karl Julius: Demokritos. Bd. I, Fragment meines Lebens. — Das Papsttum (siehe oben), Bd. I: Biographie am Anfang des Buches: Carl Julius Weber, geschildert nach seinem Leben, eigentümlichen und schriftstellerischen Wirken (Verfasser ungenannt, vielleicht sein Bruder, der als Senatspräsident in Tübingen wirkte). — Mitteilungen und Briefe aus dem Fürstlichen Archiv von Ysenburg-Büdingen. — Kirchenbücher von Langenburg und Kupferzell.

III.

Die Zeichnung von Mena wurde wiedergegeben nach der Reproduktion im Besitz der Stadtbibliothek Nürnberg (Foto: Armin Schmidt), das Autograph nach Könneckes „Bilderatlas zur Geschichte der deutschen Nationallitteratur“; Marburg 1912. Der Titel „Das Papstthum“ stammt aus dem 1. Band der Gesamtausgabe, Stuttgart 1834.

Christoph von Schmid

I.
Gesammelte Schriften des Verfassers der Ostereier, *Christoph von Schmid,* Originalausgabe von letzter Hand, Bd. 1-24; Augsburg 1841-1856. — *Christoph von Schmid:* Erinnerungen und Briefe; München 1968.

II.
Bernhart, Joseph: Christoph von Schmid; in: Lebensbilder aus dem Bayerischen Schwaben, Bd. 5; München 1956. — Christoph von Schmid und seine Zeit, hrsg. von *Hans Pörnbacher;* Weißenhorn 1968. — *Oberwallner, W.:* Festvortrag zum 200. Geburtstag Christoph von Schmids; Thannhausen 1968 (Manuskript).

III.
Die Lithographie von M. Fröschle und das Gemälde von Liberat Hundertpfund, beide im Besitz des Heimatmuseums Dinkelsbühl, wurden fotografiert von Foto-Bierl, Dinkelsbühl. Das Original des Liedes „Ihr Kinderlein kommet“ befindet sich in der Staats- und Stadtbibliothek Augsburg (Foto: Armin Schmidt nach dem Faksimile in der Stadtbibliothek Nürnberg).

Georg Friedrich Rebmann

I.
Georg Friedrich Rebmann: Heinrich von Neideck. Ein romantisches Gemälde aus dem Mittelalter; Erlangen 1791, 2., verbesserte Ausgabe 1793. — Briefe über Erlangen; Frankfurt und Leipzig 1792. — Der Allgemeine Sächsische Annalist; 1793. — Empfindsame Reise nach Schilda. Mit Kupfern; Leipzig 1793. — Hans Kiekindiewelts Reisen in alle vier Weltteile; Leipzig und Gera 1795. — Wanderungen und Kreuzzüge durch einen Teil Deutschlands; Altona 1795 und 1796. — Das neue graue Ungeheuer, hrsg. von einem Freund der Menschheit; Uppsala 1795 und 1798. — Vollständige Geschichte meiner Verfolgungen und meiner Leiden. Ein Beitrag zur Geschichte des deutschen Aristokratismus. Nebst Tatsachen zur Regierung des jetzigen Kurfürsten von Mainz und politischen Wahrheiten; Amsterdam 1796. — Holland und Frankreich, in Briefen geschrieben auf einer Reise von der Niederelbe nach Paris im Jahre 1796 und dem fünften der französischen Republik; Paris und Köln 1797/98. — Die Geißel; Uppsala 1797. — Damian Hessel und seine Raubgenossen. Von einem gerichtlichen Beamten; 3., durchaus umgearbeitete, vermehrte und verbesserte Auflage, Mainz 1811.

II.
Hans Kiekindiewelts Reisen in alle vier Weltteile und andere Schriften; hrsg. und mit einem Vorwort versehen von *Hedwig Voegt;* Berlin 1956. — *Wrasky, Nadeschda von:* A. G. F. Rebmann. Leben und Werke eines Publizisten zur Zeit der großen französischen Revolution; Dissertation Heidelberg 1907.

III.
Das Foto Georg Friedrich Rebmanns wurde von einer fotografischen Vorlage abgenommen, die sich im Besitz von Frau A. Rebmann in Lauf befindet (Foto: A. Schmidt). Das Original ist im Privatbesitz, vermutlich in Zweibrücken. Die Autographen Rebmanns wurden vom Stadtarchiv Mainz zur Verfügung gestellt.

Ernst Theodor Amadeus (Wilhelm) Hoffmann

I.
Gesammelte Schriften, XV, 1827-39; Hist.-Krit. Ausgabe von *C. G. von Maassen,* 1908-28, (nur Bd. 1-4, 6-10). — Weitere Ausgaben: von *E. Grisebach,* XV; 1900, [2]1905. — *G. Ellinger,* XV; 1912, [2]1927. — *W. Harich,* XV; 1924. — *K. Kanzog,* XII; 1957-62. — *W. Müller-Seidel,* V; 1960-65. — Briefwechsel hrsg. von *H. von Müller,* II; 1912. — von *H. von Müller* und *F. Schnapp,* III; 1967-69. — Tagebücher hrsg. von *H. von Müller;* 1915.

II.
Darstellungen von: *G. Ellinger;* 1894. — *W. Harich,* II; 1920. — *R. von Schaukal;* 1924. — *E. Heilborn;* 1926. — *E. von Schenck;* 1939. — *K. Willimczik;* 1939. — *W. Bergengruen;* 1939, [2]1960. — *J. F. A. Ricci;* 1947. — *H. W. Hewett-Thayer;* 1948. — *R. Taylor;* 1963. — *G. Witkop-Ménardeau;* 1966.

III.
Die Bleistiftzeichnung von Wilhelm Hensel, einst im Besitz von Hensels Enkelin Cécile Leo in Göttingen, wurde reproduziert aus den „Mitteilungen der E.T.A.-Hoffmann-Gesellschaft", 1. Jg. 1938/39, 1. Heft Dezember 1938; der gleichen Quelle, 9. Heft 1962, wurde der Auszug aus der „Aurora"-Partitur entnommen. Hoffmanns „Mutmaßliches Porträt" ist im Besitz von Michael Mathias Prechtl, die Gouache des Verlegers und Weinhändlers Carl Friedrich Kunz besitzen die Städtischen Kunstsammlungen Bamberg (Foto: Emil Bauer). Aus „E.T.A. Hoffmanns Briefwechsel", gesammelt und erläutert von Hans von Müller und Friedrich Schnapp, hrsg. von Friedrich Schnapp, Winkler-Verlag; München 1967, stammen: Hoffmanns Brief an Hippel, die Federzeichnung Hoffmanns und der Brief an Keller. Die Anzeige vom Tode des Katers Murr wurde entnommen: „E.T.A. Hoffmann im persönlichen und brieflichen Verkehr"; Bd. 2, 2; Berlin: Paetel 1912.

Gottlob Friedrich Wetzel

I.
G. F. Wetzel: Nachtwachen von Bonaventura; 1805. — Rhinozeros, ein lyrisch-didaktisches Gedicht in einem Gesange; Nürnberg 1818. — Prolog zum großen Magen; Leipzig und Altenburg, Brockhaus 1815. — Schriftproben I, Mythen, Romanzen, lyrische Gedichte; Bamberg 1814. — Schriftproben II; Bamberg 1818. — Jeanne d'Arc, Trauerspiel in 5 Aufzügen; Leipzig und Altenburg, Brockhaus 1815. — Hermansfried. letzter König von Thüringen, Trauerspiel in 5 Aufzügen; Berlin 1818. — Gesammelte Gedichte und Nachlaß, hrsg. von *Z. Funck;* Leipzig, Brockhaus 1838.

II.
Herd, Rudolf: Die Bamberger Kindheitserinnerungen der Konstanze Grünewald; in: Fränkische Blätter 13. Jg., Nr. 10 und 11 vom 25. 5. und 8. 6. 1961. — *Herd, Rudolf:* Gotthilf Heinrich Schubert und seine Beziehungen zu Bamberg und zum Frankenland; in: Fränkische Blätter, 12. Jg. Nr. 13 vom 30. 6. 1960. — *Krenzer, Oskar:* Friedr. Gottl. Wetzel; München 1920; in: Der Wächter, 8. Heft 1920 (S. 440-444). — *Krenzer, Oskar:* Das geistige und gesellschaftliche Leben Bambergs zu Beginn des 19. Jahrhunderts; Bamberg 1920. — *Krenzer, Oskar:* Zu Wetzels Gedächtnis; in: Fränkische Monatshefte für Kunst, Literatur und Heimat, 8. Jg., Nürnberg 1929. S. 299-302. — *Schubert, G. H. von:* Der Erwerb aus einem vergangenen . . . Leben; Erlangen 1854. — *Schultz, F.:* Der Verfasser der Nachtwachen von Bonaventura; Berlin 1909.

III.
Wetzels Bild stammt aus „Gotthilf Heinrich Schubert in seinen Briefen" von Dr. G. Nathanael Bonwetsch; Stuttgart 1918. Das Original befindet sich im Besitz des Evang.-Luth. Dekanats Bamberg. Das Autograph wurde von der Staatsbibliothek Bamberg zur Verfügung gestellt, deren Lichtbildstelle beide Fotos aufnahm. Das Titelblatt der Erstausgabe der „Nachtwachen" wurde wiedergegeben nach dem Exemplar der Universitäts-Bibliothek Bonn, entnommen den „Fränkischen Blättern" vom 30. 9. 1954, Seite 1.

Friedrich Rückert

I.
Friedrich Rückerts gesammelte Poetische Werke in zwölf Bänden. Neue Ausgabe; Frankfurt a. M. 1882.

II.
Andrian-Werburg, Klaus (von): Die Anfänge des Coburger Ehrenbürgerrechts und die Bürgerrechtsverleihung an Friedrich Rückert; Jahrbuch der Coburger Landesstiftung 1966. — *Dahinten, Ernst:* Carl Barth, Friedrich Rückerts „Lieber Freund und Kupferstecher"; Jahrbuch der Coburger Landesstiftung 1966. — *Erdmann, Jürgen:* Friedrich Rückerts letzte Lebensmonate und Tod; Jahrbuch der Coburger Landesstiftung 1966. — *Grosser, Manfred:* Friedrich Rückerts Östliche Rosen; Rückert-Studien I; 1964. — *Kranz, Christel:* Friedrich Rückerts „Herodes und Mariamme" und Friedrich Hebbels „Herodes und Mariamne"; Rückert-Studien I, 1964. — *Dies.:* Friedrich Rückert und die Antike. Bild und Wirkung; Rückert-Studien II, 1965. — *Prang, Helmut:* Friedrich Rückert. Geist und Form der Sprache; Schweinfurt-Wiesbaden 1963, mit ausführlicher Bibliographie. — *Ders.:* Friedrich Rückert als Dichter und Gelehrter; Erlanger Universitätsreden 9, Erlangen 1963. — *Ders.:* Friedrich Rückert als Diener und Deuter des Wortes; Schweinfurt 1963. — *Ders.:* Friedrich Rückerts Wanderungen durch Franken und Bayern; Jahrbuch für fränkische Landesforschung, Bd. 24, 1964. — *Ders.:* Friedrich Rückert; Fränkische Lebensbilder, Bd. I, 1967. — *Ders. (Hrsg.):* Rückert-Studien I und II; Schweinfurt 1964, 1965. — *Roland, Renate:* Friedrich Rückerts „Abendlied"; Rückert-Studien I, 1964. — *Schimmel, Annemarie:* Weltpoesie ist Weltversöhnung; Schweinfurt 1967. — *Dies.:* Friedrich Rückert; Deutsche

Dichter des 19. Jahrhunderts, hrsg. von Benno von Wiese, 1969. — *Schug, Dieter:* Anläßlich eines Briefes Friedrich Rückerts an Jean Paul; Jahrbuch der Coburger Landesstiftung 1966. — *Ders.:* Der fränkische Dichter Friedrich Rückert; Bayerische Literaturgeschichte von E. Dünninger, Bd. 2, 1967. — *Vierengel, Heinz:* Die „Geharnischten Sonette" von Friedrich Rückert; Rückert-Studien I, 1964.

III.

Die Kreidezeichnung von Barth wurde Könneckes „Bilderatlas zur Geschichte der deutschen Nationallitteratur"; Marburg 1912, entnommen. Das Gemälde von Hohnbaum und die Zeichnung von Reiss, die M. Wiels in Stein gravierte, stammen aus Helmut Prangs Biographie „Friedrich Rückert - Geist und Form der Sprache"; Schweinfurt 1963. Das Autograph befindet sich im Besitz der Nürnberger Stadtbibliothek (Foto: Armin Schmidt).

August von Platen

I.

August Graf von Platens sämtliche Werke in zwölf Bänden. Historisch-kritische Ausgabe mit Einschluß des handschriftlichen Nachlasses, hrsg. von *M. Koch* und *E. Petzet;* Leipzig o. J. (1910). — Die Tagebücher des Grafen August von Platen. Aus der Handschrift des Dichters, hrsg. von *G. von Laubmann* und *L. von Scheffler,* 2 Bde.; Stuttgart 1896/1900. — Der Briefwechsel des Grafen August von Platen, hrsg. von *L. von Scheffler* und *P. Bornstein.* 1.-4. Band.; München/Leipzig 1911-31.

II.

Koch, M.: August Graf von Platens Leben und Werk; (1. Bd. der Histor.-krit. Ausgabe). Leipzig o. J. (1910). — *Schlösser, R.:* August Graf von Platen. Ein Bild seines geistigen Entwicklungsganges und seines dichterischen Schaffens; 2 Bde., München 1910/13. — *Mann, Th.:* August von Platen; in: Leiden und Größe der Meister, Berlin 1935. — *Winkler, E. G.:* Platen; in: Gestalten und Probleme, Leipzig 1937.— *Henel, H.:* Epigonenlyrik: Rückert und Platen; in: Euphorion, Jg. 53/1961. — *Wölfel, K.:* August von Platen; in: Fränkische Lebensbilder, 3. Bd., Würzburg 1969. — *Redenbacher, Fr.:* Platen-Bibliographie; Erlangen 1936.

III.

Das Ölgemälde von Marianne Kürzinger wurde reproduziert nach Könnecke „Bilderatlas zur Geschichte der deutschen Nationallitteratur"; Marburg 1912, das Porträt um 1830 und die Büste von Ernst Penzoldt nach „Platens Antlitz - Bildnisse und zeitgenössische Berichte über die persönliche Erscheinung Platens", herausgegeben von Hermann F. Dollinger, mit einer Einführung von Will Scheller; Schriften der Platen-Gesellschaft, 2. Stck.; Berlin und Erlangen 1927. Das Faksimile der „Einladung nach Sorrent" stammt aus F. Reuter „Drei Wanderjahre Platens in Italien 1826 bis 1829"; o. O. u. J.

Georg Friedrich Daumer

I.

Georg Friedrich Daumer: Hafis; 1. Ausgabe, Hamburg 1846. — Hafis, Neue Sammlung; Nürnberg 1851. — Polydora, ein weltpoetisches Liederbuch; Frankfurt a. M. 1855. — Mitteilungen über Kaspar Hauser; Nürnberg 1832. — Enthüllungen über Kaspar Hauser; Frankfurt a. M. 1859. — Kaspar Hauser, sein Wesen seine Unschuld usw.; Regensburg 1873. — Der Feuer- und Molochdienst der Hebräer; Braunschweig 1842. — Meine Konversion; Mainz 1859. — Das Geisterreich in Glauben, Vorstellung, Sage und Wirklichkeit; 2 Bde., Dresden 1867. — Das Wunder, seine Bedeutung, Wahrheit und Notwendigkeit; Regensburg 1874.

II.

Schneider, Georg: Georg Friedrich Daumer; Fränkische Bibliophilengesellschaft 1960/61. — *Wassermann, Jakob:* Caspar Hauser; Roman 1908. — *Brahms, Johannes:* 50 Daumer-Lieder.

III.

Daumers Porträt, dessen Original das Stadtarchiv Ansbach besitzt, wurde entnommen aus Hermann Pries „Kaspar Hauser - Eine Dokumentation"; Ansbach 1966. Das Autograph wurde von der Stadtbibliothek Nürnberg zur Verfügung gestellt, ebenso der abgebildete Titel des „Reich des Wundersamen und Geheimnißvollen".

Ludwig Feuerbach

I.

Ludwig Feuerbachs Sämmtliche Werke; neu hrsg. von *W. Bolin* und *F. Jodl,* Stuttgart 1903/11. — *Ders.:* Das Wesen des Christentums; neu hrsg. von *D. Bergner,* Leipzig 1957 (Reclam 4571-75).

II.
Engels, Friedrich: Ludwig Feuerbach und der Ausgang der klassischen deutschen Philosophie (zuerst 1886, dann revidiert 1888); Berlin 1946. — *Rawidowicz, S.:* Ludwig Feuerbachs Philosophie, Ursprung und Schicksal; Berlin 1931. — *Schuffenhauer, Werner:* Feuerbach und der junge Marx. Zur Entstehungsgeschichte der marxistischen Weltanschauung; Berlin 1965.

III.
Porträt, Namenszug und faksimilierter Ausspruch Feuerbachs wurden entnommen *Kohut, Adolf:* Ludwig Feuerbach. Sein Leben und seine Werke; Leipzig 1909.

Max Stirner

I.
Max Stirner: Der Einzige und sein Eigentum; hrsg. von Anselm Ruest, Berlin 1924.

II.
Adler, Max: Wegweiser; Studien zur Geistesgeschichte des Sozialismus, Wien 1931. — *Helms, Hans G.:* Die Ideologie der anonymen Gesellschaft; Köln 1966. — *Joll, James:* Die Anarchisten; Berlin 1966. — *Kessel, Martin:* Romantische Liebhabereien; Braunschweig 1938. — *Mackay, John H.:* Max Stirner. Sein Leben und sein Werk; Berlin 1898. — *Marx, Karl:* Die Frühschriften; Stuttgart 1953.

III.
Die beiden Stirner-Zeichnungen wurden entnommen dem „Spiegel" 12/67 und dem „Frankenspiegel" 3/50; das Autograph stammt aus John Henry Mackay „Max Stirner, sein Leben und sein Werk"; Berlin 1898.

Otto Ludwig

I.
Otto Ludwig: Nachlaßschriften; Leipzig 1874. — Gesammelte Schriften; Leipzig 1891. — Werke; Leipzig 1901. — Gedanken aus dem Nachlaß; Leipzig 1903. — Werke; hrsg. von A. Eloesser, Berlin 1909. — Sämtliche Werke; München 1912 ff. — Briefe; hrsg. von Kurt Vogtherr, Weimar 1935. — Agnes Bernauer - Dichtungen; Berlin 1961 ff.

II.
Müller-Ems, Richard: Otto Ludwigs Erzählkunst; Berlin 1905. — *Stern, Adolf:* Otto Ludwig. Ein Dichterleben; Leipzig 1906. — *Bulthaupt, Heinrich:* Dramaturgie des Schauspiels; Oldenburg 1905-08. — *Adams, Kurt:* Ludwigs Theorie des Dramas; Greifswald 1912. — *Schöneweg, Harald:* Otto Ludwigs Kunstschaffen und Kunstdenken; Jena 1941. — *Leuschner-Meschke, Waltraut:* Das unvollendete dramatische Lebenswerk eines Epikers. Otto Ludwigs dichterische Gestaltungen und Gestaltungsabsichten des Agnes-Bernauer-Stoffes; Berlin 1958. — *Magon, Leopold:* Probleme der Otto-Ludwig-Edition; in: Sitzungsberichte der Deutschen Akademie der Wissenschaften zu Berlin, Klasse für Sprachen, Literatur und Kunst, Jg. 1958.

III.
Otto Ludwigs Porträt von E. Straßner stammt aus dem „Otto-Ludwig-Kalender" des Jahres 1929, Verlag Hermann Böhlaus Nachfolger, Weimar; das Bild des „Schwane" aus dem gleichen Kalender des Jahres 1930. Das Original des Briefes an Laube befindet sich im Besitz der Nürnberger Stadtbibliothek (Foto: Armin Schmidt).

Michael Georg Conrad

I.
Michael Georg Conrad: Was die Isar rauscht; 1885. — In purpurner Finsterniß; 1895. — Majestät; 1902. — Der Herrgott am Grenzstein; 1904. — Am hohen Mittag (Gedichte); 1916. — Die Zeitschrift „Die Gesellschaft"; 1885-1902.

II.
von der March, Stauff: Ein Deutscher von echtem Schrot und Korn; Zeiss 1925. — *Möhl, Gustaf:* M. G. Conrad; in: Fränkische Lebensläufe, 1936. — *Soergel, Albert:* Dichtung und Dichter der Zeit; Leipzig 1928. — *Kotowski, Georg; Pöls, Werner; Ritter, Gerhard A.* (Hrsg.): Das Wilhelminische Deutschland; Fischer-Bücherei Nr. 611.

III.
Conrads Porträt von Karl Bauer wurde Conrads „Der Herrgott am Grenzstein" entnommen, Donauwörth, Süddeutsche Buchgemeinschaft, 1925. Sein Brief vom 6. 3. 1925 ist im Besitz der Stadtbibliothek Nürnberg (Fotos: Armin Schmidt).

Oskar Panizza

I.
Oskar Panizza: Düstre Lieder; Leipzig 1886. – Londoner Lieder; Leipzig 1887. – Dämmrungsstücke. Vier Erzählungen; Leipzig o. J. (1890). – Die unbefleckte Empfängnis der Päpste. Von Bruder Martin O. S. B. Aus dem Spanischen von Oskar Panizza; Zürich 1893. – Der teutsche Michel und der römische Papst. Altes und Neues aus dem Kampfe des Teutschtums gegen römisch-wälsche Überlistung und Bevormundung in 666 Thesen und Zitaten. Mit einem Begleitwort von Michael Georg Conrad; Leipzig 1894. – Meine Verteidigung in Sachen „Das Liebeskonzil". Nebst dem Sachverständigen-Gutachten des Dr. M. G. Conrad und dem Urteil des k. Landgerichts München; Zürich 1895. – Dialoge im Geiste Huttens; Zürich 1897. – Parisjana. Deutsche Verse aus Paris; Zürich 1899. – *Oskar Panizza:* Das Liebeskonzil und andere Schriften; hrsg. und mit einem Nachwort versehen von Hans Prescher, Neuwied 1964.

II.
An (ergiebiger) neuer Sekundärliteratur wurde nur die von Hans Prescher edierte Anthologie: *Oskar Panizza,* Das Liebeskonzil und andere Schriften, 1964, benutzt. Dort S. 264 ff. eine ausführliche Bibliographie.

III.
Das Bild Oskar Panizzas wurde entnommen aus: „Oskar Panizza. Das Liebeskonzil und andere Schriften"; hrsg. von Hans Prescher, Luchterhand-Verlag 1964. Die Original-Handschrift des „Laokoon" liegt in der Handschriftensammlung der Stadtbibliothek München.

Max Dauthendey

I.
Verwendete Bücher Max Dauthendeys: Gesammelte Werke in sechs Bänden; München 1925. – Mich ruft dein Bild. Briefe an seine Frau; München 1930. – Ein Herz im Lärm der Welt. Briefe an Freunde; München 1933. – Exotische Novellen; hrsg. von *Hermann Gerstner,* Stuttgart 1958 (Neudruck 1967). – Ich habe dir so viel zu sagen - Gedichte; hrsg. von *Hermann Gerstner,* München 1959. – Frühe Prosa. Aus dem handschriftlichen Nachlaß; hrsg. von *Hermann Gerstner* unter Mitarbeit von Edmund L. Klaffki. München-Wien 1967.

II.
Wendt, H. G.: Max Dauthendey. Poet - philosopher; New York 1936. – *Gerstner, Hermann:* Max Dauthendey, Sieben Meere nahmen mich auf. Ein Lebensbild mit unveröffentlichten Dokumenten aus dem Nachlaß; München 1957. – *Ders.:* Max Dauthendey und Franken, mit unveröffentlichten Briefen von Dauthendey; München 1958. – *Ders.:* Auf fränkischen Dichterwegen; in: Ins Land der Franken fahren, 6. Bd. Würzburg 1962. – *Shrotri, Shridhar, B.:* Max Dauthendeys auslandsbezogene Werke; Dissertation University of Poona 1964. – *Gieter, André de:* Max Dauthendeys Exotische Prosadichtung; Licentiaatsverhandeling Rijksuniversiteit te Gent 1965/66.

III.
Das Original des Farbbildes befindet sich im Besitz der Städtischen Galerie Würzburg, ebenso das Selbstporträt Dauthendeys, das aus einem Skizzenblatt des Dichters stammt, und des Aquarells der Mädchen auf Bali. Die Originalvorlage des Bildes gehört dem Stadtarchiv Würzburg, ebenfalls der vier Seiten lange Brief vom 21. 6. 1888, von dem hier eine Stelle veröffentlicht wurde. Alle Abbildungen wurden dem Bändchen von Max Rößler entnommen „Vom Heimweg des Dichters Max Dauthendey"; erschienen als Liebhaberdruck aus dem Echter-Verlag; Würzburg 1967.

Ludwig Derleth

I.
Ludwig Derleth: Die Proklamationen; Leipzig 1904. – Proklamationen; München 1919. – Der Fränkische Koran. Des Werkes erster Teil; Kassel 1932. – Seraphinische Hochzeit; Salzburg 1939. – Der Tod des Thanatos; Luzern 1945.

Das Gesamtwerk von Ludwig Derleth (sowohl die gedruckten als auch die noch ungedruckten Teile) erscheint im Verlag Hinder & Deelmann, Bellnhausen über Gladenbach (Hessen).

II.

Bibliographie (detailliertes Werkverzeichnis und Sekundärliteratur) in: *Jost, Dominik,* Ludwig Derleth. Gestalt und Leistung (Sprache und Literatur 21); Stuttgart 1965, S. 170-174.

III.

Die Bilder und Schriftprobe von Ludwig Derleth wurden von Christine Derleth-Ulrich, Darmstadt, zur Verfügung gestellt.

Jakob Wassermann

I.

Jakob Wassermann: Die Juden von Zirndorf; Berlin 1897. — Der Fall Maurizius; Frankfurt 1964. — Etzel Andergast; Berlin 1931. — Joseph Kerkhovens dritte Existenz; Gütersloh 1960. — Mein Weg als Deutscher und Jude; Berlin 1921. — Caspar Hauser; Berlin 1909. — Das Gänsemännchen; Berlin 1915. — Christian Wahnschaffe (2 Bde.); Berlin 1919.

II.

Bing, Sigmund: Jakob Wassermann - Weg und Werk des Dichters; Nürnberg 1929. — *Hilsenbeck, Fritz:* Querschnitt durch die fränkische Literatur; Nürnberg 1928. — *Sell, Anneliese:* Das metaphysisch-realistische Weltbild Jakob Wassermanns; in: Zeitschrift Sprache und Dichtung, Bern 1932, Heft 51. — *Wassermann, Charles:* Jakob Wassermann; in: Fürther Heimatblätter, Fürth 1962, Nr. 4.

III.

Das Porträt Wassermanns wurde entnommen aus dem „Reichshandbuch der deutschen Gesellschaft", 2. Bd.; Herausgeber: Deutscher Wirtschaftsverlag; Berlin 1931. Die Karte des Dichters aus Venedig befindet sich im Besitz der Nürnberger Stadtbibliothek. Die Umschlagtitel von Heine und das Gedicht von 1895 wurden der Biographie von Sigmund Bing entnommen „Jakob Wassermann - Weg und Werk des Dichters"; Nürnberg 1929.

Wilhelm Vershofen

I.

Wilhelm Vershofen: Reben Glockengeläut; Bamberg 1940. — Tyll Eulenspiegel. Ein Spiel von Not und Torheit; Der Nyland Werke, Bd. 5, Jena 1919. — Erlösung; Jena 1919. — Rhein und Hudson. Elf Grotesken; Wiesbaden und Leipzig 1929; 2. Auflage, Dreizehn Grotesken; Wiesbaden 1959. — Das silberne Nixchen oder Tünnes und Schäl; Wiesbaden 1951. — William, der Landedelmann; München und Leipzig 1948. — Wir Drei! Ein Gedichtbuch mit Jakob Kneip und Josef Winckler; Bonn, 1904. — Das brennende Volk; mit Jakob Kneip und Josef Winckler, Jena 1915. — Der Fenriswolf. Eine Finanznovelle; Jena 1912, 1922 und 1958. — Das Weltreich und sein Kanzler; Jena 1917. — Amerika. Drei Kapitel der Rechtfertigung; Jena 1917. — Über das Verhältnis von technischer Vernunft und wirtschaftlicher Wertung. Ein Beitrag zum Problem des Fordismus; Rektoratsrede. Nürnberger Beiträge zu den Wirtschaftswissenschaften Nr. 3; hrsg. von W. Vershofen, Bamberg 1925. — Der Hohe Dienst; Rudolstadt 1924. — Swennenbrügge. Das Schicksal einer Landschaft; Siegburg und Leipzig 1924. — Poggeburg. Die Geschichte eines Hauses; Leipzig 1933. — Der große Webstuhl; Wiesbaden 1954. — Wirtschaft als Schicksal und Aufgabe. Ein Laienbrevier; Darmstadt 1930 und Wiesbaden 1950. — Es ist merkwürdig ...; Mainz 1956. — Licht im Spiegel; Köln 1934. — Das Jahr eines Ungläubigen; Stuttgart, Berlin 1942. — Erlebnis und Verklärung; Stuttgart 1949. — Philosophische Schriften; hrsg. von Georg Bergler; München 1966. — Heiliges Feuer. Ein Fahrtenbuch; Leipzig 1937. — Zwischen Herbst und Winter. Aus den Erinnerungen des Dirk Brüggemann; Essen 1938. — Seltsame Geschichten; Essen 1938.

Privatdrucke; von der Wilhelm-Vershofen-Gesellschaft herausgegeben:
Die Klage der Tiere; Nürnberg 1950. — Der Welt rüde; Nürnberg 1952. — Fuchs und sein Bruder; Nürnberg 1953. — Es schlägt dreizehn; Nürnberg 1959. — Ablösung; Stuttgart 1960. — Das Wiedersehen; Stuttgart 1968.
Weitere Arbeiten befinden sich als ungedruckte Manuskripte im Nachlaß. Einige zum veröffentlichten Werk gehörende Schriften konnten aus Platzgründen nicht angeführt, manche nirgendwo aufgefunden werden. Das wissenschaftliche Werk wurde überhaupt nicht, das philosophische nur zum geringen Teil gewürdigt.

II.

Bergler, Georg (Hrgb.): Wie sie ihn erlebten, Wilhelm Vershofen zum Gedächtnis; Nürnberg 1965. — *Meridies, Wilhelm:* Wilhelm Vershofen. Ein rheinisch-westfälischer Dichterphilosoph der Gegenwart; Stuttgart 1959.

III.
Das Foto Vershofens wurde entnommen aus Georg Bergler: „Die Entwicklung der Verbrauchsforschung in Deutschland und die Gesellschaft für Konsumforschung bis zum Jahre 1945"; Kallmünz/Oberpfalz 1959/60. Das Autograph stellte Prof. Bergler zur Verfügung. Die Vignetten zu „Reben Glockengeläut" von Otto Adolf Brasse stammen aus der Bamberger Ausgabe des Büchleins aus dem Jahre 1942 und wurden wie der Titel des „Fenriswolf" (2. Aufl., Jena 1917) nach dem Exemplar der Nürnberger Stadtbibliothek wiedergegeben.

Bernhard Kellermann

I.
Bernhard Kellermann: Yester und Li; Berlin o. J. — Der Tunnel; Berlin 1935. — Schwedenklees Erlebnis; Berlin 1923.

II.
Daiber, Hans: Vor Deutschland wird gewarnt; Gütersloh 1967. — *Drews, Richard* und *Kantorowicz, Alfred:* Verboten und verbrannt; Berlin und München 1947. — Die großen Söhne Fürths; in: Fürther Nachrichten 30./31. 3. 1957. — *Soergel, Albert:* Dichtung und Dichter der Zeit; Leipzig 1911.

III.
Das Original des Porträts von Emil Stumpp befindet sich im Emil-Stumpp-Archiv in Ostberlin, das Original des Manuskriptes zum „Totentanz"-Roman im dortigen Literaturarchiv der Deutschen Akademie der Künste. Das Porträt wurde abgebildet nach einer Reproduktion der Nürnberger Stadtbibliothek, das Autograph nach der Wiedergabe in „Fränkische Dichterhandschriften"; Gerabronn 1965. Die Abbildung des „Tunnel"-Titels erfolgte nach dem Exemplar im Besitz der Stadtbibliothek Nürnberg (alle Fotos: Armin Schmidt).

Leonhard Frank

I.
Leonhard Frank: Gesammelte Werke; Berlin 1957.

II.
Schröder, G.: Zwischen Resignation und Hoffnung. Zur mittleren Schaffensperiode von Leonhard Frank; in: Aufbau 1957, S. 242 ff. — *Ders.:* Leonhard Franks literarische Anfänge; in: Weimarer Beiträge 1959, S. 410 ff. — *Grimm, R.:* Zum Stil des Erzählers Leonhard Frank. Mit einem Anhang über Franks Verhältnis zur Mundart; in: Jahrbuch für fränkische Landesforschung 1961, S. 165 ff. — (Vgl. auch M. Glaubrecht: Studien zum Frühwerk Leonhard Franks; Bonn 1965.) — Die Zitate sind der Ausgabe von Franks Gesammelten Werken, Berlin 1957, entnommen.

III.
Die Originale der Zeichnung und der Porträtaufnahme befinden sich im Deutschen Literaturarchiv Marbach a. Neckar, das Original des Manuskripts „Links, wo das Herz ist" in der Deutschen Akademie der Künste in Ostberlin. Das Original des Briefes von Frank an Maxim Gorki liegt in Moskau; es wurde, ebenso wie die Manuskriptseite aus „Links, wo das Herz ist", nach Faksimiles im Marbacher Literaturarchiv reproduziert.

Karl Bröger

I.
Hierzu sei verwiesen auf die von Walther G. Oschilewski bearbeitete „Karl-Bröger-Bibliographie", Veröffentlichungen der Stadtbibliothek Nürnberg 3, 1961.

II.
Brunck, Constantin: Erinnerungen an Karl Bröger; in den Nummern der Fränkischen Tagespost, Nürnberg vom 10. 3., 14. 3., 19. 3., 9. 4., 23. 4. und 27. 4. 1951. — *Oschilewski, Walther G.:* Über Karl Bröger; Stadtbibliothek Nürnberg, 1961. — *Peschek, Lutz:* Ein Nürnberger Lehrer entdeckt jungen Dichter; in: Nürnberger Nachrichten vom 30. 4./1. 5. 1954. — *Riepekohl, Wilhelm:* Karl Bröger zum Gedächtnis; Fränkische Tagespost vom 4. 5. 1954. — *Schwarz, Felix:* Erinnerungen an Karl Bröger; in: Mitteilungen aus der Stadtbibliothek Nürnberg, Jg. 13/Heft 2, August 1964. — *Sörgel, Albert:* Dichtung und Dichter der Zeit (Bd. 2); Leipzig 1927. — *Wieszner, Georg Gustav:* Karl Bröger; in: Fränkischer Bund, Heft 1, Nürnberg 1923/24.

III.
Hans Werthners Ölbild aus dem Jahre 1917 gehört den Kunstsammlungen der Stadt Nürnberg (Foto: Hochbauamt der Stadt, Bildstelle). Die Kopie des Originals von dem Gedicht „Der Vater" besitzt die Stadtbibliothek Nürnberg; das Original ist wahrscheinlich verschollen. Die beiden Titel wurden nach den Ausgaben der im Besitz der Nürnberger Stadtbibliothek befindlichen Exemplare wiedergegeben (Fotos, auch des Autographen: Armin Schmidt).

Friedrich Schnack

I.

Gedichtbücher: Das kommende Reich; Vogel Zeitvorbei; Das blaue Geisterhaus; Gesammelte Gedichte; Palisander, Gedichte aus Madagaskar; Die Lebensjahre; Meister des Abends; Gold, Sand und Träne.

Romane: Sebastian im Wald; Beatus und Sabine; Die Orgel des Himmels; Das Zauberauto; Das Waldkind; Der erfrorene Engel.

Naturdichtungen: Das Leben der Schmetterlinge; Sibylle und die Feldblumen; Cornelia und die Heilkräuter; Der glückselige Gärtner; Clarissa mit dem Weidenkörbchen.

Jugendbücher: Klick aus dem Spielzeugladen; Klick und der Goldschatz; Das Mädchen mit dem Diamanten.

Reisedichtungen: Große Insel Madagaskar; Der Maler von Malaya; Der Zauberer von Sansibar.

Sachbücher: Traum vom Paradies; 5000 Jahre Gartenkunst; Rose, Königin der Gärten; Geliebte Rose; Blumen, die man liebt und schenkt; Die Welt der Arbeit in der Kunst; Durch viele Tore ging sein Schritt, Matthäus Merian.

Erzählungen: Petronella im Bauerngarten; und andere Erzählungen; Der Lichtbogen, Falterlegenden.

II.

Augustin, Felix: Friedrich Schnack; in: Hedendaagsche Duitzsche Letterkunde, Amsterdam 1941. — *Elster, Hanns Martin:* Friedrich Schnack, Sein Leben und Schaffen; Düsseldorf 1949. — *Fischer, Hans W.:* Begegnung mit Gedichten, 1952. Im Reiche Pans: Friedrich Schnack. Geliebtes Franken: Friedrich Schnack. Berlin und Darmstadt o. J. — *Hohoff, Curt:* Friedrich Schnack; in: Dichtung und Dichter der Zeit, Düsseldorf 1963. — *Hölzl, Augustine:* Die Kindergeschichten von Friedrich Schnack; Dissertation Wien 1942. — *Lennartz, Franz:* Deutsche Dichter und Schriftsteller unserer Zeit - Schnack, Friedrich; Stuttgart 1963. — *Link, Bernhard:* Friedrich Schnacks Metaphorik; deutsche Prüfungsarbeiten für Schulen, o. O. 1955. — *Maiwurm, Helga:* Der Jugendschriftsteller Friedrich Schnack; o. O. 1956. — *Nadler, Josef:* Literaturgeschichte IV.: Friedrich Schnack; Berlin 1941. Geschichte der deutschen Literatur, Binnenräume: Friedrich Schnack; Wien 1950. — *de Oliveira, Alda Cabral Barbosa:* Aspectos de Naturalismo de Friedrich Schnack; Dissertation Coimbra/Portugal 1959. — *Sarnetzki, Detmar:* Die Dichtung Friedrich Schnacks; in: Schöne Literatur, Leipzig 1929. — *Soergel, Albert:* Dichtung und Dichter der Zeit: Friedrich Schnack; Leipzig 1934. — *Starke, Ottomar:* Der Dichter Friedrich Schnack; in: Ekkehart Jahrbuch, Berlin 1936. Was mein Leben anlangt; Freundschaft mit Friedrich Schnack; Berlin 1956. — *Vischer, Melchior:* Friedrich Schnack; in: Die Bücherstube, München 1925. — *Wittmer, Felix:* Leitmotive und thematische Gestaltung in den Romanen Friedrich Schnacks; in: The Germanic Review, Washington 1926. — *Friedrich Schnack;* Festgabe des Arbeitskreises für deutsche Dichtung; Göttingen 1953. — *Günther, Herbert:* Friedrich Schnack, Ess. 1958 o. O. — *Heuler, Alo:* Laudatio für Friedrich Schnack; Würzburg 1965. — *Schneider, Georg:* Friedrich Schnack zum 80. Geburtstag; München 1968. — *Günther, Herbert:* Laudatio für Friedrich Schnack; München 1968.

III.

Das Bild Friedrich Schnacks wurde aufgenommen von Tita Binz, Mannheim, und, wie die „Jasmin"-Umformung und die seltene „Klingsor"-Ausgabe, direkt vom Autor zur Verfügung gestellt.

Leo Weismantel

I.

Leo Weismantel: Tagebuch einer skandalösen Reise. Bericht über die VI. Weltfestspiele der Jugend und Studenten 1957 in Moskau; Jugenheim 1959. — Lebenserinnerungen; Bd. 1, in der Reihe „Die deutsche Novene", Jugenheim 1963 („Novene" ist ein Begriff aus der röm.-kath. Kirche und die Bezeichnung für eine neuntägige Andachtsfolge zu einem besonderen Anliegen). Die Reihe war eine auf neun Bände geplante Schriftenreihe Leo Weismantels, in der er in der Darstellung seines eigenen Lebens und Schicksals auf ein besonderes Anliegen deutscher Geistesschaffenden an das deutsche Volk und seiner Verantwortlichen aufmerksam machen wollte.

Ferner stand dem Verfasser zur Verfügung: das Manuskript einer Rede über „Die Freiheit des Gewissens", gehalten während des ersten gesamtdeutschen Schriftstellertreffens 1954 auf der Wartburg bei Eisenach.

Weitere Berichte beruhen auf mündlichen Überlieferungen Leo Weismantels und seiner Witwe. Die Schilderung jenes Vorfalls während des „Kunstpädagogischen Kongresses“ 1949 in Fulda wurde dem Verfasser durch einen damaligen Schüler Leo Weismantels übermittelt. Weiterhin: Leo Weismantel, Leben und Werk. Ein Buch des Dankes zu des Dichters 60. Geburtstag; Berlin 1948.

III.

Foto und Deckblatt befinden sich im Besitz der Familie Weismantel und wurden von Werner Weismantel zur Verfügung gestellt.

Ernst Penzoldt

I. und II.

Für Penzoldts Bibliographie sei auf das Bändchen „Lebensabriß und Werkverzeichnis“ verwiesen, das Ernst Heimeran zum 50. Geburtstag des Freundes 1942 zusammenstellte und in seinem Verlag herausgab. Die heute vergriffene Übersicht enthält neben dem Verzeichnis der Schriften (einschließlich Buchbesprechungen) auch eine Aufstellung der von Penzoldt illustrierten Bücher. An diese bibliographische Arbeit Ernst Heimerans, die am 25. 3. 1942 abgeschlossen wurde, schließt ein Überblick an, der 1955 im Jahrbuch der Akademie der Wissenschaft und der Literatur in Mainz, betreut von Hans Schallinger, erschien. Zum 70. Geburtstag des Dichters gab seine Tochter Ulla Lentz-Penzoldt im Suhrkamp-Verlag das Brevier „Leben und Werk von Ernst Penzoldt“ heraus. Dort befinden sich Deutung und Bibliographie auf dem neuesten Stand.

III.

Autograph, Zeichnung und das Foto von Tita Binz stellte Penzoldts Tochter, Ulrike Lentz-Penzoldt, zur Verfügung, die das Münchener Penzoldt-Archiv betreut. Die Vignetten wurden entnommen aus: Ernst Heimeran „Büchermachen - Geschichte eines Verlegers, von ihm selbst erzählt“; München, 3. Aufl. 1959.

Hermann Kesten

I.

Romane

Josef sucht die Freiheit; Berlin 1928, München 1960, 1968. — Ein ausschweifender Mensch; Berlin 1929, Gütersloh 1962. — Glückliche Menschen; Berlin 1931, Kassel 1948, München 1960. — Der Scharlatan; Berlin 1932, München 1965. — Der Gerechte; Amsterdam 1934, München 1967. — Ferdinand und Isabella; Amsterdam 1936. — König Philipp II.; Amsterdam 1938, München 1950, 1969, Frankfurt 1969. — Die Kinder von Gernika; Amsterdam 1939, Wiesbaden 1947, Hamburg 1955, München 1960. — Die Zwillinge von Nürnberg; Amsterdam 1947, Frankfurt a. M. 1950. — Die fremden Götter; Amsterdam-Wien-Frankfurt a. M. 1949, München 1960. — Um die Krone - Der Mohr von Kastilien; München 1952, 1956. — Sieg der Dämonen - Ferdinand und Isabella; München 1953. — Ein Sohn des Glücks; München 1955, 1966. — Bücher der Liebe; 4 Romane, München 1960. — Die Abenteuer eines Moralisten; München 1961, 1964, 1969. — Die Zeit der Narren; München 1966.

Biographien und Essays

Copernicus und seine Welt; Amsterdam 1948, Frankfurt a. M. 1952, München 1958, 1970. — Casanova; München 1952, 1959, Frankfurt a. M. 1962, München 1970. — Meine Freunde die Poeten; Wien-München 1953, München 1959, 1961, 1967, Frankfurt a. M. 1970. — Dichter im Café; München 1959, Frankfurt a. M. 1960, München 1965. — Der Geist der Unruhe; Literarische Streifzüge, Köln 1959. — Filialen des Parnaß; München 1961, 1967. — Lauter Literaten; München 1963, 1966. — Deutsche Literatur im Exil; München 1964. — Die Lust am Leben; München 1968, 1970. — Ein Optimist. Beobachtungen unterwegs; München 1970.

Novellen

Die Liebesehe. Zwei Novellen; Berlin 1929. — Die Liebesehe. 18 Novellen; Wien 1948. — Mit Geduld kann man sogar das Leben aushalten. Sieben Novellen; Stuttgart 1957. — Die dreißig Erzählungen von Hermann Kesten; München 1962, 1967.

Dramen

Maud liebt beide; Berlin 1928. — Admet; Berlin 1928. — Babel oder der Weg zur Macht; Berlin 1929. — Wohnungsnot oder die Heilige Familie; Berlin 1929. — Einer sagt die Wahrheit; Berlin 1930. — Wunder in Amerika (mit Ernst Toller); Berlin 1931.

Anthologien

24 neue deutsche Erzähler; Berlin 1929. — Neue französische Erzähler; Berlin 1930. — Novellen deutscher Dichter der Gegenwart (Der Scheiterhaufen); Amsterdam 1933. — Die blaue Blume. Die schön-

sten Geschichten der Romantiker; Köln 1955, 1960. – Unsere Zeit. Die besten deutschen Erzählungen des 20. Jahrhunderts; Köln 1956, 1961. – Heart of Europe, an anthology of creative writing in Europe, 1920-1940 (mit Klaus Mann); New York 1943, 1944. – Die wirkliche Welt. Realistische Erzähler; Köln 1962. – Europa heute. Die europäische Literatur nach 1945; München 1963. – Ich lebe nicht in der Bundesrepublik; München 1964.

Herausgeber oder Verfasser des Vorworts

René Schickele: Heimkehr; Straßburg 1938. – *Heinrich Heine:* Meisterwerke in Vers und Prosa; Amsterdam/Stockholm 1939. – *Heinrich Heine:* Works of Prose; New York 1943, London 1944. – *Heinrich Heine:* Germany; New York 1944. – *Emile Zola:* The Masterpiece; New York 1946. – *Irmgard Keun:* Ferdinand; Düsseldorf 1951. – *Josef Kallinikow:* Frauen und Mönche; Berlin 1952. – *Joseph Roth:* Gesammelte Werke in 3 Bdn.; Köln-Amsterdam 1956. – Die schönsten Liebesgeschichten der Welt; München 1957. – *Kurt Tucholsky:* Man sollte mal . . . ; Frankfurt a. M. 1957. – *Erich Kästner:* Gesammelte Werke in 7 Bdn.; Köln und Zürich 1958, München 1969. – Menschen in Rom; Gütersloh 1959. – *René Schickele:* Werke in 3 Bdn.; Köln 1960/61. – *Heinrich Heine:* Prosa; München-Zürich 1961. – *G. E. Lessing:* Werke in 3 Bdn.; Frankfurt a. M. 1962. – *Lorenzo da Ponte:* Memoiren; Tübingen 1969. – *Aretino:* Die Gespräche; Hamburg 1962. – *Ernst Weiss:* Der Augenzeuge; München 1963. – *Fritz Heymann:* Der Chevalier van Geldern; Köln 1963. – *Klaus Mann:* Die Kindernovelle; München 1964. – *Willy Haas:* Gestalten; Berlin 1962. – *Pieter Grashoff:* Niederländische Erzähler der Gegenwart; Stuttgart 1966. – *Joseph Roth:* Briefe; Köln 1970.

Übersetzungen der Werke von Hermann Kesten erschienen in folgenden Sprachen und Ländern: Chinesisch, Dänisch, Englisch (Großbritannien, Kanada, USA), Französisch, Hebräisch, Holländisch, Italienisch, Japanisch, Jiddisch, Kroatisch, Norwegisch, Polnisch, Portugiesisch, Schwedisch, Serbisch, Slowenisch, Spanisch (Spanien, Argentinien, Chile, Mexiko), Tschechisch, Ungarisch usw.

II.

Bertaux, Felix: Panorama de La Littérature Allemande; Paris 1931. – *Berendsohn, Walter A.:* Die humanistische Front, Bd. 1; Zürich 1945. – *Buhl, Wolfgang:* Ein Freund der Menschen. Hermann Kesten zum 70. Geburtstag; in: Tribüne 32/1969. – Oprecht Columbia Dictionary of Modern European Literature New York 1957, Columbia University Press. – *Döblin, Alfred:* Die deutsche Literatur im Ausland seit 1933; Paris 1939, Editions Science et Littérature. – *Drews, Richard* und *Kantorowicz, Alfred:* Verboten und verbrannt; Berlin-München 1947. – *Fehse, Willi:* Nachwort zu: Mit Geduld kann man sogar das Leben aushalten; Stuttgart 1957. – *Kästner, Erich:* Einleitung zu: Glückliche Menschen; Kassel 1948. – *Harriet Schleber,* Vorwort zu: Copernicus und seine Welt; München 1954, Vorwort zu: Bücher der Liebe; 4 Romane, München 1960. – *Keun, Irmgard:* Wenn wir alle gut wären . . .; Düsseldorf 1956/57. – *Kohlschmidt, Werner* und *Mohr, Wolfgang:* Reallexikon der deutschen Literatur; Berlin 1956. – *Mahrholz, Werner:* Deutsche Dichtung der Gegenwart; Berlin 1933. – *Maione, Italo:* Dall'Espressionismo al Neorealismo Tedesco; Napoli 1957, Libreria Scientifica. La Germania Espressionista; Napoli 1958, Libreria Scientifica. – *Mann, Heinrich:* Die geistige Lage. 1931; Gesammelte Werke Essays, Bd. I, Berlin und Hamburg 1955. – *Mann, Klaus:* Der Wendepunkt; Frankfurt 1932. – *Mann, Thomas:* Einleitung zu: Les Enfants de Guernica; Paris 1954. – *Calmann-Levy:* Martello; Gesammelte Werke: Aufsätze. Briefe; Hamburg 1955, Rororo, Milano 1955. – *Mann, Thomas* und *Mann, Heinrich:* Briefwechsel; Frankfurt 1968. – *Marcuse, Ludwig:* Die Zeit; Hamburg (2 Aufsätze). – *Margueritte, Victor:* Joseph cherche la liberté; La Victoire; Paris 1928. – *Mehring, Walter:* Ferdinand und Isabella; New York 1947. – *Necco, Giovanni:* Hermann Kesten in Storia della Letteratura Tedesca; Milano 1957. – *Pfeiler, Wm. K.:* German Literature in Exile; The Concern of the Poets, Nebraska 1957. – *Prescott, Orville:* HK in the Modern American Novel, New York 1951. – *Rinser, Luise:* Rebellion gegen das Heute; Die Neue Zeitung, München 1. 7. 50. Ein Sohn des Glücks; Die Weltwoche, Zürich 9. 12. 1955. – *Rocca, Enrico:* Storia della Lettera Tedesca Dal 1870 al 1933; Firenze 1950. – *Rombach, Otto:* HK in: Deutsche Zeitung, Stuttgart 25. 11. 1949. – HK in: Deutsche Zeitung, Stuttgart 20. 12. 1950. – *Roth, Josef:* Ein ausschweifender Mensch; Frankfurter Zeitung 24. 3. 1929. – Die Liebesehe; Die Literarische Welt, Berlin 1. 11. 1929. Admet; Berliner Tageblatt 1. 12. 1929. Der Scharlatan; Die Neue Rundschau Berlin XII. 1932. Niederlage der Gerechtigkeit; Neues Tagebuch; Paris 26. 5. 1934. – *Roth, Josef:* HK Gesammelte Werke; Bd. 3, Köln 1956. – *Schneider, Reinhold:* Der Entwurf eines Zeitbildes; Die Neue Zeitung, München 15. 7. 1951. – *Schoenberner, Franz:* Bekenntnisse eines deutschen Intellektuellen; München 1966, Kreiselmeier-Verlag. – *Sieburg, Friedrich:* Trotz Mozart Casanova; Die Gegenwart, Frankfurt 14. 3. 1952. – *Sperber, Manes:* Le Romancier éternel intrus; La Table Ronde, Paris I. 1954. – Die Welt, Hamburg, Kestens Novellen. – *Tecchi, Bonaventura:* Scrittori Tedeschi del'900. Firenze 1941, Milano 1943. Scrittori Tedeschi Moderni, Roma 1959, Ediz. di Storiae Letteratura. – *Toller, Ernst:* HK in: Die Sammlung; Amsterdam 1935. Ferdinand und Isabella; Das Neue Tagebuch, Paris 1937. – *Undset, Sigrid:* HK in: New York Times Book Review 1943. – *Weber, Werner:* Ein Zeitgenosse über Zeitgenossen; Neue Züricher Zeitung 10. 1. 1954. HK mit sechzig; 1960 NZZ. – *Weiskopf, F. C.:* Unter Fremden Himmeln; Leipzig 1947. – *Weiskopf, Franz Carl:*

The Twins of Nuremberg; The Saturday Review of Literature. NY 11. 5. 1946. Happy Man, 19. 4. 1947. — *Weiss, Ernst:* Die Kinder von Gernika; Die zwei Brüder; Das Neue Tagebuch. — *Wirz, Otto:* Der Scharlatan; NZZ, Zürich 1. 12. 1932. Ferdinand und Isabella; NZZ Zürich 1937. Die Kinder von Gernika Bund; Bern 11. 1939. — *Wolfenstein, Alfred:* Die Liebesehe; Reclams Universum, Leipzig 1929, Paris 1938. — *Zweig, Stefan:* Glückliche Menschen; Berliner Tageblatt 1931.

III.

Das Foto der Familie Kesten aus dem Jahre 1910 und das Autograph stellte Hermann Kesten zur Verfügung. Für das Foto vor der Meistersingerhalle: Archiv „Abendzeitung", Ausgabe Nürnberg; die Zeichnung befindet sich im Besitz von Michael Mathias Prechtl. Der Holzschnitt Noldes wurde der Taschenbuch-Ausgabe des Romans „Josef sucht die Freiheit" entnommen.

Ernst Heimeran

(Bibliographie seiner Buchveröffentlichungen)

I.

Schaubuch berühmter deutscher Zeitgenossen; in Werken Bildender Kunst, EHV 1925. Ab 2. Aufl. 1929 unter dem Titel Werde berühmt. — Antike Weisheit für moderne Menschen; mit Michel Hoffmann. Lateinisch-griechisch-deutsch. Ein Band der Tusculum-Reihe, EHV 1931. — Namenbüchlein. 400 Vornamen für Deutsche, nach ihren Schicksalen erzählt und erläutert; mit Vignetten von Ernst Penzoldt, EHV 1933. Ab 10. Aufl. 1958 unter dem Titel: Vornamenbüchlein. — Echter Hunderjähriger Kalender. Aufgefunden und nach dem eigenhändigen Konzept des Abtes Mauritius Knauer von 1652 und den ältesten Handschriften zum erstenmal vollständig herausgegeben, verdeutscht und für das zwanzigste Jahrhundert erläutert; EHV 1934. — Trostbüchlein in allen Lebenslagen. 350 tröstliche Anekdoten, Gedichte, Sinnsprüche, aus deutschen Schriften gezogen; EHV 1934. — Glückwunschbüchlein für alle Gelegenheiten; EHV 1935. — Unfreiwilliger Humor; erste Einzelausgabe 1935. Seit 1948 mit: Ernstgemeint zusammengefaßt. EHV. — Spielbuch für Erwachsene; EHV 1935. — Die lieben Verwandten. 15 kleine Charakterbilder; EHV 1936. — Die Geschichten des Ritters von Lang. Aus seinen Werken gezogen; EHV 1936. Ab 2. Aufl. 1944 unter dem Titel: Die scharfe Zunge. — Das stillvergnügte Streichquartett mit Bruno Aulich. Ein Lern-, Lese- und Nachschlagebuch für Freunde häuslicher Musik, EHV 1936, 1938 ins Englische übersetzt, 1956 ins Holländische übersetzt. — Ernstgemeint. Entgleisungen in Poesie und Prosa; EHV 1937. — Anstandsbuch für Anständige. Von Gestern und Heute des guten Tons; EHV 1937. — Der bequeme Schifahrer. Tagestouren von München aus, mit Guido Müller; EHV 1937. — Der Vater und sein erstes Kind; EHV 1938, 1947 ins Schwedische übersetzt, 1960 ins Holländische übersetzt. — Von den guten Eigenschaften. Ein Handorakel der Lebensführung; unter dem Pseudonym Albrecht Haller; EHV 1939. — Hinaus in die Ferne mit Butterbrot und Speck. Die schönsten Parodien von Goethe bis George; EHV 1943. — Christiane und Till; erstmals bei Huber & Co., Frauenfeld/Schweiz 1944, im EHV 1947. — Gute Besserung; Zürich 1946. — Büchermachen. Geschichte eines Verlegers, von ihm selbst erzählt; EHV 1947. — Grundstück gesucht. Ein Traum und seine Wirklichkeit; erstmals bei Huber & Co., Frauenfeld/Schweiz 1947, im EHV 1950.

Bibliographie Heimeran

Frühlingssonate. Erzählung einer ersten Liebe; erstmals im Dulk-Verlag, Hamburg 1948. Ab 1958 im EHV. — Glück mit Kindern; Zürich 1950. — Garteneinmaleins. Eine Fibel für Gartenfreunde, die wenig Zeit und wenig Geld haben; mit Irmgard Zacharias, EHV 1951. — Alter Witz. Eine kleine Typensammlung; EHV 1952. — Familienalbum; EHV 1952. — Lehrer, die wir hatten; EHV 1954. — Die Ahnenbilder; Frauenfeld/Schweiz 1954. — Frühling, Sommer, Herbst und Winter; Frauenfeld/Schweiz 1954. — Professor Kalauers ausgewählte musikalische Schriften; EHV 1954. — Sonntagsgespräche mit Nele; EHV 1955. — Der Verlagsvertreter; EHV 1956. — Es hat alles sein Gutes; List-Bücherei, München 1956. — Der schwarze Schimmel; München 1956. — Der Haushalt als eine schöne Kunst betrachtet; Herder-Bücherei, Freiburg i. Br. 1959. — Zauber der Weihnacht; EHV 1962. — Lauter wahre Geschichten. Ernst Heimeran erzählt; EHV 1969.

Als Neujahrsgaben im EHV

Für den Freundeskreis Heimeran-Penzoldt; EHV 1955. — Der Kellner Fritz. Erzählung; EHV 1956.

Allererste Verlagstat

Der Zwiestrolch. Eine Schrift jugendlicher Offenbarung. Zweimonatsschrift der Unmündigen für Literatur, Musik und Originalgraphik. 1917/18.

Neu

Von Büchern und vom Büchermachen; Verlag Dokumentation, München-Pullach. — Lauter wahre Geschichten. EHV 1969. Ernst Heimeran erzählt.

III.
Foto und Autograph Ernst Heimerans wurden vom Heimeran-Verlag zur Verfügung gestellt. Die Umschlagseite aus dem „Zwiestrolch" wurde Heimerans Bändchen „Büchermachen, Geschichten eines Verlegers von ihm selbst erzählt", Heimeran-Verlag 1959, entnommen; Darin auch ein chronologisches Verzeichnis sämtlicher Verlagswerke bis 1959. Das Faksimile des Anagramms stammt aus der Broschüre „Für den Freundeskreis Heimeran-Penzoldt", das Titelblatt zum „Stillvergnügten Streichquartett" aus der 16. Auflage des Buches.

Friedrich Hagen

I.
Friedrich Hagen: Die Legende vom Tod; Mysterienspiel 23. – Weinberg der Zeit; Lyrik 49. – Paroles à face humaine; Lyrik 49. – *Paul Eluard:* Essay 49. – Paris 55, 56, 58 (auch französisch). – Zwischen Stern und Spiegel; Essay 56. – *Kirszenbaum:* Essay 61 (in franz. Sprache). – Die Kelter des Zorns; Roman 63 (auch franz.). – *Leo Maillet:* Essay 66. – *Paul Eluard:* Auswahl und Essay 56. – Leben und Werk des Jean Cocteau; Auswahl und Essay 61.

Übersetzungen:
Paul Eluard: Immerwährende Dichtung 46. – *Elsa Triolet:* Die Liebenden von Avignon 49. – *Jules Supervielle:* Scheherazade 50. – *André Gide:* Die Verliese des Vatikans 50. – *Jean Cocteau:* Der große Sprung 51, 56. – *Julien Gracq:* Das Ufer der Syrten 52. – *Louise de Vilmorin:* Julietta 53, 55. – *Renée Lang:* André Gide und der deutsche Geist 53. – *Jean Cocteau:* Die Schwierigkeit zu sein 58. – *Albert Simonin:* Wenn es Nacht wird in Paris 58. – *Alexis Curvers:* Tempo di Roma 58. – *Pieyre de Mandiargues:* Lilie des Meeres 59. – *Jean Cocteau:* Die mißverstandene Gattin 64. – *Jean Cocteau:* Opium 66. – *André Malraux:* Lockung des Okzidents 66. – *Jean Cocteau:* Meine Reise um die Welt in 80 Tagen 67. – usw.

Rundfunk:
Schulfunkspiele 31 - 32. – Kulturfunk und politische Kommentare 46-50.

Hörspiele: Arthur Rimbaud 54. – Brillat-Savarin 55. – Gérard de Nerval 58. – André Maurois 60. – Théophile Gautier 61. – Charles d'Orléans 64. – Charles Cros 65. – Charles Baudelaire 67. – François Mauriac 69. – Hans Sachs 68. – usw.

Rundfunkvorträge: Kleine Insel Franken 67. – Komputers 68. – Erinnerung an Jean Cocteau 68. – usw.

Zahlreiche Zeitungsartikel über das französische Geistesleben.

III.
Friedrich Hagens Foto wurde aufgenommen von Leo Maillet, ein Faksimile der Zeichnung von Jean Cocteau aus dem Jahre 1956 befindet sich im Besitz der Stadtbibliothek Nürnberg, das Autograph wurde vom Autor zur Verfügung gestellt.

NAMENREGISTER

TITELREGISTER

Titel-Vignette (aus dem Penzoldt-Archiv) zu dem Buch „Fliegenkleckse“ von Fritz Fliege, zum 60. Geburtstag von Ernst Penzoldt 1952 erschienen bei Heimeran in München: „Ich heiße Penzoldt und bin, wie man sieht, ein Büchermensch.“ Vergleiche dazu Giuseppe Arcimboldis „Bibliothekar“, mit dem Harsdörffer sein „Schauspiel Teutscher Sprichwörter“ illustrierte (Seite 311)

Obwohl Danksagungen aus der Mode gekommen sind und mancherorts sogar für suspekt gehalten werden, sei diese Sitte für dieses Buch wieder aufgenommen. Sein Umfang bedingte viele Teilhaber. Neben den Autoren dankt der Herausgeber dem Mitgesellschafter des Verlages Nürnberger Presse, Dr. Joseph E. Drexel, der für die Ausstattung erhebliche Mittel zur Verfügung stellte. Gleicher Dank gebührt dem Intendanten des Bayerischen Rundfunks, Christian Wallenreiter, dem Programmdirektor des Senders, Walter von Cube, Konrad Michel, dem Leiter des Studios Nürnberg, und Josef Othmar Zöller, dem Leiter der Regionalabteilung, die das nun gesammelt vorliegende Programm förderten, obwohl es Inhalt und Form einer Regionalsendung zuweilen eigenwillig auszulegen hatte. Für Beratung des älteren Teils ist Dr. Erich Straßner, Oberkonservator am Deutschen Seminar der Universität Erlangen-Nürnberg, zu danken. Die Bildauswahl erleichterte die mitunter beinahe fahrlässig unbürokratische Mitarbeit der Stadtbibliothek Nürnberg. Der Herausgeber dankt ihrem Direktor Dr. Karlheinz Goldmann und Bibliotheksoberinspektor Gebhard Büche. Bei Gestaltung und Umbruch waren Hans Grillenberger und Michael Mathias Prechtl unentbehrlich. Zu guter Letzt ein völlig unzeitgemäßes Gratiale: an die eigene Frau; Renate Buhl betreute die Register.

Nürnberg, im November 1970 — Wolfgang Buhl